D1218073
STRAND PRICE
$ 5.00

FACE À L'HISTOIRE

Couverture :
Victor Brauner
Sans titre (Hitler), 1934.
Ancienne collection
André Breton,
collection particulière.

Flammarion

Centre
Georges Pompidou

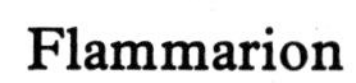

Conception
et réalisation
Jean-Paul
Ameline

HISTOIRE

1933 1996

L'artiste
moderne
devant
l'événement
historique

Face à l'Histoire 1933-1996

L'artiste moderne devant l'événement historique

Centre national d'art et de culture Georges Pompidou

Grande Galerie 1933-1980
Galerie Nord 1980-1996

19 décembre 1996
7 avril 1997

Commissariat

Jean-Paul Ameline,
commissaire général

1933-1945 : Brigitte Léal,
conservateur
au musée Picasso, Paris

1946-1959 : Jean-Paul Ameline,
conservateur en chef au Mnam-Cci

1960-1979 : Marc Bormand,
conservateur au Mnam-Cci

1980-1996 : Chris Dercon,
directeur du musée Boijmans Van Beuningen, Rotterdam

Photographie : Michel Frizot,
directeur de recherche au CNRS, Paris

Affiches et multiples :
Jacqueline Boyer-Stanic,
chargée d'études et de réalisations culturelles, Mnam-Cci

Documents littéraires :
Blandine Benoît,
conservateur à la Bpi

Yves Bergeret,
conservateur en chef à la Bpi

Conseiller historique :
Laurent Gervereau,
conservateur du musée d'Histoire contemporaine-BDIC, Paris

Conseil scientifique

David Elliott,
directeur du Museum of Modern Art, Oxford

Michel Frizot,
directeur de recherche au CNRS

Laurent Gervereau,
conservateur du musée d'Histoire contemporaine-BDIC

Günter Metken,
historien d'art

Marie Luise Syring,
conservateur à la Kunsthalle de Düsseldorf

Exposition

Directeur de la production

Sophie Aurand

Réalisation et coordination

Martine Silie, chef du service des manifestations

Catherine Duruel
Claire Both
Cathy Gicquel
Emmanuelle Menuet

Claire Blanchon pour la Galerie Nord

Caroline Arhuero, assistante de Chris Dercon

Secrétariat

Christine Bolron
Mireille Devals
Orida Djada
Annie Lanuza

Architecture et réalisations muséographiques

Katia Lafitte, chef de service

Olivier Legrand, architecte-scénographe

assisté de Laurence Lebris, architecte d'opération pour la Galerie Nord

avec la collaboration de Stéphanie Braundes, Alexandra Bodji, Myriam Sauthier

Colette Oger, chargée de production

Robert Groborne, mise en espace des documents littéraires

Régie des œuvres

Annie Boucher, chef de service

Malika Djermane, régisseur

assistée de Merja Laukia

Delphine Davenier, Galerie Nord

Régie d'espace

André Toutcheff, Grande Galerie

assisté de Francis Boisnard et de Michel Naït

Gérard Herbaux, Galerie Nord

Éclairage

Jacques Rodrigues, Grande Galerie

Philippe Fourrier, Galerie Nord

Œuvres électriques

Michel Boukreis

assisté de Salim Saoud

Moyens techniques

Ateliers du Mnam-Cci

Restauration

Jacques Hourrière
Isabelle Lambert
Astrid Lorenzen
Corinne Prévost
Ingrid Novion
Eva Schwan
Catherine Goupil
Serge Tiers

Service audiovisuel

Harouth Bezdjian, chef de service

Myriam Bezdjian, chargée de production

William Chamay, chargé de production

Vahid Hamidi et son équipe, exploitation

Philippe Puicouyoul, réalisateur

Amel Bourouina, recherches documentaires audiovisuelles

Manifestations et spectacles

Marcel Bonnaud, directeur

Cinéma

Jean-Loup Passek, conseiller

Programmation :
Sylvie Astric
Jean-Michel Bouhours
Christian Delage

Service éducatif

Véronique Hahn, chef de service

Marc Archambault
Jean-Bernard Simoni
Yari Vaniscotte

Communication

Jean-Pierre Biron, directeur

assisté de Dominique Reynier

Marie-Jo Poisson Nguyen, adjoint

Carol Rio, responsable du Pôle Presse

Nathalie Garnier, attachée de presse

Anne de Nesle, relations publiques

Clarence Jaccard, partenariat

Christian Beyneton, création graphique

Signalétique

Yves Le Bas
Dominique Leclaire

Recherches documentaires pour l'exposition et la chronologie du catalogue

Documentalistes

Marion Hohlfeldt

Jacqueline Boyer-Stanic

assistée de Tanja Seeböck (Allemagne)

Leanne Sacramone

avec la collaboration de Gaetane Verna (États-Unis)

Muriel Berthier, Frank Lamy (France)

Rita Cusimano (Italie)

François Fontaine, Philippe Groscaux (photographie)

ainsi que

Julia Garimorth (Autriche)

Sheila Madalozzo (Brésil)

Hsiao-Hwei Yu (Chine)

Eva Teixidor Aranegui, Violaine Raimbaud (Espagne)

Vanessa de Mestier du Bourg (Grande Bretagne)

Yoko Hayashi, Keiko Imaï, Masae Ishizuka, Motoko Nakamura (Japon)

Dominique Olariu (Pays-Bas, Roumanie)

Macha Daniel, Tatiana Mojenok (Russie)

Christine Vendredi (Tchécoslovaquie)

Ana Krsmanovic (Yougoslavie, Hongrie)

Danielle March, Anne Riottot (vidéo)

Nous remercions également pour leur aide

Muriel Atride
Cécile Barrault
Frédérique Barre
Charlotte Boutet
Sandrine Chavignier
Cécile Debray
Josée Delsaut
Anne-Catherine Ferry
Véronique Hergault
Iva Ianakova
Stéphanie Jamet
Nadine Jesusek
Sung-Won Kim
Guitmie Maldonnado
Geneviève Munier
Agnès Nobile
Joanna Papantoniou
Muriel Rausch
Gaëlle Rohmer
Joëlle Rondi
Noëllie Roussel
Zoé Rumeau
Domenica Angela Sanna
Agnès Tabareau
Amélie Vallon
Valérie Vergez
Erik Verhagen
Yvanne Vieuille

Documentation du Mnam-Cci

Jean-Paul Oddos, directeur

Teresita Araya-Young (Amérique latine)

Dominique Bornhauser (Amérique latine)

Agnès de Bretagne (périodiques)

Vlasta Vogel (Tchécoslovaquie)

Katarzyna Zerkovski (Pologne)

Rédaction de la chronologie

Jean-Paul Ameline
Harry Bellet
Caroline Edde
Camille Morineau
Violaine Raimbaud

Coordination documentaire :
Rita Cusimano

Secrétariat de rédaction :
Caroline Edde

Édition

Directeur d'ouvrage

Harry Bellet

Conception graphique et mise en page

Jean-Pierre Jauneau

Chargée d'édition

Marina Lewisch

assistée de Françoise Maréchal, Marie-Thérèse Mazel-Roca, Anne Séror

Coordination du service éditiorial

Françoise Marquet

Recherche iconographique

Suzanne Edina Bernard
Martine Ravache

Assistante d'édition

Odile Perret

avec la collaboration de Pauline Bauguil, Emmanuelle Henry, Caroline Leroi, Stéphanie Le Roux

Traducteurs

Carole Belarach
Isabelle Bellet
Geoffroy de Bondy
Muriel Caron
Nicolas Cazelles
Nicole Dizdarevic
Corinne Graber-Guillou
Joris Lacoste
Marina Lewisch
Marie-Thérèse Mazel-Roca
Claire Mulkai
Marc Payen
Marine Planche
Catherine Terrier

Photographes

Jacques Faujour
Jean-Claude Planchet
Adam Rzepka

Éditions et action commerciale

Philippe Bidaine

Gestion des droits

Claudine Guillon

Administration

Nicole Parmentier

Relations presse

Danièle Alers

Fabrication

Jacky Pouplard

© Éditions du
Centre Pompidou, Paris, 1996
ISBN : 2-85850-898-4
N° d'éditeur : 1030

© Flammarion, Paris, 1996

Dépôt légal :
décembre 1996

Remerciements

Que les musées, institutions, galeries et collectionneurs, mentionnés dans la liste des œuvres, qui ont contribué par leurs prêts à la réalisation de cette exposition, trouvent ici l'expression de notre profonde gratitude.

Nous tenons également à remercier chaleureusement toutes les personnes dont les noms suivent, ainsi que celles qui ont préféré garder l'anonymat, pour leur aide précieuse :

Daniel Abadie
Luce Abélès
Petra Albrecht
Troels Andersen
Jean-Louis Andral
Jean-Robert Arnaud

Art 5 III Galerie Inge Herbert, Berlin

Association Jan Huss, Paris et Brno

Pierre Astier
Jean Aubert

Irma Auclert, La Galcante

Sharon Avery-Fahlström
Ida Balboul
Véronique Balu
Laure Barbizet
Christian Baute
Gabriella Belli
Monika Berger
Hanne Bergius
Christian Bernard
Catherine Bernad-Gruber
Marie-Laure Bernadac
André Berne-Joffroy
José Berni
Gwen Bitz
Anne-Marie Blancheney
Thérèse Blondet
Archivio Alighiero Boetti
Catarina Boetti
Maria Bohusz
Jessica Boissel
Philippe Bouchet
Pascale Budillon-Puma
Pierre Buraglio
M. Callu-Merite
Pierre et Beverly Calté
Elizabeth Cowling
Edwin Carels
Studio Casoli
Nicolas Cendo
Joaquin Cervera
Noëlle Chabert
Jacqueline Chambon

Edwige Charey, Les Archives de la Presse

Jean-Pierre Chauvet
Olivier Corpet
Claude Couffon
Olivier Cousinou
François Crémieux
Véronique Dabin
Lisa Daum
Catherine David
Lina Davidoff

François Debouté, *Paris-Match*, Paris

Madame Thierry Delaroyère

Piero Del Giudice, Edizioni ED, Trieste

Giovanna Della Chiesa
Galerie Marisa Del Re
Frank Demaegd
Pierrette Demolon
Nello Di Meo
Jean-Claude Drouin
Fabienne Dumont
Jacques Dupin
Liliane et Michel Durand-Dessert
Brigitte Edel-Sanson
Patrick Eliott
Andreï Erofeev
Ute Eskildsen
Paloma Esteban Léal
Savine Faupin
Nicole Fenosa
Catherine Ferbos-Nakov
Evelyne Ferlay
Yona Fischer
Marcel Fleiss
Lucien Fleury

Fondazione Carlo Levi, Rome

Fototeca Fratelli Alinari, Florence

Yves de Fontbrune
Françoise de Franclieu

Melanie Franklin, The New Museum of Contemporary Art, New York

Jean-Michel Frodon
Galerie Claude Bernard
Galerie Pierre Brullé
Galerie Jennifer Flay
Galerie Gabrielle Maubrie

Galleria Claudia Gian Ferrari, Milan

Jean-Claude Garreta
Bruno Giacometti
Frits Gierstberg
Eckhard Gillen
Jean-François Giraudeau

Gérard Golen, Les Archives de la Presse

Marta Gonzalez
Sylvie Gonzalez

Marian Goodman Gallery, New York

Jean-Michel Goutier
Karola Grasslin
Jean-François Grenet
Catherine Grenier
Robert Groborne
Mme George Gruber
Michel Guerrin
Noëlle Guibert
Jean-François Guillou
Nehama Guralnik
Michaela Hajkova
Jacqueline Hélion
Klaus Herding
Denis Hirson
Joseph Hue
Jean Hugues
Pontus Hulten
Vladimir Jadek
Jacqueline Jahan
Marie Judlova

Françoise Juillard
Galina Kabakov
Jean-Paul Kahn
Jacqueline Kapera
Vladimir Karfik
Hiroko Kawahara
Walter Keller
Catherine Kinley
Dieter Koepplin
John Franklin Koenig
Kaspar König
Maryan Kornely
Christina Kotrouzinis
Susie Kravets
Jan Kriz
Jan Krugier
Jutta Küpper
Jacqueline Lafargue
Caroline de Lambertye
Jean-Claude Lamezec
Magali Lara
Quentin Laurens
Lou Laurin Lam
Jean-Jacques Lebel
Christian Lebrat
Georgiana Lecléry
Sheila Leirner
Nathalie Leleu
Serge Lemoine
Françoise Levaillant
Meryl Levin
Linda Liang
William Lieberman
Annick Lionel-Marie
Bernard Lirman
Susan Litecky
Literatur Archiv, Marbach
Astrid Lorenzen
Isabelle Maeght

Gino Di Maggio/Fondation Mudima

Ferruccio Malandrini
Daniel Malingue
Loïc Malle
Pierre Marcelle
Claire Marchandise
Studio Marconi
Jean-Hubert Martin
Mary-Ann Martin
Sophie Martin
Paule Mazouet
Mady Menier
René Ménil

Mario Mergoni, Edizioni ED, Trieste

Frédérique Mersch, La Galcante

Dr. Almedina Mesanovic
Dr. Jochen Meyer
Eric Michaud
Odile Michel
Massimo Mininc
Elisabeth Mognetti
Isabelle Monod-Fontaine
Dominique Murgia
Ingrid Novion
Hans-Ulrich Obrist
Maïte Ocaña
Naomi Okabe
Josef Ortner
Didier Ottinger
Christian Passeri
Krisztina Passuth
Elisabeth Pastwa

Maria-Pia de Paulis
Anthony Penrose
Christian Perazzone
Serge Perrot
André-François Petit
Yves Peyré
Claude et Sydney Picasso
M. et Mme David N. Pincus
Maria Pistoletto

Chantal Poitrot, Présence africaine

Jacques Polieri
Agnès de Poortere
Elena Potickova
Timothey Potts
Nadine Pouillon
Galerie Protée
Jacqueline de Proyart
Chantal Quirot
Michel Ragon
Georges Raillard
Ruth Rattenbury
Nancy Reddin Kienholz
Filip Regner
Gérard Régnier
Denise René
Claudie Rigault

Maaike Ritsema, Witte de With Center

Suzanne Ritter-Vernet
Nathalie Roussarie
Danièle Roussel
Antonio Saura
Anne-Marie Sauzeau
Véronique Schiltz
Guy Schlocker
André Schoeller
Klaus Schrenck
Arturo Schwarz
Hélène Seckel
Didier Semin
Véronique Serrano
Jiri Sevcik
Ann Simpson

Nicole Sottiaux, Centre Wallonie-Bruxelles, Paris

François Stahly

Michèle Stanescu, Centre d'art contemporain, Bruxelles

Jonas Storsve
Claire Stoullig
Jeanne Sudour
David Sylvester
Andrea Tabozzi
Vivianne Tarenne

Roger Thérond, *Paris-Match*, Paris

Catherine Thieck
Jack Tilton
Paule Tourniac
Olga Uhrova

Stephan Urbaschek, DIA Center for the Arts, New York

Adriadne Urlus, Witte de With, Rotterdam

Lisa Usdan
Gertje Utley
Danièle Valin

Mariette van der Waal, Boijmans Van Beuningen, Rotterdam

Bregtje Van der Haak

Paul van Gennip, Witte de With, Rotterdam

Florry van Schendel, Boijmans Van Beuningen, Rotterdam

Raymond van Vliet

Hélène Véret, *Life*, Paris

Netta Vespignani
Brigitte Vincens
Hélène Vincent
Jan Vladislav
José Vovelle
Abdourahman Waberi
Angela Weight
Alain Weill
Evelyne Weiss

Françoise Widhoff, Films de l'Astrophore, Paris

Italo Zannier
Amélie I. Ziersch

Nous remercions aussi

Jana Claverie, Mnam-Cci

Cyrille et Olga Makhroff, Mnam-Cci

ainsi que nos collègues qui, par leurs conseils ou leur aide, ont permis l'enrichissement du contenu scientifique de l'exposition.

1933 1945

1946 1959

Sommaire

1960-1979

1980-1996

* Les œuvres reproduites en couleur dans ces pages sont regroupées selon le parcours de l'exposition « Face à l'Histoire ». L'exposition présente également des œuvres reproduites en noir et blanc dans les textes d'auteurs.

Hors l'histoire, face à l'histoire

À André Malraux — **Pour le vingtième anniversaire de sa mort**

Jean-Jacques Aillagon

Le 23 novembre 1976 disparaissait André Malraux. Deux mois plus tard, le 31 janvier 1977, le Centre national d'art et de culture Georges Pompidou ouvrait ses portes.

La contiguïté de ces deux événements, peu relevée par les observateurs de l'époque, trouve, vingt ans plus tard, dans la coïncidence de leur commémoration, un relief et un sens nouveaux. C'est, sans doute, l'un des intérêts principaux du phénomène commémoratif que d'inviter ainsi à relire, à relier, à remettre en perspective, à traduire l'histoire.

André Malraux n'a pu voir l'ouverture du Centre Georges Pompidou, à la conception et à la mise en œuvre duquel il n'avait, d'ailleurs, pas participé, ayant fait, dès le départ du général de Gaulle, en 1969, le choix de se retirer des fonctions de ministre des Affaires culturelles, qu'il avait créées et auxquelles il avait imprimé si fortement sa marque. S'il ne prit pas de part effective à la naissance de cette institution, celle-ci s'inscrivit, en revanche, dans la logique historique de sa pensée et de son action, telle qu'elle s'incarna, notamment, dans l'efflorescence des Maisons de la culture.

« Les Maisons de la culture sont un phénomène historique », disait André Malraux, en inaugurant, le 5 février 1968, la Maison de la culture de Grenoble. La création du Centre Georges Pompidou participa, d'une certaine manière, de ce phénomène historique.

Il serait, bien entendu, réducteur de parler d'une filiation directe entre la pensée de Malraux et la volonté passionnée de doter Paris d'un centre culturel, telle que le président Pompidou l'avait exprimée en 1969. Réducteur, aussi, de faire l'ellipse de la décennie d'évolution (de la société, mais aussi des pratiques culturelles et artistiques) qui sépara la création des premières Maisons de la culture de l'ouverture du Centre Georges Pompidou. Il n'en demeure pas moins que le Centre Georges Pompidou s'inscrit dans la ligne de l'esprit qui présida à leur création : esprit de pluridisciplinarité (on employait, à l'époque, plutôt le terme de polyvalence, mais il ne s'agissait pas d'autre chose que de permettre au plus large public d'accéder aux œuvres d'art, au théâtre, à la lecture, à la musique, au cinéma et au loisir culturel — le terme est anachronique, mais le concept était déjà opératoire), esprit de diffusion auprès du plus large public, de « déconcentration sociale », pour reprendre le terme de Michel Winock.

À une étape importante de son histoire — à la veille de son vingtième anniversaire et de la vaste rénovation qui le conduira au passage du prochain millénaire —, le Centre Georges Pompidou consacre une exposition au regard porté par les artistes de notre temps sur les bouleversements du siècle. Comment ne pas y déceler encore la trace d'André Malraux ?

La figure de l'écrivain « face à l'histoire », évoquant avec *Les Conquérants* la grève générale de Hong-Kong et Canton en 1925; avec *La Condition humaine,* l'insurrection de Shanghai; avec *Le Temps du mépris,* dès 1935, les camps de concentration; avec *L'Espoir,* bien sûr, la guerre d'Espagne... La figure de l'intellectuel « face à l'histoire », adhérant en 1933 au Comité central antifasciste et à la Ligue internationale contre l'antisémitisme; prenant à Berlin la défense de Thaelman et Dimitrov; participant en 1934 au Congrès des écrivains soviétiques, en 1935 au Congrès international pour la défense de la culture; prêt encore, en 1971, à s'engager pour le Bangladesh... La figure du combattant « face à l'histoire », commandant en 1936 l'escadrille España; s'engageant, en 1939, dans les unités blindées; Malraux, colonel Berger, entré en clandestinité puis commandant la brigade Alsace-Lorraine. La figure de l'homme d'État « face à l'histoire », ministre de l'Information en 1945, ministre des Affaires culturelles en 1959.

À cette vie si profondément ancrée dans les combats, les bouleversements et les espoirs de son siècle répond une pensée sur l'histoire et les rapports qu'entretinrent avec elle les artistes — depuis les « arts en marge de l'histoire » des civilisations extra-européennes jusqu'à l'art de l'après-guerre —, fondée sur l'idée de la transcendance; une pensée qui voit dans toute mise en relation trop directe de l'art et de son éventuel référent historique un phénomène réducteur, et ne veut rapporter l'œuvre qu'à la « constance du génie ». À l'époque moderne, l'histoire serait devenue un matériau dans lequel l'artiste moderne s'empêtre, et dont il ne peut se sortir que par l'annexion totale du sujet à sa personnalité et à son génie propre : « L'artiste ne crée pas pour s'exprimer mais s'exprime pour créer », écrira-t-il en marge de l'ouvrage que lui consacre Gaëtan Picon. Ou, dans *Le Musée imaginaire* : « Pour que Manet puisse peindre le *Portrait de Clemenceau,* il faut qu'il ait résolu d'oser y être tout, et Clemenceau, rien. » Cette transcendance de l'œuvre par rapport à son temps est l'une des clés de la pensée esthétique d'André Malraux. C'est d'elle qu'il est question dans *Le Surnaturel* : « L'œuvre surgit dans son temps et de son temps, mais elle devient œuvre d'art par ce qui lui échappe. » C'est elle encore qu'évoque l'admirable formule des *Voix du silence* : « Le génie est inséparable de ce dont il naît, mais comme l'incendie de ce qu'il brûle. »

Cette constatation pourrait *a priori* conduire à se défier de toute référence à la pensée de Malraux en introduction au catalogue d'une exposition consacrée au grave sujet de la relation, au xxe siècle, entre le créateur et l'histoire. Il faut pourtant prendre la mesure de la complexité de la pensée de Malraux, de sa richesse souvent paradoxale, et souligner l'importance d'une autre clé qui, elle, relie non pas l'histoire mais le fond, le terrible fond de l'histoire à l'œuvre du créateur. Cette clé, c'est le mal.

Le mal radical, le *radikal Böse* kantien dont parlera, à son tour, Jorge Semprun. La « part démoniaque, présente plus ou moins dans tous les arts barbares », qui rentre en scène avec les artistes modernes européens *(Les Voix du silence)*. D'abord avec Goya, dont il évoque, fasciné, dans *Saturne* « l'agonisant dont on a coupé les membres, et au-dessous duquel Goya a écrit "J'ai vu ça" ». Puis avec Fautrier, dans la préface qu'il donne à l'exposition des *Otages* à la galerie Drouin en 1945 : « Première tentative pour décharner la douleur contemporaine jusqu'à trouver ses idéogrammes pathétiques, jusqu'à la faire pénétrer de force, dès aujourd'hui, dans le domaine de l'éternel. » Avec Picasso, enfin, à propos duquel il écrit, dans *La Tête d'obsidienne* : « Il faudrait créer des images inacceptables. »

Comme le soulignait Jean-François Lyotard en 1995, alors qu'il travaillait à sa biographie d'André Malraux, publiée en septembre 1996 : « L'écrivain ne juge digne d'être mis en scène que l'événement-limite où l'abjection se démasque à l'épouvante, où le réel insupportable fait craquer la consistance du moi et des réalités » (dans *Critique,* n° 591-592, août-septembre 1996).

Face à l'histoire, l'artiste traque le mal, l'abjection, la part inhumaine de l'homme. André Malraux fait de ce combat un acte de révolte, de compassion, et de fraternité. Il en fait sa vie même.

Avant-propos

Avant-propos

Germain Viatte

Le sujet de cette exposition a été proposé il y a deux ans par Jean-Paul Ameline, conservateur en chef au Musée national d'art moderne. Il s'inscrivait dans cette nouvelle série d'expositions que François Barré souhaitait regrouper sous le titre global de « Passage du siècle », en reprenant les questions qui se posent à nos sociétés occidentales à la veille du troisième millénaire, et qui ont été toutes soulevées depuis la fin du XIXe siècle par la communauté internationale des artistes. Après « La Ville » et « Féminin-Masculin », vient donc aujourd'hui la confrontation de l'artiste moderne aux événements d'une histoire que notre siècle a, pour la première fois, rendue universelle. Aux échanges entre cités qui s'inaugurèrent avec « Paris-New York » et trouvèrent leur conclusion dans notre capitale, foyer cosmopolite des passages et des confrontations, avec « Paris-Paris », « Face à l'Histoire » oppose une autre synthèse. L'Histoire était sans doute partout obsédante dans cette première série puisque les exils en constituèrent sans cesse la féconde et douloureuse dynamique, mais il s'agit cette fois de proposer une lecture différente, décalée dans le temps, puisqu'elle commence avec l'instauration du pouvoir nazi en 1933 et qu'elle se prolonge jusqu'à nos jours. Alors que « Paris-New York », « Paris-Moscou » et « Paris-Berlin » s'attachaient au développement des migrations artistiques dans la première moitié du siècle, évoquant nécessairement la violente emprise des conflits historiques sur le travail des artistes, « Face à l'Histoire » prend le relais pour suivre l'évolution de cette problématique jusqu'aux réactions des artistes d'aujourd'hui.

Pour traiter un sujet aussi vaste et controversé (la première question fut évidemment celle de la signification et des limites qu'il fallait donner à la dimension historique), Jean-Paul Ameline souhaita s'entourer d'un conseil scientifique composé de David Elliott, directeur du musée d'Art moderne d'Oxford, Michel Frizot, directeur de recherches au CNRS, Laurent Gervereau, conservateur du musée d'Histoire contemporaine-BDIC à Paris, Günther Metken, historien d'art et Marie Luise Syring, conservateur à la Kunsthalle de Düsseldorf. Son équipe réunissait Brigitte Léal, conservateur au musée Picasso et Marc Bormand, conservateur au Musée national d'art moderne, avec l'active participation de Michel Frizot et Laurent Gervereau. Ils décidèrent de se limiter aux œuvres qui, malgré leur diversité esthétique, participèrent aux innovations plastiques de ce siècle, en écartant l'art de propagande, qu'il soit d'obédience fasciste ou qu'il s'inscrive dans les canons réalistes-socialistes prônés par Jdanov. On sait d'ailleurs qu'un réexamen des arts des régimes totalitaires a été entrepris depuis quelques années en Allemagne et en Angleterre, rendant cette étude moins nécessaire. L'exposition « Art and Power » à Londres ayant donné la première place aux ambitions architecturales de ces régimes, ils écartèrent cette discipline, trop souvent subordonnée aux impératifs de la commande. Chris Dercon, directeur du musée Boijmans Van Beuningen de Rotterdam, accepta de proposer sa propre analyse du problème dans l'art international actuel, en introduction et conclusion à l'exposition principale, au rez-de-chaussée du bâtiment, dans la Galerie Nord. La Bibliothèque publique d'information accepta de renouer avec la tradition première du Centre en déroulant tout au long du parcours principal le fil ardent des engagements de la littérature.

Le résultat remarquable de ce travail collectif n'aurait pu s'effectuer, je tiens ici à le souligner, sans l'acharnement et la clairvoyance de Jean-Paul Ameline, la solidarité et la compétence des experts qui ont partagé ses enjeux et ses recherches, la générosité des nombreux chercheurs spécialistes ou étudiants, le plus souvent bénévoles, qui ont assuré les multiples relais de cette enquête. Harry Bellet a eu la responsabilité de coordonner la mise en œuvre du catalogue et d'en assurer le suivi avec les très nombreux auteurs qui ont accepté d'y apporter leur contribution. Ce catalogue constituera désormais, comme la plupart des publications de cette importance au Centre Pompidou, un outil de référence indispensable. Une fois encore, la solidarité de nos partenaires institutionnels, des collectionneurs privés et des artistes sollicités a été sans faille, à une époque où la multiplication universelle des expositions rend toute démarche d'emprunt incertaine. Je voudrais leur exprimer toute notre gratitude et les remercier de leur confiance. Elle est pour nous un encouragement à poursuivre l'organisation, toujours problématique, de nos grandes expositions thématiques pluridisciplinaires.

Cette exposition coïncidera avec le vingtième anniversaire de l'inauguration du Centre Georges Pompidou, avec le cinquantième de la création du Musée national d'art moderne, mais aussi avec le soixantième de l'Exposition internationale de 1937. J'ai rêvé que ce serait l'occasion d'un retour exceptionnel de *Guernica* à Paris. Le tableau n'a pas été présenté dans la capitale depuis sa venue au musée des Arts décoratifs pour l'exposition rétrospective organisée en 1955 par Maurice Jardot, qui avait été suivie d'une tournée dans plusieurs cités européennes. Nos collègues du Museo Nacional Centro de Arte Reina Sofía n'y étaient pas opposés *a priori*, mais la situation particulière de cette œuvre dans le patrimoine espagnol et les surenchères que pouvait entraîner cette démarche rendaient indélicate toute insistance de notre part. J'en suis d'autant plus navré que le tableau incarnera à jamais la capacité de l'artiste du XXe siècle de porter l'émotion d'un événement dramatique à sa dimension universelle. Cette présentation aurait aussi coïncidé avec l'importante exposition sur les années trente organisée par le musée d'Art moderne de la Ville de Paris, qui prend pour prétexte l'anniversaire de l'Exposition internationale de 1937 et la construction des Palais culturels de la colline de Chaillot. *Guernica* restera évidemment au cœur de la problématique de notre exposition, évoqué par des études préparatoires et, indirectement, par le tableau qui en constitua en quelque sorte, en 1945, le pendant : *Le Charnier*, qui nous a été généreusement confié par le Museum of Modern Art de New York.

En constituant des synthèses sur un sujet, les grandes expositions thématiques du Centre Pompidou appellent nécessairement la polémique et la critique. Il m'a toujours semblé que cela était non seulement inévitable, mais aussi nécessaire. Elles sont, on le sait, en effet limitées par leur universalisme même, par la difficulté ou l'impossibilité de certains emprunts, et parce que les choix difficiles, parfois même douloureux, de la sélection heurtent les absents, qui ont peine à comprendre que cette sélection s'appuie sur la logique et les confrontations parlantes d'un exposé et qu'elle ne peut jamais céder à une illusion d'exhaustivité. Ce sera, n'en doutons pas, cette fois encore, le cas : en abordant les grandes questions du siècle, l'organisateur se doute bien qu'un très grand nombre d'artistes s'y sont confrontés, qu'il lui faut tenter de choisir les œuvres parlantes et novatrices, de souligner l'évolution des alternances qui apparaissent d'une génération à l'autre, et que, ce faisant, le choix définitif peut sembler arbitraire et injuste aux exclus. Rappelons que chacune de ces grandes expositions, en actualisant un sujet, entraîne dans son sillage, sur place ou à l'extérieur (c'est là leur passionnant, mais aussi périlleux privilège), manifestations, expositions et publications complémentaires ou contradictoires, qui permettent en fin de compte de provoquer un survol vraiment complet de la situation envisagée. En rappelant l'actualité d'un sujet, ces expositions affectent aussi l'évolution même de la création ; elles ont force d'incitation et elles ouvrent au présent des interrogations et des perspectives très diverses. Tel fut, du moins, ici, mon souhait et le parti suivi par Jean-Paul Ameline pour le déroulement historique de l'exposition.

Dans ce parcours émouvant et profus où chaque œuvre accuse, ou exprime le dégoût, la révolte ou l'espérance, le visiteur retrouvera une brassée de visions éperdues, la force des résistances et souvent l'expérience de son propre vécu. Notre temps a connu l'horreur indicible du plus grand génocide que l'humanité ait connu. Au United States Holocaust Memorial Museum de Washington, l'art n'est présent qu'à travers deux commandes. L'œuvre la plus saisissante, au carrefour de tant d'insoutenables témoignages, est celle d'Ellsworth Kelly dont le *Memorial* (1993) ne propose que quatre découpes géométriques d'une absolue blancheur.

Introduction

Introduction

Jean-Paul Ameline

À maintes reprises, le XXe siècle s'est imaginé décisif dans l'accomplissement de l'histoire. Déjà, les survivants de la Première Guerre mondiale avaient vu dans le cataclysme les preuves tangibles de la fin d'un monde. Cette faillite des certitudes du siècle précédent permettait d'augurer que l'étendue du désastre induisait une autre marche du temps. Au jugement pessimiste d'Oswald Spengler sur un possible « Déclin de l'Occident » répond l'attente d'un monde neuf, qui verrait s'achever l'évolution humaine par la revanche définitive des vaincus : l'avenir devait donner sens aux crises et aux interrogations du présent. Ce mythe d'une histoire émancipatrice ne naît pas, bien sûr, avec notre période. La force qu'il prend au XXe siècle tient, entre autres, à ce que les événements qui le marquent deviennent, notamment par les effets des moyens d'information et de la propagande, les jalons d'une théâtralisation permanente. La photographie d'abord, le cinéma ensuite, la télévision enfin font pour la première fois de l'actualité une histoire immédiate, et opposent désormais le miroir permanent du présent à l'énigme du futur.
En 1918, l'ébranlement de la Grande Guerre semble également clore aux yeux de beaucoup d'artistes un âge héroïque de l'art moderne : celui de l'artiste isolé, voire maudit, exclusivement soucieux de recherches formelles. À beaucoup d'entre eux, la crise morale qui s'ouvre dès avant la fin du conflit semble annoncer la mort d'un art de pure délectation, d'un art de privilégiés, et ouvrir les portes à une reconstruction totale de la société sur des bases nouvelles. L'artiste y retrouverait enfin sa fonction sociale et morale mais surtout y ferait triompher ses aspirations libératrices. L'Art est invité à passer au service de l'Histoire (c'est-à-dire de la Révolution, du Peuple, de la Démocratie, ou de la Nation), et l'Histoire à son tour passe au service de l'Art et permet son accomplissement. Ainsi, c'est sur le terrain de l'utopie que l'émancipation par l'art et l'émancipation par l'histoire semblent sceller désormais leur destin commun. Cette historicisation des artistes et en particulier des « avant-gardes » (qui justifie le passage du terme du vocabulaire militaire et politique à celui de l'art moderne) ouvre une situation qui inscrit l'art dans l'avenir de l'humanité. Mais, en retour, sa réalisation est conditionnée par l'accomplissement du devenir historique. Le triomphe des dictatures en Europe au cours des années trente permet aujourd'hui de mesurer les aléas de ce processus et son retournement. En 1932, l'interdiction par Staline de toutes les associations d'artistes russes non inféodées à la doctrine officielle du réalisme socialiste précède de moins d'un an le déchaînement nazi contre toute expression de pensée libre en Allemagne. Aux accusations de « formalisme bourgeois » exprimées par les uns contre l'art moderne font écho les insultes des autres contre l'art « dégénéré », « cosmopolite » et « juif » des artistes allemands. De l'artiste-acteur de l'histoire à l'artiste-fonctionnaire et exécutant docile des consignes du pouvoir, le pas sera accompli avec des fortunes diverses illustrant le chemin complexe qui mène de la civilisation à la barbarie. Tandis que le silence s'abat sur l'URSS de Staline, la réalité de la persécution nazie accélère la prise en compte par les artistes et les intellectuels de la catastrophe allemande, bientôt amplifiée par la tragédie espagnole. Le signal d'alarme lancé en 1937 par Michel Leiris devant le *Guernica* de Picasso[1] est prophétique. Il permet de saisir les enjeux qu'incarnent désormais les œuvres dont l'histoire va devenir le référent.

On le sait, l'art moderne n'a pourtant pas fait de la représentation du fait historique le moyen de son émancipation. Au contraire, c'est en se dissociant de la théorie des genres telle que le XVIIe siècle l'avait codifiée (plaçant justement le genre historique au sommet de de cette hiérarchie) qu'il s'était libéré de toute tradition académique par transgressions successives des règles.
Déjà, vers 1850, les critiques des salons observent la contamination du « grand genre » (la peinture d'histoire) par l'influence des « petits genres » : le paysage, la nature morte, le portrait, qui vont faire dériver vers le pittoresque et l'anecdote les représentations mythologiques, bibliques ou historiques. Plus encore, notaient les défenseurs du réalisme, il n'y a que chez les peintres des paysans, Millet et Courbet, que l'on trouve encore le vrai souffle épique, la vraie inspiration religieuse[2]. C'est pourtant à une autre source qu'il faut chercher le grand bouleversement de la peinture historique.
Avec Manet, en effet, la représentation historique se dépouille, pour la première fois, de toute rhétorique déclamatoire, et prend la forme, aux côtés des autres « scènes de la vie moderne », d'un compte rendu direct d'un présent vu d'un œil sec. Au sujet de l'ultime version de *L'Exécution de Maximilien* (1868), on a beaucoup parlé, après Malraux et Bataille, de « suppression de toute valeur étrangère à la peinture » et d'« indifférence au sujet[3] ». Le refus de l'administration d'admettre l'œuvre au Salon confirme, si besoin est, que celle-ci n'était pas considérée comme dénuée d'intentions politiques. Mais si Bataille évoque, avec raison, « l'étrange impression d'une absence » dans l'œuvre, c'est que Manet élimine toute trace d'héroïsme, toute exaltation du drame de sa scène d'histoire, de même qu'il avait débarrassé l'*Olympia* de tout alibi allégorique ou moraliste. En quelque sorte, et pour reprendre un terme du vocabulaire militaire, c'est à la banalité d'une exécution sommaire que nous sommes ici conviés. Prenant donc ses distances avec Courbet comme avec Goya, ce réalisme sans allégorie ni pathos fait ainsi du tableau la première « peinture d'histoire » où l'histoire se donne à voir, à comprendre, et à méditer comme un fait dépouillé de toute mise en scène, de toute « clé » explicative. De cette manière, et pour la première fois, le sens définitif en devient — délibérément — problématique. Si Manet fait école, c'est à travers cette insaisissabilité, cette dissociation de la trilogie du Beau, du Bien et du Vrai.
Dans sa *Théorie esthétique*, Adorno évoque l'impossibilité pour l'œuvre d'art de répondre aux critères de sens issus de la pensée discursive[4]. Le paradoxe est que son analyse concerne aussi des œuvres dont l'histoire est le référent et dont l'intelligibilité semble *a priori* plus nécessaire qu'à aucune autre pour s'inscrire dans les consciences. On connaît, au lendemain de la Deuxième Guerre mondiale, la célèbre déclaration de Picasso à la journaliste communiste Simone Téry, publiée dans *Les Lettres françaises* du 24 mars 1945 : « La peinture n'est pas faite pour décorer des appartements. C'est un instrument de guerre offensive et défensive contre l'ennemi[5]. » On sait moins que cette déclaration suit de près une autre interview accordée à l'Américain Jerome Seckler. Interrogé à propos de l'accessibilité de ses œuvres au public, le même Picasso dit : « Je ne peux utiliser une manière ordinaire seulement pour avoir le plaisir d'être compris. Je ne veux pas descendre à un niveau inférieur[6]. »
L'aporie de l'œuvre moderne tient justement au fait que celle-ci ne peut renoncer à son autonomie, au risque d'être entraînée par la société hors de sa vérité intrinsèque. Elle ne peut pas non plus s'enfermer dans la pure délectation esthétique sans perdre sa pointe offensive, c'est-à-dire sa radicale irréductibilité au monde tel qu'il est. Dans son intelligibilité ou, au contraire, dans son énigmatique présence, c'est sur son opposition au réel que repose sa vérité même.
En rompant ses liens de dépendance vis-à-vis du pouvoir, l'artiste moderne ne pouvait que rendre obsolète la tradition du genre historique ; et l'on sait comment, après Courbet, le réalisme — ou, du moins, l'art qui se prolonge en son nom jusque dans ses pires avatars officiels — fut la manifestation concrète de cette désuétude et du passage (impossible) d'un art de célébration du pouvoir à un art d'opposition politique réduisant l'œuvre à son seul message idéologique.

La période de la Première Guerre mondiale illustre aussi la détermination des avant-gardes modernes à rompre avec la *doxa* réaliste et ses impasses. À la pratique — jugée conservatrice et bourgeoise — de la peinture de chevalet, les dadaïstes allemands et les constructivistes russes opposent les moyens plastiques qu'ils considèrent en adéquation avec leur temps : la photographie, l'affiche, le photomontage de presse, le film, le spectacle de rue. C'est dans une même préoccupation mais avec des méthodes différentes que le muralisme, en Europe et en Amérique, voudra renouer avec un art trouvant ses racines dans les traditions populaires ou nationales. Avec le photomontage, l'œuvre moderne accède à une iconographie nouvelle issue des moyens de diffusion de masse. Elle en retient l'ubiquité, la reproductibilité, les simplifications de langage. Ainsi commence la désacralisation de l'œuvre moderne et son intégration à la circulation générale des images. Au contraire, avec l'art mural et monumental, la modernité renoue avec la tradition des maîtres anciens et l'intégration des arts à la cité. Ces expériences, dont l'objectif est de concilier impact politique et mise en forme esthétique, concentrent en elles toutes les contradictions du rapprochement de l'art et de l'histoire. Ces contradictions se révèleront dans toute leur ampleur au cours du siècle, puisque l'ensemble de ces moyens artistiques mis au service d'un art de masse trouvera une utilisation aussi bien sous l'autorité des pouvoirs — totalitaires ou non — que dans les mains de ceux qui essaieront de leur résister.

À l'opposé de ces pratiques (dont la règle est la lisibilité et l'implication collective), l'apparition au cours de ces mêmes années 1930-1945 d'œuvres où la résonance de l'histoire s'exprime à travers l'utilisation de symboles personnels marque le plus profond des bouleversements. Le décalage de ton, le hiatus, fait de ces œuvres des antithèses de l'événement évoqué — non leur double, mais leur écho sourd, grave et lointain, comme pour mieux mesurer la distance du fait à son expression. C'est à leur sujet que se vérifie le mieux la réflexion d'Adorno qui fait de la négativité de l'art, de son obscurité, la seule réponse possible à l'assombrissement et à l'irrationalité du monde[7]. Interrogé en 1937 sur la signification d'une de ses œuvres majeures, *Departure* (« Le Départ », 1932-1933), Max Beckmann se dérobe à la raison simple qui l'interpréterait comme une peinture d'actualité sur la catastrophe allemande, et renvoie à une signification mythique. Au centre du triptyque, le départ du Roi et de la Reine (celle-ci tenant l'enfant Liberté dans ses bras) signifie, selon l'artiste, l'éloignement des tortures et des illusions de la vie pour atteindre aux réalités essentielles, dissimulées au-delà[8].

En 1937, c'est avec un *bodegon* conforme à la tradition picturale espagnole, la *Nature morte au vieux soulier*, que Miró évoque de la façon la plus inspirée la chute de sa patrie dans la guerre civile. Près de quarante ans plus tard, il traduira par un immense triptyque « abstrait » aux teintes douces, parcouru par des lignes légères interrompues dans leurs cours, l'une des ultimes atrocités du franquisme finissant : l'exécution par le garrot de l'anarchiste Puig Antich (1974). Étrangement, c'est la même suavité de couleurs qui se retrouve dans les *Otages* que Fautrier présenta en 1945 à Paris, galerie Drouin. Un étonnement gêné accueillit ces jolies peintures de l'horreur. À leur sujet, il faut lire Ponge : « Cela tient du pétale de rose et de la tartine de camembert[9]. » Toujours à propos de ces *Otages*, Malraux utilise un autre terme; il parle d'une « hiéroglyphie de la douleur[10] ». Le même mot vient à l'esprit pour l'immense série des *Élégies à la République espagnole* de Robert Motherwell, commencée en 1948, dont l'origine littéraire réside notamment dans le poème de Federico García Lorca, *Llanto por Ignacio Sánchez Mejías,* écrit en hommage à son ami matador tué dans l'arène. Ici, la recherche de l'image archétypale explique la récurrence, tout au long de la série, des mêmes formes fondamentales et exprime ainsi ce que l'artiste désigne lui-même comme l'« équivalent visuel » de la mort espagnole. Le basculement vers l'universel sera d'ailleurs formulé par Motherwell lui-même quand, évoquant les *Élégies*, il les désignera, selon ses propres mots, comme étant « non pas des peintures d'histoire de la guerre civile mais plutôt une sorte de mémorial à celle-ci, comme une tombe[11] ».

En mai 1940, dans son dernier écrit, « Sur le concept d'histoire », Walter Benjamin se sert de l'évocation d'un dessin de Paul Klee datant de 1920, *Angelus Novus,* pour donner à ses réflexions sur l'histoire une ultime visualisation : celle d'un ange aux ailes déployées, vu de face, et qui contemple, effrayé, les décombres du passé tandis qu'une tempête venue du ciel l'emporte vers le paradis. « Nous donnons, conclut Benjamin, le nom de Progrès à cette tempête[12]. » Il est impossible de ne pas associer la vision de Benjamin à la célèbre réflexion qu'Adorno formule en 1949, tirant les conséquences, sur le plan du rapport de la culture à l'histoire, de l'Apocalypse cette fois survenue : « La critique de la culture se voit confrontée au dernier degré de la dialectique entre culture et barbarie : écrire un poème après Auschwitz est barbare, et ce fait affecte même la connaissance qui explique pourquoi il est devenu impossible d'écrire aujourd'hui des poèmes[13]. » Cette mise en cause radicale (sur laquelle, d'ailleurs, Adorno s'expliquera à plusieurs reprises[14]) trouve son écho, au cours de ces mêmes années, dans la crise que traversent toutes les œuvres qui se proposent d'exprimer ce moment zéro de notre histoire. La fin de toute image possible est révélée tout autant par la crise du réalisme engagé soumis aux oukases des partis communistes que par le développement d'une abstraction à vocation universaliste tentant d'échapper par une symbolique analogique au dilemme de l'irreprésentable. Caractérisant cette impasse, les monstres zoomorphes qui hantent, au milieu d'inextricables entrelacs, les « Visions de guerre » d'Asger Jorn, présentées en 1950, à la veille du déclenchement de la guerre de Corée, montrent à quel degré de tension interne doivent désormais parvenir les images qui se veulent véridiques.

« L'Histoire hante la société moderne comme un spectre », note Guy Debord en 1967[15]. Cette présence fantomatique n'est plus, alors, celle des masses conquérantes, des combats victorieux et des héros positifs, mais celle des illusions perdues, des vérités enterrées et des usurpateurs. C'est aussi celle des images du journal, omniprésentes au milieu de l'abondance généralisée de la marchandise, mais cependant insaisissables, et placées au cœur même de la société moderne, dans ce spectacle devenu, pour reprendre l'expression de Debord, le gardien de son sommeil.
En passant de l'image inventée à l'image empruntée, l'artiste atteint l'histoire devenue elle-même spectacle : Warhol apparente la veuve d'un président assassiné à Andromaque, à Marilyn Monroe et à une boîte de soupe Campbell. Et Vostell, plaçant son spectateur devant la double scène grand format d'un combat de rue à Prague en 1968 et d'une image érotique classée X, le saisit en flagrant délit de voyeurisme. Il est d'usage de parler de détournement à propos de ces procédés ; de cela, Debord dit : « Les artistes révolutionnaires sont ceux qui appellent à l'intervention ; et qui sont intervenus eux-mêmes dans le spectacle pour le troubler ou le détruire[16]. » Si détournement il y a, il ne faut pourtant pas obligatoirement conclure à de la contre-propagande, mais, plutôt, à une sorte de rebondissement de la querelle des images : l'apparence de la vérité appelle la vérité de l'apparence, et l'image qui se prétend achevée n'est pas nécessairement accomplie. Mais peut-on opposer l'image aux images ? Et si l'image est système, quelle image échappe au Système ? La dualité de l'image médiatique et de l'œuvre ne résume-t-elle pas aussi celle de l'histoire elle-même, c'est-à-dire celle du présent réifié à la fois en passé et en éternité ? Art et Histoire : adversaires ou comparses ?
À la question : « Quels devront être les principaux caractères de la nouvelle culture, et d'abord en comparaison de l'art ancien ? » le « Manifeste » de l'Internationale situationniste de mai 1960 répond : « Contre le spectacle, la culture situationniste réalisée introduit la participation totale. Contre l'art conservé, c'est une organisation du moment vécu, directement. Contre l'art parcellaire, elle sera une pratique globale portant à la fois sur tous les éléments employables[17]. » On sait qu'à des degrés divers l'utopie de ce projet de dépassement simultané de l'art et de l'histoire, qui atteint son point culminant autour de 1968, se retrouve tout au long d'une décennie marquée par la délégitimation des pouvoirs et la mise en cause des catégories instituées. Le « droit à l'être », contre une société organisée en puissance dominatrice, est revendiqué comme transgression nécessaire pour la réalisation définitive de l'individu. Si le happening devient politique, la politique peut devenir happening. Mais, dès lors que s'opère la double équation art = vie et histoire = présent réalisé, s'annule, par la fin de l'autonomie de l'un et de l'autre, ce qui a permis à l'art de voir le monde : c'est-à-dire la possibilité de s'en séparer, de sauver sa liberté, et, avec elle, l'existence contradictoire de l'humain. Beuys, en qualifiant son entreprise d'« art élargi », cherchera au cours des années soixante-dix (avec de nombreux autres artistes) à surmonter l'opposition art-histoire par un autre chemin. Pour lui, l'édification de la société devient « sculpture sociale », c'est-à-dire œuvre d'art. L'utopie ultime de l'artiste est alors de ne plus appartenir à l'art tel qu'il s'est constitué et d'échapper à l'histoire telle qu'elle s'est définie pour parvenir à saisir, au-delà des catégories, le réseau de sens qui constitue le monde. C'est donc la réinsertion de l'histoire humaine et de l'art dans un concept infiniment plus large, celui d'anthropologie, qui permet de dépasser l'antinomie de l'art et de l'histoire. Dès lors, « faire de l'art » consistera à soustraire les objets esthétiques et les objets sociaux à leur statut d'origine pour décrypter les contradictions de leur existence. À l'esthétisation (caractéristique des années soixante) de l'image peinte ou photographique, de l'action, de l'objet d'usage courant, succède, au cours des années soixante-dix, une réflexion sémiologique sur les conditions de leur perception et sur leur rôle idéologique, politique, social. L'histoire, comme zone privilégiée de la dissimulation et du codage de la réalité, fait écho à la fausse évidence de l'art comme discours « pur » de tout compromis. En contribuant à revenir sur les vérités contenues dans les histoires officielles, l'œuvre devient le lieu du doute. Les évidences trompeuses des récits univoques de l'art et de l'histoire reculent ainsi devant leur obscure complicité, révélée par leur confrontation : *Guernica* est en miettes quand passe, dans une salle déserte de musée, un groupe d'officiels espagnols (Equipo Crónica, *La Visita*, 1969). Ce n'est plus l'histoire, mais ses lambeaux, que l'artiste repêche dans les mailles de ses filets : les idéologies mortes se laissent piéger, le passé y surgit à l'improviste sous les fausses évidences du présent. Beuys recueille, un 1er mai à Berlin, des tracts qu'une manifestation étudiante a disséminés sur la chaussée et les enferme dans une vitrine avec le balai qui les a ramassés (action *Ausfegen*, « Balayage », 1972) ; Jochen Gerz expose, pour des lecteurs un peu attentifs, le troublant « règlement intérieur » de l'actuel musée de Dachau et rappelle qu'il n'y aura plus jamais pour nous de bonne conscience (*Exit/Le Projet de Dachau*, 1972-1974). Appliquées dans le contexte des années quatre-vingt, ces stratégies de mise en question de l'histoire comme récit univoque et de l'art comme figuration de la vérité apparaîtront dans toute leur radicalité ravageuse. En 1989, la chute du mur de Berlin

brise définitivement toute perception linéaire de l'histoire. Réapparaissent alors des évolutions infiniment plus complexes, qui font réémerger toutes les questions de sens global que la modernité avait cru régler. Désignant les multiples adaptations de l'art à cette situation nouvelle, le terme de postmodernisme recouvre l'infinité des stratégies déployées par les artistes pour répondre à cette mise en question. Aucune des prises de conscience qui ont fini par s'imposer ne prétend plus ressusciter un art « face » à l'histoire. Désormais, les œuvres se mutiplient pour affirmer que la vérité n'existe que par ce que valent les témoignages, ceux que l'artiste lui-même apporte ou fabrique, réfutant ainsi les fonctions d'informateur confiées à d'autres que lui au moment même où, précisément, l'image d'actualité a cessé d'être preuve de vérité. Car si l'histoire se cherche, il y a encore des histoires — de groupes ou d'individus — dont l'artiste désormais se charge. À la dissolution du concept d'histoire globale répond donc la dissolution du concept d'art global. En se désesthétisant, l'art se revendique comme un protagoniste d'histoires en cours d'élaboration, qui fournit ni plus ni moins d'informations que les autres, qui formule ni plus ni moins de réponses, mais qui est présent comme un participant, parmi d'autres, de la réalité.

La relation de l'art à l'histoire n'a pas eu, au XXe siècle, d'échappatoire. Expression de la liberté, répondant aux discours émancipateurs de l'histoire, l'art moderne a été confronté aux puissances qui ont posé, par l'élimination brutale et la persécution, la question de son droit à l'existence. Mais il a été aussi confronté à une pression plus diffuse qui, en cherchant à l'intégrer au confort idéologique général, a tenté de réduire sa portée à celle d'un vague « supplément d'âme » pour sorties dominicales. En faisant de l'autonomie leur principe directeur, les œuvres modernistes ont eu à résister à ces contraintes : c'était la condition *sine qua non* de leur survie en tant qu'art. Les œuvres qui ont trouvé l'histoire pour référent sont précisément là pour témoigner de cette résistance. Mais l'historicisme (qui « explique » les œuvres modernes par les circonstances qui les ont vu naître et en fait des instruments au service d'une vérité politique qui les dépasse) ne rendrait aussi compte que d'une part insuffisante de vérité. Le contenu des œuvres « engagées » ne peut se réduire au discours qu'elles illustrent (sauf à les détruire en tant qu'œuvres), de même que le sujet historique qu'elles évoquent ne peut être un « motif » parmi d'autres qu'au prix d'une trahison de l'histoire et de l'art qu'elles prétendent servir. Seules les circonstances exceptionnelles qui lient l'art moderne à l'histoire depuis le début de ce siècle expliquent l'importance de la place prise par les œuvres qui s'y réfèrent. Et il est tout aussi impossible de les concevoir hors du contexte du siècle qui les a produites que d'imaginer désormais le siècle sans elles. Dans leur antagonisme de l'époque, il faut leur reconnaître la force d'opposition qui donne à voir tant la résistance aux puissances en action dans le siècle que la fascination à leur égard. L'art comme temporalité assumée s'est révélé la seule réponse à l'aspiration de l'histoire comme destin. Il ne faut pas chercher en effet dans les œuvres d'art de solution aux questions que l'histoire pose. Leur place est autre, à l'échelle de la capacité de chacun à percevoir l'histoire : ce à quoi l'homme se confronte, ce qu'il y perçoit de sa propre existence, et ce qu'il dit de la souffrance engendrée. Consolatrices, dénonciatrices ou indifférentes, les œuvres montrent la trace de l'histoire et non l'histoire elle-même, non le coup mais la blessure. Elles enregistrent, au-delà de toute explication, non l'image (construite) que le siècle a voulu donner de lui mais la marque qu'il imprime sur son passage, l'indice d'un crime non revendiqué mais pourtant réel. À côté du « ceci est arrivé » proclamé par les images photographiques et cinématographiques, il est un art pour rappeler : « j'ai vu cela».

1. « En un rectangle noir et blanc telle nous apparaît l'antique tragédie, Picasso nous envoie notre lettre de deuil : tout ce que nous aimons va mourir, et c'est pourquoi il était à ce point nécessaire que tout ce que nous aimons se résumât, comme l'effusion des grands adieux, en quelque chose d'inoubliablement beau. » Michel Leiris, « Faire-part », *Cahiers d'Art*, n° 1-3, 1937, p. 128.
2. Voir à ce sujet l'étude d'Henry Loyrette « La peinture d'Histoire», dans Henry Loyrette et Gary Tinterow, cat. d'exposition *Impressionnisme. Les origines, 1859-1869,* Galeries nationales du Grand Palais, Paris, 19 avr.-8 août 1994, pp. 29-53.
3. Georges Bataille, *Manet*, Genève, Skira, 1955, rééd., 1983, pp. 48-50.
4. « Au plus haut niveau, ce n'est pas d'après leur composition que les œuvres d'art sont énigmatiques, mais selon leur contenu de vérité. La question que se pose le sujet après avoir traversé une œuvre, quelle qu'elle soit, et qui revient constamment : "à quoi bon tout cela ?", se change rapidement en celle-ci : "est-ce donc vrai ?", question de l'Absolu contre laquelle toute œuvre réagit en renonçant à la forme d'une réponse discursive. » Theodor W. Adorno, *Ästhetische Theorie*, Francfort-sur-le-Main, Suhrkamp Verlag, 1970, trad. française *Théorie esthétique*, Paris, Klincksieck, 1995, p. 182.
5. Reproduit dans Dore Ashton, *Picasso on Art. A Selection of Views*, Londres, Thames and Hudson, 1972, p. 149.
6. Interviews du 18 nov. 1944 et du 6 janv. 1945 par Jerome Seckler, reproduites dans Dore Ashton, « Picasso explains », *op. cit.*, pp. 133-141.
7. « En exprimant le désastre par l'identification, il [l'art] anticipe la perte de puissance de ce désastre. C'est cela, et non pas la photographie du malheur ou la fausse béatitude, qui circonscrit la position de l'art actuel authentique vis-à-vis de l'objectivité devenue ténèbres. » Theodor W. Adorno, *op. cit.*, p. 39.
8. Cf. lettre de Lilly von Schnitzler à Alfred H. Barr Jr (1er juin 1955) citée dans Stephan Lackner, *Max Beckmann,* New York, Harry N. Abrams Inc., 1977, p. 116.
9. Francis Ponge, *Note sur les Otages,* Paris, Seghers, 1946.
10. André Malraux, préface, cat. de l'exposition « *Les Otages*. Peintures et sculptures de Jean Fautrier », Paris, galerie René Drouin, 1945.
11. Cité par E. A. Carmean Jr, « Robert Motherwell : The Elegies to the Spanish Republic », dans E. A. Carmean Jr, Eliza E. Rathbone et Thomas B. Hess, *American Art at Mid-Century, The Subjects of The Artist*, Washington, National Gallery of Art, 1978, p. 101.
12. Walter Benjamin, « Sur le concept d'histoire », dans *Écrits français*, Paris, Gallimard, 1991, p. 343.
13. Theodor W. Adorno, « Critique de la culture et de la société », publié pour la première fois en allemand dans « Soziologischer Forschung in unserer zeit », 1951, trad. française parue dans *Prismes, Critique de la culture et société,* Paris, Payot, 1986, p. 23.
14. Ainsi, en 1970, dans *Théorie esthétique, op. cit.*, pp. 323-324, Adorno écrit : « Dans la culture ressuscitée après la catastrophe, l'art prend un aspect idéologique par sa simple existence, avant tout contenu anecdotique ou philosophique. Sa disproportion par rapport à l'horreur passée et menaçante le condamne au cynisme ; même lorqu'il fait face à l'horreur, il en détourne l'attention. Son objectivation implique la froideur vis-à-vis de la réalité. Cela le dégrade en complice de la barbarie dans laquelle il tombe tout autant lorsqu'il renonce à l'objectivation et joue le jeu directement, même si c'est par un engagement polémique. Aujourd'hui, toute œuvre d'art, même l'œuvre radicale, possède un aspect conservateur. Son existence contribue à consolider les sphères de l'esprit et de la culture dont l'impuissance réelle et la complicité avec le principe du désastre apparaissent à nu. Mais cet élément conservateur qui — en contradiction avec la tendance à l'intégration sociale — est plus fort dans les œuvres d'avant-garde que dans les œuvres modérées ne mérite pas de périr purement et simplement. Ce n'est que dans la mesure où l'esprit survit et continue de se manifester dans sa forme la plus avancée que la résistance contre la toute puissance de la totalité sociale est possible. »
15. Guy Debord, *La Société du spectacle*, Paris, Buchet-Chastel, 1967, Paris, rééd. Gérard Lebovici, 1987, p. 155.
16. P. Canjuers, G. Debord, « Préliminaires pour une définition de l'unité de programme révolutionnaire », 1960, cité dans Mirella Bandini, *L'estetico il politico, da Cobra all'Internazionale Situazionista 1948-1957,* Rome, Officina Edizioni, 1977, p. 345.
17. « Manifeste », *Internationale Situationniste,* n° 4, Paris, juin 1960, rééd. dans *Internationale Situationniste, 1958-1969,* Paris, Champ libre, 1975.

Sens et figures de l'histoire

Jacques Rancière

De quatre sens de l'histoire

L'histoire se dit en plusieurs sens. Retenons-en quatre, diversement combinables. Elle est d'abord le recueil de ce qui est digne d'être mémorialisé. Non point nécessairement ce qui a été et que des témoins attestent, mais ce qui, par sa grandeur, mérite d'être retenu, médité, imité. La légende le propose autant que la chronique et Homère plus que Thucydide. Ce n'est pas, quoi qu'on ait dit, l'événement qui est le cœur de cette histoire, mais l'exemple. La peinture d'histoire, ce n'est pas le fracas des batailles ou l'éclat des cours, mais le vieux soldat devant Bélisaire et sa sébile, Mucius Scaevola tendant ses mains au feu, Brutus méditatif sur le coin de la toile, tandis qu'apparaissent à demi seulement, à l'arrière-plan, les brancards qui portent les corps de ses fils. Exemples des fortunes et des infortunes, des vertus et des vices. Pas si loin, en un sens, de l'intérêt de la nouvelle histoire pour les moments et les gestes qui signifient une manière d'occuper un monde. Seulement, l'histoire/mémorial ne propose pas de lire le sens d'un monde à travers ses signes, elle propose des exemples à imiter. Cela suppose une continuité entre la scène à imiter et l'acte d'imiter en son double sens : travail du peintre et leçon tirée par le spectateur engagé. Que cette chaîne soit rompue et la fonction mémoriale de l'histoire s'annule. Ceux qui nous disent de bien regarder la représentation des abominations de notre siècle et de bien méditer leurs causes profondes pour éviter leur retour oublient une seule chose : les temps de l'histoire/mémoire ne sont pas ceux de l'histoire/vérité. D'où l'étrange renversement qui, à notre époque, assimile de plus en plus le mémorial au temple vide de ce qui doit rester sans représentation.

Histoire se dit en un second sens. Sur le tableau, un moment spécifique, significatif de l'action, retient l'attention. Les mouvements des personnages convergent vers ce centre ou en répercutent l'effet jusqu'aux bords de la scène. Des regards le fixent, des mains tendues le désignent, des visages en transmettent l'émotion, des conversations mimées en commentent la signification. Bref le tableau lui-même est histoire : agencement d'actions, fable significative dotée de moyens d'expression appropriés. Aristote avait opposé la généralité de la poésie et de ses agencements nécessaires ou vraisemblables de causes et d'effets à la contingence du récit qui nous dit avec exactitude que tel événement a succédé à tel autre. Mais le récit des événements, depuis Polybe et Tite-Live, s'est constitué lui aussi comme présentation du nécessaire et de l'exemplaire. La peinture, depuis la Renaissance, a prouvé qu'elle était «comme la poésie». Et la «peinture d'histoire» est, par excellence, la peinture dotée du pouvoir de condenser dans la représentation d'un instant privilégié la puissance de généralité et d'exemple de la fable poétique. L'*histoire* que construisent la composition des parties et la disposition des formes sur la toile affirme son exacte coïncidence avec la fonction mémoriale et exemplaire de l'histoire.

Mais cette concordance de deux «histoires» est aussi la virtualité de leur dissociation, quand la composition expressive de la toile s'affirme aux dépens de l'échelle des grandeurs de la représentation. Diderot a ponctué cette dissociation dans son *Salon de 1769.* Greuze, le peintre qui sait faire exemple de toute scène domestique, tendre les corps et les regards vers le père mourant, le fils prodigue ou la mariée sage, ne sait plus donner à Caracalla la grandeur qu'un empereur romain, si crapuleux soit-il, doit manifester dans son attitude. L'histoire comme composition exemplaire des moyens expressifs et l'histoire comme recueil des grands exemples se disjoignent ainsi, vingt ans avant que les Révolutionnaires se proposent de renouveler les exemples glorieux de la chronique romaine. Mais aussi l'échec du peintre de genre à s'élever à la peinture d'histoire annonce le temps où c'est la peinture de genre, la représentation des vies quelconques, qui sera la manifestation exemplaire de l'historicité. Et les jeux mêmes de la jonction et de la disjonction de l'*exemplum* et de l'*historia* autoriseront en notre siècle les jeux de la peinture avec ses programmes. À l'incapacité de Greuze à représenter l'histoire en sa majesté répondra la capacité de tel peintre fasciste ou soviétique à servir sa cause en ne se préoccupant que de la composition des volumes et de la distribution de la lumière. Ainsi fait Deïneka avec sa *Kolkhozienne au vélo rouge*, qui absorbe par sa «vitalité» toute symbolique de la couleur, et ses *Futurs Aviateurs* représentés de dos, face à l'épopée aéronautique que désigne le bras de l'aîné, mais dont les dos nus fixent tout l'intérêt, tandis que les hydravions deviennent en face d'eux les oiseaux d'un paysage surréaliste. «Ce qui me plaît, dit simplement le peintre, c'est l'homme faisant des gestes larges.» Symétriquement, la valeur politique donnée à la monumentalité des formes et au statisme même de la composition permet à Sironi ces étranges représentations officielles de travailleurs dépourvus de toute intensité conquérante, tel ce *Travail à la campagne* qui ne donne qu'un arbre mort comme décor au travail d'un obscur piocheur.

Entre-temps, une troisième histoire aura assuré son empire, ruinant l'harmonie entre la disposition expressive des corps sur une toile et l'effet d'une grandeur exemplaire communiquée par la scène. C'est l'histoire comme puissance ontologique, dans laquelle toute «histoire» — tout exemple représenté et toute action agencée — se trouve incluse. L'histoire comme mode spécifique du temps, manière dont le temps lui-même se fait principe des agencements d'événements et de leur signification. L'histoire comme mouvement orienté vers un accomplissement, définissant des conditions et des tâches de l'heure, des promesses d'avenir mais aussi des menaces pour qui méconnaît l'enchaînement des conditions et des promesses; comme le destin commun que les hommes font mais qu'ils ne font que pour autant que constamment il leur échappe, constamment ses promesses s'inversent en catastrophes. Si cette histoire-là défait les jeux ordonnés de la figure exemplaire et de la composition expressive, ce n'est pas pour autant qu'elle serait marquée d'un signe originaire de terreur et de mort. C'est plus simplement que, par principe, aucune action ni figure ne peut être adéquate au sens de son mouvement. Le propre de cette histoire est de n'avoir jamais de scène ni de figure qui lui soit égale. En témoigne, sur la toile de Goya, ce personnage aux bras en croix qui, seul, fait face, mais, aussi bien, ne crie pour personne, pris qu'il est entre deux masses de corps anonymes qui annulent toute portée de son geste et tout écho de sa parole : à ses pieds, l'amas des fusillés écrasés contre terre; face à lui, le groupe compact des exécuteurs, représentés de dos, le visage effacé dans la courbe qui va de la sacoche au fusil. Ce n'est pas simplement la figuration des «horreurs de la guerre», jusque-là réservée au genre mineur de la gravure, qui s'empare de la toile. C'est surtout la tradition de la peinture d'histoire qui s'inverse : la disposition des corps ne fait plus sens qu'en cessant de faire *historia,* en simulant la négation de toute *dispositio* relevant d'une puissance artiste. L'histoire n'est plus le recueil des exemples. Elle est la puissance qui dérobe les corps à la vertu de l'histoire et de l'exemple. C'est par l'excès brut de ce qui a été sur toute signification qu'elle s'indique désormais. Ce n'est pas pour autant l'irreprésentable qui impose sa loi. L'histoire ne s'atteste plus par la composition des attitudes et l'exemplarité de la figure. Elle s'atteste par l'analogie qu'en composent ces personnages sans consistance, comme nés de la matière et du tracé picturaux et près d'être emportés à nouveau par la puissance qui les a fait naître du chaos des matières colorées. Dans toute masse colorée, il y a désormais la virtualité d'un corps et celle d'un sens d'histoire. Il y suffira par exemple de ce mince filet de rouge ou de bleu qui fait émerger de la pâte épaisse de Fautrier la figure de l'otage.

Mais cette inversion n'épuise pas l'avenir de la peinture d'histoire. Parce qu'elle n'épuise pas le sens du mot «histoire». L'histoire n'est pas seulement cette puissance d'excès du sens sur l'action qui se retourne en démonstration du non-sens et renvoie la forme vers la matière d'où elle émerge et le geste qui l'en tire. Elle n'est pas seulement la puissance saturnienne qui dévore toute individualité. Elle est aussi l'étoffe nouvelle dans laquelle sont prises les perceptions et les sensations de chacun. Le temps de l'histoire n'est pas seulement celui des grands destins collectifs. Il est celui où n'importe qui et n'importe quoi fait histoire et témoigne de l'histoire. Au masque de cire des fusillés du *Tres de Mayo* répond le rose des joues de la *Laitière de Bordeaux.* Le temps de la promesse d'émancipation est aussi celui où toute peau s'avère capable de manifester l'éclat du soleil, tout corps autorisé à en jouir à ses heures et à faire ressentir cette jouissance comme témoignage d'histoire. Hegel, déjà, célébrait dans la peinture de genre hollandaise la manière dont une scène d'auberge ou la représentation d'un intérieur bourgeois faisaient marque d'histoire. Mais, au temps de l'histoire, la peinture de genre quitte les intérieurs, les boutiques et les auberges. Elle envahit les prairies et les forêts, les rivières et les étangs réservés aux héros de la mythologie. Et, à la jonction du tableau de genre et du paysage mythologique, dans le soleil de la Grenouillère ou les ombres de la Grande Jatte, une autre forme de peinture d'histoire s'affirme. L'histoire s'y donne à voir, ordinairement, merveilleusement, comme la matière première dans laquelle se découpent les jeux de lumière sur l'eau, comme les jeux de séduction sur les berges, les canots ou les terrasses ensoleillées, comme le principe vivant de l'égalité de tout sujet sous le soleil.

Histoire et représentation : de trois poétiques de la modernité

Recueil des exemples, arrangement de la fable, puissance historiale de destin nécessaire et commun, étoffe historicisée du sensible. Quatre «histoires», au moins, se joignent ou se disjoignent, s'opposent ou s'entrelacent, redisposant diversement les rapports entre les genres picturaux et les pouvoirs de la figuration. Il est trop simple en effet d'assimiler deux mouvements : celui qui éloigne l'art de la représentation et celui qui fait de l'histoire la puissance dévastatrice, trouvant dans les camps de notre siècle son achèvement. À l'ombre d'une parole hâtive d'Adorno, l'horreur irreprésentable des camps et la rigueur antireprésentative de l'art moderne célèbrent trop aisément des noces rétrospectives. « Ce qui ne peut se voir », il serait impossible et illégitime de le montrer. Mais la conséquence est fausse. «*No se puede mirar*», écrit Goya sur l'un de ses dessins. Mais il n'en fixe pas moins la vision. Car c'est le propre de la peinture que de voir et de faire voir ce qui ne se laisse pas voir. Un siècle et demi plus tard, Music s'attachera de même à restituer les champs de cadavres de Dachau, semblables à des « plaques de neige blanche » ou des « reflets d'argent sur les montagnes ». Résister au destin d'effacement et de mutisme du camp, ce n'est pas seulement inscrire en témoin fidèle les traces de l'horreur. C'est obéir au devoir d'artiste qui commande au regard et à la main de « ne point trahir ces formes amoindries ». C'est être fidèle à la tâche générale que l'art — figuratif ou non — s'est prescrite depuis qu'il n'est plus assujetti aux normes de la représentation : faire voir ce qui ne se voit pas, ce qu'il y a sous le visible, un invisible qui est simplement ce qui fait qu'il y a du visible.

Il faut donc complexifier la relation. Il est bien vrai que l'histoire, en son sens de puissance destinale, advient au temps où s'effondre l'édifice représentatif classique, celui qui tenait toute représentation sous la loi du *ut poesis pictura,* sous la loi donc d'une poétique qui définissait les rapports entre deux « histoires », entre la valeur exemplaire des sujets et les formes adéquates de leur *dispositio.* Mais le contraire du système représentatif n'est pas l'irreprésentable. Le cœur de ce système n'est pas en effet le seul impératif qu'il faut imiter et qu'il faut faire l'image semblable au modèle. Il tient en deux propositions fondamentales, définissant, l'une les rapports entre le représenté et les formes de sa représentation, l'autre le rapport entre ces formes et la matière dans laquelle elles s'effectuent. La première règle est de différenciation : à un sujet donné conviennent une forme et un style spécifiques, style noble de la tragédie, épopée ou peinture d'histoire pour les rois, couleur familière de la comédie ou de la peinture de genre pour les petites gens. La seconde est, au contraire, d'in-différence : les lois générales de la représentation s'appliquent également, quelle que soit la matière de la représentation — langue, toile peinte ou pierre sculptée.

Les deux règles sont solidaires. L'âge où les arrangements de l'*exemplum* et de l'*historia* sont bousculés par cette « histoire » nouvelle que les hommes font sans la faire, met aussi en évidence, avec Burke, Diderot et Lessing, l'irréductible hétérogénéité des moyens que chaque matière offre à l'expression. Mais on en conclut trop aisément que l'âge de l'histoire est celui de l'im-présentation sublime, de l'écart indéfiniment rejoué de l'idée à toute matière. La poétique de l'âge historique, en renversant les deux règles de la représentation, multiplie bien plutôt les possibles de la figuration, les rapports possibles entre le sujet, sa forme et sa matière. D'un côté le sujet est indifférent, il ne prescrit aucune forme. Tous les représentés sont égaux en dignité et la puissance de l'œuvre tient tout entière dans le style comme « manière absolue de voir les choses » (Flaubert), dans la manière dont l'artiste, en tout sujet, impose à sa matière une manière, un apparaître de monde. De l'autre, la matière n'est pas indifférente. Le grain de la langue ou le pigment pictural appartiennent à une histoire de la matière où toute matière est une virtualité de forme.

À partir de là se définissent les trois grandes poétiques que l'âge de l'histoire a opposées aux canons de la représentation et qui se sont formulées dans la littérature et la pensée de la littérature au XIXe siècle avant de prendre figure dans les œuvres et les manifestes picturaux de notre siècle. Ces trois manières d'identifier la puissance de l'œuvre à une puissance d'histoire croisent diversement les quatre histoires que nous avons tenté d'isoler et sont elles-mêmes susceptibles de croiser leurs principes et leurs effets. On essaiera ici de les qualifier, indépendamment des « écoles » spécifiques où elles ont pu s'incarner et des monopoles que celles-ci ont revendiqués sur tel nom ou tel concept.

La première poétique, que l'on pourrait appeler *symboliste/abstraite,* prend le plus radicalement en compte l'effondrement de l'univers représentatif dans sa globalité et fixe à l'art la tâche historique de le remplacer par un ordre équivalent : un ordre qui effectue un système d'actions équivalent à celui de la vieille *mimesis* et joue dans la communauté un rôle équivalent aux pompes abolies de la représentation. À l'imitation des choses ou des êtres, elle oppose l'exacte expression des rapports qui les lient, le tracé des « rythmes de l'idée », aptes à servir à la fondation d'un nouveau rituel, scellant le devoir qui lie l'« action multiple » des hommes. Ces termes de la poétique et de la politique propres à l'« action restreinte » mallarméenne, on en retrouve l'expression, conceptuelle et plastique, dans l'art abstrait, de Kandinsky à Barnett Newman.

La seconde poétique s'attache tout particulièrement à la révocation du principe d'in-différence de la matière. Elle identifie la puissance d'œuvre et d'histoire à la mise en évidence de la puissance de forme et d'idée immanente à toute matière. Cette poétique de la nature comme « poème inconscient » (Schelling) situe l'œuvre dans la continuité du mouvement par lequel la matière déjà se donne forme, dessine sa propre idée dans les plis du minéral ou l'empreinte du fossile et monte vers des formes toujours plus hautes d'expression et de symbolisation de soi. Convenons d'appeler *symboliste/expressionniste* cette poétique dont les textes théoriques d'August Schlegel et les œuvres « naturalistes » de Michelet fixent les traits. Ces termes définissent moins les traits des écoles homonymes que des possibles picturaux traversant les écoles et les genres. Ce peut être la manière dont le «sujet» propre de l'œuvre émerge de la matière picturale épaisse, dans la peinture « politique » de *Les Condamnés-Hommage aux Rosenberg* de Karel Appel, ou dont il s'évanouit en elle dans les toiles « apolitiques » de l'Action Painting. Ce peut être la dé-figuration par laquelle Otto Dix, pour exprimer la vérité d'une guerre, inscrit dans la continuité boueuse d'une même décomposition les corps vivants, les cadavres amoncelés et la matière inerte. Mais surtout cette poétique fixe l'un des procédés majeurs par lesquels l'art de ce siècle se mettra « à l'heure de l'histoire », soit le jeu des métamorphoses par lequel le représenté, la matière et la forme changent de place et échangent leurs puissances.

La troisième poétique met l'accent sur la ruine du rapport de la forme au sujet. Elle ne joue pas seulement de l'égalité de tous les représentés mais, plus largement, des multiples formes que peut prendre la dé-subordination des figures à la hiérarchie des sujets et des dispositions. Le principe flaubertien « Yvetot vaut Constantinople » ne dit pas seulement qu'un petit sujet en vaut un grand, si seule compte la manière de l'artiste. Il dit plus profondément que l'on peut toujours faire apparaître Constantinople dans la représentation d'Yvetot et le vide infini du désert d'Orient dans l'étroitesse et l'humidité d'une salle de ferme normande. Convenons d'appeler cette poétique *(sur)réaliste* pour indiquer ceci : le « réalisme » n'est pas le retour à la trivialité des choses réelles contre les conventions représentatives. Il est le système total des variations possibles des indices et des valeurs de réalité, des formes de liaison et de déliaison entre les figures et les histoires que leur ruine rend possibles. On a appelé « réalisme magique » le devenir-fantastique de la froideur « documentaire » de la Nouvelle Objectivité, transplantée en terre hollandaise. Mais le réalisme et la magie ont d'emblée partie liée. Lorsque Carel Willink plante ses figures solitaires en tenue de soirée dans des ruines de Pompéi en carton-pâte, il ne fait que retourner le geste initial de Flaubert, transposant la fresque antique et orientale du *Saint Antoine* en scènes de mœurs contemporaines.

Et la suppression de la barrière du rêve et de la réalité n'est elle-même qu'une transformation particulière parmi l'ensemble des dé-figurations et des re-figurations qui définissent le réalisme comme toujours habité par le *(sur)réalisme.*

L'âge de l'histoire n'est donc pas celui d'une peinture conduite par son mouvement propre et par la catastrophe du monde vécu vers la raréfaction et l'aphasie. Il est bien plutôt celui de la prolifération des sens d'histoire et des métamorphoses qui permettent d'en mettre en scène le jeu. Reparcourons le texte célèbre où Kurt Schwitters décrit la fondation du Merz au lendemain de la Grande Guerre. «Il fallait que je clame ma joie à travers le monde. Pour des raisons d'économie, je pris, pour ce faire, ce que je trouvais, car nous étions un peuple tombé dans la misère. On peut aussi crier en utilisant des ordures et c'est ce que je fis en collant et clouant [...]. De toute façon tout était fichu et il s'agissait de construire des choses nouvelles à partir des débris.»

La situation historique d'exception, qui ne laisse que les débris du passé et les déchets du quotidien pour forger l'hymne à l'avenir, est tout autant l'occasion d'unir en une seule radicalité les trois poétiques de la modernité : mettre la construction des rapports à la place de la reproduction des choses; utiliser pour cela non seulement l'égalité de tous les représentés, mais aussi la capacité de toute matière à devenir forme et sujet. Le bric-à-brac des greniers et des poubelles peut prendre la place des couleurs du peintre pour une peinture «abstraite qui est immédiatement peinture d'histoire» et qui l'est en tant que peinture de genre radicalisée : la vie ordinaire représentée — c'est-à-dire supplantée — par ses matériaux mêmes, par les déchets de ce qui fait sa texture concrète. Mais le ticket de tram, le couvercle de boîte ou la coupure de journal collés sur la toile ne sont pas seulement des «traces d'histoire». Ils sont des éléments métamorphiques, susceptibles d'être aussi bien sujets, formes ou matériaux. Si tout objet est immédiatement puissance de sujet, de forme ou de matière, ce n'est pas seulement, comme on le posera quelquefois un peu vite à l'âge pop, par sa valeur «documentaire» qui en fait le support d'une fonction critique. C'est parce que, à l'âge de l'histoire, tout objet possède une vie double, détient une puissance d'historicité au cœur même de sa nature d'objet perceptif et usuel. L'histoire, étoffe sensible des choses, double l'histoire puissance destinale. Déliant l'histoire/exemple et l'histoire/composition de leur assujettissement à la représentation, elle démultiplie les possibles figuratifs auxquels appartiennent dès lors toutes les formes de la dé-figuration. Et cette démultiplication soutient les diverses formes d'historicisation de l'art, rendant compossibles deux «destins de l'art» : le projet constructiviste/unanimiste de «transformer le monde entier en une gigantesque œuvre d'art» (Schwitters), mais aussi son apparent opposé : le projet critique d'un art qui supprime son propre mensonge pour avérer le mensonge et la violence de la société qui le produit. Accomplissement et auto-suppression de l'art vont de pair parce que c'est le propre même de l'histoire comme puissance destinale que toute forme existante y vise à un accomplissement identique à sa propre suppression. Et l'âge de l'histoire confère aussi à toute matière informe comme à toute écriture instituée la possibilité de se métamorphoser en élément du jeu des formes. L'âge de l'antireprésentation n'est pas l'âge de l'irreprésentable. Il est celui du grand réalisme.

De trois formes de peinture d'histoire

À partir de là on pourrait, sans prétention à l'exhaustivité, définir trois grandes manières dont l'art de notre siècle a pu faire face à l'histoire, c'est-à-dire combiner les sens d'histoire et leurs possibles picturaux ou plastiques. La première serait la manière analogique. Celle-ci fait coïncider un certain sens de l'histoire, de la tâche qu'elle impose à l'artiste et des sujets qu'elle lui propose, avec le mouvement propre à l'agencement des éléments picturaux. Art symbolique donc en ce qu'il propose de l'histoire un *analogon* et qu'il identifie cet *analogon* avec la présentation de l'art par lui-même, du mouvement qui traduit l'idée en formes colorées ou fait émerger la figure de la matière picturale.

Mais le symbolisme lui-même prend deux figures différentes : l'une où le symbole est signe qui prend sens et corps à travers un rituel, l'autre où le symbole est partie détachée d'un tout, état d'un mouvement qui présente et signifie en même temps ce mouvement. Symbolisme abstrait ou expressionniste, avons-nous dit. Du premier côté, on trouverait la logique «mallarméenne» d'un Barnett Newman. La peinture d'après les deux guerres mondiales ne peut plus, nous dit celui-ci, peindre, comme si de rien n'était, des fleurs, des nus allongés ou des joueurs de violoncelle. Mais elle ne peut pas davantage s'adonner au pur jeu des formes sans signification, qui serait consentement au désordre américain du monde. Reste donc à concevoir la toile comme l'organisation de l'idée en éléments plastiques qui sont aussi les éléments d'un rituel religieux. La bande noire sur fond gris d'*Abraham* ou la bande rouge sur fond brun d'*Achille,* ces «canaux de tension spirituelle», font face au chaos des guerres mondiales ou à la simple anarchie américaine, en créant sur la toile un espacement de l'idée analogue à celui de la page mallarméenne.

Le symbolisme, en revanche, prend sa figure expressionniste dans la série des *Otages* de Fautrier, où l'otage figuré est aussi bien l'otage de la puissance de présentation picturale : ligne de couleur indécise dessinant la courbe d'un nez à une bouche, multipliant ou soustrayant des yeux autour de cette ligne centrale, allant de l'ovale régulier de l'œuf à la ligne déchiquetée qui cerne l'empâtement plâtreux du *Fusillé,* lequel ne rappelle plus aucune forme humaine mais bien plutôt tel *Paysage* de 1944. Ces jeux de la défiguration inscrivent la peinture d'un «sujet d'histoire» dans la grande *mimesis* par laquelle le mouvement de la matière picturale vers l'expression imite le mouvement de la matière vivante qui prend forme, l'empreinte de la fougère fossilisée dans la pierre ou le retour de l'animal mortel au minéral. Entre ces deux symbolismes se tiendraient sans doute ces peintures «politiques» de Manessier où la multiplicité régulière des petites taches lumineuses étagées sur un fond sombre, à volonté, figure la tension spirituelle d'un hommage abstrait au prêtre combattant dom Hélder Câmara ou dessine le grouillement des *favelas* de son pays.

À cette construction des symboles, ou *analoga,* de l'histoire s'oppose une seconde manière. Celle-ci opère sur un autre type de métamorphoses, celui qui, dans l'ordinaire de notre monde, transforme incessamment les images en signes et les signes en images. Peinture *mythologique,* pourrait-on dire, en entendant le mot au sens de Barthes. Cette manière-là joue sur le caractère *feint* de toute image d'histoire et sur le caractère historique de toute reproduction d'un quelconque état de choses. Elle joue en somme sur le renvoi permanent de la grande histoire, avec ses portraits, ses emblèmes ou ses discours, et la petite avec ses étalages de marchandises, ou de détritus, ses portraits de famille ou l'affichage de ses fantasmes et fétiches, sur l'équivalence en dernière instance de l'historicisation généralisée et de la «fin de l'histoire». La prolifération étatique et marchande des images/signes lui fournit un répertoire infini d'*exempla* dont une *disposition* — une mise en scène — spécifique doit révéler la duplicité : l'image qui est signe ou le signe qui est image, la majesté politique qui est mensonge marchand ou l'affichage marchand qui est mensonge politique, l'extraordinaire qui est ordinaire ou le banal qui est fabuleux. Son répertoire, ce sont les images officielles des grands de ce monde ou les portraits auratiques de ses idoles, les instantanés d'histoire captés par l'appareil photographique, les images du quotidien semblables aux affiches et aux fantasmes de la marchandise, les emblèmes du pouvoir ou les images d'histoire devenues signes indifférents ou objets de récupération.

Ramener tout *exemplum* à sa banalité d'image et d'objet usuel, élever toute image banale à la puissance de l'exemple. Dupliquer l'image pour qu'elle avoue sa duplicité, la détourner pour faire voir son autre côté, sont les armes essentielles de cette manière qui trouve dans le collage dadaïste son moteur premier et dans les multiples formes et dérivations du Pop'Art son accomplissement comme critique de l'image/signe coextensive à son règne. C'est le travail sur les variations et les combinaisons de l'image reproduction, icône, idole : multiplication banalisante de l'image du gouvernant ou de la star (Warhol), déplacement de l'image officielle du jeune Mao sur la place Saint-Marc (Erró), combinaison du portrait de Miss America 68 et de l'instantané du prisonnier vietnamien abattu (Vostell), momification supplémentaire du portrait momifié de Brejnev (Boulatov). C'est aussi le travail sur les emblèmes d'histoire : horizon rouge/tapis rouge du même Boulatov, drapeau américain peint/dépeint de Jasper Johns, emblèmes de la Révolution française ramenés par Polke aux articles publicitaires du bicentenaire; tableau d'histoire perverti par Larry Rivers, accusant l'étrangeté iconique du *Washington Crossing the Delaware* («Washington traversant le Delaware») par le jeu des perspectives contrariées. Le même Larry Rivers retourne la banalisation photographique du *Last Civil War Veteran* («Dernier Vétéran de la guerre de Sécession») en la repeignant avec la crudité de ses couleurs et la bizarrerie de ses perspectives et ressuscite la valeur d'histoire oubliée dans l'icône d'un Napoléon de billet de banque ou l'âge d'or hollandais dans l'image des *Syndics des drapiers* qui sert d'emblème à une marque de cigares. Ce sont ensuite les divers traitements de l'affiche publicitaire ou politique : l'éraflure légère par laquelle Rotella remet en scène les images de la marchandise reine ou des stars légendaires; le jeu des superpositions par lesquelles Villeglé creuse les images et les messages d'une campagne électorale; la dilacération qui, chez Raymond Hains, ramène image et signe à la dispersion de fragments colorés révélant le support de tôle. C'est encore le jeu iconique sur les messages de l'écriture : pages de journaux quasi effacées de Morris ou surchargées de têtes de Noirs dans les *Vanilla Nightmares* d'Adrian Piper, lettres grossies de Polke ou monumentalisées par Boulatov en surcharge des images officielles de comité central unanime ou de cosmos soviétique. C'est enfin la réexposition de la peinture par elle-même. Ainsi le tableau d'Equipo Crónica met-il en scène la visite à Guernica dans l'espace surréaliste d'un musée où les figures sortent à nouveau du tableau : bras porteur de lampe qui traverse le toile, fragments chus sur le sol de la salle, corps qui se relève. La peinture, en jouant la métamorphose incessante des images d'art et des images de monde, rejoue ainsi sa propre histoire.

C'est d'une manière plus discrète peut-être qu'elle le fait dans la troisième manière, qui ne joue plus sur la construction des symboles ou le commentaire des images/signes mais sur les possibles de la figure. Cette manière s'inspire de la poétique que j'ai dite (sur)réaliste. Celle-ci use de toutes les transformations de la figure et des rapports entre les figures qui caractérisent une figuration déliée des règles de la représentation. On se souvient du dilemme de la figuration naguère posé par Sartre. D'un côté, le peintre authentique des horreurs du siècle ferait fuir la Beauté et le spectateur. De l'autre, le «traître» qui peindrait un camp comme on peint un compotier serait également infidèle à l'exigence de l'art et à celle de l'histoire. À ce dilemme la tradition sur(réaliste) a tôt trouvé l'issue. Elle ne peint pas les horreurs de la guerre ou des dictatures, elle ne les oublie pas au profit des compotiers ou des seules formes colorées. Elle peint ce qui ne provoque ni horreur ni indifférence : le devenir-inhumain du sujet humain. «Absence humaine dans l'homme.» La formule est de De Chirico, évoquant l'image, vue dans un vieux livre, de ce que nul homme n'a vu : un paysage de l'époque tertiaire. Ce paysage d'avant l'homme, De Chirico dit l'avoir retrouvé dans les paysages historiés de Böcklin, de Poussin ou du Lorrain. Mais c'est à lui que retournent aussi, à travers leur devenir végétal et minéral, les combattants de la Grande Guerre, sous le pinceau d'Otto Dix. Tout comme les mannequins et les perspectives urbaines «métaphysiques» du même De Chirico s'animent dans la *Rue de Prague* ou dans maint autre tableau, mariant la fureur expressionniste et la froideur «Nouvelle Objectivité», pour marquer la monstruosité d'une société. Tout comme ils se figeront à nouveau dans le réalisme magique ou le surréalisme pour produire ces peintures d'histoire d'un nouveau genre qui marquent un âge de l'histoire et auscultent une civilisation en plaçant des personnages modernes dans un décor antique ou des vierges antiques devant des gares ou sur des places flamandes. Illustrateurs de Spengler comme Carel Willink, lecteurs des classiques du rêve, de Dalí à Masson ou Bellmer, témoins à charge de l'effondrement de la démocratie en Allemagne, de Dix ou Grosz à Nussbaum ou Hofer, ils peignent ce qu'on pourrait appeler, en détournant encore un mot de De Chirico, le spectre de l'histoire.

L'absence de l'humain dans l'homme se marque de mille manières : par les déformations de la caricature et du montage qui font apparaître la férocité de l'animal ou la stupidité du végétal dans la figure du dirigeant (photomontages de Berman ou de Heartfield); par les métamorphoses et les simulacres de la figure humaine : masques à gaz de Dix qui se transforment en masques de comédie ou de mort; par la reprise de l'iconographie des vanités, des grotesques ou des danses de mort, de Mafai à Nussbaum; par les équivalences plastiques entre les grimaces du pouvoir et les jeux picturaux. André Bazin expliqua naguère comment *Le Dictateur* réglait, entre Chaplin et Hitler, une affaire de vol de moustache. De même une affaire de traits picturaux volés et à reprendre anime le contour caricatural de Kokoschka (*Das rote Ei*, «L'Œuf rouge»), le trait schématique des dessins de Klee (*Heil!* ou *Närrische Jugend : Krieg*), le masque de Pierrot d'Hitler chez Dix *(Les Sept Péchés capitaux)* ou sa figure anonymisée et fondue dans la foule chez Nussbaum *(L'Orage)*.

C'est encore l'«apolitique» De Chirico qui a nommé l'une des grandes procédures de la peinture «(sur)réaliste» d'histoire : la «solitude plastique» des figures, soit la dissociation construite de leur *disposition* et de leur valeur *exemplaire*. Peindre l'«inhumain», c'est disposer les lieux et les figures d'une peinture d'histoire qui se récuse elle-même. Dans *Prisonniers à Saint-Cyprien* de Nussbaum, tous les éléments semblent réunis pour une scène significative. L'auteur décrit son expérience du camp, saisie sur le vif. Il distribue ses groupes de figures selon les lois de la composition. Et, au premier plan, il dispose la scène «concrète» d'une leçon de géographie qui réunit quatre figures allégoriques tirées de la Haggadah, le méchant, le sage, l'indifférent et le naïf. Simplement, les figures n'entretiennent entre elles aucun des rapports que leur disposition suppose : l'expression réelle/allégorique se fige en grimace de masque, les regards ne se croisent pas, vont se perdre ailleurs, nulle part. La disposition annule l'histoire qu'elle racontait et la fable qu'elle suscitait en elle pour l'éclairer. L'humanité réalistement représentée est une humanité qui se retire ; tel le visage du *Juif à la fenêtre,* visage moins de victime, effrayée ou résignée, que de voyant, soustrait déjà à l'humanité, témoin d'un cataclysme plus étonnant encore qu'horrible. Regard qui renonce à comprendre et, du même coup, laisse l'inhumain exposé, au-delà de toute banalisation.

Ainsi la démesure éprouvée de l'histoire ne cesse-t-elle de trouver son expression picturale. Au sortir de la Grande Guerre, De Chirico renouvelle la peinture d'histoire en re-peignant le plus émouvant des départs au combat : les adieux d'Hector et d'Andromaque, simplement remplacés par des mannequins. Dans les années quarante, l'exilé juif Felix Nussbaum, dans sa cachette d'Amsterdam, peint, avec ses figures à l'expressionnisme figé, l'allégorie des camps et de la mort qui l'attendent, tandis que, sur les bords du lac de Constance, Karl Hofer les spectralise à sa manière, dans la disposition calmement in-humaine des panneaux perpendiculaires et des personnages nus et solitaires de *La Chambre noire.* En 1990 le fils d'émigrants juifs Larry Rivers, le même qui avait démystifié l'iconographie de Washington, peint deux portraits tranquillement symboliques du témoin des camps Primo Levi. Sur l'un la figure de l'écrivain se dédouble pour laisser apparaître le visage de l'enfermé. Sur l'autre le mouvement de sa main déroule le paysage des murs et les silhouettes des victimes. Surimpression empruntée au cinéma, décomposition du mouvement empruntée à son ancêtre, la chronophotographie de Marey. L'histoire n'a pas fini de se mettre en histoires.

La défaite de la peinture

Essai post-historique
sur l'imposture idéologique de la peinture d'histoire

« Nous ne voulons servir l'histoire que dans la mesure où elle sert la vie. Dès qu'on abuse de l'histoire ou qu'on lui accorde trop de prix, la vie s'étiole et dégénère ; c'est là un phénomène dont il est désormais nécessaire, si douloureux que cela puisse être, de prendre conscience à l'examen de certains symptômes remarquables de notre époque. »

Friedrich Nietzsche, *Considérations inactuelles,* II, Préface[1].

Régis Michel

Happy few

À l'origine est le récit. Dès le premier moment de sa réflexion critique, la peinture occidentale est sommée de satisfaire à cette injonction narrative : *raconter*. Alberti lui donne un nom générique aux accents familiers qui se passe de commentaire, *istoria*[2] — l'histoire. Et pour que nul n'en ignore, il la promeut avec insistance au zénith de son esthétique. L'*histoire* est le stade suprême de l'art du peintre, répète-t-il à qui veut l'entendre[3], non sans conter par le menu les moyens d'y parvenir : invention, décorum, figures et modes, tout ou presque est *déjà* dans son traité fondateur. Il n'y manque vraiment que le programme, sans doute parce qu'il va de soi. Alberti ne spécifie guère ce qu'il faut narrer. Mais les prémisses du discours sont assez explicites. Il s'agira d'évoquer les morts. Le miracle — ou le mirage — de la peinture est dans cette appétence foncière à la *palingénésie* des hommes illustres. Car (on s'en doutait un peu) le pinceau de l'artiste ne ressuscite pas les défunts ordinaires. La survie picturale est le privilège des *happy few* qui ont su faire parler d'eux. L'art de peindre est donc une espèce de prosopopée des annales où le vocable albertien d'*istoria* prend son envol sémantique. On en déduira que les Grecs se sont bien trompés. La peinture ne naît pas de la figure. Mais de l'histoire (en tous sens). *Exit* Dibutade, qui recrée son amant sur les murs de Corinthe, dans un geste effusif, où s'allient mémoire et désir. *Incipit* Clio, qui soumet la peinture aux lois de la causalité, dans un but édifiant, où se conjuguent raison et vertu. Ces motifs pieux de la catéchèse humaniste assurent l'exemplarité du tableau d'histoire, entre prosélytisme et propagande, où le récit devient prône.

Dans le langage moderne, on appelle ça l'*idéologie* : petit théâtre intérieur de l'aliénation sociale, chambre obscure de l'inconscient collectif. L'idéologie, selon le mot d'Althusser, c'est de l'allusion faite illusion (et réciproquement)[4] : le rapport *imaginaire* de l'individu aux conditions *réelles* de l'existence. Et le propre du rapport est son tour naturel, qui mue le fantasme en évidence, ou le stéréotype en certitude. L'idéologie est toujours diaphane : son efficacité se mesure à son évanescence, et son oubli marque son triomphe. Tel est le paradoxe aigu de la dénégation qui en fait un éternel *dehors* alors même qu'on est toujours *dedans*. Aussi la peinture d'histoire est-elle un phénomène idéologique de première grandeur puisqu'elle vise à transférer sur la toile ce qui relève par excellence de l'idéologie : l'histoire. Cette double réfraction la rend d'autant plus insidieuse qu'elle paraît plus innocente. Qui soupçonnerait ses fastes visuels d'intentions cachées ? L'idéologie s'inscrit toujours dans une pratique, un rituel, un appareil, fût-il d'État. La peinture d'histoire est un enjeu constant de contrôle étatique au travers de ces instances attitrées, l'Académie, le Salon, l'Administration, qui a le quasi-monopole de la commande. Rien de plus *politique* en somme que cette imagerie picturale soumise à la pression tenace des élites sociales qui se disputent l'appareil d'État. S'il est vrai que l'idéologie change l'individu en *sujet*[5], le peintre d'histoire est deux fois victime de pareille sujétion : deux fois prisonnier d'un idiome préfixe qui s'impose à son pinceau, l'histoire et la peinture d'histoire. Nul ne songe à le priver de sa liberté créatrice qui l'induit à modifier la donne en trouvant des formes nouvelles. Ce déterminisme ingénu n'a plus cours. Même la tradition marxiste s'est ralliée de longue date à l'autonomie *relative* de la chose esthétique dont le dernier Marcuse emprunte l'essentiel aux thèses de Lukács[6]. Mais nul ne peut non plus récuser la teneur idéologique de la peinture d'histoire qui en fait un brillant exercice de légitimation sociale au service implicite des stratégies de pouvoir. Cet idéalisme naïf est pourtant tenace. Il sévit encore dans l'histoire de l'art, discipline éthérée de tous les formalismes. Et pour cause : l'histoire de l'art n'est *elle-même* qu'une idéologie.

Double-bind

Car c'est la peinture d'histoire qui constitue l'histoire de la peinture en vulgate idéaliste dont le paradigme est l'œuvre de Poussin. D'Alberti à Bellori via Vasari, son obsession permanente est de soustraire le peintre aux tentations du réel. *Horresco referens !* La seule profération de ce vocable abhorré (le réel) tient de l'outrage ou du blasphème. Car si la peinture se met à reproduire le chaos, voire la misère, du monde, elle se dérobera vite au moindre contrôle. Et cette anarchie virtuelle est la pire des subversions. Tout conspire à la *cécité* (partielle) du peintre d'histoire. Il ne doit voir que ce qu'on lui montre : un choix politique de sujets orthodoxes qui restreint puissamment la marge de l'interprète. Lorsque naît avec Winckelmann l'histoire de l'art proprement dite — la *Kunstgeschichte* —, cet idéalisme congénital s'accroît encore de poncifs (néo-)platoniciens. D'où le dispositif académique d'une censure latente qui se drape dans les plis de la méthode historique en accusant le reste de frivolité. L'histoire de l'art est cet idiome létal qui réduit les œuvres au silence. Un silence de mort. Car sa vision de l'histoire n'est qu'une recherche des origines : une archéologie de l'intentionnalité qui consiste à tenir la chandelle sous le crâne des artistes. Cette empathie mystique se réclame (au mieux) de la *première* herméneutique — celle de Schleiermacher — qui n'est qu'un ultime avatar du vieux logocentrisme où se réifie la métaphysique de la présence dans cette hyperbole morbide, le culte de l'auteur, variante moderne du culte des reliques cher au Moyen Âge[7]. La rhétorique de l'historien finit par enfermer le tableau dans la trame arachnéenne de ses normes préjudicielles, catégories du style, généalogie des formes, réseau des influences, etc. : tout ce qu'Adorno nomme le discours des ismes en feignant de le croire nécessaire au salut de la modernité[8], quand il a pour seul but de nier la *différence* de l'œuvre en verrouillant sa glose au nom de la vérité. Pour fustiger le langage de la scolastique, Nizan disait d'un mot : *chien de garde*[9].

On ne saurait trop y insister. L'histoire est la malédiction de la peinture occidentale. Entendons : *cette* histoire sélective qui résulte d'une double instance, idéologique (la censure) et narrative (le récit). De là cette exigence vitale qui résume son destin : comment s'en débarrasser ? La réponse fait l'objet du présent texticule. Fable ou fiction, thèse ou feuilleton ? C'est en tout cas le contraire d'une histoire, laquelle est constamment piégée par les chimères du positivisme. On dira, pour faire bref, que cette entreprise cathartique est affaire (laborieuse) de *troc*. Il s'agit de troquer le récit *contre* la figure (version narratologique), la métaphore *contre* la métonymie (version rhétorique), le signifié contre le signifiant (version sémiotique). En un mot le sujet *contre*... X (version néo-structuraliste). Qu'est-ce qui vient après le sujet, s'enquérait naguère la philosophie[10] ? Encore du sujet, moins transcendantal et plus nominal, ou plus symbolique : du nom propre (version post moderne). Il advient d'abord que le monde se brise avec la Révolution, et le tableau — le récit — avec lui : reste la figure solitaire comme vestige *métonymique* (fragment synecdochique) de ce monde perdu. David est le fauteur, au moins provisoire, de cette rupture assassine : le meurtre de Marat, c'est le meurtre de la métaphore. Puis la figure se tourne vers le spectateur qu'elle inclut dans la toile au prix d'un dialogue *conatif* qui ne laisse personne indemne : la figure subjective et le spectateur s'identifient. On doit à Géricault cette métamorphose qui change l'acteur en narrateur. Enfin Manet subvertit jusqu'à l'idée même d'histoire en privant ses figures de toute réalité au point qu'elles brillent par leur absence, dont s'effarait Bataille[11]. La banalisation de l'événement, la désincarnation des personnages et la distanciation de la scène ruinent le récit de l'intérieur au moyen rare de ce trope subtil : *l'ironie*. D'où la contradiction griève, aporie massive et parfait *double-bind,* qui stérilise la peinture de Cézanne, quand elle troque le narratif pour le motif. Cézanne peint des pommes. Mais comment dire le monde avec des pommes ? La peinture se replie sur le signifiant, c'est-à-dire sur elle-même, au risque de s'abîmer dans le formalisme, voire le narcissisme. *Guernica* sera bien le dernier des tableaux d'histoire. Mais l'histoire s'y réduit au symbole : c'est une allégorie (genre académique s'il en fut). Retour aux origines de l'idéalisme. Ou de l'idéologie. Ainsi s'achève — parodiquement — ce qu'il faut bien nommer, après Lyotard, le métalangage de l'art : le *grand récit* du récit[12]. Chronique d'une imposture. Défaite de la peinture.

Huis clos

La peinture d'histoire a son prophète : Poussin. Car il fait d'un genre incertain le *canon* du classicisme, qui ne cessera plus de régir les ateliers, sinon les cerveaux, jusqu'à David (et plus). L'Académie naissante en impose le modèle aux talents juvéniles. Et les bons esprits, Félibien en tête, lui prêtent la caution de la théorie. Cette rare fortune est suspecte. Il s'y mêle entre autres de l'idée philosophique (le néo-stoïcisme), de la méthode intellectuelle (le rationalisme cartésien), de l'ascèse morale (le jansénisme parlementaire) et de la stratégie narrative (la clôture du récit). L'énumération n'a rien d'exhaustif. Mais elle dit assez que la forme est ici plus qu'ailleurs étroitement tributaire de l'idéologie, où priment les vertus roturières. Car Poussin codifie la formule magique du récit pictural, qui *reproduit* le monde en lui donnant du sens, c'est-à-dire de l'ordre. Le tableau de chevalet, dont le format restreint flatte la discrétion de la clientèle privée, qui a le luxe austère, se donne pour un *double* du réel. Mais la copie n'est pas conforme. Et ce réel est châtié jusqu'à l'épure, afin d'assouvir les idéaux rigoristes d'une élite sociale. Félibien, qui fut l'hagiographe du maître, ne dit pas autre chose : la peinture est l'image de l'univers[13]. On dira même plus (comme Dupond et Dupont) : elle *est* l'univers lui-même, dans le goût lustral de la tragédie cornélienne. Aussi faut-il voir dans ce théâtre du monde un récit mimétique d'essence normative où triomphe le credo duel des grands robins : valeur morale, raison causale.

Le rôle du peintre est par suite d'*exorciser* l'autre monde — le monde matériel — au prix d'une césure étanche entre peinture et nature : il y a le monde peint (qui est vrai) et le monde vrai (qui est vain). Ce procès cathartique entraîne l'art occidental dans les voies douteuses de l'idéalisme cartésien, où l'art de peindre équivaut à subjectiver le réel. Et la clôture du récit devient le principe heuristique de ce hiatus schizoïde. Le tableau se replie sur lui-même en murant ses personnages dans un espace géométrique : on parlera de *huis clos,* fût-ce à ciel ouvert, tant ce cadre étroit s'y fait carcéral. Poussin cristallise ce qu'il faudrait nommer le *grand renfermement* de la peinture classique si l'allusion n'était par trop frivole à la violence punitive de la monarchie absolue contre toutes les formes de la déraison par où s'instaure — voir Foucault — l'ordre solaire du classicisme[14] : l'ordre impérieux du sens. Il n'empêche. Peu de figures, peu d'action, peu d'espace. Telle est la règle picturale des trois unités : sélective, restrictive, répressive.

Peinture péplum

Le tableau d'histoire se conforme dès lors au modèle didactique de la frise, inspirée des reliefs antiques, qui astreint les figures à poser de *profil* (mode usuel du discours indirect), dans la rigueur topologique d'un dispositif linéaire où l'habitus gestuel est le seul principe d'individuation. Et la chaîne signifiante — l'allusion caténaire est ici bienvenue — se partage en son milieu comme les deux termes d'une alternative : les deux moitiés du monde. L'*antithèse* est le trope favori de ce discours métaphorique aux fins édifiantes où s'opposent volontiers le vice et la vertu. Mais cet usage récidiviste de la psychomachie ne doit plus rien aux fastes allégoriques de la tradition médiévale. Elle emprunte à l'Antiquité de Plutarque les accessoires éloquents d'un grand spectacle à petit budget : la peinture *péplum*. Or celle-ci ne serait qu'un jeu gratuit de références érudites sans la promotion brutale d'un nouvel acteur du répertoire : le héros. Car le héros pictural, au sens narratif du terme, est une invention du classicisme[15]. On ne pratiquait guère jusque-là que les dieux ou leurs modernes ersatz, les monarques. Le personnel mythologique à présent se *laïcise* : il descend de l'Olympe (ou du trône), quittant le travesti de la fable pour le décorum de la tragédie. Poussin met en scène de simples mortels, généraux, politiques, philosophes ou poètes, qui sont parfois de condition modeste, comme cet Eudamidas, citoyen de Corinthe, qui lègue sa misère par testament dans une peinture de Copenhague, tableau-culte du néo-classicisme. Mais qu'on ne s'y méprenne pas : il s'agit (presque) toujours d'un *substitut* du prince, même s'il est plus volontiers maître de lui que de l'univers. Le héros, chez Poussin, cumule au moins trois caractères constants qui tous attestent de sa dignité supérieure — son charisme princier. Il est d'abord *central* : c'est autour de lui que s'organise le tableau : il incarne, au centre de la frise, la solution du drame et la vérité de l'image, fût-ce en tranchant dans le vif, comme Salomon, le nœud gordien de l'aporie biblique. Il est aussi *cogital* (pour user d'un prédicat nietzschéen qui est railleur) : sujet pensant, sujet libre, sujet maître — entendons que sa raison souveraine maîtrise chimériquement les passions privées, tel Scipion, Camille ou Coriolan, parangons attitrés de la vertu stoïcienne. On notera que la femme n'accède pas à la sphère héroïque : le *cogito* est mâle et la passion femelle. Il est enfin *destinal,* ou porteur d'un destin, qu'il doit, comme Pyrrhus ou Moïse, Enée ou Achille, à la fortune dynastique ou la grâce divine. Le thème de l'*élection*, récurrent chez l'artiste, est par excellence un thème politique : un refrain monarchique. Peu importe qu'il sévisse dans le genre profane ou le genre pieux. C'est toujours le même monde, qui est un monde d'hommes. Le Christ n'y est qu'une figure de *pouvoir,* qui prodigue ses faveurs comme un héros plutarquien. Et les apôtres ont le rôle éclairé des conseillers du prince, qu'ils relaient parfois — mais en groupe — dans ses fonctions charismatiques. Ainsi font-ils chorus trinitaire pour foudroyer Saphire de la vengeance divine dans le tableau peut-être le plus *politique* de Poussin tant le décor est saturé d'architectures sévères aux ouvertures béantes qui placent l'épisode sous le regard de l'autre : sous l'œil du maître[16]. Ce dispositif panoptique redouble insidieusement l'*éthos* punitif, autoritaire, solennel de la scène. Le théâtre du monde — la peinture d'histoire — est sous contrôle ubiquitaire d'une visibilité permanente. On conçoit mieux qu'il s'agence autour du héros. Car dans le fantasme idéologique du sujet souverain propre à la tragédie classique, le héros, dit Benjamin, *n'a pas d'âme,* eût-il de l'expression. Mais cet unique devoir : édicter la loi[17].

Objet perdu

Un beau soir de juillet 1793, Jean-Paul Marat, prophète des sans-culottes, expire en pleine Terreur sous le poignard royaliste de Charlotte Corday. Les Jacobins métamorphosent le prophète en martyr. Il y faudra le pinceau de David. Mais en changeant le monde, la Révolution change *aussi* la peinture : elle troque la métaphore (l'idéal) pour la métonymie (l'idéologie). David a repris de longue date la formule narrative de Poussin : le récit clos. Qu'il retourne contre lui-même. Contre l'apologie du prince. Contre l'ordre établi. De là deux catégories de héros davidiens, qui sont tous des héros *noirs* au destin funeste : le drame punit toujours, au contraire de chez Sade, l'*excès* de leur énergie. Il y a d'abord les héros tragiques, victimes de la tyrannie, comme Bélisaire et Socrate, que condamne l'injustice du monarque ou de la cité[18]. Mais il y a aussi les héros fanatiques, défenseurs de la loi, comme les Horaces ou Brutus, qui sacrifient leurs affections privées à la raison d'État[19]. Les deux catégories sont complémentaires : l'une (la loi) est le *positif* de l'autre (le prince) — ou l'inverse. Et le peintre alterne d'ailleurs les sujets critiques et les sujets civiques. Le *retour à Poussin,* qui prélude au retour à l'antique, vers la fin de l'Ancien Régime, est un rare exemple de dialectique picturale. David subvertit l'univers de Poussin en le renversant dans son contraire : il soumet le prince à la loi. Mais la Révolution change tout, qui veut plus. Des *icônes,* pas des tableaux.

Cherchez la femme : vous ne la trouverez guère. Elle est partout de n'être nulle part. Sa présence est obsédante. Mais invisible. Comme le *dieu caché* de la tragédie racinienne cher à Lucien Goldmann : fantôme, fantasme, fantoche[20]. C'est l'un des paradoxes les plus aigus de la peinture occidentale. Marat, chez David, expire dans son bain pour une cause inconnue[21]. Il n'y a dans le tableau ni crime ni criminelle. Encore moins de mobile. L'artiste expédie Charlotte Corday dans l'univers borgésien des objets perdus, c'est-à-dire aux oubliettes de l'histoire. Rarement locution populaire fut plus exacte. Il s'agit en effet d'*oublier* l'histoire, quand l'histoire, avec la Terreur, se rappelle massivement à la mémoire collective, dans un bruit sec de métal effilé. N'en doutons pas. Cette exclusion de l'histoire est une censure politique. Représenter le meurtre de Marat, c'est risquer de grandir sa meurtrière : d'exalter son geste, de glorifier sa cause. Bref, d'encourager la réaction. Mais ce parti jacobin n'est pas l'essentiel. En soustrayant la victime à son bourreau, David affranchit l'image de cette exigence tyrannique : la *causalité,* c'est-à-dire l'historicité. Non content de peindre le crime parfait (sans coupable), il introduit dans la peinture le meurtre gratuit (sans motif). Mais on aurait tort de s'y fier. La mort laconique, elliptique, énigmatique de Marat brise le tableau d'histoire en deux parties égales comme un alexandrin en deux hémistiches. Il y a la part visible (Marat) et la part d'ombre (Charlotte), la part solaire (l'*Ami du peuple*) et la part maudite (l'amie du trône), la part de la figure et la part du récit, du mythe et de l'histoire, de la fable et de l'anecdote. Cette césure narrative est un événement de première grandeur dans l'histoire de la peinture (si la formule a un sens) : un coup d'État comparable au carré blanc de Malevitch ou au *dripping* de Pollock. Car il ouvre à l'artiste les voies syntaxiques d'un nouvel univers : la figure. En troquant le discours causal pour le discours figural, David métamorphose la rhétorique du tableau : il remplace la métaphore par la *synecdoque* (version métonymique de la partie pour le tout[22]). Et l'on sait depuis Jakobson au moins que ce changement de trope est un changement... d'ère[23]. Que ces dispositifs linguistiques sont des systèmes esthétiques (et au-delà) : ils véhiculent des mondes. On dira, pour simplifier beaucoup, que la figure davidienne est le degré zéro de la peinture moderne : le moment critique où tout devient possible. Où le héros se change en *sujet.*

Monologue pictural

La leçon de David — la formule du *Marat* — s'épanouit avec Géricault dans un genre inédit : la figure d'histoire. À preuve le *Chasseur de la Garde*[24], qui explore les pouvoirs de la synecdoque. La bataille se résume (ou presque) à un seul cavalier. On ne saurait trop insister sur ce paradoxe d'avenir : une figure isolée, fût-elle équestre, suffit à dire la guerre, et l'armée impériale, et la légende napoléonienne. L'usage de la synecdoque a deux effets majeurs. L'un est d'ordre plastique : l'effet de *saillie*. Le cheval paraît traverser la toile, de gauche à droite, sur une diagonale ascendante, qui semble esquisser l'immense oblique du *Radeau de la Méduse*. Cette esthétique de la transitivité s'autorise d'une technique efficace : la suppression des marges. L'œuvre est taillée aux dimensions exclusives du cheval, qui l'occupe intensivement d'un bord à l'autre : la queue (à gauche), le sabot (à droite) ont avant tout pour fonction d'*abolir* les limites de la toile en accusant la profondeur du champ. Tous deux tutoient la bordure du cadre afin de suggérer le prolongement du tableau : la contraction de l'espace narratif entraîne la dilatation de l'espace pictural par la suture de l'espace réel. Où l'on voit que la synecdoque (l'isolement de la figure) est un procédé rhétorique d'un rare dynamisme : la vivacité du mouvement — la sensation de passage — s'accroît d'un traitement sculptural — l'hypertrophie du motif — qui met comme en exergue cheval et cavalier. On mesure mieux la finalité du dispositif : le *gros plan*. L'autre effet n'est pas visuel, mais syntaxique : il change les structures du récit. On le désignera, faute de mieux, comme effet de *compendium* ou d'épitomé. Sa nature est abréviative, et sa fonction focale. La figure concentre désormais le sujet — tout le sujet — du tableau, les motifs subsidiaires (précités) n'ayant qu'un emploi connotatif de contrepoint. Cette mue structurale est une révolution narrative : on entre dans l'ère critique du *micro-récit,* où la linéarité le cède au fragment, l'anecdote à la figure[25].

Pour mieux saisir l'ampleur de la métamorphose, il suffit de se reporter aux tableaux du temps. Dans l'imagerie classique (*a fortiori* dite néo-classique), le récit ne se conçoit qu'exhaustif : il narre l'intégralité d'un épisode. Cette exigence de complétude est la condition du message. La peinture a le statut d'un apologue. On dira, pour faire bref, que la thèse — morale ou politique — présuppose la synthèse. Dans son *Léonidas*, David introduit une donnée neuve : le héros est *inactif* (il pose mais n'agit pas[26]). Or cette allégeance à Winckelmann ne change guère la syntaxe de l'image, héros central et récit dense. Léonidas régit la scène — ou son suspens — dans la polysémie de ses motifs : c'est même sa figure méditative qui la dote de son unité. Il y a plus. Là comme ailleurs (dans les *Sabines*[27]), David hypertrophie le récit classique au format géant du panorama, qui multiplie les personnages, en stimulant l'identification : le spectateur *marche dans la toile,* selon le mot fameux de Napoléon. La peinture de Gros, qui traite, comme Géricault, de sujets modernes à vocation guerrière, ne répudie nullement ce schéma davidien : ses batailles impériales sont des machines panoramiques d'essence thuriféraire, dont le héros structure plus que jamais la composition. Le récit tourne à la *propagande*. Il faut donc éviter le récit. D'où la promotion de la figure. Encore s'agit-il d'une figure critique : d'un héros négatif. Non content de prendre pour modèle un officier vétéran des boucheries napoléoniennes, Géricault le dote par surcroît d'un tour méditatif, mine grave et regard profond, qui n'a rien d'héroïque, ni même de guerrier : c'est un militaire philosophe égaré sur le champ de bataille — un digne émule de Maine de Biran, qui éprouve dans la tension du corps l'inanité solipsiste du *cogito* cartésien[28]. *Il se retourne et il pense,* note Michelet dans son *Journal,* avec une rare lucidité qui rend dérisoire par contraste la glose aveugle des modernes, en mal de slogans belliqueux et de marches triomphales[29]. Et pour montrer son visage au spectateur, le peintre lui impose une rotation du buste que n'eût pas désavouée l'illustre Franconi, maître de cirque, dont Géricault prisait fort les talents d'écuyer. Cette oblation du visage, ou *prosopopée* (au sens originaire du *prosôpon* grec, qui désigne un masque de théâtre)[30] mue le sujet en narrateur : c'est lui désormais qui conte l'événement. Par où le récit devient monologue...

Règle du je

Peindre l'histoire ? Sans doute. Mais une histoire *moderne* : celle du temps. Tout le problème de Géricault se résume à cette question primitive — la question de Baudelaire — qui se résout en... aporie massive. Comment peindre la modernité ? Car l'histoire ne se conçoit jusqu'à lui que grecque ou romaine. Elle continue d'arborer la tunique ou la toge. Cet exotisme diachronique est à la peinture ce que l'alexandrin fut à la tragédie : son idiome congénital — le *parler-noble*. David lui-même s'est toujours conformé aux lois marmoréennes du décorum académique. Et l'on ne saurait dire que la Révolution modifie ces usages poncifs sous la pression de l'événement. Ses *martyrs de la liberté, Marat* compris, résultent d'un compromis vestimentaire entre le nu héroïque et le symbole républicain[31]. Mais l'artiste en revient sous l'Empire à l'orthodoxie du dogme. Car la tradition classique, de Winckelmann à Hegel, ne cesse d'exalter le corps nu *contre* l'habit moderne : le beau idéal contre l'atour trivial[32]. Aussi David promeut-il jusqu'à l'indécence la nudité mâle, qui scandalise le public des *Sabines*. Géricault prendra donc le parti inverse. Il dote ses naufragés de la *Méduse* des haillons de rigueur qui font de ces morts vivants un étal de charpie. Mais la vieille tentation d'héroïser l'anatomie virile, chère à Winckelmann, continue de hanter son pinceau néophyte. Et les survivants du *Radeau* n'ont rien de famélique après quinze jours de dérive maritime à la portion congrue. Ils exhibent contre toute vraisemblance des muscles d'athlètes au sortir du gymnase. Peindre l'histoire ? sans doute. Mais pas le réel...

Il y a, dans le *Radeau de la Méduse*[33], deux tableaux en un : la scène de l'espoir et la scène de deuil. L'une est rivée au motif lointain du vaisseau de secours — le brick *Argus* — dont on ne sait trop s'il s'approche ou s'éloigne : les personnages y sont absorbés dans l'action (c'est un récit collectif de tendance unitaire) et le spectateur s'identifie à leur quête incertaine (il adhère à leur groupe sans aucune médiation). L'autre est dominée par la douleur du père qui étreint son fils moribond dans une pose analogue à la *Mélancolie* de Dürer. Cette attitude frontale — ou presque : le regard est ailleurs — a pour fonction vocative d'impliquer le spectateur dans ce travail du deuil. Or les deux tableaux s'ignorent. Même ils se tournent le dos. Ce schème centrifuge — inconvenance majeure — est à peu près inédit dans la tradition classique, fondée sur une exigence inlassable de *centralité* (spatiale, narrative, psychologique). Le *Radeau de la Méduse,* ouvrage monumental, a pour centre un hiatus : il est bâti sur du vide. Et ce vide est un constat d'échec : il marque la faillite de la peinture d'histoire. Géricault ruine l'illusion naïve d'un récit linéaire qui prétend reproduire le monde en lui donnant un sens.

De là son impuissance manifeste à *finir* ses (rares) entreprises dans ce genre obsolète. C'est que le récit passe désormais par la figure : la fausse objectivité de l'un cède à la vraie subjectivation de l'autre. En un mot la narration se dote d'un narrateur. Il y a bien deux tableaux dans le *Radeau de la Méduse,* l'objectif et le subjectif. Mais leur rapport est hiérarchique : le premier se subordonne au second. Ou plutôt le second *produit* le premier. La toile géante n'est jamais qu'un récit figural, analogue à ceux des Salons précédents (le *Chasseur,* le *Cuirassier*), où finit par triompher la première personne : le *je* souverain du sujet pictural. Le *Radeau de la Méduse* est un fantasme du père qui soumet l'image à sa loi. Géricault reprend la peinture d'histoire où David l'a laissée avec le *Brutus*. Et s'en approprie la meilleure part, qui est la la part figurale, c'est-à-dire patriarcale. On en conclura volontiers que la peinture d'histoire, c'est la *loi du père :* l'ordre œdipien de la castration. Qui règne sur des cimetières...

Chirurgien-dentiste

Bataille : « Ce tableau rappelle étrangement l'insensibilisation d'une dent[34] ». L'*Exécution de Maximilien*[35] distille un sentiment de torpeur qui frise l'anesthésie : le peintre y tord le cou à l'éloquence. Bataille fait de Manet le chirurgien-dentiste de la peinture d'histoire (l'*éloquence* n'est chez lui qu'un mot plus traitable pour dire la même chose). Mais dans le pré carré de la scolastique, l'auteur de l'*Anus solaire* fut rarement prophète : ses jugements de goût restent voués aux bas-fonds de la part maudite. On favorise d'ordinaire une lecture plus révérencieuse du cycle mexicain de Manet en l'insérant tout de go dans la grande tradition d'un art protestataire qui remonte à Goya[36]. *Quod demonstrandum :* c'est le retour de l'enfant prodigue dans le giron policé de la glose académique. La généalogie des formes a le douteux privilège de nier la différence des œuvres. Peu importe en vérité ce que Manet voulut dire. Nul n'est contraint de tenir la chandelle sous le crâne des morts : l'intention, c'est l'œuvre (et non l'inverse). Or l'œuvre étonne par son parti pris d'insignifiance. On y tue, on y meurt, notait Bataille, comme on achèterait *une botte de radis*[37]. Manet répudie la fonction sémantique de la peinture d'histoire : le sens de la fable — un sens fort qui charrie des valeurs édifiantes comme un prêche dominical.

Ce refus de signifier mine la structure narrative du récit qui perd toute espèce d'exemplarité : la machine rhétorique du tableau d'histoire tourne à vide. On peut même dire qu'elle tourne à l'envers. Car le peintre a pris soin d'*inverser* tous les signes de l'image en les affectant d'un indice négatif. Le drame n'est plus qu'une fusillade. Encore paraît-elle une salve d'opérette tant la perspective est truquée : les soldats tirent à bout portant dans un nuage de fumées théâtrales qui sont comme la métaphore d'un épilogue improbable. Cet espace artificiel, où prévaut la confusion des plans, prive la scène de tout crédit. Qui donc pourrait *croire* à ce rituel insolite ? L'identification du spectateur est compromise par l'irréalité du motif. Par l'inanité de la représentation. Manet va même plus loin. Non content de neutraliser l'action, il *désincarne* les personnages. Le trio des victimes se tient par la main comme s'il allait chanter à l'unisson le grand air du dernier acte. Comment reconnaître l'empereur du Mexique dans ce patriarche barbu qu'on prendrait plutôt pour un peintre de plein air en lisière de Barbizon ? Les esprits pieux s'efforcent d'y voir... un Christ moderne entre deux larrons[38]. Mais cette vision trinitaire est une imposture dévote, entre extase impavide et poncif sulpicien. Et les bourreaux eux-mêmes, dont la pose univoque se souvient de Goya, seraient plus à leur place dans le stand de tir d'une fête foraine.

Charon bureaucrate

Or le héros de l'histoire n'est pas celui qu'on croit. Mais un *quidam :* le chef du peloton qui arme son fusil pour le coup de grâce. Il se tient droit, les jambes écartées, dans un coin du tableau, l'œil vigilant et la main soigneuse, en vrai professionnel qui vérifie son outil de travail — son engin de mort. Tout le reste lui est indifférent. Ne le croyez pas devant vous. Il est *ailleurs :* dans un autre monde. Ce flegme prosaïque change la tragédie en fait divers. Manet peint l'effigie pionnière d'un bourreau technicien, qui est promise à un bel avenir : c'est la version militaire de Charon bureaucrate. En un mot, ce qu'il exécute n'est pas l'empereur autrichien mais le héros classique — l'idée même de héros — dont il contredit les traits séculaires jusqu'à l'exiler dans la marge de l'histoire. Anonyme, insensible et trivial, ce rond-de-cuir de l'assassinat légal est un *anti-héros* par excellence : contre-exemple et faux modèle, mais vrai repoussoir. Il y a pire. Son statut narratif est en raison directe de sa valeur négative. Il n'est pas seulement un homme sans qualités, mais un hôte malséant qui se désintéresse de l'intrigue au point de ruiner la pièce. Le militaire placide achève de lui ravir sa vertu première : l'effet de réel. L'histoire se dérobe à la tyrannie du sens. Cette exécution n'est qu'un exercice où triomphent la péripétie, l'aléa, le hasard, qui font glisser l'image de l'événementiel à l'accidentel, de la sentence à la parenthèse, du discours à la digression : le sens se résout en *paralogies,* selon le mot de Lyotard, dans un collage de micro-récits qui juxtaposent effrontément leurs jeux de langage[39]. La partition devient cluster, l'humour en moins d'un John Cage.

Depuis Poussin, la peinture d'histoire se fonde sur le rôle central du héros positif. En répudiant toute espèce d'héroïsme, Manet donne le coup de grâce... à la peinture d'histoire. Aussi crée-t-il un genre nouveau de fiction picturale (de non-récit), qu'on pourrait nommer, en hommage à Bataille, la peinture de l'*absence,* tant les figures s'y caractérisent par leur détachement souverain de l'expression psychologique et de la trame narrative. Le *Déjeuner* de Munich[40] est la version la plus aboutie de cet art paradoxal où s'épanouit l'idéal ascétique de la vacuité. L'œil du spectateur y est constamment menacé par une sensation de vertige : le vertige du *vide*. Ce tableau d'histoire (sociale), enfin réduite à l'expression brute de la banalité, où le fait quotidien remplace le fait divers, se décompose sous nos yeux dans le silence épais de ses créatures solitaires. Il n'était déjà plus possible de peindre l'histoire sous peine de grandiloquence (disait Bataille). Il devient impossible de peindre *des* histoires sous peine de frivolité. Ainsi ne reste-t-il à l'artiste qu'un mode (provisoire) d'expression (critique) : la *figure*. Olympia, Lola, Nana et autres sont les héroïnes emblématiques où se cristallisent les contradictions de la société bourgeoise : réification, corruption, répression... Elles seules échappent encore — mais pour peu de temps — à l'immense mélancolie qui parcourt la peinture de Manet en figeant ses visages dans une distance hautaine : la mélancolie d'un monde sans héros. Qui devient un monde sans sujet...

Cerveau fruitier

« Ce qui est beau, c'est de bien peindre une invention ; ce monsieur Cézanne, comme vous l'appelez, a un cerveau fruitier ». La boutade est notoire. On la doit, semble-t-il, à un ami de Picabia. Mais c'est André Breton qui en assume l'ironie maraîchère[41]. On ne saurait mieux suggérer ce constat sacrilège : Cézanne enferme le monde dans un compotier. Son repli thématique sur l'analyse du motif vaut ascèse iconoclaste pour se débarrasser non seulement de l'histoire mais du récit. La peinture objective s'oppose à la peinture narrative comme la nature à la littérature. Il ne s'agit plus de conter mais de *voir* (quelque ambigu que soit chez Cézanne ce verbe à tout faire). L'objet de la représentation devient la représentation de l'objet. Mais on sait ce qu'il en est de cet objet-là : une forme primitive dont l'œil restitue la structure logique à coup de sensations colorées. Cette réduction structurale qui est plus manifeste encore dans les paysages, avec l'articulation chromatique des plans, affranchit le motif de ses contraintes référentielles.

Mais la stratégie de l'objectivation ne se borne pas à des pommes, que la tradition séculaire de la nature morte prédestine à cette apothéose. Il lui faut encore s'attacher — s'attaquer — à ce premier moteur de la rhétorique narrative : la *figure*. L'artiste ne s'y risque guère que sur le tard, quand il croit posséder l'idiome synthétique à quoi tendent ses paysages. Et la figure qu'il choisit est par hypothèse un vecteur minimal de narrativité — syntagme élémentaire du récit pictural : le *Baigneur,* dont l'anatomie se dépouille par hypothèse de ses oripeaux temporels. Quoi de plus abstrait, quoi de moins contingent que la nudité du baigneur, qui s'autorise par surcroît d'une vieille histoire aux précédents fameux (on sait la *dévotion* de Cézanne aux maîtres du passé) ? L'abstraction de la figure va de pair avec la géométrie des paysages. Et le peintre n'aura de cesse que les baigneurs et les arbres finissent par se confondre dans une symbiose ogivale dont la version culminante est celle de Philadelphie[42]. (On notera que le sexe de ces créatures n'a qu'une importance limitée : leur androgynie rampante — en tous sens — participe éminemment de cet anonymat corporel que requiert la logique puriste, sinon puritaine, de l'objet). Tous les tropes du discours figural, où l'artiste est passé maître, itération, cumul, symbiose, coalescence, contribuent sans relâche à cette métonymie généralisée de chairs abstraites, qui n'ont de charnel que le prédicat. On ne parlera même plus de *réification,* mais de pétrification, voire de fossilisation. L'algèbre anatomique de Cézanne, où survit encore la nostalgie bourgeoise d'un exotisme policé, qui reprend à son compte les mythes ancestraux de l'Âge d'or ou de l'Arcadie heureuse, fait de la figure un *fétiche* de la structure, au sens freudien du vocable[43] : stimulus opportun de la pulsion scopique, pousse-à-jouir de l'extase visuelle...

Chevalier du néant

Il y a quelque paradoxe à parler conjointement de Cézanne et de la peinture d'histoire. Car l'histoire a *disparu* de sa peinture : l'artiste ne cesse de prétendre à l'intemporalité. Cette exclusion radicale de la contingence est sans doute pour beaucoup dans sa gloire posthume qui souffre aujourd'hui d'un rare conformisme. Le culte de Cézanne, qu'une ample exposition cristallisa naguère, est un rite obligé du discours sur l'art. Nul n'échappe à sa ferveur poncive. C'est au point qu'elle finit par interdire le débat critique tant la moindre dissidence, dans ce concert d'éloges, prend un air de blasphème. Le vieillard solitaire de l'atelier des Lauves, dont la reconnaissance fut tardive, n'en demandait pas tant. Pareil consensus est toujours équivoque. Aussi doit-il une grande part de son argumentaire au *mythe* de l'artiste. Le sacerdoce de l'art, la constance du labeur, le pouvoir de l'expérience, et leur corollaire usuel, le mépris des idées, sont autant de valeurs explicites dont le peintre a lui-même bâti sa tour d'ivoire. Cézanne est devenu l'emblème du génie bourgeois, version monacale, qui ne se préoccupe que de ses pinceaux, dans une ignorance volontaire de la politique, de la société, de la théorie, bref, du monde. Merleau-Ponty rappelle qu'il vécut à l'Estaque la guerre franco-allemande (on pourrait ajouter la Commune[44]). D'autres en ont fait autant, du côté de Barbizon, comme Millet. C'est peu de dire que Cézanne (ou Millet) ne furent pas de *grands vivants* comme l'entendait Nietzsche[45] : ils ont passé leur vie à la fuir dans leurs thébaïdes rustiques aux mœurs besogneuses. Sartre a qualifié d'*art-névrose* l'exil créateur d'une génération d'artistes — celle de Flaubert — dans les jeux narcissiques du formalisme bourgeois[46]. L'art pour l'art est la valeur refuge de ces *chevaliers du néant* qui firent triste figure en juin 48 et ne se pardonnèrent jamais cette asthénie coupable[47]. La recherche de l'absolu s'avère moins périlleuse dans un ermitage sylvestre que sur les barricades faubouriennes. Cézanne appartient certes à la génération qui suit. Mais son comportement relève du même syndrome. Avec circonstances aggravantes. Car il ne *refait* pas l'histoire dans son œuvre. Flaubert écrit l'*Éducation sentimentale*. Cézanne, lui, ne peint que des pommes (ou des paysages). Ce choix restrictif achève de flatter le poujadisme culturel qui hante volontiers les panégyriques du peintre au motif inavoué que les pommes ont une odeur, mais pas d'idéologie. La littérature cézannienne, qui est singulièrement *ruminatoire* dans son intarissable analyse de la sensation colorée, discours aussi aguichant qu'une bouffée de chloroforme, devrait bien s'astreindre à quelque effort critique. Ainsi répondrait-elle (peut-être) à cette question majeure — celle de Breton — qui a l'innocence primitive du fruit biblique : pourquoi des pommes ?

Odeur rance

La réponse tient en un mot. La pomme est le triomphe de la synecdoque, où la partie devient le tout, l'infime devient l'infini, l'objet devient l'univers. À peu de frais. Cézanne, dit-on, voulait refaire Poussin *sur nature*[48]. Mais c'est la toilette du mort avant les funérailles. Car il achève d'inhumer la peinture classique, déjà mise en bière par ses prédécesseurs, de David à Manet, en rompant le contrat mimétique du tableau et du monde. La pomme sera donc la nouvelle héroïne de la toile, au lieu des Camille, Coriolan et consorts. Mais la différence manifeste est qu'elle ne *fait* rien, ne représente pas grand chose, et signifie moins encore : elle se contente d'être là. Son héroïsme n'est pas d'ordre éthique ou politique, mais d'ordre ontologique. Il se borne à sa *choséité* — et rien de plus. La pomme substitue le déictique au didactique. Elle est sans doute, aux yeux de l'artiste, lequel néglige (un peu vite) ses connotations culturelles, ce qui se soustrait le mieux à l'emprise littéraire de l'histoire, du contexte, de la causalité, et *tutti quanti*. Tout l'effort de Cézanne est rivé à cette obsession secrète qu'est la haine du récit. Montrer, pas conter. Voilà bien l'idéal positif de l'esthétique nouvelle, où le savoir-voir remplacerait enfin le savoir-dire en refermant le tableau sur lui-même comme une huître perlière. Poussin pratiqua la clôture du tableau. Cézanne assouvit celle de la peinture.

Mais c'est oublier que la pomme est le *comble* de l'idéologie. Une idéologie bourgeoise de la rente et de l'épargne, du confort domestique et de la torpeur quiète, qui a l'odeur rance des vertus provinciales. Il suffit de considérer la panoplie (chiche) d'accessoires ménagers, nappes, rideaux, compotiers, qui varient laborieusement chez l'artiste la production maniaque de son pinceau frugivore. Dans cet étal casanier de primeurs arboricoles se lovent tous les fantasmes de l'intemporalité. Être hors du temps, du monde, de la vie, est toujours le rêve clandestin de la classe possédante, qui voudrait bien arrêter les aiguilles de la pendule, comme la maréchale de Strauss[49], pour figer à son profit le système social. Cézanne *déshistoricise* la peinture comme on désinfecte une plaie, avec un mélange de froideur clinicienne et de rage curative, sinon d'acharnement thérapeutique. L'exécration cézannienne du sujet, dans sa double dimension narrative *et* pensante, recoupe exactement le goût philistin de la peinture pure, enfin délivrée de sa mauvaise conscience, où l'art se débarrasse de l'histoire, sous couvert d'une pomme. Or cet idéalisme rustique s'avère plus vivant que jamais. En atteste à l'envi la récente exposition du peintre, dont l'étal horticole semblait ravir la foule d'une euphorie mystique. Le culte de la forme est toujours un *apolitisme,* qui est la plus sournoise des marottes politiques. Il faudra bien quelque jour dédier à l'artiste le débat critique dont nous a sevrés jusqu'ici la révérence de la glose. Sans doute en conclura-t-on qu'il fut le grand responsable d'un dévoiement collectif. Cézanne engage le siècle dans les voies douteuses du *formalisme*. Et ce sont là chemins, comme dirait l'autre, qui ne mènent nulle part[50]...

Bande dessinée

L'histoire fait retour avec le massacre de Guernica. Quand le poète s'en mêle on appelle ça destin. Il y manquait un texte. Ce fut un tableau. La cité basque disparaît sous les bombes nazies le 26 avril 1937. Picasso multiplie les études liminaires dès le 1er mai. Le 11, il commence à peindre. Et début juin, la toile est finie[51]. D'un talent si fécond la célérité ne saurait surprendre. Le miracle est ailleurs : dans l'*engagement* de l'artiste. Picasso n'a jamais brillé par sa conscience politique[52], même s'il vient d'accabler Franco de caricatures assassines[53]. Nul doute que son indignation ne soit sincère, fût-elle récente. Mais elle prend aussitôt le tour séculaire d'une ambition manifeste : peindre l'histoire. En témoigne éloquemment le format de la toile, qui est immense, comme un *Radeau de la Méduse* en plus étroit, façon bande dessinée. Le mythe personnel du peintre en exil (l'Espagne et le reste) s'inscrit dans le mythe collectif de l'art occidental (sa fonction mimétique) comme un retour brutal du refoulé : Vélasquez, David et autres — Goya surtout, qui le hante depuis toujours.

C'est la guerre qui fait de *Guernica* l'emblème que l'on sait. Elle change l'œuvre en icône. La toile cristallise dans l'Europe en ruines une aura religieuse — un souffle prophétique — nullement affaibli par sa diffusion massive. Au contraire. Cette *aura* se renforce en proportion de sa reproductibilité. Et ce phénomène exponentiel de piété rétrospective, propre à démentir Benjamin[54], a le tort immanquable de rendre aveugle. Il empêche de *voir* le tableau derrière la vitre blindée où se réifie comme au sanctuaire son statut cultuel de relique profane. *Guernica* fut pourtant mal reçu. Les politiques vitupèrent sa liberté formelle (trop bourgeoise), le public déplore sa facture absconse (trop savante), les critiques censurent son emphase expressive (trop mélo[55]). Tous ces griefs ont en commun le même constat, fût-il implicite : *Guernica* n'est pas un ouvrage populaire. Mais un rébus géant. Le peintre a fait choix d'un langage codé qui remonte au fond des âges : le symbole. Or cette exigence cryptique, dont le travers usuel est l'obscurité, passe par la figure, sauf à s'égarer dans les arcanes du hiéroglyphe. Quand le symbole, concept qui se fait signe, s'incarne dans la figure, cela se nomme l'*allégorie*. Picasso renoue avec l'avatar suprême du classicisme : l'allégorie est la langue des idées, dont Winckelmann, imbu de chimères puritaines, exaltait en son temps les vertus spéculatives pour rendre l'art intelligent, et l'artiste philosophe[56]. Il est vrai qu'elle exhale une forte odeur de naphtaline[57]. Mais sa faculté d'idéation possède un argument de nature à séduire le peintre : un principe d'universalité. Comment produire un message fort en termes intelligibles ? C'est le contraire qui arriva. En atteste la (fraîche) réception de l'œuvre[58]. Face à l'histoire, que fait Picasso ? Il l'idéalise, au sens le plus littéral du vocable, qui consiste à transformer le monde en idées. À changer la tragédie en symbole. Plus de réalité ni de substance. Plus de chair ni même d'être. Cette histoire-là devient immatérielle, impersonnelle, irréelle, et pour tout dire *indifférente*. Son imagerie conceptuelle pourrait convenir à n'importe quel événement du même genre (funeste). À n'importe quel drame. On n'en voudra pour preuve que les jeux stériles de la glose érudite qui s'attachent à déchiffrer laborieusement les symboles du tableau, sa faune belliqueuse, cheval et taureau de corrida, voire son luminaire électrique, lampe et flambeau prolétaires, sans jamais parvenir à la moindre espèce de sémantique pertinente[59]. Et pour cause. Le propre du symbole est d'être *ambivalent* : sa lecture se dérobe aux fausses certitudes du sens unique où tend à l'enfermer par nature la mécanique assertive de la copule. Tristes tropiques d'une ontologie poussiéreuse qui met en boîtes (étanches) l'intention (putative) de l'œuvre. À moins que ce ne soit, pour finir, ses propres exégètes...

Lumières glauques

Le projet régressif de peindre une allégorie moderne est un échec programmé tant les contradictions grèvent la formule. Si la modernité, c'est la contingence, il faut ranger *Guernica* au rayon des *archaïsmes*, où triomphe le paradoxe aigu d'une histoire distraite, voire abstraite, à force d'abstraction de la quintessence — de la contingence. Mais il y a plus. En optant pour un langage anachronique, le tableau se condamne lui-même au système référentiel qui en est le corollaire. *Guernica* n'est pas qu'une énigme visuelle. Mais un collage de citations. Raphaël (l'*Incendie du Borgo*), Poussin (le *Massacre des Innocents*), Prud'hon (*La Justice et la Vengeance divine poursuivant le Crime*), David (les *Sabines*) fournissent entre autres le stock des motifs. Et même si l'artiste est un virtuose notoire de la subversion parodique — un maître du pastiche —, ce florilège policé n'incite guère à l'audace formelle. Or l'usage de l'allégorie n'emporte pas seulement la pratique passéiste d'un glossaire conventionnel. Il astreint la structure narrative à des normes académiques : la *frise* comme vecteur de narration linéaire, et l'*à-plat* comme facteur de clarté descriptive, tous deux également renforcés par le système bichromatique (blanc/noir) qui vise à traduire un dualisme éthique (bien/mal), voire un *éthos* psychologique (jour/nuit), dans la plus pure tradition de la métaphysique binaire propre au vieil idéalisme. Tout concourt à produire un récit pictural d'une orthodoxie néo-néo-classique *(ad libitum),* où l'action se *lit* de droite à gauche comme un tableau de... Poussin dans les conférences académiques du grand siècle. Où la violence de l'histoire finit par se figer dans l'indifférence de la fable.

De là cet antidote : le motif du *cri*. Pour briser le carcan syntaxique de la composition, Picasso recourt au module acméique de l'expression. Le cri sert d'exutoire aux affects résiduels du drame (après anesthésie formelle). Aussi l'auteur en joue-t-il à fond : c'est le dernier atout du jeu créateur dans sa main rouée. Le cri sature l'espace à l'égal d'un *leitmotiv* qui ponctue la toile d'éclats brefs comme des lueurs d'orage. Il tord les faces et disloque les corps dans un maelstrom de gestes convulsifs où s'abîme l'imposture humaniste d'une conscience souveraine. Il brise les figures comme des marionnettes sans le moindre égard pour leur prétention mimétique à la dignité *cogitale* que raillait Nietzsche sans pitié chez l'homme cartésien[60]. Le sujet pensant (et fier de l'être) qui fit les beaux jours d'une philosophie exsangue abdique sous nos yeux sa maîtrise illusoire sur cet univers d'apocalypse. Zélateur inlassable de la *grandeur calme,* où sa pruderie stoïcienne cantonne la beauté des statues grecques, Winckelmann eût taxé de *parenthyrsis* — ou paroxysme de l'expression[61] — l'exercice anathème de corruption des formes qui promeut cette esthétique de la grimace : l'ère du laid[62]. De la laideur du cri, qui déplace les lignes, on doit à Lessing, son vieux rival, d'avoir fait à rebours le principe heuristique d'un art nouveau où prime le signifiant[63]. Le cri est aux dires de Lacan ce qui avoisine le mieux cet improbable vecteur d'utopie sémiotique : le signifiant pur (la *chose* lacanienne)[64]. Il y a, dans *Guernica,* une antithèse explosive de la structure et de la forme, de la syntaxe et de l'expression, du narratif et du motif. L'un joue l'idéalisme transcendantal du *Logos* classique (le récit maître) où l'autre implique la *néantisation* du sujet (sa résorption dans le signifiant, sa disparition dans le cri)[65]. Entre l'animalité du phonème et la rationalité du langage, entre la pulsion vocale et l'idéal allégorique, entre le cri et le récit, quel compromis possible ? On croit deviner où penche l'intention de l'artiste à considérer la figure *éclairée,* fût-elle fragmentaire, qu'il emprunte à Prud'hon pour la mettre au sommet du tableau, comme un emblème héraldique — le dextrochère — dans une fresque médiévale. Car le lumignon qu'elle exhibe fait système avec l'ampoule plafonnante pour placer la scène sous l'égide symbolique de la philosophie des Lumières. Le spectateur moderne, qui pratique Adorno, sait bien que l'artiste pèche par excès de candeur. Son bricolage électrique distille un halo glauque. Nul n'ignore que la violence technologique des systèmes totalitaires, on la doit... au rationalisme des Philosophes[66].

Post-scriptum

Face à quoi ? L'histoire, dites-vous. Mais quelle histoire ? On la croyait *finie*[67]. Et qui fait face ? L'artiste, l'historien, le sujet ? Mais ces faces-là sont exsangues. Ce sont les visages pâles d'une très ancienne mythologie : les masques décrépits de la métaphysique occidentale. Chacun sait qu'on ne fait jamais face. À rien. On est toujours *dedans,* c'est-à-dire piégé, truqué, manipulé, etc., sans aucune apparence d'en sortir un jour. L'histoire va de pair avec un sujet (maître). Et la peinture avec un auteur (souverain). Il y a longtemps que ces notions insolites n'ont plus cours. Nul doute que la présente exposition, qui commence où l'on s'arrête — après *Guernica* —, ne montre ce qu'il en coûte de l'avoir oublié. La peinture et l'histoire, ces belles totalités du vieil humanisme, ont toujours fait mauvais ménage : ce sont là noces contre nature. Aussi le siècle s'est-il chargé de leur dissection, voire de leur destruction (d'aucuns diraient leur *déconstruction*). La peinture n'est plus que le vestige d'un monde narratif où prévalait la métaphore : le monde est aujourd'hui l'œuvre même sur le mode littéral d'un théâtre vivant qui préfère l'action, c'est-à-dire le *corps,* n'en déplaise aux néo-poujadistes de la chose artistique[68]. Et l'histoire ne sait plus que rôder parmi les cimaises comme un spectre en mal d'*hantologie*, selon le mot facétieux de Jacques Derrida[69]. Révisionnisme ? Tout ce qui touche à la fable historique est aujourd'hui tabou. Tel est le mal récurrent des fins de siècle : ce que Nietzsche appelle *la maladie de l'histoire*. Les vrais révisionnistes sont ces malades-là, que guette un fléau mortel. Nietzsche encore : *trop d'histoire tue la vie*[70]...

Régis Michel,
post-historien d'art

1. F. Nietzsche, « De l'utilité et des inconvénients de l'histoire pour la vie », *Considérations inactuelles I et II*, G. Colli et M. Montinari (éd.), trad. française P. Rusch, Paris, 1990 ; rééd. 1992, p. 93.
2. Sur ce terme complexe, que définit J.-L. Schefer dans L. B. Alberti, *De la Peinture* [*De Pictura*, 1435], J.-L. Schefer (éd.), trad. française, Paris, 1992, rééd. 1993, p. 115, note 1, voir notamment la synthèse cursive d'E. Mai, « Historia ! Théorie et pratique de la peinture de figures depuis le XVIe siècle » dans *Triomphe et mort du héros*, cat. d'exposition Lyon (Cologne, Zurich), 1988, pp. 19-35.
3. L.-B. Alberti, *op. cit.*, III, 60 ; p. 227. Voir aussi II, 33, p. 153.
4. L. Althusser, « Idéologie et appareils idéologiques d'État (notes pour une recherche) » [1970], dans *Positions*, Paris, 1976, p. 102.
5. *Ibid.*, p. 113.
6. H. Marcuse, *La Dimension esthétique. Pour une critique de l'esthétique marxiste* [1977], trad. française D. Coste, Paris, 1979, notamment pp. 11-13 et 81-83.
7. Sur l'opposition concrète des deux herméneutiques, romantique (Schleiermacher) et heideggérienne (Gadamer), on se permettra de renvoyer à nos brèves remarques – avec références – de la préface au colloque *David contre David*, Paris, 1993, vol I., : « De la non-histoire de l'art », pp. XXXII-XXXIV.
8. Th. W. Adorno, *Théorie esthétique* [1970], trad. française M. Jimenez, Paris, Klincksieck, 1989, pp. 44-46.
9. P. Nizan, *Les Chiens de garde*, Paris, 1932.
10. Ed. Cadava, P. Connor, J.-L. Nancy (éd.), *Who Comes After the Subject ?*, New York, Londres, 1991.
11. G. Bataille, *Manet. Étude biographique et critique*, Paris, 1955, pp. 52 *sq.*
12. J.-F. Lyotard, *La Condition postmoderne. Rapport sur le savoir*, Paris, 1979, pp. 7-9.
13. A. Félibien, *Entretiens sur les vies et sur les ouvrages des plus excellents peintres anciens et modernes*, I, R. Démoris (éd.), Paris, 1987, pp. 128-129.
14. M. Foucault, *Histoire de la folie à l'âge classique*, Paris, 1961, rééd. 1989, pp. 56-91.
15. Cf. A. Mérot, « Le héros dans la peinture française du XVIIe siècle », dans *Triomphe et mort du héros, op. cit.*, pp. 36-44.
16. *La Mort de Saphire*, musée du Louvre ; cf. *Nicolas Poussin 1594-1665*, cat. d'exposition, Paris, 1994, n° 212, pp. 469-470.
17. W. Benjamin, *Origine du drame baroque allemand* (1925), trad. française S. Muller (av. A. Hirt), Paris, 1985, pp. 121-122.
18. *Bélisaire* (Salon de 1781), Lille, musée des Beaux-Arts (voir la bibliographie récente dans le très contestable — archi-positiviste et ultra-conservateur — *David*, cat. d'exposition, Paris, 1989, n° 47, pp. 130-132) ; *La Mort de Socrate* (Salon de 1787), New York, Metropolitan Museum.
19. *Le Serment des Horaces* (Salon de 1785) et *Les Licteurs rapportent à Brutus le corps de ses fils* (Salon de 1789), musée du Louvre (*David, op. cit.*, n° 67 pp. 162-167 et n° 85 pp. 194-200).
20. L. Goldmann, *Le Dieu caché. Étude sur la vision tragique dans les Pensées de Pascal et dans le théâtre de Racine*, Paris, 1959, pp. 32-49.
21. Sur le *Marat* de Bruxelles (1793), voir non seulement le catalogue *David, op. cit.*, n° 118, pp. 282-285 mais surtout le colloque *David contre David, op. cit.*, où l'on trouvera plusieurs analyses modernes du tableau (Bleyl, Traeger, Herding), pp. 379 *sqq*.
22. P. Fontanier, *Les Figures du discours* [1821-1830], Paris, 1968, pp. 87-90.
23. R. Jakobson, « Deux aspects du langage et deux types d'aphasie » [1956], dans *Essais de linguistique générale*, trad. française N. Ruwet, Paris, 1963, rééd. 1970, pp. 61-67.
24. Salon de 1812 ; musée du Louvre. Bibliographie récente dans *Géricault*, cat. d'exposition, Paris, 1991, n° 36, pp. 338-339.
25. Pour une plus ample exégèse de Géricault (et de son *Chasseur*), se reporter au colloque *Géricault*, Paris, 2 vols., à paraître en 1996 sous ma direction (voir la méditation liminaire : « Le nom de Géricault ou l'art n'a pas de sexe mais ne parle que de ça »).
26. Exposé en 1814 dans l'atelier de David ; musée du Louvre ; *David contre David, op. cit.*, pp. 494 *sqq*.
27. Exposé au Louvre, 1799-1805 ; musée du Louvre. Cf. *David, op. cit.*, pp. 323 *sqq* et le colloque David précité, pp. 457 *sqq*.
28. Voir notamment *Les Rapports des sciences naturelles avec la psychologie ou la science des facultés de l'esprit humain* (ms, vers 1813) dans Maine de Biran, *Œuvres choisies*, éd. H. Gouhier, Paris, 1942, pp. 195-202.
29. Voir l'analyse emphatique, martiale et nationaliste de Ch. Clément, qui n'a cessé d'influer sur l'historiographie de Géricault jusqu'à nos jours : *Géricault ; Étude biographique et critique*, Paris, éd. 1879, rééd.1973, pp. 52-53.
30. Aristote, *Poétique*, 5, 35, éd. bilingue, trad. française J. Hardy, Paris, 1990, p. 35.
31. Voir « Bara : du martyr à l'éphèbe » dans *La Mort de Bara*, cat. d'exposition, Paris, 1989, pp. 43-77.
32. G.W.F. Hegel, *Esthétique* [1835], III, trad. française S. Jankélévitch, Paris, 1979, pp. 160-162.
33. Salon de 1819 (sous un titre anonyme, *Scène de naufrage*, pour éviter la censure) ; musée du Louvre. Bibliographie récente dans *Géricault*, cat. d'exposition, *op. cit.*, pp. 381 *sqq*.
34. G. Bataille, *op. cit.*, p. 52.
35. On évoque ici la version de Mannheim (Kunsthalle, 1868), qui fit l'objet d'une exposition monographique (avec Londres), M. Fath et S. Germer (dir.), *Manet. Augenblicke der Geschichte*, Mannheim, 1992, et d'un colloque international sur la peinture d'histoire dirigé par S. Germer et M. Zimmermann (publication en cours).
36. *Manet*, cat. d'exposition, Paris, 1983, p. 275.
37. G. Bataille, *op. cit.*, pp. 52.
38. Poncif tenace de l'historiographie : cf. *Manet, op. cit.*, p. 276.
39. J.-F. Lyotard, *op. cit.*, pp. 98-108.
40. On pourrait inclure dans la même analyse *Le Balcon* (Musée d'Orsay) ou *Le Bar aux Folies-Bergères*, Institut Courtauld (Londres).
41. A. Breton, *Les Pas perdus*, Paris, 1924, pp. 161-162.
42. *Les Grandes Baigneuses* (1906), Philadelphia Museum of Art ; cf. *Cézanne*, cat. d'exposition, Paris, 1995, n° 219, pp. 496-505.
43. S. Freud, « Le fétichisme » [1927], dans *La Vie sexuelle*, J. Laplanche (dir.), Paris, 1992, pp. 135-136.
44. M. Merleau-Ponty, *L'Œil et l'Esprit*, Paris, 1964, rééd. 1992, p. 14.
45. *Ibid.*, p. 15.
46. J.-P. Sartre, *L'Idiot de la famille. Gustave Flaubert de 1821 à 1857*, Paris, 1972, vol. 3, notamment pp. 300-340.
47. *Ibid.*, pp. 341 *sqq.*, surtout pp. 423-443.
48. Le mot est notamment cité par Ch. Camoin, cf. en dernier lieu *Cézanne, op. cit.*, p. 42.
49. R. Strauss, *Le Chevalier à la rose* (*Der Rosenkavalier*, opéra en trois actes, 1911), acte I, scène ultime, la Maréchale : *Manchmal steh' ich auf mitten in der Nacht / und lass die Uhren alle, alle stehn.*
50. M. Heidegger, *Chemins qui ne mènent nulle part* [*Holzwege*, 1949], trad. française W. Brokmaier, Paris, 1962, exergue (et note liminaire).
51. Sur la genèse du tableau, voir le très substantiel catalogue de K. Ullmann, *Picasso und der Krieg*, Bielefeld, 1993, pp. 98-107.
52. On sait toutefois qu'il exprime ses sympathies pour le Front populaire dès le printemps 1436 : S. Stich, « Picasso's Art and Politics », *Arts Magazine*, sept. 1983, pp. 13-18.
53. *Songe et mensonge de Franco* (1937). Cf. P. Failing, « Picasso's Cries of Children... Cries of Stones », *ARTnews*, sept. 1977, pp. 55-64.
54. W. Benjamin, « L'œuvre d'art à l'ère de sa reproductibilité technique » [1936] dans *Essais, 1935-1940*, trad. française M. de Gandillac, Paris, Denoël, 1971, rééd. 1983, vol. 2, pp. 90-93.
55. Cf. A. Fermigier, *Picasso*, Paris, 1969, pp. 268-269. Cf. H. B. Chipp, « Guernica : Once a document of outrage, now a symbol of reconciliation in a new and democratic Spain », *ARTnews*, mai 1980, pp. 108-112.
56. J.-J. Winckelmann, *Essai sur l'allégorie, principalement à l'usage des artistes* [1766], H.J. Jansen (éd), Paris, An VII.
57. Voir nos remarques critiques dans *Le Beau idéal ou l'art du concept*, Paris, 1989, pp. 57 *sqq*.
58. Pour une histoire synthétique de cette réception, K. Ullmann, *op. cit.*, pp. 98-107.
59. Voir les remarques plaisantes de Fermigier, *op. cit.*, pp. 265-266.
60. F. Nietzsche, *Fragments posthumes*, G. Colli et M. Montinari (éd.), trad. française M. Haar et M.B. de Launay, Paris, 1982, p. 376.
61. J.-J. Winckelmann, *Réflexions sur l'imitation des œuvres grecques en peinture et en sculpture* (1755), éd. bilingue et trad. fr. L. Mis, Paris, 1954, pp. 146-147.
62. Sur ces débats esthétiques très concrets, voir *Le Beau idéal ..., op. cit.*, pp. 54-57.
63. G. E. Lessing, *Laocoon* [1766], ch. II, cité par. J. Bialostocka et R. Klein, Lessing/*Laocoon*, Paris, 1964, pp. 63-67.
64. Sur *la chose* de Lacan comme Autre absolu du sujet, A. Juranville, *Lacan et la philosophie*, Paris, 1988, pp. 215-221.
65. J. Lacan, « L'inconscient et la répétition », VII, *Les Quatre Concepts fondamentaux de la psychanalyse*, dans *Le Séminaire* (vol. 11), J.-A. Miller (éd.), Paris, 1973, rééd. 1990, pp. 92-104.
66. M. Horkheimer et Th. Adorno, « Le concept d'*Aufklärung* » dans *La Dialectique de la raison* [1944], trad. française E. Kaufholz, Paris, 1974, rééd. 1994, pp. 21-57.
67. F. Fukuyama, *La Fin de l'histoire et le dernier homme*, trad. française D. A. Canal, Paris, 1992 : fâcheux retour à Hegel.
68. On fait allusion (entre autres) au triste pamphlet de J.-Ph. Domecq, *Artistes sans art ?*, Paris, 1994, qui relaie, comme on sait, deux numéros sulfureux de la revue *Esprit* (*L'Art aujourd'hui*, juillet-août 1991, et *La Crise de l'art contemporain*, février 1992). Pour une réplique circonstanciée à cette polémique douteuse, G. Didi-Huberman, « D'un ressentiment en mal d'esthétique », dans *L'Art contemporain en question*, ouvrage collectif, Paris, 1994, pp. 65-88. Mais on pourrait aussi bien citer sous la même catégorie l'improbable philippique de Jean Baudrillard éloquemment intitulée « Le complot de l'art », *Libération*, 20 mai 1996, p. 4.
69. J. Derrida, *Spectres de Marx. L'État de la dette, le travail du deuil et la nouvelle internationale*, Paris, 1993, pp. 21 *sqq*.
70. F. Nietzsche, « De l'utilité et des inconvénients de l'histoire pour la vie », *op. cit.*, pp. 99 et 103.

Un art sans histoire

Un art sans histoire

Laurent Gervereau

« Toute œuvre d'art appartient à une époque, à un peuple, à un milieu et est en rapport avec certaines représentations et fins, historiques et autres, de sorte que celui qui se livre à l'étude de l'art doit posséder aussi de vastes connaissances à la fois historiques et très spéciales, étant donné que la nature individuelle de l'œuvre d'art comporte des détails particuliers et spéciaux sans lesquels elle ne saurait être comprise et interprétée. »

Georg Wilhelm Friedrich Hegel, *Introduction à l'esthétique,* Berlin, 1835.

Ce que l'on appelle « art » ne cesse d'être écartelé. Écartelé entre des conceptions religieuses, des conceptions de l'immanence, de la perpétuité, du sacré, et des conceptions du circonstanciel, du relatif, du « produit » d'un contexte. Ces étranges objets voués à la délectation esthétique naviguent ainsi entre une fétichisation active et un regard distancié. Le XXe siècle restera à cet égard — malgré notre cécité chronique par rapport aux phénomènes récents — comme le siècle des carrefours, des rencontres et des interrogations. Ces interrogations s'opèrent à plusieurs niveaux.

L'art n'a plus de frontières. Non pas qu'il ait gagné la vie en totalité, comme ont pu l'espérer les surréalistes, mais parce que, ni dans l'espace, ni dans le temps, il n'est désormais véritablement mesurable. Quand Marcel Duchamp présente des objets de la vie quotidienne comme œuvres, il abolit une séparation que, justement, depuis la Renaissance, l'Occident avait patiemment établie. Il mêle le profane et le religieux. Il en revient à ce qu'avancent les anthropologues[1] : l'imbrication initiale entre sacré et profane, l'aspect directement fonctionnel de l'ornement, des lieux et des rites du culte et, à rebours, l'esthétisation de l'objet utilitaire. Mais le XXe siècle a aussi banni l'autonomie des cultures et des territoires. L'impact de l'occidentalisation, par pression économique, est général. Les formes et les images de tous les continents, désacralisées et resacralisées esthétiquement, circulent et influencent mondialement les artistes. Le tourisme est ainsi l'expression même de ce rapport à l'art. Enfin, bien au-delà de ce qu'un Walter Benjamin esquissait sur l'ère de la reproductibilité, il s'établit une confusion totale entre l'objet artistique et sa circulation (posters, cartes postales, vidéos, CD-ROM...). Une telle confusion, de surcroît, recouvre une confusion temporelle : s'il existe un marché de l'art, il existe aussi un marché des images, qui fait fi de toute classification spatio-temporelle, mêlant la peinture hopi, Vermeer, le temple d'Angkor, Cézanne et Doisneau.

Cette perte des repères, ce marché, cette bourse mondiale du goût, s'accompagnent en retour d'une forte tendance à la définition ferme par localisation. Nous ne sommes plus à l'époque des cabinets de curiosités[2], ni de l'ébauche, sous la Révolution française, d'un musée encyclopédique[3]. L'art est présenté dans des lieux spécifiques qui le signalent, tandis que les objets industriels, les arts appliqués, le matériel scientifique sont mis à part. Ne doutons pas que ce retour au « disciplinaire » n'ait une raison profonde : la crainte de la submersion. D'ailleurs, il est amusant et intéressant de constater combien la photographie, qui est par définition une technique du multiple, s'ingénie — dans la faveur publique qui est la sienne de nos jours, contrairement à l'affiche ou au dessin de presse, par exemple — à singer la peinture. Elle s'invente une unicité et un mode de présentation identiques à ceux de sa consœur.

Ces aperçus de dispersions et de concentrations conduisent naturellement à interroger les rapports entre art et histoire. À quoi avons-nous affaire? Dans ce cadre, le regard de l'historien sur la peinture d'histoire ne peut se séparer d'approches concentriques. En théorie, quelles différences y a-t-il entre histoire de l'art et histoire? En pratique, qu'est-ce qui distingue une œuvre d'un document? Une fois tentées ces définitions de base, il faudra alors voir s'il existe réellement une peinture d'histoire au XXe siècle, et au nom de quoi elle peut être ainsi caractérisée.

L'histoire de l'art est-elle une histoire ?

Les rapports entre histoire et histoire de l'art ressemblent à ceux d'un vieux couple, dont l'un a une sorte de droit d'aînesse, et l'autre la conscience de la noblesse de son objet. Amours passagères, haines féroces, mépris réciproques émaillent ainsi ces entrechats devant un public rarement au fait des enjeux.

Si nous voulons schématiser, l'histoire — à Sumer ou en Chine — naît avec les « annales », consignation de faits. Elle se développe dans la Grèce antique, notamment grâce à Thucydide, qui exerce un sens critique sur les événements et prend en compte des aspects sociaux ou économiques. L'histoire de l'art, elle, naît avec la caractérisation d'une activité profane, issue de l'activité sacrée, consacrée à la production d'objets uniques destinés à la délectation esthétique. La Chine du Ve siècle ou la Renaissance italienne s'intéressent ainsi aux techniques, aux styles et aux biographies des créateurs.

Il reste de cette naissance de l'art, de ce passage du spirituel au profane, plusieurs mouvements, que nous évoquions en préambule : une revendication à l'intemporalité, une sorte de Panthéon comparatiste des productions humaines, dont, d'une certaine manière, en France, un André Malraux s'est fait le chantre avec son « musée imaginaire »; un formalisme qui permet à la fois classification et périodisation pour un artiste ou une société donnée; enfin, une affirmation de la non-maîtrise de l'objet d'étude par un seul paramètre, une seule branche des sciences exactes ou humaines. Déjà, l'Autrichien Aloïs Riegl, dans *Questions de style,* en 1893, constatait avec regret, concernant l'étude des ornements : « C'est à peine si d'une voix timide on osait évoquer des interactions historiques, et encore fallait-il qu'elles n'affectent que des domaines voisins, et sur des périodes strictement limitées. »

L'école allemande et autrichienne a pourtant fortement installé au XXe siècle — non sans, probablement, que le « matérialisme historique » marxiste (l'art produit de son temps et de son organisation sociale) y soit étranger — l'étude du contexte dans l'étude des objets d'art. Erwin Panofsky remarquait ainsi : « Le simple diagnostic : "Rembrandt vers 1650", s'il est correct, implique tout ce que l'historien de l'art pourrait nous apprendre sur les qualités formelles du tableau, sur l'interprétation du sujet traité, sur la façon dont il reflète le contexte culturel de la Hollande au XVIIe siècle, dont il exprime la personnalité de Rembrandt[4]. » Carl E. Schorske, brossant un portrait pluridisciplinaire de la *Vienne fin de siècle,* se désolait pourtant : « Dans les domaines qui m'importaient le plus, la littérature, la politique, l'histoire de l'art, la philosophie, les études, dans les années 1950 se détournaient de l'histoire et ne la prenaient plus comme base d'explication. » Désormais, au sein de ce cadre, la sociologie[5] tente d'appréhender ce qui constitue la spécificité de l'art dans la société, ses circuits, ses modes de diffusion et de circulation.

Tout cela peut paraître simple, consensuel, tissu de platitudes. Des disciplines naissent; elles se développent; elles prennent pour objet le territoire artistique et s'aperçoivent qu'elles ne sont pas seules, mais que ce territoire concerne, notamment, la chimie, la physiologie, la physique, l'ethnologie, la psychanalyse... Alors, elles font amende honorable. Elles affirment qu'elles ne traitent qu'un aspect, ou elles se métissent, deviennent pluridisciplinaires et croisent les approches et les méthodes. Histoire de l'art et psychanalyse, sociologie et histoire, sémiologie et sciences de la communication, ethnologie et étude des pigments... Mais le paysage s'avère moins limpide.

Hans Belting s'interroge : « L'histoire de l'art est-elle finie ? » Plus profondément, nous pourrions nous demander : l'histoire de l'art existe-t-elle? Que des individus se soient attachés à étudier ce qui est caractérisé socialement comme « art », certes. Mais l'explosion du territoire au XXe siècle et la diversité des approches semblent nier une spécificité à ce travail, même si un sauvetage par la bande s'opère en relativisant l'histoire de l'art en histoire *des* arts.

Quelle est la position des historiens? Francis Haskell[6] tente de montrer que les historiens se sont depuis longtemps intéressés au domaine culturel, de Gibbon à Huizinga en passant par Michelet. Lucien Febvre, commentant Pierre Francastel dans les *Annales* en 1948, écrivait : « Le livre que M. Pierre Francastel, professeur à la faculté des Lettres de Strasbourg, intitule *L'Humanisme roman,* est plein de choses pour nous, historiens. Il dépasse, en ce sens, la portée des habituels travaux d'une histoire de l'art pour maniaques du fichier ou pour snobs et snobinettes du monde. Ce à quoi l'auteur entend travailler, c'est à une histoire de l'art qui soit de l'histoire. Qui s'intègre dans l'histoire. Qui aide les historiens à écrire leur histoire — et qui s'appuie sur l'histoire des historiens pour mieux comprendre l'histoire propre de l'art. Ou des arts. »

La formule « une histoire de l'art qui soit de l'histoire » indique assez la tendance : la discipline aînée adoube sa cadette à condition qu'elle en vienne à ses raisons. L'aînée phagocyte. Et les relations s'en ressentent. Longtemps, pour l'historien, l'art fut une iconographie, l'image une illustration du discours, ce que Marc Ferro considère comme l'équivalent du rôle du « névrosé » dans l'ordre médical[7]. Pourtant, Georges Duby dans les années soixante, Michel Vovelle dans les années soixante-dix, Maurice Agulhon ont octroyé une place différente aux icônes. Aujourd'hui, un développement considérable s'opère sur ce front.

Et l'histoire de l'art? Elle se replie sous les coups de boutoir. Aux États-Unis, la menace est grande de la voir se faire avaler dans des *cultural studies* généralistes[8]. Alors, elle tente de montrer la spécificité de son territoire dans le même temps où son territoire explose. Des approches relatives, concentriques, prudentes, se font jour (comme celle de Tom Crow). Une forte implication historique et idéologique occupe les travaux de Timothy J. Clark ou de Serge Guilbaut. Mais la séparation ne s'opère pas toujours nettement entre ce qui relève d'une histoire de l'art/histoire des arts, et une histoire du « jugement de goût ». D'autant que Kant, lui-même, malgré son désir de définir le Beau, reconnaissait qu'« il n'y a pas de principe objectif du goût possible » : « Le jugement de goût se distingue en ceci du jugement logique, que ce dernier subsume une représentation sous des concepts de l'objet, tandis que le premier ne subsume pas du tout sous un concept, puisque autrement l'assentiment universel nécessaire pourrait être imposé par des preuves[9]. »

Que le critique soit un guide subjectif du goût du public, voilà une définition minimale simple. Mais l'historien d'art? Il guide aussi, de fait, le goût du public. Selon quels critères? Les critères de la valorisation de tel ou tel objet dans l'ordre artistique et dans la notoriété au moment de sa création, par sa notoriété postérieure, par sa notoriété aujourd'hui? Les critères d'une relecture chronologique de l'art et d'une nécessité de revalorisation de telle ou telle étape, de tel ou tel artiste? Les effets de mode et le culte du paradoxe ne sont pas absents de ce genre d'exercice. Si nous parvenons, dans certains cas, à mesurer grâce à des critères matériels la reconnaissance d'une œuvre en un temps donné, si nous parvenons, à l'aide du témoignage des artistes et de la caractérisation d'« écoles » ou de « mouvements », à établir des filiations, la part du choix des acteurs, des périodisations, reste en partie subjective. Voilà pourquoi nous assistons, en cette fin de millénaire chrétien, à une volonté de bilan et de relecture du siècle (à la Biennale de Venise en 1995 pour son centenaire, ou à Cologne[10], par exemple).

L'histoire apparaît comme anthropophage, et l'histoire de l'art comme anthropophobe. L'histoire tend à survaloriser les actes humains, à les inscrire dans un réseau d'interactions. L'histoire de l'art, par crainte du piège de non-scientificité, par crainte d'être accusée de subjectivité, par peur d'être absorbée par toutes les autres sciences, tend souvent à se recentrer sur le formel[11] et sur son objet : ce que l'on nomme « art », ce que l'on présente comme « art ». Et, en effet, elle a une parfaite légitimité à étudier ce type de production, qui n'est pas assimilable à une autre production, car une roue de bicyclette dans une salle de musée n'est plus une roue de bicyclette chez un marchand de vélo. L'art — *les* arts — existe, de fait. A-t-il pour autant une histoire? Il n'a probablement que des histoires, des histoires géographiques, des histoires périodiques et des histoires du goût.

Nous sommes entrés dans l'ère du relatif. Cette pilule reste d'autant plus amère que l'art excite en nous une sublimation qui, comme la sublimation amoureuse, est de l'ordre de l'absolu. De l'absolu total, passionné, mais de l'absolu individuel et circonstanciel (même si cela répond aussi à des influences sociales). L'histoire et l'histoire de l'art — les histoires des arts —, entre autres, n'ont donc pas fini de se côtoyer en relations tapageuses. À se côtoyer sur quoi?

Œuvres ou documents à l'ère de la relativité

La question de l'art, de ses rapports à l'histoire, de ce qui relève de l'un ou de l'autre, nécessite de se pencher préalablement sur le panorama. Michel de Montaigne[12] constatait déjà en son temps, parlant des « cannibales » : « Je trouve, pour revenir à mon propos, qu'il n'y a rien de barbare et de sauvage en cette nation, à ce qu'on m'en a rapporté, sinon que chacun appelle barbarie ce qui n'est pas de son usage. » À cette dispersion géographique, relativisant l'appréciation formelle, Marcel Duchamp a naturellement apporté un renversement radical lorsqu'il affirme : « Ce sont les regardeurs qui font les tableaux[13]. » Tout peut être art, à condition d'être considéré comme tel. Cela abolit la séparation entre l'objet unique et l'objet industriel, puisque l'objet industriel est unique dans le regard circonstanciel du spectateur. Cela abolit la séparation entre art et vie, puisqu'un « moment » peut devenir un moment d'art.

De la même manière, « *Tout* est document d'histoire. Il n'y a en théorie aucune limite au choix[14]. » Les objets de la vie quotidienne, comme des tableaux, des films, du théâtre, sont des documents d'histoire. Nous assistons ainsi à un double phénomène exponentiel. Un art sans limites et une histoire vorace. Quel dilemme pour les professionnels et quelle pagaille mentale pour le public! De plus, dans l'explosion des systèmes de communication, chacun ne saura bientôt plus s'il a vu l'objet ou exploré sa représentation virtuelle. Nous sommes désormais dans un nuage atomique du savoir.

Alexandre Vialatte exprimait ainsi ce point limite : « On avait eu des musées de tout : de médailles, de sculpture, de l'Homme, du chapeau mou en fer forgé, du tableau en boutons de culotte, des musées de père mort, de crapauds, de vipères, d'os de vaches et de maréchaux en timbres-poste. Il ne manquait qu'un musée d'objets qui ne fussent pas des objets de musée, le musée de l'Objet Quelconque[15]. » Mais l'objet quelconque ne l'est plus lorsqu'il est placé dans un musée. L'objet quelconque mue, il se transfigure par manipulation alchimique, il devient relique, regardé comme tel, objet *pour* le regard. De la même manière, la vie nous réserve des moments de théâtre parfois exceptionnels. Dans certains cas, nous nous distancions pour les reconnaître comme tels. Mais ils ne sont pas du théâtre, alors que le moindre borborygme prononcé dans une salle de spectacle devient du théâtre. Le contenant définit le contenu.

Notre siècle a connu un accroissement considérable de la muséification. De plus en plus de pièces ont été isolées comme devant être des traces utiles à nos parcours esthétiques et/ou historiques. L'ethnologie, lorsqu'elle s'applique à la contemporanéité, préserve la casquette du rapeur ou la bouteille de Coca light comme signifiants de modes de vie. Elle monte même des expositions pour analyser nos détritus, en faisant, tel le musée de la Civilisation à Québec, une présentation du contenu des poubelles et du circuit des ordures de la ville. Elle prend conscience de ce que les objets n'ont pas une vérité, mais, au sein du musée, deviennent des « objets prétextes, objets manipulés[16] ». La question du *Fetichism* devient une question transversale[17].

Car le cadre fait le tableau. Le cadre au sens large, c'est-à-dire non seulement le tour de la toile, mais l'éclairage, la position, le décor et le volume de la salle, l'inscription dans le parcours. La scénographie n'est ni neutre, ni technique, elle conditionne le regard, et, comme telle, participe de l'œuvre. L'acte de choix est un acte de création, comme l'acte de présentation. Cela devient particulièrement criant pour ce que l'on appelle aujourd'hui les arts « premiers ». Quand bien même Tom Phillips, organisateur de l'exposition « Africa, the Art of a Continent » à la Royal Academy of Arts de Londres, affirme qu'un masque sans son fonctionnement rituel doit être considéré comme un « fragment », il expose des fragments. À New York, les mêmes questions se posent au National Museum of the American Indian, et les mêmes réponses insatisfaisantes et lacunaires sont données. La muséification fait peser des contraintes qui sont celles de son type de fonctionnement et de sa séparation, par définition, de la vie extérieure (même lorsqu'il s'agit d'écomusées sur des sites, car ce sont alors des sites-musées).

Mais le musée est-il le lieu pour singer la vie? Comme le théâtre est-il le lieu d'importation du quotidien? L'histoire est-elle la compilation de tous les faits? À l'évidence, non. Ce sont des lieux de sélection, de synthèse, de représentation. Pour autant, l'isolement de l'œuvre, à des fins de plaisir esthétique, n'empêcherait nullement d'y adjoindre une évocation du contexte. Faire une exposition de masques africains ou sur Vermeer, Cézanne, n'interdit nullement de rappeler l'usage contemporain de la création des œuvres (rituel ou en situation, dans un atelier, chez des amateurs), les créations adjacentes (influences dans les deux sens, *sur* l'œuvre et *de* l'œuvre), la vie du (ou des) créateur(s).

Lorsque Toulouse-Lautrec compose des affiches commerciales, faut-il les prendre comme un travail alimentaire, juste bon pour l'historien, ou comme une part intrinsèque de sa création, en liaison avec peintures et dessins? À l'inverse, lorsqu'une colombe de Picasso illustre l'affiche du Congrès mondial des partisans de la paix en 1949, faut-il seulement la considérer comme un acte politique et ignorer les tableaux contemporains, la place des pigeons dans son œuvre et le style de l'oiseau? Les musées ne peuvent pas tout appréhender, mais trop de musées d'art ignorent le travail historique, quand bien même il s'agirait d'un aspect purement biographique (conditions de vie de l'artiste, utilisation des œuvres), au nom de l'intemporalité de l'art. De la même manière, les musées d'histoire ont tendance à n'utiliser l'art que comme illustration d'un événement (entrée de Louis XIV à Besançon), et non pas à comprendre que la place des artistes, leur influence, la vie des formes et des styles font intrinsèquement partie d'un époque au même titre que les décisions politiques ou économiques.

Aujourd'hui, le phénomène muséal[18] touche la planète entière, et la séparation artistique, telle qu'elle a été mise en place par l'Occident, s'est généralisée. Pour la période actuelle, les Africains revendiquent d'ailleurs eux-mêmes une fonction artistique : « L'on admet généralement que les arts africains sont fonctionnels et [que] leurs buts ne sont pas strictement esthétiques [...] S'il faut, pour qu'un objet ou une manifestation quelconque ressortissent de l'art, que leur exécution implique une réflexion, fût-elle sommaire, sur l'organisation des formes comme telles, qu'il s'y manifeste un formalisme, alors le sentiment esthétique est attesté par les manifestations collectives fréquentes en Afrique[19]. »

La présentation/représentation est ainsi un engagement. Les expositions, au même titre que les ouvrages des historiens d'art ou des critiques, *font* l'histoire de l'art. Dans un temps où documents et œuvres ne se distinguent plus *a priori*, la puissance de leur mise en avant vers le public est sans égale. À l'ère du « spectacle », à l'ère de la propagation du virtuel, l'apparence devient le réel et le vecteur fait plus que de simplement soumettre l'objet. Les artistes conceptuels ont, depuis longtemps, utilisé cette propriété muséale. Les musées d'histoire commencent, de leur côté, à prendre conscience de l'importance de l'« enveloppe ». Ainsi, trois musées frontaliers — allemand, suisse, français[20] — ont réalisé simultanément en 1995 trois expositions sur l'immédiat après-Seconde Guerre mondiale. Pour des résultats totalement différents en termes de contenu et de présentation. C'est ce qu'ont tenté également le musée d'Ethnographie de Neuchâtel, le Musée dauphinois à Grenoble et le musée de la Civilisation à Québec sur le thème de la « différence ». Le comparatisme s'introduit parallèlement dans les parcours, comme à Péronne, en France, où l'Historial de la Grande Guerre juxtapose les expériences britanniques, allemandes et françaises en 1914-1918.

Cela pose naturellement aux musées d'art des questions concernant leur rôle, leurs limites, leur message. Comprenant que la présentation d'art n'est pas neutre, certains décident d'engager le musée. C'est le sens de la mise en valeur de l'art des femmes, de celui des minorités, des résistances, des créations extra-occidentales. Le musée joue alors directement un rôle politique et social. D'une certaine manière, cette approche balisée, idéologique, ne pose pas vraiment de problème pratique autre que le choix idéologique. La sélection, la mise en avant d'un ou plusieurs artistes peut cependant, lorsqu'ils sont vivants, influer notablement sur les situations locales. Par ailleurs, le musée d'art comme le musée d'histoire, notamment les musées de grandes villes[21], ne doivent pas devenir les otages de communautés ou de groupes de pression.

Plus délicat, en revanche, reste le choix de ce que l'on présente du passé. D'abord se pose la question des pièces du choix. *Guernica* est actuellement exposé dans le Centro de Arte Reina Sofia, à Madrid. La toile est entourée des esquisses préparatoires que Picasso avait jointes à l'œuvre lorsqu'elle était partie aux États-Unis. Il s'agit d'un ensemble cohérent et remarquable, d'ailleurs, parce qu'il est rare qu'une œuvre soit entourée de ses études. Mais il ne s'agit pas de la seule possibilité de présentation.

Il n'est pas du devoir des musées d'art de déborder la mise en valeur plastique. Pourtant, des expositions thématiques inter-trans-pluridisciplinaires ont — notamment au Centre Georges Pompidou — montré que le produit artistique ne se séparait pas d'autres productions. Ceci d'autant plus que des artistes (les futuristes, les dadaïstes, les surréalistes, les constructivistes, le Bauhaus...) ont voulu s'investir conjointement sur différents terrains : de l'architecture à l'art, de la photo à l'affiche, de la sculpture à l'objet industriel, du spectacle à l'exposition. Il devenait dès lors difficile d'isoler une création par rapport à une autre. Il devenait difficile également d'isoler une œuvre à visée politique du contexte politique.

Pourtant, *Guernica,* qui est une œuvre politique, est présentée hors contexte, comme si elle allait de soi, comme si la notoriété de la toile suffisait, comme si seule sa plastique importait. En se penchant sur cette œuvre[22], il apparaît néanmoins qu'en dehors des influences d'artistes du passé, Picasso a baigné dans la propagande du moment, qu'il n'en est pas exempt, comme il n'est pas exempt des dessins de presse qui ont paru ou paraissent alors. Il répond à tout ce monde d'images, de photomontages, de symboles. Il réalise un acte politique. Cet acte politique n'a cependant pratiquement aucun écho au moment de l'exposition initiale, alors que la toile deviendra une des œuvres mondiales les plus connues après la Seconde Guerre mondiale ? Pourquoi cela n'est-il pas expliqué ? L'art a-t-il à pâtir de l'histoire culturelle ? Le visiteur (sauf si cela est fait sous forme de longs textes fastidieux) apprécierait-il moins la toile en elle-même ? Ou y a-t-il danger à associer des pièces qui ne sont pas de même nature ?

À cet égard, l'exposition de 1994 sur l'art en Europe pendant la Première Guerre mondiale reste éclairante et exemplaire à plus d'un titre. Elle fut présentée au Deutsches Historisches Museum de Berlin sous le titre « Die letzen Tage der Menschheit ». Les toiles étaient accompagnées de l'ensemble de la propagande de l'époque (affiches, cartes postales, photos...), dans laquelle baignaient les artistes et à laquelle nombre d'entre eux participaient. Lors de sa venue à Londres, à la Barbican Art Gallery, sous le titre « A Bitter Truth », il n'y avait plus que les toiles. Singulière transmutation de la même opération d'un lieu d'histoire à un lieu d'art...

L'art a bien sûr ses circuits, ses lieux de présentation, ses modes de diffusion. Ils ne sont pour l'instant pas ceux de l'affiche ou de la photographie de presse — du moins quand il s'agit de l'œuvre initiale et non de sa reproduction, qui risque de se retrouver bientôt dans un réseau mondial mélangeant toutes les offres. Cela ne retire rien à la qualité plastique possible de l'affiche ou de la photographie de presse. Simplement, l'original apparaît plus comme le tirage (ni la maquette, ni le négatif, mais l'image diffusée). Certains musées mélangent l'unique artistique et le multiple, d'autres cloisonnent. Beaucoup excluent le multiple (sauf en archives) — y compris le multiple restreint, à circuit artistique (l'estampe). Il s'agit d'options concernant ce qu'ils nomment « art ». En l'occurrence, tout est défendable, même si les partis pris s'avèrent rarement expressément justifiés et les confusions fréquentes : aujourd'hui, la mode de la photographie la fera placer à côté d'une toile, alors qu'un dessin publié ou une affiche d'artiste n'y seront pas.

Plus graves encore sont les questions du choix de présentation d'un art de propagande. La peinture d'histoire ancienne, parce qu'elle touche des questions du passé, n'a pas vraiment soulevé d'objections déontologiques dans les musées. Or, la peinture de batailles, les portraits de cour, la peinture religieuse avaient une fonction de défense et d'illustration de l'organisation sociale du moment. Si l'on commence à considérer qu'un portrait Tudor[23] excède la simple représentation du personnage, beaucoup d'œuvres de jadis ne nous sont pas accessibles en termes de sens, faute d'explications sur les conventions alors établies. Le XXe siècle rend ces lacunes plus criantes encore, tandis que des artistes se sont ouvertement voués à des ouvrages de propagande.

Peut-on, face à ces œuvres, se contenter d'un jugement esthétique, bannissant, par exemple, le retour « réactionnaire » au réalisme ? Faut-il les occulter pour des raisons politiques, parce qu'elles véhiculent des idéologies qui ont provoqué des millions de morts ? Faut-il leur dénier le rang d'œuvres d'art ? Œuvres ou documents ? L'art et l'histoire se rejoignent étroitement sur ce terrain. Ces créations — quel que soit le jugement plastique ou de contenu qui est porté sur elles — sont pourtant des œuvres d'art *de facto*. Elles ont été conçues comme telles ; elles ont été présentées comme telles. Est-il alors pernicieux, voire dangereux, de les exhumer et de les montrer au public ? S'agit-il ainsi de pérenniser leur message ?

Les réponses divergent pour l'instant. Deux expositions, l'une en Allemagne[24], l'autre en Grande-Bretagne[25], ont tranché. Elles ont sorti ces œuvres et les ont confrontées à celles des résistants à ces régimes. Elles les ont ainsi mises sur le même plan. D'aucuns se sont inquiétés du danger : et si le public préférait, aux déconstructions de ce qui s'est appelé la modernité, la sagesse d'un réalisme tempéré ? La question n'est pas vraiment là. Elle est plutôt dans le rôle du musée : soit le musée défend une conception de l'art, soit il rend compte de différentes solutions apportées dans le domaine artistique et explique les convergences, les oppositions, les interactions, le contexte.

Du côté des musées d'histoire, un tournant se prend. Beaucoup se sont constitués comme des musées idéologiques — notamment, en France, les musées de la Seconde Guerre mondiale, qui présentent uniformément une France résistante (ce qui vise *a contrario* à nier tout courage dans l'acte de résistance, puisque ne sont pas expliqués en détail le régime de Vichy et sa place dans l'opinion). Désormais le discours historique s'installe, qui n'a pas peur d'exhiber des propagandes[26] sans pour autant que cela soit pris pour leur défense et illustration. Montrer Hitler n'est pas défendre Hitler.

La volonté de contrebalancement, si elle s'avère nécessaire, ne peut cependant pas s'opérer sur le même plan. Une image ne répond pas à une image, car, face à un pouvoir en place et au déversement de son « bourrage de crâne », l'opposition est, par nature, minoritaire. C'est alors l'information sèche, factuelle, sur le fonctionnement du régime qui peut seule circonvenir les débordements à sa gloire. Notons également que, dans les études qui sont réalisées, le public se révèle souvent beaucoup plus fin, « décrypteur », averti, que ne le craignent généralement les organisateurs : lorsqu'il pénètre dans une salle où sont présentés des documents de propagande totalitaire, il n'est nullement vierge de tout savoir historique.

De cette manière, même lorsque, de façon aiguë, art et histoire se rejoignent sous l'angle de la propagande, et que le choix prend un tour idéologique impliquant le rôle du musée dans la cité, il n'existe pas de définition préétablie. Chacun doit réfléchir à la façon dont il rend compte d'un temps historique. Cela suppose toujours des critères, des sélections, car, dans l'absolu, comme nous l'avons vu, tout est art et tout est histoire. Le rôle de l'historien, comme celui de l'historien d'art, reste de caractériser les acteurs, les objets, les mouvements qui lui semblent prééminents soit dans la période considérée (caractériser, constater n'étant pas défendre), soit par leur influence postérieure.

Ainsi, le musée, en dehors d'un impact économique, crée de l'art et de l'histoire. La question demeure cependant de savoir si cela est toujours en connaissance de cause.

Existe-t-il une peinture d'histoire au XXe siècle ?

Pour l'historien, ce qu'il considère comme peinture d'histoire relève avant tout de l'illustration d'un événement. À cet égard, le « musée historique » tel qu'il fut conçu à Versailles sous Louis-Philippe, avec, notamment, la galerie des Batailles, s'avère exemplaire : illustration, par des peintres, des temps choisis d'un passé collectif. Construction imagée de ce passé.

Le rôle de l'iconographie historique est bien celui-là. Il pose la question de la fonctionnalité de l'image, c'est-à-dire de la *mimesis*, de la simulation du réel. Il rejoint les méfiances des iconoclastes ou les débats au sein de l'Islam concernant le culte des idoles et l'imitation du réel[27]. L'image est de toute façon une transposition. Elle n'illustre pas, elle interprète. Voilà, d'ailleurs, le sens des travaux d'aujourd'hui sur l'iconographie scolaire et le discours historique propre qu'elle tient.

Pour l'historien, la peinture d'histoire demeure donc la relation de l'événement, ou, plutôt, de la réaction à l'événement. Il annexe *Guernica* comme une illustration de la guerre d'Espagne. La peinture d'histoire n'est donc pas pour lui fondamentalement relative aux intentions de l'artiste, mais à la relation, au discours. Dans ce sens, l'historien relève davantage la valeur rhétorique que la valeur plastique. Mais il intègre également l'histoire de l'art dans le parcours historique. Ainsi, des œuvres aujourd'hui valorisées pour tel ou tel moment deviennent l'expression d'un style, d'un « air du temps ». L'historien absorbe. Il dilue alors la notion de peinture d'histoire vers celle de symptôme d'une période.

Au XXe siècle, pourtant, la peinture d'histoire reste liée pour beaucoup à la notion de propagande. La Première Guerre mondiale, alors qu'elle a instauré de façon souvent désordonnée mais enthousiaste et spontanée un « bourrage de crâne » qui inspirera directement les partis politiques, correspond à un temps fort d'engagement des artistes. Elle demeure le moment où se conjuguent toutes les approches, qu'il s'agisse de l'allégorie, du « réalisme », ou, minoritairement, de la condamnation. Que feront ensuite les constructivistes, sinon véhiculer un message idéologique en le liant à des recherches formelles? Que feront les peintres nazis, sinon véhiculer un message idéologique en le liant à un aspect formel correspondant à la nature de ce message? Que feront les opposants à ce régime, sinon en attaquer l'ignominie avec des représentations généralement en opposition aux codes plastiques qu'il prônait?

Jusque dans les années soixante-dix, la peinture d'histoire a ainsi été assimilée soit à une peinture d'illustration de l'histoire, soit à une peinture de démonstration idéologique. En Irak, de nos jours, le peintre d'histoire réalise le portrait de Saddam Hussein. En Afrique du Sud, au temps de l'apartheid, dans les années quatre-vingt, le peintre d'histoire illustrait sa révolte contre le système. Mais *quid* de la peinture d'histoire au temps du postmodernisme[28], de la chute du mur de Berlin, de la circulation des icônes? La peinture d'histoire est-elle réductible à un support pictural et à l'émission d'un message idéologique?

Wolf Vostell, Hans Haacke[29], Christian Boltanski réalisent à leur manière des peintures d'histoire. Allons plus loin dans ce domaine. Le choix d'expositions qui deviennent des *shows,* du spectacle sur certains thèmes, relève d'une intervention historique. Les conservateurs font œuvre d'histoire. Ils construisent des parcours qui deviennent des relectures mentales délivrant un message historique. Leurs options sont des prises de position révélatrices.

Julien Torma écrivait dans ses *Euphorismes,* en 1926 : « 1° Tout est la même chose, 2° Tout est donc très suffisamment bien. » Ce principe d'équivalence, ce relativisme radical correspond assez aux temps que nous vivons. Il existe une multiplication de l'offre en matière culturelle. Modes et valorisations successives s'entrechoquent. La peinture d'histoire s'y dilue. Circonscrite, pour certains, à l'illustration d'un message, elle devient, pour d'autres, propagation sémantique arachnéenne : tout est peinture d'histoire, car tout a un sens, jusqu'à la perpétuation des bouquets de fleurs. Le regard du spectateur décide alors dans quelle mesure Taro Okamoto ou Kikuji Yamashita, dans le Japon de l'après-guerre, les abstraits du Salon des « Réalités nouvelles », en France, au même moment, Paul Magar ou Herm Dienz, en Allemagne, appartiennent à cette catégorie.

L'histoire a annexé l'art comme une composante de son discours : illustration de l'histoire, et donc assujettie à la représentation événementielle, ou expression d'une période au même titre que la mode, les arts décoratifs, les phénomènes de société. L'histoire déstabilise ainsi l'art. Et l'art est sans histoire. L'art devient une sorte d'offre d'arts, de tous temps, de toutes cultures, de tous types. *L'ère de la multiplication a commencé*. Des repères s'établissent pourtant, se complètent ou s'opposent d'autant plus fortement; des histoires de l'art s'esquissent; des lectures, des relectures, des perspectives naissent, renaissent, s'affrontent.

Dans un tel contexte, les peuples n'ont-ils pas besoin de perdre un peu la mémoire? La création, la novation ne nécessitent-elles pas rupture, négation, en tout cas affirmation impérieuse, tranchée, d'options subjectives, quitte à les changer? Sans faire table rase du passé — de tous les passés, et non plus seulement d'un pesant passé local —, sans détruire les lieux, les objets, les moyens de connaissance, ne doit-on pas éviter de bâtir des millefeuilles indigestes, impropres à toute ingestion, mais s'en servir pour isoler sa crème préférée du moment ? Le respect béat des formes d'hier ne s'avère-t-il pas tétanisant ? Détruire et générer (cycles primaires), amours et haines (notions consubstantielles, agents ludiques de la passion) semblent *a priori* antinomiques des temps de la révérence et du respect *indifférenciés* : la mort par le neutre.

Par ailleurs, cette offre monumentale et cahotique suppose-t-elle des jeux formels sans implication sociale, *hic et nunc*, de l'artiste ? Suppose-t-elle que le médium soit le contenu ? *Le temps du relatif est pourtant le temps du choix*. La mise en question des repères responsabilise d'autant plus l'individu dans la nécessité de se situer. Et l'artiste, entre art et histoire, reste une forme de témoin sensible. Un réactif.

Constatons enfin qu'il n'y a pas vraiment aujourd'hui de définition de la peinture d'histoire, ni pour l'historien, ni pour l'historien d'art, comme il n'y a plus vraiment de bornes à la notion d'art, hormis celle de ses circuits dans la société et de son usage. Le mondial et le local s'entrechoquent. Une chambre d'écho parasite le moindre acte créateur isolé, le perturbe avant même qu'il ne se manifeste, l'éparpille, le virtualise. Les enjeux sont ceux-là. Comment se faire entendre dans le déversement des temps, des civilisations, des formes ? Comment sérier des tendances qui ne soient pas seulement des constatations d'états du marché ? L'artiste confronte alors son histoire, très circonstancielle, celle de sa société, et celle de la planète de l'information. L'historien d'art relève la propagation de phénomènes. Il suggère également ses propres lectures.

Nous parlions de panorama : large, fluctuant, marin, soumis aux caprices météorologiques. D'abord, un artiste écrasé d'histoire, citant, réagissant ou fuyant. Un art, des arts sans histoire, parce que avec trop d'histoires. Une histoire avec arts, une histoire boulimique, absorbant les arts dans ses problématiques générales. Des sciences humaines ou des sciences exactes qui ont pourtant aussi à dire sur l'art. Et une place dans les sociétés à définir, à redéfinir.

Alors, indiscutablement, le phénomène artistique est de l'histoire. Mais les artistes influencent-ils l'histoire ? Quelle histoire les diffuseurs construisent-ils ? Aujourd'hui, aux années de l'offre, qui demande ?

Il est temps de mesurer la réalité des apparences.

---

1. Jacques Maquet, *The Aesthetic Experience : An Anthropologist Looks at the Visual Arts*, Yale University Press, 1986.
2. Krzysztof Pomian, *Collectionneurs, amateurs et curieux. Paris, Venise. XVIe-XVIIIe siècle*, Paris, Gallimard, 1987.
Wenzel Jacob, *Wunderkammer des Abendlandes. Museum und Sammlung im Spiegel der Zeit*, Bonn, Kunst und Ausstellungshalle der Bundesrepublik Deutschland, 1995.
3. Jean Clair (dir.), *L'Âme au corps, arts et sciences 1793-1993*, cat. d'exposition (19 oct. 1993-24 janv. 1994, Grand Palais, Paris, sous la direction de Jean-Pierre Changeux et Gérard Régnier), Paris, RMN/Gallimard, 1993.
4. Erwin Panofsky, *Meaning in the Visual Arts*, New York, Doubleday Anchor Books, 1957.
5. Par exemple, Howard S. Becker, *Art Worlds*, University of California Press, 1982.
6. Francis Haskell, *History and its Images*, Yale University Press, 1993.
7. Jacques Le Goff, Roger Chartier, Jacques Revel, *La Nouvelle Histoire*, Paris, Retz, 1978.
8. Intervention de Rosalind Krauss lors du colloque «Où va l'histoire de l'art contemporain ? » (16-17-18 févr. 1995, École nationale supérieure des beaux-arts de Paris), *L'Image*, n° 1, nov. 1995.
9. Emmanuel Kant, *Kritik der Urteilskraft*, Königsberg, 1790.
10. « Unser Jahrhundert. Menschenbilder-Bilderwelten », exposition du musée Ludwig, Cologne (9 juil.-8 oct. 1995).
11. Notamment la démonstration-proclamation par Mark Rosenthal d'un XXe siècle abstrait, Solomon R. Guggenheim Museum, New York, 1996.
12. Michel de Montaigne, *Essais*, 1580.
13. Entretien avec Jean Schuster, *Le Surréalisme, même*, n° 2, 1957.
14. Laurent Gervereau, « Qu'est-ce qu'un document d'histoire ? » dans Éliane Barroso, Emilia Vaillant (dir.), *Musées et sociétés*, Paris, Direction des musées de France, 1993.
15. Alexandre Vialatte, « L'anti-musée ou le musée des musées », *L'Époque*, 1949.
16. Jacques Hainard, Roland Kaehr (dir.), *Objets prétextes, objets manipulés*, Neuchâtel, musée d'Ethnographie, 1984.
17. Anthony Shelton (dir.), *Fetichism. Visualising Power and Desire*, Londres, The South Bank Centre, London/The Royal Pavilion, Brighton, 1995.
18. Voir les publications de l'International Council of Museums (ICOM), basé à l'Unesco, Paris.
19. Abdou Sylla, *Création et imitation dans l'art africain traditionnel. Éléments d'Esthétique*, Dakar, Université Cheikh Anta Diop, 1988.
20. *Nach dem Krieg/Après la guerre*, cat. d'exposition (musées frontaliers allemand (Lörrach), suisse (Liestal), et français (Mulhouse), 1995), Zurich, Chronos, 1995.
21. Forum international des musées de ville, Barcelone, 26-28 avr. 1995 (voir *Les Nouvelles des musées d'histoire*, n° 16, juin 1995, Association internationale des musées d'histoire).
22. Laurent Gervereau, *Autopsie d'un chef-d'œuvre. Guernica*, Paris, Éd. Paris-Méditerranée, 1996.
23. Maurice Howard, *The Tudor Image*, Londres, Tate Gallery, 1995.
24. *Berlin-Moscou*, cat. d'exposition (Berlinische Galerie, Martin-Gropius-Bau, Berlin, 3 sept. 1995-7 janv. 1996), Munich, Prestel.
25. *Art and Power. Europe under the Dictators 1930-45*, cat. d'exposition (Hayward Gallery, Londres, 26 oct. 1995-21 janv. 1996), Londres, The South Bank Centre.
26. Par exemple, l'exposition du musée d'Histoire contemporaine-BDIC, Paris, « La Propagande sous Vichy » (1990), ou les activités du Deutsches Historisches Museum, Berlin, et de la Haus der Geschichte, Bonn.
27. Gilbert Beaugé, Jean-François Clément (dir.), *L'Image dans le monde arabe*, Paris, CNRS, 1995.
28. Brian Wallis, Marcia Tucker, *Art after Modernism : Rethinking Representation*, New York, The New Museum of Contemporary Art, 1984.
29. Pierre Bourdieu, Hans Haacke, *Libre-échange*, Paris, Le Seuil/Les Presses du réel, 1994.

Faire face, faire signe. La photographie, sa part d'histoire

Faire face, faire signe. La photographie, sa part d'histoire

Michel Frizot

« L'Histoire ne pouvant connaître que des choses sensibles, puisque le témoignage verbal est sa base, tout ce qui constitue son affirmation positive doit donc pouvoir se décomposer en choses vues, en moments "de prise directe" correspondant chacun à l'acte d'un opérateur possible, d'un démon reporter photographe. »

Paul Valéry, 1939.

Au XXe siècle, c'est au photographe que revient la redoutable responsabilité d'être « face à l'histoire » ; non que les autres acteurs (les hommes politiques, les militaires, ou plus généralement les simples victimes de l'histoire) ne soient au premier rang : mais trop explicitement au cœur même de l'histoire pour en rapporter cette vision froide, sinon mécaniste, qui semble caractériser le siècle désormais. Si l'histoire, pour nous aujourd'hui, a tel ou tel visage, tel ou tel geste, c'est bien par la photographie que cette image est advenue. Sans cette constatation de sa prééminence récente, il ne serait pas possible de rendre compte d'une rupture pourtant évidente : pourquoi la peinture d'histoire n'a-t-elle plus de validité, pourquoi n'a-t-elle plus vocation à représenter l'histoire ?

L'histoire en l'état

L'impact de l'irruption de la photographie est certes un topique de toutes les études sur les médias modernes, tantôt coulée dans le lit général de la « représentation », tantôt opposée aux images « traditionnelles » par ses facilités automatiques et objectives. Mais depuis les années trente, on se borne à ce type d'analyse minimale : la photographie a modifié les manières de voir au-delà de tout ce qu'on pouvait en attendre ou redouter au milieu du XIXe siècle. Toutefois, dans ce constat d'ensemble, c'est la photographie dans sa globalité que l'on repère là, autrement dit une entité indéfinie, sans âge, sans maturité, sans disparités ; une abstraction au service de ce que l'on imagine — rétrospectivement — avoir été le désir d'information critique sur une réalité qui a progressivement changé de statut depuis l'invention de la photographie, particulièrement à la suite des deux conflits mondiaux. C'est oublier par exemple que les guerres, les catastrophes, les épidémies, la torture ou la conquête coloniale ne sont pas regardées de la même façon en 1860, 1900 ou 1930. On se satisfait, abstraitement encore, d'une évolution progressive des moyens techniques, qui rendrait plus précise et plus efficace l'information attendue. En l'absence d'une bonne connaissance du contexte des comportements photographiques, on induit sur toute une période méconnue (celle qui va de 1850 — première disponibilité de la photographie — à 1925 — premiers sursauts du photojournalisme) ce modèle de comportement que l'on imagine le plus facilement, ou qui est le mieux assimilé : celui du reporter photographe « à la Capa », une sorte d'homme complet, et prêt à toutes les audaces, universellement présent sur tous les fronts, du moins là où se commande l'histoire, événement par événement. Ainsi, avec un tel esprit « moderniste » qui voit dans la possession des moyens la réalisation des fins, ne comprend-on pas que, en 1855, Roger Fenton n'ait rapporté de la guerre de Crimée aucune image de combat ou de cadavre alors qu'il était commandité par le gouvernement britannique (les autres photographes anglais ou français de cet événement ne se montreront pas plus « réalistes »); et l'on s'interroge sur cette disparité de réalisme qui désavoue à la fois la vocation (supposée) de la photographie, et une (tout aussi hypothétique) tendance contemporaine de la littérature ou de l'art. On semble attendre davantage de Fenton qu'une description du théâtre des opérations et de ses principaux acteurs. Ce constat se renouvellera avec la Commune en 1871 (aucune photographie de combat ou d'opération militaire). Or, la vocation de la photographie à montrer, décrire, documenter, ne peut être pensée du seul point de vue d'une intervention autonomisée, hors de ses contingences et de ses restrictions.

Expédition du Tonkin, la prise de Sơn-Tây, 23 février 1884, d'après *L'Illustration*, 1884.

Si elle est, à toute époque, tributaire d'un état d'esprit du photographe, ou encore d'une potentialité de la mise en œuvre technique (qui interdit tel ou tel type d'approche), elle l'est tout autant de la définition de l'événement historique, ou encore de la faculté individuelle à faire image de l'histoire. Cela signifie par exemple que « la photographie » ne transporte pas avec elle, par la magie de la boîte noire, son flot d'images de l'histoire, comme préconçues ou préfabriquées, et que d'autre part le photographe n'est pas le seul à décider de ce qui peut faire image. La notion de photographie d'événement ou de photographie d'histoire est constamment à réinventer face à l'histoire, imprévisible. Pour qu'une photographie soit prise, et représentative de quelque chose au moment de la prise, il faut en quelque sorte que l'événement (sa part visible, sa matérialité immédiate, sa texture d'espace, sa topographie) soit déjà vu comme image, soit devenu une presque-image dans l'esprit de celui qui pilote la prise de vue.

L'image photographique est une image en quelque façon pré-vue (disons dans ses grandes lignes, dans ses effets, dans ses ressorts); et ce qui est une lapalissade pour la pratique du XIXe siècle (la mise au point sous le voile noir) n'est pas aboli par l'instantanéité : seul le temps de la pré-vision se contracte à l'extrême. En d'autres termes, le dispositif (nous nommerons ainsi la conjonction flottante entre un appareil et un photographe) n'opère pas par automatisme, par enregistrement autonome et distancié. Cette opération de prise de vue (le terme d'opération n'est pas éloigné de son sens militaire et stratégique) demande une maturation, par images mentales interposées, une élaboration qui, pour être intuitive, n'en est pas moins déterminante, et cette construction imaginaire qu'est une photographie d'histoire ne se conçoit que du contact (et du face-à-face) entre une réalité singulière (exhibant ses horreurs spécifiques) et une culture de l'image, véhiculée par le photographe (qui circonscrit le montrable, le compréhensible, l'admissible). Face-à-face entre un théâtre d'événements et une conception de l'image, entre les effets ultérieurs de l'événement et un dispositif qui sait en faire des images — comme nul autre ne sut en faire auparavant — mais selon des normes, des astreintes et des conventions devenues imperceptibles par assimilation progressive. Tant qu'une photo est « tout » ce qu'on peut attendre, elle représente la totalité et la quintessence de la réalité inaccessible et incontrôlable...

« Avant la photographie », l'événement historique se constituait par la verbalisation, par la narration et, accessoirement, il était (au XIXe siècle) colporté par le dessin (théoriquement) d'après nature, et ses extensions possibles : la peinture, la gravure, l'impression dans le magazine. Cela implique toutes les approximations, naturelles ou provoquées. Mais dès lors qu'il y a intervention de la photographie, c'est *dans* la prise de vue, et par celle-ci, que *l'événement* se constitue, qu'il modifie lui-même son propre statut. Ou plus exactement, le fait historique advenu acquiert un certain statut d'événement par la prise de vue. En quelque sorte, l'événement advient dans la boîte noire, c'est-à-dire hors de toute visibilité pour l'extérieur — et non dans cette extériorité de la chambre noire où on croit l'avoir localisé (mais ce n'est là qu'habitude de langage). Aussi, lorsque l'homme moderne parle d'un événement des temps modernes (ceux de la photographie), est-ce à une photographie qu'il fait allusion ou qu'il se réfère (plus récemment ce sera à une séquence de télévision)? Ou, si ce n'est une photographie de cet événement-là, avec ses spécificités temporelles et topographiques, est-ce la photographie d'un événement similaire, ou que l'on imagine similaire, ou une kyrielle de photographies semblables, vues et revues, et *impossibles à effacer*? Car si la photographie naît d'une empreinte dans la boîte noire, elle fait aussi empreinte dans la boîte noire de la pensée et de la mémoire, sur la surface déployée du souvenir, d'autant plus nette et contrastée que l'affect qu'elle provoqua est plus intense. N'est-ce pas du reste ce qu'on entend par *être touché par* une image ?

Pose des fils de fer barbelés dans une tranchée, 1914-1918.

Il n'y a peut-être plus d'événement en soi, hors du rapport documentaire que l'on en obtient, texte ou image. C'est par relation-faite (en étant relaté) que l'événement existe, et la photographie lui a peu à peu imposé un statut d'*état*, qui correspond aux potentialités du dispositif photographique mais est aussi tributaire de ses évolutions. La photographie, en donnant une forme aux effets de l'événement — forme qui pourrait être tout autre — *fabrique de l'histoire,* ou du moins une certaine forme d'histoire. « Les événements ne sont pas des choses, des objets consistants, des substances; ils sont un découpage que nous opérons librement dans la réalité, un agrégat de processus où agissent et pâtissent des substances en interaction, hommes et choses[1]. » Et si nous ne retenons ici, de l'événement, que le « point de vue » par l'image, la photographie n'apporte-t-elle pas d'emblée ce découpage (ce cadre) qui le circonscrit et l'inscrit sous une forme « géométrale[2] » ?

Face à l'image

On n'a voulu voir dans la photographie qu'une *chose-vite,* une irruption qui aurait modifié brusquement la donne du représentable, une rupture technologique dont on s'accommoderait pour continuer à produire du document comme si de rien n'était, avec un gain d'efficacité et de productivité. Double excès dans la hâte et la sous-estimation : car la photographie ne s'est immiscée que lentement dans la représentation des faits ou des choses, et au prix d'étapes contrariantes. Mais elle est aussi allée beaucoup plus loin dans la déstabilisation, puisqu'elle a tout simplement *inventé* de nouveaux états de choses, elle a instauré de nouveaux objets qui ne sont pas manipulables avec les anciens outils, jusqu'à prendre la place des anciennes représentations (la peinture d'histoire, le procès-verbal, le dessin illustrant le magazine). Le processus d'acculturation de la photographie « face à » quelque chose qui n'est pas seulement « à voir » mais à créer-en-image, fut très lent à partir de 1850. Il n'atteignit un apogée apparent dans les années 1970 que parce qu'il fut alors supplanté par d'autres dispositifs. Il importe d'en comprendre les mécanismes internes.

La photographie des années 1850 n'eut qu'un impact limité, c'est pourquoi l'interrogation sur la pertinence de Fenton ou de Langlois ne peut qu'être relativisée. Car il faudra plutôt compter, au XIXe siècle, avec la diffusion, avec le chiffre de tirage, l'apparition d'un lecteur-spectateur qui déchiffre texte et image et infère de leur relation induite ou imposée. Le tirage photographique, cher et fragile, est d'une utilité documentaire très relative s'il n'est relayé par les rares médias qui transmettent de l'image. En s'imposant dans la presse, l'image renoue d'une certaine manière avec la fresque ou le tympan d'église : elle s'adresse à un nombre grandissant d'individus, en accroissant le volume de ce qu'on appellera l'imaginaire collectif. Mais le processus enclenché dans les années 1850 est à scinder en trois étapes au moins : la croissance de la presse (journaux et magazines); la place accordée à l'illustration événementielle; la greffe partielle de la photographie sur le dessin d'illustration. Ce dernier point se traduit par une progressive assimilation, par l'illustration, des traits spécifiques de la photographie. Ce peut être le décor général (le site), des éléments particuliers du décor qui dénotent la topographie réelle (monument, végétation, montagne), des figures typiques, des objets de culture locale, des indices propres à l'événement (mode d'engagement de troupes, incendies, destructions...).

Grève générale. Le parti communiste défile à Vincennes, 12 février 1934 (détail).

Au XIXe siècle, la rédaction du magazine reçoit tantôt un dessin envoyé par un témoin oculaire (cas plutôt rare pour un événement fortuit), tantôt un document élaboré sur place par un dessinateur qui dispose à la fois de données visuelles directes et de photographies, tantôt de simples indications verbales (un récit détaillé) complétées éventuellement de photographies du site réel ou plus approximatives, etc. C'est la photographie — statique, non encore instantanée — qui introduit une certaine éthique de la précision du constat; non que le dessin soit imprécis (au contraire, on loue la richesse d'observation des dessins de Guys ou de Simpson de la guerre de Crimée) mais la précision ne concerne pas les mêmes éléments, elle a changé de camp. Pouvoir copier une photographie signifie que l'on ne s'interroge plus sur la forme d'un arbre, sur le style à donner à un édifice, comme on ne s'interrogeait pas sur l'uniforme dont il fallait vêtir un soldat puisqu'on avait déjà ce modèle-là en tête. En somme, la photographie complète un répertoire, et surtout elle arbore de nouveaux signes, de nouvelles formes, dont la signification devient reconnaissable, transmissible, « répertoriable ».

Un événement n'est plus un stéréotype, un standard de l'histoire (tel qu'une bataille, un affrontement, un assassinat, un couronnement), c'est un ensemble de *particularités* dont certaines n'ont pris forme que dans la chambre noire, et à cette occasion-là seulement — ce qui les rend dignes d'être transmises avec exactitude. Tandis que toutes les batailles navales, tous les assauts terrestres des années 1860-1880 se ressemblent et répondent à une norme graphique, la photographie apportera une singularité à l'événement, et à cet événement-ci précisément dans son individualité de temps, de lieu, d'indices de localisation.

Cependant, la photographie n'est en rien un enregistrement automatique et isotrope de tous les états et effets matériels : c'est une préhension multiforme et fragmentaire n'agissant que dans certaines limites (de temps, de luminosité, de chromie, de mobilité, etc.), constamment remise en question par la nature des appareils, par leur mode de fonctionnement, par leur facilité et rapidité d'utilisation (visée, déclenchement, déplacement de la surface sensible, changement de film, etc.), ou encore par la proximité entre l'appareil et le corps du photographe. Il serait excessif de redire ici toutes les modifications imposées au dispositif photographique, des années 1850 à nos jours, qui renouvellent constamment sa présence face à l'histoire, et son mode de transcription. Au moins faut-il insister sur la grande rupture technique (et mentale, et picturale) de l'instantanéité, dans les années 1880 (liée à la photosensibilité du gélatino-bromure d'argent et à la mécanique de précision des obturateurs); car non seulement elle fait voir la réalité autrement mais elle introduit à une autre réalité, celle qui se manifeste exclusivement dans la chambre noire, et passe bientôt pour une *mimesis* de la vérité. Ce n'est pas une question de vérité : l'image qui résulte d'une prise de vue instantanée d'un cheval en mouvement n'est pas plus vraie qu'une peinture de Géricault ou que la trace floue du sujet — sinon que cette représentation est plus satisfaisante pour l'esprit, *à un certain moment*, parce qu'apparemment plus scientifique. De la fin du siècle jusqu'à l'arrivée de l'image télévisée, ce syndrome de la *vérité instantanée* a dominé toutes les représentations d'actions, d'événements ou de sentiments.

« Un même esprit anime les parades [...] sous les aspects de Vénus et de Mars éternellement liés ». Double page de *Berlin*, par Pierre Mac Orlan, Grenoble, Arthaud, 1935.

Berlin pavoisé d'oriflammes pour l'ouverture des jeux Olympiques, octobre 1936.

Ce sera donc l'artificialité de l'instantané, sous couvert du dogme d'exactitude, qui régira le « naturel » apparent de l'illustration de la fin du XIXe siècle, submergée par ce nouveau vocabulaire de gestes, d'attitudes, d'actions, de mouvements. Les hommes qui combattent ou partent à l'assaut, le nuage d'une explosion, le bâtiment qui s'écroule, le visage convulsé : la photographie est concernée maintenant par l'action, par la déformation, qu'elle transforme du reste en états stables et immuables et charge du poids de l'« expression ». Copie ou non, le dessin et la peinture ne sont pas indemnes, autour de 1900, de cette provocation sur le terrain des formes. Pour être crédible, il n'est plus une illustration du moindre fait divers qui ne doive être un « cliché » de l'instantanéité, d'une forme de vision qui gèle, stoppe, et glace dans la feinte imagée de l'effroi. Mais déjà le recours au dessin et à la gravure au trait (sur bois ou sur zinc) dont usaient les illustrateurs est devenu inutile : la photographie se décalque (presque) directement sur la page du magazine ou du journal par la photogravure.

Pour bien comprendre l'énorme impact de la photographie sur les mentalités (et sur la vision de l'histoire) qui se produit à partir des années 1930, il convient d'admettre que trois phases du processus engagé sur sept ou huit décennies (1850-1930) sont littéralement des révolutions médiatiques (généralement confondues en une seule, raccourcies, et donc minimisées) : la présence du dispositif photographique (« face à ») et la production de ses images (années 1850); l'invention du « type » photographique d'imprimerie, ou plaque de photogravure, qui autorise l'inclusion directe de l'image sans disparité avec la typographie (années 1890); la vogue publique et commerciale des médias illustrés par la photographie (fin des années 1920) scrutée par un genre nouveau d'observateur : le spectateur de la transparence photographique. En lisant chaque semaine son magazine, on a l'impression d'être face à l'événement, bien que ce soit en différé. Autour de 1930 est apparue une organisation médiatique qui combine, entre autres, la photographie et l'événement historique : on peut la concevoir, par simplification, comme centrée sur un énorme répertoire, constamment renouvelé, de photographies, alimenté par une armée de photographes qui se portent au-devant du moindre événement, et dans lequel puisent les rédacteurs, les maquettistes, les journalistes, les graphistes... (et peut-être parfois les artistes). La réalité des agences, des travaux individuels de photographes autonomes, la diversité des relations internes, des modes de perception de droits, etc., rendent ce système très évolutif (création de Black Star en 1936, de Magnum en 1947, de Gamma en 1966). Mais c'est bien à cette « organisation » de fait qu'émargent *Life* comme *Paris-Match*. « La photographie », depuis les années trente, ne se limite pas à l'œuvre certifiée et validée par la postérité, de photographes authentifiés, reconnus, célébrés; elle est constituée essentiellement de ce flux constant, de cette visibilité énorme, mais éparpillée, non repérable, et très éphémère. Mais l'histoire est là, dans ces magazines et ces journaux, constituée en images jour après jour, semaine après semaine, qui happe le regard et se fixe en lui, généralement consommée et aussitôt (presque) oubliée (le presque nous retiendra pour finir car il devrait bien en rester quelque chose).

La relation photographique

Ce colossal héritage d'images « réelles » et véridiques est aujourd'hui constitué de deux blocs distincts si nous le considérons à rebours comme un objet d'histoire : l'ensemble des magazines publiés — la plupart encore disponibles à des milliers d'exemplaires — et l'ensemble des photographies conservées (une part seulement de celles qui furent produites), accessibles ou non. Il s'agit là d'une mémoire inégalée de l'histoire pendant plus d'un siècle, de plus en plus précise et quasi obsessionnelle : que l'on songe aux millions de photos des Première et Seconde Guerres mondiales, en particulier. Une mémoire répétitive dans laquelle les effets de sens s'annulent les uns les autres, mais paradoxalement un ensemble d'éléments discrets tous singuliers dont les effets individuels peuvent être déterminants pour les comportements et la conduite de chacun.

Avec les années vingt sont apparus le photojournalisme (une forme nouvelle de *relation*) et la figure conjointe du photo-reporter dont les attributions, les prises de position, les responsabilités n'ont cessé de se préciser. Mais c'est assurément la diffusion médiatique, la multiplication de l'image aux yeux de chaque lecteur, qui a engendré le besoin d'images et la progression vers une plus grande *proximité* avec l'événement (la recherche du face-à-face) : dans le temps (raccourcissement des délais de réaction et de publication), dans l'espace (l'événement là où il se produit, en se rapprochant de son épicentre), dans l'expression (la médiation de la figure humaine, de plus en plus proche, puis du visage, et du regard). C'est cette demande insistante, ce besoin d'objets de langage renouvelés qui incite Kertész à fournir ses images dès les débuts de *VU* en 1928 ou le jeune Cartier-Bresson à publier ses premières photographies dans le même magazine. Il est peut-être difficile d'imaginer aujourd'hui, sauf à l'avoir sous les yeux, l'inflation d'images dans toutes les pages des magazines et des journaux, bientôt redécoupées et redistribuées jusqu'à faire de chaque double page ouverte un *photomontage* ou, selon le terme de Moholy-Nagy, une *typophoto* (un mélange neuf de photo, de typographie et de texte) tel que *VU*, *Détective*, *Berliner Illustrierte Zeitung* ou *L'URSS en construction* en donnent les meilleurs exemples dans les années trente (cf. les illustrations de la chronologie de ce catalogue).

Cette photographie imprimée est encore de la photographie, mais déjà un peu plus que cela, par sa mise en situation, les relations internes tissées entre les images (c'est l'apparition du « reportage », un ensemble cohérent d'images sur un sujet donné), les renvois avec le texte ; c'est une parole non encore entendue, un récit, un recueil de signes inattendus (parce que souvent jamais vus) que décrypte le nouveau lecteur. Avec cette certitude, partagée par la communauté de lecture, que la photographie est investie par d'autres regards, que d'autres esprits s'en émeuvent, et que ses effets sont équivalents de l'un à l'autre. Ainsi se coordonne une certaine universalité de l'image, plus ou moins cantonnée à certaines classes sociales (chaque magazine a son lectorat). On envisage trop souvent encore la photographie des années 1930 ou 1950 comme une production de tirages, ou une vocation à l'exposition d'objets d'art, tandis que la perception réelle de ces images sous la forme très immédiatement visible et préhensible de l'illustration de médias est, de fait, une expérience personnelle indirecte de l'histoire, une construction progressive à l'échelle individuelle, une connaissance acquise : le magazine est un manuel d'histoire contemporaine, immédiatement perçue. Une relation d'équivalence s'instaure peu à peu, selon laquelle l'histoire est ce que montrent les médias, une entité devenue image à seule fin d'être démultipliée et répandue. La lecture de photographies, à la suite, et dans un certain désordre, qui tient lieu d'information, équivaut aussi à cette expérimentation séquentielle toujours réitérée dans des conditions « standard » par l'opérateur, à la prise de vue ; si bien que le spectateur rejoue de lui-même une présence personnelle en différé, mais sans les inconvénients du « direct réel » et sans subir les déboires du ratage expérimental (la photo qui serait ratée ou qui n'aurait pas de contenu identifiable). Voir une photographie, c'est être présent — ou faire un passage —, dans un instant très bref, à l'intérieur de la boîte noire, celle-là qui fut face à l'histoire, vraiment.

Le paroxysme du « tout-photographique » est certainement atteint dans les années 1960, lorsqu'avec *Life, Paris-Match*, ou *Stern*, on semble buter à la fois sur l'omniprésence de la photographie (en double page, ou en pleine couverture, avec la plus grande économie de texte) et sur la tension maximale (le dépouillement, le téléobjectif, l'instant crucial, la dramatisation, la symbolisation). C'est le moment où le photographe n'accepte plus d'être l'otage de ses images, ou du moins de l'inutilité de leur diffusion : *I Protest,* de David Douglas Duncan, petit livre empli jusqu'à saturation des photographies du Viêtnam (1968), est « dédié à ce jour de silence où la guerre s'arrêtera » et précédé d'un texte de Guy Chapman écrit au front en 1916 : « L'heure qui vient, mon vieux, te rapprochera de cinq kilomètres de ta mort [...] ta mort ici ne vaut pas plus que si tu mourrais dans ton lit. » Moment d'implosion de la *relation photographique*, dont les retombées seront fatales pour *Life*, pour Nixon, pour la guerre coloniale, mais aussi pour le « jour de silence » qui adviendra mais ne durera guère.

Entre ces deux pôles approximatifs 1930/1970, la photographie a joué le rôle d'un nouveau texte pour alimenter l'imaginaire de l'histoire, comme si les photographies vues jour après jour s'alignaient en autant de mots, s'organisaient comme vocabulaire et syntaxe. Et c'est à partir de ce texte invisible dans sa globalité, sans récolement possible, mais survolé par tout un chacun — y compris par les artistes — que s'élabore un imaginaire *photographique* de l'histoire. Les photographies — pour la plupart appréhendées telles qu'imprimées dans les médias — sont de nouveaux objets à partir desquels éclosent de nouvelles perceptions, de nouveaux codes d'arrangement syntaxique, de nouveaux discours — et d'où s'extraient de nouveaux signes, des formes symboliques qui renvoient à quelque action, état, geste, douleur... Au XXe siècle comme au siècle précédent, la photographie continue de montrer des *états* — car elle ne peut faire que cela — mais des états photogrammatiques suspendus, captifs, prélevés dans un continuum qui s'apparente au flux cinématographique. Le photographe, lui, se trouve face à quelque chose qui n'est pas toujours représentable, parce que cela déborde les fonctions du dispositif ; tout est trop grand, trop lourd, trop douloureux, trop compliqué pour cette boîte noire-là. Mais il prélève, systématiquement, et chaque photographe a un sens propre de ce qui peut être transmis, et de ce qui devient de l'ordre du visible dans la transposition sur la surface photographique. Le lecteur d'image, en revanche, ne voit que des signes dont le sens lui est connu, car il les retrouve sur d'autres photographies (on apprend progressivement à lire des photographies, et c'est cet apprentissage qu'apportent aussi les médias des années vingt) ; ce lecteur repère des signes, il se constitue un répertoire qu'il projette sur chaque image nouvelle. Son savoir enrobe le squelette de sens qui lui est livré, lequel vient encore enrichir sa connaissance de la langue des signes photographiques.

« À l'aide d'une loupe, on peut identifier nettement les traits des victimes », écrit un commentateur d'une exposition des photographies de la bataille d'Antietam (guerre de Sécession, 1862) avant d'imaginer qu'une mère puisse soudain reconnaître là, gisant dans une tranchée, les traits de son fils. C'est cette douleur-là — avec son lot de certitude fatale — qu'inflige, entre autres, la photographie : les morts ne sont plus anonymes, ce ne sont plus des figures de la mort, ils ont des traits spécifiques. Sur la toile d'un peintre, ils sont une abstraction (la-mort-du-soldat, en soi) ; sur la photographie, ils sont fils de quelqu'un. Et la mort, la souffrance, le cri, la peur, la prostration, prennent des traits qui ne sont plus de convention mais

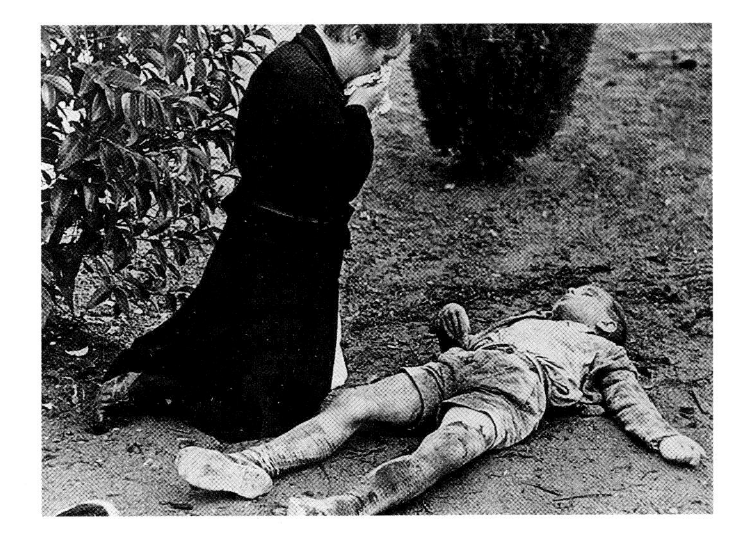

Les nationalistes bombardent une école à Lérida. Une mère devant le cadavre de son enfant, 8 novembre 1937.

s'assemblent spontanément, venus de la réalité scrutée, en une nouvelle théorie — ou plutôt une pragmatique — de l'expression. La photographie apporte un correctif, lorsque ce n'est pas un démenti, aux figures de l'« expression générale et particulière des passions » proposées par Le Brun au XVIIe siècle : colère, compassion, tristesse, horreur, frayeur, désir. Mais elle ne propose aucune solution permanente à la représentation, car elle expérimente constamment sur le terrain ; elle dit : à tel moment, à tel endroit, en telles circonstances, c'était ainsi (du moins ce qu'une boîte peut en saisir).

Cette faculté de déclinaison infinie, sous toutes les configurations possibles, des signes élémentaires, s'applique à toutes les situations réelles : aux attitudes, aux gestes arrêtés, aux relations entre les figures, aux arbres et aux maisons, aux pans de mur, aux fils barbelés, aux tanks, aux jets de napalm, aux pelotons d'exécution, aux miradors de camps. Certains ont des casques, des matraques et des boucliers transparents, des kalachnikovs, des gilets pare-balles. L'histoire (par photographies interposées), c'est aujourd'hui des barricades de rue, des banderoles, des avions de chasse, des bombes, des missiles, des poings levés, des saluts fascistes, des défilés, des effigies géantes et suaves, des drapeaux — brûlés, piétinés, hissés —, des pans de béton en suspens dans le vide, des murs de graffitis, des cartes stratégiques, des mires de tir, des fils barbelés, des explosions, des charniers, des corps décomposés, des flaques de sang, des champignons atomiques, des impacts de balle, des visages masqués, des tribunes officielles, des files de prisonniers, des baluchons d'exilés, des foules compactes, des démonstrations gymniques, des convois, des tourelles de tank, des canons dressés, et beaucoup de fumée, de feu, de lumière aveuglante, des systèmes de visée, des ruines émergeant de tas de gravats calcinés...

Le Paradis des Soviets, photomontage en couverture d'une publication du Comité d'action anti-bolchevique, Paris, années 1940.

La photographie signale, elle signale l'histoire et des signes jamais vus, insensés, pour que le texte de l'histoire soit à la disposition de tous, y compris des artistes. C'est la photographie qui a montré, qui a alimenté un fonds venant remplacer l'ancienne iconographie (les uniformes, les boucliers d'airain, les cottes de maille, les chevaux cabrés, les lances et les oriflammes, les sourcils froncés, les yeux exorbités, les mains suppliantes ou bénissantes, les toges blanches ou pourpres, mais aussi les saintes auréoles, les génuflexions, les couvre-chefs sacrés, les sceptres et couronnes). Mais la photographie n'annule et ne rédime rien, elle complète et raffine, elle charrie du réel plus que du symbole, mais elle unifie tous les styles : certaines photographies sont encore des crucifixions, des madones éplorées, des martyres de saints, des dévastations bibliques.

Le peintre, l'artiste, a vu beaucoup de choses réelles, mais il a vu beaucoup de photographies qui rapportent de l'histoire mise en signes (mal définis, incertains) et il s'est constitué, qu'il le veuille ou non, un répertoire des horreurs et des désolations, des naufrages et des fatalités, des luttes et des indignations. La photographie — on l'avait bien dit au XIXe siècle — deviendrait le « modèle » de la peinture, mais jamais au sens où celle-ci copierait une image toute faite : la photographie reste dans le hors-champ de la peinture et de la représentation, c'est un modèle qui s'esquive, s'enfouit, se dépose dans un inconscient de la vision douloureuse, trop exacte et trop transparente. Elle réalise un fonds iconographique mémorisé, très loin, un magma d'images mentales qui se superposent et se confondent, mais font empreinte, parfois indélébile.

« On se souvient » (mais par quel artifice de déplacement ?) des chars de Prague, des étudiants parlementant ou brandissant un drapeau, des rues de Budapest, d'un otage tué à bout portant par un général (Sud-Viêtnam, *Paris-Match,* 10 février 1968), d'un suicide par le feu (*Life,* 6 septembre 1963), d'une truelle au-dessus du mur de Berlin (*Paris-Match,* 2 septembre 1961), du drapeau américain planté sur Iwo-Jima (Joe Rosenthal, *Life,* 19 mars 1945), des suicidés nazis de Leipzig (Margaret Bourke-White, *Life,* 14 mai 1945), d'un CRS courant avec sa matraque levée (Gilles Caron, *Paris-Match,* 18 mai 1968), de l'opération Casbah (*Paris-Match,* 9 juin 1956), du Che dans son cercueil (décembre 1967), du poing menaçant de Khrouchtchev (*Life,* 30 mai 1960), des photogrammes de la mort de Kennedy (*Life,* 2 octobre 1964), d'une fillette nue sur une route de désastre (*Life,* 23 juin 1972). L'histoire peut être un livre de photos :

Death in the Making, de Robert Capa (1938), *This is War*, de David Douglas Duncan (1951), *Kriegsfibel,* de Bertolt Brecht (1955).

Picasso n'a pas « besoin » de photographies du bombardement de Guernica pour peindre ; mais il connaît aussi des photographies de bombardements, de bébés déchiquetés, de visages ensanglantés, de femmes qui hurlent, s'ajoutant à tout ce qu'il sait de la peinture... Aucun artiste n'a besoin de la photographie, mais elle est là... et fait corps par imbrication avec l'histoire, car l'une n'est visible qu'à travers l'autre. Ainsi l'artiste contemporain « illustrerait » (dans le meilleur sens du mot, de sélectionner et rendre illustre) le grand texte proposé par la photographie de l'histoire, en réagençant à sa guise, et dans une économie qui lui est propre, tous les *indices* stratifiés des représentations passées, auxquels s'ajoutent les « allégories réelles » de la photographie, captées au plus près.

Le 3 octobre 1977, la couverture de *Der Spiegel* (intitulée « Terrorisme en Allemagne. Les sympathisants ») résumait la fonction acquise (et en voie de dépassement) de la photographie : remplaçant les verres de lunette d'un visage de face qui serait l'image du lecteur dans un miroir[3], deux photographies de cadavres au sol. La solution graphique décline à la fois la métaphore et la métonymie du tir d'arme à feu, de la visée photographique, de la vision de l'image imprimée, trois « opérations » enchaînées qui définissent une réception, donc une certaine existence, de l'histoire... à nos yeux.

La question de la photographie d'histoire est aujourd'hui obsolète, car toute photographie est par nature « d'histoire ». Elle est l'un des constituants de la matière-histoire : une photographie est un quantum d'histoire (et peu importe l'intérêt momentané qu'on lui accorde). On l'a trop souvent réduite à sa capacité d'intervention localisée et immédiate ; en choisissant de retrouver ses formes réelles d'existence et de prolifération, généreusement indicielles, dans la connaissance que chacun peut acquérir de l'histoire — tout spécialement depuis les années 1930 —, il s'agissait de montrer que si l'imaginaire du spectateur *peut* rencontrer celui de l'artiste (et ce schéma est préférable à tout autre), c'est par une communauté d'indices, de signes, de traits puisés dans un fonds commun, une incommensurable stratification photographique dont nous n'avons soulevé que quelques pages. La photographie, au milieu du XXe siècle, était cette manière de *reconnaître* qu'il se faisait de l'histoire, là où nous n'étions pas, et même si nous ne savions pas.

1. Paul Veyne, *Comment on écrit l'histoire,* Paris, Le Seuil, 1971, p. 39.
2. *Ibid.*
3. Le titre du magazine signifie « Le Miroir ».

IB, HIROSHIMA—U. S. ARMY AIR FORCES

ajor Japanese port and military center, had been first actual test of the atomic bomb against man. 945, a B-29, commanded by Col. Paul W. Tibbets, with a single small bomb, swooped in over the ircled over Japan's isle of Honshu. Below in the ty, the all-clear signal ending an air raid had of Hiroshima's inhabitants were already in the clear morning, with good visibility. The crew of d its 400-pound missile with careful precision,

ame flame, walls turned to dust. Every wounded e had been hit by an individual bomb. It was not that it was recognized that a new weapon of r had been utilized against them. "My God,"

breathed the crew of the B-29 at what they saw. Later they reported "a terrific flash of light, even in the daytime . . . a couple of sharp slaps against the airplane." A white mushroom of smoke leaped 20,000 feet into the air, spilled into a great billowy cloud. Then, like a plucked bloom, the top of this cloud broke from its stem and rose several thousand feet. Immediately another cloud formed, the smoke heaved up by the terrific pressure below.

President Truman issued a special statement from the White House: "With this bomb we have now added a new and revolutionary increase in destruction . . ."

Fully four square miles of Hiroshima were leveled. One third of the prewar population had been killed or wounded—most of them in a fraction of a second. A Jap described the scene: ". . . all around I found dead and wounded . . . bloated . . . burned."

ATOMIC BOMB, NAGASAKI—U. S. ARMY AIR FORCES

Seventy-five hours after the leveling of Hiroshima, the second atomic bomb fell on the great industrial and shipping center of Nagasaki, on the western shore of Kyushu. The bomb was an "improved type," easier to construct and with greater blast power, capable of producing an explosion equivalent to 20,000 and, under favorable conditions, 40,000 tons of TNT. Other cities of Japan which must remain nameless had been chosen as possible targets that night. In each case, the B-29 circling above found no opening in the thick umbrella of clouds obscuring the city. Over Nagasaki, Major Charles W. Sweeney and his crew found an opening.

In another plane, half a mile behind, William L. Laurence of the New York *Times* watched the bomb drop. He reported a flash, successive blasts rocking the plane, as at Hiroshima. Then, "Observers in the tail of our ship saw a giant ball of fire rise, belching forth enormous white smoke rings. Next . . . a giant pillar of purple fire, 10,000 feet high, shooting skyward with enormous speed." Within 45 seconds the pillar of fire had reached the level of their altitude. ". . . the entity assumed the form of a giant square totem pole . . . base about three miles long, tapering off to about a mile at the top. Its bottom was brown, its center was amber, its top white . . . carved with many grotesque masks grimacing at the earth." The by now familiar mushroom shot out of the top, freed itself, while another mushroom emerged from the gigantic stem. "As the first mushroom floated off into the blue it changed its shape into a flowerlike form, its giant petal curving downward, creamy white outside, rose-colored inside." The bomb had landed in the middle of Nagasaki's industries.

323

« Atomic Bomb Hiroshima – Atomic Bomb Nagasaki – US Army Air Forces ». Double page de *US Camera,* 1946.

Vingtième siècle : le réel et la langue de l'écrivain

Vingtième siècle : le réel et la langue de l'écrivain

Yves Bergeret

Si l'on prend quelque recul et que l'on envisage non pas isolément les étapes historiques, mais l'ensemble de la période concernée par l'exposition du Centre Pompidou, c'est-à-dire la période qui va de l'entre-deux-guerres à la fin du xxe siècle dans le monde (et pas seulement en Europe), il ressort avec une étonnante clarté que cette longue période est marquée par une réelle transformation du statut de la langue dont usent les écrivains. Et peut-être même est-ce là le travail profond du siècle dans le monde de l'écriture, plus encore que le courage de la réaction ou l'éclat de l'action de tel ou tel écrivain devant tel ou tel événement.

Partout dans le monde, en effet, et c'est très net hors d'Europe et hors des langues européennes, le statut de la langue littéraire se modifie, plus ou moins rapidement. Cette modification s'accompagne fréquemment d'un bouleversement des formes littéraires. On quitte en général, dans ce siècle, la langue mandarinale et, souvent, les formes canoniques dans lesquelles elle a prospéré parfois fort longtemps ; on découvre alors que les langues vernaculaires et les divers registres de la langue orale ou écrite sont, eux aussi, à même de faire œuvre. Si bien que les écrivains, de par le monde, enrichissent considérablement leur matériau, même si, de-ci de-là, les conservateurs ou les mandarins de tout poil se chagrinent de ce qu'ils appellent un appauvrissement de la langue et de la littérature. C'est non seulement le matériau de la langue littéraire qui se diversifie, mais c'est aussi l'amplitude des formes littéraires qui s'accroît considérablement.

Mais pourquoi ce bouleversement de la langue littéraire ? Pour quelles causes et, finalement, pour quels buts ? Causes et buts sont certes multiples, mais il apparaît clairement que la question du réel est bel et bien centrale. Le formidable ébranlement du monde littéraire (de la langue littéraire, de la représentation du monde, de la définition de ce qui est dicible dans la vie des hommes, etc.) provoqué par le roman réaliste français — par Flaubert surtout, suivi, comme par des sortes d'enfants impitoyables, par Zola et Maupassant — a largement dépassé les frontières de la langue française. L'ébranlement par le réalisme français n'est pas le seul à agir ici. Mais rappelons-nous bien comment il en allait. Que dit, à propos de la vie (la sienne et la nôtre, de nous qui sommes ses lecteurs), l'écrivain ? Très longtemps il a dit la conformité (la sienne, la nôtre) à Dieu, à l'ordre du monde, à l'ordre social : c'est le bien-être du classicisme. Longtemps l'écrivain a dit la plénitude de son être psychique, y compris dans ses tumultes intérieurs : c'est le premier romantisme. Longtemps il a dit la plénitude de sa personne, îlot d'une complétude qui pense ou se révolte : c'est la Renaissance ou l'esprit des Lumières ou, d'une certaine manière, le réalisme français. Mais de quelque orientation qu'il se soit alors agi, l'outil de l'écrivain, langue et forme, est conforme, adéquat, académique, et épouse harmonieusement ses moyens techniques : la langue est soutenue, la forme pleine dans une lisse perfection. La question du réel ne s'est pas encore transformée en besoin du réel, et encore moins en présence du réel dans la langue et dans la forme.

Il me semble cependant que le naturalisme français s'est impatienté de la rigueur tendue de la langue littéraire qu'il avait reçue en héritage, de même que la pleine expansion coloniale, à cette époque, a étiré dangereusement la perception du monde et son apparence trop lisse. Zola et Maupassant en arrivent à creuser le réalisme jusqu'à en ébranler les fondements. Non seulement la représentation du réel va peu à peu en être mise en question, mais la conception même du réel va aussi se transformer : finalement c'est l'outil de sa représentation qui va devoir être métamorphosé. Si *Germinal* et *L'Assommoir* décrivent un réel à peine montrable, acceptable, à la limite (pour l'époque) du censurable, ce qui est formidablement à l'œuvre dans ces romans, c'est le statut de la langue. Zola, en effet, dans une prose magnifiquement maîtrisée et pleine d'une rigueur virtuose, enchâsse un parler (littérairement) inouï : il cite les registres familiers, argotiques, populaires de la langue française. Mais il ne fait que citer. Et la technique de la citation, qui montre, diabolise et isole avec le risque, pour finir, d'aseptiser, est encore ambiguë.

D'autres ébranlements majeurs expliquent ce passage de la langue mandarinale aux langues vernaculaires dans la littérature. L'expansion coloniale, avec ses multiples effets, y compris l'effet boomerang sur l'agresseur lui-même, est l'un des plus importants. Ne serait-ce que parce qu'avec son armée, le colonisateur apporte aussi sa langue, ses écoles et les livres des écrivains de sa langue : et, précisément, dans la première moitié de ce siècle (et encore actuellement, en 1996), les réalistes français sont lus avec une intensité passionnée, de l'Extrême-Orient à l'Amérique latine.

La globalisation du monde, l'entrebâillement de frontières dont beaucoup étaient jusqu'à maintenant hermétiques, la mise en relation et en communication de réalités historiques, sociales, culturelles, linguistiques et artistiques, donc littéraires, ont également participé et participent encore à la transformation de la langue et la forme de la littérature.

Au début du siècle, la technique elle-même contribue à l'inconfort de la littérature, qui ne peut plus être ni le garant ni l'expression de la plénitude harmonieuse du monde.

On sort en effet de l'esthétique du village. Le monde, jusqu'alors, était familial et de l'ordre de la proximité : mêmes mœurs, même paysage naturel ou urbain, même langue, mêmes rituels religieux. Or voici que, désormais, l'on sait construire de gigantesques paquebots, si propices à l'aventure qu'ils sont capables de couler, tel le *Titanic* lors de sa traversée inaugurale de l'Atlantique. On sait s'envoler dans les airs et traverser la Manche en aéroplane. On sait communiquer à très grande distance avec le télégraphe qui, très vite, se banalise. On sait se déplacer en voiture et basculer corps et âme dans de lointains paysages. On sait même parcourir de très grandes distances terrestres à bord des trains transcontinentaux, le plus réussi étant le Transsibérien.

Cependant, ce réel souffre déjà de ses antagonismes sociaux : le roman réaliste le décrit clairement. Mais aussi il se dilate et craquelle parce qu'on s'y déplace en en ravageant la représentation et finalement la conception. Maint créateur, artiste ou écrivain, soucieux de prendre part à ce changement excitant du réel, se réclame alors du futurisme : que ce soit en Italie, où le culte de la machine, de la vitesse et de la force conduit dès les premiers manifestes de ce futurisme-là à toutes les ambiguïtés possibles; que ce soit en Russie, mais de manière sans doute plus riche et plus fertile. Car le nouveau réel, selon Kroutchonykh et Khlebnikov, Gontcharova et Larionov ou les frères Bourliouk, est composé de primitivisme rustique, d'art naïf, de religiosité et de ruptures abruptes des moyens de représentation (images et langage) : ce réel se caractérise notamment par sa dynamique instable et insatiable. L'impulsion dynamique de la vie trouve sa meilleure forme littéraire dans une langue fruste, voire onomatopéique, d'où « ce qu'il y a derrière la raison » puisse surgir avec toute sa force poétique : on crée donc le langage *zaoum* (« transrationnel ») et des formes littéraires abruptes où culminent, comme dans le magnifique *Zanguezi* de Khlebnikov, la farce et le théâtral. Aujourd'hui encore, nous sommes loin d'avoir épuisé toutes les ressources du futurisme russe en tant que l'un des fondateurs de la modernité.

Ce réel imprégné de technique nous ramène vers les grands trains. Et, par voie de conséquence, à Cendrars. Ce poète suisse instable court le monde entier, et ce qu'il en dit, en 1913, dans sa *Prose du Transsibérien et de la Petite Jehanne de France,* est exemplaire. Avec le jeune poète voyageur, on monte dans le grand train ultramoderne qui traverse l'Europe et l'Asie, dont la guerre met une partie à feu et à sang. Le réel est immense, l'espace parcouru est à la dimension des plus vieilles épopées. Or, dans le texte, on ne trouve ni la constance d'une foi religieuse conquérante ni la vigueur morale et physique d'un héros. Il s'agit d'un monde réel bourdonnant, bruyant, trépidant, difficile, cahotant, d'une complexité ardue et d'une mobilité déboussolante et, dans ce monde disparate, le « héros » n'est pas tellement héroïque : il s'enthousiasme facilement de ce qu'il observe mais se rappelle aussi souvent, dans un style curieusement décalé vers l'élégiaque, sa bonne amie, la petite Jeanne (et même, Jehanne, écrit-il, avec nostalgie, dans le titre) qu'il a laissée à Montmartre. Si bien que ce long poème, fondateur d'une écriture du monde moderne, est porté par un double mouvement d'expansion et de retrait. Cendrars propose à Sonia Delaunay de l'accompagner dans la fabrication du livre : ils conçoivent ensemble un livre-dépliant de deux mètres de haut, qui s'ouvre comme une carte routière pour voyageurs, avec les volutes « simultanées » colorées au pochoir par Delaunay à gauche et les paragraphes virevoltants de Cendrars à droite. Le livre se dresse verticalement, puis se lit du haut vers le bas : la signification est d'élancement et de retombée. Ce livre est un totem qui fonctionne « chamaniquement » pour communiquer avec un au-delà du réel lisse : on déploie le totem, qui dresse sa flamme multicolore, on le lit dans un mouvement de descente, on retombe avec les vers du poète et ses images cahotantes, dans le bruit des rails et des aiguillages, avec des lueurs d'incendie. On se retrouve par terre, harassé, sur le sol banal du quotidien avec, tout autour de soi, des éclats de langage, des bris de vers, des bouts de phrases. Cendrars, sans l'avoir véritablement voulu, me semble-t-il, casse la grande langue magnifique de la littérature et, accidentellement, se forge une écriture du fragment et du pittoresque photographique à lui, écriture qui ne le quittera plus. Mais, au-delà de Cendrars, c'est tout un statut de la langue littéraire qui se trouve ébranlé. À ce moment-là, Cendrars n'est d'ailleurs pas le seul, dans la langue française, à éprouver le besoin d'un nouvel outil littéraire. Apollinaire, en même temps, expérimente l'écriture de la fragmentation et du collage dans *Zone,* et surtout dans ses visionnaires poèmes-conversations d'*Alcools*.

Les autres coups de boutoir qui font craqueler la langue de l'écrivain viennent de la révolution d'Octobre. Si celle-ci étouffe assez vite les avancées du futurisme russe — que ni Iliazd et Kroutchonykh ne parviennent à réimplanter solidement à Tbilissi, ni Iliazd seul à Paris —, le torrent verbal de Maïakovski intrigue et ébranle, jusqu'au suicide du poète en 1930. Et sans doute faudrait-il mettre en parallèle les coups de boutoir que le rêve américain porte à la langue, et qui produisent cette écriture à la Whitman, écriture naïve, élancée, mal peignée et capable d'emporter dans son mouvement juvénile plus d'un lecteur.

L'écrivain doit dorénavant courir après le réel, ou courir avec lui. On ne doit donc pas s'étonner de voir se développer, de par le monde, une « écriture de reportage » pratiquée par des écrivains par ailleurs raffinés et lettrés. Cendrars, le premier, illustre ce nouveau genre, et le fera jusqu'à sa mort : non seulement en tant que journaliste pour la grande presse, mais également en tant que poète, dans son recueil *Feuilles de route* par exemple. Isaac Babel utilise la même écriture pendant la guerre civile à Saint-Pétersbourg, puis dans le sud de la Russie et en Ukraine ; *Cavalerie rouge*, que Babel publie en 1926, et qui traite de son expérience du Sud, exerce une influence profonde sur la prose russe, et ce malgré la censure soviétique et en dépit du fait que Babel, arrêté en 1939, soit fusillé en 1940. En Chine, Lu Xun et, avec lui, tout le mouvement du 4 mai 1919 travaillent pendant des années dans la voie du réalisme européen et de l'écriture qui s'apparente délibérément à celle du reportage. Pavese, en Italie, pendant toute la période de l'entre-deux-guerres, se sert des mêmes procédés, tout comme Dos Passos ou Hemingway aux États-Unis. En France, Gide qui, de son vivant, passe pour l'un des grands maîtres de la prose infiniment lettré, pratique le genre nouveau du reportage dans *Voyage au Congo* (1926), puis dans *Retour de l'URSS* (1936), et enfin dans *Retouches à mon Retour de l'URSS* (1937). Le jeune Malraux aborde également cette pratique. Camus, on le sait, illustre magnifiquement le genre tout au long de sa vie. La pratique de cette « littérature du reportage » est d'autant plus intéressante que, curieusement, elle manifeste un flottement des moyens littéraires, tant dans la langue que dans la forme — l'une et l'autre restant, en Europe du moins, souvent académiques alors que le propos est fortement réaliste et dynamique.

Au XXe siècle, l'évolution du statut de la langue et de la forme littéraire est beaucoup plus claire et tranchée hors d'Europe, car, jusque-là, les langues littéraires étaient académiques et très soutenues. Dans maints pays, seul un public lettré est concerné. Ce public est restreint par rapport à l'ensemble de la population qui, elle, est illettrée et adonnée à la créativité orale ; les genres littéraires pratiqués par les écrivains lettrés sont alors fortement codifiés, et entretiennent des traditions savantes d'un grand raffinement.

C'est la situation littéraire qui prévaut en Chine lorsque le mouvement du 4 mai 1919 vient la bouleverser. Ce mouvement critique la tradition, prône l'ouverture aux idées étrangères, l'emploi généralisé du *baihua* (c'est-à-dire d'une écriture qui transpose la langue parlée courante réservée jusqu'alors à la fiction), et l'abandon de la littérature du *wenyan* (c'est-à-dire de la langue classique). Cette transformation du statut de la langue littéraire devient générale au cours des années trente. Cependant, dès 1917, Shi Hu (1891-1962), au retour d'un séjour d'études universitaires aux États-Unis, a déjà évoqué ces questions dans ses *Modestes Suggestions pour une réforme de la littérature*; il se fait ensuite l'artisan le plus radical de cette véritable révolution littéraire : plus question de recourir aux allusions littéraires et de perpétuer les divers canons en cours, notamment celui du ritualisme confucéen. Les traductions des littératures, russe en premier lieu (Dostoïevski, Gorki), anglaise et française (Hugo, Maupassant, Barbusse, Romain Rolland, Gide), apparaissent et se multiplient rapidement, en réponse à l'avidité du public. Le plus grand prosateur et acteur de ce mouvement est Lu Xun (1881-1936), en compagnie de son frère Zhou Zuoren (1885-1967); on lance alors le mot d'ordre *pingming wenxue* (« la littérature pour le peuple »). D'A Cheng à Han Shaogong, le travail des écrivains sur la langue est, depuis, incessant, malgré la période sanglante de la Révolution culturelle; celle-ci est d'ailleurs suivie, à partir de 1980, d'une prolifération de revues littéraires où la forme de la nouvelle joue un rôle d'avant-garde, d'abord à travers la « littérature des cicatrices », par le témoignage, puis à travers la tendance, toute récente et nettement moins réaliste, d'un certain subjectivisme, par l'usage du monologue intérieur (*Vagues*, de Beidao), par l'usage accru des impressions sensorielles (chez Mo Yan notamment) ou des analyses psychologiques complexes (chez Can Xue ou Wang Meng par exemple).

L'évolution de la langue des écrivains au Viêtnam présente des similitudes avec celle de la langue de leurs confrères en Chine. Le *han*, langue classique de la Chine, était en usage au Viêtnam depuis des siècles et le reste jusqu'en 1918 pour les concours mandarinaux (date à laquelle le régime colonial français décide de les abolir). Cependant, il s'était créé dès le XIXe siècle une écriture populaire, le *nõm*, dérivée des idéogrammes. En outre, pour simplifier leur pénétration du pays et leur prosélytisme, les missionnaires portugais, espagnols et français inventent au XVIIe siècle un système de transcription de la langue populaire en alphabet latin, le *quõc ngû*. Dans les années vingt-trente, le *quõc ngû* se répand de plus en plus, en même temps que la presse se développe considérablement (et, de ce fait, une écriture qui lui est spécifique), même si l'intelligentsia demeure constituée de lettrés traditionnels devenus modernistes, tandis que décline l'influence de la doctrine confucéenne. C'est peu avant la Seconde Guerre mondiale que la suprématie du *quõc ngû* s'exerce définitivement, alors que le public citadin se fait plus nombreux, qu'apparaissent des groupes d'écrivains professionnels et que se multiplient journaux et revues.

L'apport des littératures occidentales est, ici aussi, très important, en particulier celui du réalisme et du naturalisme français; dans l'entre-deux-guerres, les romans réalistes de Hoang Ngoc Phách et de Nhât Linh obtiennent un énorme succès, alors qu'en 1936, le poème *Têt*, de Vu Dinh Liên, marque la fin des lettrés classiques. Les poètes qui deviennent adultes au cours des années trente sont d'ailleurs marqués par Rimbaud et Baudelaire. C'est par leurs publications dans les principaux journaux que ces nouveaux poètes imposent la poésie moderne sur la scène littéraire.

Des transformations parallèles se produisent également en Inde, mais beaucoup plus tôt, puisque c'est au début du XIXe siècle que l'usage des langues sacrées, dont le sanscrit, et des formes fixes s'est vu progressivement contesté au profit de langues nationales vivantes et de l'anglais.

Au Japon, le phénomène de transformation de la langue et de la forme littéraire s'accomplit dès la fin du XIXe siècle, parallèlement à un mouvement profond d'ouverture et de transformation de la société connu sous le nom d'ère du Meiji (« gouvernement éclairé »). Au début de cette ère, la coexistence de plusieurs normes d'écriture, ainsi que de plusieurs styles calligraphiques, rendait la situation linguistique fort complexe, et ce d'autant plus que coexistaient également plusieurs langues orales, manifestations de différences dialectales et sociales. En 1910 un consensus se dégage pour uniformiser l'écriture et réduire le nombre des idéogrammes; les écrivains ajustent progressivement leurs styles aux modes d'expression orale et, à partir de là, leurs productions oscillent entre deux tendances : l'élégance et l'archaïsme du style traditionnel et la vivacité du style moderne, plus proche des tournures orales. De la même façon qu'en Chine et qu'au Viêtnam, les traductions des grands auteurs réalistes russes et français exercent dès lors une influence considérable, au point d'agir comme un stimulant direct sur la réforme de la langue. De même, les multiples expériences de transformation de la poésie et du théâtre manifestent dans ce pays le clivage entre conservatisme et modernisme. Poèmes en vers libres voisinent avec *tonka* et *haïku*. Le découpage en formes courtes s'impose progressivement dans le roman, ne serait-ce que parce que le mode majeur de publication est le feuilleton publié dans la presse. Celle-ci ayant des tirages très élevés et accueillant très largement la création littéraire, les nouveautés ne paraissent en librairie que bien des années après leurs publications dans les colonnes des revues et des journaux.

Après le démembrement de l'Empire ottoman, le mouvement national et révolutionnaire de Kemal Atatürk, qui fonde la république de Turquie en 1923, bouleverse totalement la vie littéraire. En 1928 l'usage public des caractères arabes est interdit ; ils sont remplacés par un alphabet phonétique latin ; la littérature rompt avec son passé, en particulier avec la « littérature du Divan », pratiquée par les lettrés. Les poètes, dont le moindre n'est pas Nazim Hikmet, introducteur du vers libre, reviennent à la poésie populaire et à la langue courante parlée. La prose se libère et développe les récits réalistes, en particulier villageois, genre dans lequel excelle Yachar Kemal (son *Mémed le Mince*, publié en 1955, remporte un immense succès).

La littérature arabe connaît sa *Nahda* (« Renaissance »), au Liban à la fin XIXe siècle, et, d'entrée de jeu, pose le problème fondamental qui agite encore l'écriture (et le monde) arabe : après une longue période d'atonie ou d'occupation coloniale, le mieux est-il de retourner aux sources dans un arabe classique pur ou de pratiquer un usage dynamique des langues (et des réalités) dialectales ? La littérature se conçoit le plus souvent comme un engagement résolu, en particulier dans la presse qui se développe (comme en Asie) : tout écrivain y publie et s'y engage. Depuis l'entre-deux-guerres, Bechir Hrayef, en Tunisie, et, Naguib Mahfouz (sans doute le plus important parmi tous ces écrivains), en Égypte, ne cessent d'employer, dans leurs écrits, le langage parlé, de même que le poète syro-libanais Adonis, attentif à la poésie européenne, modernise profondément la poésie arabe. C'est en fait le roman réaliste (impulsé lui aussi par le réalisme et le naturalisme français), celui qui s'attache au petit peuple de la ville et des campagnes, qui, dans ce siècle, connaît un essor considérable, particulièrement dans les dernières décennies. Il prolifère en Égypte, en Irak et au Liban, ainsi que dans les pays du Maghreb.

Les transformations du statut de la langue littéraire hors d'Europe sont si profondes qu'elles permettent d'évaluer sous un autre jour les tentatives brillantes ou bruyantes faites ici ou là, dans la vieille Europe pétrie de littérature et agitée de toutes sortes de mouvements ou révolutions littéraires.

Il n'est, précisément, pas certain que le surréalisme français ait accompli, dans la langue, la révolution radicale qu'il s'était fixé de réaliser dans la vie. Rimbaud et le dadaïsme ont assez fortement « déréglé » la langue, la prose métaphorique en particulier, pour que l'écriture automatique puisse passer pour révolutionnaire. La prose de Breton, celle de *L'Amour fou* aussi bien que celle des *Vases communicants*, oubliant de considérer de façon critique ses propres moyens, rejoint au panthéon littéraire les magnifiques envolées des périodes de Chateaubriand.

Mais sans doute, dans la langue littéraire française, est-ce du côté des écrivains « prolétariens » que l'on peut observer, entre les deux guerres, les tentatives les plus volontaires de transformation. Henri Poulaille, puis Louis Guilloux, et même, ailleurs, Jean Giono (avec ses ambiguïtés) élaborent une déstabilisation dynamique des registres et des moyens stylistiques. C'est en fait Céline qui accomplit, dès le *Voyage au bout de la nuit* (1932) et *Mort à crédit* (1936), et plus encore après guerre, dans *D'un château l'autre* (1957), *Nord* (1960) et *Rigodon* (1969), l'effacement de la pureté linguistique d'une littérature de la plénitude éloignée du réel ; il sait faire venir sur la page le tumulte désordonné du réel, dans tous ses registres linguistiques, aucun de ces registres n'ayant plus de prééminence sur les autres.

Les écrivains grecs ont commencé un siècle plus tôt à faire évoluer leur langue, sous la poussée du nationalisme grec qui se dégage douloureusement du carcan ottoman. On se rappelle d'ailleurs toute l'attention que le romantisme d'Europe occidentale, de Delacroix à Byron, porte alors à la gestation de la nation grecque. Mais la langue savante écrite, la *Katharéfussé* (mot à mot : la « pure nature ») avait peu à peu, dans le passé, supplanté dans les écrits la langue « démotique », populaire parlée. La génération littéraire de 1880 réussit à imposer l'usage de cette dernière, en ne cessant de rappeler son admiration pour les *Mémoires* du général Makriyannis (1797-1864), héros sans culture classique de la révolution de 1821, dont le livre est un chef-d'œuvre en prose populaire. Dès les années vingt, l'usage littéraire de la langue populaire devient courant ; tandis que Cavafy (1863-1933), d'Alexandrie, dit réalistement la minceur d'un quotidien individualiste, Séféris (1900-1971), de Smyrne (marqué par l'exode sanglant des Grecs d'Asie Mineure en 1922, mais également par le surréalisme français et par la poésie d'Eliot), renverse les vieilles formes de versification (la poésie étant sans doute le genre littéraire le plus fertile en Grèce), introduit le vers libre et interroge vivement le monde réel : celui de la Seconde Guerre mondiale, celui de la guerre civile, celui de l'exil ou celui de Chypre juste avant les déchirements de l'île. Des développements majeurs de la langue et de la forme dans l'œuvre d'Elytis, je parlerai plus loin car cet auteur, à mon sens, participe davantage de l'écriture tout à fait contemporaine.

Si, dans la littérature de langue allemande, la catastrophe nazie écrase à jamais certains écrivains assassinés ou suicidés, ceux qui résistent et, en général, continuent en exil de produire, se trouvent dans une urgence vitale trop grave — maintenir la dignité de la pensée — pour avoir le temps, en quelque sorte, de se poser le problème de la transformation de la langue. L'urgence politique et morale est telle qu'il faut agir tout de suite avec les outils que l'on a sous la main, et ni Thomas Mann ni Hermann Broch ne se préoccupent de transformer leur langue. C'est seulement bien après la fin de la guerre, après la découverte des camps, après la crise de doute profond qui travaille les pays de langue allemande que, séparément, Paul Celan tente de « refonder » la langue de la poésie, Günter Grass, celle du roman, et que Thomas Bernhard puis Elfriede Jelinek, isolés l'un comme l'autre en Autriche, brassent la langue, dans des registres multipliés et jusque-là inconnus dans les littératures de leur pays, afin d'en ébranler les certitudes.

Dans la langue anglaise, le travail de retournement et de mise en turbulence de la langue que T. S. Eliot accomplit en poésie, dans *Waste Land* puis dans ses *Quatuors*, en pleine Deuxième Guerre mondiale, reprend la technique du collage d'Apollinaire. Mais ce sont, le plus souvent, des citations d'autres auteurs plutôt que des emprunts à la langue orale populaire, qui mettent le poème en turbulence dynamique. D'ailleurs la vision du monde d'Eliot est plus celle de sa fin douloureuse que celle de son changement et de son développement.

La langue instable d'Ezra Pound — dont les *Cantos*, émaillés de maints emprunts à de multiples sources littéraires de tous registres et de tous continents, accompagnent pourtant la crise brutale de l'Occident chrétien, jusque dans la catastrophe fasciste — est peut-être plus audacieuse.

Plus que James Joyce (dont, après *Ulysse*, le *Finnegans Wake* s'aventure sur un chemin difficile), c'est enfin William Burroughs qu'il est éclairant d'examiner ici. C'est aux marges de sa langue et de son pays, en fait à Tanger, qu'il écrit en 1959 son *Festin nu* : quand il le publie, il fait aussitôt scandale. Le réel qu'il montre — et dénonce sans cesse — dans son œuvre est celui de la société de la consommation et de la communication à outrance, dans laquelle la violence des médias et des polices s'applique à détruire la vie et le désir. Burroughs fait entendre un incessant sarcasme de dégoût et de révolte en montrant, par les moyens linguistiques qu'il invente, la saturation castratrice du réel. Il s'éloigne à jamais de la prose linéaire descriptive du roman traditionnel en procédant par collages arbitraires de bribes de phrases entendues ou hurlées *(cut-up)*, sortes de magnifiques poèmes-conversations à la manière d'Apollinaire jadis, dans lesquels il semble qu'il n'y ait plus place pour un espoir, ni même pour une dérive lyrique. La langue est bien celle de la disparité brutale du réel, et le désir qu'elle tolère ou inspire est celui de l'explosion qui réussirait à détruire ce réel, cette langue et son locuteur en détresse. Tableau fort sombre, on le voit, et fortement éloigné de l'énergie constructive des réformateurs de la langue, dans la première moitié du siècle, en Asie. Est-ce à dire que les langues occidentales arrivent au terme de leur productivité littéraire ?

Je ne le pense pas. Si on observe bien la dynamique de transformation de la langue dans les grands textes littéraires des décennies récentes, il apparaît néanmoins des éléments actifs, même au centre de la vieille Europe lettrée. J'en prendrai pour preuve deux écrivains installés au cœur, l'un, de la langue française, l'autre, de la langue grecque.

André Frénaud, privé de travail après avoir signé contre la guerre d'Algérie l'Appel des 121, séjourne en Italie et observe la vie des gens à Gênes, Sienne, puis Rome. De 1963 à 1969 il rédige son œuvre centrale, *La Sorcière de Rome*. Or, dans ce long poème, la langue littéraire est profondément bousculée. De la Rome antique, préchrétienne, catholique, baroque et contemporaine, s'élève, depuis les strophes du poème, la voix étrange et pararationnelle de la sorcière innommée : du tumulte disparate du réel, car Rome est ici la métaphore du terreau humain européen, monte une interrogation ouverte sur le cheminement en nous, malgré tout, de la conscience et de la pensée. À mon sens, ce poème reste inégalé dans la langue française, tant pour sa puissance polysémique à témoigner de la diversité du réel que pour sa capacité à laisser ouvertes les perspectives du destin et de l'histoire.

Quant à la langue mère de l'Europe, le grec, Odysseas Elytis en réensemence les capacités de création ouverte et de relation dynamique critique avec le réel dans ses grands poèmes dramatiques, *To Axion Esti* (« Il est digne », 1959) et *Marie des brumes* (1978). Les registres y sont en effet multiples, de l'archaïque au dialectal de certaines îles, du vulgaire au religieux, chacun des deux ouvrages épousant la forme délibérée d'un dialogue théâtral, où le grandiose côtoie le burlesque pour dire le difficile et laborieux mouvement de l'histoire à travers les guerres mondiales et civiles et les tensions sociales et économiques. Elytis réussit — et sans doute n'avons-nous pas encore assez compris toute la fertilité de cette démarche amorcée jadis par les futuristes russes — à atteindre et pratiquer une écriture disparate où la théâtralité ébranle la langue de manière créative, et redonne sens et espoir à une certaine « narrativité » au-delà du réalisme.

C'est pourtant hors d'Europe que l'on observe les démarches littéraires où les langues européennes se mettent en crise de la manière la plus dynamique.

On n'a pas encore assez compris tout le parti à tirer du *Cahier d'un retour au pays natal* qu'Aimé Césaire publie en 1939. Le flamboiement surréaliste qui y est habilement mis à contribution est largement dépassé par des enjeux plus profonds. Les strophes purement narratives ou réalistes de ce long poème côtoient des incantations, des rêves, des tourbillonnements lyriques qui placent, au cœur du réel, à la fois le désir et le souffle du vide. Retour à quel pays natal ? La langue s'impatiente et cherche quel est le destin digne et acceptable, pour le jeune Noir, entre Paris, les Antilles et l'Afrique. Le monde est en balance, en déracinement et en recherche de lui-même. La démarche, finalement inverse de celle d'Eliot ou de Pound, n'est pas sans parenté avec celle, méticuleuse, de Frénaud. Chez Césaire, de la prolifération du disparate dans l'outil de l'écrivain, de la pluralité des registres de langue, naissent la dynamisation du réel et la possibilité de l'histoire. Le créole antillais, cependant, n'est pas encore présent dans ce grand poème, et on peut penser qu'il manque à sa polysémie. Les écrivains des générations suivantes, aux Antilles, poursuivent « la mise en réalité » de la langue avec l'injection du créole dans ses divers registres et avec tout ce qu'il véhicule, au creux de la langue française : à cet égard, il est intéressant de suivre le travail remarquable du poète Monchoachi, martiniquais lui aussi.

Il convient, enfin, d'observer maintenant la démarche d'Octavio Paz. On connaît l'essayiste, on connaît le poète. Son expérience personnelle du réel, c'est celle de la guerre d'Espagne, c'est celle du tiers-monde — le Mexique où il est né et où il vit aujourd'hui, en 1996, l'Inde où il travaille de 1962 à 1968 —, c'est également celle de Paris où il séjourne longuement. Si la grande et noble langue du surréalisme français laisse des traces dans son œuvre et, de ce fait, dans sa pensée, Paz est un de ceux qui ont le mieux pris conscience de la nécessaire mise en tumulte de la langue littéraire moderne. Le réel est disparate, l'histoire du siècle est violente, l'écrivain doit adapter son outil à cette turbulence. Paz analyse avec la plus franche lucidité l'emmêlement des niveaux de langue et le travail douloureux du réel des hommes. C'est dans *Le Singe grammairien* (1972), que, réfléchissant à son expérience de l'Inde misérable et sacrée, il réalise l'œuvre de la modernité à travers un long poème en prose, à registres multiples, qui rend le mieux compte du tiraillement contradictoire entre le réel et l'effort à fournir quant au sens, pour le faire venir à jour, pour aboutir à l'énonciation. Il confirme ses analyses peu après dans les poèmes de *Mise au net* (1974) : il y affirme que l'œuvre littéraire sert encore, peut encore servir, et que l'écrivain contemporain, en transformant son outil et en élargissant les registres de sa langue, peut accoster au réel et en chercher, au cœur même du bruit et de l'équivoque, le sens possible.

En ce qui concerne les langues de l'Europe, c'est peut-être au sein de la poésie que peut s'effectuer le plus clairement la transformation du statut de la langue. Car ce genre permet le mieux d'accomplir et d'expliciter le sentiment de la langue face au réel et de le mettre en crise active face à l'histoire. L'impasse fatale à laquelle a abouti Maïakovski n'a pas empêché Frénaud, Elytis, Césaire et Paz d'interroger à leur tour le réel et de proposer des réponses inébranlablement instables : que l'homme trouve et formule son destin dans le cheminement d'une parole difficile, tumultueuse, contrastée, qui dialogue et lutte avec un monde tiraillé dans sa dialectique difficile d'ombre et de lumière ; que l'homme dégage le cheminement d'une parole disparate qui comprend ce monde, le réfute et le convoque. Car ce monde est d'abord fait de langage et, avant tout, des dépôts et autres sédimentations des langages des hommes, toute transcendance et toute eschatologie étant évacuées depuis longtemps de sa conception et de sa représentation. C'est sans doute ici que s'opère la transformation majeure du statut de la langue de l'écrivain. Il n'est plus ce « solipsiste » talentueux qui fignole de merveilleux et lisses objets de langage codé. Il a pris conscience du réel dans sa diversité (dans sa Diversité, avec une capitale, comme l'écrit, en visionnaire, Victor Segalen dès le début du siècle — auteur dont on ne prend toute la mesure de sa réflexion sur l'écriture et le réel que depuis peu). L'écrivain travaille à réunir ces traces de langage jetées en désordre dans l'espace commun comme autant de cris, d'appels, d'aveux, de demandes qui sont de tout registre et qui constituent la matière du réel. La tâche de l'écrivain consiste ensuite à leur donner la forme qui crée sens et signification pour le destin de chacun (personnage, auteur, lecteur) : tel est, à la fin de ce siècle, le sens du réalisme littéraire. Réalisme du disparate : rester près du désordre (comme l'entendent les physiciens). Rendre compte exactement de la multiplicité des registres linguistiques. Modeler un objet de langue écrite qui se tienne périlleusement à la lisière instable de la forme, qui, dans un registre unique et lisse, eût été achevée. Garder dans la forme l'inachevé et le ferment du désordre, fidèle en cela à la vie et à sa dialectique de construction et de destruction, fidèle à l'existence réelle des hommes, fidèle à l'histoire et à ses trébuchements sans finalité. Ramasser la langue humaine éparse dans l'espace des hommes et lui donner la forme diverse, disparate et dynamique qui mette en mouvement clair la vie, les choix, les pensées, et aide chaque lecteur à se ressaisir, c'est-à-dire à saisir ce qui, épars alentour, vacant de sens, cherche en tâtonnant son cheminement.

La peinture d'histoire à l'épreuve de la Première Guerre mondiale

Christian Derouet

« Face à l'Histoire » : ces mots exhalent une senteur révisionniste dans les salles d'un musée national d'art moderne. Pourquoi réintroduire dans un tel lieu ce que trois générations d'artistes, d'amateurs, avaient réussi à évincer : Clio, cette vieille muse encombrée de sa traîne de triste mémoire pour les beaux-arts, la peinture d'histoire ? Gertrude Stein, toujours impertinente, avait rappelé sans ambiguïté à ce « young man », Alfred Barr, directeur du Museum of Modern Art de New York, qu'il y avait incompatibilité entre travailler dans un « musée » et s'occuper d'« art moderne ». Le musée, c'était, pour la dame en question, la tradition, l'histoire, l'académisme, alors que l'art du XXe siècle, pour elle, se faisait et ne pouvait se faire que hors ou contre cette mise en forme du temps historique : l'art moderne s'octroyait une durée, une chronologie propre, qui tenait compte de l'incompatibilité du génie avec son époque. Un a priori, certes, un peu « historique » maintenant, mais qui trouvait alors son explication dans le fait que les avant-gardes, qui vivaient à peine un tour d'horloge et se survivaient mal, sécrétant autant de conformismes successifs, visaient moins à gommer l'« isme » précédent que la tare persistante de la « peinture d'histoire ». Il fallut le bombardement de Guernica et l'ouverture de l'exposition « Entartete Kunst » à Munich en 1937 pour que l'actualité, le fait historique en devenir, rattrape avec force, mais temporairement, les préoccupations des artistes et de la critique. Alors, qui s'étonnerait que l'essai fondamental de Barr, écrit en 1936, *Cubism and Abstract Art,* figea l'histoire du cubisme sans se référer à la Première Guerre mondiale ?

Comme si ce conflit apocalyptique n'avait eu aucune conséquence sur la création et la réception de l'art ! Conscient de ce « non-dit », le lecteur-visiteur de l'exposition aura toute liberté de soumettre au crible de Pérec, « je me souviens de Malet & Isaac », l'envers et l'endroit de cet écart anormal qui s'installa entre l'Histoire et l'histoire de l'art moderne naissante.

Rappelons que cette guerre ne coïncide pas strictement avec le cadre « 1914-1918 » fixé dans la mémoire collective. L'ordre de mobilisation générale fut apposé en août 1914, et la démobilisation française s'échelonna jusqu'à la signature du traité de paix à Versailles en juillet 1919. Donc, pour les Français, l'état de guerre dura plus ou moins cinq ans. La défaite allemande se prolongea par la révolution spartakiste et par des répressions à retardement. Pour les Italiens, la guerre dura trois ans, pour les Américains, un, seulement. L'empire des tsars, lui, sombra dans la tourmente révolutionnaire. La guerre ruina davantage certains belligérants que d'autres. Le Royaume-Uni se battit sur mer et sur le territoire français. En Champagne, sur la Meuse, en Picardie, dans les Flandres, des paysages ruraux furent à jamais dénaturés et des cités éventrées : Arras, Reims, ne retrouvèrent qu'un reflet de ce qu'elles avaient été. À Verdun, en 1916, après la perte des forts de Douaumont, de Vaux, dans le combat inégal cent fois caricaturé par la presse, l'aigle impérial avait semblé avoir raison du coq républicain, et, dans Paris, les « neutres » s'étaient préparés au pire. La capitale française redouta pendant quatre ans la parade triomphale des régiments du Kronprinz et de son père l'empereur Guillaume. On se souvenait de l'arrogant tableau d'Anton von Werner : *Le Roi Guillaume Ier proclamé empereur d'Allemagne, à Versailles dans la galerie des Glaces*.

Cette histoire, aussi impartiale qu'elle puisse être écrite maintenant, s'aborde toujours d'un certain point de vue. Celui que j'adopte ici se placerait volontiers au niveau populaire perpétué par ces objets d'art insolites, ces douilles d'obus rapportées par les combattants et posées symétriquement sur la cheminée. Sur ces cylindres de cuivre parfaitement usinés, les « poilus », transformés en dinandiers occasionnels, repoussèrent les noms de la Somme, de la Sambre et de la Meuse, et gravèrent à la pointe la flore ondoyante des chardons et des coquelicots « 1900 ». Des générations astiquèrent pieusement ces « souvenirs » que recycle aujourd'hui le marché aux puces.

Dans les tranchées, on oublia vite l'empiétement prussien en Alsace et en Lorraine et le traité de Francfort, qui avaient motivé tant de déclarations de va-t-en-guerre. C'étaient deux civilisations qui s'affrontaient : *La Semeuse* de Roty contre la *Germania* des timbres-poste bismarckiens. Deux métropoles culturelles se posaient en rivales : au sud, dans une vieille cité, « la nouvelle Rome » sur les rives de la Seine, la vie artistique s'était un temps affétée dans un décor haussmannien ; au nord, le long de la Spree canalisée, la capitale de la Prusse avait affirmé son hégémonie sur les autres principautés allemandes. Jules Laforgue avait stigmatisé *Berlin, la cour et la ville*, mais un pôle d'attraction européen s'y était émancipé autour de revues comme *Der Sturm*, qui rallia tous les artistes.
Et l'art, le grand art, au cours de cette guerre, n'avait rien su dire, et il avait été relégué loin des lignes. Bien sûr, au cours de cette sanglante guerre d'usure, on avait abusé d'une imagerie épique très éloignée des réalités pour satisfaire aux besoins de la propagande. Dans les livraisons de *La Grande Guerre par les artistes,* ceux qui passaient pour représenter « l'art avancé » — Forain, Willette et Steinlen — reprirent les potins de *L'Assiette au beurre* ou du *Rire* : Jean-Louis Forain, habillé en colonel, avait arpenté, le crayon à la main, les caillebotis des tranchées visitables. De cette production, l'histoire de l'art, à l'exception de Kenneth Silver, dans son *Esprit de Corps, The Art of the Parisian Avant-Garde and the First World War, 1914-1918*, a peu retenu. Dans un temps de boucheries inutiles, aucune œuvre significative de protestation ne se haussa au niveau du *Radeau de la Méduse*, aucune ne retrouva le ton du pamphlet *Au-dessus de la mêlée*, de Romain Rolland, ou même du *Feu,* d'Henri Barbusse, roman couronné par le prix Goncourt en 1916.

Otto Dix, *Der Schützengraben* [La Tranchée], 1923. Tableau détruit.

Les toiles qui tirèrent des morales dévastatrices, comme *Kriegskrüppel* (1920) et *Der Schützengraben* (1920-1923) d'Otto Dix furent peintes après coup. Montrées dans une exposition de groupe contre la guerre, « Nie Wieder Krieg » (1926), elles ne provoquèrent que la répulsion du critique d'art Julius Meier-Gräfe : « C'est à vomir. » Dix ans plus tard, elles retinrent l'attention dans « Entartete Kunst », autre exposition itinérante. Reproduites dans le guide de la manifestation sous la légende « Gemalte Wehrsabotage des Malers Otto Dix », elles devinrent la cible des autodafés à venir. Aujourd'hui, la virulence de leur réquisitoire résonne encore dans les gravures *Der Krieg* (1923-1924). Puisant dans la Renaissance allemande, celle de Baldung Grien, Otto Dix exploita longtemps les horreurs de la guerre, mais ni le triptyque *Der Krieg* (1932) ni même *Flandern* (1934-36) ne retrouvèrent le cri de protestation poussé dans ces deux premiers panneaux, dont de médiocres photographies servent encore d'alibi à l'histoire de l'art.

Les monuments commémoratifs pour honorer les morts pullulèrent pour les petits bénéfices des professeurs de sculpture des écoles des beaux-arts ; ces architectures et sculptures bavardes défient encore l'oubli sur la place de nos villages, et leurs amas de pierre et de bronze dominent des cimetières que l'on visite, mais où l'on ne se recueille plus. Les commissions municipales guidées dans leur choix par les unions d'anciens combattants se révélèrent d'un insipide conformisme ou, au mieux, en retard d'une guerre. Ainsi, on adopta pour un des sites de Verdun un plâtre de Rodin qui avait été refusé en 1879, lors du concours pour commémorer la défense de Paris au rond-point de Courbevoie. On tirait profit à bon compte d'un sculpteur mort en 1917, privé par la guerre des funérailles nationales que son œuvre et son legs à l'État auraient dû lui valoir : le bronze fraîchement démoulé de *L'Appel aux armes,* agrandi, fut rebaptisé *La Défense de Verdun* et scellé en grande pompe en 1922 sur les Champs Catalauniques modernes, où il se perdit ; car ce qui était monumental, c'était cette immense friche. À Paris, la tombe du soldat inconnu mariait sobrement le feu, un des quatre éléments, avec le pavé de Paris ; elle fut placée sous la protection du haut-relief *Le Départ des volontaires, La Marseillaise* de François Rude. Car aucun créateur de l'époque ne parvenait à représenter les traumatismes de la guerre, la modernité de la bataille, la spécificité contre-révolutionnaire de la victoire.

Auguste Rodin, *La Guerre. Le Génie de la Guerre,* 1878. Photographie publiée dans *L'Art décoratif,* n° 5, février 1899, p. 213.

Pendant un siècle, le XIXe, les comités d'acquisition, les commissions des commandes officielles avaient sacrifié au masque de *Belone* ; son image ne signifiait plus rien. Dans *Les Massacres de Scio* (1824), Eugène Delacroix avait osé représenter le meurtre des civils ; dans *Bellum, la Guerre,* au Salon de 1861, Puvis de Chavannes avait juché trois barbares sur des chevaux pour sonner un hallali théâtral, et dénudé de belles captives promises à la brutalité des vainqueurs, mise en scène moins crédible que *L'Enlèvement des Sabines* de Poussin. Comment, en 1906, pouvait-on commander à Jean-Paul Laurens *Les Horreurs de la guerre* pour le plafond de la salle des fêtes de la préfecture de Saint-Étienne ? Seul le Douanier Rousseau, avec *La Guerre*, exposée aux Artistes indépendants en 1894, gravée pour *L'Ymagier* de Remy de Gourmont, avait su préserver le dramatique de cette représentation. Avec le pathétique des images d'Épinal, il réussissait à donner la réplique au *Der Krieg* allégorique de Frantz Von Stuck, exhibé à la pinacothèque de Munich : même cavalier, brandissant un sabre sanglant, foulant une jonchée de cadavres, mais avec, en prime, un rougeoyant crépuscule aigrelet.

L'hécatombe porta un coup fatal à la peinture militaire, cette sous-catégorie que des publications spécialisées associaient naturellement, dans les années quatre-vingt, aux nus érotiques : *Le Coup de canon* de Berne-Bellecour, *Le Récit* de Léon Couturier disparurent en même temps que *Les Visions de Faust* de Falero, la *Salambô* de Gabriel Ferrier. Cette production, où on maquillait sans le dire des groupes photographiés,

Henri Rousseau, *La Guerre,* 1894. Musée d'Orsay, Paris.

se doublait de mousquetaires buvant, d'hallebardiers galants. Cette dérive de la peinture d'histoire entraîna dans sa débâcle d'estimables compositions et d'excellents panoramas qui avaient compensé la défaite de 1870 en poétisant quelques anicroches honorables : *Les Dernières Cartouches* (Salon de 1873), d'Alphonse de Neuville, *Le Rêve* (Salon de 1888), d'Édouard Detaille. Leurs reproductions gravées avaient eu autant de succès que *Les Glaneuses* et *L'Angelus* de François Millet; elles étaient accrochées dans les mairies et les presbytères, là où surchauffaient les passions nationalistes d'un pays amputé, à l'est, de « ses » deux provinces.

La violence de l'invasion, en 1914, eut raison de la passementerie des uniformes et des pantalons rouges. Le blaireauté des toilettes d'état-major à la Meissonier, dans *L'Empereur Napoléon III à la bataille de Solférino* (1863), n'était plus de mise, de même que le travestissement par les sculpteurs des combattants tombés au champ d'honneur en nudité héroïque à l'antique. Les sabres ne furent plus tirés au clair pour mener des charges qui déboulaient avec peine de la fange des tranchées. Il n'y avait plus de *Bataille de Reichshoffen,* d'Aimé Morot, à confronter à son pendant allemand *Choc de cavalerie, bataille de Gravelotte. Épisode de Vionville* par Hunten. Pour culbuter les lignes adverses, les escadrons de dragons, de hussards, furent remplacés par des tanks primitifs, lourdes machines, qui, du dessous de leurs hideuses écailles de métal vissé, crachaient le feu. La guerre était devenue telle qu'Alfred Roll l'avait prévue en 1886-1887 : collective, anonyme et scientifique, avec le soldat qui actionnait au premier plan une télégraphie optique. Camille Mauclair avait décrit « ces soldats marchant résolument, puisqu'il le faut, mais sans flamme, sans vertige, maintenus par le machinisme anonyme dans la boue et la pluie, où peut-être on les déplacera durant des heures sans qu'ils en sachent le motif, sans que leur conscience soit présente et efficace ». Ce tableau prémonitoire était encore présenté sous le titre *En avant* au musée du Luxembourg, quand la guerre éclata : rien d'un militarisme clinquant, mais la grisaille quotidienne de tous les « poilus » qui, pendant quatre ans, s'empêtrèrent dans des capotes bleu horizon, quelle que soit l'arme.

Alfred Roll,
La Guerre, s. d.
Autrefois au musée
du Luxembourg,
Paris.

Le corps à corps épique auquel fit appel le récit fanfaron, *J'ai tué,* de Blaise Cendrars, n'était qu'un rêve d'une apothéose improbable. Les soldats étaient fauchés par des tirs de mitrailleuse avant de pouvoir se servir des baïonnettes. Aussi éprouva-t-on le besoin de répandre la légende de ces fantassins enterrés vivants, la baïonnette à la verticale, dans la fameuse tranchée du même nom. Car, à la guerre, on mourait souvent stupidement de maladie, d'une chute de cheval, de noyade dans l'eau croupie des trous d'obus. Fernand Léger tenta sans y parvenir de peindre les stratégies souterraines des sapeurs en train de creuser une sape au marteau-piqueur. Et ce ne fut qu'en 1956, après le décès de Léger, que Blaise Cendrars et Douglas Cooper révélèrent ces pauvres dessins et aquarelles qui ébauchaient une représentation mi-cubiste, mi-réaliste de cette guerre de taupes. Car, dans la guerre moderne, comme l'écrivit Léger à Louis Poughon le 8 novembre 1914, on demandait au soldat de se contenir, de subir son destin sans murmurer :

« Je comprends pourquoi les guerres anciennes étaient plus grisantes que celle-ci. Tout simplement parce que, d'abord, la masse était beaucoup plus brute et moins sensible et, surtout, parce que tout ce qui est réfréné dans l'ordre normal de la paix était rompu. Tu pouvais te faire tuer mais, à côté de cela, tout t'était permis dans la jouissance matérielle. C'est la seule chose qui puisse balancer en compensation. Maintenant, plus de cet équilibre. Tu vas te faire tuer, mais dans l'ordre, avec une police presque aussi sévère que celle des temps de paix. Par conséquent, on demande au soldat moderne des qualités héroïques, le mot n'est pas trop fort, qui ne sont pas à la portée de tous. Le fait de se battre, l'action individuelle est réduite au minimum. Tu pousses la gâchette d'un fusil et tu tires sans voir. Tu agis à peine. Tu n'as plus la griserie de l'action, et tu as toujours et même plus qu'avant le danger de la mort. Il y a un déséquilibre énorme que le droit de la guerre dans tous ses excès pouvait un peu compenser; on te l'enlève aussi. En somme, on arrive à ceci : des êtres humains agissant dans l'inconscient et faisant agir des machines; on est tout près de l'abstraction. J'espère que la prochaine guerre trouvera le moyen d'éviter le peu d'action individuelle qui reste[1]. »

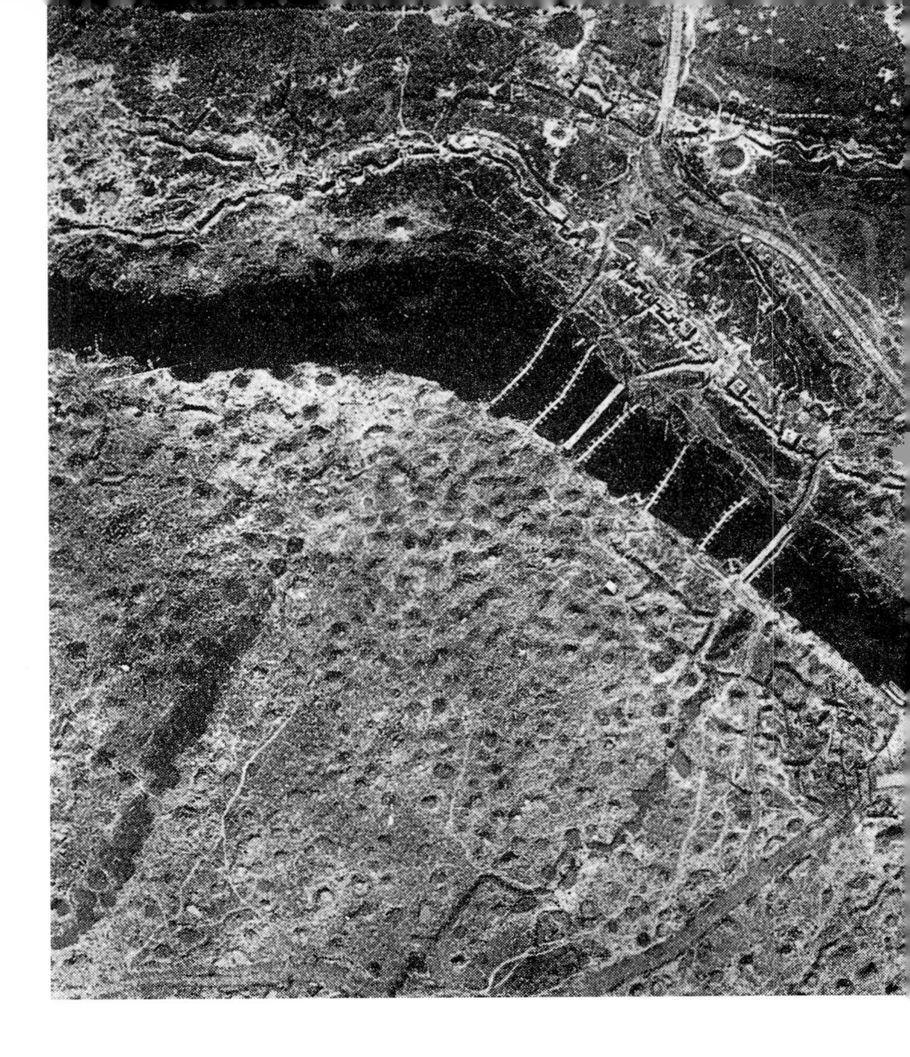

Les passerelles sur l'Yser ; les tranchées et les trous d'obus. Photographie aérienne publiée dans *La Grande Guerre racontée par les combattants*, Librairie Aristide Quillet, 1928, t. I, p. 193.

En mer, c'en était fini des salves de canons, des arraisonnements qui avaient fait la réputation des peintres hollandais au XVIIe siècle. Les paisibles cargos, avec ou sans escorte, étaient torpillés à distance par d'invisibles sous-marins. La guerre devenait, sur terre et sur mer, aveugle, lâche et moche : les Uhlans ne pillaient plus les fermes, mais les Boches brûlaient la bibliothèque de l'université de Louvain et détruisaient les monuments historiques. Au Petit Palais (le musée des Beaux-Arts de la ville de Paris), on organisa régulièrement des expositions pour mobiliser l'opinion contre la barbarie prussienne : en 1915, on présenta des œuvres d'art et des objets précieux sauvés en Belgique dans la région de l'Yser ; en 1916, on exposa des « œuvres d'art mutilées ou provenant des régions dévastées par l'ennemi ».

On enregistrait la disparition d'un autre genre de peinture : la glorification du travailleur manuel. Du scandale causé par *Les Casseurs de pierres*, de Gustave Courbet, repris par *Les Paveurs de la rue de Berne*, d'Édouard Manet, du *Das Eisenwalzwerk* (« Le Laminoir », 1872-1875), d'Adolph Menzel, aux *Raboteurs de parquets,* de Gustave Caillebotte, en 1875, on en était arrivé à ces longues théories de mineurs, forgerons, artisans, paysans, que par compensation à des salaires de misère et à une vie d'abrutissement, les maîtres de forge, les ministres commandaient et récompensaient dans les Salons vers 1890. D'ambitieux projets furent proposés pour l'Exposition universelle de 1900 : une *Frise du travail* fut réalisée en grès pour la porte monumentale due à Binet ; Rodin exposait la maquette d'une *Tour ou Monument du Travail* (1893-1899), qui, sous forme d'une colonne ajourée, avec chemin extérieur en spirale permettant de voir les bas-reliefs, représentait les arts et métiers. Cette sorte de phare aurait culminé à trente-cinq mètres ; une *Glorification du travail,* par Constantin Meunier, présentée au Salon de 1901, donnait une autre variation à cette colonne Vendôme du prolétaire, sans compter la *République* monumentale du sculpteur Dalou. Tout cela aboutit finalement à la grande lanterne des morts à Douaumont, où on empila les os des paysans français et des ouvriers allemands. L'exaltation du prolétaire musclé, cette nudité suante du Borinage, ne pouvait que disparaître après la réussite inattendue de l'insurrection russe d'octobre 1917. La représentation des grèves, des accidents du travail, des coups de grisou, des inondations, risquait de contribuer à la propagande bolchevique. Maximilien Luce, anarchiste, auteur des *Planteurs de pieux,* survécut en peignant les berges de la Seine.

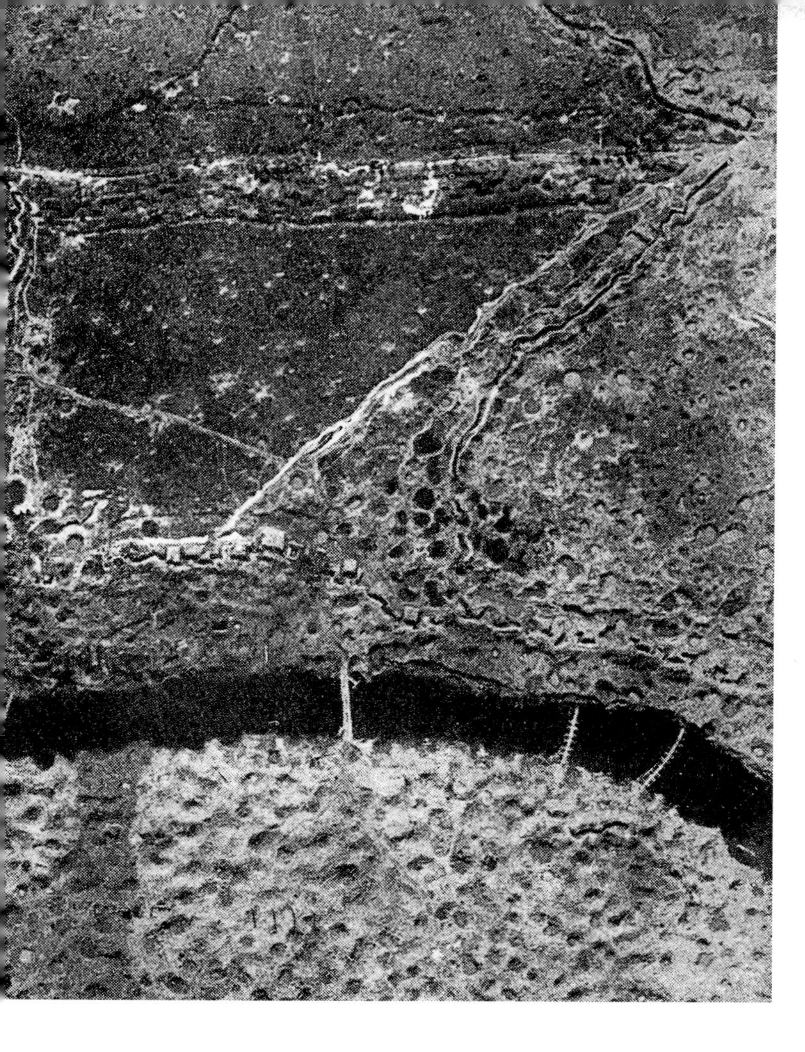

Félix Vallotton, *Verdun, tableau de guerre interprété*, 1917. Musée de l'Armée, Paris.

Quand l'artiste fut invité par l'État à représenter la guerre, il s'acquitta mal de sa mission. Félix Vallotton, un Suisse qui avait épousé la cause de la France et avait tiré à ses dépens, en 1916, un album de bois talentueux mais faux, *C'est la guerre*, se porta volontaire et se rendit en observateur aux armées, en juin 1917. Il en revint avec la triste impression d'être dans l'incapacité d'enregistrer le cataclysme, sinon d'une manière « musicaliste » ou « abstraite » qui ne lui était pas naturelle. Dans son journal, il notait :

> « Où est l'image-type ? Où est l'accent pour le peintre ? Les rapports sont chavirés et plus rien n'est à son plan. Que représenter dans tout cela ? Pas l'objet, bien sûr, ce serait primaire, encore qu'on n'y manquera pas. Qui sait...! Peut-être, les théories encore embryonnaires du cubisme s'y pourront-elles appliquer avec fruit ? Dessiner ou peindre des "forces" serait bien plus profondément vrai qu'en reproduire les effets matériels, mais ces "forces" n'ont pas de forme, et de couleur encore moins. [...] D'ores et déjà je ne crois plus aux croquis saignants, à la peinture véridique, aux choses vues, ni même vécues. C'est de la méditation seule que peut sortir la synthèse indispensable à de telles évocations[2]... »

De retour à l'atelier, il exécuta des dessins futuristes censés évoquer Charleroi, la Marne, l'Yser et Verdun. Puis il peignit quelques toiles compatibles avec l'exposition « Peintres aux armées », qui se tint au Luxembourg en octobre : on y retrouvait des convois détruits, des cagnas d'artilleur effondrées, des ruines d'églises et des cimetières militaires sans fin, autant de bons documents pour un musée de la Guerre, autant de médiocres « Vallotton ». Pire, au Salon d'automne, en octobre 1919, Vallotton risqua un triptyque, *Le Crime châtié* — entre *La Douleur* et *L'Espérance* —, qui ennuya même ceux qui étaient sensibles à la réthorique vide du plus faux monument aux morts.

La description de la guerre échappait donc aux artistes les plus doués. Elle nécessitait des moyens de reproduction plus expéditifs, plus précis et plus puissants ; elle les trouva dans la photographie et le cinéma. La photographie se perfectionna vite, elle s'éleva dans les airs, avec les ballons et les avions de reconnaissance ; dépassant toutes les vues cavalières imaginables, elle écrasait les champs de bataille. Vus du ciel, les vivants et les morts disparaissaient. Des zones de combat, il ne restait plus qu'une croûte lunaire, sur laquelle les stratèges présageaient des opérations en cours. Ce n'était sans doute pas ce qu'avait voulu signifier Picasso quand il avait écrit sur une nature morte cubiste de 1912, où il parodiait au Ripolin le bleu-blanc-rouge du cubisme cocardier de Roger de La Fresnaye : « Notre avenir est en l'air. » Dans l'illustration de presse, l'industrie des clichés gravés sur bois céda devant la toute-puissante photogravure. Les dirigeants politiques s'aperçurent qu'on pouvait facilement et anonymement rassurer, tromper avec des photographies retouchées ou faussement légendées.

Le cinéma devint un instrument de propagande encore plus indispensable ; véritable cheval de Troie introduit dans le domaine des arts plastiques, il vida les grandes machines de la peinture d'histoire de leur raison d'être, traita les épisodes militaires beaucoup plus vite et mieux que le peintre le plus habile. L'état-major y eut recours et, pour mieux contrôler cet outil terriblement efficace, le soumit à la censure. Quand la Compagnie universelle cinématographique édita, en 1927, son *Verdun : visions d'histoire,* par Léon Poirier, elle réutilisa très largement les bobines du service du cinématographe aux armées. La Compagnie avertissait les spectateurs qu'il n'y avait pas de rôles dans son film : « Il ne peut pas y en avoir, car, ici, les événements dominent les hommes. Ceux-ci sont de petits jouets dans une grande tempête : leur vie privée ne saurait intéresser personne, donc pas d'intrigue romanesque, pas de rôle à jouer. Le metteur en scène était supposé, avec l'aide d'anciens combattants, réaliser son évocation sur les lieux mêmes où la France a souffert et vaincu pour la liberté du monde. » Les Allemands réalisèrent eux aussi un film équivalent : *Westfront.* Fernand Léger, dans une causerie intitulée « L'avènement de l'objet », tira ultérieurement les conséquences de ces mutations précipitées : « Le musée de Versailles, avec tous ses immenses tableaux qui racontent l'histoire de France en peinture, est déclassé par le film qui vous restitue le paysage exact et les hommes de l'époque en mouvement, le sujet est la grande victime du cinéma. »

Mobilisés, les artistes essayaient de tenir le pas comme les autres. Puis, jouant de leurs relations, ils s'éloignèrent des lignes. Ils s'imaginèrent une utilité, et l'état-major les laissa créer un refuge pour un club d'artistes bien introduits dans les salons parisiens, sous l'autorité du peintre Guirand de Scevola : la section du camouflage. Si ce n'était pas la guerre en dentelle, c'étaient du moins de grands rideaux de raphia teints en vert feuille, que le vent transformait rapidement en charpie le long des routes, de faux arbres-observatoires en blindage, dressés nuitamment au-dessus des lignes. La panoplie d'objets en trompe-l'œil reproduite photographiquement dans les pages de *L'Illustration* n'abusait que les auteurs eux-mêmes. Car il n'était pas nécessaire d'avoir fréquenté l'académie de la Grande Chaumière ou l'École des beaux-arts pour dissimuler des batteries de canons, des bateaux, des abris à avions, ces immenses Bessonneau, sous un réseau cahotique de taches noires, jaunes et vertes, où, sans humour, certains trouvaient une application raisonnable du cubisme.

La vision sur le monde changea du tout au tout au cours de la guerre. Deux géants, deux vétérans, l'un des luttes politiques, l'autre des démêlés artistiques, se mobilisèrent à leur manière et offrirent à leur pays, au lendemain de l'armistice, l'image la plus inattendue de la paix retrouvée : l'inconsistant. Ultime panorama : des nénuphars flottent sur une onde sans vagues, sans horizon, qui épouse le plan même du mur sur lequel ils sont marouflés. Depuis 1900, Claude Monet avait mis au point ces paysages d'eaux peints en série, où seuls les saules pleureurs et les roseaux se mettaient à l'unisson avec un pays qui déplorait ses hommes morts dans la fleur de l'âge. Il promit d'en faire don à son ami « le Tigre », « le Père la Victoire », Georges Clemenceau (1841-1929) en gage de l'accalmie. C'était leur seconde opération conjointe dans le monde des beaux-arts après le coup fourré de la souscription publique pour faire entrer l'*Olympia* de Manet au Louvre en 1890. *Les Nymphéas* furent installés après tergiversations dans deux salles ovales construites au rez-de-chaussée de l'Orangerie des Tuileries. Inaugurés le 17 mai 1927, six mois après la mort du peintre, ils furent reçus avec circonspection comme le caprice ultime d'un peintre aveugle, dans l'indifférence des tenants de l'avant-garde. Les artistes ne découvrirent leur richesse plastique que tardivement, dans les années soixante, quand New York forgeait un nouveau néologisme pour qualifier de vastes tableaux sans ligne d'horizon, les *« all over »*. Aujourd'hui, *Les Nymphéas* de Monet sont non seulement le testament d'un visionnaire, mais restent une des œuvres majeures du XXe siècle. Ils furent mis et maintenus en chantier grâce à la complicité d'un ministre, Étienne Clémentel, qui épargna à l'artiste réquisitions ou restrictions. Cette déférence n'était pas totalement désintéressée : Clémentel aurait aimé que Monet se commît dans l'effort de guerre et qu'il peignît une série d'après la cathédrale de Reims bombardée. Il organisa le voyage de l'artiste à Reims, mais ce dernier continua à peindre des nymphéas de plus en plus grands. Dans ces entrelacs, ces encroûtements, sont enregistrées les ruminations plastiques contemporaines de la mêlée qui grondait à quelques lieues de Giverny. Elles révèlent la troublante et phénoménale amnésie qui atteignit les combattants au plus intime d'eux-mêmes. Selon le témoignage de Maurice Genevoix, les démobilisés du front n'avaient rien à raconter ; d'ailleurs, il n'y avait plus personne pour les écouter. Il y avait simplement un nouvel écart entre les êtres humains : ceux qui avaient fait la guerre, et les autres.

Le prétendu « rappel » ou « retour à l'ordre », dont on attribue généreusement la dénomination au petit traité *Le Rappel à l'ordre,* du poète Jean Cocteau (1926), n'est pas autre chose que l'enregistrement de ce clivage qui accompagnait en Allemagne la Neue Sachlichkeit (« Nouvelle Objectivité ») ou Magischer Realismus (« Réalisme magique »).

Claude Monet, *Les Nymphéas,* (*Le Matin n° 2,* détail partie gauche), 1914-1918. Musée de l'Orangerie des Tuileries, Paris.

L'avant-garde était divisée. Certains artistes furent mobilisés et décorés, d'autres non. Des étrangers s'engagèrent pour défendre leur patrie d'adoption, comme Marcoussis ; d'autres continuèrent à peindre, comme Gris, Picasso et de nombreux Montparnos. Certains, selon la terminologie de l'époque, « s'embusquèrent » : Albert Gleizes, Marcel Duchamp, Francis Picabia s'embarquèrent pour la lointaine Amérique pour fuir leurs obligations militaires. Peu y furent tués : le sculpteur Gaudier-Brzeska, rentré de Londres pour s'enrôler, le lieutenant Franz Marc, enterré près de Goussainville en 1916. Plus nombreux furent les blessés : Cendrars perdit sa main droite d'écrivain, Apollinaire fut trépané, Braque également.

L'avant-garde s'était désintéressée de la guerre. Si on excepte les quelques trains blindés futuristo-cubistes exposés chez Boutet de Monvel en 1916 par Gino Severini, on continua à Paris à peindre des natures mortes et des paysages cubistes grâce aux contrats établis par Léonce Rosenberg. Ce dernier voulait montrer que tout juif qu'il était, il n'en était pas moins un bon combattant français. À quelques mois de l'armistice tant attendu il eut la lubie de monter une exposition du cubisme à la guerre, qui n'aboutit pas. Il pensait réunir des œuvres de Roger de La Fresnaye, d'André Derain et de Fernand Léger. Ce dernier, rentré en permission en août 1917, s'était fait hospitaliser après avoir servi trois années en Argonne, puis à Verdun, comme brancardier, puis terrassier dans la territoriale. Il peignit en novembre 1917, pendant sa convalescence à l'hôpital de Villepinte, la seule toile significative de l'avant-garde française concernant la guerre, *La Partie de cartes*, où l'on voit des soldats robotisés taper le carton à la lumière blafarde d'un abri. Il reste difficile d'y trouver l'équivalent moderne de *La Liberté guidant le peuple*, d'un Delacroix. Elle fut d'ailleurs éclipsée pendant longtemps par la notoriété de *La Guerre,* que Marcel Gromaire présenta au salon de 1925 au moment de la crise de l'occupation de la Ruhr et de la Sarre. Les créateurs du cubisme n'avaient pas vu d'un bon œil cette évolution cocardière de leur mouvement. Et la mise en garde de Braque, rentré du front en qualité de sous-lieutenant, blessé et médaillé pour acte de bravoure, avait été nette quand il s'était moqué de Gris peignant des arlequins portant fusil.

Une des conséquences indirectes du traité de Versailles fut la mise en vente publique du fonds des antiquaires et des marchands de tableaux allemands qui commerçaient à Paris avant la déclaration de guerre. Parmi ces séquestres, il y avait la collection Uhde et le fonds de la galerie Kahnweiler. Une grande partie du cubisme historique, gelé par le séquestre, submergea le marché. La conséquence majeure était la révélation différée d'œuvres peintes entre 1908 et 1914, après la reprise artistique de l'après-guerre, ce qui devait brouiller pour de longues années la réception du cubisme à Paris. Il devint urgent pour les artistes concernés par ces dispersions de se diversifier, de donner le change. Pour chacun d'entre eux, la guerre avait fourni l'occasion de se situer, de se reprendre. C'était ce phénomène de « rupture et de rature » que j'avais souligné dans le catalogue des *Réalismes*. Vlaminck prit un « tournant dangereux », André Derain retourna au musée alors qu'Ozenfant et Le Corbusier lançaient une enquête dans leur revue *L'Esprit nouveau* : « Faut-il brûler le Louvre ? » Picasso pratiqua plusieurs manières simultanément.

Cette bifurcation s'opéra parallèlement à la reconstitution du patrimoine officiel. La guerre avait entraîné des mesures de décrochages préventifs pour la protection des œuvres d'art; des institutions avaient été fermées. Quand on les rouvrit, l'Institut ne jouissait plus des pleins pouvoirs. La plupart des « patrons » des revues *Art décoratif* et *Art et Décoration* étaient morts, désavoués. Plus prosaïquement, cette industrie culturelle, dont le Petit Palais et le Grand Palais étaient les derniers fruits, disparut avec le protectionnisme de l'État, dont les lignes budgétaires furent desséchées par la guerre. On commença à s'interroger sur la dégénérescence de l'art officiel de la troisième République. Malgré l'importance des dépenses consenties, il ne restait rien, ou presque rien, du siècle qui venait de finir. Car les lauréats de l'Exposition universelle de 1900, apothéose des consécrations du XIXe siècle, ne réchappèrent pas à cette refonte des valeurs qui consacrait le triomphe définitif et international des seuls impressionnistes, l'exaltation de la peinture pure au détriment de l'accessoire, l'histoire. C'en était fini pour cinquante ans, jusqu'à l'ouverture du musée d'Orsay, des séquelles du symbolisme, des machines officielles. Les Pompiers et leurs suiveurs, dont le « photographisme » a été bien mis en évidence par Gabriel P. Weisberg, dans son livre *Beyond Impressionism, the Naturalist Impulse* (1992), furent, du jour au lendemain, condamnés à l'oubli des réserves ou dégorgés dans de lointains musées de province. Seules, à contre-courant, les éditions Larousse perpétuèrent dans leurs dictionnaires la reproduction en sépia de tableaux d'histoire, sauvant *L'Appel des dernières victimes de la Terreur,* par Charles-Louis Muller ou le *Caïn,* de Cormon.

La peinture d'histoire n'avait pas eu de marché en dehors des commandes officielles et des portraits. Les amateurs ne se bousculèrent pas à la vente Degas, en 1918, pour renchérir sur l'un des vestiges de *L'Exécution de Maximilien* (1867-1868), par Édouard Manet, que la critique considérait comme une œuvre désordonnée et manquée. Déjà en 1905, lors d'une confrontation entre Ingres et Manet, arrangée au Salon d'automne, *Le Bain turc* l'avait définitivement emporté sur une esquisse de *L'Exécution de Maximilien*. La National Gallery de Londres n'eut aucune peine à s'enrichir des fragments de ce que, selon les propos rapportés par Ambroise Vollard, Renoir qualifiait de « pur Goya », et où Georges Bataille, à la suite d'André Malraux, avait cru voir l'origine de la peinture moderne par simple indifférence au sujet : « Manet fit poser quelques personnes : elles ont pris l'attitude, les unes, de ceux qui meurent, les autres, de ceux qui tuent, mais d'une manière insignifiante, comme ils achèteraient "une botte de radis". Tout facteur d'éloquence, vraie ou fausse, est éliminé. Restent les taches de différentes couleurs et l'impression égarante qu'un sentiment aurait dû naître du sujet : c'est l'étrange impression d'une absence. » Cette interprétation fut dénoncée comme tendancieuse par le peintre Gilles Aillaud dans un texte frondeur : « Bataille, ranger ».

Cette indifférence du goût 1920 s'expliquait de plusieurs manières : cette toile ne concernait plus personne. Elle trahissait un des vieux travers du comportement français décrit par Félix Fénéon dans *La Revue blanche* : « La France s'indigne volontiers des lâchetés étrangères sans renier pour autant ses propres laideurs. » C'était d'ailleurs ce qu'avait écrit Jules Claretie dans *Peintres et sculpteurs contemporains*, en 1874 :

> « M. Manet était, durant le siège de Paris, artilleur auxiliaire, puis, comme plus d'un autre peintre, officier d'état-major de la garde nationale, dont M. Meissonier était commandant. Que n'a-t-il, puisqu'il tient aux réalités sombres, appliqué son pinceau à reproduire les scènes de ces heures d'hiver, les ciels bas, les jours boueux, les nuits de garde, les crépuscules striés de coups de feu, et les levers de soleil avec les collines neigeuses et bossuées de cadavres ? »

Ce n'est pas Manet qui a dessiné le *Mur des Fédérés* lors de la semaine sanglante de la Commune, du 21 au 28 mai 1871. Le seul tableau contemporain qui conte le silence d'un lendemain de répression et d'incendie reste *Les Ruines des Tuileries* (1871), par Meissonier.

L'autre explication, c'est que l'on voulait désormais un art dépourvu de toute compromission avec la propagande politique. Les artistes interdits du XIXe siècle triomphaient dans les nouveaux accrochages. Déjà, les legs Caillebotte (1896), Moreau-Nélaton (1907) et Chauchard (1910) avaient désaccordé les collections de l'État. On assistait par ailleurs à la réhabilitation du peintre régicide Jacques-Louis David. *La Mort de Marat*, peinte en 1793, avait été offerte cent ans plus tard par son petit-fils au musée de Bruxelles et devint rapidement un incunable pour tous les artistes d'avant-garde. Les oubliés ou dédaignés d'hier étaient réapparus à l'Exposition centennale de l'art français de 1900. Daumier fut réhabilité par une exposition à l'École des beaux-arts en mai 1901, son *Crispin et Scapin* fit une entrée remarquée au Louvre. Corot cessa d'être exclusivement un paysagiste ; le marché valorisa ses figures et ses portraits. On organisa le triomphe de la vente de l'atelier de Courbet le 9 juillet 1919. Courbet avait déjà été partiellement innocenté par la monographie de Georges Riat en 1906. Le grand tableau de Courbet, *L'Atelier,* ou *Allégorie réelle, déterminant une phase de sept années de ma vie artistique* (1855), fut acquis pour le Louvre le 13 février 1920 par souscription publique. La fortune de Courbet était exploitée à l'égal de celle de Picasso par la galerie Paul Rosenberg : c'était non seulement un retournement dans l'histoire de la spéculation, mais une sorte de pacification du monde des musées français imposée par le marché de l'art international parisien. Désormais, on oubliait la mise à bas de la colonne Vendôme le 16 mai 1871 ou, plutôt, cette décision de la Commune cessa d'être un acte de vandalisme. La reconnaissance des parodies historiques involontaires du Douanier Rousseau, prolongées par le travail d'André Bauchant avec son *Vercingétorix* (1924), précipitait dans l'inanité ce qui restait de peinture d'histoire encore visible.

Il faut relire dans *Anicet ou le Panorama roman*, de Louis Aragon (1921), le chapitre IV, « Anicet chez l'homme pauvre », pour évaluer l'énorme retournement de valeurs qui s'effectua dans le monde plastique au lendemain de l'armistice :

« Quelques minutes d'entretien l'avaient payé de la formidable machination du vol des musées : dans la même journée disparurent de tous les musées de Paris, grâce à la complicité des gardiens, tous les Greuze, les Boucher, les Meissonier, les Millet, les Harpignies, les Pissarro, les Carolus Durand [*sic*], les Antonin Mercier, les Bartholomé, les Dalou. Les conservateurs sur les dents lancèrent en vain la police à la recherche des œuvres disparues. Les plus fins policiers échouèrent, et l'affaire allait être classée lorsqu'un soir, en sortant du théâtre, Paris vit avec stupéfaction un immense brasier au sommet de l'Arc de triomphe. Le produit des vols brûlait et brûla si bien que rien n'en resta, que les statues retrouvées en miettes. La presse ne parla plus d'autre chose pendant quinze jours. Il n'y en eut pas un que quelque journal n'étalât sur sa manchette le titre : les Vandales. [...] On ressortit à toutes les devantures pour que les âmes sensibles et les natures artistes se lamentassent à ce spectacle sur la perte éprouvée par la France et par l'Art toutes les reproductions qu'on put trouver, et l'on en trouva à revendre, de *La Cruche cassée*, des *Glaneuses* et du *Gloria Victis*. On cita avec attendrissement un millionnaire américain qui sacrifia une fortune pour faire reconstituer avec exactitude, d'après les cartes postales en couleurs, *Le Rêve* de Detaille. »

1. Fernand Léger, Lettre n° 7, 8 nov. 1914, « Une correspondance de guerre à Louis Poughon (1914-1918) », *Cahiers du Musée national d'art moderne*, numéro hors série, 1990, p. 22.
2. Félix Vallotton, « Art et guerre », *Les Écrits nouveaux*, déc. 1917, repris dans *Journal 1914-1921*, Lausanne, La Bibliothèque des Arts, 1975, p. 306.

Ogoniok, n° 5,
15 février 1935.
Musée d'Histoire
contemporaine,
BDIC, Paris.

1933
1945

Face aux dictatures : opportunisme, opposition et émigration intérieure

Face aux dictatures : opportunisme, opposition et émigration intérieure

Günter Metken

Notre sujet n'est pas une théorie de l'engagement en faveur de telle ou telle constellation politique. Les artistes, eux aussi, peuvent être parfois séduits et retourner leur veste, surtout quand des régimes autoritaires leur font miroiter des possibilités quasiment illimitées : ce fut le cas d'Albert Speer, d'Arno Breker, de Josef Thorak, d'Alexandre Guerassimov, d'Alexandre Deïneka, et aussi de Mario Sironi, de Gino Severini et de Giuseppe Terragni (on ne peut énumérer tous les Italiens talentueux qui ont cédé à ce mirage, de façon définitive ou provisoire ; et en Union soviétique, il n'y avait pas d'autre choix). Pour la période 1933-1945, il est clair que, dans l'ensemble, les représentations manichéennes qui opèrent avec les catégories du bien et du mal, du juste et du faux, n'apportent pas grand-chose. La fidélité à une ligne idéologique produit rarement des œuvres convaincantes : on les doit plutôt aux artistes indépendants. Éloignés de la politique ou portés à l'humanisme dans un sens large, ceux-ci se voient confrontés à des situations inhabituelles, qui nécessitent des réactions inédites et exacerbent de façon radicale les caractères de leur iconographie ou de leur stylistique.

Cela vaut pour l'artiste solitaire Paul Klee après son retour forcé en Suisse, pour les surréalistes quand éclate la guerre civile espagnole, ou pour Picasso lors du bombardement de Guernica. Grâce à leur indépendance d'esprit, des artistes comme Max Ernst, Dalí et René Magritte réussissent à transmettre les avertissements fatidiques les plus saisissants sur la barbarie qui monte. Pour le Pavillon de la République espagnole, lors de l'Exposition universelle de 1937, le tableau commandé à Picasso et finalement appelé *Guernica* évolue, passant de l'allégorie d'atelier dans le goût sombre de l'époque à l'emblème de la souffrance et de la protestation accusatrice contre le massacre d'innocents. On pourrait sans peine poursuivre l'énumération de telles œuvres. La « réintégration » de l'Autriche par Hitler et l'occupation de la Tchécoslovaquie, les mouvements éclairs des forces allemandes au début des hostilités et le défaitisme des puissances occidentales provoquent chez Oskar Kokoschka quelques brillantes allégories politiques, agressives et uniques en leur genre, tant dans l'œuvre de ce peintre que dans cette époque.

Ce qui est intéressant, ce sont les marges, les heurts inattendus et les méprises, les erreurs créatrices, le vacillement des opinions et les frontières fluctuantes entre opportunistes et opposants. C'est parce que beaucoup de choses se produisent spontanément chez les créateurs que ceux-ci sont les témoins les plus fiables de leur époque, par opposition à d'autres, qui, après coup, rectifient leurs positions ou prétendent avoir toujours parfaitement compris la conjoncture. Il est évidemment impossible de faire cadrer avec un schéma évolutif de l'histoire de l'art une typologie du comportement esthétique face à la menace politique. On a plutôt affaire à de purs cas isolés, à des situations individuelles où l'artiste apparaît comme un naïf, un artisan concentré sur son métier, ou un mythologue au-dessus du banal quotidien. Beaucoup n'ont pas conscience de la dimension prophétique de leur travail. La compréhension — et l'instrumentalisation — ne vient que rétrospectivement, par d'autres, ou bien elle est déclenchée beaucoup plus tard par le choc d'un événement similaire. C'est le cas, par exemple, lors de l'Anschluss de l'Autriche, le 12 mars 1938. Sous le coup de l'impression suscitée en lui par l'événement, Alfred Kubin, né en Bohême et vivant « de l'autre côté » de la frontière, écrit à Ernst Jünger quatre semaines plus tard, le 9 avril 1938, de Zwickledt :

« Cher Monsieur,

> Oui, bien sûr, j'ai eu une grande surprise, moi qui suis tout à fait étranger à la politique, ne possède pas de radio et ne lis même pas les journaux, le 12 du mois dernier, quand j'ai levé les yeux de ma planche à dessin et que j'ai aperçu, sur la grand'route, des troupes allemandes motorisées ; à part cela, tout s'est passé à peu près sans dommage — d'ailleurs, quand on a soixante ans dans les os, on subit ce genre de chose avec nettement plus de résignation que lorsqu'on est plus jeune — d'autant plus que je me sens chez moi sur de tout autres plans que celui pour lequel je paie des impôts... Quant à moi, j'ai terminé, voilà trois semaines, ma nouvelle *Danse macabre*. J'avais déjà un éditeur prêt à s'en charger, comme de la suite du *Böhmerwald* ; mais il a fallu y renoncer, parce que ce malheureux n'est pas aryen. J'ai déjà coupé le cordon — mais suis encore, quant il s'agit de renouveau, déplorablement las et écœuré ; s'il me vient encore quelque chose, ce ne sera jamais qu'un épilogue, des glanes — j'ai un peu l'impression d'être un anachronisme — et tous les événements confirment de manière fantastique votre interprétation de mes œuvres !!! Vous l'avez bien senti d'avance — et nous en avez rendus conscients ! De fait, il semble que je sois un fossoyeur artistique de la vieille Autriche impériale et royale[1]. »

Cadre de notre étude : les années trente et la Seconde Guerre mondiale. Un conflit s'annonce, qui changera la carte du monde, par une réaction en chaîne. Des démocraties subsistent à côté de dictatures partielles ou totales, à peu près pacifiques les unes envers les autres, mais elles sont confrontées, de la part de ces dernières, à une tactique de piqûres d'épingles qui met à nu leur incapacité de comprendre la situation nouvelle et de réagir de manière appropriée. De surcroît, des politiciens bourgeois en vue sympathisent pendant quelque temps avec les nouvelles formes étatiques, dont ils admirent l'apparente efficience.

En Italie, le système fasciste se radicalise et reconnaît en Mussolini son nouveau César. En URSS, une vague de « purifications » impose de manière totale la politique de Staline. Et l'Allemagne, qui se déclare « Empire de mille ans », semble si peu sûre de sa pérennité qu'elle accélère brutalement l'expatriation de ceux qui pensent autrement — opération qui se répétera en Espagne après la victoire des nationalistes du général Franco sur les républicains.

Dans cette situation, de nombreuses célébrités se rassemblent à Paris, qui devient le point de ralliement de l'art indépendant en Europe — tant de l'abstraction et du constructivisme que du surréalisme, avec son rayonnement international. Cependant, tous les artistes qui pensent librement ne se sont pas réfugiés en France : depuis longtemps, les Russes ne peuvent plus sortir de leurs frontières, et des Allemands renommés demeurent aussi dans leur pays, où ils se renferment dans ce qu'un euphémisme ultérieur appellera l'« émigration intérieure ». C'est le cas d'Emil Nolde, d'Oskar Schlemmer, professeur au Bauhaus, et de Willi Baumeister, qui, grâce à des soutiens privés, subsistent non sans difficulté mais peuvent toutefois continuer à travailler. Rudolf Schlichter vit de commandes de portraits et d'illustrations d'œuvres littéraires. Celles des *Mille et Une Nuits,* conçues pendant la guerre, ne seront publiées qu'en 1993. Le despotisme oriental dont il est question dans le texte renvoie aux abus de pouvoir qui s'exercent dans le pays de l'artiste. Tout cela à une époque où l'Allemagne, d'où émane une impression de force et d'unité, attire même des artistes français connus.

Car « l'esprit du monde » *(Weltgeist)* d'Hegel aime les détours, même dans les dictatures, que l'on voudrait tenir pour univoques et nettement délimitées dans le temps. En réalité, rien n'est plus contourné et tortueux que le comportement des artistes face à la politique et l'attitude des puissants face à l'art. On s'attend à des lignes droites, mais on est confronté à des courbes, à des frontières perméables et à une certaine circulation, malgré toute la pression possible venue d'en haut. Longtemps, les manuels ont accrédité l'idée qu'en période de dictature les artistes officiels et les dissidents s'opposaient de façon antinomique. Mais, si l'on excepte les extrêmes, il devient impossible d'affirmer que le fossé qui sépare chaque camp est infranchissable.

En URSS, l'avant-garde est au service du régime

On peut, grâce à la dialectique, renverser — et par là relativiser — notre schéma du bien et du mal. Boris Groys, dans son livre *Staline, œuvre d'art totale,* développe la thèse selon laquelle le dictateur avait tout simplement pris au sérieux et donc satisfait les exigences de la première avant-garde soviétique, qui voulait une esthétisation totale, tant de la politique que de l'organisation du quotidien. Mais la situation était plus complexe que cela : les documents des archives russes, aujourd'hui accessibles, le montrent. Une partie de cette avant-garde continua à croire au moment historique et se mit au service du régime. À terme, de telles tentatives pour préserver les éléments dynamiques originels au-delà de la phase de consolidation de la dictature étaient vouées à l'échec. Dès les années trente, Kazimir Malevitch refuse sur toute la ligne d'appuyer la propagande socialiste. Chez les constructivistes, par contre, des artistes de renom comme Rodchenko et El Lissitzky se sentent portés à l'« agitation ». Ils participent à la gigantesque machine de propagande qui envahit l'Union soviétique, avec la réclame pour le communisme et pour Staline. Pour ce dernier, surtout : le culte de la personnalité, qui ne tolère aucun autre dieu à ses côtés, finit par domestiquer l'avant-garde.

Toujours animée par l'élan futuriste de la révolution d'Octobre, l'avant-garde commence d'abord par traduire en images les nouveaux plans quinquennaux. Les mots d'ordre et les thèmes sont bien connus : la victoire du socialisme, l'URSS brigade de choc du prolétariat, la réalisation des plans, l'industrialisation à tout prix, la croissance de la production, l'incorporation des femmes dans les équipes. Avec le premier plan quinquennal (1928), Staline impose par la force la collectivisation de l'agriculture. Les agriculteurs deviennent des travailleurs dépositaires d'une promesse messianique de bonheur. Les photographies de kolkhozes de Petroussov (1934) présentent le travail agricole, libéré de la propriété et de la corvée, comme une existence bucolique, en liberté dans la nature. Dans ses projets pour l'exposition agricole de l'Union soviétique de 1939, Valentina Koulaguina aligne des colonnes de tracteurs, telles les batteries de chars de la bataille décisive livrée par l'agriculture. Staline a conçu cette gigantesque foire-exposition comme une sorte d'exposition mondiale personnelle, calquée sur le modèle des Expositions universelles de Paris et de New York. Réalisée par Rodchenko et Varvara Stepanova, la première page du périodique *SSSR na stroïke* montre, devant le hall ultramoderne de l'exposition, une gigantesque statue du monarque absolu érigée sur un socle grandiose, avec la tête de Staline culminant dans les nuages.

D'une manière générale, les avant-gardistes de l'époque perdent leurs propres critères sous la pression des apparatchiks. L'esthétique machiniste a toujours constitué un des aspects du constructivisme. Dans les prises de vues de Boris Ignatovitch, les leviers et les outils prennent désormais autant d'importance que

33
45

ceux qui s'en servent. Ceci s'annonçait déjà dans l'art photographique de la Neue Sachlichkeit (« Nouvelle Objectivité ») d'un Albert Renger-Patzsch. Dans les collages réalisés par Gustav Klucis dans les années trente, les masses anarchistes libertaires de la révolution sont devenues des formations disciplinées, dépositaires des directives de la politique économique. Les alignements sans fin de l'image d'El Lissitzky *L'Armée rouge des ouvriers et des paysans* montrent les réserves humaines disponibles pour le Plan — dont les buts purement matériels, axés sur la production, peuvent être transcendés, grâce au savoir-faire de l'artiste, dans des successions de tableaux évocateurs.

Les créateurs de l'utopie esthético-sociale de l'époque ne renient donc pas tous les principes progressistes de leur conception de l'art. Mais, par conviction et idéalisme, ou en vertu de considérations réalistes, ils se soumettent à un pouvoir qui utilise leurs talents et qui, après avoir obtenu l'uniformisation sociale, réprime l'originalité des artistes. Andreï Jdanov, membre du Politburo dès 1939 et théoricien en chef du Parti, impose le réalisme socialiste dans l'art soviétique, et la conformité est désormais de mise, dans un panégyrique patriotique qui n'admet plus les nuances.

D'une manière générale, on peut établir que c'est de la relation entre le totalitarisme et l'avant-garde qu'est née cette culture de masse moderne qui transpose dans un présent éternel le cours du temps historique. La réalité est refoulée hors du quotidien et masquée par une production continuelle d'images et de signes visant à la beauté uniforme des corps, des gestes et des discours, dont l'*horror vacui* esthétique ne tolère pas un seul point vide : la surface est entièrement couverte d'icônes et de mots d'ordre euphorisants. Les hommes s'y soumettent dans une mise en scène d'eux-mêmes, qu'elle soit publique ou privée. Une pression visant à la conformité apparaît : d'un point de vue sociologique, elle anticipe les contraintes de la culture médiatique actuelle. En ce sens, le paradoxe évoqué par Boris Groys concernant l'État stalinien totalement esthétisé reste fondé, et vaut également, avec moins de composantes avant-gardistes, pour l'Allemagne hitlérienne.

Le « départ » ou non

Dans l'Italie fasciste, après le franc éclectisme du Novecento des années vingt, l'art s'est désormais figé dans une monumentalité pseudo-romaine. Que l'on pense à la restructuration de Rome, à l'héroïsation du tombeau d'Auguste, ou à la raideur des représentations enchâssées par le peintre mural Mario Sironi et le sculpteur Arturo Martini dans le cadre de nouveaux bâtiments aux arêtes vives.

Et l'Allemagne ? L'évolution s'est précipitée entre 1932-1933 et la guerre. Au début, l'expressionnisme est manifestement revendiqué comme « allemand », et ressenti comme tel à l'étranger. Ce concept dynamique du ministère de la Propagande capitule toutefois face aux idéologues du Parti réunis autour d'Alfred Rosenberg et d'Heinrich Himmler. Jusqu'aux Jeux olympiques de Berlin (1936), où l'architecture et la sculpture montrent une image relativement progressiste de l'Allemagne en comparaison de Paris et de Londres, les zélateurs de l'esthétique se tiennent encore sur la réserve. Mais dès que les visiteurs étrangers, impressionnés, quittent le Reich, la « purification du temple de l'art » exigée par Wolfgang Willrich commence. Des milliers d'œuvres sont ainsi écartées des collections publiques en tant qu'« art dégénéré ». Certaines, néanmoins, peuvent encore être vues dans les réserves des musées. En 1937-1938, le jeune Samuel Beckett fait en Allemagne de longs voyages d'études consacrés à l'art; il ressort de sa correspondance (qui sera prochainement publiée) que l'art moderne, à sa grande déception, a été entièrement retiré des musées, mais qu'il est parfois permis d'y accéder, avec les recommandations adéquates.

Les artistes qui sont restés en Allemagne et ont gardé un relatif optimisme se voient alors infliger des interdictions d'exposer et bientôt, perfidement, des interdictions de travailler, assorties d'un contrôle par les sbires du Parti. Max Beckmann, qui, après la prise du pouvoir par les nazis, a perdu sa place de professeur à la Städelschule de Francfort-sur-le-Main et s'est retiré dans l'anonymat de Berlin pour échapper à une surveillance constante, comprend comme un signal d'alarme l'exposition de l'« Art dégénéré ». Il s'exile à Amsterdam, où, solitaire, il vit dans un véritable poste d'observation, avec vue sur tous les côtés. En 1940, après l'invasion de la Hollande par l'armée allemande, celui-ci se transforme en un poste souterrain d'écoute : tacitement toléré par les autorités de l'Occupation, il y vit comme dans un sous-marin, tournant le périscope à 360 degrés dans les moments de tranquillité pour avoir une vision circulaire.

Si, à Amsterdam, Max Beckmann habite (avenue Rokin) dans un ancien entrepôt de tabac qui lui sert d'atelier, le destin d'autres artistes, tel Felix Nussbaum, n'est nullement comparable : chassé par les nazis en tant que Juif, ce dernier se réfugie à Bruxelles. Peu avant la Libération, il y sera dénoncé à la Gestapo par un voisin, ce qui signifie la déportation et la chambre à gaz. Deux peintres, deux destins, auxquels un troisième peut être ajouté : celui de Rudolf Schlichter. Dadaïste et engagé dans le communisme au début des années vingt, puis portraitiste et chef de file de la Nouvelle Objectivité, il se tourne à la fin de cette décennie vers les cercles ecclésiastiques conservateurs et quitte Berlin pour retourner dans son Wurtemberg natal. Les œuvres qu'il y peint, froides et dans le style des vieux maîtres, auraient pu plaire aux tenants du pouvoir, n'était leur contenu « décadent », comme celui de ses mémoires, *Das Widerspenstige Fleisch* (« La Chair insoumise ») et *Tönerne Füsse* (« Pieds d'argile »). Parus en 1932-1933, ceux-ci sont aussitôt interdits et pilonnés. Quand certaines de ses œuvres sont, elles aussi, retirées des musées en 1937, Schlichter crée en guise de protestation une allégorie, seule possibilité d'expression, compte tenu de la surveillance de l'État : *Blinde Macht* (« La Force aveugle »). Cette œuvre a valeur de référence pour illustrer la résistance intérieure; mais on peut aussi la lire comme une protestation conservatrice contre la technicisation du monde, qui se fait à l'encontre de l'individu, et qu'il met en équation avec le fascisme.

Ce tableau est aussi énigmatique que le premier triptyque de Max Beckmann — le célèbre *Departure* (« Départ ») —, dont le titre et la date (1932-1933) suggéraient une interprétation contextuelle. Mais, en dépit des allusions codées à la cruauté, aux entraves, à l'usage de la violence, l'artiste a toujours refusé une interprétation réductrice. En février 1937, il explique ce tableau à Lilly von Schnitzler, son amie et mécène. Le roi et la reine se sont libérés. Délivrés des tourments de la vie, ils les ont dépassés. La reine porte le grand trésor, Liberté, comme son enfant dans son giron. La Liberté, c'est cela : un départ, un nouveau commencement. Un an plus tard, en 1938, alors que le directeur de galerie new-yorkais Curt Valentin lui demande, de la part de ses clients, une interprétation du triptyque, Beckmann précise qu'il s'agit bien d'un départ, le départ vers les réalités essentielles cachées au-delà des illusions de la vie. Et, selon lui, il faut bien comprendre que le *Départ* ne renvoie pas à une situation particulière : l'image vaut pour n'importe quelle époque.

Adorno, Hindemith et Olivier Messiaen

« La relation à l'histoire réelle de ce que l'on appelle l'histoire des idées [...] : voilà un vaste champ, et l'on pourra s'étonner que le matérialisme historique et dialectique l'ait si peu exploré. Peut-être sa praxis a-t-elle, en fin de compte, échoué parce qu'elle était l'histoire des idées appliquée à la réalité, au lieu du rapport inverse. Dans tous les cas, à un moment donné, le point est atteint où prend fin pour toujours le divertissement que l'on pouvait naïvement trouver, en tant qu'*homo ludens*, dans la pensée et dans les actions humaines, ou dans les variantes de leurs rapports. Il n'y a plus rien d'anodin. »

C'est ainsi que s'exprime Theodor W. Adorno dans sa critique du 15 mai 1939 sur *Unterweisung im Tonsatz* (« L'Instruction sur la manière de composer »), de Paul Hindemith. Ce compositeur anti-romantique est une des incarnations de la Nouvelle Objectivité des années vingt. Dans une brève prise de position concernant Bertolt Brecht et ses « tendances socialistes », il va jusqu'à déclarer qu'à défaut d'autre texte plus approprié on peut très bien mettre le Bottin en musique. Néanmoins, dans son opéra de 1933-1935, *Mathis der Maler* (« Mathis le peintre ») — il s'agit du mystérieux Matthias, appelé Grünewald, créateur du retable d'Issenheim —, il fait exactement le contraire. Composé d'après un libretto personnel, cet opéra traite du rôle de l'artiste dans la société : Grünewald doit choisir entre prendre position politiquement — en l'occurrence, s'engager pour la révolte des paysans opprimés — ou se consacrer à sa propre création. Il s'agit donc ici, sous un argument historique transparent, des expériences personnelles d'Hindemith et de sa stratégie pour assurer sa survie artistique face à un rapport de forces qui a changé. Goebbels interdira sans hésiter la première de cet opéra, ainsi que toute la musique d'Hindemith, mais son *Instruction sur la manière de composer* paraîtra encore en 1937.

La critique d'Adorno, par contre, ne sera pas imprimée. La *Zeitschrift für Sozialforschung,* transplantée à Paris, ne pourra faire sortir en 1940, à cause de la guerre, le numéro où devait paraître ce texte. Des épreuves qui ont été conservées, il ressort qu'Adorno tenait pour de la fausse naïveté le fait qu'Hindemith publie en Allemagne nazie son ouvrage d'initiation à la composition musicale. Une telle attitude pouvait, d'après lui, cautionner la politique artistique imposée par le IIIe Reich. « Il n'y a plus rien d'anodin. » Même la neutralité d'un manuel d'utilisation pratique est illusoire, dès lors que celui-ci paraît dans le contexte d'une idéologie dominante. Nul artiste n'est libéré de l'histoire : « La tentative d'écrire un manuel pour apprendre à composer, qui pose des règles pleines de sens dans la praxis actuelle [...] semble socialement neutre. Mais la neutralité même est politique. Hindemith [...] illustre le recueillement de l'artiste qui peaufine ses meilleurs morceaux sans se soucier de la cruauté des temps. Le simple éloignement du monde est un artifice et une fuite. On en est puni en tombant partout sous l'emprise de ceux à qui on ne veut pas avoir affaire. » Pas de compromis avec les barbares — voilà qui est logique mais loin des réalités. Qui donc utilise *L'Instruction sur la manière de composer* (dont le titre fait allusion au traité de Dürer, *L'Instruction sur la manière de mesurer,* de 1525) ? Certainement pas ceux qui défilent dans la fanfare des Chemises brunes, ni les musiciens des studios de cinéma de l'UFA ; ce sont plutôt des pédagogues et des praticiens qu'effleure au moins un souffle des idées progressistes.

L'exemple suivant — à nouveau celui d'un musicien, Olivier Messiaen — est le reflet inversé du précédent. À distance de l'actualité politique, Messiaen refusera toujours les prises de position ou de parti ; il ne veut pas s'engager. À cet homme qui est porté par une profonde mystique catholique, l'Écriture sainte garantit un refuge en Dieu. Et, cependant, c'est justement à cause de cet apolitisme, de cette innocence, d'une certaine façon aussi, que se produira un événement qui nuance encore notre propos.

Prisonnier au stalag VIII A, à Görlitz an der Neisse, Messiaen compose en 1940 une œuvre qui sera le moteur de la musique contemporaine et inspirera ses disciples du Conservatoire de Paris, entre autres un Pierre Boulez et un Karlheinz Stockhausen : le *Quatuor pour la fin du temps,* pour violon, violoncelle, clarinette et piano. Celui-ci est exécuté pour la première fois le 15 janvier 1941 dans le stalag, avec des instruments de fortune, au beau milieu d'un pays où il eût été alors impensable de jouer une œuvre aussi en avance, alliant des sonorités immatérielles grégoriennes et asiatiques à des structures répétitives et rationnelles. Messiaen dira avoir été inspiré par le chapitre x de l'*Apocalypse de saint Jean* :

« Je vis un ange plein de force, descendant du ciel, revêtu d'une nuée, ayant un arc-en-ciel sur la tête. Son visage était comme le soleil, ses pieds comme des colonnes de feu. Il posa son pied droit sur la mer, son pied gauche sur la terre, et, se tenant debout sur la mer et sur la terre, il leva la main droite vers le Ciel et jura par Celui qui vit dans les siècles des siècles, disant : Il n'y aura plus de Temps ; mais au jour de la trompette du septième ange, le mystère de Dieu se consommera[2]. »

Cet extrait renvoie à une célèbre idée iconographique du début des temps modernes : l'ange de *L'Apocalypse* d'Albrecht Dürer, qui appartient à sa série de gravures sur bois. Les réflexions synesthésiques reliant structures construites et couleurs ne sont pas étrangères à Messiaen, comme le montrent ses commentaires sur quelques-uns des huit mouvements de son quatuor :

« 6) [...] Musique de pierre, formidable granit sonore ; irrésistible mouvement d'acier, d'énormes blocs de fureur pourpre, d'ivresse glacée. Écoutez surtout le terrible fortissimo du thème par augmentation et changement de registre de ses différentes notes, vers la fin du morceau. »

« 7) "Fouillis d'arcs-en-ciel, pour l'Ange qui annonce la fin du Temps". Reviennent ici certains passages du second mouvement. L'Ange plein de force apparaît, et surtout l'arc-en-ciel qui le couvre (l'arc-en-ciel, symbole de paix, de sagesse et de toute vibration lumineuse et sonore). — Dans mes rêves, j'entends et vois accords et mélodies classés, couleurs et formes connues ; puis, après ce stade transitoire, je passe dans l'irréel et subis avec extase un tournoiement, une compénétration giratoire de sons et couleurs surhumains. Ces épées de feu, ces coulées de lave bleu-orange, ces brusques étoiles : voilà le fouillis, voilà les arcs-en-ciel[3] ! »

La thématique de la lumière et des couleurs s'enrichira dans des œuvres ultérieures comme *Couleurs de la cité céleste* (1964) et *Un vitrail et des oiseaux* (1986). Mais la question est de savoir si le compositeur choisit en 1940 son texte, qui, en tout état de cause, traite de la fin du monde et de l'apocalypse, parce qu'il vit dans sa chair l'effondrement de la France et comprend le danger qui menace sa propre existence. Dans le cas contraire, tout à fait envisageable avec Messiaen, son quatuor, composé en ce lieu et à cette époque, ne signifie-t-il pas cependant une prise de position face aux événements historiques ? Pour être involontaire, un engagement n'est-il pas, dans notre optique actuelle, d'autant plus pertinent ?

Dix, Finlay ou le sublime

Une autre œuvre a vu le jour dans un camp de prisonniers, mais, cette fois, sur commande et en réaction consciente aux événements. Il s'agit du triptyque *La Madone aux barbelés,* d'Otto Dix. L'artiste, visionnaire flamboyant de la Première Guerre mondiale, à laquelle il a participé, est appelé dans l'armée lors de l'ultime mobilisation du Volkssturm en février 1945. Fait prisonnier un peu plus tard par les Français et reconnu par un officier comme étant le célèbre peintre Dix, il reçoit la commande de peindre un triptyque pour la chapelle de son camp, près de Colmar. Visiblement inspirée par la peinture allemande ancienne, en particulier par la *Madone de Stuppach* de Grünewald — qui, par ailleurs, fut copiée à la même époque par Christian Schad pour l'église collégiale d'Aschaffenburg, où elle se trouvait à l'origine —, cette œuvre a pour figure centrale Marie, la mère de Dieu, portant l'Enfant Jésus dans son giron. Au fond s'étendent les Vosges, avec, au premier plan, un village dévasté, dont seul le clocher semble intact. Sur les volets, les Rois mages agenouillés et tournés vers Marie prient pour la paix ; à droite, saint Pierre dans une prison romaine, le pied enchaîné ; devant lui, lumineux, l'Ange annonciateur ; à gauche, saint Paul avec des menottes ; au milieu, les prisonniers du camp, parmi lesquels on reconnaît au premier rang, second à partir de la gauche, le peintre. Près de la Madone et des apôtres enchaînés, les ruines et les fils de fer barbelé représentent la guerre et la captivité.

À la différence de la composition de Messiaen, le tableau de Dix n'est pas une œuvre importante. Éclectique dans ses moyens, il reflète la tension des dernières semaines de guerre et une espérance presque religieuse en la paix, ce qui en fait un document historique. Commercialisé, vendu aux enchères et adjugé à l'évêché de Berlin, il est exposé dans la chapelle latérale de la nouvelle église Maria Frieden, à Berlin, lieu de pèlerinage situé dans le quartier de Mariendorf. Tableau de réconciliation et de prière destiné à la chapelle d'un camp de prisonniers après la défaite allemande, le triptyque de Dix sert aujourd'hui à la *propaganda fide* marianiste dans la diaspora catholique. Rétrograde quant à son style, il se situe en dehors de la tendance principale de l'époque, mais, dans la situation d'exception du camp, il a certainement eu un effet de catharsis. Ainsi se pose la question de la synchronie ou de la diachronie de l'art et de l'histoire : à quel moment une expression artistique est-elle vraiment pertinente ? Qu'est-ce qui est déterminant : la façon d'exprimer la « modernité », l'énergie agissante de l'œuvre, ou bien le cadre, le musée — en l'occurrence, ici, l'église ?

En ce qui concerne Dix, force a été, depuis, de se rendre compte de ce que ses célèbres séries de tableaux sur la Première Guerre mondiale n'étaient, dans leurs motivations, ni purement pacifistes, ni antimilitaristes. Dans ces visions inédites d'une métamorphose horrible et belle du matériau humain et de la nature — ou de ce qu'il en reste — que les combats des tranchées ont provoquées en lui, le rejet de l'horreur vécue est mêlé de fascination. Pour Dix, lecteur lucide de Nietzsche, la guerre de positions comporte, par sa dimension gigantesque qui étourdit tous les sens, quelque chose de grisant. On le sent dans ses tableaux d'horreurs, qui comptent parmi les plus grands du genre des « vanités ».

Également ambiguës, mais moins bien reçues par le public : les compositions du poète et horticulteur Ian Hamilton Finlay. Parole et image, classicisme et guerre, il amalgame le tout sous la forme de l'emblème. Un exemple : le célèbre tableau de Poussin *Et in Arcadia Ego,* du musée du Louvre, où, dans un paysage classique, des pâtres entourent un sarcophage. Ainsi, au paradis arcadien aussi, la mort est présente. De la même manière, Finlay montre, dans des médailles ou des bas-reliefs qui portent le même titre que l'œuvre de Poussin, un tank et des Waffen-SS dans un jardin, avec une citation élégiaque de Milton. Son monument-lyre est composé de canons d'armes à feu, et il fait ériger à Battersea Park, comme sculpture appropriée à l'époque actuelle, un canon d'Oerlikon. Car Finlay n'accepte pas que le domaine esthétique soit limité par des frontières : tout appartient à la culture, même la peinture de camouflage des véhicules de guerre, telle qu'elle était déjà réalisée par les avant-gardistes pendant la Première Guerre mondiale. Pour Finlay, ce camouflage est un art qui sauve des vies. Et, d'autre part : « Peindre un tank, c'est ce que Shenston appelle : ajouter "l'aimable à la sévérité" ; les flûtes aux tambours. » Les couleurs de camouflage des panzers allemands de 1943 correspondent à la palette du tableau de Poussin *Les Funérailles de Phocion* : jaune foncé, vert olive, brun-rouge. Par là, elles sont classiques.

Peut-on penser ainsi, intégrer de tels paradoxes ? Pour Finlay, autodidacte et humaniste tardif — et cela vaut aussi, rétrospectivement, pour Dix — la guerre relève de la catégorie du sublime, qui comporte toujours une terreur glacée. Des théoriciens de l'architecture comme Paul Virilio ont pu reconnaître dans les bunkers du mur de l'Atlantique la puissance de constructions archaïques. Vite contournés ou survolés, ces blocs de béton figés n'ont pu contenir l'offensive alliée. En revanche, ils ont imprégné la mémoire collective. Pourquoi, à la différence de 1914-1918 — souvenons-nous ici des exemples britanniques, de Wyndham Lewis, de Paul Nash, surtout des peintures murales de la Sandham Memorial Chapel à Burghclere (1932), de Stanley Spencer —, n'y a-t-il pas eu de peinture convaincante sur la Seconde Guerre mondiale ? La raison se trouve peut-être dans la critique que l'historien Marc Bloch, à l'époque officier de réserve français, adresse en mai 1940 à la stratégie militaire de son pays dans son livre *L'Étrange Défaite* :

> « Les Allemands ont fait une guerre d'aujourd'hui, sous le signe de la vitesse. Nous n'avons pas seulement tenté de faire, pour notre part, une guerre de la veille ou de l'avant-veille. Au moment même où nous voyions les Allemands mener la leur, nous n'avons pas su ou pas voulu en comprendre le rythme, accordé aux vibrations accélérées d'une ère nouvelle. Si bien, qu'au vrai, ce furent deux adversaires appartenant chacun à un âge différent de l'humanité qui se heurtèrent sur nos champs de bataille. Nous avons en somme renouvelé les combats, familiers à notre histoire coloniale, de la sagaie contre le fusil. Mais c'est nous, cette fois, qui jouions les primitifs[4]. »

Pouvoir des images, images du pouvoir

Pour venir à bout de l'ubiquité, de la vitesse et de l'invisibilité partielle de la guerre moderne de mouvement, la peinture statique ne convient plus : il faut l'allégresse du mouvement, la technique du montage cinématographique.

Les images avaient déjà servi à attiser l'incendie mondial. C'est justement une caractéristique du style dynamique — ou fallacieusement dynamique — des dictatures que de se servir du média cinématographique et de ses possibilités de persuasion pédagogique. Que celui-ci puisse générer des œuvres d'art à caractère ambigu relève des phénomènes marginaux dont notre étude abonde. *Triumph des Willens* (« Le Triomphe de la volonté »), de Leni Riefenstahl, passe aux yeux des cinéphiles pour le meilleur des films de propagande. Monté avec raffinement et présentant une incroyable richesse d'invention optique, *Les Dieux du stade (I. Fête du peuple ; II. Fête de la beauté),* son documentaire sur les Jeux olympiques de l'été 1936, qui se déroulèrent à Berlin et dans la baie de Kiel, fut accueilli dans les années soixante, lorsque le cinéma se proclama un art, comme l'un des dix meilleurs films du monde.

Pourtant, est-il possible de vivre dans l'œil du cyclone sans en reconnaître le danger ? L'artiste peut-il travailler sur commande pour la gloire du pouvoir en place en ne s'intéressant qu'à sa propre création, sans en percevoir les contenus, le message emphatique ? La question se pose en ce qui concerne Leni Riefenstahl, qui, considérée comme la propagandiste officielle du IIIe Reich, voudrait que ses films soient reconnus exclusivement comme des œuvres d'art. Ray Müller a consacré à la cinéaste un documen-taire de trois heures, diffusé par Arte en 1992, à l'occasion du quatre-vingt-dixième anniversaire de l'artiste. Quand ce film est passé trois ans plus tard sur les écrans parisiens, les débats se sont à nouveau enflammés.

Le titre *Die Macht der Bilder* (« La Force des images »), avec l'interversion qui s'impose (Les images de la force), expose la problématique. Et il est ici d'une importance secondaire de savoir dans quelle mesure Leni Riefenstahl aurait, dans sa carrière d'actrice, montré ses sympathies pour le national-socialisme, et de connaître ses relations avec les hauts dignitaires du régime nazi — en premier lieu, avec Adolf Hitler, qui avait été enthousiasmé par son film de montagne *La Lumière bleue* (1932). La fulgurante ascension de la danseuse de plein air, devenue une ambitieuse réalisatrice grâce à ses périlleux tournages en montagne — *Sturm über dem Mont-Blanc* (« Tempête sur le Mont-Blanc ») et *Der heilige Berg* (« La Montagne sacrée ») —, correspond à l'image que l'on se fait de la carrière d'une très grande travailleuse. Mais le perfectionnisme et l'ambition esthétique de Riefenstahl vont bien au-delà. Il semble significatif que, pendant la radicalisation de la politique nationale-socialiste — la prise de pouvoir, les autodafés de livres, la Nuit de cristal —, elle s'en soit tenue à tourner en haute montagne ou qu'elle se soit enterrée dans les studios, ou bien encore qu'elle soit partie en tournée. D'un point de vue psychanalytique, quoi qu'il en soit, ce sont là des situations de déni et d'occultation.

Malgré une indéniable fixation sur la personne du « Führer », cette femme prétend ne vouloir exister que pour son art, et rien d'autre. Quand il est question de Goebbels, en qui elle voit surtout quelqu'un qui la dérangeait dans son travail, l'artiste-née à la vitalité inébranlable prend simplement un air irrité. Les réunions mentionnées dans le *Journal* de Goebbels, les visites au domicile du ministre de la Propagande et de l'Information du Reich, elle ne s'en souvient pas. Elle ne veut pas un seul instant être nommée en relation avec la propagande du Reich. Si l'on suit la logique de Leni Riefenstahl, le régime nazi lui a simplement fourni des conditions matérielles : costumes, fanfares, harangues. Grâce à tout ceci, elle a façonné une œuvre plastique, par le rythme, les montages, la dramaturgie de la lumière, les perspectives en plongée et en contre-plongée. Pour elle, l'assemblée du Parti de 1934, sur laquelle repose son film *Triumph des Willens* (« Triomphe de la volonté »), n'a été qu'une mise en scène plutôt banale se limitant à deux thèmes : la masse, et l'individu unique (Hitler). Elle revendique le fait d'avoir filmé et monté seule un film en noir et blanc. Cette œuvre, d'ailleurs impressionnante, ne comporte aucun commentaire : rien d'autre que la musique originale. Fascinée par le décor formé par les masses humaines et les constellations de corps, Riefenstahl mise exclusivement sur la force des images. Et là est le problème. Car celles-ci ne sont, pour reprendre les mots d'Adorno, ni « innocentes » ni « neutres ». Elles diffusent un appel, dont la cinéaste se fait, *nolens volens,* la propagatrice.

Leni Riefenstahl ne pouvait pas ne pas connaître la puissance de telles séquences. D'autant plus que sa référence expresse est Serge Eisenstein, qui servit, en artiste de la cinématographie et en humaniste, les idéaux originels de la Révolution rouge. Ses images, connues à Berlin, tout comme celles de Poudovkine, constituent, avec Auguste Rodin, Giovanni Segantini (pour la peinture des montagnes), les impressionnistes français et les expressionnistes allemands, le fonds iconographique de référence de la cinéaste, qui, rétrospectivement, se déclare déçue par les expositions d'art « allemand » de Munich. Inspirée par les mises en scène de Max Reinhard, elle offre, en se servant de plusieurs caméras disposées aux angles extrêmes, un spectacle total de lumière, de mouvements chorégraphiques circulaires et de musique militaire, avec des extraits de discours qui oscillent entre vague sonore et paroles. Susan Sontag a reproché au culte du corps masculin viril de Riefenstahl son caractère fasciste, surtout dans son film sur les Jeux olympiques. La cinéaste réfute cette observation en arguant des anatomies musclées de la sculpture grecque, tout aussi athlétiques. Toutefois, ses prises de vues des luttes des Noubas — des danseurs et combattants africains — parlent en faveur de la thèse de Sontag.

Il s'agit, au fond, de la séduction des images, et du pouvoir que l'on a sur elles. Avoir la possibilité d'en disposer sur une grande échelle, ce dont rêve maint artiste aspirant à la célébrité, fut peut-être le point décisif pour Riefenstahl. Dans ses interviews, elle s'efforce d'éluder le champ sémantique de l'euphorie. Mais c'est précisément cette attitude qui a permis des réalisations dont l'impact est comparable à celles des fusées de Wernher von Braun et de la fission nucléaire de Jacob Robert Oppenheimer, utilisées à des fins militaires et prétendument indépendantes du contexte politique. En tant que metteur en scène, Leni Riefenstahl veut considérer ses films d'un point de vue purement esthétique. Cela voudrait dire que l'artiste, enivré par les images et par leur efficacité, n'est pas responsable de leur utilisation et de l'usage abusif qui peut en être fait. Et la cinéaste objecte qu'elle a cru, comme tant d'autres, au début, aux mesures sociales — l'embauche — et aux solennelles proclamations de paix des dirigeants nazis.

En ignorant ou en peignant avec de belles couleurs les aspects brutaux du IIIe Reich, elle représente à merveille le point de vue de « l'art pour l'art », avec ses films abondamment truffés de propagande.

Que l'on pense à l'aboutissement cynique de cette attitude. Si la qualité des images prime indépendamment de leur contenu, alors les prises de vues du camp d'extermination de Dachau libéré, qui horrifiaient Leni Riefenstahl — les amoncellements de morts, et le moment où le bulldozer pousse dans la fosse ces cadavres de peaux, d'os et de sexes obscènes en leur conférant une nouvelle vie macabre —, peuvent être reconnues pour leur esthétique fascinante. Peu d'images sont aussi proches des danses macabres du Moyen Âge tardif et des représentations du Jugement dernier par Michel-Ange ou Luca Signorelli, et elles les dépassent même en beauté horrible. Le « Triomphe de la mort », certes... à cela près que la réalité n'est pas une allégorie.

Traduit de l'allemand par

Marc Payen

1. Catalogue de l'exposition *Vienne 1880-1938. L'Apocalypse joyeuse*, Paris, Éditions du Centre Pompidou, 1986, p. 711.
2. Olivier Messiaen, *Quatuor pour la fin du temps*, Éd. Durand, p. 1.
3. *Ibid.*, p. 2.
4. Marc Bloch, *L'Étrange Défaite*, Paris, A. Colin, 1957, pp. 62-63.

« Dans ma patrie, je suis contraint de me sentir comme un émigré »

Ernst Barlach

Werner Hofmann

La Première Guerre mondiale fut — aussi — une guerre entre les différentes visions du monde *(Weltanschauungen)*. La mobilisation spirituelle inventa tout un arsenal d'armes pour mener, sur le plan de la rhétorique, la controverse opposant la culture à la civilisation. Et même des esprits avisés se trouvèrent mêlés à ces disputes. Dans une lettre du 29 janvier 1915, Max Liebermann considère que l'artiste sort du ghetto national dans lequel la propagande de guerre veut le confiner, car il croit fermement que « les artistes ne se sont jamais préoccupés de postes-frontières, mais ont appris là où ils pensaient le mieux apprendre[1] ». Et, d'ailleurs, le créateur cosmopolite prend sous sa protection le savoir-faire et le métier du peintre, qu'il défend contre la barbarie des expressionnistes : « Il est particulièrement nécessaire de le dire aujourd'hui, où tout un chacun croit peindre "allemand" parce qu'il ne sait pas peindre. » Visiblement, Liebermann se souvient ici de son conflit avec Nolde : en tant que président du groupe, il avait fait exclure celui-ci de la Sécession de Berlin en 1910, avec cet argument : « Si ce tableau [l'œuvre de Nolde intitulée *Pentecôte*] est exposé, je démissionne[2]. » Vingt ans plus tard, la terreur politique et la persécution succédaient à cette polémique. Le 2 mai 1933, trois mois après la prise de pouvoir par Hitler, Liebermann quitta l'Académie prussienne des arts et en refusa la présidence d'honneur. En revanche, Nolde (qui était membre du parti nazi) voulut, dès cette époque, faire reconnaître son art, foncièrement allemand et patriote, par les nouveaux détenteurs du pouvoir. En vain : son imagination passa pour malade. Une interdiction de peindre lui fut signifiée, et mille cinquante-deux (!) de ses œuvres furent retirées des musées au cours de l'action contre l'« art dégénéré ». Ainsi les deux adversaires se retrouvèrent-ils ensemble parmi les victimes : quand, en juin 1939, la galerie Fischer, à Lucerne, mit à l'encan des œuvres saisies sous la dénomination neutre de « tableaux et sculptures de maîtres modernes des musées allemands », les noms de Liebermann et de Nolde figuraient parmi trois douzaines d'autres sur la couverture du catalogue de la vente aux enchères.

Interdiction d'enseigner, interdiction d'exposer, interdiction de vendre et interdiction de peindre : ces mesures sèchement administratives constituèrent le froid instrument du « nettoyage du temple de l'art » (c'était le titre d'un tissu d'invectives, dû à un scribouillard, qui fut largement diffusé en 1938). Cette mission fut assignée aux « chargés des affaires artistiques » du Parti et du gouvernement. Derrière cette formule se cachent la haine et le mépris, sentiments dont l'histoire remonte très loin, car ils sont liés à une peur ancestrale des Allemands : la xénocratie intellectuelle, chevillée à la quête d'une authentique autonomie. Dès la réforme de Luther, l'affect « anti-Rome » joua un rôle non négligeable : la simplicité et l'honnêteté allemandes furent opposées au pompeux apparat guelfe, qui, plaqué sur la parole de Dieu, la dénaturait. À cette époque commence le « cheminement allemand solitaire » qui allait inquiéter mais également fasciner le continent. Luther compensa le schisme de l'Église en libérant les croyants de la hiérarchie des institutions et en annonçant que la charge de prêtre était accessible à chacun : « Tous les chrétiens sont, en vérité, de rang spirituel, tous initiés à la prêtrise par le baptême » (message dans lequel la conception de l'artiste énoncée par Beuys s'annonçait déjà !). De là le symptôme de pensée totalisante qui caractérise les grands maîtres de la pensée et de la création allemandes. Goethe y a également contribué, tout d'abord dans son hymne à la cathédrale de Strasbourg (*De l'architecture allemande,* 1773), puis avec la « morphologie » de sa « plante originelle » (*Métamorphose des plantes,* 1790) et, finalement, par quelques remarques sur l'emploi du mot « composition ». C'était, à ses yeux, comme il le confia le 20 juin 1831 à Eckermann, « un mot tout à fait abject, que nous devons aux Français [...]. Comment peut-on dire que Mozart aurait *composé* son Don Juan ! ». On pourrait parler ainsi d'un gâteau mais pas d'une création de l'esprit, que Goethe définit ainsi : « le détail comme la totalité imprégnés d'un seul esprit, d'une seule coulée, du souffle d'une seule vie : celui qui crée n'essaie pas le moins du monde de morceler ou de procéder arbitrairement, il est dominé par l'esprit démoniaque de son génie, de sorte qu'il doit exécuter ce que celui-ci lui ordonne[3] ». C'est de ces principes, entre autres, que le jugement artistique allait tirer ses critères d'évaluation : ici, le tout organiquement développé, là, le produit composé. Ici, la « nécessité intérieure » — une expression que l'on aimait depuis le Sturm und Drang —, là, le calcul et l'arbitraire.

En poussant cette tension jusqu'au bout de façon dialectique, on en arriva à distinguer deux catégories — d'un côté, l'« art véritable » et, de l'autre, le « bousillage artistique » —, qui furent projetées sur la doctrine raciale. Le « bousillage » ne pouvant être allemand, il devait être classé avec l'« esprit malfaisant » juif, qui ne connaissait qu'un but : la « désagrégation de l'homme allemand ». Rappelons en passant que l'écrivain juif Max Nordau avait été le premier, en 1892, à employer le terme regrettable de « dégénéré » comme formule critique de la culture, dans sa dénonciation des « mensonges conventionnels de l'humanité cultivée[4] ». L'« art véritable » contre le « bousillage artistique » : ce schéma ne fut pas inventé en 1933. À cette époque, il fut simplement élevé au rang de critère officiel. Et d'ailleurs, il fallut quelque temps avant que le front idéologique ne se dessinât. Tout d'abord, des étudiants qui se considéraient comme les dépositaires de la révolution nationale-socialiste revendiquèrent comme spécifiquement allemandes les œuvres des peintres expressionnistes des groupes Die Brücke et Der Blaue Reiter : ils les montrèrent dans des expositions — bientôt interdites —, avec le dessein de fonder sur elles une tradition nordique. Leur combat, dirigé aussi bien contre l'académisme que contre le « nouveau bien-être » *(neue Gemütlichkeit)*, visait à « la révolution nationale-socialiste totale ». Certains historiens de l'art voulaient convaincre le Parti d'opérer une ouverture de l'horizon vers le « nouveau bien-être ». « La volonté politique de renouvellement ne s'est pas alliée à la volonté artistique, mais la combat », se plaignait Hans Weigert dans son livre *L'Art d'aujourd'hui comme miroir du temps*. Cependant, « la révolution n'a encore absolument pas été représentée dans l'art [...], elle a seulement ouvert la voie à ce qui devait venir. » Par ces mots, Weigert espérait pouvoir défendre les expressionnistes et le Bauhaus en faisant d'eux les prémices d'un nouvel art. Il se fondait habilement sur les réalisations architecturales du fascisme italien, dans lesquelles il voyait la continuité de l'action du Bauhaus, et il étayait ces réflexions par des citations de Trotski et de Rathenau, de Liebermann et de Loos. Mais, très haut au-dessus de toutes ces autorités, régnait la croyance en la mission d'Hitler, à laquelle le vœu pieux de l'auteur attribuait cette exigence : « Chaque peuple doit fournir à sa façon sa propre contribution à la représentation multiforme que l'humanité fait d'elle-même. » *E pluribus unum* : le vieil idéal classique de la multiplicité dans l'unité !
Aloïs Schardt nourrissait les mêmes espoirs lorsqu'il inaugura la politique de son musée[5]. Nommé en 1933, il était le nouveau directeur intérimaire du Kronprinzenpalais, où la Berliner Nationalgalerie présentait sa collection internationale d'œuvres du XXe siècle. Schardt jouait, bien sûr, un jeu dangereux en découvrant partout, sauf dans les régions sublimes de l'expression réservée au germanique — l'extatique et le prophétique —, le syndrome de la xénocratie intellectuelle. Cette fuite en arrière vers l'aube germanique fut un échec. Quand Schardt inaugura en 1936 une exposition Franz Marc (ce peintre, volontaire pendant la Première Guerre mondiale, était tombé à Verdun en 1916), il fut incarcéré par la Gestapo. Libéré, il put émigrer aux États-Unis, où nombre d'historiens et de directeurs de musées allemands trouvèrent refuge. À la même époque, Kandinsky, en exil à Paris, écrivait au sujet de son ami Franz Marc que son art jaillissait d'une « source germanique » et exprimait l'« âme allemande », mais également l'humanité universelle[6].
La tentative de légitimer l'art allemand « moderne » par la révolution du national-socialisme (et, réciproquement, d'apporter au changement politique le soutien d'une « aristocratie de l'art » qui cautionnerait celui-ci et lui donnerait ses lettres de noblesse) fut très vite entravée par Hitler et Rosenberg. Le 7 juillet 1933, Hitler déclara que la révolution était finie. Peu après, Rosenberg déclara qu'il n'était pas opportun de « transférer dans les beaux-arts ce qui avait marqué le combat politique ». On s'efforçait de tranquilliser le citoyen. Celui-ci ne devait plus évaluer le nouveau régime à l'aune de la République de Weimar ; il était censé lui reconnaître une impulsion résolument positive et constructive. L'art devait, lui aussi, se mettre au service de ce devoir national — par opposition au « bousillage artistique », qui œuvrait à la désagrégation de l'homme et de ses valeurs et projetait sa propre « dégénérescence » sur l'image de l'homme. Cette image ne pouvait être reconstruite que dans sa « pureté raciale » et sa « grandeur héroïque ».
Sur cette idéologie pesa en outre la conviction fanatique qu'il fallait prendre la mesure d'Hitler avec des critères artistiques. Ainsi son action politique fut-elle élevée au niveau d'une œuvre d'art exemplaire, et littéralement sacralisée. Ses thuriféraires croyaient pouvoir mettre à profit cette *hybris*. Lorsque, peu après la prise du pouvoir, Furtwängler écrivit à Goebbels une lettre où il disait se reconnaître dans le combat contre « l'esprit destructif dépourvu de racines, qui aplatit et désagrège tout », et également craindre qu'il ne faille plus permettre à des personnalités comme Bruno Walter, Otto Klemperer et Max Reinhardt de prendre la parole, le ministre de la Propagande le rassura : « La politique aussi est un art, peut-être le plus élevé et le plus vaste qui soit, et nous qui organisons la politique allemande moderne, nous nous sentons comme des artistes à

Wols,
Tous prisonniers,
1939-1940.
Collection
particulière,
Paris.

qui est confiée la mission, lourde de responsabilités, de former à partir de la substance grossière de la masse l'organisme ferme et constitué du peuple[7]. » Le nouvel État vu comme une méga-œuvre d'art englobant tous les citoyens et toutes les œuvres d'art individuelles : c'était bien la forme la plus extrême de la totalité absolue.

L'intransigeance des débats de l'arène politique se reflète dans la façon dont les « modernes » se combattaient entre eux. En 1920, Grosz se moquait de l'art moderne bourgeois avec des arguments qui anticipaient Hitler : « Plus la personnalité est "géniale", plus le profit est grand. Comment l'artiste s'élève-t-il aujourd'hui dans la bourgeoisie ? Par le bluff ! » D'où ce jugement apodictique : « L'agitation autour de l'ego est totalement futile. » Grosz lui oppose une nouvelle « grande tâche » : « l'art à thèse, au service de la cause révolutionnaire[8] ». Quand Hitler inaugura en 1938 la nouvelle Maison de l'art allemand, à Munich, il s'en prit aux « prétendues œuvres d'art » qui « ont besoin d'un mode d'emploi boursouflé pour justifier leur existence[9] ».
En 1920 eurent lieu à Dresde des combats de rue au cours desquels un tableau de Rubens de la Gemäldegalerie fut atteint par une balle. Oskar Kokoschka, alors professeur à l'Académie des arts, adressa aux habitants de la ville un appel dans lequel il proposait que les combats se déroulent à la campagne — ce qui lui valut d'être traité de « crapule artistique » et de « putain artistique » par Grosz et par John Heartfield[10]. Quelques décennies plus tard, les adversaires de 1920 se retrouvèrent dans le même bateau : celui des « dégénérés ». Après la Seconde Guerre mondiale, Grosz, exilé à New York, reprit la polémique contre le moderne bourgeois (sa *bête noire** était alors Pollock). Il se sentait incompris : « Nous, qui avons malheureusement encore certaines traditions [...] en nous, sombrons en un clin d'œil dans l'état de peintres bourgeois[11]. » Cela le rapprocha de Kokoschka, qui, en 1954, réglait ses comptes avec l'art sans objet et rendait l'« hystérie de l'usine de l'art » et l'« enseignement formel de l'art » aux États-Unis responsables de la monotonie picturale[12]. Ce chaos désincarné devait être dépassé par son « école du voir ». À sa façon, Kokoschka aspirait lui aussi à une nouvelle totalité.

Pour esquisser ces tensions politico-artistiques et ces conflits, nous avons choisi des épisodes tapageurs, qui, par éclairs, jettent une lumière sur l'inquiétude spirituelle de ces décennies. On ne peut juger de cette époque ou en faire une critique en conservant une distance académique. En Allemagne, l'histoire de l'art de cette période se présente non pas comme un simple courant de mouvements et de « styles », mais comme une suite d'éruptions qui furent autant d'épreuves pour la quête de l'identité allemande. Chacun, à sa façon, se trouvait *face à l'histoire**, et l'histoire elle-même comportait des vérités contradictoires, qui, après la victoire sur Hitler, réapparurent dans une polémique : l'Ouest démocratique proclama la liberté de la création subjective et, par là, l'autonomie artistique, tandis qu'à l'Est l'artiste dut se plier aux contraintes de l'art à thèse. Des deux côtés de cette ligne de démarcation renforcée par la guerre froide resurgissaient les constantes qui, sous la dictature hitlérienne, caractérisaient déjà l'art de la clandestinité et de l'émigration.
Il y eut pendant cette période les peintres et les sculpteurs de l'« émigration intérieure », dont les diverses formes d'art partageaient une même façon de voir et de penser, à savoir une opposition tacite et éminemment libre vis-à-vis des idéologies. Ceux qui s'isolaient ainsi avaient, en règle générale, perdu leur poste d'enseignant et étaient frappés d'interdiction d'exposer, autrement dit d'interdiction de peindre. Ils se sentaient surveillés — raison suffisante pour s'abstenir d'un engagement politico-artistique. Cette attitude de réserve concernait aussi bien les expressionnistes de la première heure — les peintres du groupe Die Brücke (excepté Ernst Ludwig Kirchner, qui, depuis 1917, vivait en Suisse, où, désespéré par les événements d'Allemagne, il se suicida en 1938) — que les tenants de la Nouvelle Objectivité (Georg Schrimpf) ou des expériences « métamorphiques » de Willi Baumeister. Pour beaucoup des plus anciens, l'interdiction d'exposer équivalait à une disparition de la scène artistique : ils peignaient, en quelque sorte, leurs « œuvres posthumes » de leur vivant (c'est ainsi que Robert Musil dénomma en 1936 un recueil de ses textes). À la différence du noyau autochtone des modernes allemands, les maîtres du Bauhaus, dont la vocation était

internationale, partirent (à l'exception d'Oskar Schlemmer) dans les démocraties occidentales, qui avaient déjà montré leur force d'attraction dans les années vingt. En 1920, Max Ernst avait rejoint les surréalistes parisiens, qu'il fascina par ses collages. Wols (Wolfgang Schulze) le suivit en 1932, puis Hans Bellmer en 1938. Hans Hartung fit la navette entre Minorque et Paris avant de s'engager en 1939, *face à l'histoire**, dans la Légion étrangère, où il combattit pour la libération de la France. Sa peinture ne porte pas trace de cet engagement, même si, dans son refus de reconnaître les « règles inhumaines de l'art abstrait dictées par les constructivistes* », on discerne[13] comme une profession de foi existentialiste en la décision libre et spontanée — et donc, en dernière analyse, un credo politique.
Max Ernst vécut à plusieurs reprises en 1939, puis en 1940, dans l'amère surréalité d'un camp d'internement français. Avec des centaines d'émigrants d'Europe centrale, il échoua dans un système administratif qui ne voulait connaître qu'une sorte d'Allemand, et devint ainsi aux yeux d'André François-Poncet « complice des nazis » dans le « combat des Boches contre les Allemands[14] ». Dans le dialogue de deux limes à ongles, Max Ernst évoque avec l'humour noir qui lui est propre le sort fragile des *Apatrides*. Ses grands paysages de désastre, peints pendant l'exil américain (par exemple, les deux versions de *L'Europe après la pluie,* 1933 et 1940-1942) ajoutent à la poésie du « *Waste Land* » de T. S. Eliot les accents de désespoir que lui inspire l'autodestruction du Vieux Continent. Le recours, dans cette œuvre, à la technique de la décalcomanie correspond, selon John Russell, au « mot d'ordre du moment », et représente une tentative pour « donner un sens à une situation dramatique mais dépourvue de sens[15] ».
Wols fut également interné pendant des mois. Par la force de son imagination, il peupla l'*univers concentrationnaire** de créatures délicatement stylisées, en qui la réalité de la vie du camp semble se dématérialiser. Comme les traits d'un toxicomane, les déformations des lignes portent les marques de la destruction et de la déchéance.
Ces confessions subtiles sont des *réactions* personnelles à l'expansion de la puissance hitlérienne, au contraire des *actions* qui prennent forme, à la même époque, chez des artistes engagés à gauche : destinées au grand public, elles se devaient de démasquer le régime aux yeux du monde entier. De Prague et de Paris, John Heartfield envoya ses photomontages de combat. Comme il visait juste et mettait à nu le noyau du régime — un mélange d'hypocrisie, de cynisme et de brutalité —, il conféra au journalisme des images la hauteur d'expression de la satire classique. Quant à Heinrich Vogeler-Worpswede, il comptait en 1900 parmi les « rêveurs sentimentaux » du Jugendstil nord-allemand. Il devint ensuite un « combattant altruiste pour la cause des opprimés et des exploités ». À Moscou, où il s'était installé une première fois en 1923, il avait développé une sorte de peinture de propagande — le « tableau d'agitation » —, dans laquelle plusieurs

Hans Bellmer, *Max Ernst en briques,* 1941. Collection Landeau.

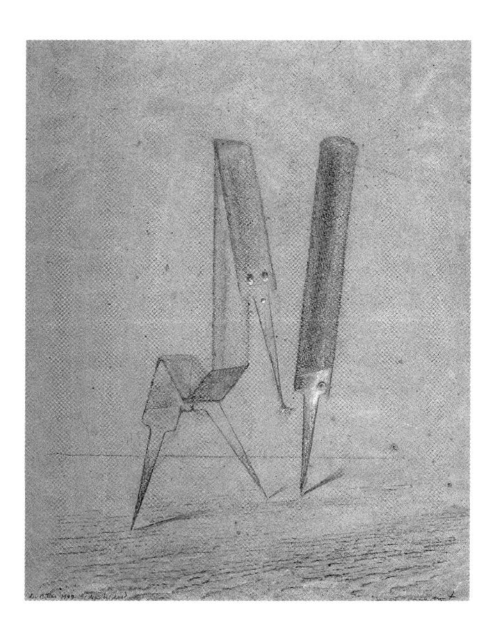

Max Ernst, *Apatrides,* 1939. Graphische Sammlung, Staatsgalerie, Stuttgart.

actions simultanées et des évocations inspirées des icônes célébraient le progrès socialiste et l'homme nouveau.
Après avoir été plusieurs fois incarcérée par la Gestapo, Lea Grundig réussit en 1939 à quitter l'Allemagne. Elle partit en Palestine, et revint en 1949 en RDA. Les titres de ses séries d'eaux-fortes, qui allaient en partie être publiées après la guerre, reflètent le programme politique et humaniste d'une femme témoin de son temps, alliant à l'analyse un caractère prémonitoire à valeur d'avertissement : *Der Jude ist schuld* (« C'est la faute du Juif », 1935), *Unterm Hakenkreuz* (« Sous la croix gammée », 1936), *Der Krieg droht* (« La guerre menace », 1936), *Niemals wieder* (« *Jamais plus* », 1945).

Je me concentrerai pour finir sur quatre peintres — Dix, Beckmann, Nussbaum et Kokoschka — qui ne se laissent classer dans aucun groupe, aucune profession de foi collective. Chacun d'entre eux a apporté une contribution exemplaire aux trois genres de peintures — de dérision, d'exhortation et d'accusation — entre lesquels se répartit la protestation contre Hitler et son régime. Dans ces trois catégories, qui se recoupent fréquemment, nous trouvons souvent des réponses à la question posée par les historiens d'art : que peut encore dire la peinture figurative en ce siècle, et quels contenus lui sont inhérents ?
Pendant que Grosz caricaturait sans relâche, en le disséquant, le « visage de la classe dominante[16] », Dix se tourna vers les victimes de cette dernière — épaves et infirmes démolis par la guerre —, dans les difformités desquelles il décelait, bien sûr, la joie perverse du pouvoir. En 1933, il perdit son poste de professeur à Dresde et se réfugia dans un lieu retiré, près du lac de Constance. Le peintre des grimaces grotesques et de la satire sociale se transforma en anodin paysagiste des sites germaniques. En même temps, il commença à imiter les maîtres de l'époque de Dürer, sans perdre de vue son époque. *Loth und seine Töchter* (« Loth et ses filles », 1939) se réjouissent à la lueur de la lointaine ville de Dresde en flammes — six ans avant qu'elle ne soit effectivement détruite par un bombardement, en février 1945. En moraliste qui exhorte, Dix peignit dès 1933 *Die Sieben Todsünden* (« Les Sept Péchés capitaux »), une mascarade amère où figure un personnage malingre et grotesque qui louche : Hitler, symbole de l'Envie. Élevant la farce au niveau du sublime, il inscrivit en marge ces paroles du Zarathoustra de Nietzsche : « Le désert croît, malheur à qui recèle des déserts. »
Masques et mascarades sont des métaphores de la dissimulation ou du camouflage, qui feint une fausse identité. Si, de *La Nef des fous* de Jérôme Bosch au *Caprice 6* de Goya *(El mundo es mascara)*, ce jeu de cache-cache a les traits d'un « monde à l'envers » de comédie, dans les années du règne de la Gestapo il devient un moyen de fuite et de survie précaire. C'est dans ce sens que Beckmann, Nussbaum et Hofer (*Höllenfahrt*, « Descente aux enfers ») utilisent la mascarade : sa polysémie est censée assurer une protection.
Dans *Departure* (« Départ »), le premier des dix triptyques de Beckmann (1923-1933), on rencontre plusieurs niveaux de signification. Pour induire les autorités en erreur, le peintre fixa sur les toiles des étiquettes comportant des indications scéniques provenant des pièces de Shakespeare. Dans une lettre du 11 février 1938, il fait brièvement allusion au « départ de l'apparence trompeuse de la vie vers les choses essentielles qui se cachent derrière les apparences[17] ». Cependant, ces « choses essentielles » apparaissent de façon codée. Beckmann masque son départ personnel dans la parabole du tableau central du triptyque. Le roi et la reine pilotent un bateau avec leur grand trésor, l'enfant « Liberté », et partent vers un nouveau commencement incertain, explique-t-il dans une lettre adressée à Lilly von Schnitzler ; ils sont entourés de tortures rituelles qui rendent les humains aveugles, sourds et muets. Mais ce « départ » hors du Pandémonium réussira-t-il ? La question reste ouverte. En réalité, Beckmann vécut à Amsterdam dans une ambivalence exemplaire : hors du sol allemand, mais sur le qui-vive, au milieu des forces d'occupation, à la fois exilé et prisonnier. Ce double aspect apparaît souvent dans les thèmes de ses tableaux.
Chez Felix Nussbaum, l'existence est plus étroitement et plus tragiquement rivée à sa maîtrise artistique, et l'accusation est davantage pénétrée de deuil et de plainte[18]. Cette « attente » désemparée, que Richard Oelze projette en 1935 sur un groupe de personnages anonymes, est présente et visible tous les jours pour Nussbaum depuis qu'il a fui l'internement français et s'est réfugié à Bruxelles avec son épouse. Dénoncés, ils sont poussés tous deux, le 31 juillet 1944, dans le dernier train de déportation vers Auschwitz. Le tableau *Saint-Cyprien* est ultime terminus et *fin de partie**. On a parlé de la Cène, mais où serait la référence sacramentelle ? Le thème renvoie plutôt au dessin de Kaulbach *Das Narrenhaus* (« La Maison de fous », 1834), dont l'autisme clinique est devenu, chez Nussbaum, un collectif conscient de son isolement, qu'il porte comme un stigmate.
L'« objectivité », d'où provient le langage formel du peintre, tourne à l'immobilisme.

Lea Grundig, *Deutschland 1936. Unterm Hakenkreuz* [Allemagne 1936. Sous la croix gammée], 1936. Ladengalerie, Berlin.

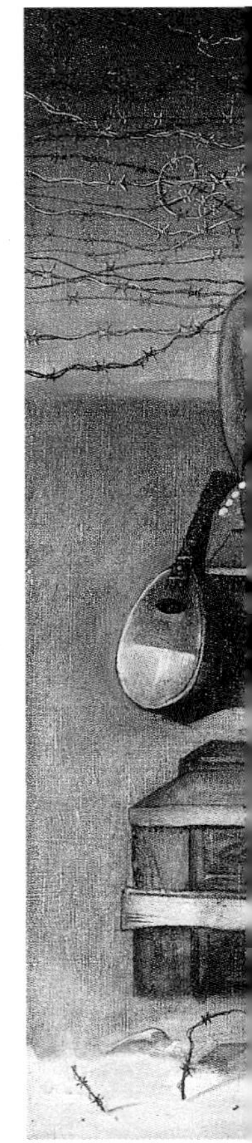

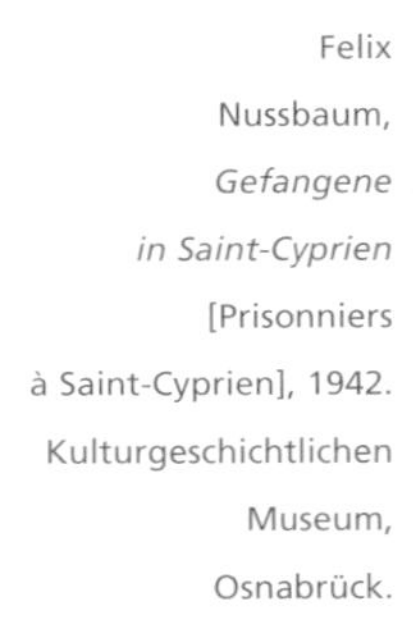

Felix Nussbaum, *Gefangene in Saint-Cyprien* [Prisonniers à Saint-Cyprien], 1942. Kulturgeschichtlichen Museum, Osnabrück.

Dans les derniers tableaux de Nussbaum — *Selbstbildnis mit Judenpaß* (« Autoportrait au passeport juif », 1943), *Die Verdammten* (« Les Damnés », 1944) —, l'existence menacée semble s'épanouir par la volonté de lui donner forme, comme dans le journal intime rédigé à Dresde de 1933 à 1945 par le romaniste juif Victor Klemperer : autre document de la terreur quotidienne, qui témoigne à chaque ligne de la volonté de survivre[19].

Le souffle d'un humanisme combatif anime la protestation de l'Autrichien Kokoschka, qui dénonce à la ronde chaque injustice. Son art se veut appel : pour les enfants basques menacés par la guerre civile espagnole, contre l'Anschluss (qu'il a fui à Prague, avant de se réfugier à Londres), contre l'hypocrisie du traité de Munich — *Das rote Ei* (« L'Œuf rouge », 1940) — et pour un deuxième front en Europe — *Marianne Maquis* (1942). Ces « tableaux pamphlétaires » sont remplis d'allusions que l'on peut déchiffrer — à la différence des codes obscurs de Beckmann. Le buste de Voltaire donne la clef du pessimisme du tableau *What we are fighting for* (« Ce pourquoi nous combattons », 1943) : derrière les victimes, auxquelles le peintre donne, intuitivement, l'anatomie des déportés des camps de concentration, les magnats de l'industrie de guerre, les rois du capitalisme international et les potentats de l'Église se regroupent. L'ensemble relève à la fois de la dérision, de l'exhortation et de l'accusation.

On a souvent comptabilisé ce que la dictature hitlérienne a fait subir en Allemagne aux institutions, à l'art et aux êtres humains. Il est possible de faire un bilan chiffré des suicides, des déportés, des exilés et des œuvres d'art anéanties. Le dommage moral s'inscrit dans un autre compte : celui de la conscience que l'artiste allemand a de lui-même. En 1937, un an avant sa mort, Ernst Barlach écrivait : « Dans ma patrie, je suis contraint de me sentir comme un émigré. » À l'époque, cette « patrie » était suspecte, et elle l'est restée pour beaucoup de gens.

Traduit de l'allemand par
Marc Payen

* En français dans le texte [N.d.T.].

1. Jenns E. Howoldt, « Max Liebermanns Briefe an Gustav Pauli aus den Jahren 1914 bis 1928 », dans *Im Blickfeld., Jahrbuch der Hamburger Kunsthalle*, 1, 1994, p. 213.
2. Cité par Max Fisher, « Emil Noldes Kämpfe um seine deutsche Kunst », dans *Das deutsche Wort*, NF 3, n° 5, 1935, p. 1.
3. À la catégorie de la Gestalt, Goethe oppose l'art de combiner des thèmes à la manière d'un jeu de cartes – méthode intéressante, mais inférieure, car elle n'atteint pas les sommets de la création artistique. Voir sa lettre à Schiller datée du 23 octobre 1799.
4. Max Nordau publia *Die conventionellen Lügen der Kulturmenschheit* en 1883 (Simon Sülfeld, éd.) ; en 1892-1893 suivaient les deux volumes *Entartung*. D'origine austro-hongroise, Nordau mourut à Paris en 1923.
5. Cf. Hildegard Brenner, *Die Kunstpolitik des Nationalsozialismus*, Rowohlts deutsche Enzyklopädie, 1963, p. 71.
6. *Cahiers d'art*, n° 8-10, 1936.
7. Hildegard Brenner, *op. cit.*, p. 178.
8. George Grosz et Wieland Herzfelde, *Die Kunst ist in Gefahr*, Berlin, 1925, p. 24.
9. Les discours d'Hitler sur l'art allemand actuel et futur sont réunis chez Berthold Hinz, *Die Malerei im deutschen Faschismus. Kunst und Konterrevolution*, Munich, 1974, p. 139.
10. Cf. Roland März et John Heartfield, *Der Schnitt entlang der Zeit*, Dresde, 1981 ; Diether Schmidt, Dresdener Rot, dans *Kokoschka Symposium* (Vienne, 1986), Salzbourg, 1986, p. 203.
11. Cité par Andreas Lepik, « George Grosz et Die Moderne », dans *George Grosz*, cat. d'exposition de la Nationalgalerie, Berlin, 1994-1995, p. 209.
12. Dans *Universitas*, IX, 1954, p. 1297.
13. Hans Hartung, *Autoportrait*; récit recueilli par Monique Lebebvre, Paris, 1976, p. 133.
14. André François-Poncet, cité dans le cat. d'exposition *Entartete Kunst*, Munich, 1962, p. 19.
15. John Russell, *Max Ernst*, Cologne, 1966, p. 119.
16. *Das Gesicht der Herrschenden Klasse*. Cet album, publié en 1921, contient 55 dessins politiques.
17. Cat. d'exposition *Max Beckmann, Die Triptychen im Städel*, Francfort, 1981.
18. Cat. d'exposition *Nussbaum*, Osnabrück, Kulturgeschichtliches Museum, 1990.
19. Victor Klemperer, *Ich will Zeugnis ablegen bis zum letzten*, journal intime, 1933-1945, Berlin, 1995 (2 vol.).

De la construction de l'espace historique dans le photomontage et dans le photoreportage

De la construction de l'espace historique dans le photomontage et dans le photoreportage

Hubertus von Amelunxen

« La réalité est une construction. Il est certain que, pour la restituer, il faut observer la vie. En aucun cas la réalité n'est contenue dans l'observation plus ou moins aléatoire du reportage, elle se trouve uniquement dans la mosaïque constituée par les observations particulières fondées sur la reconnaissance de son contenu. La vie est photographiée par le reportage ; une telle mosaïque pourrait être son image. »

Siegfried Kracauer, *Die Angestellten,* 1929

« In a world bloated with images, we are finally learning that photographs do indeed lie[1]. »

Barbara Kruger, *Remote Control*, 1993

Si, contrairement aux conventions de l'histoire de l'art, on veut définir la nature et la facture de la photographie à partir des supports dans lesquels elle paraît, on peut sans grande peine rapprocher le reportage du photomontage. Ce dernier s'effectue par le biais de la diffusion sémantique de fragments d'images pour constituer une unité syntagmatique. La texture d'un reportage publié dans *Life*, *Regards*, *VU* ou *AIZ*[2] se fait également à travers la diffusion d'images, mais en relation avec des textes formant une narration, une histoire immédiatement tirée de la vie, à lire de gauche à droite, de haut en bas, ou même de façon linéaire. Le montage s'approprie les photographies pour arriver, à travers des images hétérogènes, à un énoncé clair et souvent dialectique. En tant que témoignages historiques, le photoreportage et le photomontage sont des constructions qui fonctionnent avec des éléments de fiction formant une mosaïque, dont le sens et la lecture sont déterminés par leur contexte historique. Le premier, constitué d'images du passé, suppose une présence antérieure du photographe sur les lieux, tandis que le second aborde l'espace historique comme une construction et saisit l'histoire comme allégorie, comme abstraction.

Écrire sur les circonstances politiques et esthétiques du photomontage à une époque où les notions de reproduction et d'original, de sens référentiel et d'authenticité ont acquis, en raison des innovations techniques des médias une dimension tout à fait paradoxale, signifie une volonté d'expliquer le passé à la lumière du présent[3]. « La narration a fait un bond de la page vers l'écran[4]. » Dans un hommage à Heartfield, Sergueï Tretiakov a évoqué en 1936 une « culture du paradoxe[5] ». Le tournant économique et politique de la vie quotidienne, la Première Guerre mondiale, la révolution d'Octobre, les changements de la communication et la locomotion ont déterminé un monde d'images hybrides, certes maîtrisable par des systèmes totalitaires, mais guère compréhensible autrement que par une esthétique analytique. Enfin, le changement des mentalités, la possibilité d'atteindre un public de masse avec le son, l'image et la presse, ont conduit après la révolution d'Octobre à une valorisation de l'idéologie et de l'esthétique de la photographie « politique ». La volonté d'éduquer, de transmettre aux hommes le sens des changements sociaux et techniques, voilà ce que proclament, parfois à l'aide d'arguments politiques contradictoires, les manifestes des années vingt et trente de Moholy-Nagy, Hausmann, Rodchenko, Tretiakov, Roh, Teige et d'autres. C'est ainsi que Hausmann écrivit, en 1932 :

« D'un point de vue dialectique, les périodes révolutionnaires dans l'art, la technique et la sociologie se complètent les unes les autres. Dans ce contexte, une nouvelle optique de la photographie a des répercussions importantes sur la transformation de la conscience sociale [...]. Voir et savoir ce qu'on voit et savoir pourquoi, c'est précisément aujourd'hui l'une des choses les plus importantes, et la reconnaissance de la photographie comme art s'affirme justement maintenant[6]. »

L'époque du fascisme européen dégage le sentiment d'une monopolisation croissante de la visualité (pour reprendre une formule de Serge Daney). La fonction de l'image recule en faveur d'une visualité simplement métaphorique, qui ne tolère

Alexandre Rodchenko, *Défilé sportif sur la place Rouge*, 1936. Archives Rodchenko & Stepanova.

plus guère son unicité. Dans le photoreportage, où les images sont ordonnées de manière sérielle et littéraire, un événement est saisi dans la continuité historique traduite comme lecture/observation dans le temps, le photomontage travaille essentiellement selon la notion de discontinuité. Le photomontage fragmente, disloque. Le photoreportage, par contre, permet d'atteindre chaque lieu dans sa traduction visuelle et formelle. Les montages Dada de Raoul Hausmann, Johannes Baader ou Hannah Höch ont, en commun avec les montages politiques et antifascistes de Heartfield et d'autres, l'idée que pour éclairer une bourgeoisie esthétiquement appauvrie ou un prolétariat menacé politiquement, l'homogénéité de la surface picturale, ou plutôt de sa facture, doit être, d'un point de vue visuel aussi bien que narratif, remise en question. Le refus radical de la représentation canonique des avant-gardes artistiques, allant du futurisme au premier surréalisme, les tentatives élaborées par le constructivisme, jusqu'au Bauhaus, d'établir une nouvelle culture et une nouvelle théorie de l'image, la volonté esthétique et politique de contrer à l'aide du fragment le totalitarisme fasciste : dans tous ces manifestes et tendances se révèlent les *splendeur et misère** des avant-gardes. Dans son livre *Œil et photo,* paru en 1929, Franz Roh fournit la définition la plus ouverte du photomontage :

« [...] cette forme dérivée du futurisme et du dadaïsme a été amenée peu à peu à une pratique épurée et simplifiée. Si les photomontages étaient précédemment des destructions de formes, un tourbillon chaotique de phénomènes dispersés, ils présentent au contraire aujourd'hui le plus souvent une structure systématique, une tenue et un calme presque classiques[7]. »

L'artiste tchèque Karel Teige concevait en 1932 le photomontage, d'une part, comme

« résultat de la période analytique dans la peinture, et, d'autre part, comme résultat de la nécessité de la propagande moderne et de l'agitation politique qui unit le message visuel à celui du mot, la photographie au texte [...]. Le photomontage [en Union soviétique] est la "peinture" de l'ère du machinisme, de la presse rotative et de l'héliogravure ; il est la "peinture" de cette classe sociale qui construit la gigantesque industrie produisant *en masse**[8]. »

Quelles sont les similitudes qui existent entre le photoreportage et le photomontage ? Ils bénéficient tous deux de la reproductibilité technique de l'image, et ainsi de la capacité définie par Walter Benjamin de pouvoir illustrer la vie quotidienne de manière quasi synchrone et d'ouvrir aux masses, grâce à la disponibilité illimitée de l'image, la possibilité de percevoir un monde démystifié. Le photomontage est cependant essentiellement asynchrone, il ne vit pas dans le *référentiel*, mais dans le *différentiel* des images et des médias. Le photoreportage, lui non plus, n'illustre pas de façon synchrone, mais est déterminé par le reportage journalistique qui est orienté dans sa thématique. Le photoreportage, enfin, fait suite à un genre littéraire qui remonte aux prétendus témoignages oculaires, depuis Restif de la Bretonne *(Les Nuits de Paris)* ou Louis Sébastien Mercier *(Tableau de Paris)* jusqu'à Victor Hugo

John Heartfield, *Der Pakt von Venedig* [Le pacte de Venise], 1934. Stiftung Archiv der Akademie der Künste, Berlin.

(Choses vues). Il est lié au passé narratif du réalisme aussi étroitement que le photomontage l'est à la littérature expérimentale du discours littéraire fragmenté de Dos Passos, Döblin, Joyce ou Céline, et au montage cinématographique d'un Vertov ou d'un Eisenstein. Le terme qui s'applique aussi bien au reportage qu'au montage est celui de simultanéité ; que ce soit chez Raoul Hausmann, Johannes Baader ou Blaise Cendrars, le poème simultané, le roman simultané comme l'image simultanée étaient à l'ordre du jour dans les années vingt et trente de notre siècle. En 1931, on put lire ainsi dans *Der Arbeiter-Fotograf,* à propos du photoreportage :

« La photographie a rendu possible de vivre *simultanément* des éléments du réel issus des cinq continents (en même temps). Deux photos : par exemple, une photo des États-Unis et une autre de Somalie mises côte à côte raccourcissent d'un seul coup la distance entre l'Amérique et l'Afrique[9]. »

Dans le photoreportage comme dans le photomontage, il s'agit d'un travail sur l'authenticité lié à la fois au contexte particulier de la publication et à la notion même d'authenticité. Tretiakov compara en 1931 le reportage et le photomontage en ces termes :

« Si la photographie instantanée, découpée au hasard, est comme une très fine pellicule soulevée avec l'ongle de la surface du réel, la série photographique et le photomontage nous révèlent, pour leur part, l'immensité de la réalité et l'authenticité de sa signification[10]. »

La même année fut célébré le dixième anniversaire d'*AIZ*; à cette occasion, Bertolt Brecht écrivit :

« L'incroyable évolution du reportage illustré n'a rien fait gagner à la vérité en ce qui concerne la situation dans le monde. La photographie, aux mains de la bourgeoisie, est devenue une arme redoutable contre la vérité. L'énorme quantité d'images crachées quotidiennement par les presses d'imprimerie et qui prétendent détenir un caractère de vérité, ne servent en réalité qu'à obscurcir l'état des choses. L'appareil photographique est capable de mentir autant que la machine à écrire[11]. »

Même si, à l'origine, les collages de Picasso, comme les « objets trouvés » sortis de leur contexte des surréalistes ou les photomontages soviétiques et d'Europe de l'Ouest des années vingt, ont influencé de manière décisive l'engagement du photomontage des années trente, la transformation politique et paradigmatique de la forme dans le photomontage due à la prise de pouvoir par les nazis en 1933 fut sans doute déterminante[12]. Les théories constructivistes de Rodchenko, El Lissitzky, Tretiakov et autres ont conduit à des discussions, dans *Novy LEF* (1927-1928) et dans *Der Arbeiter-Fotograf* (1926-1932), sur la fonction révélatrice du photomontage, au-delà de sa fonction purement esthétique considérée comme élitiste. À l'occasion d'une rétrospective de son œuvre en 1946, Hannah Höch écrivit :

Nicolás Lekuona, *Sans titre*, 1937. Collection Hermanos Lecuona Nazábal.

John Heartfield, *Faschistische Ruhmesmale* [Monuments à la gloire du fascisme], 1936. Stiftung Archiv der Akademie der Künste, Berlin.

« Après 1933, le photomontage ne fut plus utilisé que dans le reportage illustré, essentiellement à des fins de propagande politique, et ceci sans aucun scrupule. Le photomontage libre, par contre, celui qui inclut la caricature ou même la satire, fut éradiqué; sans parler du montage d'images qui fut victime des idées reçues et considéré comme du bolchevisme culturel[13]. »

Hannah Höch s'appropria en 1930 la photographie d'une prolétaire enceinte que Heartfield avait prise lui-même et utilisée pour un montage dans *AIZ* (n° 10, 1930). Höch coupa l'image sous la poitrine, fragmenta le corps jusqu'au torse, coloria le fond dans des tons clairs marron-rouge et posa sur le visage de la femme un masque africain couvert de métal. Dans cette œuvre intitulée *La Mère*, l'œil droit est caché par le masque, tandis que l'œil gauche, prélevé peut-être sur une publicité, est ajouté. L'œuvre ne fait pas concrètement référence à la réalité prolétaire, mais dénonce l'impuissance de la femme condamnée à la passivité et à la reproduction. Le montage de Heartfield montre la femme regardant la caméra, ses mains jointes avec simplicité sous le ventre accentuant la forme ovale vulnérable de son corps. Cette forme ovulaire est surmontée de l'image du corps d'un jeune soldat tombé à la guerre. On lit en légende : « Fournisseuse forcée de matériel humain. Courage ! L'État a besoin de chômeurs et de soldats ! » Le montage fut publié en mars 1930 dans un numéro consacré à la Journée internationale des femmes. « Il assemble la photographie d'une femme enceinte exténuée à celle d'un cadavre après la bataille, écrivit à l'époque Tretiakov, et fait le portrait du destin terrible d'une ouvrière que le capitalisme a transformée en machine à fabriquer de la chair à canons. »
La différence entre le montage de Hannah Höch, lié à son époque et d'un caractère certes politique mais non agitateur, et celui de John Heartfield, renvoyant à la montée du nazisme, montre clairement le sens de la rupture de 1933, après laquelle on ne tolérera plus que la publication de photomontages à contenu politique clairement antifasciste, comme ceux de Klucis, en Union soviétique, qui font l'apologie de l'ascension du prolé-

riat. John Heartfield dut, en avril 1933, fuir de Berlin à Prague. Il y retrouva la petite équipe de rédaction du journal *AIZ*, fondé par Willi Münzenberg. Le tirage d'*AIZ* atteignait parfois les 500 000 exemplaires. C'était sans doute le journal illustré politique le plus important d'un point de vue formel. Il s'orienta, jusqu'à ses derniers numéros — parus lors de son exil à Prague, et ensuite à Paris (la dernière livraison, publiée sous le titre *Die Volks-Illustrierte* (« Illustré populaire »), est datée du 26 février 1939) —, vers les questions d'esthétique politique et la lutte antifasciste. De tous les photomontages politiques de la période 1933-1945 d'Europe occidentale, aucun n'est comparable à ceux de Heartfield. Ses travaux furent publiés en France, en Angleterre et aux États-Unis. L'exigence énoncée par Walter Benjamin en 1936 selon laquelle il faut agir, avec la photographie et avec le cinéma, contre la politique esthétisante du fascisme, en politisant l'esthétique — proposition qui relance la controverse liée à l'agitation prolétaire contre la bourgeoisie, déjà entamée dans les années vingt dans *LEF*, *Novy LEF* et *Der Arbeiter-Fotograf* —, vaut sans restriction pour le travail antifasciste sur l'image mais aussi, dans une certaine mesure, pour la propagande fasciste. C'est ainsi qu'en 1933 parut dans l'Allemagne nationale-socialiste une copie de *AIZ*, sous le titre de *ABZ* (*Die Arbeiter-Bilder-Zeitung*[14]), lui « ressemblant de manière tout à fait servile dans sa mise en pages et dans sa présentation », et dont la propagande avait pour but de guider le prolétariat vers le Reich millénaire.

Allégoriques mais néanmoins accessibles au plus grand nombre, les photomontages de Heartfield correspondent peut-être le mieux à ce que Walter Benjamin exigeait en 1931 de l'utilisation de la photographie, en particulier pour le reportage :

« La caméra se fera toujours plus petite, plus apte à retenir des images fugitives et secrètes dont le choc suspend, chez celui qui les regarde, le mécanisme de l'association. À cette place doit intervenir la légende, que la photographie introduit dans le traitement littéraire des rapports vitaux, et sans laquelle toute construction photographique ne peut que rester dans l'à-peu-près[15]. »

Le choc provient du caractère contemporain de la photographie qui met le spectateur devant la disponibilité ubiquitaire du réel. Benjamin exigeait de déclencher et de développer par le langage le potentiel connotatif de l'image, comme dans les maquettes typographiques des constructivistes, celles d'El Lissitzky par exemple. Que la légende de l'image, pourvu qu'elle ait la prétention d'avoir une fonction dénotative, ajoute à l'image une fonction par rapport au contenu, nous le vérifions aujourd'hui encore dans la presse quotidienne. Les reportages sur la guerre du Golfe ont pour la première fois provoqué une prise de conscience de l'opinion publique quant à la falsification de l'image et de son commentaire. Benjamin ne parle cependant pas d'authenticité, mais plutôt d'un message délibérément « mis en scène » dans le texte et dans la photographie. Son caractère authentique se situe uniquement dans la construction intellectuelle. Dans l'édition pragoise de mars (n° 10) d'*AIZ* parut un montage de Heartfield montrant une croix gammée constituée de haches de boucher, dont le profil arrondi semble pour un court instant suspendre l'action meurtrière. Le message immédiat est univoque, la référence au régime fasciste s'opère par le texte, renvoyant à l'Empire allemand : « La devise ancienne dans "l'Empire nouveau" : LE FER ET LE SANG ».

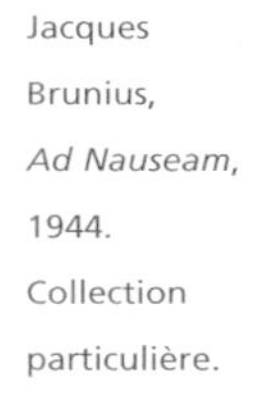

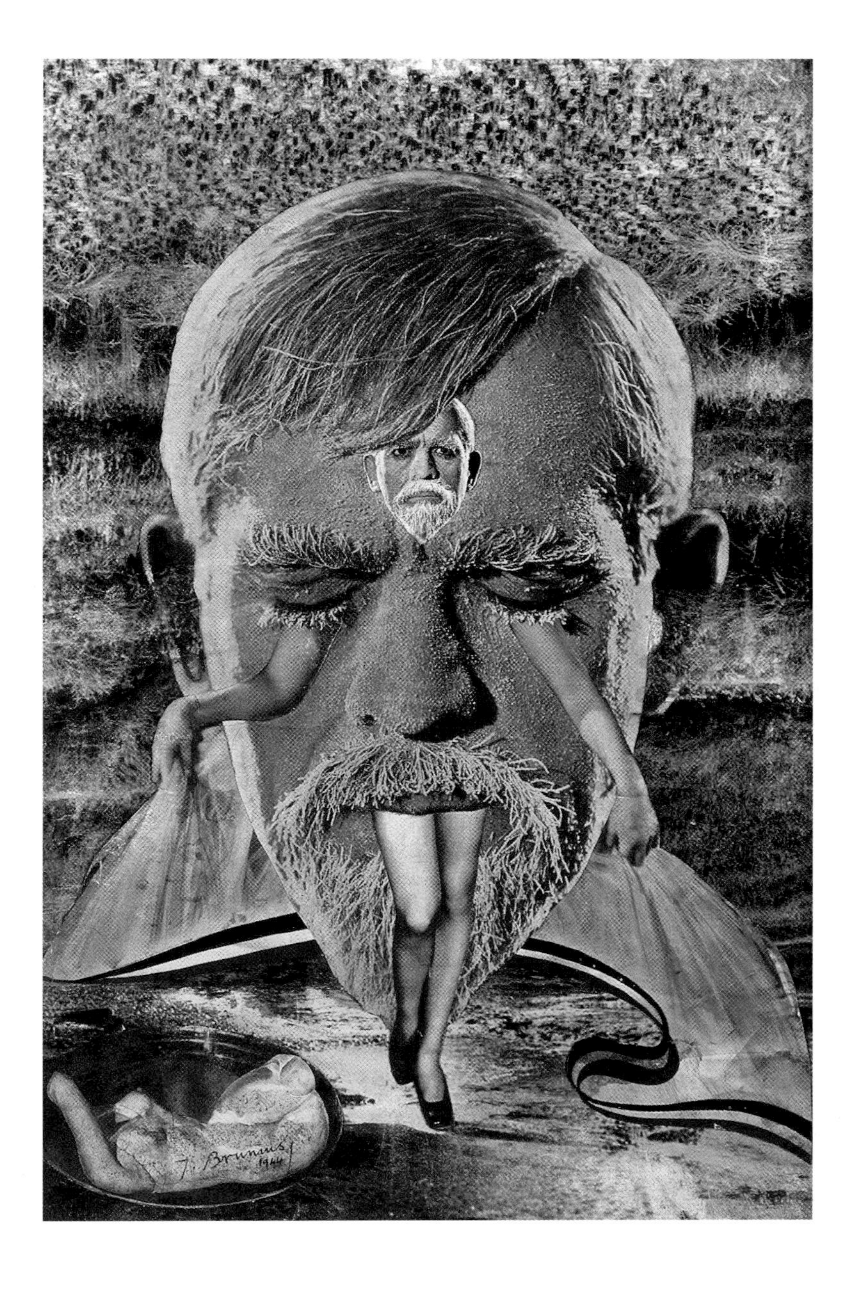

Jacques Brunius, *Ad Nauseam*, 1944. Collection particulière.

Marcel G. Lefrancq, *Dialectique*, 1945. Collection particulière.

Cette devise est extraite d'un discours de Bismarck, tenu en 1886 devant les députés prussiens, où il expliquait que la puissance militaire ne se conquiert pas avec des discours et des chants, mais seulement avec le fer et le sang[16]. Heartfield reprit, en 1937, la phrase sous cette forme pour dénoncer l'envoi de soldats allemands en Espagne pour soutenir l'armée franquiste. Les montages de Heartfield se distinguent des autres montages politiques de l'époque — ceux de Gustav Klucis, Mieczyslaw Berman, Erwin Blumenfeld, Josep Renau, Lajos Lengyel, Rodchenko, etc. — par leur structure résolument intertextuelle. Ses assemblages graphiques d'éléments photographiques, plastiques et linguistiques sont révélateurs de ses liens avec la tradition iconographique et littéraire. Par rapport aux montages soviétiques de Klucis, saluant de façon emphatique le deuxième plan quinquennal de Staline, on voit chez Heartfield une puissante capacité de critique qui lui permet de transposer de façon analytique un canon plastique ou linguistique dans une esthétique politique. Gustav Klucis critiqua de façon véhémente les tendances « dadaïstes » et « anarchistes » persistantes de Heartfield, mais aussi le travail « formel », étranger au monde ouvrier, de Rodchenko et d'El Lissitzky[17].

Heartfield réalisa en août 1936 un montage de deux images et d'une citation de texte, destiné à un cahier spécial consacré à l'Espagne et à la France. Le fond est extrait de *La Liberté guidant le peuple* de Delacroix. Au premier plan, on voit des républicains célébrant le départ de leurs troupes vers le front, et qui semblent tous, grâce à Heartfield, désigner par leur geste le célèbre tableau de Delacroix. Le sous-titre, transposition du titre original de Delacroix, proclame : « La liberté lutte aussi dans leurs rangs. » La photographie avait été prise à Barcelone à peine quatre semaines auparavant par les antifascistes Hans Namuth et Georg Reisner qui, en tant que photographes, couvraient ensemble (et en exclusivité) la guerre d'Espagne pour *VU,* revue fondée en 1928 par Lucien Voge[18]. La photo fut publiée dans *VU* en juillet 1936. Heartfield l'avait probablement obtenue par ce biais. Dès septembre 1936, *Regards* reprit le montage de Heartfield, mais avec une légende modifiée, et en quelque sorte restituée à Delacroix : « La liberté guidant le peuple d'Espagne. » En octobre 1938, les Sudètes furent occupés par les nazis et les membres de la rédaction d'*AIZ* s'enfuirent à Paris. Deux numéros plus tard, en février 1939, le journal cessa définitivement de paraître.

La revue hebdomadaire française *Marianne*, fondée en 1932 par Emmanuel Berl pour contrer les revues illustrées de droite comme *Candide* ou *Gringoire,* publia dans chaque édition, jusqu'à l'occupation allemande en 1940, des photomontages utilisant fréquemment des références à l'histoire de l'art. Les montages étaient tous anonymes et, sur un mode « critique et ironique », montraient par exemple Hitler dans la filiation wagnérienne : Hitler, déguisé en Tristan, tend le philtre d'amour à Iseult tandis que Wagner regarde le couple du haut des nuages. La légende annonce l'imminence du mariage de Hitler et de Winnifried Wagner[19]. Pendant l'occupation, les archives des revues de gauche furent pillées par les Allemands et en grande partie détruites. Toute possibilité de publication de reportages et de montages fut systématiquement bloquée par les occupants. Les reportages, jusqu'alors publiés par de grandes revues françaises comme *Regards* et *VU*, seront dorénavant diffusés en grande partie par l'agence Keystone dans *Life* ou par *Picture Post* en Angleterre.

Le reportage vu à la lumière d'aujourd'hui peut être conçu en tant que le « reporté » du « monté », c'est-à-dire comme une facture photographique qui construit un espace historique dans la mosaïque d'une lecture anticipée. Le réel est dit d'être reporté, mais au plus tard l'usage du reportage dans le fascisme (par exemple dans la revue *Signal*) a démontré que le reportage ne dissimule que le montage d'un spectacle faux. Terminons donc avec cette certitude, adaptée de Jean Genet, que la photographie n'est que l'image vraie d'un spectacle faux.

Traduit de l'allemand par
Corinne Graber-Guillou

* En français dans le texte [N.d.T.].

1. « Dans un monde saturé d'images, nous finissons par apprendre qu'en réalité les photographies mentent. » [N.d.T.].
2. *Arbeiter-Illustrierten Zeitung* [*Journal illustré des travailleurs*]. [N.d.T.].
3. Pour l'évolution de la photographie comme document simulé vers le photomontage et la manipulation digitale des images, voir Martha Rosler, « Bildsimulationen, Computersimulationen », dans Hubertus von Amelunxen, Stefan Iglhaut et Florian Rötzer, *Fotografie nach der Fotografie*, cat. d'exposition, Berlin, Verlag der Kunst, 1995, pp. 36-58 ; et Victor Burgin, « Das Bild in Teilen », *ibid.*, p. 26.
4. Barbara Kruger, *Remote Control. Power, Culture, and the World of Appearances,* Cambridge (Massachusetts), Londres, MIT Press, 1993, p. 7.
5. Sergueï Tretiakov, « Elemente der Montage » (1936), dans *John Heartfield*, cat. d'exposition, éd. Akademie der Künste zu Berlin, Cologne, Dumont, 1991, pp. 339-348.
6. Raoul Hausmann, « Formdialektik der Fotografie » (1932), cité ici d'après Wolfgang Kemp, *Foto-Essays zur Geschichte und Theorie der Fotografie*, Munich, Schirmer/Mosel, 1978, p. 92.
7. Franz Roh, « Mécanisme et expression », dans Franz Roh, *Foto-auge œil et photo-eye (1929),* réimpression Tübingen, Verlag Ernst Wasmuth, 1973, p. 12.
8. Karel Teige, « Über die Fotomontage » (1932), publié pour la première fois dans *Fotogeschichte – Beiträge zur Geschichte und Ästhetik der Fotografie,* Cahier n° 32, pp. 61-70, ici p. 61 et p. 66.
9. *Der Arbeiter-Fotograf*, n° 7, juillet 1931. Pour les journaux illustrés des travailleurs, pour *Der Arbeiter-Fotograf* et pour *AIZ,* voir la documentation dans *Ästhetik und Kommunikation. Beiträge zur politischen Erziehung*, Cahier n° 10, janvier 1973, et en particulier les contributions de Peter Gorsen, « Das Auge des Arbeiters – Anfänge der proletarischen Bildpresse », pp. 7-41, et de Heinz Willmann, *Geschichte der Arbeiter-Illustrierten-Zeitung*, 1921-1938, Berlin, Verlag Das europäische Buch, 1974.
10. Sergueï Tretiakov, « Von der Fotoserie zur langfristigen Fotobeobachtung », d'abord publié dans *Proletarskoje Foto*, 1931, Cahier n° 4, pp. 20-21 ; ici dans Wolfgang Kemp, *Theorie der Fotografie II*, 1912-1945, Schirmer/Mosel, Munich, 1979, p. 217.
11. Bertolt Brecht, « Zum zehnjährigen Bestehen der *AIZ* », cité d'après Annegret Jürgens-Kirchhoff, « Zur Kenntlichkeit montiert – die Kunst John Heartfields », dans « Benütze Foto als Waffe ! », *John Heartfield - Fotomontagen,* cat. d'exposition, Francfort, 1989, p. 25.
12. Cf. Michel Frizot, « Les Vérités du photomenteur », *Photomontages, Photographie expérimentale de l'entre-deux-guerres*, Photo Poche n° 31, Centre national de la photographie, Paris, 1987, non paginé.
13. Hannah Höch, « Die Fotomontage », dans *Hannah Höch 1889-1978*, cat. d'exposition, Berlinische Galerie, Berlin, Argon, 1989, p. 219.
14. *Journal illustré des travailleurs,* [N.d.T.].
15. Walter Benjamin, « Petite Histoire de la photographie » (1931), dans Walter Benjamin, *Essais I*, 1922-1934, traduction de l'allemand par Maurice de Gandillac, Paris, Denoël/Gonthier, p. 168.
16. Pour les légendes de Heartfield, voir David Evans, *John Heartfield, AIZ 1930-1938,* New York, Kent Fine Art, 1992, pp. 194 et 428.
17. À propos de l'importante controverse sur les orientations « formaliste » et « propagandiste » en Union soviétique, voir les articles de Benjamin H. D. Buchloh, « From Factura to Factography », dans *October*, automne 1984 ; et Margarita Tupitsyn, « From the Politics of Montage to the Montage of Politics. Sovietic Practice 1919 through 1937 », dans *Montage and Modern Life*, édité par Matthew Teitelbaum, cat. d'exposition, ICA Boston, Cambridge (Massachusetts) et Londres, MIT Press, 1992, pp. 82-128.
18. Cf. Hans Namuth, Georg Reisner, *Spanisches Tagebuch 1936. Fotografien und Texte aus den ersten Monaten des Bürgerkriegs*, édité par Diethart Kerbs, Berlin, Nishon Verlag, 1986.
19. La seule étude que je connaisse à ce sujet est celle d'Ulrich Hägele, « Wenn Hitler Anstreicher geblieben wäre... Fotomontagen gegen Krieg und Faschismus in der französischen Wochenzeitung Marianne », dans *Fotogeschichte – Beiträge zur Ästhetik und Geschichte der Fotografie*, Cahier n° 56, 1995, pp. 47-60.

Paul Klee : angélisme et histoire

Claude Frontisi

« Un exercice pour de plus stupides historiens de l'art. Le bonheur que peuvent procurer deux lignes, question des plus sérieuses. Et ceci encore : Notre Hitler ! »

Paul Klee[1]

D'une guerre l'autre

Rechercher dans l'imagerie de Paul Klee un reflet littéral de l'événement relèverait de la gageure ou, au moins, d'un projet réducteur. Certes, l'homme privé figura parmi les témoins réactifs d'une époque prodigue en faits tragiques. Son journal, tenu régulièrement jusqu'en 1918, puis sa correspondance révèlent des prises de position sans équivoque[2]. Pendant la Première Guerre mondiale, son antimilitarisme, d'abord instinctif (« L'habit maudit, un uniforme de sous-officier de coupe médiocre avec le sabre au ceinturon, m'inspira dès lors une véritable haine[3] »), s'intègre ensuite dans un détachement du monde plus général et pessimiste (« Ma flamme ressortit davantage au domaine des morts ou des êtres non nés[4] »), d'autant qu'August Macke et Franz Marc, ses amis peintres parmi les plus proches, disparaissent tragiquement durant le conflit[5]. Son hostilité foncière à l'égard du conformisme social («Crève, petit-bourgeois, je crois que ton heure a sonné[6] ! ») se reconvertit en aversion à l'encontre des totalitarismes, dont il entrevoit la montée en puissance. En avril 1931, traduisant dans les faits sa répugnance pour les clivages idéologiques, le « Bouddha » du Bauhaus[7] démissionne d'une institution devenue un théâtre permanent d'affrontements.
À son corps défendant, Klee prend également place parmi les figurants plus ou moins repérables de la scène sociopolitique allemande. Dès 1919, à propos d'une tentative de candidature à l'Académie (École des beaux-arts) de Stuttgart, il fait l'objet d'une attaque raciste en règle de la part d'un quotidien local, qui le dénomme « Paul Sion Klee[8] », sinistre préfiguration des persécutions à venir. En avril 1933, après l'accession du nazisme au pouvoir, le ministère de la Culture de Prusse le destitue de sa chaire à l'Académie de Düsseldorf. « Suspect » d'ascendance juive et refusant de se défendre[9], il se voit contraint à l'exil, lui qui déclarait naguère : « Où pourrais-je, dans l'avenir, vivre ailleurs qu'en Allemagne, où un cercle solide s'est formé autour de moi[10] ? » Avec dix-sept œuvres, il figurera en bonne place parmi les artistes stigmatisés par l'exposition itinérante « Entartete Kunst » (« Art dégénéré ») qui débute en 1937 à Munich[11]. Enfin, pour faire bonne mesure, le canton de Berne, dont Klee est natif, lui refuse la citoyenneté en 1939, peu de temps avant sa mort…

Pourtant, en dépit de cette implication effective, le peintre ne consacre à la conjoncture qu'une part relative de sa production considérable. Du moins selon le mode explicite. Ceci, à l'opposé d'autres protagonistes du milieu artistique de l'entre-deux-guerres, tels les animateurs didactiques de la Neue Sachlichkeit, ou encore les dadaïstes berlinois, interprètes on ne saurait plus virulents de l'actualité. Les œuvres de Klee se situent à un autre niveau : plus « philosophiques » ou poétiques, et détachées de la contingence. Sous leur apparente limpidité, elles évoquent rarement l'histoire des hommes et des choses sans aussitôt la porter à un niveau d'universalité et — de là le paradoxe déjà évoqué — d'intemporalité.

Comédie humaine et tragédie

Entre 1903 et 1905, Klee produit une série de gravures, les *Inventions*. Sécessionniste à sa manière, il tente ainsi de pénétrer le « milieu » par le biais du dessin satirique, qu'apprécient les lecteurs de *Jugend* ou du *Simplicissimus*[12]. Le titre générique évoque les *Caprices* de Goya[13], les deux séries se rejoignant dans une morale grinçante et pessimiste. Ainsi, *Deux hommes, se croyant l'un l'autre en position supérieure, se rencontrent* (*Invention 6,* 1903) s'en prend tout autant au rituel social qu'à l'hypocrisie politique. La typologie des protagonistes, tous deux « mis à nu », ne laisse aucun doute sur le lieu et l'époque : Guillaume II et François-Joseph font les frais de la farce. Klee use ici de métaphores visuelles : la courbette en abyme des deux personnages traduit le paradigme « servilité » ; « fossilisation » est rendu par le graphisme analogue des corps et du sol rocheux. *Un homme se prosterne devant la couronne*[14] renchérit sur la dérision du pouvoir, mais tout autant sur la veulerie des adulateurs. La brute libidineuse du *Persée, L'esprit a triomphé du malheur* (*Inv. 8,* 1904) tout comme le piteux *Héros à l'aile* (*Inv. 3,* 1905) ridiculisent par antiphrase les valeurs de la vaillance guerrière qu'ils sont censés exalter. Dans ces exemples, Klee recourt à la légende et au mythe pour renforcer la symbolique de son imagerie. Mais, par contrecoup, sa raillerie

Paul Klee,
Auswandern
[Émigrés], 1933.
Paul Klee Stiftung,
Kunstmuseum,
Berne.

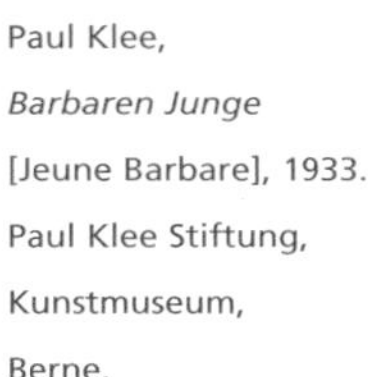

Paul Klee,
Barbaren Junge
[Jeune Barbare], 1933.
Paul Klee Stiftung,
Kunstmuseum,
Berne.

Paul Klee,
Auch ER Dictator!
[Lui aussi Dictateur !], 1933.
Collection particulière,
Suisse.

Paul Klee,
Treu dem Führer
[Fidélité au Führer], 1939.
Collection particulière,
Suisse.

vise la culture bien-pensante, qui pare la réalité calamiteuse de l'histoire avec les oripeaux de la fable. Trop acrimonieuse, sans doute, « produit d'un esprit dérangé[15] », cette première tentative n'obtient pas le succès escompté : malgré tout, en 1906, la Sécession de Munich expose dix de ces *Inventions*[16]. En 1912, l'expérience se renouvelle avec un projet de gravures pour *Candide,* qui limite la leçon de Voltaire au côté scabreux du récit[17].

En 1914 — l'épisode est connu — Klee effectue un voyage en Tunisie, d'où l'on date d'ordinaire son retour à la peinture[18]. Éclipsant brutalement cette révélation, l'actualité du conflit impose sa thématique plus « réaliste ». Ainsi, la publication de deux lithographies, *Champ de bataille* (1914) et *La Mort pour l'Idée* (1915)[19], peut apparaître comme une réaction directe à la mort de Macke, le compagnon du voyage initiatique. Mobilisé à son tour[20], Klee développe une imagerie qui réfère à la guerre de façon plus ou moins explicite. Tantôt les titres renforcent le mode tragique : *Présage d'un lourd destin* (*Vorzeichen schwerer Schicksale,* 1915), *Poids du destin* (*Schwere des Schicksals,* 1917), *Mort douce des trois petites gens* (*Sanftes Sterben dreier kleiner Leute,* 1915), *Rêve de cimetière* (*Friedhofstraum,* 1918, Albertina, Vienne). Tantôt l'humour, la distance et la drôlerie se substituent à l'acrimonie des débuts. Le soudard de *L'Allemand querelleur* (*Der Deutsche im Geraüf,* 1914), dûment identifiable par son casque à pointe, expédie d'une chiquenaude les homoncules négligeables qui l'entourent : la charge stigmatise sans ambiguïté la soldatesque autochtone et, avant la lettre, la chimère de l'*Übermensch.* Plus insinuante, *Exécution de peine. Volupté de la bastonnade* (*Strafexecution. Wollust durch Prügeln,* 1915) transpose dans la sphère enfantine et dénonce le régime coercitif qui soumet la troupe, tandis que le sous-titre insiste sur les dérives sadiques d'un système clos. *Guerre dans les hauteurs* (*Krieg in der Höhe,* 1914), tout comme *Fantôme d'un héros antique* (*Gespenst eines antiken Helden,* 1918), transfère le conflit dans l'espace du mythe, que Klee, on l'a vu, affectionne.

Dans l'ordre des tropes, *Yeux sanglants* (*Blutende Augen,* 1915) réduit pratiquement le personnage à une paire d'yeux exorbités, traduisant en une synecdoque l'expression « pleurer des larmes de sang[21] ». Les préoccupations plastiques investissent aussi l'ordre de la signification. Ainsi, dans *Vue de la ville de Pinz gravement menacée* (*Ansicht der schwer bedrohter Stadt Pinz,* 1915, coll. part.) apparaît la « flèche noire » dont Klee établira plus tard la théorie formelle dans ses *Esquisses pédagogiques*[22], « déploiement croissant d'énergie à partir du blanc donné comme présent ou état, vers le noir émergeant comme futur ou action » : ici, elle symbolise toutes les violences qui pèsent sur une contrée, non moins emblématique, prise dans la guerre. Avec *Le brouillard recouvre un monde en ruine* (*Nebel überziehn die untergehende Welt,* 1915), l'activité graphique « brouille » effectivement l'image, tandis que la technique aquarellée brouillonne de *La guerre passe sur une bourgade* (*Der Krieg schreitet über eine Ortschaft,* 1914, coll. Beyeler, Bâle) met en avant la déroute des signifiants, dont ne subsistent que des débris : la volontaire déconstruction formelle renforce ainsi le paradigme verbal « destruction ».

Aux limites de ce répertoire, une composition[23] — corps précipités pêle-mêle dans l'abîme — évoque de façon irrésistible le *Jugement dernier* d'une Sixtine réduite à une réplique lilliputienne, et fonctionne comme une allégorie de mort. Ainsi, bien que la lecture demeure en suspens du fait de son anonymat, ce dessin ne saurait s'exclure de notre champ : en l'occurrence, il révèle la polysémie imagée dont Klee exploite la veine au seuil des années 1920.

L'« Ange de l'Histoire »

Angelus Novus (1920, The Israel Museum, Jérusalem) fournit l'un des meilleurs exemples de cette poétique[24]. Acquise par Walter Benjamin en 1921, l'aquarelle doit sa fortune à la glose proposée par son illustre propriétaire plus qu'à ses remarquables qualités intrinsèques :

> « Il existe un tableau de Klee qui s'intitule *Angelus Novus*. Il représente un ange qui semble avoir pour dessein de s'éloigner du lieu où il se tient immobile. Ses yeux sont écarquillés, sa bouche ouverte, ses ailes déployées. Tel est l'aspect que doit nécessairement avoir l'Ange de l'Histoire. Il a le visage tourné vers le passé. Où se présente à nous une chaîne d'événements, il ne voit qu'une seule et unique catastrophe, qui ne cesse d'amonceler ruines sur ruines et les jette à ses pieds. Il voudrait bien réveiller les morts et rassembler les vaincus. Mais du paradis souffle une tempête qui s'est prise dans ses ailes, si forte que l'ange ne peut les refermer. Cette tempête le pousse incessamment vers l'avenir, auquel il tourne le dos, cependant que jusqu'au ciel devant lui s'accumulent les ruines. Cette tempête est ce que nous appelons le progrès[25]. »

À vrai dire, rien (ou presque) dans l'aquarelle ne nous paraît étayer la frappante allégorie composée par Benjamin. Et s'il fallait renchérir sur la démarche de l'écrivain, *Il regarde en arrière avec sévérité* (*Sieht zurück mit Schärfe,* 1939, coll. particulière) pourrait tout aussi bien illustrer sa projection ; protagoniste ambigu, face effectivement tournée vers l'arrière, physionomie courroucée sinon clairvoyante[26], *Angelus Novus* fait par ailleurs l'objet d'interprétations différentes : référence au Talmud, « autoportrait » de Klee... On se bornera ici à la remarque suivante : en Occident, la tradition religieuse fait intervenir l'ange aux moments décisifs de l'aventure humaine, et le désigne ainsi comme figure symptomatique d'une « Histoire » qui comporte un début (expulsion de l'Éden), un apogée (Annonciation / Incarnation) et une fin (Jugement dernier). Dans son commentaire sursignifiant, Benjamin ne ferait donc que rejoindre l'effectivité *transhistorique* de la représentation angélique, à travers une démarche que nous taxerons volontiers d'« appropriative ». Aujourd'hui, *Angelus Novus* demeure chargé de façon irréversible des sens induits par la vision benjaminienne et se constitue *nolens volens* en icône de l'« Ange de l'Histoire », fond d'or et frontalité canoniques à l'appui. Toutefois — on le vérifiera sur pièces dans l'aquarelle — ce messager ne tourne pas sa face vers le passé, mais, bouche bée, écarquille les yeux sur les réalités présentes, sinon devant les perspectives d'avenir.

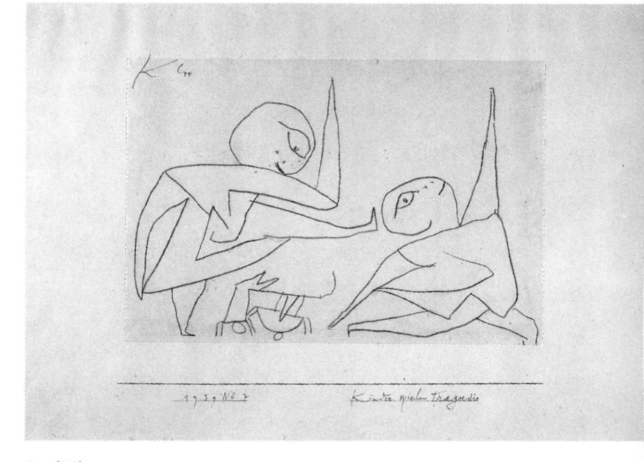

Paul Klee,
Kinder spielen Tragödie
[Enfants jouant la tragédie], 1939.
Paul Klee Stiftung,
Kunstmuseum, Berne.

Paul Klee,
Angelus Novus,
1920.
Don de Fania et
Gershom Sholem,
John et Paul Herring,
Jo-Carole et
Ronald Lauder,
The Israel Museum,
Jérusalem.

Durant la décennie d'après-guerre, l'Allemagne sort de la crise et, en dépit de sérieuses difficultés, recouvre sa prospérité. Pour Klee, la période s'avère tout à fait concluante : la reconnaissance lui est désormais acquise, au sein du Bauhaus comme au niveau international[27]. Mais, en 1924, la fermeture de l'institution, contrainte au transfert de Weimar à Dessau, est un signe avant-coureur de drames imminents : la crise économique mondiale, la montée en force du nazisme et l'accession de ses dignitaires au pouvoir.
Klee n'a pas attendu ce stade ultime pour s'en prendre à Hitler. Dès 1931, sur le mode retrouvé de la caricature, il compose une effigie piteuse, aussitôt identifiable par la mèche et la moustache, du dictateur, dont le parti vient de remporter un relatif succès électoral. Le titre — *Le Commensal (Der Stammtischler)*[28] — fournit son complément de sens à l'image. S'agit-il d'évoquer le passé de l'agitateur de la brasserie de Munich, ou de stigmatiser un « discours de café du Commerce » ? « Stammtischler » pourrait encore relayer, par homophonie, « Stammler » (« bafouilleur ») ; ce qu'avère le graphisme de l'inséparable attribut qui brouille la bouche et oriente vers l'un de ces jeux mixtes de mot-forme où Klee excelle[29]. En 1933, la parodie s'actualise et se renouvelle : soit directe, avec *Lui aussi Dictateur ! (Auch ER Dictator !,* coll. particulière), soit transposée, dans l'Olympe dérisoire de *Zeus Ersatz,* où l'aigle emblématique, déplumé, côtoie tristement son maître. Enfin, au moment de l'entrée en guerre, les personnages de *Heil !* (coll. particulière) et de *Fidélité au Führer* (*Treu dem Führer,* coll. particulière) ridiculisent par antiphrase deux des slogans officiels d'allégeance qui ponctuent désormais la vie des Allemands. Certains d'entre eux, contraints à l'exil, partagent le sort de Paul et Lily Klee, tel le couple lamentable évoqué par *Émigrés (Auswandern).* Par le biais du récit homérique, *Insula dulcamara* (1938) pourrait bien évoquer la nostalgie tenace qu'éprouve Klee pour sa patrie d'élection[30]. Mais sans doute faut-il encore élargir cette lecture à une allégorie de la vie elle-même, contrée douce-amère mais infiniment regrettée que le peintre, frappé par la maladie, s'apprête à quitter. Bien d'autres thèmes convergent ainsi vers l'ultime question énoncée par *D'où ? Où ? Vers quoi ?* (*Woher ? Wo ? Wohin ?,* 1940, coll. part.). Ils tissent de manière analogue l'autobiographie, la référence culturelle et la spéculation philosophique avec une vision transposée de l'actualité. D'où la difficulté de circonscrire ce dernier champ, objet d'allusions réitérées durant ces années cruciales.
Les plus directes, telles *Jeune Barbare (Barbaren Junge), Mercenaire barbare (Barbaren Söldner), Tête de barbare* (*Barbaren Kopf,* 1940, coll. particulière), concernent les bourreaux. Vont de pair les exactions évoquées crûment par *Chasse à l'homme* (*Menschen Jagd,* 1933), *Torture* (*Folter,* 1938, coll. particulière), *Double Meurtre* (*Doppelmord,* 1933), *Exécution* (1939) ou, dans l'efficacité du signe, par *Rayé de la liste* (*Von der Liste gestrichen,* 1933, coll. particulière). Les enfants ne sont pas épargnés, fauteurs en herbe de la violence dans *Enfants jouant la tragédie* (*Kinder spielen Tragödie,* 1939), ou victimes de « la bête » dans *Elle mangea nos enfants* (*Sie frass unsere Kinder,* 1934). *Nouveau Régime* (*Neues Regime*) ou *Démagogie* annoncent dès 1932 un système politico-social bientôt soumis à l'arbitraire dans le pays « planifié » des *Nouveaux Ordres* (*Neue Orden,* 1938, coll. particulière), dont ne subsiste que le maigre souvenir recueilli dans *Fragments du pays d'autrefois* (*Fragmente der Gegend von weiland,* 1937, Kunstsammlung Nordrhein-Westfalen, Düsseldorf). Parmi les institutions intangibles, atteintes elles aussi (ou complices ?), la justice offre le visage effrayant de *Juge clandestin* (*Geheim Richter,* 1933, coll. particulière). Restent les victimes, évoquées inlassablement par un martyrologe dessiné du Crucifié qui en fournit l'emblème avec *Dérision christique* (*Christlich-Ergötzliches,* 1933), à l'être anonyme objet de la violence ordinaire de *Tête d'un martyre* (*Kopf eines Märtyrers,* 1933, coll. particulière, Berne). Et jusqu'à Klee lui-même, « brisé », qui exprime la double souffrance de la maladie et de l'exil dans l'ultime calembour de *Clé brisée* (*Zerbrochene Schlüssel,* 1938, Musée Sprengel, Hanovre).
L'espace social s'engage tout entier dans le processus d'aliénation, à l'image de ce *Boulevard des anormaux* (*Der Boulevard der Abnormen,* 1938, Kunstsammlung Nordrhein-Westfalen, Düsseldorf) peuplé de fantoches ajustés au même modèle. En 1932, *Masque de peur (Maske Furcht)* exprimait déjà la pusillanimité collective, dissimulée derrière le faciès borné du conformisme, réfugiée dans le silence dégradant signifié par *Honte* (*Schande,* 1933), ou fuyant éperdue devant la mort, omniprésente en 1940, qu'anticipent *Fuite (Flucht)* et *Fuite devant Hadès (Flucht vor dem Hades).* À l'apathie générale, Klee réagit par l'apologue dans *Révolution du viaduc* (*Revolution des Viaducts,* 1937, Kunsthalle, Hambourg) et dans sa version jumelle, *Des arches sortent du rang* (*Brückenbogen treten aus der Reihe,* The Solomon R. Guggenheim, New York), images à la fois du conformisme et des forces qui, si improbable que cela puisse paraître, ne manqueront pas de le désintégrer.
L'on ne saurait enfin, aux limites de l'allégorie, exclure deux séries. Le cycle du *Parc des Enfers* (*Der inferner Park,* 1939) évoque sans ambages le périple de *La Divine Comédie,* non moins métaphorique de l'histoire de son temps. Les *Eidola* (1940) décrivent un univers où tout est « ex » : travailleurs, artistes, intellectuels... ombres de citoyens ou ombres des morts. Parmi elles, *KNAYEROΣ, ex-timbalier (Weiland Pauker)*[31] scande d'un rythme beethovénien le cours inéluctable du destin.

Le dernier des anges

En 1939, la ruine évoquée par Benjamin s'accomplit dans l'actualité sinistre de la « der des ders ». Au chapitre des anges kleeiens, celui du renouveau s'est sans doute consumé face à l'Éternel[32]. Les autres sont à l'image des humains : pour un qui « milite » ou reste « vigilant », combien « doutent, oublient, pleurent », deviennent « haïssables, pauvres, laids... ». Puis surgit le vecteur des fléaux de *Messager flamboyant (Flammender Bote),* symbole de l'embrasement mondial, qui rappelle l'exterminateur de l'Ancien Testament et dont le corps inscrit le monogramme funèbre : « T, O, D[33] ».
Le tout dernier date de 1940 : *Todesengel*[34]. Il prend l'apparence blafarde de la mort, qui, cette même année, emporte le peintre et le philosophe[35].

N.B. : Sauf indication différente, les œuvres citées dans cette étude sont conservées à la Klee Stiftung, Kunstmuseum, Berne.

1. Lettre à Will Grohmann (31 janv. 1933). La veille, Hitler a été nommé chancelier du Reich.
2. Pour le *Journal,* on se référera de préférence à l'édition savante exhaustive (non traduite) : P. Klee, *Tagebücher 1898-1918,* présentation W. Kersten, Stuttgart, G. Hatje/Teufen, A. Niggli, 1988 (on utilise ici l'abréviation *Tb,* suivie du numéro de référence canonique). On rappelle également la version française, plus accessible mais tronquée et privée d'appareil critique : P. Klee, *Journal,* traduction de P. Klossowski, Paris, Grasset, 1959. Pour la correspondance, voir P. Klee, *Briefe an die Familie 1893-1940,* correspondance réunie par F. Klee, 2 vol., Cologne, DuMont, 1979.
3. *Tb* 962.
4. *Tb* 1008.
5. Le premier en Champagne, dès 1914 ; l'autre à Verdun, en 1916.
6. *Tb* 916.
7. C'est l'image en forme de caricature que donne de Klee *Der Bauhausbuddah* (1930, localisation inconnue), collage dû à Ernst Kállai, rédacteur en chef de la revue *Bauhaus.*
8. *Neues Stuttgarter Tagblat,* cité par L. Grote dans *Erinnerungen an Paul Klee,* Munich, Prestel, 1959, p. 37.
9. Il fournit malgré tout des certificats d'ascendance aryenne, que les autorités exigent de lui. Cf. *Briefe an die Familie,* p. 1244.
10. *Tb* 963.
11. Cf. « Degenerate Art », *The Fate of the Avant-Garde in Nazi Germany,* cat. d'exposition, New York, Los Angeles County Museum of Art/H. Abrams, 1991.
12. En 1906, *Simplicissimus* refuse les dessins de Klee.
13. Klee les découvre en 1904 : « Goya me parut tout à fait exaltant, *Proverbes, Caprices,* et, par-dessus tout, les *Désastres de la guerre.* » (*Tb* 578.)
14. Littéralement, « s'abîme... », *Invention 7,* 1904.
15. Selon un critique bernois (1906).
16. Klee en donne le détail dans son *Journal* (*Tb* 764).
17. Ces planches, d'abord refusées par l'édition, ne seront publiées qu'en 1920. Dessins préparatoires à la Klee Stiftung. À propos de régression, scatologie et sexualité, voir C. Frontisi, « Klee et l'Éros polisson », *L'Art, effacement et surgissement des figures. Hommage à Marc Le Bot,* Paris, Publications de la Sorbonne, 1991.
18. Cf. les pages célèbres du Journal (*Tb* 926). Voir aussi J. Duvignaud, *Klee en Tunisie,* Lausanne-Paris, La Bibliothèque des Arts, 1980.
19. Publiées par un journal de guerre d'artistes, le *Zeit-Echo.*
20. Dans les troupes auxiliaires de l'aviation.
21. Le procédé, digne de la bande dessinée, s'apparente à celui du cinéaste Tex Avery, dans un tout autre contexte...
22. *Pädagogisches Skizzenbuch,* Munich, Langen, 1925. Cf. P. Klee, *Théorie de l'art moderne,* trad. P.-H. Gonthier, Paris, Denoël-Gonthier, coll. « Médiations », 1968, p. 135.
23. *Sans titre* (*1916/2* selon la nomenclature établie par Paul Klee).
24. Parmi d'autres études sur l'œuvre, citons G. Scholem, *Benjamin et son ange,* Paris, Payot et Rivages poche, 1995 (pour l'aspect documentaire, pp. 99 *sqq.*) ; A. Bonfand, « L'ange de l'histoire », *Paul Klee,* cat. d'exposition, Nîmes, musée des Beaux-Arts, 1984, pp. 25 *sqq.* ; C. Buci-Glucksmann, *La Raison baroque de Baudelaire à Benjamin,* Paris, Galilée, 1984, pp. 35 *sqq.*
25. W. Benjamin, *Thèses sur la philosophie de l'histoire.* Le texte est rédigé au début de l'année 1940.
26. Le titre joue aussi sur la polysémie de « *Schärfe* » (« sévérité » ou « acuité »).
27. Klee publie ses essais *Voies de l'étude de la nature* et son *Livre d'esquisses pédagogiques,* et prononce à Iéna une conférence mémorable. En 1924, il expose pour la première fois aux USA ; l'année suivante, à Paris, il participe à la première exposition du groupe surréaliste.
28. Mot à mot, « l'habitué de la table » (des habitués).
29. J'ai déjà évoqué ce procédé dans « Paul Klee : la poésie des signes », *Les Abstractions I. Hommage à Jean Laude,* actes du colloque, CIEREC, Saint-Étienne, 1985.
30. Selon W. Grohmann (*op. cit.*, pp. 327-328), le tableau – l'une des rares huiles de grand format – ferait allusion à l'île de Calypso, lieu pour Ulysse de délice et d'exil.
31. Klee a forgé ΚΝΑΥΕΡΟΣ en hellénisant « Knauer », nom d'un percussionniste (décédé) de l'Opéra de Dresde, qu'il a, selon son biographe Will Grohmann, admiré dans le passé.
32. Selon le Talmud, l'ange à peine créé – *Angelus Novus* – chante son psaume puis s'anéantit dans l'embrasement divin. Seuls Satan et sa cohorte perdurent...
33. Procédé repris par *Mort et feu* (*Tod und Feuer,* 1940). Ce qui précède fait allusion à la série des anges de 1939, respectivement : *Angelus militans* ; *Wachsamer Engel* (Suisse, coll. particulière) ; *Angelus dubiosus* ; *Vergesslicher Engel* ; *Es weint* ; *Hässlicher Engel* ; *Armer Engel* (Suisse, coll. particulière) ; *Missengel* ; *Flammender Bote.*
34. *Sans titre.*
35. Klee meurt le 29 juin. Benjamin se suicide le 25 septembre.

L'art italien pendant le fascisme

Fanette Roche-Pézard

Vingt ans de fascisme. Un quart de siècle, même, du premier *fascio,* fondé en mars 1919, à l'exécution du Duce par les partisans en avril 1945. Le temps long d'une dictature qui va servir de modèle au nazisme, avant d'en devenir, dans l'humiliation, la « lanterne rouge ».
La culture n'a guère le choix sous un régime qui tient en main toutes les institutions et tous les moyens de propagande. Mais qu'en est-il de l'art ? On l'imagine appelé à rendre compte de la prospérité des champs et des usines, du bonheur d'un peuple tenu en éveil par un vacarme guerrier de plus en plus pressant : Éthiopie, Espagne, Albanie, et, pour finir, quatre années de destructions et de massacres subis au nom du pacte d'Acier.
On est tenté de penser à la situation voisine de l'art nazi, réduit au rôle de rouage parmi tous les rouages de l'écrasante machine du Grand Reich allemand. On pense aussi à l'hébétude de l'art français, qui, en quatre ans d'État vichyste, se tourne et se retourne pesamment, sans jamais trouver la bonne position.
Mais ces comparaisons ne tiennent pas. Ce qui caractérise l'art italien pendant le fascisme, c'est son extraordinaire foisonnement. Le meilleur (la liberté paradoxale et fragile de la création) y côtoie le pire (la production à la gloire du régime), le tout dans une apparente indépendance : vagabondages à l'étranger et vifs débats internes.
Or, si le fascisme accepte que ses artistes s'expriment hors d'Italie[1], s'il ne bronche pas, du moins officiellement, quand sont présentés à Milan des artistes que l'on appelle « dégénérés » de l'autre côté du Brenner[2], ce n'est pas parce qu'il est plus libéral que le nazisme. Ce n'est pas davantage, sans doute, parce qu'il se flatte de dominer les diverses catégories d'images. C'est, au contraire, à cause de multiples atermoiements[3]. Le Duce, sur qui tout repose, traite les questions de l'art au coup par coup. Les exploits de la technologie ayant à ses yeux le double mérite de stimuler la vie économique de la péninsule et de susciter l'admiration des pays européens, il planifie autoroutes, électrification des lignes ferroviaires, éventrement des vieux quartiers insalubres. L'architecture s'avérant un outil politique bien supérieur aux réalisations, confidentielles, des arts plastiques, il donne priorité à l'architecture ; le seul problème sera de choisir entre des monuments emblématiques dignes de la tradition des bâtisseurs italiens, et les structures fonctionnelles que lui proposent les meilleurs architectes du moment[4]. Enfin, à toute espèce d'images, le Duce préfère l'image de masse, moderne et reproductible à l'infini : affiche, publicité, photo de presse, photomontage, *cinegiornale,* film éducatif. Dès 1924, alors que les groupes artistiques piaffent dans l'attente d'un signe favorable du chef, voici qu'il fonde l'institut LUCE (L'Unione cinematografica educativa).
L'Italie se couvre donc d'images exaltant le sport et le travail, les produits de l'industrie et ceux de l'agriculture, sans compter les innombrables images fixes ou mobiles du Duce, à cheval, au golf, aux moissons (torse nu), tapotant des joues enfantines (en grand uniforme), serrant la main d'Hitler — qui, pour sa part, sélectionne beaucoup plus âprement ses propres effigies. Ici ou là, sortant du lot, de très jeunes maquettistes, futurs champions du design italien, font leurs premières armes[5].

Et les beaux-arts ? Le Duce reste longtemps évasif. Il a pu penser, d'ailleurs, qu'il n'avait pas à opérer cette « fascisation totale » de la peinture et de la sculpture souhaitée par le penseur officiel du Parti, Giovanni Gentile : en effet, les groupes les plus actifs se présentent déjà comme pratiquant chacun « le seul art vraiment fasciste ». Ainsi, la figuration sage du groupe Novecento[6] incarne la grandeur sereine de la tradition italique ; la figuration brutale des Selvaggi[7] se réfère aux origines rurales et populaires du fascisme ; l'abstraction géométrique[8] de Milan et de Côme s'adapte parfaitement à l'esprit d'un grand État industriel. Quant au futurisme, il compte produire, comme à l'accoutumée, des œuvres géniales et dynamiques, dignes du tempérament génial et dynamique du Duce[9]. Ces surenchères mènent à des polémiques assassines, dont l'enjeu est d'obtenir la protection, toujours incertaine, de Mussolini, et le principal mérite d'entretenir un esprit critique, pourtant bien limité : il ne s'agit pas, en effet, de savoir si l'on est pour ou contre le fascisme, mais à quelle idée du fascisme on se réfère.

Mario Sironi,
Solitudine [Solitude], 1925-1926.
Galleria nazionale
d'arte moderna,
Rome.

Les conseillers artistiques du régime tentent de dépasser ces ambiguïtés. Au cours des années trente, les artistes sont confrontés à une nouvelle donne : opter pour un art de haut niveau, qui sera la vitrine de la culture italienne, ou opter pour un art accessible à tous. On se réservera d'ailleurs le droit de louvoyer entre ces deux pôles, selon l'inspiration ou la température du marché. La surabondante presse fasciste encadre ces deux courants en suivant la ligne de *Critica fascista* ou de *Regime fascista,* revues rivales fondées par les grands spécialistes des questions artistiques, Giuseppe Bottai et Roberto Farinacci. En perpétuelle concurrence, ces frères ennemis se partagent en réalité la tâche : le premier défend les artistes professionnels les plus brillants et pousse d'excellents débutants, le second rameute les peintres amateurs et les enseignants des écoles d'art, appelés à se faire un nom en illustrant les thèmes de la vie fasciste. Le débat, comme on l'a remarqué, n'en reste pas moins cantonné entre deux systèmes artistiques qui se prétendent également dévoués au Duce[10].
Ce faux débat est envenimé par le souvenir des propos contradictoires de Mussolini, qui, en 1923, refuse l'idée même d'un art d'État, et, en 1926, souhaite que les artistes « reproduisent » les grandes actions du fascisme[11].

Giacomo Manzù,
Crocifissione con soldato
[Crucifixion avec soldat], 1942.
Galleria nazionale d'arte moderna,
Rome.

33
45

Mino Rosso,
Architettura di una testa
[Architecture d'une tête], 1934.
Courtesy Galleria Narciso,
Turin.

Les premières failles qui entament l'optimisme de façade, les premiers signes d'inquiétude se manifestent dès le début des années trente. En 1931, les Sei di Torino[12], rétifs à la chimère des valeurs italiennes, attentifs aux modèles français et liés aux intellectuels antifascistes de la ville, décident de cesser toute activité collective et publique. L'un d'entre eux, Carlo Levi, peintre et écrivain, sera *confinato* en Lucanie en 1933.
En 1933, le Novecento, attaqué sans merci par les groupes rivaux (mouvement élitiste, dit-on, onirique, pessimiste...), s'efface docilement. Deux de ses transfuges, Sironi et Funi, lancent un art « populaire » conforme à l'esprit fasciste, la peinture murale[13]. Les abstraits du Milione en font des gorges chaudes : barbouiller des murs sans même penser à l'architecture, c'est un « *pasticcio culturalista*[14] ». Mais, à leur tour, en 1938, après une dernière exposition d'art abstrait international, les Milanais revoient leurs positions : ils se consacreront désormais aux artistes figuratifs italiens. Quant au groupe dit de Via Cavour ou de la Scuola romana[15], il compense publiquement son rejet de la « grandeur romaine » et sa propension à regarder du côté de Soutine et de Pascin (apatrides notoires) par des thèmes dont l'apparente innocence frôlera de plus en plus la subversion.

C'est l'irruption des événements extérieurs qui va bouleverser le débat italo-italien. La double exposition de l'« Art dégénéré » et du « Grand Art allemand », présentée à Munich en 1937, éblouit les hiérarques fascistes. La presse pronazie lance dès 1938 une campagne empoisonnée contre l'« art juif », et les premiers textes officiels sur la race, tombant comme la foudre sur un pays foncièrement antiraciste, font craindre une opération du même type.
La réaction des artistes, toutes tendances confondues, est immédiate. Le référendum proposé par Telesio Interlandi aux fins de savoir s'il faut purger l'art italien de ses « miasmes » (étrangers, « bolchevisés », « enjuivés ») tombe à plat : Interlandi obtient peu de réponses, et elles sont généralement dilatoires[16]. En revanche, Mino Somenzi, juif, mais toujours fidèle au Duce, lance dans sa revue *Artecrazia*[17] (avec l'appui de Marinetti) une enquête sur la liberté imprescriptible de l'art. En dépit de ses ambiguïtés — ou à cause d'elles — l'enquête recueille une grosse moisson de signatures. On feint de croire — ou l'on croit encore — que la campagne contre les Juifs n'est qu'un prétexte pour attaquer l'art moderne, et l'on se persuade qu'il y a deux fascismes : le bon, qui protège la libre création, et le mauvais, qui projette son anéantissement. Certains ont déjà pris clairement parti. Ainsi, c'est en 1939 qu'apparaît à Milan un nouveau groupe fort pugnace, Corrente, qui se réfère sans honte à Van Gogh, à l'expressionnisme, à l'école de Paris, et en appelle même au « scandaleux » Picasso[18]. C'est en 1939, également, que Farinacci fonde le très fasciste Premio Cremona, concours anonyme à thèmes imposés, contré immédiatement par Bottai, qui crée le libéral Premio Bergamo[19]. C'est en pleine guerre, en 1941, que le Premio Cremona exhibe devant le représentant de Goebbels et les hiérarques fascistes les images viriles des Gioventù del littorio, équivalent dûment latinisé des Jeunesses hitlériennes. Et c'est en 1942 que le Premio Bergamo cause, en octroyant le second prix à la *Crocifissione* de Guttuso[20], le plus grand scandale qu'ait connu l'art italien sous le fascisme. De 1939 à 1942 (par la suite, les

événements tiennent l'Italie à la gorge), alors que des peintres célèbres comme Carrà, De Chirico, Morandi se tiennent à l'écart du « *cannibalismo artistico*[21] », des irréductibles — Birolli, Mafai, Manzú, Mazzacurati, Guttuso, Migneco — cherchent à communiquer au public un message de résistance. Message qui attire les regards (par ses explosions chromatiques, ses formes rompues, déchirées, par un désordre en opposition avec les normes officielles), mais qui doit procéder masqué. D'où le choix de sujets symboliques, bien connus du peuple italien : martyres, massacres des Innocents, crucifixions. Nul ne se trompe, pourtant, au sommet de l'État ou au sein de l'Église, sur la signification profonde de cet étonnant regain religieux; nul ne se trompe, non plus, sur le sens caché de ces femmes en pleurs, de ces villes en flammes ou en ruines, de ces autoportraits lucides et tendus, de ces natures mortes qui mettent en scène l'attente, le refoulement, l'impatience. Mais les épigones de Farinacci, plutôt que de parler d'antifascisme (ce qui serait avouer devant les alliés allemands l'échec d'une politique artistique), critiquent le style, le métier, la couleur, ou le défaitisme, l'obscénité de ces œuvres (ah ! la Madeleine de Guttuso, accrochée au ventre du Crucifié !).

Quant à l'art franchement antifasciste, il n'a d'autre solution que d'entrer, à ses risques et périls, dans la clandestinité. Cassinari, Mirko, Manzú, Guttuso, Leoncello Leonardi, Carlo Levi, Vedova et bien d'autres cachent de fiévreuses ébauches comme on cache des tracts ou des armes; les cartons se referment sur des dessins d'otages et de fusillés, où le crayon déchire le papier, où l'encre gicle et coule[22].

L'art officiel de l'Italie mussolinienne, pris entre dithyrambes et faux-semblants, est tout entier absorbé par sa propre histoire. Mais l'art antifasciste, traversé par des secousses émotionnelles très fortes, se place face aux événements, les juge, et prépare à sa manière la libération. Dans l'exaspération, il va jusqu'à tenter quelques sorties camouflées en direction du grand public, ce que supporte tranquillement Bottai[23].

Mais, surtout, dans son opposition, et même dans ses compromissions, l'art italien a un atout essentiel : la conscience de la durée historique. Fier de son passé, dont il ne renie rien, fût-ce à travers des invectives contradictoires, se débattant pour trouver sa place dans un présent difficile, et tourné, enfin, vers un futur qu'il entend bien gagner, il sait relier « l'expérience et l'attente », selon l'expression de Reinhart Koselleck[24]. En ce sens, le faux débat animé par Bottai et Farinacci apparaît comme un véritable exercice de survie.

L'art nazi, au contraire, se perd dans un passé mythique, brûle ses expériences récentes et se projette dans le vide d'un futur millénaire. Quant à l'art vichyste, il refoule son passé comme péché, vit son présent comme expiation et ne voit du futur que les ténèbres allemandes.

Renato Guttuso, De la série *Gott mit uns* [Dieu avec nous], 1944. Archives Guttuso, Rome.

Renato Guttuso, ▷ *Crocifissione*, 1940-1941. Huile sur toile, Galleria Nazionale d'Arte Moderna, Rome.

1. L'exposition de l'Aéropeinture futuriste à Berlin, en 1934 (quelques mois avant le congrès de Nuremberg), est à cet égard l'exemple le plus frappant : Marinetti s'y fait remarquer en invitant les peintres allemands à ne rien perdre de leur esprit révolutionnaire, Goebbels et Rosenberg en profitent pour régler quelques comptes. Voir Hildegard Brenner, *La Politique artistique du national-socialisme*, trad. française Paris, Maspéro, 1980, pp. 117-133.

2. La galerie Il Milione, dirigée par les frères Ghiringhelli, expose de 1932 à 1938 des artistes comme Max Ernst, Seligmann, Kandinsky, Vordemberge-Gildewart, Albers, Arp, Domela, Magnelli, Taeuber-Arp.

3. La gestion de l'art contemporain est d'abord confiée, entre autres tâches, au Ministero dell'Educazione nazionale. Ce n'est qu'en 1937 et en 1939, après diverses modifications, qu'apparaissent le tout-puissant Minculpop (Ministero della Cultura popolare) et l'Ufficio per l'arte contemporanea. Pour la mise en place des diverses institutions, voir Laura Malvano-Bechelloni, *Fascismo e politica dell'immagine*, Turin, Bollati Boringhieri, 1988.

4. Catherine Brice, « G. Pagano, M. Piacentini, un architecte "fasciste" et un architecte "du totalitarisme" ? » ; Marilù Cantelli, « Concours d'architecture et représentation : G. Terragni et les projets pour la Maison du Parti », dans Pierre Milza et Fanette Roche-Pézard, *Art et fascisme*, Bruxelles, Éditions Complexe, 1989.

5. Par exemple, l'excellent Bruno Munari.

6. Le groupe des Sette pittori del Novecento (« Sept peintres du XXe siècle ») est fondé en 1922 sous l'égide de Margherita Sarfatti, critique d'art et amie de Mussolini. Élargi par la suite et devenu Il Novecento italiano, il comprend, outre Bucci, Dudreville, Funi, Malerba, Marussig et Sironi (Oppi s'est retiré), quelques sympathisants célèbres : Carrà, Morandi, Casorati, et des adhérents divers. En 1930 le Duce cesse de s'y intéresser, et en 1933 le groupe a pratiquement cessé de vivre.

7. Les « Sauvages », ou peintres de la Toscane profonde : Mino Maccari, Luigi Bartolini, Achille Lega et Ottone Rosai.

8. Les abstraits du Milione (cf. note 2), dont le théoricien est Carlo Belli, sont Atanasio Soldati, Oreste Bogliardi, Osvaldo Licini, Fausto Melotti, Luigi Veronesi, Mauro Reggiani, Lucio Fontana. Il gruppo di Como (qui expose également au Milione) est lié aux architectes rationalistes de Côme ; ce sont Mario Radice, Manlio Rho, Carla Badiale, Carla Prini et Aldo Galli.

9. L'Aéropeinture est lancée en 1929 par Marinetti, Balla, Benedetta, Depero, Dottori, Fillia, Prampolini, Somenzi, Tato.

10. Pour la double activité de Bottai et de Farinacci, voir Giovanni Joppolo, « L'art italien sous le fascisme et les illusions d'un débat », *Cahiers du Musée national d'art moderne*, n° 7/8, Paris, 1981 ; « Les arts plastiques en Italie durant le fascisme, contraintes et refoulements d'un débat », dans Milza et Roche-Pézard, *op. cit.*

11. Discours de Mussolini, lors de la Mostra del Novecento, galleria Pesaro, Milan, mars 1923, et lors de la Mostra del Novecento italiano, Palazzo della Permanente, Milan, févr. 1926 ; cités par Rossana Bossaglia, *Il Novecento italiano*, Milan, Feltrinelli, 1979, pp. 84 et 97.

12. Le groupe des Sei di Torino (« Six peintres de Turin ») se forme en 1929. Il comprend Jessie Boswell, Gigi Chessa, Nicola Galante, Francesco Menzio, Enrico Paulucci, Carlo Levi.

13. La peinture murale reçoit l'adhésion de peintres célèbres, comme Campigli, Carrà, De Chirico, Severini, Prampolini. Ils exposent ensemble en 1933 à la Triennale de Milan.

14. Virginio Ghiringhelli, « Pittura murale nel palazzo della Triennale », dans *Quadrante*, cité par Rossana Bossaglia, *op. cit.*, pp. 157-159.

15. Dès 1928 se réunissent à Rome le peintre Scipione (mort en 1933), Mario Mafai et sa femme Antonietta Raphael, le sculpteur Mazzacurati, Roberto Melli, Amerigo Natinguerra, Francesco Trombadori, etc.

16. Pour toute l'affaire, voir Enrico Crispolti, *Il Mito della macchina e Altri Temi del futurismo*, s. l., 1969, pp. 785-820, et Fernando Tempesti, *Arte dell'Italia fascista*, Milan, Feltrinelli, 1976, pp. 214-250.

17. Dans les deux derniers numéros d'une revue qui va disparaître (3 déc. 1938 et 11 janv. 1939).

18. En 1938, un groupe de jeunes intellectuels fonde à Milan la revue *Vita giovanile*, devenue par la suite *Corrente di vita giovanile*, puis, en 1939, *Corrente*. Principaux artistes : Renato Birolli, Renato Guttuso, Ernesto Treccani, Bruno Cassinari, Aligi Sassu, Giuseppe Migneco, Giacomo Manzù, le peintre romain Mafai et, finalement, en 1942, le jeune Emilio Vedova. Picasso jouit d'un prestige considérable chez ces artistes, y compris ceux qui préfèrent l'effusion de la couleur à la recherche formelle. Depuis la guerre d'Espagne, il est aussi un modèle antifasciste : Guttuso a dans sa poche une carte postale représentant *Guernica*, « carte idéale d'un parti idéal », R. Guttuso, *Mestiere di pittore*, Bari, Laterza, 1972, p. 62.

19. Outre quatre « politiques » et un syndicaliste (obligés), le jury comprend deux peintres de renom, Casorati et Funi, et deux personnalités d'un grand poids moral, Giulio Carlo Argan et Roberto Longhi.

20. Enrico Crispolti, *Guttuso, Crocifissione*, Rome, Accademia editrice, 1970 ; Fanette Roche-Pézard, « La situation des arts plastiques en Italie à la veille de la Seconde Guerre mondiale », *Revue d'histoire moderne et contemporaine*, XXX, juil.-sept. 1983, en particulier pp. 472 et 474.

21. L'expression est du galeriste Lino Pesaro, premier exposant du Novecento, déçu par Margherita Sarfatti, mis en cause par le *Regime fascista* de Farinacci, appelé à s'y expliquer en 1931, et refusant toujours, « pour obéir au Duce », l'idée d'un art d'État. Voir Rossana Bossaglia, *op. cit.*, p. 135.

22. *Arte e Resistenza in Europa*, Bologne-Turin, 1965, et *Immagine di popolo e organizzazione del consenso in Italia negli anni trenta e quaranta*, Ca' Pesaro, Venise, 1979. En 1966, Guttuso peint une toile intitulée *Gente che cammina nella città aperta*, transposition d'un de ses dessins appartenant à la série *Gott mit Uns*, intitulé *Le Fosse ardeatine*, qui évoque le massacre par les troupes allemandes de 323 otages, à Rome, dans les carrières de sable de la rue Ardeatina, où ils furent ensevelis.

23. Bottai votera la destitution du Duce au Grand Conseil fasciste, le 24 juillet 1943, contrairement à Farinacci.

24. Reinhart Koselleck, *Le Futur passé, contribution à la sémantique des temps historiques*, trad. Paris, Éditions de l'École des hautes études en sciences sociales, 1990. Voir en particulier, dans la troisième partie, le chapitre 3, « Terreur et rêve », et le chapitre 5, « "Champ d'expérience" et "horizon d'attente" ».

Mario Mafai,

Fantasia n° 6 Orgia

[Fantaisie n° 6 Orgie], 1941.

Collection particulière.

L'art de la révolution russe : histoire et pouvoir

Anatoli Strigalev

On identifie aujourd'hui la révolution russe avec le bolchevisme. Mais plus que quiconque, les bolcheviks eux-mêmes s'employaient sans relâche à faire admettre cette idée. Paraphrasant Louis XIV, ils clamaient sur tous les tons avec suffisance : « La Révolution, c'est nous ! » Ainsi, sur l'esquisse[1] d'une des décorations qui devaient pavoiser Petrograd pour le premier anniversaire de la révolution d'Octobre, on pouvait lire ce slogan : « La révolution est devenue grande après le 25 octobre ! »
En qualité de membre du gouvernement, le commissaire du peuple à l'Instruction publique Anatoli Lounatcharski, qui fut toujours considéré comme infiniment libéral, croyait sans hésitations incarner la révolution. Affirmant qu'en art « la révolution avait tendu la main à la gauche », il ajoutait : « C'était ma main[2]. » Et pour tous les intellectuels « sans parti » (c'est-à-dire n'appartenant pas au parti communiste), il inventa la formule — qui eut cours jusqu'au début des années trente — de « compagnons de route de la révolution[3] ». Pour rétablir la vérité, il faut préciser que ce sont les artistes « de gauche » qui tendirent la main à la révolution, et non l'inverse, en février aussi bien qu'en octobre 1917. Comme bien des gens en Russie, ils avaient mis en elle beaucoup d'espoirs et étaient prêts à y prendre une part active; ils voulaient contribuer au renouvellement de la vie artistique dans le monde et à la construction d'une Russie nouvelle.
L'idée — développée par les écrivains et les artistes de la génération précédente, tant au niveau individuel que dans la vie « collective » de l'intelligentsia créatrice — que l'art était un des moyens de « construire la vie contemporaine » commença à être envisagée par certains, notamment par Alexandre Blok, comme une nécessité pour tout le pays. Elle se répandit à la faveur du pressentiment commun que la révolution était inéluctable, et à cause des problèmes auxquels la Russie se trouvait confrontée après la Première Guerre mondiale.
Les artistes (surtout ceux dits « de gauche ») se représentaient la révolution comme une fracture profonde touchant toutes les sphères de la vie sans exception. Ils estimaient avoir déjà accompli la révolution dans l'art (Tatline déclara : « Ce qui s'est produit en 1917 sur le plan social avait été réalisé dans notre travail artistique en 1914[4] »). En exigeant le rejet total du futurisme, leurs adversaires l'admettaient aussi : même une reconnaissance partielle aurait signifié reconnaître une révolution dans l'art « sans équivalent dans l'histoire, du paléolithique à nos jours[5] ».
Les futuristes avaient leur programme de révolution, qu'ils énoncèrent dans l'unique numéro de *Gazeta Futuristov*, paru le 15 mars 1918 :

> « L'ancien régime reposait sur trois piliers : l'esclavage politique, l'esclavage social, l'esclavage de l'esprit. [...] La révolution de février détruisit l'esclavage politique [...] Octobre jeta la bombe de la révolution sociale sur le capital. [...] Et seul tient encore, inébranlable, le troisième pilier : l'esclavage de l'esprit. [...] Nous, prolétaires de l'esprit, appelons les prolétaires des usines et des terres à une troisième révolution non sanglante, mais cruelle, la révolution de l'esprit[6]. »

Plus bas vient la partie concrète du programme. Premier point : instaurer « la séparation de l'art et de l'État »; puis exiger que toutes les institutions artistiques, leurs bâtiments, etc., soient remis « entre les artistes eux-mêmes »; que l'on dispense un « enseignement généralisé de l'art »; que l'on remette « l'art tout entier au peuple tout entier[7] ! ». Maïakovski déclarait dans une « Lettre ouverte aux travailleurs » : « La révolution du contenu — l'anarchisme social — est impensable sans la révolution de la forme : le futurisme[8]. »
Sur le plan politique, les artistes russes de gauche n'étaient véritablement proches d'aucun parti. Leurs idées penchaient vers l'anarchisme. Sans doute étaient-ils séduits par la théorie de l'anarchisme social de Kropotkine, et par le fait que les anarchistes n'exigeaient pas de discipline de parti sur le plan formel. Pendant le premier semestre 1918, le journal *Anarchia* servit de tribune aux artistes moscovites — Rodchenko, Malevitch, Morgounov, Tatline, Oudaltsova, Ganou, notamment —, qui y firent paraître des articles sur l'art.
Les futuristes jugeaient naturelle pour eux la collaboration — qu'ils comprenaient comme une association intéressée, un partenariat dans le domaine de l'organisation d'une nouvelle vie artistique — avec le pouvoir révolutionnaire soviétique[9]. Celui-ci, en l'occurrence le Narkompros (Commissariat du peuple à l'Instruction publique), accepta volontiers la collaboration des artistes de gauche comme le signe, indispensable pour lui à l'époque, du « fait que l'intelligentsia était passée de son côté ».
Fermement adoptée dès avant la révolution[10], l'attitude systématiquement négative des bolcheviks envers les « décadents » (les symbolistes) puis les futuristes, qu'ils estimaient condamnés à disparaître en même temps que l'ordre bourgeois dont ils étaient les

représentants, ne devait plus varier ni faiblir. Quelques années plus tard, Lounatcharski se déclara convaincu que « si [...] la révolution bourgeoise de février avait triomphé [...], on pouvait affirmer qu'en Russie les formalistes purs se seraient imposés dans le domaine de l'art et de l'histoire de l'art[11] ».

La conviction que « l'art du prolétariat et des groupes alliés avec lui [...] ne peut pas ne pas être réaliste[12] » constituait la pierre angulaire de l'esthétique marxiste russe.

La social-démocratie russe — depuis sa naissance jusqu'à l'apogée du totalitarisme dans les années 1930-1950 — allait donc voir inexorablement dans tout art « formaliste » un ennemi idéologique et, en fin de compte, politique. En 1918, elle considérait l'alliance avec les artistes « de gauche » (c'est-à-dire, selon la terminologie de l'époque, les futuristes) comme purement tactique et provisoire. Ceci apparut très vite.

Les futuristes travaillèrent pendant un peu plus d'un an (de mars-avril 1918 à juin 1919) dans la section ISO du Narkompros, où ils s'occupèrent notamment des musées et des expositions, de l'organisation de la « propagande monumentale », de la réforme des écoles d'art. Ils demeuraient relativement autonomes et n'effectuaient pas de travail administratif. L'alliance craqua lorsque l'ancienne bureaucratie et l'intelligentsia créatrice traditionnelle cessèrent de saboter le pouvoir soviétique et le reconnurent : l'encadrement du Narkompros fut changé, ce qui avait été annoncé à plusieurs reprises dans les interventions des dirigeants de ce département. Lounatcharski observait ce processus non sans cynisme :

> « Lorsque le prolétariat a consolidé son pouvoir en Russie, la sympathie envers le pouvoir soviétique s'est renforcée [...] chez les artistes du centre. Et ils peuvent nous donner plus que ceux de gauche[13]. »

Le pouvoir déterminait toujours ses relations avec l'intelligentsia créatrice par de telles manœuvres. Le même auteur, ayant reçu de la part de Lénine une lettre officielle secrète accompagnée d'une liste de grands savants et acteurs de la sphère culturelle dont il devait « décrire le profil », fournit aussitôt les appréciations demandées :

> « Académiciens en architecture [suivent quatre noms] : tous sont restés chez nous et nous ont servi pratiquement depuis le premier jour de la révolution. Ils ont beaucoup de sympathie pour moi personnellement : c'est moi qui leur ai donné du travail. [...] Ce sont des gens avec qui il est très facile de travailler, à condition qu'on leur donne de quoi manger, ce qui n'est pas toujours possible.
> Le littérateur Blok [probablement le poète Alexandre Blok]. Après la révolution, il a rejoint les SR de gauche. A été arrêté pendant l'intervention contre les SR de gauche après l'émeute de Moscou que l'on connaît. S'est très vite résigné au sort de ses récents amis [...]. Depuis, il a écrit un certain nombre de choses, dont le brillant poème « Les Douze », où la révolution est représentée en termes tout à fait romantiques, mais quelque peu sombres et sentimentaux. [...]
> A dans tous ses écrits, de manière générale, une approche particulière de la révolution : une espèce de mélange de sympathie et de frayeur caractéristique de l'intellectuel type. Beaucoup plus talentueux qu'intelligent[14]. »

On entend aussi souvent dans ses déclarations sur la littérature et sur l'art la voix désinvolte des représentants du pouvoir : « Maïakovski n'est pas un aigle en tant que penseur, [...] sur le plan intellectuel, Maïakovski n'est pas toujours très brillant », écrit-il, en passant, dans un article[15] en principe « positif ». Et il ajoute « sérieusement » : « Le Parti en tant que tel, le Parti communiste, qui est l'artisan principal de la nouvelle vie, est tout à fait indifférent et même hostile non seulement aux œuvres précédentes de Maïakovski, mais également à celles où il se fait le tribun du communisme[16]. »

La conception dynamique de la création de l'avant-garde artistique — dont l'objectif était d'introduire dans tous les domaines de la vie des formes d'art et des œuvres constamment renouvelées — n'influença nullement le pouvoir soviétique, qui voulait une société idéale, statique dans sa perfection, et vivant dans le futur selon un programme d'accroissements quantitatifs et d'améliorations qualitatives. La méthode, pour construire une telle société, était prédéfinie par les travaux des classiques du marxisme-léninisme, fondés sur la connaissance des lois du développement historique de la société.

Les idéaux esthétiques de la société socialiste — existante et en construction — se référaient eux aussi aux théories des classiques du marxisme, l'idée dominante étant que le seul art ayant une valeur pour le prolétariat était celui des époques « progressistes » : la démocratie antique, la Renaissance, le siècle des Lumières, le XIXe siècle russe (dans la mesure où il était lié au mouvement révolutionnaire démocratique et populiste). Selon cette logique, l'art occidental récent, qui correspondait à la période de crise de la bourgeoisie, avait moins d'intérêt que l'art plus ancien mais « progressiste ».

Tout art autre était simplement inutile, sans perspectives et constituait un obstacle idéologique.

« Le futurisme est une excroissance déviante de l'art, répétait Lounatcharski. C'est le prolongement de l'art bourgeois avec une "déviation" révolutionnaire bien connue. Le prolétariat aussi continuera l'art du passé, mais il repartira d'une strate saine — peut-être directement de l'art de la Renaissance — et il le mènera plus loin que tous les futuristes et pas du tout dans la même direction[17]. »

Pour atteindre ce but, il lança à l'art soviétique ce défi : « En arrière ! Retour aux idéaux des artistes des années 60-70. En poésie à Nekrassov, en musique au groupe des Cinq, en peinture aux Peredvijniki (« Ambulants »), en littérature aux grands romanciers, et pour le théâtre à Ostrovski[18] ! » Ceci révélait en fait une faiblesse théorique, et, évidemment, une incompréhension des « lois du développement historique de la société ». Mais l'ordre de revenir en arrière correspondait à la pratique de l'art soviétique et la renforçait. Un « tournant en direction du réalisme » fut proclamé.

Il est très important également de considérer l'aspect économique de la vie artistique en URSS, qui évolua depuis les années du communisme de guerre jusqu'aux périodes de la NEP et de la reconstruction, mais resta soumis exclusivement à l'État à toutes les étapes. L'existence du marché de l'art prit fin avec la révolution. Commanditaires et acheteurs privés disparurent presque intégralement. Une commande ne pouvait quasiment venir que de l'État ou d'une de ses institutions — le Revvoïensoviet (Conseil militaire révolutionnaire), par exemple[19] ; quant au nouveau commanditaire social (un syndicat, une entreprise, voire une maison d'édition, après la liquidation des maisons d'éditions privées ou coopératives), il était aussi exclusivement un représentant agréé des structures étatiques.

L'État soviétique ne cessa jamais de « donner de quoi manger » aux artistes (selon l'élégante formule de Lounatcharski), ce qui constituait un moyen effectif de manipuler et de contrôler l'art.

L'art conformiste était ainsi stimulé et s'implantait avec succès. Il consolida ses positions sous la bannière de l'Association des artistes de la Russie révolutionnaire (AKhRR, fondée en 1923, et devenue ensuite AKhR) et prit ouvertement le parti, en tant qu'« héroïsme réaliste », de glorifier la réalité soviétique et ses chefs officiels :

« Les AKhRR
ont pris un nom bien pompeux,
mais ils lèchent
les bottes
des autorités[20]. »

La lutte entre les courants artistiques revêtit en permanence les couleurs du combat politique[21]. Un opposant en art devait être présenté comme politiquement suspect, voire hostile au régime soviétique. Les dirigeants de l'AKhRR se mettaient de manière ostentatoire au service des dirigeants du parti de l'État et de l'armée, se « liaient d'amitié » avec Frounze, Vorochilov, Boudienny, Boubnov, Lounatcharski, Boukharine, Iaroslavski, Demian Biednyï, qui étaient les principaux publicistes du Parti.

En même temps, l'art « de gauche » (dont les frontières, évidemment, étaient floues) s'efforçait obstinément d'affirmer sa vitalité et son actualité, et de participer à la construction de la vie en s'engageant dans l'art productiviste.

L'idée d'« art productiviste » avait été imposée par l'État et en partie dictée par deux « commandes sociales » faites par les milieux gouvernementaux à peu près en même temps, 1920-1921, par la « propagande productiviste », qui avait remplacé la « propagande monumentale » en tant que thème principal de l'art d'agitation et par la tâche de techniciser l'enseignement artistique pour le « rapprocher de la vie », avec l'organisation des Vhutemas (Ateliers d'enseignement supérieur artistique et technique). Cependant l'« art productiviste » se révéla absolument inutile pour l'industrie étatique, surtout pendant la période de l'industrialisation planifiée (après 1929), où la production de tous les « biens de consommation » fut délibérément reléguée au dernier rang du programme.

L'abandon de l'art productiviste fut aussitôt théorisé — « son objet était la forme, alors que le trait essentiel de tout art était le contenu idéologique » —, position qui mit fin à l'activité naissante du design et influa sur les changements qui intervinrent dès les années trente dans l'architecture. L'étiquette de « liquidateurs de l'art » fut accolée « pour l'éternité » aux productivistes, aux artistes du LEF, aux constructivistes, aux membres du groupe Octobre.

Les expositions d'art « de gauche », déjà rares jusque-là, cessèrent après 1922. À Moscou, la dernière en date (1924) présenta sous le titre de « Première exposition polémique » les jeunes artistes « de gauche » fraîchement promus des Vhutemas. À Leningrad eut lieu, en 1927, une exposition des « Maîtres de l'art analytique » (des élèves de Filonov), qui fit scandale. L'exposition personnelle de Filonov resta accrochée pendant plus d'un an (1929-1930) dans des salles du Musée russe, mais ne fut pas montrée au public. Le Ginkhouk (Institut d'État de la culture artistique) de Leningrad, dirigé par Malevitch, fut liquidé (1927) ainsi que tous les musées de la Culture artistique, à Moscou, à Leningrad et dans d'autres villes (en outre, un grand nombre d'œuvres qui y étaient conservées furent perdues). La Commission d'acquisition de l'État choisit pour la dernière fois quelques œuvres des artistes « de gauche » en 1928-1929. La scénographie de gauche ne dépasse pas l'année 1930, et le graphisme 1935.

Les nouveaux groupes artistiques de la seconde moitié des années vingt qui continuaient plus ou moins la tradition « de gauche » — OST, Kroug, le groupe Octobre, le Groupe 13, notamment — furent détruits par la lutte idéologique interne ou rapidement contraints de cesser leur activité sous la pression de la critique politique. La polémique à laquelle ils étaient soumis de la part des autres mouvements artistiques était assimilée à l'« opinion publique » ; dans toute critique, il était d'usage de se référer à l'opinion mécontente des « travailleurs, des dirigeants des organisations de travailleurs, des soldats de l'Armée rouge, des membres du Komintern, des représentants de [notre] parti[22] ».

Les artistes « de gauche » les plus marquants (Tatline, Malevitch, Filonov, Schterenberg, Meyerhold, et bien d'autres) et les théoriciens (Pounine, Brik, Arvatov) furent systématiquement discrédités et isolés au sein de la société. Seules la popularité personnelle de Maïakovski et son autorité au sein de la société empêchèrent l'interdiction de l'art « de gauche », qui intervint presque aussitôt après sa mort[23].

Le pouvoir soviétique voyait avant tout dans l'art « de gauche » et le formalisme une opposition non pas esthétique, mais idéologique et politique, un des foyers de la pensée alternative. Nombreux au début, ceux-ci étaient devenus rares. Tout au long de son histoire, le PCUS resta marqué par la peur maniaque de toute pensée ou vision non orthodoxe aux yeux des bolcheviks (indépendamment du domaine ou de l'importance du phénomène). Il les combattit implacablement et rejeta ou écrasa, au moment tactiquement adéquat, tous ceux qui durent s'allier ou collaborer mais ne voulurent pas se dissoudre en lui. Le pouvoir du parti unique est le principe fondamental du bolchevisme.

L'accusation démagogique brandie, sans même un prétexte valable, par Lounatcharski à l'adresse de ses collaborateurs futuristes de l'ISO, qu'il accusa d'« avoir tenté, en parlant au nom d'une école particulière, de parler en même temps au nom du pouvoir[24] », est célèbre à juste titre. L'affaire était dans le sac : les « prétentions au pouvoir » déclenchèrent bien entendu une réaction négative très violente, et pour longtemps, envers le futurisme.

Les tendances totalitaires de la politique bolcheviste se heurtèrent à la position indépendante du groupe d'artistes. L'État n'avait bien entendu aucune raison de craindre de la part des futuristes de l'ISO une ingérence dans le domaine de ses prérogatives, ce que, semble-t-il, relevait Lounatcharski ; en fait, il redoutait quiconque pourrait exercer un incontrôlable « pouvoir sur les esprits ».

L'idée se répandit que, dans les premières années de la révolution, les futuristes « avaient pris le pouvoir » ou « s'étaient infiltrés à l'intérieur du pouvoir » dans le Narkompros et dirigeaient l'art d'en haut, que Lounatcharski avait d'abord fermé les yeux, mais avait ensuite perdu patience. Ce mythe était du même type que les accusations selon lesquelles tels ou tels ennemis, opposants ou déviants « s'étaient infiltrés » dans le parti, les komsomols, l'armée, la science ou l'agriculture, mais avaient tous été démasqués et écartés de la route par le parti — plus exactement, « par le noyau léniniste du parti dirigé par le camarade Staline » —, et constituait un schéma tout fait et autorisé destiné aux auteurs de travaux historiques et polémiques, ou même de « souvenirs » personnels :

« Les artistes de gauche avaient un énorme pouvoir. Ils tenaient entre leurs mains la direction des affaires artistiques dans toute l'immense URSS. [...] Les artistes [de gauche] mirent sur le marché du livre, en l'espace de huit ans, une énorme quantité de littérature. Les artistes [de gauche] avaient tous les ateliers, les meilleures couleurs, tous les pinceaux, les palettes. Ils avaient tout ce qui était humainement possible. [...] Qu'ont[-ils] donné à la révolution, aux travailleurs et aux paysans ? [...] [Ils] avaient d'énormes possibilités pour aider la révolution mais ils ne sont arrivés à rien[25]. »

Les futuristes évaluaient la situation tout à fait autrement. Dans la conclusion de son autobiographie, publiée en 1931[26], Vassili Kamenski écrivit :

« Avec l'arrivée d'Octobre, le rôle du futurisme en tant que courant littéraire actif prit fin, c'était clair. Nous avions fait ce que nous avions à faire. Désormais tout était changé. La locomotive léniniste poursuivait inexorablement sa pression en vue du but désigné.

Nous sommes tous des traverses
de chemin de fer
Nous portons les rails sur notre
poitrine... »

En 1929-1932, l'emprise totalitaire sur la culture soviétique s'accomplit, grossièrement et dans la précipitation. Dans les premiers temps, elle eut pour instruments les organisations « prolétariennes » d'écrivains, d'artistes, d'architectes, de compositeurs. En fait, celles-ci poursuivirent, en l'intensifiant et en la durcissant, la lutte contre les « éléments étrangers » dans l'art. De manière générale, on choisissait

Salomon Nikritine, *L'Homme et le Nuage*, 1931. Collection Costakis.

comme cible idéologique les manifestations et les artistes les plus brillants. En 1929, Lounatcharski fut libéré de son poste de commissaire du peuple à l'Instruction publique (où il fut remplacé par Boubnov[27]), mais il déploya une énorme activité théorique et ses jugements continuèrent de faire autorité sur la culture et l'art marxistes. Dans ses écrits de 1929-1933 (*La Lutte des classes dans l'art, Du rôle de l'État prolétarien dans le développement de la culture socialiste, Le Réalisme socialiste,* etc.), il s'exprime systématiquement sur toutes les positions essentielles de la politique de l'État-Parti concernant l'art, à commencer par le rôle dirigeant du parti :

« Nous savons pertinemment [...] que nous avons le droit d'intervenir dans la marche de la culture, depuis le développement dans notre pays de la machinisation et de l'électrification, qui en fait partie, jusqu'à la prise en main de l'art dans ses moindres formes. [...] Nous devons en tirer la conclusion que, pour les bolcheviks, tout est possible à condition d'effectuer un travail intense sur soi-même et sur les autres[28]. »

Pour agir sur les artistes, il faut utiliser à la fois les leviers économique et idéologique :

« En ce qui concerne la stimulation de l'art de la part de l'État [...], il va de soi que nous allons nous efforcer d'orienter nos moyens d'abord dans la direction où nous attendons de bons résultats[29]. »

La pratique des années précédentes, avec les commandes faites aux artistes par le Sovnarkom, le Revvoïensoviet et les autres institutions soviétiques, avait montré l'efficacité de cette démarche. Comme avant, l'idée prédominait de l'hégémonie future de l'art réalisé par les prolétaires eux-mêmes (avec des références à Marx et Engels, qui considéraient qu'en art il n'y avait pas de génies irremplaçables et que, dans la société communiste, il n'y aurait pas d'artistes professionnels, mais « seulement des gens qui, occasionnellement, font aussi de la peinture[30] »). L'auteur insiste :

« Nous devons mettre en œuvre le principe de classe en art, [car] seul l'art prolétaro-révolutionnaire peut être un art véritablement révolutionnaire[31] [même dans la situation où] le noyau prolétarien [...] dans le domaine de la peinture et des arts plastiques commence tout juste à fonctionner, pas plus[32]. »

Les recommandations pratiques de Lounatcharski sont parfaitement conformes à l'esprit des directives du parti :

> « La critique et la volonté de choisir seulement ce qui nous convient, de barrer l'accès (en particulier pour la partie hésitante de notre population) à ce qui est néfaste pour nous est indispensable. [...] Nous ne pouvons éviter de faire un choix au moyen d'une censure qui interdira et sera en outre suffisamment sévère et perspicace[33]. »

Le rôle de sauvegarde est ouvertement attribué non à la censure, mais à la critique d'art, « qui doit être forte et permettre, en révélant les œuvres hostiles ou à demi hostiles, de créer une immunité, de conférer la justesse de pensée qui permettra d'éviter la contamination[34] » (terme visant l'idéologie « étrangère » et le formalisme, censé en être le vecteur). L'auteur connaît, certes, le prix de la critique « du parti », mais la situation l'oblige à prendre sa défense :

> « On nous fait des reproches : "Votre critique [...] c'est la police, [...] c'est la délation." C'est sûr, quelquefois il y a chez nous de l'exagération à cet égard. [...] Mais quels marxistes-léninistes serions-nous, quels critiques serions-nous, si, affirmant que nous devons voir dans toute œuvre artistique ou littéraire les fils entremêlés des relations entre les classes et la lutte des classes, nous étions en même temps incapables de les découvrir[35] ? »

Même s'il empêche certains de ses camarades de « mener une lutte féroce, presque physique, contre les artistes qui ne sont pas de notre camp », il n'en affirme pas moins en 1933 :

> « Nous ne pouvons pas ne pas réprimer les artistes qui utilisent la grande arme de l'art dans un combat contre-révolutionnaire contre nous[36]. »

Enfin, il considère que l'artiste doit prendre en compte et refléter la « vérité socialiste », c'est-à-dire la vérité de demain, qui adviendra,

> « car la vérité n'est pas semblable à elle-même, elle ne reste pas en place, la vérité vole, la vérité est un conflit, la vérité est un combat, la vérité, c'est demain, et c'est exactement comme ça qu'il faut la voir, et celui qui ne la voit pas comme ça est un réaliste bourgeois et donc un pessimiste, un geignard et souvent un escroc et un falsificateur, et, en tous cas, qu'il le veuille ou non, un contre-révolutionnaire et un saboteur. Peut-être [...] pourra-t-il faire quelque chose d'utile en exprimant une vérité regrettable, mais elle n'est pas analysée dans son évolution, et donc une telle "vérité" n'a rien à voir avec le réalisme socialiste. Du point de vue du réalisme socialiste, ce n'est pas la vérité, c'est l'irréalité, le mensonge, le remplacement de la vie par de la charogne[37]. »

La politique du parti et de l'État en matière d'art peut être observée à travers l'activité de Lounatcharski[38] parce que, d'une part, cette politique fut mise en œuvre par lui ou, du moins, par son intermédiaire, et que, d'autre part, ses prises de position révèlent un système de pensée qui visait à soumettre complètement l'art aux visées tactiques du parti. Il semble que ceci contredise l'idée établie selon laquelle les années vingt auraient été, avec leurs relations « paternelles » entre le pouvoir et les artistes, une période libérale, ou même quasiment idyllique.
Bien sûr, Lounatcharski était le plus libéral des dirigeants du parti qui intervenaient dans le domaine culturel ; il aimait sincèrement l'art, qu'il connaissait assez bien, et était en conscience un homme de culture, en tant que dramaturge — ses pièces étaient jouées au théâtre et publiées —, en tant que poète et critique d'art. Mais il était avant tout un fonctionnaire du parti qui se pliait à une discipline, et qui, à la fin de sa vie, eut très peur qu'on ne l'accusât d'appartenir à l'une des oppositions. Ses convictions esthétiques étaient fondées sur ses lectures ; il comparait les phénomènes concrets avec les textes des classiques du marxisme, qui étaient pour lui des dogmes, et portait les jugements correspondants. Par ailleurs, il appliquait pour l'histoire de l'art soviétique des méthodes très « élastiques » permettant, s'il le fallait, de transformer avec les meilleures intentions du monde la vérité en mensonge et inversement, ou d'interpréter de façon totalement arbitraire les positions de l'adversaire — ou celles de l'autorité citée elle-même. Celles-ci étaient faciles à utiliser dans la « chasse aux sorcières » où tout un chacun pouvait se voir attribuer n'importe quelle étiquette socialement dangereuse : « formaliste », « bourgeois », « contre-révolutionnaire »[39].
Indubitablement, la vitalité de l'art soviétique se trouva confrontée à des conditions de plus en plus difficiles à partir de la fin des années vingt. L'année 1932 devint immédiatement pour l'histoire de l'art une frontière chronologique conventionnelle à partir de laquelle il y avait un « avant » ou un « après ».
Le décret du comité central du parti communiste du 11 mars 1931, qui considérait les arts plastiques comme « activité de production d'affiches et de peintures », relevait une quantité considérable (et proprement incroyable, eu égard à la réalité) d'affiches et de peintures antisoviétiques. Suivaient les « conclusions des organes » : rechercher, mettre les coupables devant leurs responsabilités, accélérer la purge de l'appareil de l'Isoguiz (les Éditions d'art d'État) et recruter de nouveaux cadres, centraliser l'« affaire » en cours d'instruction et renforcer toutes les formes de contrôle sur elle.
Le 23 avril 1932, le comité central du parti communiste prit l'arrêté « De la reconstruction des organisations littéraires et artistiques », qui annonçait la liquidation de tous les groupements dans tous les domaines de l'art, et la création d'unions uniques d'écrivains, d'artistes, d'architectes, etc., chacune étant flanquée d'une « fraction communiste ».
Visiblement, l'arrêté (c'est précisément lui que l'on prend comme frontière chronologique officielle) a pour cause le fait que « le cadre des organisations prolétariennes devient étroit et freine l'essor de l'œuvre artistique » ; à l'époque, et dans toutes les années qui suivirent, il est interprété comme « un acte de grande confiance de la part du parti dans son intelligentsia créatrice ». En réalité, ce fut une action totalitarisante de grande envergure, correspondant, toutes proportions gardées, à la collectivisation de l'agriculture : l'art tout entier se retrouvait sous une direction et un contrôle centralisés, et tous les artistes étaient censés adopter « les méthodes du réalisme socialiste ».
La vie artistique changea radicalement. Les expositions devinrent bien moins nombreuses, tandis qu'augmentait le nombre des artistes et des objets présentés, le plus souvent rassemblés arbitrairement en fonction d'un thème général ou

Vladimir Tatline,
Le *Letatline* accroché
dans l'atelier de Tatline
au monastère de Novodevitchí
à Moscou vers 1931.

d'une date commémorative. Elles jouaient un rôle de compte rendu : expositions des jeunes peintres, des enseignants, des femmes, des « artistes envoyés en mission dans les régions agricoles et la construction industrielle », etc. Lors de la grandiose exposition commémorative « Les artistes pendant les quinze ans de la RFSSR », présentée en 1933, un petit groupe d'œuvres de Tatline, Malevitch, Rodchenko, Popova, Klioune, Filonov, Souïetine, Tchachnik, sont montrées à l'écart des autres dans une salle, formant, selon les visées de la commission des organisateurs dirigée par le commissaire du peuple Boubnov, une sorte de mini-exposition du type de celle qui sera présentée à Munich en 1937 sous le titre « Art dégénéré[40] ».

L'exposition « L'Industrie du socialisme » (1939) constitua en son genre un modèle d'exposition idéal. Elle était divisée en sections :
1. Les artistes choisis par le peuple ;
2. La carte de l'URSS faite de pierres fines ;
3. Pages du passé, la Guerre civile ;
4.- 5. L'industrie renforce la défense de l'URSS ;
6. Le nouveau visage du pays ;
7. Les nouveaux chantiers des deux quinquennats ;
8. Le socialisme est entrée dans la vie ;
9. Les bolcheviks ont révélé les richesses du pays ;
10. Les travailleurs de choc des quinquennats ;
11. L'URSS est devenue métallique ;
12. Nouvelles villes, nouvelles gens ;
13. La vie est devenue meilleure, la vie est devenue plus gaie ;
14. Feu sur les ennemis (satire) ;
15. L'Arctique soviétique et l'exploitation du Nord[41].

Cette information factuelle dessine assez bien l'orientation de l'art soviétique à la fin des années trente.

Trois ans auparavant (en 1936), le parti avait lancé une campagne — aujourd'hui tristement célèbre — visant à écraser tout ce qui n'était pas conforme en art. Parallèlement à l'expression « ennemi du peuple » se répandit celle d'« art contre le peuple ».

On se rappellera qu'en Allemagne de très nombreux artistes émigrèrent, mais l'URSS était isolée du monde extérieur, et donc de la culture et de l'art des autres pays. On inculquait aux consciences le slogan de Staline : « Le dernier des citoyens soviétiques, libre des chaînes du capital, tient la tête plus haut que n'importe lequel des bureaucrates étrangers haut placés qui traînent sur leurs épaules le fardeau de l'esclavage capitaliste[42]. »

Un mécanisme étatique parfaitement bien ajusté excluait toute opposition directe à la politique soviétique par le biais des arts plastiques. Quelques œuvres évoquèrent de manière plus ou moins « métaphorique » la collectivisation de l'agriculture, mais il s'agissait de rares exceptions limitées aux premières années. Dans *L'Exploitant individuel, Aniska, L'Agitateur* (1926-1928) de David Shterenberg, par exemple, on ressent la tragédie qui s'est abattue sur les campagnes soviétiques. Dans le tableau de Salomon Nikritine rebaptisé *L'Homme et le Nuage,* mais qui représente en réalité une explosion générale, une catastrophe irréparable (1931), un paysan est rejeté du monde où il est né, et ce même monde est déchiré en lambeaux.

Le grand *Deuxième Cycle paysan* de Kazimir Malevitch, dont on situe aujourd'hui la date vers 1928-1932, représente une authentique « lamentation » du peuple « sur la mort de la terre russe » : il ne traduit certainement pas l'« étape suivante dans les recherches formelles », ni l'homme d'un nouveau type bio-psychologique du futur, dont l'avènement était proclamé[43]. Dans de nombreuses toiles, Malevitch exprime les sentiments d'« absurdité de la vie », d'effroi devant la tragédie paysanne, avec des personnages « sans visage », comme dans *Torse à la*

Kazimir Malevitch, *L'Homme qui court*, 1933-1934. Mnam-Cci, Centre Georges Pompidou, Paris. Don anonyme (1978).

chemise jaune (Pressentiment complexe), dans *Tête de paysan* (celui-ci est crucifié, un autre est représenté sur fond de champs kolkhoziens survolés par des avions), dans *Baigneurs* — dont le titre est controversé et tardif, et qui représente trois paysans nus —, dans *La Cavalerie rouge,* qui s'élance en ordre de bataille à travers champs, à l'assaut d'on ne sait qui. C'est aussi le cas dans deux œuvres du Centre Georges Pompidou : *L'Homme au cheval* (un paysan a les mains attachées derrière le dos) et *L'Homme qui court* (un paysan aux cheveux blancs, au visage et au corps noircis, court à perdre haleine en direction d'une grande croix, à gauche, laissant derrière lui, à droite, des bâtiments qui ressemblent à une caserne, où une épée ensanglantée est plantée au-dessus d'une guérite, symétriquement par rapport à la croix). Malevitch fait preuve d'une volonté de résistance sans égale dans la peinture soviétique, y compris au début des années trente. Ensuite surviennent la cassure, l'émigration intérieure, la fuite, le conformisme et, au mieux, le refuge dans un domaine de l'art relativement « non dangereux ».

En 1932, Tatline écrivit en pensant à Rodchenko, Lissitzky, Klucis et Stepanova : « Les constructivistes entre guillemets se sont transformés en décorateurs de théâtre ou en graphistes. » Lui-même ayant essayé dans son *Letatline* de symboliser un homme libre de toute sujétion envers l'art officiel fut critiqué pour s'être « éloigné de l'art » et fut contraint de se réfugier dans la scénographie. Ses élèves Nikolaï Souïetine et Konstantin Rojdestvenski devinrent scénographes d'exposition. Le dernier, qui était un bon peintre, ne montra plus ses œuvres avant les années quatre-vingt.

Dans les années trente, Rodchenko réalisa un cycle d'autoportraits représentant sur tous les tons un clown dans l'arène du cirque. Klucis, qui était un communiste fidèle, se mit à créer de nouvelles affiches pompeuses où transparaît le désespoir d'un homme traqué qui voudrait crier qu'il n'est coupable de rien — et auxquelles convient parfaitement l'expression « réalisme panique » de Pavel Novitskov. Cela ne l'empêcha pas de mourir assassiné en prison.

De nombreux artistes (Lev Jeguine, Artur Fonvisine, Dmitri Mitrokhine, Tatiana Mavrina, notamment) trouvèrent refuge dans l'art « silencieux », dans les genres traditionnels de la peinture qui les intéressaient : paysages, portraits, autoportraits, natures mortes, compositions figuratives ou de « genre ». Certains se sentirent attirés par l'art religieux (Kouzma Petrov-Vodkine, Sergueï Romanovitch, Leonide Tchoupiatov...). Dans les années d'avant-guerre, l'activité sociale de l'artiste ne pouvait trouver de lieu où s'exercer qu'en intégrant les rangs de l'art officiel.

Traduit du russe par
Marina Lewisch

---

1. Cette esquisse, conservée au cabinet de dessins du Musée russe, est attribuée par erreur à Mstislav Doboujinski.
2. Anatoli Lounatcharski, *Ob izobrazitel'nom Iskusstve,* édition en 2 tomes, t. 2, Moscou, 1967, pp. 115-116 [Les citations d'Anatoli Lounatcharski sont traduites par nous, N.d.T.]. Nous citerons souvent Lounatcharski dans cet article, car il est la figure du parti et de l'État qui posa les fondements théoriques de la politique artistique de l'État et la mit en œuvre.
3. Cette formule apparut en 1920 (cf. Nikolaï Trifonov, *Lunačarski i sovetskaja literatura,* Moscou, 1974, p. 346).
4. Vladimir Tatline, « *Nasa predstojaščaja rabota. VIII S"ezd Sovetov* », *Ejednevnyj Bjulleten s"ezda,* n° 13, 1er janv. 1921, p. 11.
5. Nikolaï Radlov, « Futuristy i *Mir Iskusstva* », *Apollon,* n° 1, 1917, pp. 16-17.
6. David Bourliouk, Vassili Kamenski, Vladimir Maïakovski, « Manifest Letucej Federatsii Futuristov », *Gazeta Futuristov,* n° 1, 1918.
7. *Ibid.*
8. *Ibid.* (cf. Vladimir Maïakovski, *Polnoje Sobranie Sočinenij,* Moscou, 1956-1961, t. 12, p. 9).
9. Nous rappellerons la célèbre phrase prononcée par Maïakovski trois semaines après la révolution d'Octobre, lors de la session du comité des délégués de l'Union des artistes à Petrograd (une organisation d'artistes créée en 1917) : « Nous devons reconnaître le nouveau pouvoir et entrer en contact avec lui. »
10. Il est indispensable de prendre en compte le fait que, dans la Russie d'avant la révolution, l'art novateur n'avait pas eu le temps de se faire reconnaître objectivement ni dans le milieu des artistes traditionnalistes, ni dans le public, ni dans l'édition de masse. Cf. à ce sujet Anatoli Strigalev, *The Impact of Art and Political Criticism on the Fate of Russian Avant-Garde Art 1910-1913,* The George Costakis Collection, Athènes, 1996.
11. Anatoli Lounatcharski, *Sočinenija,* Moscou, 1963-1967, t. 8, p. 414.
12. *Ibid.,* p. 492. L'auteur argumente cette idée en se référant (très superficiellement) aux positions de Gueorgui Plekhanov et de Karl Marx : « Plekhanov avait déjà noté que toutes les classes actives sont réalistes. Marx disait que nous sommes appelés non pas simplement à connaître le monde, mais à le changer. Mais en admettant que l'on se contente de chercher à comprendre la réalité, même cela, c'est déjà du réalisme. »
13. Anatoli Lounatcharski, *Ob Izobrazitel'nom Iskusstve, op. cit.,* t. 2, p. 116.
14. *Literaturnoje Nasledstvo,* Moscou, 1971, t. 70, pp. 260-261. Cette demande concernant une série de représentants éminents de l'intelligentsia de Petrograd fut faite le 8 mars 1921 et reçut une réponse dès le lendemain. Ceci se passait à la veille de l'opération militaire visant à réprimer la révolte de Kronstadt.
15. Anatoli Lounatcharski, *Sočinenija,* t. 2, *op. cit.,* p. 242 (cité dans le compte rendu de l'article de Korneï Tchoukovski « Ahmatova i Majakovski », 1921).
16. *Ibid.*
17. Anatoli Lounatcharski, *Ob Izobrazitel'nom Iskusstve, op. cit.,* t. 2, pp. 116-117.
18. *Izvestija,* 14 avr. 1923 (cité dans *Bor'ba za realizm v izobrazitel'nom iskusstve dvatsatyh godov,* Moscou, 1962, p. 287).
19. On constate d'ailleurs, dans les années vingt et trente, un nombre exceptionnellement élevé de concours concernant des projets de monuments, de panneaux peints, d'ensembles architecturaux, etc., ceci en raison de la baisse relative des coûts de telles réalisations, le travail de la plupart des participants n'étant pas rémunéré.
20. Vladimir Maïakovski, *Polnoje Sobranie Sočinenij,* t. 6, p. 210.
21. Lounatcharski écrivait en 1922 : « Pour l'instant, je n'analyse pas, je constate seulement que [...] la lutte des courants prend les formes les plus dures précisément entre les artistes plasticiens » (Anatoli Lounatcharski, *Ob Izobrazitel'nom Iskusstve, op. cit.,* t. 2, p. 113) ; en 1929 : « Il faut empêcher quelques camarades, en particulier certains écrivains et peintres, de mener une lutte féroce, presque physique, avec les artistes *qui ne sont pas de notre camp* » [c'est moi qui souligne], Anatoli Lounatcharski, *Sočinenija, op. cit.,* t. 8, p. 50.
22. Anatoli Lounatcharski, *ibid.,* t. 2, p. 230.
23. Le culte officieux de Maïakovski fut organisé avec la bénédiction de Staline quelque temps après la mort du poète et donna lieu à une série de falsifications. Staline aimait les « alliés » morts.
24. Anatoli Lounatcharski, *Ob Izobrazitel'nom Iskusstve, op. cit.,* t. 2, p. 32.
25. Evgueni Katsman, *Pust' otvetjat* (1926, cité dans *Bor'ba za realizm, op. cit.,* pp. 348-349).
26. Vassili Kamenski, *Sočinenija,* Moscou, 1990, p. 525.
27. Andreï Boubnov (1883-1940), un fonctionnaire du parti plus jeune, spécialiste des affaires militaires. Avant le Narkompros, il était à la tête de la Direction politique principale de l'Armée rouge ; lors du changement des cadres supérieurs du parti, il fut proposé pour diriger soit le Narkompros, soit l'Oguépéou. Réprimé en 1938.
28. Anatoli Lounatcharski, *Ob Izobrazitel'nom Iskusstve, op. cit.,* t. 2, pp. 26, 28.
29. *Ibid.,* p. 25.
30. Anatoli Lounatcharski, *Sočinenija, op. cit.,* t. 8, pp. 483-485 (l'auteur se réfère à *L'Idéologie allemande,* de Karl Marx et Friedrich Engels).
31. *Ibid.,* pp. 41 et 40.
32. *Ibid.,* p. 49.
33. *Ibid.,* p. 41.
34. *Ibid.*
35. Anatoli Lounatcharski, *Ob Izobrazitel'nom Iskusstve, op. cit.,* t. 2, p. 24.
36. *Ibid.*
37. Anatoli Lounatcharski, *Sočinenija, op. cit.,* t. 8, p. 497.
38. Ne sont cités ici que les textes publiés, mais on peut facilement trouver de nombreux exemples analogues.
39. Exemple typique des mœurs du parti : lorsque Lounatcharski était en 1931-1932 directeur de l'Institut de langue et de littérature de l'Académie communiste, son adjoint Sergueï Dinamov déclara dans un discours, qui fut publié : « Il faut poser autrement la question du camarade Lounatcharski, qui, visiblement, a été fortement influencé par les idées de la IIe Internationale et dont les points de vue sur la littérature et l'art sont non sûrs, non marxistes et non léninistes. » (Cf. *Literaturnoje Nasledstvo, op. cit.,* t. 82, Moscou, 1970, p. 578.)
40. Cf à ce sujet Anatoli Strigalev, *Nemetskaja vystavka « degenerativnogo iskusstva », 1937, i jeë sovetskije parallely* (communication au cours du symposium de Delft, à paraître).
41. *Vystavki sovetskogo izobrazitel'nogo iskusstva,* guide, t. II, Moscou, 1967, p. 280.
42. Joseph Staline, *Voprosy leninizma,* Moscou, 1953, p. 630.
43. John Boult émet un avis du dernier type. Cf. une autre position dans Anatoli Strigalev, « "Krest'janskoje", "gorodskoje", i "vselenskoje" u Maleviča », *Tvortchestvo,* n° 4, 1989 ; Dmitri Sarabianov, « Malevich v epohu velikogo pereloma », dans *Kazimir Malevič, hudojnik i teoritik,* Moscou, 1990.

Entre l'engagement et l'opposition

Les avant-gardes d'Europe centrale face au communisme et au fascisme

Andrzej Turowski

Les avant-gardes artistiques en Pologne, en Roumanie, en Tchécoslovaquie et en Hongrie, empreintes d'idées révolutionnaires, recherchaient des liens avec les programmes sociaux de la gauche politique. À partir de la deuxième décennie du XXe siècle, les artistes d'Europe centrale, tout comme leurs compagnons occidentaux, se sont déclarés du côté des forces qui voulaient détruire l'ordre ancien, pour clamer, avec une emphase anarchiste, socialiste ou communiste, l'arrivée de la « fin de l'Histoire ». Ils pensaient que, dans la société à venir, les contradictions des utopies artistiques et des idéologies politiques seraient surmontées, et que serait réalisé l'idéal d'une compréhension totale, d'une fraternité exemplaire, d'une communauté des valeurs. Pourtant, sur le chemin de leur lutte acharnée, ils devaient se heurter à la Forme et à l'Histoire. Si la Forme s'accommodait plus ou moins des théories, des œuvres ou des tendances artistiques, l'Histoire, en revanche, demeurait un obstacle insurmontable. Elle exigeait des artistes l'abandon — impossible pour eux — des aspirations politiques, les obligeait à mener un jeu incessant avec les institutions, partis, milieux et amis, et leur imposait des concessions dans le domaine — autonome, semble-t-il — de l'art.
Si l'adhésion des expressionnistes hongrois, réunis autour de Lajos Kassák, à la révolution de Budapest de 1919 paraissait évidente, elle a néanmoins conduit l'avant-garde à une première et profonde déception vis-à-vis des hommes politiques qu'elle reconnaissait auparavant comme ses alliés naturels. Les artistes, exposés à la censure et soumis à des chicanes administratives, ne renoncèrent pas pour autant à l'idéologie révolutionnaire. Dès lors, ils commencèrent à percevoir le profond abîme existant entre l'État et la Révolution, entre les institutions et l'art. L'histoire politique de la République hongroise des Conseils radicalisa les attitudes anarchistes des artistes du cercle MA. Ainsi, tout au long des années vingt, Kassák aussi bien que Ernö Kàllai, théoricien du mouvement, associèrent le communisme à l'humanisme et non à la structure bureaucratique de l'État ouvrier.
Les expressionnistes polonais du groupe Bunt, n'ayant pas eu la chance de participer, comme leurs amis russes, hongrois et allemands, à la révolution prolétarienne, se sentirent vite menacés par l'invasion des idées révolutionnaires. S'inspirant tout d'abord du programme pacifiste de la berlinoise *Die Aktion*, ils rompirent les liens artistiques avec leurs camarades communistes dès lors que ceux-ci, au moment de la guerre entre la Pologne et la Russie en 1920, se déclarèrent du côté de l'Armée rouge qui menaçait l'indépendance de Varsovie. À la différence des artistes hongrois, c'est dans l'histoire polonaise (et notamment dans sa tradition romantique, mystique et insurrectionnelle) que les expressionnistes polonais puisèrent des forces révolutionnaires. Grâce à la stabilisation économique durant la période de la NEP et au développement du constructivisme dans la première moitié des années vingt, la Russie soviétique a rétabli, en Europe centrale, une image positive (tempérée cependant par quelques réserves) des transformations politiques de l'État et de la société communiste. De manière générale, les clivages, au sein du groupe des constructivistes polonais Blok, correspondaient aux tendances de l'avant-garde russe. Les artistes oscillaient entre, d'un côté, la recherche uniste d'une peinture-tableau absolue, et, de l'autre, l'objectif productiviste d'une matérialisation de l'œuvre. Certains, tel Wladyslaw Strzemiński, prônaient, dans une perspective utopique, la nécessité de la socialisation de l'art. D'autres, avec Mieczyslaw Szczuka, se déclaraient, en revanche, pour l'art au service de la propagande. Il n'est donc pas surprenant que la position d'un Strzemiński, selon qui « le communisme stérilisait l'art », fût en opposition avec celle d'un Szczuka qui, lui, croyait avec une certitude inébranlable à une relation étroite entre le communisme et l'esthétique nouvelle (et ce, en dépit de ses ennuis personnels avec les dirigeants du parti communiste qui critiquaient ses opinions artistiques exprimées dans les colonnes de *Dzwignia,* périodique communiste dont il fut rédacteur).
À l'inverse de l'avant-garde polonaise divisée, le groupe tchèque Devětsil fut un exemple à bien des égards : il parvint à créer une harmonie entre constructivisme et programme de culture prolétarienne, à synthétiser les trames esthétiques de l'Europe orientale et de l'Europe occidentale, à concilier des circuits hautement culturels et populaires, à éliminer les tensions entre idéologie révolutionnaire et art moderniste. Cet état de fait est certainement dû, d'une part, à la tradition universaliste à la base de l'évolution de l'avant-garde tchèque et, d'autre part, à la modération des opinions communistes de Karel Teige, théoricien et animateur du mouvement. Teige (tout comme le co-créateur de l'École formaliste de Prague, Jan Mukařovský) pensait que la socialisa-

◁ František Hudeček, *15 mars 1939*, 1939. České Muzeum Výtvarných Umění, Prague.

Jindřich Štyrský, *Sur la tombe*, 1939. Narodní Galerie, Veletržní Palác, Prague.

tion de l'œuvre ne pouvait s'effectuer qu'à travers la spécificité de ses fonctions esthétiques, ce qui, dans les opinions de l'avant-garde de l'époque, rejoignait la conviction qu'« il n'existe point de modernité en dehors du communisme ».
Ni cet équilibre apparent en Tchécoslovaquie, ni ces divisions en Pologne, ne durèrent très longtemps. La période des années 1929-1931 s'est caractérisée, pour les deux pays, par une crise des opinions, une radicalisation des attitudes — période de nouveaux partages qui allaient déterminer une nouvelle image pour les années trente. La crise économique mondiale qui atteignait l'Europe centrale ne fut pas aussi décisive que la crise des consciences liée aux nouveaux rapports de forces politiques en Europe. En Tchécoslovaquie, la fin de Devětsil a coïncidé avec la naissance, en 1929, d'un nouveau groupe de peintres, d'architectes et de poètes, Levá Fronta (« Le Front gauche »). Leur programme, radicalement politisé, les situait du côté de ceux qui réclamaient des transformations du Parti communiste tchécoslovaque approuvant la politique de l'Union soviétique. Cette orientation prostalinienne du parti ne faisait pas l'unanimité dans les milieux intellectuels. La gauche, durant les années trente, s'est largement divisée. Dans ce cadre, le groupe des surréalistes devint un nouvel espace de discussions artistiques et politiques.
En Pologne, les lignes de démarcation n'étaient pas exactement les mêmes. Après la mort de Szczuka en 1927, il fallut attendre la moitié des années trente pour qu'à nouveau des artistes peintres présentent un programme communiste. Peu avant, parmi les artistes de l'avant-garde du groupe Praesens, principalement des architectes liés au mouvement international CIAM, c'était une ligne pro-occidentale qui dominait. La gauche, quant à elle, tout en manifestant de la sympathie pour les changements soviétiques, oscillait entre l'anarcho-syndicalisme et la social-démocratie. C'est également vers la social-démocratie que tendait, en Hongrie, le groupe d'artistes réunis, depuis 1934, dans l'Union des artistes sociaux-démocrates et, après la guerre, dans l'École européenne de Kàllai (Tihamér, Lassonczy, Bálinat, Vilt et quelques autres).
Pendant des décennies, la position du Parti communiste polonais fut représentée dans les colonnes de *Miesiecznik literacki* dont l'ex-futuriste Aleksander Wat était corédacteur. La « littérature des faits » prônée dans ce mensuel, en référence au périodique soviétique *Novy Lef* dirigé par Maïakovski, devait se fonder sur le reportage considéré comme « art prolétarien » nouveau. Ce point de vue, également dénommé « pictoréalisme » par Marek Wlodarski, fut déterminant (bien qu'initialement en dehors des options politiques) dans l'évolution de l'art des peintres surréalistes polonais du groupe Artes. L'appui que les artistes de Artes apportèrent à la gauche communiste résultait, avant tout, de choix d'ordre moral en rapport avec l'intérêt esthétique qu'ils portaient à la « vie simple », terme employé sans emphase dans les manifestes. À ce mouvement correspondait, en Hongrie, la « photographie sociologique » pratiquée par le cercle des artistes proches du périodique *A Munka* dont Kassák était rédacteur. Contrairement à ce qui se passait en Pologne et en Hongrie, en Tchécoslovaquie, le surréalisme tchèque s'était transformé en un champ de tensions dramatiques et de revalorisations politiques qui touchèrent aussi les architectes fonctionnalistes. Les premiers numéros de *Zvěrokruh* en 1930 annon-

Josef Šima, ▷
Le Désespoir d'Orphée, 1942.
Narodni Galerie, Veletržni Palác, Prague.

Toyen, ▽
Cache-toi guerre I, 1944.
Collection Annie Le Brun et Radovari Ivsic.

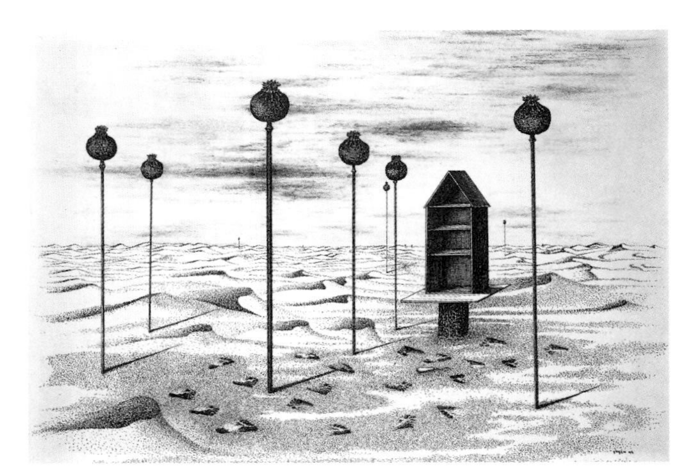

çaient déjà la création du Groupe surréaliste tchécoslovaque en 1934. Le manifeste publié à cette occasion reproduisait une lettre surprenante adressée au Département central de propagande du Parti communiste tchécoslovaque, dans laquelle les surréalistes, en dehors de la déclaration du caractère révolutionnaire de leurs actions et de leur rupture avec les conventions artistiques, disaient leur intention de préserver le droit à l'« indépendance des méthodes expérimentales » en se référant au discours prononcé lors du XVIIe Congrès du VKP (b) (« Grand Parti communiste bolchevique »), dans lequel Staline condamnait, au nom du marxisme-léninisme, les tendances égalitaristes des « obtus gauchistes ». Cette étonnante interprétation du stalinisme considéré comme nouveau terrain d'entente artistique ne pouvait pas tenir longtemps, alors qu'était déjà en cours, en Union soviétique, le réalisme socialiste. Néanmoins, l'imagination, « troisième voie » éminemment politique entre les conventions bourgeoises et les dogmes idéologiques, a permis un relatif équilibre pendant quelques années.
Ce n'est qu'au début de 1938, sous l'influence des procès de Moscou qui démasquaient la face totalitaire du stalinisme, que le groupe des surréalistes se divisa définitivement. Vítězslav Nezval, adoptant les positions du réalisme socialiste, devint un adversaire idéologique de Teige, lequel refusa, avec un groupe de poètes et de peintres, de cautionner le stalinisme dans un fascicule polémique intitulé *Le Surréalisme à contre-courant*.
Une attitude semblable se retrouva, dans l'art roumain, chez Victor Brauner. Cet artiste, lié depuis le début des années trente avec le surréalisme parisien, collabora, dès son retour à Bucarest en 1935, avec le Parti communiste roumain illégal. L'atmosphère de menace, dans le contexte de la guerre civile en Espagne, était au centre d'une série de dessins que l'artiste réalisa dans les années 1936-1937, pour illustrer les poèmes de Gellu Naum. Si la stalinisation du communisme fut à l'origine, en 1938, de sa rupture avec le parti, Brauner, de retour à Paris, et en collaboration avec Jules

Perahim, poursuivit néanmoins une activité sociale, mais cette fois en dehors du parti : il offrit en particulier plusieurs tableaux au Secours rouge qui soutenait les prisonniers politiques.

Dès la seconde moitié des années trente, l'intelligentsia communiste, dans toute l'Europe centrale, fut profondément déçue par la politique stalinienne. Les emprisonnements et les éliminations des dirigeants du Parti communiste polonais, et enfin la dissolution du parti, rendirent les artistes naturellement méfiants vis-à-vis de toute tentative de dirigisme en provenance de Moscou. Le Congrès de la culture contre le fascisme, organisé à Lvov en mars 1936, en est la meilleure preuve. Si, de prime abord, tous les milieux de l'avant-garde polonaise annoncèrent leur participation, finalement, de nombreux artistes renoncèrent, ayant découvert le rôle joué dans la préparation du Congrès par les communistes ukrainiens et soviétiques commandés par la police secrète. Le divorce de l'avant-garde d'avec le communisme est devenu un fait, dont les multiples conséquences se font sentir dans l'art contemporain de tous les pays d'Europe centrale encore de nos jours.

Le refus absolu du nazisme par les avant-gardes d'Europe centrale suscita moins de dramatisation que leurs tentatives de libération du stalinisme. Dès le commencement, l'avant-garde fut hostile au totalitarisme hitlérien. Contrairement à l'idéologie stalinienne, le fascisme ne trouva pas la moindre approbation chez les modernistes. La Tchécoslovaquie était même devenue, pour un temps, terre d'asile : John Heartfield, notamment, fuyant les persécutions d'Hitler, y trouva refuge. Il reste que le fascisme, en tant que composante essentielle de la doctrine de l'Allemagne nazie (présente également, ne l'oublions pas, dans une plus ou moins grande mesure, dans la politique d'État des pays d'Europe centrale), posait davantage de problèmes. Aussi n'est-il pas surprenant que dans tous les pays d'Europe centrale, dans les années trente, les divisions au sein de l'avant-garde de gauche, qui se libérait du communisme, s'effectuaient forcément sur fond de lutte contre le fascisme.

Dans différents milieux, la notion de fascisme fut interprétée avec beaucoup de volontarisme : conformément aux directives du VIe Congrès de l'Internationale socialiste (1928), tout ce qui n'appartenait pas au communisme, social-démocratie comprise, était identifié au fascisme. Quant aux radicaux socialistes, ils qualifiaient de fasciste toute tentative d'atteinte aux institutions démocratiques. La situation changea en 1935. Le VIIe Congrès de l'Internationale socialiste admit le principe d'accords possibles en dehors des partis. Une nouvelle voie de front uni s'ouvrait, que pouvaient emprunter tous les artistes « indépendamment de leurs convictions politiques, pour défendre la liberté de la création », comme le déclaraient les communistes du Groupe de Cracovie. Pour l'avant-garde, une nouvelle chance se dessina : elle pouvait définir ses programmes artistiques, pas nécessairement dans le cadre du réalisme socialiste, mais dans un engagement social au sens large, pour l'art et la défense des droits de l'homme contre le totalitarisme hitlérien et stalinien.

En Tchécoslovaquie, la popularité du front antifasciste augmentait avec la guerre d'Espagne. En mars 1937, à l'initiative de Jaroslav Seifert, parut à Prague un recueil d'études intitulé *Hommage à l'Espagne*, avec des illustrations de František Muzika, Josef Šíma, Jindřich Štyrský, Toyen. À la même époque, ces artistes manifestèrent leur solidarité avec le peuple espagnol en participant à une grande exposition de l'avant-garde tchécoslovaque. Šíma peint trois versions de la *Révolution en Espagne* (1933-1936), Štyrský, *In memoriam Federico García Lorca* et Vojtěch Titlebach, des gouaches et des peintures *a tempera* pour l'Espagne. Les dessins oniriques de Štyrský, les dessins expressifs de Josef Čapek et les tableaux d'Emil Filla, de František Hudeček et de František Janoušek étaient, quant à eux, une réponse à Munich, à la chute de la République espagnole et au début de la guerre. Enfin, les travaux du temps de la guerre de Jan Bauch, de Josef Brož, d'Otakar Mrkvička, de František Muzika et de Toyen proposaient une vision émotionnelle et catastrophique de l'anéantissement du pays et du monde. La réaction des Hongrois, qui percevaient le fascisme chez eux et le nazisme en Allemagne comme une crise de civilisation, était identique : la meilleure preuve en est l'évolution, du surréalisme vers une expression dramatique, des tableaux d'Imre Àmos et de Lajos Vajda.

En dehors de la Bohême, l'opposition au nazisme et au stalinisme, à quelques exceptions près, ne trouva cependant pas, en art, de transposition directe dans les formes réalistes. Parallèlement, l'avant-garde subissait la faiblesse de son formalisme en face de l'histoire. En un sens, à la crise de civilisation perceptible dans les catégories politiques se superposait une crise de la culture d'avant-garde, sensible surtout vers la fin des années trente. Aussi n'est-il pas surprenant de voir apparaître, en Pologne aussi bien qu'en Tchécoslovaquie, une nouvelle attitude de la gauche « artistique » qui fut déterminante pour l'image de l'avant-garde de l'après-guerre, et pour la puissance de sa résistance au réalisme socialiste.

Sans se référer dans sa problématique

Toyen, *Cache-toi guerre* n° 7, 1944. Collection particulière, Paris.

sociale à une doctrine politique, cette nouvelle attitude consistait à élaborer un programme artistique en privilégiant les valeurs morales et la réflexion sur la condition humaine. « Pour le poète, écrivait Czeslaw Milosz en 1936, les motivations éthiques sont primordiales, les choix politiques ne sont que leur conséquence. » La même approche se retrouve dans les écrits philosophiques des Tchèques, tels ceux de V. Navrátil, Jan Patočka et surtout du plus jeune d'entre eux, Jindřich Chalupecký. La vision « humaniste » de l'art qu'ils annonçaient trouva sa traduction dans une peinture d'opposition pratiquée principalement dans les circuits non officiels par des surréalistes et des représentants de l'abstraction imaginative. En Pologne, cette vision humaniste était présente dans le théâtre clandestin de Kantor, dans les dessins et les collages de Strzemiński, et lisible, bien que profondément dissimulée, dans les tableaux de Tadeusz Brzozowski.

C'est aux alentours de 1949 que, dans toute l'Europe centrale, l'avant-garde fut éliminée de la vie artistique au profit du réalisme socialiste. Jusqu'en 1955-1956, il sera difficile de parler d'opposition artistique face à ce modèle, purement instrumental, de la culture. Certains, et notamment Kantor, Maria Jarema, Jiří Kolář, Jan Kotík, Mikuláš Medek, refusèrent de participer à la culture officielle des partis communistes. D'autres encore, tels Marek Wlodarski, Henryk Stażewski, Jitka et Květa Válová, pratiquèrent une sorte du jeu de « cache-cache » qui conduisait soit à la neutralisation des sujets politiques (nature morte, paysage), soit à un art teinté d'ironie et de grotesque. Entre 1949 et 1955, le débat autour du tableau relevant du réalisme socialiste ne pouvait aboutir : qui s'y engageait tombait dans un piège. Le réalisme socialiste, élément essentiel du discours officiel du pouvoir stalinien, était plus en rapport avec des techniques visant à discipliner la société qu'avec une proposition théorique et artistique cohérente. Tout comme face à la culture nazie auparavant, face au réalisme socialiste, l'opposition n'a pu utiliser le langage de l'art, car ces deux doctrines politiques réduisaient l'art à l'idéologie. Ceux parmi les artistes qui, avec une foi naïve, abandonnaient l'art pour se mesurer au réalisme socialiste sur son propre terrain, et qui donc ainsi renonçaient à leurs propres armes issues à la fois de la tradition et de l'expérience formelle de l'avant-garde, se trouvaient vite neutralisés, devenant une proie facile pour les politiques.

Le stalinisme tel que décrit ci-dessus cessa d'être en vigueur en Pologne vers 1955, et un peu plus tard dans les autres pays d'Europe centrale. Le réalisme socialiste ne réapparut plus jamais en Pologne : on s'en souvenait, de façon épisodique, comme d'une norme vaguement indéfinie. Il en alla autrement dans les autres pays. Atténué dans ses formes, le réalisme socialiste n'en demeurait pas moins la doctrine officielle de l'État en Tchécoslovaquie et en Hongrie, et ce malgré la libéralisation parfois poussée des régimes.

En conséquence, les stratégies de pouvoir divergentes qui en résultaient provoquaient, de manière automatique, des réactions différentes. Plus il y avait de libéralisme et moins il y avait de résistance artistique (comme pour l'avant-garde hongroise et tchèque après les révoltes de 1956 et de 1968). Ainsi peut-on dire que, de manière générale, et avec des résultats différents, dans toute l'Europe centrale, après 1956, l'avant-garde répondait à la subordination de l'art à la doctrine communiste par une recherche dans les domaines de la vie artistique et sociale, recherche face à laquelle la politique du parti se trouvait impuissante. Dans les années soixante, et notamment en Pologne, l'avant-garde a développé des versions esthétisantes de la peinture abstraite et métaphorique en mettant, en quelque sorte, la culture officielle entre parenthèses. La fin de cette décennie-là vit l'émergence d'events, de happenings (Knížák, Kantor, Altorjai) et d'analyses conceptuelles (Kozlowski, Kolíbal, Lakner, Szentjóby), le plus souvent marginalisés par les médias ou éliminés par la censure (avec parfois des interventions de la police). On pouvait voir là, aussi bien que dans d'autres attitudes alternatives, une forme d'opposition artistique mais rarement une remise en question du système. Néanmoins, dans certains cas (sous une forme allusive), des actions artistiques ont pris la forme de manifestations directement politiques (Konkoly, Mlynárčik, le mouvement des musiciens rock).

Ce n'est que vers la fin des années soixante-dix et au début des années quatre-vingt qu'en Europe centrale des artistes (tels Kulik, Robakowski, Skalník, Černý) commenceront à critiquer ouvertement le pouvoir communiste et les systèmes totalitaires. Dans ce cercle ont pu renaître le discours politique des premières projections de Krzysztof Wodiczko et celui des interventions ironiques de l'Alternative Orange, qui remettaient elles aussi en question la politisation de la vie sociale.

Wladyslaw Strzemiński, *En suivant l'existence des pas qui tracent un chemin*, du cycle *À mes amis juifs*, 1945. Yad Vashem Art Museum, Jérusalem.

Les artistes américains contre la guerre et le fascisme

33
45

Éric de Chassey

En 1936, Stuart Davis peint une petite gouache qu'il titre *Artists against War and Fascism*. Pourtant, aucune référence explicite n'y est faite au fascisme, ni au nazisme, ni même à la guerre d'Espagne, encore moins aux événements américains contemporains. La seule indication spécifique se trouve sur la pancarte tombée au sol où l'on peut lire le mot « Libre ». Cette gouache est une exception parmi la production de Davis à l'époque, mais est également emblématique de la difficulté (ou du refus) des artistes modernistes américains à impliquer leur art dans une relation directe à l'Histoire, sauf lorsque c'est l'art lui-même qui est menacé par l'Histoire (ce que semble indiquer la mention « Libre » en français, langue de la patrie « officielle » du modernisme, plutôt qu'en espagnol, en italien, en allemand, voire en anglais). Elle témoigne des hésitations de la plupart des protagonistes de la scène artistique new-yorkaise en 1930-1940. Hésitations entre art national ou international, entre art engagé et modernisme, entre réalisme et abstraction (au sens très large que ce terme possède alors et qui fait de Davis un artiste « abstrait »). Hésitations dont le résultat est l'âpreté des débats qui se déroulent pendant toute la seconde moitié des années trente, par articles ou par œuvres interposés. Hésitations finalement résolues à partir de 1947-1948 par les expressionnistes abstraits, qui trancheront brutalement ce nœud de questions ou, plutôt, proposeront des solutions inédites en combinant des réponses qui auraient paru incompatibles seulement dix ans auparavant.

À partir de 1933, l'art américain est déterminé par les programmes fédéraux de commande et de soutien aux artistes : PWAP (« Projet d'œuvres d'art public ») entre décembre 1933 et avril 1934, puis WPA/FAP (« Projet artistique fédéral ») et TRAP (« Projet d'assistance du Trésor ») à partir de juillet 1935 et jusqu'en 1943. En 1939, Holger Cahill, directeur du WPA/FAP, résume les principes de toutes ces organisations : « L'art américain aujourd'hui cherche des méthodes qui permettront au peuple de donner de l'ordre, de la régularité, de l'harmonie aux environnements créés par notre société. Il cherche des formes, des symboles, des allégories, qui révéleront la spécificité de la vie américaine et du peuple américain[1]. » À l'incitation du gouvernement, sinon pour d'autres raisons, les artistes se mettent donc à confronter leur production aux conditions dans lesquelles ils vivent. Ils sont sommés de lui donner un caractère spécifiquement américain et de traiter leurs sujets de manière explicite et utile pour la société.
En même temps qu'il marginalise tout art dont les références sont internationales (c'est-à-dire le modernisme influencé par Matisse, Picasso, etc.), ce programme, par son nationalisme comme par son insistance sur l'iconographie, montre clairement l'emprise de l'esthétique de l'American Scene jusqu'à la fin des années trente. Thomas Hart Benton reçoit ainsi la commande de quatre peintures murales en une décennie. La dernière, à Jefferson City, traite en 1936 de *A Social History of the State of Missouri*, et obéit à l'objectif que Benton s'est fixé : la réalisation de « tableaux dont l'imagerie serait capable de véhiculer des concepts à l'américanité indiscutable au profit du plus grand nombre

Stuart Davis, *Artists against War and Fascism* [Artistes contre la guerre et le fascisme], 1936. Localisation inconnue.

Jacob Lawrence, *The Migration of the Negro* [La Migration du Noir], panneau n° 31 : *After arriving North the Negroes had better housing conditions* [Après leur arrivée dans le Nord les Noirs eurent de meilleures conditions de logement], 1940-1941. The Phillips Collection, Washington.

d'Américains possible[2] ». Au-delà du cercle immédiat de Benton, cette façon de voir et de faire devient la référence de la plupart des 2 500 fresques réalisées dans le cadre du WPA/FAP.
Pour Cahill, l'un des accomplissements majeurs des « muralistes américains » aura été « la récupération d'un passé utilisable[3] ». Et, de fait, beaucoup de commandes publiques donnent naissance à des peintures d'histoire au sens propre du terme, telle la réalisation par James Brooks en 1935-1936 — dans un style American Scene qui ne préfigure en rien son avenir d'expressionniste abstrait — de la décoration *Acquisition of Long Island* (œuvre détruite) pour la Woodside Library à Long Island, décrite par l'artiste lui-même comme « un truc historique, à épisodes — les Indiens et les colons se faisant un peu la guerre puis devenant amis —, et la culture du sol[4] ». Pourtant, comme l'a souligné Francis O'Connor, à la différence des muralistes mexicains dont ils veulent s'inspirer, les artistes des États-Unis ne peuvent réaliser des œuvres à partir d'une histoire longue[5], sauf à puiser dans un passé amérindien qui restera largement inexploité jusqu'à ce que, au début des années quarante, le groupe marginal des Indian Space Painters s'en empare brièvement[6]. Aussi passent-ils souvent à la peinture de thèmes contemporains, soit, comme dans le cas de Benton et de l'American Scene, pour suggérer la permanence d'un passé rural sans troubles, soit, comme dans le cas d'artistes plus engagés, pour fixer les caractéristiques de la période du New Deal. Les spécificités de l'histoire américaine, son caractère relativement récent, conduisent ainsi les artistes désireux de traiter d'une iconographie proprement nationale à opter majoritairement pour une forme de mythologie ou pour un engagement actif dans la vie politique et sociale. La production des artistes se résume alors à la « production de stéréotypes nationaux » (pour reprendre l'analyse de Karal Ann Marling[7]), ou à des reportages de micro-histoire contemporaine qui mettent l'accent sur le travail et le chômage.
Rares sont ceux qui réussissent à donner corps au désir de peindre l'histoire réelle de leur pays. Les plus engagés restent prisonniers d'une rhétorique de propagande, comme le montrent William Gropper et surtout Philip Evergood, qui transcrit immédiatement dans *American Tragedy* (1937) les affrontements meurtriers entre la police et les ouvriers de Gary (Indiana). L'un des seuls, Ben Shahn se signale par sa grande prudence : s'il est peintre d'histoire engagé, c'est avec recul. Les œuvres qu'il consacre à des faits nationaux déterminants sont réalisées avec au moins une dizaine d'années de retard sur l'événement. Ainsi, la série *Sacco et Vanzetti* n'est-elle entreprise qu'à partir de 1931. Il faudra attendre l'entrée en guerre des États-Unis pour que l'histoire et le présent se rejoignent dans son œuvre. À l'exception de quelques affiches, où le premier rôle est dévolu au texte, et des tableaux *Concentration Camp* (1944, coll. J. Schulman) et *Pacific Landscape* (1945, MoMA), la distance temporelle est alors remplacée par une sorte de distance iconographique qui substitue la métaphore à la description littérale, comme dans *Liberation* (1945, coll. J. Thrall Soby, MoMA). Certains artistes de Harlem, comme William H. Johnson (série des *Fighters for Freedom*, 1945-1946) ou Jacob Lawrence, emploient la même stratégie de distance chronologique. Ils parviennent à réaliser des œuvres alliant des thèmes historiques, une portée pour le présent d'une communauté qui se cherche références et légitimités, et une certaine modernité formelle (ou du moins le rejet d'une figuration littérale inspirée de l'American Scene et l'emploi d'un vocabulaire caractérisé par l'aplat de couleurs pures). Lawrence, singulièrement, dans les soixante panneaux de la série *The Migration of the Negro* (Phillips Collection et MoMA), en se servant des légendes qu'il inscrit sous chacun d'eux, combine efficacement en 1941 la narration d'un événement récent — la migration intérieure de la population noire au moment de la Première Guerre mondiale — et la rigueur. Cette efficacité est sans doute le résultat du caractère livresque (ouvrages d'histoire et de sociologie) et personnel (souvenirs d'enfance) de ses sources. De plus, la narration est confiée à la progression de la série, tandis que chaque panneau peut fonctionner à partir d'images tendant souvent à l'abstraction[8].
Les préoccupations des artistes américains — hormis pour une poignée de modernistes marginalisés par les institutions et presque sans soutien marchand — sont donc nationales. À l'occasion, les artistes liés au parti communiste (membres des John Reed Clubs, en particulier) choisissent des événements étrangers pour thèmes, mais cela reste une exception. À partir de 1934, avec l'adoption de la stratégie de Front populaire et la création d'unions syndicales (Artists' Union) qui regroupent presque toutes les tendances esthétiques, à l'exception notable des tenants de l'American Scene, le chauvinisme perd peu à peu son caractère dominant. La guerre d'Espagne suscite ainsi quelques réalisations, quoique en nombre restreint et de qualité en général assez faible. Seuls des artistes comme David Smith, avec les *Medals for Dishonor* en 1938-1940, ou Philip Guston, avec le tondo *Bombardment* en 1937-1938, peuvent donner à des préoccupations suscitées par la montée du fascisme et de la guerre une forme non dogmatique, parce que leur recherche d'une iconographie efficace mais ouverte s'accompagne d'une volonté de se situer dans la mouvance du modernisme européen, et parce que, plus généralement, ils insistent sur le

caractère international « des États-Unis, de son peuple, de sa religion, de ses coutumes[9] ».
Il faut attendre l'entrée en guerre des États-Unis, en décembre 1941, pour voir l'arrivée massive — mais éphémère — de l'histoire internationale dans la peinture américaine, sous l'égide notamment de l'association des Artistes pour la victoire dont la constitution s'ouvre par la formule : « Nous offrons nos talents, nos êtres, pour aider à remporter cette guerre afin de rester une nation libre[10]. » Benton lui-même peint des sujets de propagande explicite, qui font un large usage de l'allégorie chrétienne et du folklore de l'Ouest, selon une tendance que l'on retrouve aussi bien chez Gropper (*Good and Evil,* 1942, coll. C. Glassberg) ou chez Rockwell Kent *(Paul Bunyan)*[11].
La guerre terminée, pour les artistes non modernistes le nationalisme redevient une donnée essentielle, que Barnett Newman dénonce violemment en affirmant que « la swastika d'Hitler, [...] ce signe modernisé de l'isolationnisme de Caïn, [orne le front] des leaders de l'art » américain[12].
Dans un monde qui se prépare manifestement à la guerre ou s'y trouve plongé, l'internationalisme est ainsi durablement lié aux artistes modernistes qui en tiraient au départ seulement leurs modèles esthétiques. Non sans mal, il permet de mettre fin à des années d'hésitation entre l'engagement dans l'Histoire et le modernisme. Il propose en outre un modèle de participation active et non caricaturale à la transformation du monde contemporain. Le modernisme américain continue pourtant tout au long des années trente à être animé par une forte tentation de repli sur des problèmes exclusivement formels. Depuis sa création en 1937, l'association des Artistes abstraits américains (AAA) se définit ainsi clairement contre l'engagement. En 1938, son porte-parole, George L. K. Morris, déclare : « Vous devez négliger les satires de vos opposants qui vous décriront comme des "gens qui cherchent à fuir la réalité" et travaillent dans le vide[13]. » En 1942, l'association proclame : « Faire et exposer des peintures d'imagination en temps de guerre devient [...] notre privilège et notre devoir[14]. »
Pourtant, dès cette époque, certains artistes tentent de trouver une solution pour mettre en accord leur engagement personnel et leur pratique artistique. Les New-Yorkais, qui appartiennent presque tous à des associations militantes de gauche comme l'Artists' Union[15], ou le Congrès des artistes américains (AAC), se trouvent à partir de 1934-1936 pressés d'intervenir dans l'actualité du pays. En octobre 1934, Arshile Gorky construit une sculpture « cubiste » représentant un arlequin sur un fond abstrait, qui est portée au sein d'une manifestation de l'Artists' Union devant la mairie de New York. Mais la simple transposition d'œuvres modernistes dans un contexte politique apparaît rapidement insatisfaisante. La participation de trente-cinq membres de l'Union à la Brigade Abraham Lincoln pendant la guerre d'Espagne ne résout rien non plus sur le front artistique. Or, la quasi-totalité des artistes avancés peuvent, jusqu'en 1940 au moins, souscrire à la déclaration d'ouverture du premier Congrès des artistes américains : « Peu d'artistes peuvent prétendre à la probité en restant à l'écart, plongés dans des problèmes d'ateliers[16]. »
L'un des premiers essais de conciliation de cette conscience historique et d'un certain avant-gardisme esthétique sera tenté par les membres du groupe The Ten qui, protestant contre la ligne rétrograde du journal de l'Artists' Union *Art Front*, obtiennent la nomination de l'un des leurs, Joseph Solman, comme rédacteur en chef à partir de janvier 1936[17]. Les membres de The Ten ont plus de difficultés à inclure ces préoccupations dans leurs tableaux, même s'ils organisent des expositions au bénéfice de l'Espagne républicaine[18]. Ni Mark Rothko ni Adolph Gottlieb en particulier ne donnent de version engagée du modernisme aussi littérale que les autres membres du groupe, tels Ilya Bolotovsky avec *Air Raid* (1937) ou Louis Schanker avec *Dictator's Dream* (1938).
La création du « surréalisme social » vers 1934-1935 répond à des préoccupations similaires. Louis O. Guglielmi, Walter Quirt et James Guy, rejoints parfois par Peter Blume ou Francis Criss, utilisent ainsi des moyens surréalistes pour exprimer leurs critiques de la société[19]. Ils trouvent dans le surréalisme, comme le dira Guy, le moyen d'exprimer « les luttes dynamiques de la société » en combinant « des temps et des espaces variés dans une seule toile[20] ». Le surréalisme social autorise à la fois la figuration et l'américanité de l'American Scene, la pertinence du rapport à l'histoire internationale et la généralité du mythe, comme l'illustre en 1938 la toile *Mental Geography* de Guglielmi, ainsi décrite par son auteur : « Les haut-parleurs de la destruction

David Smith, *Medal for dishonor. Death by Gas* [Médaille du déshonneur. Mort gazé], 1939-1940. The Museum of Modern Art, New York.

fasciste hurlent le bombardement d'une nouvelle ville [...]. Hier Tolède, le Prado. Demain Chartres - New York - le pont de Brooklyn qui devient par le processus de la géographie mentale une grosse masse de pierre, de poutres et de câbles tordus[21]. » Pour ces artistes, qui reviendront, par refus de l'automatisme, à une peinture antimoderniste, le surréalisme social est pendant quelques années le meilleur moyen de proposer une peinture d'histoire efficace politiquement aux États-Unis. Il permet, comme l'indique Quirt dans le commentaire d'une œuvre murale réalisée en 1937 dans le cadre du WPA/FAP (*The Growth of Medicine from Primitive Times* pour Bellevue Hospital à New York), de rejoindre « la vie onirique commune à tous les êtres humains [...] qui est le dénominateur commun de notre période historique[22] ». C'est pourtant exactement sur ce point que les modernistes leur feront des reproches, formulés notamment par Meyer Schapiro dans un article de 1937 où est dénoncé le fait que « la prison du monde pratique est échangée contre un donjon souterrain[23] ». Le plus connu des modernistes de cette époque, Stuart Davis, premier rédacteur en chef d'*Art Front* puis président à partir de 1936 du Congrès des artistes, tente également de pratiquer un art situé clairement au sein de la réalité contemporaine (par son iconographie) sans rien abandonner toutefois de l'exigence esthétique. Il juxtapose sur ses toiles des passages abstraits et des objets types de la société américaine qu'il identifie au prolétariat, comme dans sa première réalisation pour le WPA/FAP, *Swing Landscape* (1938, Bloomington, Indiana University Art Museum) ou dans la fresque *History of Communications* de 1939. Surtout, comme l'a analysé Cecil Whiting, il justifie politiquement sa « grammaire » plastique. Il écrit par exemple que « l'art abstrait est le seul art qui traite son sujet de façon dialectique et globale », le seul qui « soit aujourd'hui une force sociale de progrès et pas simplement une théorie du progrès[24] ». Davis condamne ainsi le réalisme social comme passif (il n'est qu'un reflet de son environnement), le régionalisme comme crypto-fasciste et propagandiste par nature (Benton sera la cible de plusieurs articles d'*Art Front*), et même l'abstraction puriste comme anti-historique et « éternaliste » (d'où des sorties contre Mondrian)[25]. La célébration abstraite de la vie démocratique, fortement inspirée par Léger dont les positions théoriques similaires sont popularisées par des visites aux États-Unis et la traduction de ses articles, est ainsi, pour Davis, la seule peinture d'histoire possible, comme en témoignent les titres envisagés pour *Hot Still-Scape for Six Colors - Seventh Avenue Style* (1940, Boston, Museum of Fine Arts) : « Art pour une démocratie urbaine », « Vue anti-rurale ». Cette forme d'abstraction enracinée dans le réel offre ainsi une possibilité de salut pour les artistes engagés dans l'avant-garde tant politique qu'esthétique, dont profitera notamment Ralston Crawford en réalisant en 1946 quelques tableaux sur les résultats d'essais nucléaires auxquels il a assisté. Il justifiera le recours à l'abstraction dans une lettre à la rédactrice en chef du magazine *Fortune* qui lui a passé cette commande : « Il faut aussi considérer que certains phénomènes ne peuvent être directement observés à Bikini, [telle] la radioactivité[26]. »

Bien que minoritaires, ces prises de position en faveur de la pertinence de l'abstraction face à l'histoire tumultueuse des années trente et quarante sont partagées par des artistes qui ont joué un rôle important dans l'évolution de l'art américain vers l'expressionnisme abstrait. C'est en particulier le cas de Burgoyne Diller, directeur de la division des œuvres murales du WPA/FAP de New York. Sûr que les artistes abstraits ont une responsabilité particulière, il confie à des modernistes la réalisation de projets entiers, comme la décoration des logements bon marché du Williamsburg Housing Project à Brooklyn (commandes passées à douze artistes, dont Bolotovsky, Davis, Byron Browne ou Willem De Kooning, aidé par Lee Krasner[27]) ou celle du nouvel aéroport de Newark (dix panneaux monumentaux peints par Gorky en 1936). Avec ces réalisations, dont Gorky souligne l'« importance sociologique » et « éducative[28] », se précise, pour les artistes américains, l'éventualité d'une abstraction engagée. Pourtant, toute ambiguïté n'est pas levée. D'une part, face aux réactions hostiles du public, Diller est encore obligé de défendre ces abstractions en les qualifiant de « motifs abstraits peints en couleurs vibrantes et fortes pour ajouter au plaisir des résidents[29] ». D'autre part,

Jackson Pollock,
War [Guerre], 1947.
The Metropolitan
Museum of Art,
New York.

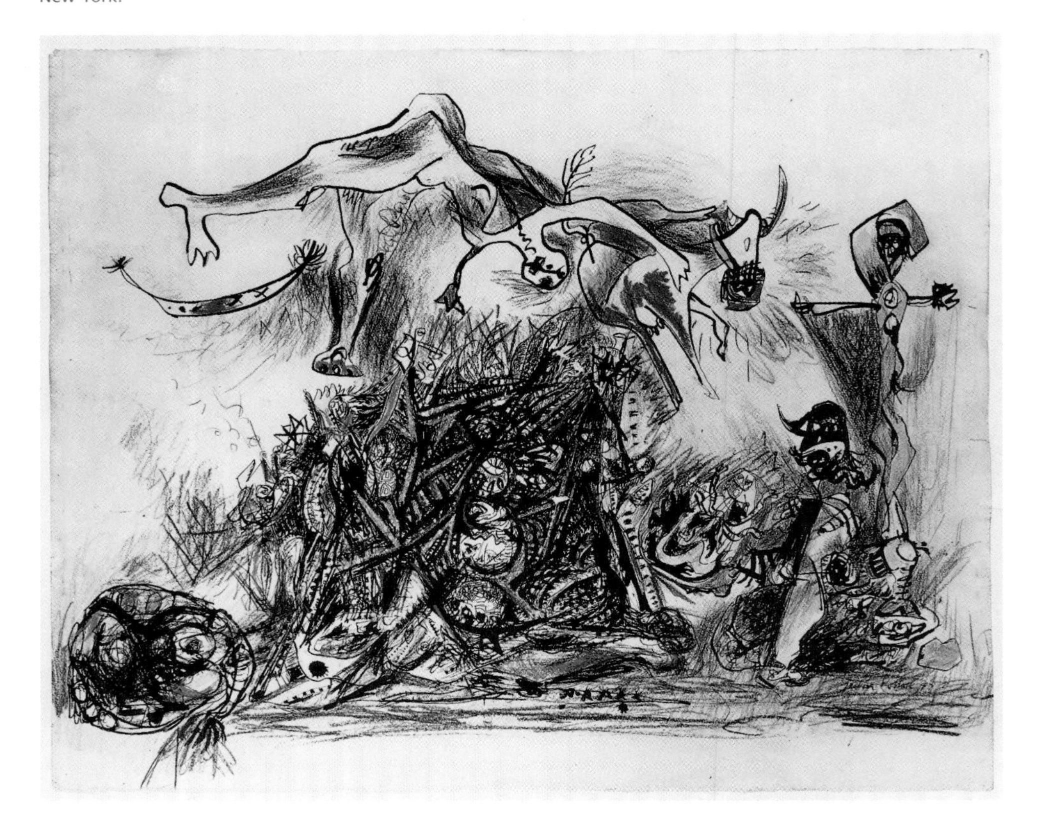

comme le font remarquer aussi bien Clarence Weinstock (qui a succédé à Solman à la tête d'*Art Front*) que Meyer Schapiro, ce type d'art abstrait dépend de « la foi du spectateur » pour « acquérir un sens[30] » (une caricature de Grosz montrant des bourgeois ridicules achetant un tableau abstrait « parfait pour leur salon » illustre le propos) ; il correspond à une position « individualiste » dans une société où « la plupart des gens ne se sentent des individus que lorsqu'ils sont inertes, rêveurs, passifs, tourmentés ou incontrôlés[31] ».
Les controverses qui éclatent en 1936-1937, à l'occasion de l'exposition du MoMA « Cubism and Abstract Art » et de celle des artistes abstraits américains au Whitney Museum, qui l'a précédée, vont permettre de clarifier la situation. À cette occasion, Davis argumente publiquement en faveur de l'art abstrait, en réponse à Weinstock : « Si le processus historique force l'artiste à abandonner son isolement individualiste et à se placer dans l'arène des problèmes humains, c'est sans doute l'artiste abstrait qui est le mieux équipé pour donner une expression vivante à ces problèmes — parce qu'il a déjà appris à abandonner sa tour d'ivoire dans son approche objective des matériaux de son art[32]. » Mais surtout Schapiro précise certains points du texte rédigé par Barr en ouverture du catalogue de son exposition. Il affirme que les artistes abstraits ne sont pas moins déterminés que les artistes figuratifs par les conditions géographiques et historiques dans lesquelles ils vivent[33]. Il ne s'agit pas là d'une attitude maximaliste à l'égard de l'abstraction, et, peu de temps après, Schapiro précisera encore sa position en écrivant : « Le fait qu'une œuvre d'art ait un contenu politique radical n'en garantit pas la valeur révolutionnaire. À l'inverse, l'absence de contenu politique ne fait pas qu'elle soit de nulle pertinence pour l'action révolutionnaire[34]. » L'art abstrait devient possible à utiliser.

C'est dans cette brèche, qui légitime l'abstraction comme véhicule d'un engagement devant l'Histoire et rejette toute forme de déterminisme du contenu et de la forme, que s'engouffreront les expressionnistes abstraits. L'histoire, si elle reste encore à préciser, en a déjà été faite ailleurs, aussi bien par Clement Greenberg que par Serge Guilbaut. L'environnement esthétique qui vient d'être résumé et sa radicalisation du fait de la violence de la guerre (dont la mondialisation fait une sorte de mythe intemporel) conduisent des artistes comme Pollock, Rothko, Gottlieb ou Still à adopter une forme semi-abstraite dans un premier temps, celle de la « peinture de mythe » que Gottlieb justifie ainsi : « Aujourd'hui que nos aspirations ont été réduites à une tentative désespérée pour nous échapper du mal [...], nos images obsessionnelles, souterraines et pictographiques sont l'expression de cette névrose qu'est la réalité. » Dans un contexte favorable à un désengagement politique (du moins à l'abandon du marxisme en faveur des valeurs individuelles de la démocratie), la position non illustrative se trouve ainsi légitimée face à l'Histoire, et Pollock peut écrire : « L'expérience de notre époque en termes picturaux — non pas une illustration — (mais l'équivalent) Concentré, fluide[35]. » Alliée à la volonté de pratiquer une peinture radicalement nouvelle, cette décision conduira les plus avancés des artistes américains à passer vers 1946-1947 à une forme radicale d'abstraction trans-historique, conçue comme origine plutôt que comme reflet, et dont Barnett Newman exprimera l'attitude paradoxale en théorisant la nécessité de « commencer à partir de rien, comme si la peinture n'avait jamais existé auparavant[36] ». Comme si l'Histoire s'engendrait ici et maintenant.

---

1. Holger Cahill, « American Resources in the Arts », repris dans F. V. O'Connor (éd.), *Art for the Millions*, Boston, New York Graphic Society, 1974, pp. 43-44.
2. Cité par Erika Doss, « From the Great Depression to the Cold War », dans le cat. d'exposition *Thomas Hart Benton*, Lugano, Museo d'Arte Moderna/Electa, 1993, pp. 90-92.
3. Holger Cahill, introduction au cat. d'exposition *New Horizons in American Art*, MoMA, 1936, p. 14.
4. James Brooks dans D. Seckler (éd.), « Interview », *Archives of American Art Journal*, vol. 16, n° 1, 1976, p. 13.
5. Francis V. O'Connor, *op. cit.*, pp. 20-24.
6. Sur ces artistes méconnus, cf. le cat. d'exposition *The Indian Space Painters,* Baruch College, City University of New York, 1991.
7. Karal Ann Marling, *Wall-to-Wall America,* Minneapolis, University of Minnesota Press, 1982.
8. Cf. le cat. d'exposition *Jacob Lawrence : The Migration Series*, Washington, Phillips Collection, 1993.
9. David Smith, « Modern Sculpture and Society », repris dans F. V. O'Connor (éd.), *Art for the Millions*, *op. cit.*, p. 90.
10. Constitution du 18 mars 1942, cité par Ellen G. Landau, « A Certain Rightness », *Arts Magazine*, vol. 60, n° 6, févr. 1986, p. 44.
11. Cf. Cecil Whiting, *Antifascism in American Art*, New Haven & Londres, Yale University Press, 1989, pp. 144 *sqq*.
12. Barnett Newman, « What About Isolationist Art ? », dans *Selected Writings and Interviews*, New York, Knopf, 1990, pp. 22-23.
13. George L. K. Morris, « Some Personal Letters to American Artists Recently Exhibiting in New York », *Partisan Review*, mars 1938, pp. 36-41 (trad. française dans Serge Guilbaut, *Comment New York vola l'idée d'art moderne*, Nîmes, Jacqueline Chambon, 1988, p. 51).
14. « Annual Statement of the AAA, 1942 », cité par Ellen G. Landau, art. cité, p. 52.
15. Cf. Gerald M. Monroe, « The Artists' Union of New York », *Art Journal*, vol. 32, n° 1, automne 1972, pp. 17-20.
16. « Why an Artists' Congress », 1936, cité par S. Guilbaut, *op. cit.*, p. 30.
17. Cf. Gerald M. Monroe, « Art Front », *Archives of American Art Journal*, vol. 13, n° 3, 1973, p. 17.
18. Cf. I. Dervaux, « The Ten », *Archives of American Art Journal*, vol. 31, n° 2, 1991, pp. 15-17.
19. Ilen S. Fort, « American Social Surrealism », *Archives of American Art Journal*, vol. 22, n° 3, 1982, p. 8.
20. Lettre de James Guy de 1980, citée dans D. Tashjian, *A Boatload of Madmen,* New York & Londres, Thames & Hudson, 1995, p. 120.
21. Louis O. Guglielmi, « Guglielmi's First », *Art Digest*, nov. 1938, cité par I. S. Fort, art. cité, p. 16.
22. Walter Quirt, « On Mural Painting », repris dans F. V. O'Connor (éd.), *op. cit.*, p. 81.
23. Meyer Schapiro, « Blue Like an Orange », *The Nation*, vol. 145, n° 13, 24 mars 1937, pp. 323-324.
24. Stuart Davis, cité par C. Whiting, *op. cit.*, p. 76.
25. Cf. Stuart Davis, « Abstract Painting Today », repris dans F. V. O'Connor (éd.), *op. cit.*, pp. 125-126.
26. Ralston Crawford à Deborah Calkins, lettre du 14 mai 1946, citée par Barbara Haskell, *Ralston Crawford*, New York, Whitney Museum of American Art, 1985, n° 120, p. 141. Ad Reinhardt conclut son compte rendu de l'exposition de Crawford où apparaissent ces tableaux par : « Des formes biscornues et des lignes tordues représentent-elles l'ajustement de la peinture à l'âge atomique ? (NON). »
27. Sur ces projets, cf. Barbara Dayer Gallati, *The Williamsburg Murals : A Rediscovery*, New York, The Brooklyn Museum, 1990, n. p., ainsi que Greta Berman, « Abstractions for Public Spaces, 1935-1943 », *Arts Magazine*, vol. 56, n° 10, juin 1982, p. 82.
28. Arshile Gorky, « My Murals for the Newark Airport : An Interpretation », 1936, repris dans le cat. d'exposition *Murals Without Walls : Arshile Gorky's Aviation Murals Rediscovered*, Newark, The Newark Museum, 1978, pp. 13-15.
29. Burgoyne Diller, cité dans B. Haskell, *Burgoyne Diller,* New York, Whitney Museum of American Art, 1989, p. 64.
30. Clarence Weinstock, « Contradictions in Abstractions », *Art Front*, vol. 1, n° 4, avr. 1935, p. 7.
31. Meyer Schapiro, « The Social Bases of Art », 1936, repris dans C. Harrison & P. Wood (éd.), *Art in Theory-1900-1990*, Oxford & Cambridge, Blackwell Publishers, 1992, p. 510.
32. Stuart Davis, « A Medium of Two Dimensions », *Art Front*, mai 1935, p. 7.
33. Cf. Meyer Schapiro, « La nature sociale de l'art abstrait », *Marxist Quarterly*, n° 1, janv. 1937, trad. J.-M. Luccioni, dans *Cahiers du Musée national d'art moderne*, n° 4, 1980, pp. 271-283.
34. Meyer Schapiro, « Patrons of Revolutionary Art », 1937, cité par Hubert Damisch, « Meyer Schapiro », *Cahiers du Musée national d'art moderne*, art. cité, p. 270.
35. Jackson Pollock, repris dans F. V. O'Connor & E. V. Thaw, *Jackson Pollock, A Catalogue Raisonné*, New Haven & Londres, Yale University Press, 1978, vol. 4, p. 253. Ce type de déclaration n'a pas empêché les interprétations de l'art expressionniste abstrait comme représentation de la guerre, de la bombe atomique, voire de la Shoah, dont l'une des plus récentes et des plus délirantes se trouve chez Ziva Amishai-Maisels dans *Depiction and Interpretation : The Influence of the Holocaust on the Visual Art*, Pergamon Press, 1993, pp. 243 *sqq*.
36. Barnett Newman, 1967, *op. cit.*, p. 192.

La lutte finale des artistes mexicains : engagement collectif et individuel entre 1933 et 1945

Christine Frérot

Depuis la révolution de 1910, l'enchevêtrement de l'art et de la politique est une constante dans l'histoire du Mexique. La naissance, puis les « trente glorieuses » (années vingt, trente et quarante) de l'école muraliste mexicaine sont indissociablement liées à l'engagement politique et social des peintres et à leur volonté d'union, de regroupement ou d'association. L'histoire picturale et graphique de cette époque atteste — outre les réalisations murales — l'intense production de matériel de diffusion et de propagande, au travers de journaux, bulletins, tracts, affiches et estampes. Dès les années cinquante, la consolidation du marché de l'art mexicain, les préoccupations esthétiques grandissantes et la pression de la reconnaissance internationale vont contribuer à émousser une cohésion et une solidarité historiques et à désintégrer progressivement l'attachement des artistes à une forte tradition d'esprit collectif et militant.

Si les années trente constituent une décennie capitale, c'est, d'une part, parce qu'elles cristallisent les ambitions révolutionnaires et esthétiques des artistes et, de l'autre, qu'elles représentent un tournant décisif dans l'apogée et le déclin d'un art réaliste militant profondément marqué par l'expérience soviétique. Qu'ils s'identifient au courant stalinien ou partagent les idées de Trotski, les artistes, dans leur grande majorité, sont politisés et se mobilisent. Les querelles[1] à la fois idéologiques et esthétiques qui opposent David Alfaro Siqueiros et Diego Rivera amorcent plus particulièrement la fracture du mouvement muraliste.

Le front antifasciste que va construire une majorité d'intellectuels et d'artistes, avec pour tribunes deux associations — la LEAR (Liga de escritores y artistas revolucionarios) et le TGP (Taller de la gráfica popular) —, s'impose sur le terrain comme le seul rassemblement efficace. S'il a pour objectif premier de dénoncer la montée de l'extrême droite en Europe et de soutenir la République espagnole agressée, il doit aussi faire face, sur son propre sol, au développement de la propagande nazie et aux mouvements néofascistes armés qui noyautent la démocratie.

Si cette décennie est considérée comme l'une des plus significatives pour la maturité et la qualité des peintures murales (la commande officielle s'accroît considérablement), c'est aussi celle où un groupe impose avec force un art qu'il veut réaliste et nationaliste, imprégné de l'idéologie que propage un Parti communiste mexicain influent, qui, bien que réduit, compte nombre d'adhérents ou de sympathisants parmi les artistes les plus importants de l'époque.

Pourtant, l'un des héros de la révolution, homme de guerre autant qu'homme d'esprit et de lettres, peintre reconnu et admiré, Gerardo Murillo, qui se fait appeler le Dr Atl, fait violemment exception à ce concert antifasciste quasi unanime. Ses écrits pronazis et racistes, antisémites et anticommunistes, son lien direct avec les mouvements fascistes locaux et étrangers ternissent l'éclat d'une œuvre puissante, singulièrement liée à la passion des volcans.

Bien qu'entaché par les désaccords idéologiques internes, c'est le consensus autour d'une certaine idée du nationalisme culturel et artistique qui occupe le devant de la scène artistico-politique. L'histoire de l'art de cette époque n'a pas échappé à cette emprise et a été, jusqu'à une époque récente, l'otage de cette interprétation dominante. On reconnaît depuis peu l'intérêt que présentent ces artistes de l'ombre, qui, victimes du sectarisme ambiant, ont dû se démarquer de la déferlante nationaliste, avec le risque d'être marginalisés et privés d'une audience et d'une reconnaissance « populaires ». Liés au groupe des Contemporaneos[2], plusieurs peintres et sculpteurs recevront l'appui d'écrivains indépendants, divulgateurs des idées de l'avant-garde européenne, défenseurs de la liberté d'expression et adversaires d'un nationalisme étroit et réducteur. Deux thèses s'affrontent, qui s'opposent non pas tant par le choix de l'engagement politique que par l'adoption d'esthé-

José
Clemente Orozco,
Los Muertos
[Les Morts], 1931.
INBA Museo de Arte
Alvar y Carmen T. de
Carrillo Gil,
Mexico.

tiques nouvelles : la lutte collective et partisane pour un art réaliste et engagé, la lutte individuelle et indépendante pour un art libre et ouvert au monde.

L'ouverture cardeniste (1934-1940) et la solidarité avec la République espagnole

L'arrivée au pouvoir du général Cárdenas en 1934 va incontestablement apporter à la vie politique, sociale et culturelle du Mexique un souffle nouveau. Le pays émerge de la crise économique où il est plongé depuis 1929 et aspire à de profonds changements structuraux. En matière culturelle, le programme de Cárdenas repose sur l'« éducation socialiste » et le développement de la culture révolutionnaire mexicaine, terreaux efficients pour l'implantation d'un art exemplaire, voire officiel. Le « socialisme » de Cárdenas, qui s'apparente à un populisme laïque et progressiste, ne séduit pas dans un premier temps les artistes et les intellectuels, qui finiront pourtant par s'y rallier. Dès son accession au pouvoir, le gouvernement adopte une position antifasciste, et en 1936 il déclare sa solidarité active avec la République espagnole en guerre. L'intolérance et la censure qui prévalaient sous Calles avaient contraint à l'exil de nombreux artistes, dont Orozco, Rivera et Siqueiros ; ces derniers rentreront au Mexique avec Cárdenas. Mais l'ouverture cardéniste a ses limites ; si elle impulse, d'un côté, un courant culturel de grande importance, elle est récupérée, de l'autre, par un excès de bureaucratisme et de sectarisme qui donne à sa conception de la « culture prolétarienne » et de l'« art révolutionnaire » des allures de dogme partisan, à la fois rassembleur et hostile. La réhabilitation du Parti communiste mexicain, que le président Cárdenas a sorti de la clandestinité en 1935, est critiquée.

En réalité, les relations entre le PCM et le gouvernement se nouent par l'intermédiaire de la LEAR, puis du TGP ; la véritable dimension politique et culturelle du sextennat de Cárdenas sera assumée par ces deux organisations, qui seront les fers de lance de la lutte antifasciste qu'a choisie de mener officiellement, à l'intérieur et à l'extérieur de son pays, le président de la République mexicaine.

La politique antifasciste internationale de Cárdenas repose principalement sur la reconnaissance et l'appui de son gouvernement à la République espagnole dès le début de la guerre civile. La solidarité mexicaine va se développer non seulement à l'intérieur du pays, mais aussi à Paris — par l'intermédiaire de la Légation mexicaine, qui deviendra un relais essentiel de la politique de Cárdenas et permettra d'acheminer, dès 1937, plusieurs centaines de réfugiés espagnols au Mexique — et sur le terrain, où vont aller combattre plusieurs peintres. Au Mexique, les artistes de la LEAR, puis ceux du TGP, vont consacrer au soutien des républicains espagnols une part importante de leurs activités, en éditant des affiches et des lithographies, en intervenant sur les murs[3] ou en s'engageant aux côtés des républicains, comme le feront, entre autres, Antonio Pujol et, surtout, David Alfaro Siqueiros. Cette présence active et militante est corroborée par l'importante délégation officielle que la LEAR[4] envoie en juillet 1937 au Congrès des écrivains antifascistes de Valence, accompagnée d'une exposition intitulée « Cent ans d'art révolutionnaire mexicain ».

Diego Rivera,
Proletarian Unity
[Unité prolétarienne],
panneau central
de *Portrait of America*
[Portrait de l'Amérique],
à la New Workers School,
New York, 1933.
Collection particulière.

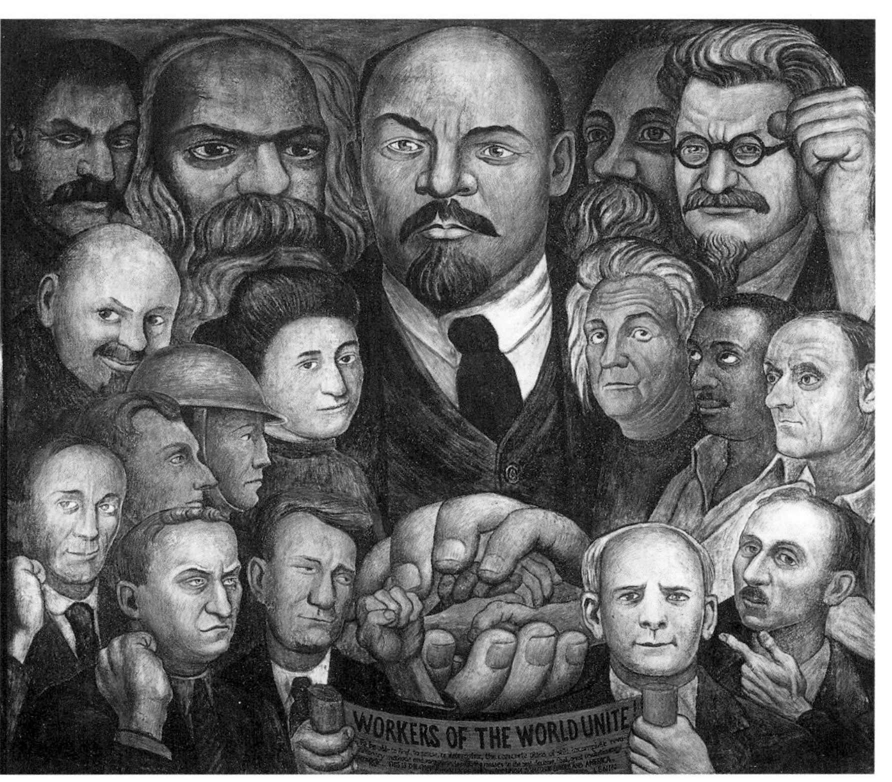

La LEAR et le TGP

Créée en mars 1934 par un groupe d'artistes, parmi lesquels Leopoldo Mendez, Pablo O'Higgins, Luis Arenal, Xavier Guerrero, et par l'écrivain Juan de la Cabada, la Liga de escritores y artistas revolucionarios place au centre de ses préoccupations la lutte contre le fascisme. Elle veut créer un « front uni contre le fascisme et l'impérialisme » en réalisant un travail intellectuel au service de la classe ouvrière. La plupart de ses membres sont affiliés au parti communiste et, pendant ses quatre années d'existence, la LEAR sera contrôlée plus ou moins directement par le parti. Le meeting du 21 janvier 1935, au cours duquel la LEAR demande à Cárdenas de rétablir les relations du Mexique avec l'URSS et de légaliser le PCM, montre la nature et l'étroitesse du lien existant entre ce parti et la LEAR[5]. Celle-ci, néanmoins, sera progressivement intégrée par des courants et des artistes de convictions différentes, comme Maria Izquierdo, Rufino Tamayo ou Manuel Alvarez-Bravo, et deviendra la seule plateforme antifasciste agissante et crédible.
Les activités culturelles de la LEAR sont diverses — la Ligue comptant plusieurs sections — mais c'est réellement sur le terrain des arts plastiques que la mobilisation est la plus remarquable. En dehors des activités de propagande (création d'affiches, de banderoles, de gravures, de tracts...), où les artistes font preuve de leurs capacités à réagir dans l'urgence, la participation à des congrès internationaux, la présentation d'expositions, les interventions du Taller Escuela experimental et des Brigadas artísticas sur le terrain constituent l'essentiel de leur engagement.

La production de peintures murales, réalisées à Mexico par des membres de la LEAR[6] et sous son égide, remplit le même contrat antifasciste. Les thèmes abordés dans les Talleres gráficos de la Nación (60 m^2, 1936 et 1937), au Mercado Abelardo Rodriguez (117 m^2,1934-1936), à l'Escuela Emiliano Zapata (1933), au Centro escolar Revolución (1936-1937) et à l'Escuela Estado de Michoacan (1938-1939) traitent de la lutte contre les monopoles, celle des travailleurs contre la guerre et le fascisme, du fascisme destructeur de l'homme et de la culture, de la faim et du chômage, de l'expropriation pétrolière, etc.

Leopoldo Mendez,
El Fascismo 1 [Le Fascisme 1], 1936.
Collection Leopold Vitorge,
Paris.

La LEAR est en première ligne non seulement sur le front artistique mais aussi sur le front éditorial : l'année de sa fondation, elle édite une revue d'ambition internationale, *Frente a Frente* (seize numéros de 1934 à 1938), à laquelle collaboreront de nombreux écrivains et poètes étrangers. Si *Frente a Frente* consacre la plupart de ses articles aux thèmes fascistes, elle exprime de façon réitérée, en présentant la position du PCM, son admiration pour le communisme et l'URSS, ainsi que son soutien à la guerre d'Espagne. La reconnaissance de la LEAR par Cárdenas et son officialisation progressive entraînent sectarisme, opportunisme et démagogie. La ligue se saborde en se bureaucratisant, et finit par disparaître. C'est le Taller de la gráfica popular qui prend la relève antifasciste à Mexico, en 1937.

On retrouve au TGP (fondé par Leopoldo Mendez, Pablo O'Higgins et Luis Arenal) la plupart des artistes qui étaient présents dans la LEAR. Diego Rivera et José Clemente Orozco font exception à la règle. Les objectifs du TGP sont simples : continuité de la lutte antifasciste et appui aux luttes populaires. Au centre de l'activité militante du TGP comme de la LEAR, la production de matériel de propagande pour des manifestations ou des meetings. Le TGP produit également des illustrations pour la presse antifasciste. L'arrivée de l'architecte Hannes Meyer (expulsé du Bauhaus pour ses sympathies communistes et antinazies) et la création, sous sa direction, des éditions de La Estampa mexicana vont donner un coup de fouet au TGP à partir de 1939. Mais le dogmatisme dont fait preuve le Taller, les divergences entre les artistes, la poussée indépendantiste contre l'école mexicaine vont isoler et marginaliser un TGP qui ne rassemble plus que des artistes plasticiens. L'incorporation d'artistes opportunistes, plus soucieux d'obtenir une image de marque que de participer à une œuvre commune et militante, finira par dénaturer le TGP, lui enlevant toute crédibilité politique et le plongeant dans une sorte d'état de veille active, où il sommeille encore aujourd'hui.

La réponse murale des « trois grands »

José Clemente Orozco, l'un des trois grands de l'école mexicaine, est-il vraiment aussi apolitique qu'il veut bien le faire croire dans ses déclarations ou dans ses textes autobiographiques ?
Personnalité complexe et contradictoire, Orozco entretient, dans une sorte d'autodéfense permanente, la confusion qui entoure le sens de son art. À une époque où il est difficile d'afficher une attitude d'indépendance, Orozco, qui a été un actif défenseur du changement artistique en 1922 et l'un des promoteurs les plus ardents de l'école mexicaine naissante, ne sera jamais membre d'un parti ou d'une association. Il se défend de faire de la politique, de la littérature ou de la théorie dans ses peintures. Pourtant, ce monde chaotique, grotesque et opprimé qu'il s'attache à caricaturer avec passion à l'Hospicio Cabañas montre bien la conscience qu'il a de la barbarie, de l'oppression et du despotisme. Le message d'Orozco n'a pas la clarté et la simplicité manichéenne du discours militant en vogue ; il se veut sans parti pris, sans anecdote, et, comme il l'affirme, sa peinture doit aborder les thèmes « du monde contemporain, ceux que lui offre son peuple, ceux de son propre vécu ». Alors que David Alfaro Siqueiros et Diego Rivera se déchirent sur la place publique dans une polémique qui affecte toute la décennie, Orozco peint son œuvre

majeure à l'Hospicio Cabañas de Guadalajara (1936-1939). Les fresques de la chapelle sont une allégorie de la conquête de l'Amérique élargie à une critique de son temps, dont l'artiste illustre les thèmes majeurs : démagogues, dictateurs et masses exploitées sont passés au crible d'un trait acerbe et caricatural. Dans la peinture intitulée *Le Cirque contemporain,* où Hitler et Staline, transformés en clowns, sont logés à la même enseigne, la vision d'Orozco traduit le monde hors de tout embrigadement idéologique, et son hostilité aux dogmes — il est anticlérical et anticommuniste — exprime ce qui est du ressort d'une morale plutôt que d'une philosophie, plus universaliste et humaniste que politique.

David Alfaro Siqueiros est le seul des « trois grands » à avoir pris une part active à la guerre d'Espagne aux côtés des républicains. Il s'est engagé en janvier 1937 dans l'armée républicaine, où il a été pendant près d'un an lieutenant-colonel de la 29e division des Brigades internationales, celles-là mêmes où se sont battus Ernest Hemingway et Joris Ivens. C'est pourtant au cours de ces années consacrées à la lutte contre le fascisme, où il réalise de nombreuses peintures murales, que Siqueiros connaît à la fois la prison et l'exil. Cette décennie est symptomatique de la voracité de l'artiste, qui s'investit sur des fronts multiples sans jamais perdre la face. La personnalité à multiples facettes de Siqueiros, sa fidélité au Parti communiste mexicain — malgré son expulsion en 1930 —, son dogmatisme jamais démenti, sa résistance physique, sa capacité rhétorique, sa curiosité expérimentale et, en outre, un charisme exceptionnel lui ont forgé le profil d'une sorte de soldat-missionnaire-partisan, qui pèse lourd dans l'appréhension de son œuvre picturale.
La peinture murale intitulée *Portrait de la bourgeoisie* (1939-1940), réalisée à la demande du Syndicat mexicain des électriciens et située à son siège à Mexico, est une œuvre collective[7] conduite par Siqueiros. Œuvre majeure de dimensions importantes (près de 100 m^2), elle est remarquable par son adéquation plastique à l'espace — un escalier tournant — et par la force du thème traité. Conçue dans un but de propagande, elle vise à dénoncer le capitalisme et son cortège de drames. Siqueiros y représente, dans une grande confusion d'images, des ouvriers manifestant, des armées en marche, des immeubles en flammes, des orphelins et des veuves de guerre, le lynchage des Noirs... Dans cette sorte de grand collage d'inspiration photographique, où le drame humain côtoie l'affirmation dogmatique, une figure se détache avec force : celle du « Démagogue », qui évoque Mussolini haranguant les foules. Le projet initial montrait des enfants et des leaders ouvriers espagnols sacrifiés par les fascistes (inspirés de photographies authentiques) ; à la demande du syndicat et avec l'accord de l'équipe des peintres, ces visages seront remplacés par une pluie de pièces d'or et par les tentacules d'un poulpe. En outre, il est intéressant de noter que la peinture murale ne se situe pas dans la ligne du pacte germano-soviétique, signé le 23 août 1939. Ce qui préoccupe vraiment Siqueiros, comme la plupart des artistes mexicains de l'époque, c'est la guerre d'Espagne. L'équipe sera dispersée au moment de l'affaire Trotski (les Mexicains devront s'exiler). Le *Portrait de la bourgeoisie* sera terminé en 1940 par Josep Renau.

Le 27 septembre 1929, Diego Rivera est expulsé du parti communiste, comité central duquel il est membre depuis 1922. Sa filiation trotskiste est le prétexte qui sert à le condamner. Après de longues années de fidélité et d'engagement au trotskisme, Rivera réintègre le giron communiste en 1950. Ses activités militantes (écrits publiés dans la presse, signatures de manifestes et de pamphlets, participation à des congrès et à des manifestations...) vont de pair avec l'éloquence encyclopédique et documentaire de sa peinture. Sa propension à la narration, son attention au contenu plus qu'à la recherche formelle se retrouvent, à un autre niveau, dans la versatilité politique qu'il affiche en devenant tour à tour zapatiste, communiste, anticardeniste, trotskiste et stalinien... Le manifeste qu'il cosigne à Mexico avec André Breton en 1938 entérine son antistalinisme transitoire et consacre le credo bretonnien pour la liberté de l'artiste, auquel il souscrit alors. L'invasion de l'Union soviétique par les nazis en 1941 sera pour lui l'occasion d'un revirement et d'une autocritique, et jusqu'à sa mort, en 1957, il s'alignera inconditionnellement sur l'URSS. Les contradictions de Rivera ne font que masquer la fragilité de ses convictions et un grand idéalisme. Peintre de chevalet très prolixe, il reste néanmoins fidèle à l'art monumental. À Mexico, les fresques du Palacio nacional, réalisées entre 1929 et 1945, constituent l'une de ses peintures murales les plus importantes de ces années. L'histoire du Mexique y est conçue comme une geste épique, qui met l'accent sur l'exploitation coloniale et les luttes sociales de l'époque. Dominé par la figure de Marx, le mural consacré au Mexique moderne (partie gauche de l'escalier central) — fragment du manifeste du parti communiste, svastikas et croix — traduit véritablement l'esprit politique de Rivera. Si ce dernier a pu exprimer ici ses idées en toute liberté, ce n'est pas le cas dans les peintures (aujourd'hui disparues) réalisées en 1936 pour l'hôtel Reforma de Mexico (quatre panneaux mobiles sur le thème du carnaval populaire). Interdite par les politiciens, qui s'y reconnaissent caricaturés, l'œuvre ne sera jamais exposée. Cet épisode, qui met directement en cause la classe politique, montre l'influence sur le gouvernement du lobby politico-économique et marque les limites de l'« ouverture cardeniste[8] ».

Le cas du Dr Atl et la présence fasciste au Mexique

Comme l'explique le peintre José Chavez-Morado dans une entrevue publiée en 1988[9], le Mexique a beau être loin de l'Europe, il n'en est pas moins la proie des ambitions expansionnistes du IIIe Reich visant le continent américain. L'artiste mexicain, fortement impliqué dans la lutte antifasciste, fait allusion au rôle central des Légations allemande et italienne, qui, aux côtés de la Phalange espagnole, parrainent les activités de la 5e Colonne au Mexique. À la solde de ces institutions, des combattants organisés sur le modèle des organisations paramilitaires allemande et italienne se sont donné pour objectif de déstabiliser le régime de Cárdenas (espionnage, corruption, ingérences diverses, assassinats) et de faire le lit des intérêts idéologiques et économiques du « Nouvel Ordre » nazi dans le pays. Les Camisas doradas (« Chemises dorées »), bras armé du groupe d'extrême droite ARM (Acción revolucionaria mexicanista), ont été créées dans les années trente à l'initiative du président Calles pour contrôler le mouvement ouvrier. Cárdenas ne réussira jamais à les éliminer. Soutenues par l'oligarchie terrienne, elles ont pour bête noire le parti communiste et pour principale activité de saboter les mouvements de grève et de combattre les associations qui œuvrent pour le socialisme au Mexique.

L'un des relais les plus actifs de la colonie allemande à Mexico est le peintre Gerardo Murillo, *alias* Dr Atl. Pilier de la campagne en faveur du fascisme, Atl, créateur aux activités multiples, est aussi un écrivain prolixe. Ses textes parus dans les années 1932 à 1942 — pendant lesquelles il se consacre principalement à l'écriture —, portent essentiellement sur la politique. Dans ses articles et éditoriaux publiés dans les quotidiens de grande diffusion *(Excelsior, El Universal, Novedades)* et dans une douzaine de brochures éditées entre 1936 et 1942, il exprime ouvertement ses convictions antisémites, anticommunistes, son opposition aux alliés, et apporte son appui à *Timon,* une revue pronazie dirigée par l'écrivain José Vasconcelos.
Mais le Dr Atl reste un cas isolé, et ses prises de position pronazies ne sont nullement le fait de l'ensemble des artistes de droite ou de ceux qui se tiennent à l'écart d'un militantisme d'obédience communiste. La position de Rufino Tamayo est à cet égard représentative d'un grand nombre de peintres qui ne veulent pas se situer dans l'orthodoxie artistique et politique de l'école mexicaine et qui ont choisi une voie indépendante. Ce qui les intéresse plus que tout, c'est la peinture, celle-là même qu'ils ont du mal à faire reconnaître au Mexique, dans un climat qui ne leur est pas favorable.
Époque adulée, époque honnie : une telle conjonction entre les intérêts politiques de l'État et les intérêts idéologiques des artistes, alliée à un contexte international unique, comme nous venons de le voir, ne se reproduira pas, dans l'histoire de ce pays, pour faire de la relation entre l'art, la politique et l'État ce qu'elle a eu d'exceptionnel sous le mandat de Cárdenas. À son crédit, sans aucun doute, des peintures murales historiques et un formidable bond en avant de l'estampe.
Depuis la fin des années soixante-dix, les artistes mexicains ont abandonné la lutte et cédé aux assauts imposés par la mondialisation de la vie artistique. Le décalage observé avec les pays du sud de l'Amérique latine pour l'intégration au concert artistique international est sans aucun doute lié à l'histoire de ces années 1930-1940, au cours desquelles le Mexique a accompli une révolution dans l'art, unique dans tout le continent. Mais il n'est pas improbable que ces événements soient porteurs d'un héritage positif pour les générations actuelles, qui leur permette de relativiser une possible recherche d'identité, et de cerner avec une distance critique éprouvée la définition d'un langage mexicain de la modernité et sa reconnaissance nationale et internationale.

José Chavez-Morado, *El Fascismo en Latino-America* [Le Fascisme en Amérique latine], 1938. Collection Leopold Vitorge, Paris.

1. La polémique idéologique et artistique la plus spectaculaire est celle qui a lieu dès 1934 entre Rivera et Siqueiros, pour des raisons à la fois personnelles et politiques. Consulter à ce sujet David Alfaro Siqueiros, « Rivera's counter revolutionary road », *New Masses,* 20 mai 1934, et Diego Rivera, « Defensa y ataque contra los stalinistas », *Claridad,* Buenos Aires, févr. 1936.
2. Plusieurs écrivains et poètes forment entre 1920 et 1932 le groupe que l'on a appelé la génération des « Contemporaneos » (d'après la revue du même nom) : Carlos Pellicer, Salvador Novo, Jorge Cuesta, José Goroztiza, Xavier Villaurutia et Jaime Torres Bodet, auxquels vont se joindre le musicien Carlos Chavez et les peintres Agustin Lazo, Rufino Tamayo, Juli Castellanos et Manuel Rodriguez Lozano.
3. Feliciano Pena, *La Lutte pour l'Espagne,* école normale de Jalapa, Veracruz, 1936. Cette peinture sera effacée quelques années plus tard sur ordre du gouverneur de l'État.
4. Parmi les représentants les plus orthodoxes (membres du Parti communiste mexicain), l'historien José Mancisidor, l'écrivain Juan de la Cabada, le compositeur Silvestre Revueltas, les peintres Fernando Gamboa et José Chavez-Morado. Les poètes Octavio Paz — qui a alors vingt-trois ans — et Carlos Pellicer font aussi partie de la délégation officielle mexicaine.
5. Quatre points sont demandés par la LEAR (ils seront mis en œuvre par le gouvernement) :
   – libération des syndicalistes révolutionnaires déportés aux îles Marias;
   – légalisation et libre circulation de la presse ouvrière et, notamment, du *Machete* (organe du PCM);
   – légalisation du Parti communiste mexicain;
   – réouverture des relations avec l'URSS (rompues sous Calles en 1930).
6. Parmi lesquels Leopoldo Mendez, Pablo O'Higgins, Alfredo Zalce, Fernando Gamboa, Angel Bracho, Antonio Pujol, Raul Anguiano, ainsi que les Américains Isamu Noguchi (qui a participé gratuitement à un immense bas-relief sur le thème du fascisme et de l'homme) et Grace et Marion Greenwood.
7. Premier mural réalisé en équipe par David Alfaro Siqueiros. L'équipe espagnole est composée d'artistes républicains exilés — Miguel Prieto, Antonio Rodriguez Luna et Josep Renau. L'équipe mexicaine comprend David Alfaro Siqueiros, Luis Arenal et Antonio Pujol.
8. D'autres muraux seront détruits sous la pression des intérêts politico-économiques :
   – Juan O'Gorman, *L'Histoire de l'aviation* (24 m^2 de fresque, aéroport de Mexico, 1937), est une allégorie antifasciste où apparaissent les têtes d'Hitler et de Mussolini pendues à un crochet. La raison de la censure est le pétrole qu'il faut vendre aux Allemands à cause du blocus imposé par les Américains et les Anglais;
   – José Chavez-Morado, *La Lutte anti-impérialiste à Veracruz,* école normale de Jalapa, Veracruz, 1936. Ces muraux seront effacés au cours de la Seconde Guerre mondiale sur ordre du gouverneur de l'État (pour leur tonalité ouvertement anti-américaine). Ils seront partiellement restaurés en 1966.
9. Entrevue inédite de Maria Eugenia Garmendia, Mexico, 10 mars 1988, dans le catalogue d'exposition *José Chavez-Morado, su tiempo, su país,* Gobierno del Estado de Guanajuato/INBA, 1988, p. 30.

Impasse et seuil : figures du réalisme dans les années trente

Antoine Perrot

« Il faut constater ici un singulier phénomène, à mon avis extrêmement symptomatique : c'est qu'aucun des orateurs n'a rejeté l'épithète *réaliste,* le substantif *réalisme* [...]. Aujourd'hui les mots *réaliste*, *réalisme*, sont prononcés en bonne part uniformément par les artistes les plus différents de notre pays[1]. »
Le consensus, dont Aragon se félicite ici, dans son compte rendu des débats de la Maison de la Culture, révèle un étrange instantané de l'activité artistique : au milieu des années trente, le réalisme dresserait sa figure emblématique, réconciliatrice et conquérante, semblable aux bannières ornées de portraits géants de Callot, de Courbet et de Daumier, ou de reproductions de *La Barricade* de Delacroix et du *Tres de Mayo* de Goya, que les artistes portent au sein des défilés du Front populaire.

L'accord, cependant, est superficiel.
Il est le fruit d'une lecture volontariste et, surtout, contradictoire avec le titre *La Querelle du réalisme*[2], choisi, dès 1936, pour publier les interventions des artistes. Entre la vivacité de cette querelle et l'unanimité déclarée, on serait bien en peine de découvrir l'élaboration d'une théorie du réalisme, ou, faudrait-il dire, *des* réalismes. L'enjeu se place ailleurs. L'annonce d'un nouveau réalisme est étroitement subordonnée à un foisonnement de questions politiques et sociales auxquelles les peintres sont sommés de répondre.

La décennie des années trente est ponctuée d'enquêtes qui dessinent rétrospectivement les inquiétudes et les choix qui traversent les ateliers. En 1933, la revue *Commune,* organe de l'Association des écrivains et artistes révolutionnaires (AEAR[3]), demande aux peintres : « Où va la peinture ? », parodiant, comme cela a déjà été remarqué[4], la question précédemment posée aux écrivains : « Pour qui écrivez-vous ? » Question reprise en 1935 et 1936 au cours des trois débats animés par Crevel, Malraux, Aragon et Cassou à la Maison de la Culture, puis une dernière fois en 1939 par les *Cahiers d'art.* Mais même la première enquête, adressée aux peintres abstraits et publiée en 1931 dans les *Cahiers d'art*, ne peut être écartée de ce long cycle. La condamnation sous-jacente aux questions posées à Mondrian, Arp, Kandinsky, Léger et Baumeister est en négatif la trame des enquêtes futures : art cérébral, décoratif et insensible, l'art abstrait, construit sur l'absence du sujet — et donc de l'humain —, a réduit la peinture au silence.

Mutisme de la peinture, ou pouvoir d'énonciation ? Ces deux présupposés partagent le débat, comme ils semblent départager les publics auxquels s'adressent les peintres. Deux textes, publiés bien avant l'année charnière de 1936, répartissent les rôles et en délivrent les lignes de force.

Une tribune libre de Paul Vienney, ami d'Auguste Herbin et, comme lui, adhérent du parti communiste, est doublement significative. Non seulement elle paraît, en 1932, dans le premier numéro d'*abstraction-création*, créée pour défendre l'art abstrait, et conclut que l'abstraction est une impasse ; mais elle se révèle être, à nouveau en négatif, la matrice des conventions sur lesquelles s'édifiera un réalisme engagé. « L'art abstrait », écrit Paul Vienney, « ne plonge pas dans la réalité » et n'affronte pas le concret ; il « n'a aucune valeur pour l'action ». Devenu, pour avoir éliminé toutes les contingences extérieures à l'art, un discours hermétique, il ne peut être qu'un « apanage d'initiés ». Enfin, en décrivant un art incapable de s'engager et devenu illisible, Paul Vienney esquisse une critique de l'autonomie de la création : « Le développement de l'abstraction, souligne-t-il, [a été] parallèle et dépendant du développement social[5]. » L'abstraction, dans sa quête d'un absolu, est le produit du capitalisme et sa neutralité, l'illustration de sa dépendance à la bourgeoisie.

Pierre Tal-Coat, *Massacre*, 1937. Collection particulière.

Francis Gruber, *Hommage à Jacques Callot*, 1942. Collection particulière.

Cette analyse par contiguïté exclut définitivement l'abstraction de tous les débats. Aragon en inverse simplement le propos pour légitimer le réalisme lorsqu'il écrit à la suite de son compte rendu cité précédemment : « La force, à laquelle, en toute liberté, s'associaient ce soir-là les plus individualistes des peintres [...], cette force, c'était le peuple, la classe ouvrière en tête, qui donnait aux mots *réaliste, réalisme,* la valeur de l'action[6]. » L'affirmation est péremptoire. L'association étroite et systématique de l'engagement politique et de la pratique artistique devient un argument d'autorité et le réalisme, une évidence. Cet argumentaire simplifié, qui sera inlassablement développé sous la plume d'Aragon et de Léon Moussinac, est énoncé en novembre 1932 dans l'éditorial non signé du premier numéro de *Cahier rouge,* organe provisoire de l'AEAR. Il fixe les quatre mots d'ordre qui structurent ces discours : l'artiste doit prendre conscience de sa situation, dénoncer sa prétendue indépendance vis-à-vis de la bourgeoisie, rejoindre le front uni des intellectuels et du prolétariat, réhabiliter l'art et en faire une arme au service de la lutte révolutionnaire.

L'ensemble des textes et des interrogations des années trente ne prend son sens qu'au sein de cette trame. Face à la crise économique qui, dès 1931, a un effet dévastateur sur le marché de l'art, face à la montée du fascisme avec l'arrivée au pouvoir d'Hitler en 1933 et, en France, les émeutes antiparlementaires de février 1934, face enfin à la guerre d'Espagne, les incessants appels lancés aux artistes prennent un caractère d'urgence et d'obligation : « Travailleurs dits intellectuels, artistes : c'est terrible à cette heure extrême de vous voir hésiter [...]. Réfléchissez si vous pouvez rester neutres[7]. » Comme l'écrivent Ozenfant, mais aussi Signac ou Cassou dans les quelques numéros de *Feuille rouge* qui paraîtront, les artistes doivent prendre parti. Seule la réponse de Dufy à l'enquête « Où va la peinture ? » reste empreinte de cette indifférence sociale et politique qui est vivement dénoncée : « Si j'étais allemand et que je dusse peindre le triomphe de l'hitlérisme, je le ferais, comme d'autres, jadis, ont traité, sans la foi, des sujets religieux[8]. »

Cependant ce n'est pas la position, sans doute trop irresponsable, de Dufy, qui est attaquée violemment par Aragon, mais « l'art moderne, le réalisme nouveau » défendu par Léger. Celui-ci devient la cible d'Aragon parce qu'il refuse, d'une part, de dénoncer la minorité fortunée, qui a capté l'art à son profit, et, d'autre part, de réduire sa peinture à des sujets immédiatement accessibles à un « nouveau public ». « C'est ce refus de la bataille qui est donc qualifié de réalisme nouveau ? [...] En vous insurgeant contre l'art représentatif, vous vous confinez simplement à représenter le produit sublimé de cet ordre social, la marchandise. Esclave, vous peignez vos chaînes[9]. » Au centre de la polémique revient sans cesse la question lancinante de l'art comme pratique sociale, mais Aragon la détourne en réduisant le champ de la peinture à une pratique spéculaire : « L'art représentatif » est « en un mot, un réalisme socialiste » d'autant plus objectif qu'il reflète sans transposition les rapports sociaux.

Qu'une vive controverse s'engage sur la soumission de la peinture aux exigences politiques ne remet pas en cause l'accueil favorable fait à un réalisme qui exalte « sa puissance de transformation de la conscience humaine[10] ». En effet celui-ci s'insère et poursuit une longue série d'exhortations de la critique — et, pour accentuer la confusion, de tout l'éventail politique de la critique — appelant à privilégier « un retour à l'humain » et à réhabiliter le sujet. S'inscrivant ainsi dans une véritable campagne pour « le retour non seulement du sujet, mais à la scène, à l'épisodique, à l'anecdote[11] », le réalisme se pare de toutes les vertus. Lisible,

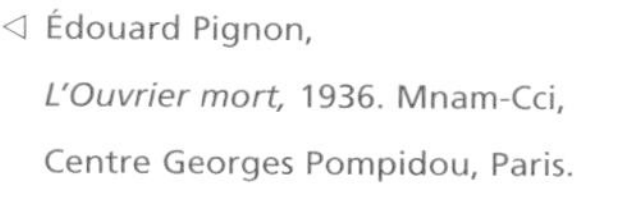

◁ Édouard Pignon, *L'Ouvrier mort,* 1936. Mnam-Cci, Centre Georges Pompidou, Paris.

◁ Auguste Herbin, *Réalité spirituelle*, 1939. Collection Anne et Jean-Claude Lahumière, Paris.

il offre une reconnaissance immédiate du sujet; édifiant, il suggère des qualités morales; efficace, il articule l'art et la politique au sein de sa pratique; solidaire, il comble l'abîme creusé entre le peuple et les artistes. Ainsi, le réalisme assimile le rôle et la forme déclarative que lui assignent les critiques. La peinture, otage de ses vertus, renoue avec la parole : « Les formes et les images [...] ont recouvré leur nom[12]. »

Les titres des œuvres accrochées dans les expositions de l'AEAR[13] illustrent cette propension au bavardage et, surtout, affirment avec force leur engagement, comme si le visuel pouvait être encore trompeur. De *L'Union des intellectuels et du prolétariat* aux nombreux *meetings,* sans oublier les bustes de Marx et de Lénine, les œuvres elles-mêmes hésitent entre la plasticité didactique de la propagande et un art « moyen » dont le cubisme abâtardi d'un Lhote serait le modèle. Mais la leçon de ce réalisme rencontre finalement un faible écho auprès des jeunes artistes. Le témoignage d'Édouard Pignon est à cet égard éloquent : « À l'expo de 1937, il y avait au pavillon soviétique une toile représentant Lénine parlant au peuple [...]. On ne pouvait pas juger cette toile en tant que peinture. Ni autrement. C'était une image, une anecdote. Cela n'avait rien de révolutionnaire[14]. »

L'ambiguïté relevée par Pignon repose sur l'oubli total de la spécificité des moyens plastiques. La subordination à un discours et l'avènement certain de la révolution repoussent la question esthétique dans le futur, après la naissance d'une société et d'un homme nouveaux. N'ayant pas la capacité d'éluder cette ambiguïté, les peintres définissent le réalisme, dont ils se réclament, par l'énumération de ce qu'il n'est pas. Est rejetée la peinture « descriptive », « littéraire », « académique », « naturaliste », « photographique », ou encore « le reportage technicolor », selon le mot de Lurçat. Goerg et quelques autres artistes tentent de décrire le processus créateur et osent les mots de « transposition », de « métamorphose », ou même de « révélation ». Mais l'affirmation du réalisme semble se construire autour d'une mémoire retrouvée. L'histoire de la peinture est réécrite. Si Goya est fréquemment cité pour sa force d'expression, cette histoire exalte avant tout une peinture de tradition française, qui, du plus proche au plus lointain, trace une généalogie rapide — Courbet et Daumier, Callot, Fouquet — pour, enfin, célébrer ses vraies racines, le Moyen Âge.

À travers cette mémoire, en dehors même des signes d'un retour à l'ordre qui perdure, les peintres recherchent une peinture de réconciliation; réconciliation de l'homme, de la réalité, du pays et de ses forces vives autour d'une culture qu'ils partagent, ainsi que l'écrit Gromaire : « Le roman, et davantage le gothique, arts d'expérience populaire, sortent du pays lui-même [...]. Je prétends que le Moyen Âge est pour nous, occidentaux, la première grande époque du réalisme plastique, que le peuple doit réclamer comme son bien, et que nous devons étudier avec un filial respect[15]. » Réconciliation que les œuvres illustrent en liant une pratique moderniste tempérée à cette tradition qui émerge; réconciliation enfin qui fait surgir de ces confrontations formelles les tensions tragiques que la peinture se doit d'exprimer. *L'Ouvrier mort* de Pignon rencontre ainsi l'histoire, et l'histoire de la peinture, en condensant au sein du réalisme l'expérimentation du cubisme et l'iconographie chrétienne : « Je ne voyais la réalité qu'à travers les peintres que j'aimais et à travers les Primitifs, qui parlaient aussi de drames sociaux[16]. »

La saisie de la réalité trouve son efficacité dans un jeu d'écarts et de rapprochements brutaux : simplicité du dessin opposée à la violence de la composition couleurs acides, frontalité et naissance d'une discontinuité, d'une exaspération de la ligne. Dans *L'Espagne martyre* de

Fougeron, l'exemple de Picasso, bien sûr, est convoqué, mais la stridence et le caractère arbitraire des couleurs saturent violemment la représentation, métamorphosant le viol de l'Espagne en viol de la peinture. Les *Massacres* de Tal-Coat, qui démantibulent des corps nus sur un fond vert griffé de rouge, ressaisissent, comme pour Pignon, souvenirs tragiques de l'enfance, thèmes engagés et apprentissage plastique. Mais ils se démarquent du réalisme didactique par l'articulation complexe de moyens plastiques tendus à l'extrême, qu'on retrouve également dans certaines œuvres de Francis Gruber, et par la fascination pour « la justesse du regard des Romans ». L'attention, par exemple, portée par Tal-Coat aux peintures de l'*Apocalypse de Saint-Sever*, dont il connaît des reproductions et que Georges Bataille commente dans la revue *Documents,* crée un réseau serré de filiations qui rapproche aussi son travail du *Guernica* de Picasso.

C'est dans le caractère hybride, mais étonnamment créatif, de ces emprunts que se résolvent la recherche de l'authentique et l'engagement social de ces jeunes artistes. Au réalisme socialiste, ils répondent par une peinture où les distorsions incontournables des interrogations qui les assaillent deviennent l'affirmation de leur emprise sur la réalité. On est très loin, de même, du manifeste agressif des Forces nouvelles (1935) auquel participera un moment Tal-Coat « par amitié », puis du groupe Nouvelle Génération (1936) où se retrouvent Fougeron, Gruber, Humblot, Pignon. Rédigé par Henri Héraut, peintre lui-même, ce manifeste fustige « l'expérience impressionniste ou expressionniste et les succédanés douteux de ces deux arts ». Cette condamnation permanente englobe en vrac Cézanne, le cubisme (confondu, d'ailleurs, avec l'abstraction) et le surréalisme. Devenue parole rituelle du réalisme et gardienne du dogme, que, trop souvent, les œuvres démentent, elle semble n'être qu'un effet de langage.

Elle permet, toutefois, de cerner le sentiment d'exclusion qui pèse sur les peintres abstraits, pourtant membres, comme Delaunay, Freundlich, Hélion, Herbin, Heurtaux, Garcin et Gorin de l'AEAR. Ignorés par la critique qui, tel Christian Zervos, prophétise que « l'art non-figuratif aura vite fait de disparaître dans la nuit des avortements[17] », ils sont confrontés à la remise en cause de leurs ambitions éthiques, sociales et politiques autant qu'esthétiques. Cette perte de légitimité, qui leur est assénée pendant toute la décennie, provoque une lente mutation des pratiques abstraites lorsqu'elle ne les fait pas vaciller. La fracture est exemplaire pour Laure Garcin qui présente simultanément des toiles figuratives dans le cadre de l'AEAR et abstraites pour « abstraction-création ». Le parcours d'Hélion vers la figuration est révélateur de ce climat et des divers glissements à l'œuvre chez de nombreux peintres abstraits. *Figure tombée*, peint par Hélion en 1939, condense ainsi la chute du langage universel que les abstractions avaient cru promouvoir et la difficile — sinon impossible — renaissance de la figure humaine face au chaos annoncé de la guerre. C'est le mur, qui devait être subverti par le tableau, qui s'effondre. Ou encore le passage d'une abstraction construite sur une relation analogique avec la structure de l'univers à une abstraction de type « vitaliste ». Le réinvestissement du plan de la toile par la ligne courbe, souple et libre, par le mouvement, la couleur et le modelé — la requalification du visible en somme — accompagne l'évanouissement de la production théorique. La peinture même de Vantongerloo est investie par les courbes qui sous-tendaient la construction orthogonale du tableau. Elle confirme un abandon des codes théoriques antérieurs et la volonté de donner à voir les moyens plastiques comme une totalité directement perceptible. Aux pressions qui s'exercent sur elle, la peinture abstraite oppose ainsi le choix d'une nouvelle autonomie, que Vantongerloo résume en écrivant : « La ligne droite et la verticale sont aussi bourgeoises et anti-universelles que le portrait de Lénine[18]. »

« Je suis libre », cette simple expression écrite par Vantongerloo[19], qui résonne sur tout le territoire de l'abstraction, de Domela à Hélion, marque la nouvelle affirmation du primat de la peinture. Celle-ci trouve d'abord son autonomie sous le terme d'« art concret » — qui, selon Arp, détache la création de tout modèle théorique ou naturel —, puis elle s'approprie le mot « réalité » pour assurer enfin son indépendance. La diatribe lucide d'Herbin contre le réalisme socialiste, publiée dans le quatrième numéro d'*abstraction-création*, commande donc le titre — *Réalité spirituelle* — qu'il donne à deux de ses toiles en 1938, et surtout le nom des expositions d'art abstrait qui encadrent en 1939 et 1946 la Seconde Guerre mondiale : « Réalités nouvelles ». Choix, qu'Herbin légitimera à nouveau en 1945 : « Il ne peut être question d'abstraction. L'œuvre est parfaitement concrète [...] puisqu'il s'agit de la plus pure réalité, la seule réalité qui naît entièrement de l'activité consciente et inconsciente de l'homme[20]. »

1. Louis Aragon, « Le réalisme à l'ordre du jour », *Commune*, n° 37, sept. 1936, p. 24.
2. *La Querelle du réalisme*, Paris, ESI, 1936, rééd. Cercle d'art, 1987, avec une préface de Serge Fauchereau (publication des débats de la Maison de la culture animés par Crevel le 9 mai 1935, puis par Aragon, Malraux, Cassou, en mars et mai 1936).
3. AEAR, fondée en mars 1932, front d'intellectuels unis contre la guerre et le fascisme, liée au Parti communiste français.
4. Bernard Ceysson, « Peindre, sculpter, dans les années trente », dans *L'Art dans les années trente en France*, Saint-Étienne, musée d'Art et d'Industrie, 1979.
5. Paul Vienney, *abstraction-création*, n° 1, 1932, p. 46.
6. Louis Aragon, *op. cit.*, p. 25.
7. Ozenfant, *Feuille rouge*, n° 2, mars 1933 et n° 6, févr. 1934; Jean Cassou, « La culture brûle », *Feuille rouge*, n° 4, fin mai 1933.
8. Raoul Dufy, « Où va la peinture ? », dans *La Querelle du réalisme, op. cit.*, p. 251.
9. Louis Aragon, *op. cit.*, p. 29.
10. Jean Cassou, préface du catalogue de la 2e exposition de l'AEAR, mai 1935.
11. Louis Aragon, « La peinture au tournant », *Commune*, n° 22, juin 1935, p. 1181.
12. Jean Cassou, préface du catalogue de l'exposition « L'Art cruel », Paris, galerie Billiet-Worms, déc. 1937.
13. 1re exposition, janv.-févr. 1934, 2e exposition, mai-juin 1935.
14. Édouard Pignon, *La Quête de la réalité*, Paris, Denoël, 1966, p. 55.
15. Marcel Gromaire, dans *La Querelle du réalisme*, *op. cit.*, p. 64.
16. Édouard Pignon, *op. cit.*, p. 51.
17. Christian Zervos, *Cahiers d'art*, vol XI, n° 1-2, 1936, p. 10.
18. Georges Vantongerloo, *Paintings, Sculptures, Reflections*, New York, 1948, p. 42.
19. *Ibid.*, p. 46.
20. Auguste Herbin, *Arts*, n° 25, juil. 1945, pp. 1-2.

Les surréalistes et la guerre d'Espagne

Agnès de la Beaumelle

L'engagement collectif des surréalistes en 1925 dans le camp de la révolution — celui de la IIIe Internationale au « service » de laquelle ils se mettent en 1930 — devait les contraindre à une prise de position active, militante, avec l'histoire de leur temps, et devenir rapidement la cause première des tensions et des scissions qui vont affecter, et affaiblir, dans les années trente, la cohésion du groupe et sa foi en une action commune. Après « l'affaire Aragon » et les inévitables démêlés avec le Parti communiste français, dont Breton, Péret et d'autres finissent par démissionner officiellement en 1935, les positions idéologiques à l'intérieur du groupe surréaliste ne cessent de se durcir ou de se nuancer, et de s'exaspérer les unes contre les autres. La guerre d'Espagne et les procès de Moscou en 1936 joueront à cet égard un rôle déterminant de prise de conscience : il s'agit, pour l'idéologie comme pour l'écriture et l'art surréalistes, d'un tournant décisif qui va — peut-être définitivement — en entamer l'essor, et plus encore mettre un terme définitif à l'*efficacité* révolutionnaire du mouvement. Et pourtant, la nécessité de faire face à des situations aussi graves que la montée du nazisme et du fascisme, auxquels l'URSS stalinienne fait alors figure de principal opposant, ainsi que celle des courants d'extrême droite en France, se présente comme un puissant enjeu de mobilisation et impose aux intellectuels et artistes de gauche — les surréalistes au premier chef — de faire front commun en signant l'*Appel à la lutte* du 10 février 1934 et en se constituant en Comité de vigilance des intellectuels antifascistes. À cette nouvelle relance de l'union répond, en 1935, la réconciliation des deux chefs de file divisés par *Le Cadavre* en 1930, derrière lesquels s'étaient rangés en deux camps les surréalistes : Georges Bataille, de retour alors de Tossa del Mar chez André Masson, où il termine *Le Bleu du ciel* (mai 1935) qui a pour cadre tragique l'Espagne, et André Breton, de retour de Prague (avril) et de Tenerife (mai). Dans son tract *Du temps que les Surréalistes avaient raison* (août 1935), ce dernier prend position ouvertement contre le stalinisme et la Révolution russe « agonisante », et se rapproche, en septembre-octobre, du groupe bataillien (Cercle communiste démocratique) de Boris Souvarine, directeur de la revue *La Critique sociale.* Par la création, le 7 octobre, du groupe Contre-Attaque autour du manifeste *Union de lutte des intellectuels révolutionnaires*, il s'agit pour Breton, Bataille et ceux qui les rejoignent, de tenter une nouvelle forme d'action commune, fondée sur la nécessité de « laver le monde du cauchemar, de l'impuissance et du carnage où il sombre », en contribuant à un sursaut de l'offensive révolutionnaire.

Antinationaliste, antifasciste et antisoviétique, l'appel lancé est un appel à la *violence armée du peuple* et prépare — il faut le souligner — le terrain idéologique du soutien de principe au peuple espagnol. Mais, sous l'égide commune (et impossible) de Sade, de Fourier et de Nietzsche, Contre-Attaque ne devait subsister que jusqu'en mars 1936, date de la rupture entre Breton et Bataille, accusé de « tendances surfascistes ». L'échec de cette dernière utopie d'action commune fait constat de l'éclatement irréversible du groupe surréaliste qui, face au révélateur que sera la guerre d'Espagne, va voir les uns et les autres s'engager dans des choix individuels, souvent violemment opposés. Pour Bataille, son futur silence sur la résistance armée du peuple espagnol s'éclaire à la lueur de son appréhension du drame : « dans une humanité où le sacrifice religieux semble être désormais sans valeur, les guerres et les révolutions apparaissent en effet comme les seules immenses *blessures à ouvrir dont la séduction puisse encore exercer de grands ravages*[1] ».

En exaspérant la lutte entre fascistes et non-fascistes, la guerre civile espagnole apporte avec elle la menace d'un conflit mondial, dont elle constitue le prélude, le terrain d'affrontement expérimental tant idéologique que technique[2]. Les surréalistes, anciens dadaïstes marqués de manière indélébile par le drame de la Première Guerre mondiale, redoutent avant toute chose la perspective d'un deuxième embrasement. On comprend dès lors qu'après leur premier tract enflammé du 20 juillet 1936 *(Il n'y a pas de liberté pour les ennemis de la liberté : Arrêtez Gil Roblès)*, leur second, daté du 20 août, qui sera le dernier à stigmatiser la tragédie espagnole *(Neutralité ?*

Non-sens, crime et trahison[3]), marque un souci de prudence et de modération : tout en s'attaquant à la neutralité du gouvernement Blum et en dénonçant la stratégie du « plan fasciste d'hégémonie mondiale », l'appel lancé à la mobilisation se limite à la demande de formation de milices prolétariennes constituées de volontaires et d'un envoi de matériel de guerre.
Tandis que seuls Benjamin Péret[4] et Theodor Fraenkel s'engagent sans réserve dans les unités républicaines espagnoles fin août (peu après Malraux, le 24 juillet, et Simone Weil, le 15 août), les attitudes respectives des deux fondateurs du surréalisme, Aragon et Breton, sont significatives de l'écart désormais creusé entre eux. Aragon l'absent : depuis le début de juin jusqu'à l'automne 1936, il est à Moscou, où il écrit son roman *Les Beaux Quartiers,* apologie du réalisme français. À son retour en France, il part pour Madrid convoyer les dons de l'Association internationale des écrivains pour la défense de la culture, accompagné du poète allemand Gustav Regler, qui rejoint les Brigades internationales créées fin octobre. À Paris, début novembre (quand commence la bataille de Madrid), il marque sa solidarité en présentant pendant l'hiver la tournée théâtrale de la Cobla de Barcelone. Dans les colonnes du journal *Ce Soir,* qu'il crée en mars 1937, est développé le point de vue officiel du parti communiste et des services soviétiques, alors que lui-même s'y fera le champion du roman réaliste engagé, celui de *La Conspiration* de Nizan, de *L'Espoir* de Malraux, à propos duquel il écrit : « La grandeur [...] ne consiste pas à expliquer la guerre d'Espagne mais à s'y plonger. » Sa « participation » sera, fin février 1939, de se rendre au Perthus pour rencontrer les réfugiés espagnols amassés à la frontière franco-espagnole, et d'écrire « Sauvez les intellectuels d'Espagne » au moment où, le 27 février, le Conseil des ministres vote à l'unanimité la reconnaissance à Franco.
S'y « plonger » : André Breton, dont on sait pourtant la répugnance viscérale, physique et idéologique depuis 1914-1918 à toute guerre, envisage de le faire, en août 1936, en compagnie de Max Ernst. Mais ses démarches pour s'engager en Espagne s'avèrent décevantes : « On m'a dit que je ne pourrais pas sortir de Barcelone, où l'on tenterait de m'utiliser comme médecin militaire », écrit-il le 18 août à Paul Eluard, non sans dépit. En réalité, ses démêlés conjugaux (Jacqueline le quitte provisoirement) et la responsabilité de sa fille Aube le dissuadent de partir. Dans sa « Lettre à Écusette de Noireuil », écrite en septembre en clôture à *L'Amour fou,* il évoque avec nostalgie la perspective de rejoindre les rangs républicains espagnols. Le mobilise en fait, plus encore que le désir de rejoindre la cause libertaire du peuple espagnol et son adhésion à ce qu'il veut croire comme une possible union des différentes forces de gauche, le devoir de dénoncer, aux yeux de l'opinion française, le « malheur effroyable qui frappe le socialisme du monde entier » avec les épurations staliniennes révélées par les Procès. Dans sa *Déclaration du 3 septembre : « La Vérité sur le Procès de Moscou »* (tract signé par les seuls surréalistes, sauf Eluard), autrement plus accusatrice et lucide sur les liens qui unissent les événements espagnols aux Procès que l'interrogatif *Appel aux Hommes,* lancé par l'ensemble des intellectuels de gauche fin août, Breton émet « toutes réserves sur le maintien du mot d'ordre "Défense de l'URSS". Nous demandons, dit-il, que lui soit substitué de toute urgence celui de "Défense de l'Espagne révolutionnaire" en spécifiant que tous nos regards vont aujourd'hui, 3 septembre 1936, aux magnifiques éléments révolutionnaires de la CNT, de la FAI et du POUM[5] qui luttent, indivisiblement à nos yeux, sur le front d'Irún et dans le reste de l'Espagne ». Prévoyant dès septembre la stratégie de désunion des différents partis républicains espagnols mise en place par Staline (et qui se conclut par les événements criminels de mai 1937), dénonçant ce dernier comme « principal ennemi de la révolution prolétarienne », il se tourne ouvertement vers Trotski, dont les positions bafouées, redira-t-il dans sa déclaration du 17 décembre au meeting du POI, « sont remises pleinement en vigueur par la lutte du prolétariat espagnol pour sa libération ». Avec une clairvoyance d'une précocité admirable — aucun autre intellectuel de gauche n'aura à ce moment-là la force de dénoncer ouvertement les méthodes staliniennes et la complicité de fait avec les pays fascistes —, il développe, dans son *Discours du 16 janvier 1937 à propos du deuxième Procès de Moscou,* son parallèle entre l'échec futur de la résistance républicaine espagnole, étouffée par l'impérialisme communiste, et les opérations de liquidation organisées à Moscou : « Ne nous y trompons pas : les balles de l'escalier de Moscou, en janvier 1937, sont dirigées aussi contre nos camarades du POUM. [...] Après eux, c'est à nos camarades de la CNT et de la FAI qu'on tentera de s'en prendre, avec l'espoir d'en finir avec tout ce qu'il y a de vivant, avec tout ce qui comporte une promesse de *devenir* dans la lutte antifasciste espagnole. » Son départ pour le Mexique en avril 1938 pourra être interprété, au-delà de sa volonté de rencontrer Trotski, comme une tentative d'échapper à ce dilemme insoluble — la double nécessité d'opposer un refus absolu à un nouveau conflit mondial et de lutter contre le fascisme et le nazisme —, dilemme qui le conduira à la position intenable (et totalement utopiste) définie dans le tract surréaliste *Ni de votre Guerre, ni de votre Paix !* du 27 septembre 1938. Ainsi devront être compris également son départ en 1940 pour les États-Unis et l'idéologie libertaire fouriériste qu'il développera pendant la Seconde Guerre mondiale.

Choc traumatique déplaçant définitivement l'orientation idéologique du surréalisme, le drame de la guerre civile espagnole s'inscrit tout aussi fortement dans les œuvres des peintres de la constellation surréaliste, au premier rang desquels les Catalans Miró et Dalí, ainsi que l'Espagnol d'adoption qu'est alors Masson, sur lesquels on insistera. Chez ceux qui restent proches de Breton et d'Eluard — Tanguy, Ernst, Magritte, etc — , la guerre d'Espagne reste confondue étroitement avec l'horreur de la montée du nazisme et la terreur prémonitoire d'un deuxième déchirement mondial. Max Ernst : toute l'œuvre de 1935 à 1940 se fait allégorie hallucinée de la barbarie humaine ; une véritable iconographie du désastre, aux titres grinçants, s'y déploie : villes pétrifiées et paysages d'apocalypse (*La Ville entière,* 1936-1937), végétaux mécanomorphes ou zoomorphes à la gestation menaçante (depuis les nombreux *Jardin gobe-avions* de 1935-1936 jusqu'aux multiples *Joie de vivre, Nymphe Écho, Nature à l'aurore* des années 1936 à 1938), vautours géants et guerriers (*Les Scaphandriers somnambules,* 1936-1937 *Le Triomphe de l'amour,* 1937), et enfin les deux monstres aux forces déchaînées

◁ Salvador Dalí, *Construction molle avec haricots bouillis. Prémonition de la guerre civile*, 1936. Philadelphia Museum of Art, The Louise and Walter Arensberg Collection.

Max Ernst, *Tête de l'ange du foyer*, ca 1937. Galerie Rojo y Negro, Madrid.

de *L'Ange du foyer,* de 1937, qui constituent les figures allégoriques de l'envahisseur allemand. Magritte : dans ses « peintures noires » des années 1936-1937 apparaissent des machines métalliques à l'irruption inquiétante (*Au seuil de la liberté,* 1937 ; *La Durée poignardée,* 1938), des nuages lourds de cataclysmes inversant l'ordre naturel des choses (*Le Chant de l'orage,* 1937) ou encore, plus précisément allusifs à l'écrasement de Guernica et aux futures armes de guerre, des avions fous (*Le Drapeau noir,* 1937) et d'énigmatiques conteneurs chimiques (*La Génération spontanée,* 1937).
Et aussi Tanguy, Dominguez, Paalen, Marcel Jean… Tous se retrouvent — Picasso se joint à eux, et encore Eluard — pour collaborer à la brochure *Ubu enchaîné,* éditée en septembre 1937 à l'occasion de la représentation de la pièce de Jarry à la Comédie des Champs-Elysées, avec des décors de Max Ernst : c'est évidemment, sur le mode de l'humour noir, la dénonciation du pouvoir totalitaire qui est en œuvre ici derrière le thème grotesque d'Ubu.
« Je me suis exilé en Espagne après les troubles fascistes de février 1934. Mais cela fait partie des ironies de la vie : j'ai fui le fascisme pour me retrouver dans un pays qui allait être fasciste[6]. » Installé à Tossa del Mar, en Catalogne, qu'il quitte pour retourner en France en novembre 1936, Masson ne semble tout d'abord mesurer que l'ampleur dramatique et non les implications idéologiques des débuts de la guerre civile, sa correspondance en fait à peine état : « Quant aux événements, ils continuent à se dérouler. C'est pour le moment un "pronunciamiento", avec ses conséquences : guerre civile. C'est un grand drame : le plus grand qu'ait connu l'Espagne après l'invasion des Français de Napoléon et les guerres carlistes — ce n'est à aucun degré une révolution[7]. » Mais fin août-début septembre, il s'implique personnellement du côté des anarchistes et des miliciens du POUM : les images cruelles des débuts de la guerre civile dont il est le témoin formeront à ses yeux le cadre naturel du *Numance* de Cervantès, monté par Barrault du 22 avril au 6 mai 1937 au théâtre Antoine, et dont il réalisera les décors.
Viscéralement antifasciste, le cofondateur, avec Bataille (qui était à Tossa en avril), de la revue *Acéphale*[8], est loin de partager les idéaux marxistes de l'initiateur de Contre-Attaque. L'entente entre eux — «la conjuration sacrée » — s'établit sur la base de l'exaltation (sous le signe de Sade, de Dionysos et de Nietzsche) des forces tragiques de violence érotique et de mort : toute la création picturale de Masson en 1935-1936 reste sous ce signe. *Sacrifices, Corridas, Tauromachies, Soleils, Insectes, Moissonneurs* terrassés : ces peintures violemment colorées crépitent d'une incandescence de feu et de sang ; la terre d'Espagne, solaire et cadavérique, où se jouent les mythes premiers, semble promise par Masson au même sacrifice qui va immoler le peuple espagnol écrasé par le joug des puissances fascistes.
Présentées à l'exposition « André Masson, Espagne 1934-1936 », organisée en décembre par Kahnweiler à la Galerie Simon, ces œuvres très batailliennes, qui mobilisent l'intérêt de Michel Leiris[9], sont de fait saluées, non seulement comme des présages, mais aussi comme un témoignage poignant du drame espagnol. En réalité, à côté des onze peintures de 1936 exposées, seul un ensemble

relativement restreint de dessins à l'encre s'y référait directement *(Projet d'affiche pour les milices catalanes, L'Étendard, Le Prêtre rassasié)*; en faisant apparaître, aux portes d'une Tolède mythique, un taureau sanguinaire déguisé en prêtre, Masson dénonce le rôle criminel joué par l'Église tout autant que par l'armée franquiste. C'est suffisant pour qu'un Gaston Poulain relève le sens politique de ces œuvres dans *Comœdia* du 8 décembre : « Ce que le peintre André Masson a vu dans l'Espagne en révolution. »
Installé à Lyons-la-Forêt, Masson évoque directement les événements espagnols : la charge politique s'affirme avec une grande violence satyrique dans le premier tableau véritablement inspiré par la guerre civile, *Après l'exécution,* et une série de dessins exécutés à l'encre. Ainsi le

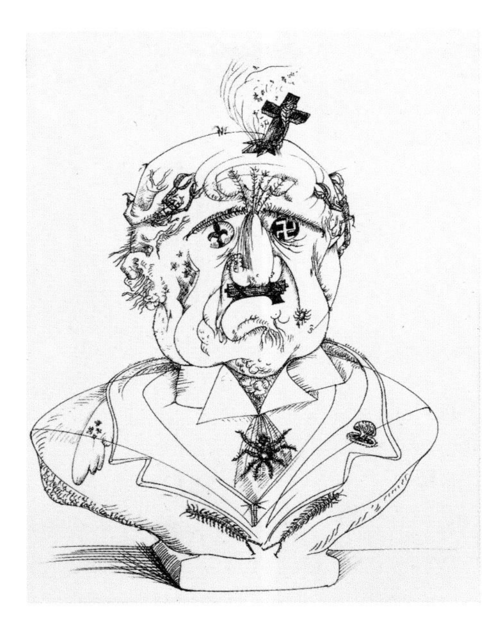

André Masson, *Portrait-charge de Franco*, 1938. Ancienne collection André Breton, collection particulière.

Portrait-Charge de Franco, au buste grotesque décoré des insignes phalangistes et nazis et à la tête trépanée par un crucifix; ainsi *La Gloire du général Franco,* allégorie cosmique de la terreur militaire et religieuse; ou encore *Le Thé chez Franco,* où sont dénoncées, aux côtés d'une Espagne franquiste décharnée, les présences gloutonnes de l'État hitlérien et de l'Angleterre de Chamberlain, à laquelle est soumise la France, misérable coq gaulois dont les entrailles se déversent dans une *City* transformée en pot de chambre... La virulence de ses accusations contre les démocraties tout autant que contre les États totalitaires, la violence de ses attaques anticléricales ne sont pas sans renouer avec l'esprit premier de la révolte surréaliste, dressée contre tous les ordres établis.
Il n'est pas interdit de voir dans l'énigmatique tableau qu'est *L'Hiver,* datant de 1937, où un rideau rouge occupe le centre d'une forêt squelettique et exsangue, l'allégorie de la révolution populaire espagnole écrasée et du champ de mort qu'est devenue la terre de Franco.

Federico García Lorca — le grand ami de jeunesse de Dalí — est assassiné par les franquistes à Grenade, le 19 août 1936. Les provocations apolitiques, subjectivistes, antihumanitaires bien connues proférées par le peintre, ses propos fascinés par le fascisme « irrationnel » hitlérien, qui lui valurent, dès le début de 1934, le blâme officiel de Breton (mais non son exclusion : Eluard, Crevel et Tzara s'y opposèrent), son hostilité immédiate au *Frente Popular,* constitué en mars 1936, puis aux forces républicaines de toutes tendances, enfin ses déclarations ultérieures ouvertement monarchistes, catholiques et franquistes, lui ont été jusqu'au bout reprochés. Son comportement fut compris non seulement comme une trahison honteuse du poète espagnol devenu héros de la République sacrifiée, mais aussi comme la part la plus scandaleuse et la plus intolérable du « système » dalinien : un individualisme perverti, délirant, entièrement narcissique et cynique (Dalí ira même jusqu'à dire qu'il aurait tout aussi bien accepté de recevoir le prix Lénine des mains de Mao Zedong puisqu'il avait bien accepté la Croix d'Isabelle la Catholique des mains de Franco[10]). Et pourtant, ses propos aux accents indignés et émus[11] sur la mort de son ami ne trompent pas sur l'impact profond exercé sur lui. De même, ses évocations vibrantes et hallucinées de la guerre civile témoignent de l'ampleur des répercussions immédiates sur son œuvre : « J'entrais dans une période de rigueur et d'ascétisme qui allait dominer mon style, ma pensée et ma vie tourmentée. L'Espagne en feu éclairerait ce drame de la renaissance d'une esthétique. Elle servirait d'holocauste à cette Europe de l'après-guerre bourrelée de drames idéologiques, d'inquiétudes morales et artistiques. Les anarchistes espagnols se jetèrent dans le feu avec leur drapeau portant : "Viva la muerte". [...] Enterrer et déterrer ! Déterrer et enterrer ! Pour déterrer de nouveau ! Tel fut le désir charnel de la guerre civile dans cette Espagne impatiente. [...] De toute l'Espagne martyrisée s'éleva une odeur d'encens, de chair de curé brûlée, de chair spirituelle écartelée, mêlée à la senteur puissante de la sueur des foules forniquant entre elles et avec la Mort. [...] Autour de moi, la hyène de l'opinion publique hurlait et voulait que je me prononce : hitlérien ou stalinien ? Non, cent fois non. J'étais dalinien, rien que dalinien. »
Dalinien : derrière les images paranoïaques-critiques peintes par Dalí dans les années 1936-1938, où s'exacerbent ses fantasmes morbides, se profile en réalité — il faut le souligner — la Terreur de l'Histoire, dont le peintre se prétend être le prophète voyant et lucide : la *Construction molle avec haricots bouillis. Prémonition de la guerre civile,* de 1936 (le dessin préparatoire daterait de 1935), dont la surface est tout entière occupée par un monstre humain cannibale et démembré en viscères et ossements, en constitue l'allégorie la plus hallucinée. Dalí perpétue là — il semble même s'y référer directement — l'iconographie, qui est entrée dans la grande tradition tragique espagnole, des *Caprices* et des *Désastres* de Goya. De fait, un grand nombre (sinon la majorité) d'œuvres immédiatement ultérieures se font le spectacle du désastre géologique et métaphysique qui ravage l'Espagne. Après les plages lumineuses, calmes et désertiques peintes par Dalí jusqu'en 1935, ce ne sont plus que visions nocturnes de catastrophes ou de combats, apparitions grouillantes de morts, têtes cadavériques ou décomposées (*Tête de femme ayant la forme d'une bataille,* 1936; *Le Grand Paranoïaque,* 1936), rochers calcinés et membres humains fossilisés (*L'Automobile fossile du Cap Creus,* 1936),

tiroirs-sarcophages (*Le Cabinet anthropomorphique,* 1936), squelettes somnambules (*Girafes en feu,* 1936-1937), débris végétaux zoomorphes (*Cygnes réfléchis en éléphants,* 1937). Toutes ces images de désastre se doublent — suivant le processus paranoïaque-critique — de batailles humaines ou équestres lilliputiennes ou de corps géants convulsés dans une torsion cannibale (*Cannibalisme d'automne,* 1936; *Cannibalisme des tiroirs,* 1937) et monstrueuse (*L'Invention des monstres,* 1937). Enfin, exécutées après l'agonie de Guernica, quelques peintures magistrales concluent en quelque sorte la vision apocalyptique dalinienne : l'allégorique *Espagne* de 1937, apparition fantomatique d'une femme au corps transparent dominant un vide désertique et mortel. Du seul tiroir ouvert du meuble désormais clos sur lequel elle s'appuie s'échappe un misérable chiffon rouge, symbole de la révolution écrasée. Et encore les panoramas glaciaires et silencieux de l'année 1938 *(L'Énigme sans fin; Plage avec téléphone; L'Énigme d'Hitler)*, habités par la présence hallucinante du masque mortuaire de García Lorca *(Afghan invisible avec apparition sur la plage du visage de García Lorca...; Apparition d'un visage et d'un compotier sur une plage)*.
Des mélancolies historiques ou des fictions allégoriques hantées par le spectre *fascinant* de la guerre d'Espagne : dans ces peintures s'exacerbe la puissance visionnaire de Dalí sans que soient entamés la manière, le raffinement classicisant du peintre.
À l'opposé, le corps à corps auquel se livre Miró dans les années 1934 à 1937 avec la peinture, sa matière et son support, et avec les figures de monstres qui s'en échappent *à son insu* et qu'il tente de juguler, fait preuve d'un tout autre état traumatique. Est ébranlé, dans ses certitudes mêmes (son savoir-faire, ce que Miró appelle avec dédain « la belle réussite »), le peintre de la terre de Montroig, dont on connaît l'attachement à la force tellurique et mythique de son pays. Ces « mains à peindre », et seulement à peindre, stigmatisées par André Breton, semblent écrasées par le poids de la lutte fratricide qui ébranle l'Espagne. Là est le langage, le terrain insurrectionnel de Miró, à qui sa fierté de Catalan interdit de s'étendre sur le drame qui ensanglante son pays. À Georges Duthuit, qui, en mai 1937, tente de le faire parler de la guerre civile, il coupe avec brusquerie la parole, disant ne vouloir s'en tenir que « strictement sur le terrain de la peinture[12] ». L'émotion profonde en réalité ressentie — une émotion d'« exilé » malgré la familiarité acquise avec la France depuis 1922 (il gagne Paris fin octobre 1936, abandonnant à Montroig et à Barcelone plus d'une centaine de toiles inachevées) —, cette émotion, il la laisse cependant deviner dans des situations plus intimes. Ainsi, à Pierre Matisse, le 12 janvier 1937 : « Nous vivons un drame terrible [...]. Je me sens très dépaysé ici et j'ai la nostalgie de mon pays. [...] Je ne désespère cependant pas de pouvoir réaliser cette série de grandes toiles avant l'été, entre-temps je vais voir ce que ça donne ce plongeon dans la réalité des choses qui va me donner un nouvel élan[13]. »
C'est ainsi la nécessité d'une « marche terre à terre, précipitée », comme il l'écrit à Pierre Matisse le 12 février 1937, « par des événements humains », qui s'impose au peintre de l'ancienne *Ferme.* Une marche qui consiste, souligne-t-il auprès de Duthuit, à se contenter « pour l'instant de chronométrer images et sensations avec le plus d'exactitude possible, sans aucune arrière-pensée ». Là est la marque de sa liberté, loin de l'abaissement général des politiciens : « Les meneurs actuels, produits bâtards de la politique et des arts, qui prétendent régénérer le monde, vont empoisonner nos dernières sources de rafraîchissement. Pendant qu'ils parlent noblesse et tradition, ou, au contraire, révolution et paradis prolétarien, nous voyons pousser leur petit ventre et comment la graisse envahit leur âme. »
L'exploration de l'« âme » du réel, qui oblige Miró à établir une telle distance vis-à-vis des enjeux partisans, n'est pas désengagement, bien au contraire : tels des sismographes, ses peintures des années 1934-1938 enregistrent *à leur insu* et dépassent, pour les transcender, les troubles qui bouleversent en profondeur la Catalogne dès l'année 1932. L'examen des séries successives de son travail (minutieusement daté) montre à chaque fois l'ébranlement intime ressenti par Miró. Ses peintures « sauvages » des années 1934-1935 (les pastels sur papier velours de l'été 1934 et, plus encore, l'inquiétante *Tête d'homme* du 2 janvier 1935), emplies de monstres tectoniques à tête humaine et aux couleurs d'incendie, reflètent une terreur encore obscure de la violence et de la barbarie montantes, et font figure de prémonition inconsciente d'un cataclysme imminent. Mais la série, drolatique et inquiétante tout à la fois, des petites détrempes sur masonite exécutées d'octobre 1935 à mars 1936 à la suite du *Repas des fermiers,* du 3 mars 1935, se fait, plus précisément, l'écho de l'agitation revendicatrice, volcanique, qui mobilise alors le peuple et la terre de Catalogne : osmose de la terre et du ciel habités par des figurines métamorphiques aux membres proliférant comme autant d'excroissances menaçantes profondément enracinées au sol *(Homme et femme devant un tas d'excréments)*, soumission de tous ces éléments à une même pulsion « primitive » de libération, à une même fureur volcanique incandescente *(Personnages attirés par les formes d'une montagne)*. La dramatique série des vingt-six grandes peintures sur masonite peintes de juillet à octobre 1936 — c'est-à-dire en plein feu des débuts de la guerre civile (Miró est toujours à Montroig et à Barcelone) — rompt brutalement avec l'esprit encore ludique et narratif de la série précédente. Dans ces peintures sombres, où toute fiction a disparu pour laisser place à de grandes formes non identifiables, menaçantes et menacées dans leur tracé même, Miró se bat désormais avec le corps de la peinture, la surface ingrate, sèche, du support de masonite, la réalité concrète mais fuyante du sable et de la caséine : actes d'exorcismes violents et instinctifs contre la matière même du réel, qui possèdent la force authentique d'un cri, ou d'un constat d'impuissance. Cette nécessité d'affronter les moyens mêmes de la peinture va se perpétuer au retour à Paris, fin octobre 1936, et pendant encore les deux années suivantes : Miró s'abandonne, avec une profusion certainement libératrice, à l'exécution de gouaches, d'aquarelles, de petites huiles, où sont interrogées toutes sortes de supports (outre le papier et le masonite, le Celotex, le Fibrociment, le liège, le bois, la serviette éponge). Il se livre, comme pour s'éprouver, à la vie incontrôlable, informe (maculations, éclaboussures, tracés aléatoires) de la matière : des figures de monstres humains resurgissent (*Trois Personnages,* 1937), se tordent en gestes véhéments (*Femme en révolte,*

février 1938) comme pour dire la force de protestation naïve, première, de l'homme face au désastre envahissant (*Tête d'homme,* 1937).
Une marche terre à terre : l'ébranlement des certitudes incite Miró à retourner à l'apprentissage le plus humble, le travail d'après modèle, qui lui apporte discipline et contrôle du réel. Tout ceci est désormais bien connu : la centaine de dessins de nus réalisés quotidiennement (comme un débutant) à l'académie de la Grande-Chaumière, et le long travail (de janvier à mars 1937) mené d'après nature pour réaliser la *Nature morte au vieux soulier.* Cette dernière peinture, voulue pleinement « réaliste » et qui est en fait presque une fantasmagorie intime — une vision tout entière dramatisée par les lueurs d'incendie qui sur-réalisent les objets les plus familiers — ne sera qu'ultérieurement considérée comme une allégorie de la guerre civile. « Je m'aperçus plus tard qu'il y avait, à mon insu, de symboles tragiques de l'époque, la tragédie d'un misérable bout de pain et d'une vieille godasse [...][14].» Plus tard encore : « La guerre civile n'était que bombardements, morts, pelotons d'exécution et je voulais représenter ce moment si triste et dramatique. [...] Ce dont je me souviens c'est que j'avais pleinement conscience de peindre quelque chose de très grave. La couleur est certainement ce qui donne cette force pénétrante ; c'est l'élément visuel le plus impressionnant. La composition est réaliste car cette atmosphère de terreur me paralysait et je ne pouvais pratiquement rien peindre[15]. »
À la demande de Christian Zervos, Miró réalise un timbre en faveur de l'Espagne — *Aidez l'Espagne* —, qui sera agrandi en affiche, sur laquelle il appose cette déclaration d'espoir : « Dans la lutte actuelle, je vois du côté fasciste les forces périmées, de l'autre côté le peuple dont les immenses ressources donneront à l'Espagne un élan qui étonnera le monde. »
Une autre commande lui est faite en avril 1937, par le gouvernement de la République espagnole, d'un panneau décoratif pour le pavillon espagnol de l'Exposition universelle : ce sera *Le Paysan catalan en révolte,* exposé aux côtés de *Guernica* le 12 juillet lors de l'inauguration et qui, aujourd'hui disparu, était le portrait symbolique et torturé d'un faucheur. Ces deux projets vont contraindre Miró non seulement à prendre position publiquement, mais à dépasser le propos réaliste pour trouver les termes plastiques d'un plus grand impact visuel possible. Peinte *in situ* à l'huile sur six panneaux de celotex, la tête au profil monumental du *Paysan en révolte* devait avoir la force et l'efficacité d'un cri de terreur et de colère mobilisateur : celles-là mêmes qui, face à la Seconde Guerre mondiale, vont animer le grand signe noir de la *Femme assise I,* du 4 décembre 1938 ou encore les silhouettes cauchemardesques de la *Femme attendant le passage du cygne,* de septembre 1938. « Il n'y a plus de tour d'ivoire[16] », déclare Miró, dans un esprit qui rejoint pleinement l'orientation idéologique du surréalisme.

---

1. G. Bataille, *Œuvres complètes*, Paris, Gallimard, t. II, p. 392.
2. Sur la guerre d'Espagne, on se référera à G. Hermet, *La Guerre d'Espagne*, Paris, Le Seuil, coll. « Points », 1989, et H. Thomas, *La Guerre d'Espagne*, Paris, Robert Laffont, coll. « Bouquins », nouv. éd. 1995.
3. Pour les déclarations collectives signées par les surréalistes et mentionnées ici, on se reportera à l'ouvrage de base de J. Pierre, *Tracts surréalistes*, t. II (1922-1939), Éric Losfeld, 1980.
4. Sur B. Péret, voir ses *Œuvres complètes*, t. V *(Écrits politiques)*, Paris, Gallimard, 1989.
5. CNT : Confédération nationale des travailleurs (anarcho-syndicaliste) ; FAI : Fédération anarchiste ibérique ; POUM : Parti ouvrier d'unification marxiste (trotskiste dissident) ; POI : Parti ouvrier internationaliste (trotskiste). Ces différentes organisations d'origine catalane étaient venues s'ajouter aux formations de gauche déjà existantes à savoir l'UGT : Union de gauche des travailleurs (socialiste) ; le PCE : Parti communiste espagnol ; le PSUC : Parti socialiste unifié de Catalogne (stalinien).
6. A. Masson à M. Surya, dans M. Surya, *Georges Bataille, la mort à l'œuvre*, Paris, Libr. Séguier, 1987, p. 230.
7. Lettre du 31 juillet 1936, publiée dans F. Levaillant, *André Masson, les années surréalistes, Correspondance 1916-1942,* Lyon, La Manufacture, 1990.
8. Les numéros 1 et 2 d'*Acéphale* parurent respectivement le 24 juin 1936 et le 21 janvier 1937 et le numéro 3 en juillet 1937.
9. Texte de 1936, dans M. Leiris et G. Limbour, *André Masson et son univers,* Genève-Paris, éd. des Trois Collines, 1947. M. Leiris place alors au centre de son œuvre la problématique de l'engagement de l'écrivain. Dans son *Journal* (p. 306), il note, non sans humour et sarcasme vis-à-vis de ses propres limites (juillet-septembre 1936) : « Deux événements cruciaux 1° la révolution espagnole est cause que, pour la première fois, le monde me fait cruellement défaut 2° j'apprends à nager. » Alors qu'il écrit *Le Sacré dans la vie quotidienne,* il songe à un livre autobiographique qui aurait pour titre *L'Honneur sans honneur.*
10. A. Bosquet, *Entretiens avec Salvador Dalí*, Paris, Belfond, 1966.
11. S. Dalí, *La Vie secrète de Salvador Dalí*, Paris, La Table Ronde, 1952, pp. 280-282 pour la citation suivante.
12. « Entretiens avec Georges Duthuit », 1936, *Cahiers d'art*, n° 8-10, 1937, repris dans J. Miró, *Écrits et entretiens,* présentés par M. Rowell, Paris, Galerie Daniel Lelong, 1995, dont seront tirés les extraits suivants.
13. *Ibid.*, p. 157.
14. « Lettre à J.-Thr. Soby », 1953, *ibid.*, pp. 253-254.
15. « Entretiens avec Lluis Permanyer », *Gaceta Ilustrada*, 1978, *ibid.*, pp. 311-312.
16. « Déclaration », *Cahiers d'art,* 1939, *ibid.*, pp. 176.

« Le ... le cheval ... Picasso

« Treize février. Dans la bouche du cœur s'éveille un schibboleth. Avec toi, Peuple de Paris. *No pasarán.* »

Paul Celan, « Tout en un »,
La Rose de personne

Brigitte Léal

« Le taureau est un taureau, le cheval est un cheval [...] c'est tout pour moi, au public de voir ce qu'il veut voir[1]. » Par cette mise au point abrupte et agacée sur le sens de *Guernica*, faite à la demande d'Alfred Barr, en 1947, Picasso enterrait la querelle entre partisans d'une stricte signification politique du tableau et tenants d'une interprétation plus « domestiquée » (le mot est de l'antifranquiste Larrea), rétrécie au cadre de l'iconographie picassienne.

En rejetant dos à dos formalistes et réalistes, historiens d'art et idéologues et, tout en cautionnant la « fonction délibérée de propagande[2] » de l'œuvre, Picasso avait tenu à rappeler que *Guernica* devait d'abord son importance à ses qualités plastiques incomparables. Peinture politique, oui ! Mais aussi tableau de Picasso[3], où, fort de sa totale liberté d'expression, il a mis toute la puissance dramatique de son style et la violence poétique de sa thématique personnelle au service du langage direct et éloquent de l'allégorie romantique et républicaine, passée dans le grand public depuis longtemps et garante d'un impact collectif réussi.
Pari gagné : aujourd'hui où *Guernica* est installé à demeure dans la capitale espagnole, et non sur les lieux du crime, pour cautionner le consensus national, il fascine les foules, car sans rien avoir perdu de sa valeur de dénonciation du parti qui déclencha la guerre civile, il est le miroir qui nous renvoie l'image de l'histoire horrible de notre siècle.

« Le taureau est un taureau, le cheval est un cheval » Picasso, peintre d'histoire, de *Guernica* au *Charnier*

La gageure était pourtant difficile à soutenir pour un homme aussi libre que Picasso, farouchement rebelle à toute commande, toute directive, mais qui ne pouvait pas se dérober à l'honneur qui lui était fait, par le gouvernement républicain espagnol qui venait de le nommer symboliquement directeur du Prado, de représenter officiellement son pays, d'autant que tous ses amis ou compatriotes sollicités (Calder, Miró, González, entre autres) avaient répondu favorablement à la demande de ce même gouvernement de défendre les couleurs de la légalité et de la démocratie, menacées par la rébellion fasciste[4].
L'enjeu était de taille puisqu'il s'agissait pour les Espagnols de lancer un solennel appel à l'aide aux pays libres, en faisant pression — par le seul plaidoyer d'œuvres dramatiques et émouvantes[5] — sur l'opinion publique, celle des peuples qui se pressaient en masse dans une exposition dont il était prévisible, étant donné le contexte politique international, qu'elle servirait aux deux blocs en présence (URSS/Allemagne-Italie) de vitrine idéologique.

L'histoire de la genèse du tableau montre que Picasso hésita longtemps entre deux partis esthétiques diamétralement opposés pour répondre à la commande. À la délégation républicaine venue le solliciter, en janvier 1937, il désigne les planches de *Songe et mensonge de Franco*, fraîchement sorties des presses, comme le modèle, le « script », de ce qu'il voulait faire[6].
Qu'est *Songe et mensonge*, sinon un montage, dans le sens cinématographique du terme, d'images mises bout à bout où défilent les aventures grotesques d'un monstre obscène — ce scabreux cavalier a parfois un cochon pour monture —, semant la terreur et la mort avant d'être terrassé par le brave taureau espagnol ? L'embryon de *Guernica* est effectivement en germe dans le détournement du médium cinématographique, avec l'usage exclusif du gris et du blanc de la pellicule, le réemploi de son iconographie privée, le taureau et le cheval des corridas symboliques et ses deux archétypes féminins. Le tout est soudé dans une composition compartimentée et une iconographie du pouvoir, renvoyant au modèle des vignettes caricaturales qui circulaient pendant la Révolution de 1789, mêlant aussi l'imaginaire et la réalité historique, et désacralisant la figure — le corps même du roi — à coups de métaphores scatologiques et zoomorphiques, le bestialisant, le privant de sa virilité, nerf de la guerre et de la puissance dans l'inconscient collectif[7].
Pourtant, la douzaine d'études que Picasso trace sur un bloc de papier bleu, le 18 avril 1937, tourne exclusivement autour du thème du peintre et son modèle, un de ses sujets favoris, évidemment totalement déconnecté du politique[8]. Sans doute fut-il motivé, dans ce choix surprenant, par sa récente expérience de la commande du rideau de scène pour *Le Quatorze-Juillet,* de Romain Rolland, monté dans le cadre des fêtes données pour cette date par le Front populaire, prétexte à la réconciliation de *La Marseillaise* et de *L'Internationale*. Ce spectacle va lui servir de double banc d'essai, sans doute décisif dans l'élaboration future de *Guernica*.
Il avait d'abord envisagé, en effet, une composition réaliste, flirtant plus avec les canons du réalisme-socialiste qu'y cédant, adhérant en tout cas au sujet : une prise de la Bastille avec poings levés, faucille et marteau de rigueur, avant de l'abandonner — sans qu'on sache exactement pourquoi — pour lui substituer une de ses gouaches mythologiques contemporaines, superbe, mais sans rapport aucun avec l'argument de la pièce ni la portée politique de la manifestation[9]. En dépit

Dora Maar, *Guernica*, état 1 A, 1937. Archives Musée Picasso, Paris.

Pablo Picasso, *Guernica*, 1937. Museo Nacional, Centro de Arte Reina Sofía, Madrid.

Pablo
Picasso
Étude n° 5
pour Guernica,
2 mai 1937.
Museo
Nacional,
Centro de Arte
Reina Sofía,
Madrid.

Pablo
Picasso,
Songe
et mensonge
de Franco,
planche I,
2e état, 1937.
Musée Picasso,
Paris.

Pablo
Picasso,
Songe
et mensonge
de Franco,
planche II,
3e état, 1937.
Musée Picasso,
Paris.

Julio González, *La Grande Faucille,* 1937. Musée de Grenoble.

de ce hiatus, le succès remporté par le rideau dut d'abord le convaincre que ce type de motif, relevant strictement de sa « mythologie privée » (Carl Einstein), supportait sans difficulté l'épreuve de l'agrandissement, du décalage iconographique et politique avec le sujet imposé et de la mise en œuvre dans un espace monumental et public.
Cependant, tiraillé entre sa liberté d'artiste et ses convictions politiques, conscient de l'exemplarité d'une telle œuvre, dans un cadre officiel de surcroît — la seule vitrine où le public pourrait prendre conscience du drame vécu par son pays et en tirer leçon —, il choisit d'éviter tout effet provocateur ou abscons pour envisager, brièvement, comme le prouve la feuille du 19 avril 1937, une solution de compromis conjuguant sa composition totalement apolitique avec l'une de ses dernières sculptures, *L'Orateur*, transformée pour les besoins de la cause en emblème militant, par le simple ajout d'un poing levé, armé d'une faucille[10].
Ces volte-face et le silence que, selon les témoins de l'époque, il opposait à toutes les demandes des responsables du Pavillon, inquiets de ne rien voir venir, sont significatifs : Picasso n'avait pas trouvé le sujet adéquat jusqu'au jour du 26 avril 1937, où la légion Condor, en bombardant la petite ville basque de Guernica, le lui fournit.
Les études préparatoires commencées le premier mai, au lendemain même de la publication des premières images du drame dans la presse parisienne, et les métamorphoses rapides des huit états photographiés par Dora Maar, entre le 11 mai et le 4 juin suivant, en font foi.
Après avoir tâtonné des mois durant, faute d'inspiration réelle, Picasso se met au travail très vite, sous la pression directe de l'événement (comme l'avait fait deux siècles plus tôt David, après le meurtre commis par Charlotte Corday, en improvisant à chaud son *Marat assassiné*).
Dès le brouillon initial, les dés sont jetés : l'idée et la conception du tableau (taureau, cheval et bras de lumière), écartant délibérément toute transcription directe, documentaire et réaliste du bombardement, sont en place et ne varieront pas.
La première grande esquisse à l'huile, conçue immédiatement dans la foulée, dans un format encore proche du carré, confirme l'audacieux parti pris de Picasso qui, en implantant au cœur d'une iconographie conforme aux canons traditionnels de la peinture d'histoire deux figures prosaïques (le taureau et le cheval) qui y sont totalement étrangères mais renvoient par contre à la corrida — le spectacle espagnol par excellence — conjugue message historico-politique immédiat et allégorie prophétique universelle.
Le 9 mai suivant, le grand format en frise des scènes de bataille est définitivement adopté et le 11, date du début du travail sur la toile, toutes les figures préalablement étudiées séparément sont montées à plus grande échelle, formant une sorte de gigantomachie héroïque, encore désordonnée à ce stade, mais exaltée par la cadence dynamique de la triple triangulation de son bâti, qui frappera Brecht[11].
Tous les processus de réalisation suivants vont tendre vers la simplification, un équilibre et un ascétisme croissants, qui feront tomber, tour à tour, tous les détails anecdotiques, didactiques ou grandiloquents (colombe, soleil, poing levé) qui sont les éternels travers de la peinture d'histoire. La couleur et le décoratif enfin — après les essais dits de la « larme furtive[12] » — seront également écartés, au profit du noir et du blanc, à peine tempérés de gris, de l'écran cinématographique.
Par ces choix, Picasso entendait bien détourner à son profit la dialectique du monumental et du politique mise en œuvre dans le Pavillon. Le bâtiment avait été effectivement conçu dans l'esprit de son architecte, José María Sert, et de ses idéologues (notamment le photographe Josep Renau, directeur des beaux-arts de la République) comme un *Gesamtkunstwerk,* une œuvre d'art totale, brassant dans une perspective propagandiste toutes les disciplines artistiques : peinture, sculpture, dessin et gravure, mais aussi photographie, affiche, poésie, danse, théâtre et cinéma, sorte de vaste machine stratégique, dérivée du modèle artisanal de l'agit-prop soviétique, tournant à plein régime, nuit et jour, à deux pas du pavillon allemand[13].
Picasso savait que son tableau occuperait la place d'honneur du hall d'accueil où, le soir, étaient projetés des films d'actualité et de propagande (comme *Espagne 36*, de Buñuel) attirant un public nombreux qui, selon les commentaires de la presse, découvrait le tableau, brillant dans le noir[14]. Ainsi, il résistait à la concurrence directe du film, par le détournement même de ses pouvoirs d'attraction : un format panoramique englobant le spectateur et un montage efficace d'images-mouvements, projetées en « flashes » éblouissants qui rappellent, par leur fulgurance, les apparitions foudroyantes conférant leur célèbre tempo dramatique aux films d'Eisenstein.
Par un véritable tour de force, la cohérence narrative de la composition, disloquée en un puzzle d'images éclatées en débris fragmentaires évoquant le souffle du bombardement, est préservée tout en conservant le caractère a-historique, universel, de la « terrible poésie du champ de bataille » avec ses « cadavres amoncelés dans des attitudes étranges [...]» qui font les grandes peintures d'histoire, selon Baudelaire[15].
Si leurs modèles sont certainement à rechercher du côté des macabres pièces de boucherie de Géricault, leur impact visuel et émotionnel doit tout à la technique « explosante-fixe[16] » du photomontage surréaliste, gage d'une beauté cruelle et tragique, qui souleva l'enthousiasme prévisible d'Artaud, puis de Bataille.

Pablo Picasso, *L'Homme au mouton*, 1943. Museo Nacional, Centro de Arte Reina Sofía, Madrid.

Par cette synthèse inédite, cinéma-peinture[17], *Guernica* rendait brutalement caducs et pauvres tous les autres murs monumentaux (de Léger, de Delaunay, de Dufy, et d'autres) qui s'étalaient dans les pavillons français de l'Exposition. Son intégration à un dispositif de « cinématographisation » globale d'un espace public faisait ressortir d'autant l'archaïsme des manifestations « pluridisciplinaires » liées à la dynamique du Front populaire, comme celle du drame musical de Jean-Richard Bloch, *Naissance d'une cité* (sur des décors de Fernand Léger), encore fidèles à la formule vieillotte de la « théâtralisation » (Mona Ozouf) du politique, lancée en 1789[18].

La presse de l'époque nous apprend que l'impact du tableau ne se limita pas au milieu artistique, où l'on admira cet essai de monumentalisation du politique qui évitait tous les pièges académiques et idéologiques du genre, mais toucha aussi le grand public[19]. Si ce dernier fut naturellement déconcerté par la modernité de ses moyens d'expression, issus du cubisme et de l'expressionnisme picassiens, encore largement ignorés ou incompris, il fut ému par son actualité brûlante (discrètement suggérée par la fameuse trame d'imprimerie recouvrant le cheval, qui renvoie au tract, au journal) et convaincu par son message prophétique, immédiatement reçu et répercuté par Michel Leiris dans son célèbre « Faire-part » : « Picasso nous envoie notre lettre de deuil : tout ce que nous aimons va mourir [...][20] ».

Processus d'identification d'autant plus fort que le tableau s'appuyait encore sur des archétypes et des modèles célèbres de la tradition occidentale, passés par Poussin, Delacroix, Rude ou Goya et vulgarisés par les monuments publics, alors que les autres œuvres notables du Pavillon souffraient, aux yeux du plus grand nombre, d'être trop ancrées dans une iconographie locale (*La Montserrat,* de González), une formulation hermétique (*Le Faucheur,* de Miró) ou abstraite (*La Fontaine de Mercure,* de Calder).

Faut-il dire enfin que les cinq grandes têtes de Boisgeloup, soigneusement éparpillées par Picasso aux quatre coins du Pavillon pour mieux se l'annexer, furent la cible des moqueurs et des amateurs d'« art dégénéré » ? Ce choix, totalement arbitraire, témoigne encore, si besoin en était, de la totale indépendance esthétique et politique de leur auteur.

Guernica allait très vite devenir le paradigme d'une nouvelle tradition de peinture d'histoire, ayant complètement éliminé l'anecdotique et le narratif au profit d'une figuration « onirico-surréaliste », bientôt standard, dont on trouve des spécimens typiques chez les peintres tchèques. Sa réussite totale explique aussi qu'il y ait eu si peu d'œuvres à tenter de relever le défi, et à le gagner, mis à part celles ayant également rencontré un sujet. Comme le *Stalingrad,* de Jorn, étalant dans un format impressionnant une matière pulvérulente évoquant les images de la ville en ruine, ou le polyptyque de Gerhard Richter, narrant la fin de la macabre équipée de Baader et Meinhof *(18 octobre 1977)* par le biais d'une iconographie de la Passion et de la Déploration et le détournement de l'image grise et floue de la télévision.

Picasso lui-même ne réussit pas à réitérer son coup de maître, faute d'un sujet au contenu affectif aussi fort, malgré plusieurs tentatives comparables (*La Pêche de nuit à Antibes*, 1939; *L'Aubade*, 1942), vastes allégories privées, liées à la cruauté des temps, auxquelles manquait le souffle de l'art collectif, mais qui explicitaient sa fameuse déclaration : « Je n'ai pas peint la guerre parce que je ne suis pas ce genre de peintre qui va, comme un photographe, à la quête d'un sujet. Mais, il n'y a pas de doute que la guerre existe dans les tableaux que j'ai faits alors[21]. » La révélation, à la Libération, de l'existence des camps de concentration va être le choc qui va le décider à entreprendre une autre œuvre engagée.

Ce sera *Le Charnier,* commencé en février 1945.

S'il n'y a pas lieu de mettre en doute sa connaissance de photographies des charniers des camps d'extermination, publiées dans la presse au fur et à mesure de la progression des troupes américaines vers l'est, il apparaît que, comme dans le cas de *Guernica*, leur relation avec l'iconographie du tableau est mince[22]. Picasso, une fois de plus, ne cherchait pas à rivaliser avec la photographie sur le terrain du réalisme mais détournait son efficacité médiatique au profit d'une thématique personnelle et universelle. Ici, encore, le groupe fracassé au sol renvoie au thème traditionnel du Massacre des Innocents mais l'usage exclusif du gris-noir-blanc de la pellicule en garantit l'actualité et l'authenticité (le fameux « ça a été », où Barthes voyait la supériorité du reportage sur la peinture d'histoire).

Comme pour *Guernica,* le contexte historico-politique dans lequel fut créé le tableau nous retiendra plus que son iconographie elle-même.

Dévoilé lors de l'exposition d'obédience communiste « Art et Résistance » (février-mars 1946), *Le Charnier* fut rapidement au centre de polémiques idéologico-esthétiques, révélatrices du climat, encore lourd de haine, de la période[23].

Les adversaires de Picasso le dénoncèrent comme une œuvre de circonstance, révélatrice de l'opportunisme du nouvel adhérent du Parti communiste français, soupçonné de racheter ainsi son comportement attentiste pendant l'Occupation. Analyse confortée par l'inachèvement du tableau, lors de sa présentation, et par son aspect de *revival,* de pièce détachée de *Guernica*. On y retrouve en effet trois figures disloquées tirées des premiers états du grand tableau, teintées dans une grisaille de vitrail. La seule nouveauté résidait dans la nature morte abandonnée — gage de réalisme ? — et dans la vacuité spatiale, symbolique de la tragédie des morts sans sépulture.

Sa création coïncide avec le désenchantement consécutif à l'euphorie de la Libération. Dans l'hiver 1945, la guerre s'éternise à l'Est et l'épuration charrie ses miasmes de vengeance, complicité et culpabilité confondues. Picasso avait compris avec d'autres (Sartre, Eluard...) que le mal était définitif : « On n'en a pas fini avec les Nazis. Ils nous ont foutu la vérole[24]. » *Le Charnier* est sa réponse, en forme de *memento mori,* à la politique de la réconciliation nationale, à l'oubli. C'est aussi un défi lancé à ceux qui, dans cette perspective, préféraient enterrer la peinture d'histoire, comme Matisse : « Retourner au sujet ? Il n'y a lieu en aucune manière de refaire de la peinture d'histoire[25]. »

Sentence hautaine, balayée par d'autres hommes qui, comme Paul Celan, lutteront pied à pied pour sauver une mémoire, finissant par convaincre Adorno lui-même qu'il y avait un art possible après Auschwitz. Des vers et des peintures capables d'incarner l'Espérance.

1. La réponse complète est : « Le taureau est un taureau, le cheval est un cheval. Il y a aussi une sorte d'oiseau, un poulet ou un pigeon, je ne me souviens plus, sur la table. Le poulet est un poulet. Bien sûr, les symboles... Mais il ne faut pas que le peintre les crée, ces symboles, sans cela il vaudrait mieux que le peintre *écrive* carrément ce que l'on veut dire, au lieu de le peindre : il faut que le public, les spectateurs, voient dans le cheval, dans le taureau, des symboles qu'ils interprètent comme ils l'entendent. Il y des animaux : ce sont des animaux massacrés. C'est tout pour moi, au public de voir ce qu'il veut voir. » Alfred Barr lui avait demandé de départager l'Américain Jerome Seckler, qui avait publié sa déclaration (en français, dans *Fraternité,* 20 sept. 1945) : « Le taureau représente la brutalité, le cheval est le peuple » et Juan Larrea, l'éditeur de l'album *Songe et mensonge de Franco* et l'auteur de la première monographie du tableau, récemment parue à New York, qui écrivait : « Le cheval représente le nationalisme espagnol et le taureau paraît être le symbole du peuple. »
2. Lors de sa deuxième interview donnée à Jerome Seckler, le 6 janvier 1945, Picasso dira, à propos de *Guernica* : « In that, there is a deliberate appeal to people, a deliberate sense of propaganda », « Picasso explains », dans Dore Ashton, *Picasso on Art*, New York, The Viking Press, 1972, p. 140.
3. À l'enquête de mars-avril 1946 des *Lettres françaises* sur « l'art et le public », Léon Gischia aura, pour défendre la liberté de l'artiste dans la querelle du réalisme, ces mots : « Il ne faut pas dire : "Oradour me révolte, donc je fais de la peinture" mais "Oradour me révolte et je milite". Picasso a peint *Guernica.* Il a peint avant tout du Picasso. » (*Les Lettres françaises,* n° 5, 5 avr. 1946).
4. Miró avec son *Paysan catalan en révolte* (dit *Le Faucheur*), Calder avec sa *Fontaine de Mercure*, installée face à *Guernica,* et González avec le bronze monumental de *La Montserrat,* que Picasso détestait en raison de son réalisme et voulait faire remplacer par *La Femme au miroir*. Mais, il y avait aussi Eluard, dont le poème *La Victoire de Guernica* était reproduit près du tableau, Valentine Hugo, qui avait illustré, à partir des photographies d'enfants morts reproduites en affiches, le poème de René Char, *Placard pour un chemin des écoliers*, et combien d'autres.
5. En dehors des exemples nommés plus haut et des grands placards de photomontages politiques montés par Renau, il y avait surtout des œuvres de circonstance et de propagande, d'inspiration réaliste. La plupart des républicains préféraient à *Guernica* le grand tableau pompier de Solana que, pour sa part, André Lhote (*Ce Soir*, 13 nov. 1937) qualifiait de « repoussoir à *Guernica* [...] taches de sang comprises. C'est répugnant et cela me laisse froid ». Sur l'ensemble de ces œuvres, voir le catalogue *Art contra la guerra. Entorn del Pabelló espanyol de l'Exposició internacional de Paris de 1937*, Barcelone, Palau de la Virreina, 1986.
6. Constitué de deux planches (avec deux états différents) et d'un texte (le fameux « cris de femmes, cris d'enfants, cris d'oiseaux...»), l'ensemble gravé des 8 et 9 janvier 1937 fut complété le 7 juin suivant. Il était vendu sous forme d'album, au profit de la République, comme les cartes postales de *Guernica* pendant l'ouverture du Pavillon.
7. Sur le sujet, voir les analyses développées par Antoine Baecque, *Le Corps de l'histoire. Les Métaphores face à l'événement politique (1700-1800),* Paris, Calmann-Lévy, 1993, et ses divers articles sur ce thème.
8. Les treize études au total (Paris, musée Picasso) consacrées au thème du peintre et son modèle envisagent le tableau dans une perspective tout à fait contemporaine, prenant en compte son accrochage, son éclairage et sa relation spatiale avec le spectateur.
9. Sur l'organisation et le contexte du spectacle, donné en l'honneur du prix Nobel, l'une des grandes figures tutélaires du Front populaire, le 14 juillet 1936, au théâtre de l'Alhambra, à Paris, voir Frédéric Robert, « De *La Marseillaise* au *Quatorze-Juillet,* de Romain Rolland », *Europe*, n° 683, mars 1986, pp. 135-140. Le rideau de scène est l'agrandissement de *La Dépouille du Minotaure en costume d'Arlequin*, 28 mai 1936 (Zervos VIII, 287) choisie à la place du dessin *Le 14 juillet*, 13 juin 1936 (Paris, musée Picasso).
10. Sur le dessin intitulé *L'Atelier : le peintre et son modèle; bras tenant une faucille et un marteau* (Paris, musée Picasso) du 19 avril 1937, qui retravaille la scénographie du tableau, cette fois encadré de deux sulptures (cinq seront finalement réparties à l'intérieur et à l'extérieur du Pavillon), on voit *L'Orateur* (Spies, 181, redaté par Cowling, de 1933-1934), aujourd'hui man-

chot, faisant le salut communiste. Le dessin est repris sur la première page de *Paris-Soir* du 29 avril 1937. Faut-il voir dans ce montage politique l'écho de deux sculptures, *La Grande Faucille* et *La Petite Faucille,* que González venait de forger?

11. À la date du 24 juin 1940, Brecht note dans son journal d'exil la « forte impression produite par le *Guernica* », de Picasso, découvert dans « une revue d'art française » (probablement *Cahiers d'art*) et remarque « de romantiques effets *V* intéressants, la forme restant classiciste » ; Bertolt Brecht, *Journal de travail : 1938-1955,* Paris, L'Arche, 1976, p. 93.
12. Les cinquième et sixième états, photographiés par Dora Maar, montrent des essais de couleur par le biais de bandes de tapisserie épinglées sur la Pietà, à gauche, et la femme en fuite, à droite, dont le visage fut temporairement pourvu d'une larme en papier rouge.
13. On trouvera la meilleure synthèse sur le Pavillon dans la thèse de Catherine Blanton Freedberg, *The Spanish Pavilion at the Paris World's Fair,* 2 vol., New York, Garland Publishing, 1986.
14. Bien qu'inauguré avec retard, le 12 juillet 1937, le pavillon espagnol attirait les foules, en raison de l'actualité et de la variété des spectacles présentés. L'article de Roland Bosquet, « Le cinéma de l'Espagne républicaine », paru dans *L'Époque* du 15 novembre 1937, commente la programmation cinématographique et la « décoration de Picasso qui attire les yeux dès l'entrée et se prolonge dans la pénombre en images confuses et horribles ». Il est illustré par une photographie du tableau ainsi légendée : « Confuse et horrible, la décoration de Picasso dans les ténèbres. »
15. Baudelaire, « Le peintre de la vie moderne ; les annales de la guerre », dans *Curiosités esthétiques*, Paris, Éditions Garnier, 1962, p. 474.
16. Jean-Paul Sartre, « Le peintre et ses privilèges », dans *Situations IV,* Paris, Gallimard, 1964, p. 368.
À ce propos, il est certain que Picasso ne pouvait rien ignorer du photomontage politique des années trente, abondamment utilisé (par voie d'affiches) par la propagande républicaine. Rappelons que le *Minotaure à tête de veau,* de Blumenfeld, sera présenté aux côtés des planches de *Songe et mensonge de Franco* et de *La Femme qui pleure* à l'exposition de « L'art cruel », galerie Billet-Worms, déc. 1937-janv. 1938.
17. Sur les rapports entre l'œuvre de Picasso et le cinéma, et, tout particulièrement, *Guernica,* voir l'article de Germain Viatte « Cinéma-peinture : d'un écran à l'autre », dans *Peinture-cinéma-peinture*, cat. d'exposition, Musées de Marseille/Hazan, 1989-1990, pp. 13-23.
18. La pièce de « théâtre universel » de Jean-Richard Bloch, *Naissance d'une cité,* avec des chansons de Darius Milhaud et d'Arthur Honegger, sur des décors de Fernand Léger, était une machine à grand spectacle qui draina plusieurs milliers de spectateurs, entre le 18 et le 22 octobre 1937, sur la piste du Vél'd'hiv. Sur le sujet, voir l'article de Wolfgang Klein, « L'Espoir naïf. *Naissance d'une cité,* de Jean-Richard Bloch », *Europe*, spécial « 1936 – Arts et littérature », n° 683, mars 1986.
19. Contrairement aux idées reçues, *Guernica* ne passera nullement inaperçu à l'Exposition internationale et fut, en tout cas, abondamment commenté et reproduit par la presse française et internationale. Encensé par la presse de gauche, il fut la cible des journaux allemands qui le reproduisaient déformé, voir par exemple : « Entartete Kunst aus der Pariser Weltaustellung – Picasso und Gutfreund, zwei leute des Kulturbolchewismus », *Niedersächsige Tageszeitung,* Hanovre, 2 sept. 1937. Pour la plupart des artistes, qui saluaient surtout la qualité de « mur » et de « décoration » du tableau, il était une des rares œuvres intéressantes de l'Exposition — voir les commentaires élogieux d'Ozenfant (*Cahiers d'art,* n° 8-10, 1937), de Lhote (*Ce Soir*, 13 nov. 1937), de Le Corbusier (*L'Intransigeant*, 4 nov. 1937).
20. Extrait de « Faire-part », publié dans le numéro spécial de *Cahiers d'art* de 1937 entièrement consacré au tableau, p. 128.
21. Interview donnée à Peter Whitney, le 3 septembre 1944, trad. en français dans Daix, *Picasso créateur*, Paris, Le Seuil, 1987, p. 280.
22. En réalité, à mesure que les armées alliées s'engageaient en Allemagne et libéraient des camps, la presse se couvrait de reportages sur le sujet et *L'Humanité*, par exemple, publia des photographies des chambres à gaz d'Auschwitz et de Majdanek dans ses numéros des 11 et 12 février 1945 — voir Utley, « Picasso entre deux charniers », à paraître en français fin 1997 aux éditions du CNRS, notes 42 et 43.
23. *Le Charnier* sera le tableau le plus remarqué de l'exposition « Art et Résistance ». Le tableau en était à cette date à son troisième état, remontant à mai 1945. La seule étude de fond sur ce tableau est de Gertje Utley, « Picasso entre deux charniers », *op. cit.*
24. Cité par Daix, *Picasso créateur, op. cit.*, p. 290.
25. Matisse répondait à une enquête des *Lettres françaises* (numéros des 15 et 22 mars et du 15 avril 1946) qui portait sur le divorce entre l'art et le public, la querelle du sujet et l'engagement de l'artiste ; elle reproduisait aussi les réponses de Manessier, Lhote, Gruber, Gischia, Dubuffet, entre autres.

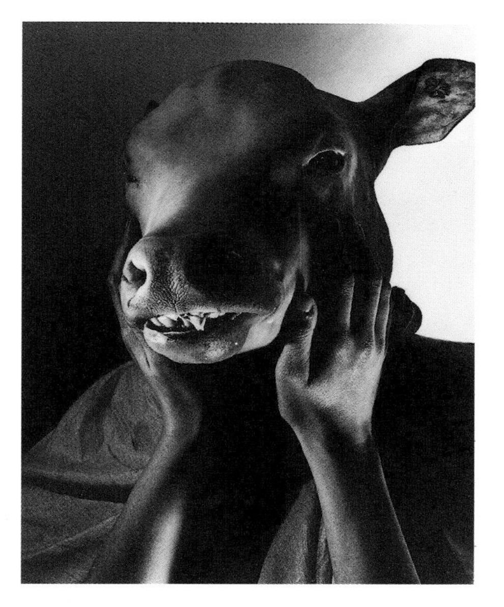

Erwin Blumenfeld, *Autoportrait à tête de veau*, 1937. Photomontage. Mnam-Cci, Centre Georges Pompidou, Paris.

Les artistes et le pouvoir : l'art public dans les démocraties au cours des années trente

Les artistes et le pouvoir : l'art public dans les démocraties au cours des années trente

Pascal Ory

A priori, l'art public des années trente, dans les démocraties libérales, ne devrait pas trancher sur celui des décennies précédentes. Le grand XIXe siècle, qui s'étend de la Révolution française à la Première Guerre mondiale, en a posé le cadre. C'est celui d'un État de plus en plus restreint, laissant en la matière une autonomie croissante aux collectivités locales et aux associations, elles-mêmes encouragées à la modestie par l'entrée décidée de l'art dans le système marchand. Et, comme souvent, cette tendance lourde de l'histoire politique, sur fond d'affaiblissement continu du pouvoir exécutif face au législatif, et de progrès, même lent, de la décentralisation, vient ici converger avec une tendance non moins nette de l'histoire culturelle mettant plus que jamais en avant la liberté du geste créateur individuel. Dans une telle logique, l'intervention des pouvoirs publics tendrait à se limiter à la seule acquisition d'œuvres, réduite au signe de reconnaissance officiel d'un succès dont le marché — traduit dans l'« opinion » — serait désormais le seul ordonnateur. À y regarder de plus près, on est aisément convaincu que ce schéma, avec sa beauté d'épure, n'a jamais fonctionné tel quel, au moins en Europe, et qu'il est déjà battu en brèche dans les années qui ont suivi le grand traumatisme : c'est que, relayée par le profond mouvement révolutionnaire qui associe, par-delà toutes leurs différences, bolchevisme et fascisme, et parachevée par la Crise économique, sociale et intellectuelle, la guerre change décidément la perspective. De plus en plus hautes sont les voix qui s'élèvent pour légitimer tout à la fois l'engagement civique de l'artiste et l'action « culturelle[1] », consciente et organisée, de l'autorité publique. Le peintre pointant au chômage — Yves Tanguy —, l'architecte au cabinet languissant — Le Corbusier — rejoignent dans une même critique du « désordre établi » les artistes dont l'engagement est dû à des convictions politiques personnelles, socialistes — tel l'architecte anglais Owen Williams —, communistes — tel Jean Lurçat, rédacteur en chef du magazine des amitiés franco-soviétiques — ou, tout simplement, démocratiques, de Picasso à Lipchitz.

N'auraient-elles servi qu'à cela, les années trente auront ainsi mis en lumière l'inadéquation des institutions et des pratiques des démocraties libérales.

L'exposition organisée par le musée d'Orléans[2] autour des achats et des commandes sous le ministère de Jean Zay, en charge de l'Éducation nationale et, par là, des « Beaux-Arts » entre 1936 et 1939, a montré — en même temps que l'esprit d'ouverture de la République française sous la direction triplement éclairée du ministre, du dernier directeur des Beaux-Arts, Georges Huisman, et de leur conseiller aux arts plastiques, Jean Cassou — les limites de ce pouvoir, dans un système où l'éclectisme proclamé se retrouve borné par l'alignement des pouvoirs publics libéraux sur les canons des institutions artistiques établies, ici l'Académie des beaux-arts.

Au long de la décennie, seules des

circonstances exceptionnelles peuvent redonner à des hommes politiques décidés une — très relative — marge de manœuvre ; ainsi des expositions internationales, ces « grands travaux » fort appréciés des artistes en période de récession. Le soutien du chef de gouvernement de l'époque, Léon Blum, permettra au groupe de Le Corbusier ou à celui des Delaunay de vaincre les obstacles mis sur leur chemin[3]. Mais on est ici dans le domaine de l'éphémère, comme en témoigne l'affaire Lipchitz, où une campagne « réactionnaire », dans tous les sens du terme, finit par avoir raison d'un artiste qui cumulait sur ses épaules un double avant-gardisme esthétique et politique.

Ces états d'exception révèlent d'autant plus les faiblesses de la commande publique ordinaire. Ici l'innovation aurait pu venir de l'intégration d'une formule nouvelle, ou plutôt renouvelée — le muralisme —, portée par des petits groupes isolés (en France, celui de L'Art mural) mais qui rallient quelques individualités notables, comme Fernand Léger. Certaines commandes passées à ce dernier à l'extrême fin de la période, comme le décor d'un Centre d'aviation populaire à Briey, l'investissement de Jean Lurçat dans un nouveau militantisme, celui de la tapisserie : rien qui amorce de manière décisive le vaste mouvement dont rêve le sculpteur Lopez, dans *L'Espoir* de Malraux[4] et qu'illustre, sans théorie, le Picasso du *Guernica*.

L'incapacité de la démocratie libérale à proposer un programme plastique à la hauteur des nouveaux enjeux de la civilisation de masse est sensible dans l'atonie de la commande commémorative, qui achève lentement le grand chantier ouvert par la Grande Guerre, entre monuments aux morts (Maxime Réal del Sarte, *Monument des Éparges*) et aux grands capitaines (Paul Landowski, *Maréchal Foch* du Panthéon). À la veille de son effondrement, la « statuomanie » est à l'évidence sur le déclin et, en ce qui concerne la France, se réfugie désormais principalement en province[5].

Sculpture et peinture n'ayant pas encore trouvé le point d'équilibre entre contraintes de l'art public et exigences de l'expression individuelle, c'est du côté de l'architecture que les principaux signes avant-coureurs de l'après-guerre sont aujourd'hui repérables. Une architecture de plus en plus clairement confrontée au défi de l'urbanisme en même temps qu'elle est rappelée à l'ordre de son « rôle social » par la convergence de la Crise, du malheur urbain (la thématique du « taudis ») et des progrès de l'interventionnisme public, c'est-à-dire d'abord municipal. Rien d'étonnant, dans ces conditions, si, plus encore que la France des municipalités pilotes de Boulogne-Billancourt, Suresnes, Villejuif ou Villeurbanne (autant de banlieues dirigées par des majorités de gauche), ce sont les collectivités territoriales du Royaume-Uni, vieux pays d'autonomie locale, qui sont en flèche. Ici s'expérimente déjà sur le terrain, à Finsbury, Ladbroke Grove ou Peckham, une architecture du *Welfare* qui synthétise les innovations hollandaises ou allemandes dans un projet politique — réformiste — cohérent[6].

Reste qu'en attendant les lendemains qui chantent, les autorités publiques des démocraties libérales vacillent au vent de l'histoire. L'ambiguïté est à son comble au cœur de la République, parlementaire par excellence, et au cœur du Paris monumental, avec le palais de Chaillot, définitivement inauguré au printemps 1939, quelques semaines avant la déclaration de guerre. Ce bâtiment « néoromain », suivant la spécification de l'un de ses architectes, ouvre carrière à bien des gloses sur son style colossal, admiré un an plus tard en connaisseurs par Adolf Hitler et Albert Speer. Sans trancher un débat biaisé, on se contentera de rappeler l'usage politique qui en fut fait à l'été 1939 par le régime en place, au travers d'une mise en scène grandiose, clairement inspirée des grands rassemblements totalitaires[7], mais aussi le fiasco sur quoi déboucha cette tentative, faute de coercition… Fragilité d'une République qui affiche ses doutes, force d'une démocratie qui continue, en dépit de tout, à laisser à chacun de ses citoyens sa liberté de conscience.

1. C'est en effet dans la décennie 1930 que se constituent le vocabulaire et donc la problématique culturalistes, devenus familiers à notre temps ; sur ce point, cf. Pascal Ory, *La Belle Illusion. Culture et politique sous le signe du Front populaire. 1936-1938,* Paris, Plon, 1994, pp. 17-21.
2. Cf. *Le Front populaire et l'art moderne. Hommage à Jean Zay*, cat. de l'exposition (dont le commissaire fut Éric Moinet), musée des Beaux-Arts d'Orléans, 1995.
3. Sur ces deux « affaires », cf. Pascal Ory, *op. cit.,* pp. 284-288.
4. Page 36 de l'édition originale, Paris, Gallimard.
5. Cf. les travaux de Philippe Poirrier et Loïc Vadelorge sur les politiques statuaires, respectivement de Dijon et de Rouen au XXe siècle.
6. Nikolaus Pevsner fera de la London Transport des années trente, à l'origine du programme de construction de stations confié à Charles Holden, l'équivalent « des Suger, des Médicis, des Louis XIV » (*Génie de l'architecture européenne*, trad. française Paris, Hachette/Tallandier, 1965, p. 396).
7. Cf. Pascal Ory, « Le cent-cinquantenaire, ou Comment s'en débarrasser », dans *La Légende de la Révolution au XXe siècle*, Paris, Flammarion, 1988, pp. 139-156.

L'affaire Lipchitz, ou Prométhée fracassé

Pascal Ory

L'aventure du *Prométhée* de Jacques Lipchitz a tous les airs d'une fable philosophique, à ceci près qu'il s'agit aussi d'une histoire vraie. Elle en dit beaucoup sur l'état des rapports de forces politique et esthétique en France à la veille de la grande commotion de 1940.

Vu de l'extérieur, l'épisode ne prête pas à long commentaire. L'Exposition internationale des arts et techniques dans la vie moderne, qui se tint à Paris de mai à novembre 1937, avait voulu offrir à ses visiteurs un « clou » de haute tenue intellectuelle, faisant ainsi contraste avec la tendance, jugée par trop ludique, des expositions antérieures, tour Eiffel comprise. Le palais de la Découverte, projet soutenu par le prix Nobel Jean Perrin, y fut donc l'illustration de rien de moins que la première classe *(Découvertes scientifiques dans leurs applications)* du groupe II *(Expression de la pensée)*, en d'autres termes la clef de voûte de tout le système démonstratif de l'Expo[1]. Et, pour marquer d'un signe fort l'accès audit palais, commande fut passée par la commission *ad hoc* d'une sculpture de haute taille (un plâtre de neuf mètres de haut) célébrant *L'Esprit de la Découverte*[2], dans la ligne des commandes allégoriques auxquelles ce type de manifestation et de bâtiment était voué. L'artiste choisi vit bel et bien son œuvre érigée à l'extérieur du palais, en avant de sa porte monumentale, où purent la contempler ses deux millions deux cent mille visiteurs, sans compter les millions de badauds expositionnaires qui passèrent ces mois-là par l'avenue de Selves. Il fut honoré d'une médaille d'or de l'Exposition, au titre de la classe *Sculpture*. Après quoi, la prorogation de l'Exposition en 1938, un instant envisagée, n'ayant pas été obtenue, le plâtre fut détruit par décision du préfet de la Seine le 14 mai 1938.

Dès que l'on y regarde de plus près, cet épisode simple prend une autre couleur. La première de ses significations est, à l'évidence, d'ordre politique. Elle renvoie à l'ambition du promoteur, savant de gauche réputé, membre du parti socialiste, où il joue le rôle d'expert en matière de politique de la « recherche scientifique », et qui sera, à ce titre, titulaire de ce portefeuille — une nouveauté gouvernementale —, dans les deux cabinets de Front populaire dirigés par son ami Léon Blum[3]. Le palais de la Découverte, dont il obtiendra la pérennisation début avril 1938, lors de son second passage au ministère, prend à ses yeux place dans un dispositif ambitieux que parachèvera, quelques mois plus tard, la création du CNRS. Cette cathédrale de la Science républicaine est conçue pour susciter chez ses visiteurs, et d'abord chez les plus jeunes, une révélation décisive, dont ils sortiraient transformés en dévots de la religion scientifique. Les œuvres d'art commandées à cet effet (vingt-neuf peintures, onze sculptures) verront ainsi (pour ne citer que ces noms) Auguste Herbin, Henri Laurens, Fernand Léger, André Lhote, Jean Lurçat ou, comme il se doit, Charles Lapicque travailler sur des thèmes tels que *La Vis d'Archimède, Le Foret à feu* ou *Le Transport des forces.* Mais les noms de ces artistes choisis imposent une seconde lecture, confirmée par celle des artistes retenus dans le cadre de l'exposition temporaire associée à l'ouverture du palais et consacrée par les mêmes organisateurs aux *Étapes du Progrès*. Perrin, sans doute conseillé en matière artistique par le secrétaire et futur directeur du palais, André Léveillé, dont on doit noter qu'il n'était point de formation un scientifique mais un ancien des Arts décoratifs, fit de cette manifestation, en apparence toute didactique, l'un des rares lieux de l'Exposition de 1937 où purent trouver leur place un nombre significatif d'œuvres cubistes ou abstraites, par ailleurs toujours ignorées des institutions légitimantes, une trentaine d'années après les débuts du mouvement.

C'est dans ce cadre qu'il faut inscrire le choix de l'auteur de la sculpture monumentale d'accueil, Jacques Lipchitz : un héritier du mouvement cubiste, fort éloigné des choix esthétiques de l'École française, engagé de surcroît depuis le début des années trente dans une phase explicitement politique, comme en témoignent, pour ne citer qu'elles, les deux œuvres qu'allait au même moment lui inspirer la guerre d'Espagne[4]. De tous ces déterminismes découle en effet l'évolution de l'œuvre. Lipchitz va y fusionner deux thèmes éminemment « polémiques », au sens propre, des années précédentes : celui, remontant à 1931, de Prométhée libérateur des hommes, hommage explicite aux combattants des Lumières luttant contre l'obscurantisme sous toutes ses formes ; celui de David, triomphant en 1933 d'un Goliath identifié sans équivoque par l'inscription d'une svastika.

Le choix iconographique n'est pas moins instructif puisque, au rebours de la représentation traditionnelle, le héros a été mis dans une posture révolutionnaire : non pas incessamment dévoré par le vautour mais étranglant son tourmenteur.

Quant à l'exécution du projet, elle va passer par deux étapes d'une grande lisibilité : au départ, un Prométhée en surrection mais encore enchaîné, dans une position très inspirée du *Laocoon* hellénistique, et, pour finir, un Prométhée debout, bien planté sur ses deux jambes, coiffé d'un bonnet phrygien — attribut très connoté, que les défilés du Front populaire affectionnaient —, étranglant d'une seule main un animal où l'on était autorisé à reconnaître n'importe quel oiseau de proie, aigle fasciste autant que vautour mythologique[5].

Tout était donc en place pour que la destinée de cette œuvre fût exemplaire, et elle le fut. À cet égard, le contraste est saisissant entre 1937 et 1938. Pendant l'Exposition, le palais de la Découverte fonctionnera tout à la fois comme l'attraction à succès souhaitée, drainant le plus grand nombre de visiteurs spécifiques, et comme le pèlerinage de gauche obligatoire, inclus dans tous les programmes de visite des « organisations de masse ». Mais, au printemps 1938, l'ambiance change. Le principal quotidien populaire de droite, *Le Matin*, lance le 2 mai, en première page, une campagne pour l'enlèvement de cette « épouvantable horreur, échantillon de l'art, tel que le conçoit le Front populaire », exemple de ce que deviendrait « le goût français classique sous l'influence bolcheviste ». Il suscite une pétition, revient plusieurs fois sur le sujet et, le 15 mai, toujours en première page, annonce triomphalement, photo du plâtre fracassé à l'appui : « Enfin ! Prométhée a quitté son socle. » Outre la synthèse opérée par l'argumentation des adversaires entre l'esthétique et le politique, trois points de forme méritent d'être notés : la violence du ton, qui rend compte, à travers cet exemple modeste, de la radicalisation du débat public en France — et, au-delà, dans les démocraties — au temps de la Crise et de la montée des périls; la publicité accordée à cette affaire par un organe de presse destiné au grand public, qui semble avoir eu des liens étroits avec les têtes pensantes des Beaux-Arts, École et Académie réunies; mais le plus intéressant tient justement à la nature des acteurs impliqués : dans les deux camps, ce ne furent en effet ni des militants politiques ni des journalistes, mais des artistes, agissant en corps.
D'un côté, *Le Matin* put se flatter d'avoir fait signer sa pétition par les dirigeants de l'Association des anciens élèves de l'École des beaux-arts, ou par le président de la Société nationale[6], de l'autre, dans une recomposition symétrique, le combat en faveur du *Prométhée étranglant le vautour* va être pris en charge par l'Association des peintres, sculpteurs, dessinateurs, graveurs (devenue « peintres et sculpteurs ») de la Maison de la Culture, autrement dit par la section des arts plastiques de cette grande union culturelle constituée progressivement, entre 1934 et 1936, sous l'égide du parti communiste, bien qu'elle eût à cœur de regrouper le plus grand nombre d'artistes simplement « antifascistes ». L'association, dont le secrétariat est tenu par Edmond Küss et Boris Taslitzky, a compté Lipchitz parmi ses premiers membres. Encore dynamique à l'heure où le Front populaire entre dans une lente agonie, elle se paye le luxe de publier, à partir de 1938, un bulletin approximativement mensuel. L'un d'entre eux rendra compte du débat public qu'elle a organisé le 24 juin 1938 autour de « la liberté dans l'art », à partir de l'affaire du *Prométhée*. La séance est placée sous la présidence de témoins des combats culturels antérieurs, deux artistes — Henri Le Sidaner et Maximilien Luce — et deux savants, qui ne sont autres que Louis Lapicque, père de Charles, et Jean Perrin.

La boucle était ainsi bouclée, mais le *Prométhée* fracassé. De cette aventure exemplaire on retiendra une preuve, parmi bien d'autres, des liens étroits qu'entretinrent à cette époque les artistes et la politique, que celle-ci soit traduite en termes d'autorité publique ou de mouvement idéologique de masse, autrement dit de commande publique ou de ce que j'appellerai la commande intime. On en retiendra aussi la capacité des arts plastiques, et d'abord de la sculpture, à rendre compte du débat civique. Une évidence ? On rappellera la moins mauvaise définition du paradoxe : une évidence que personne ne voit.

1. Sur cette question, cf. P. Ory, *La Belle Illusion*, Paris, Plon, 1994, principalement pp. 479-484 et 606-611.
2. Ce titre figure dans le catalogue officiel de l'Exposition; il est devenu *Prométhée libéré* dans le rapport de l'Exposition internationale (t. 4, p. 549); mais les commentaires contemporains retiennent plutôt *Prométhée triomphant du vautour* ou *Prométhée étranglant le vautour*.
3. Dès septembre 1936, il a succédé à ce poste à Irène Joliot-Curie, autre prix Nobel. Professeur respecté, Perrin est dans l'entre-deux-guerres un efficace *lobbyist* du milieu, naissant, des « chercheurs scientifiques ».
4. *La Terrifiée* et *Scène de la guerre civile*. Œuvres contemporaines de *La Montserrat* de Julio González et, bien entendu, du *Guernica* de Picasso.
5. Dans l'étude conservée aujourd'hui au Musée national d'art moderne, Prométhée étrangle encore des deux mains. Sur l'histoire de l'œuvre, voir en particulier, outre l'autobiographie de Lipchitz (*My Life in Sculpture*, New York, Viking Press, 1972), Martin Weyl, *Jacques Lipchitz, Bronze Sketches*, Jérusalem, Israel Museum, 1971; Abraham M. Hammasher, *Jacques Lipchitz*, New York, Harry N. Abrams, 1975; *Jacques Lipchitz : Sculptures and Drawings*, Londres/Zurich, Marlborough, 1973; et *Lipchitz. Œuvres de Jacques Lipchitz (1891-1973)*, Paris, Mnam, « Collections du Musée national d'art moderne », n° 1, 1978.
6. *Le Matin*, 4 mai 1938.

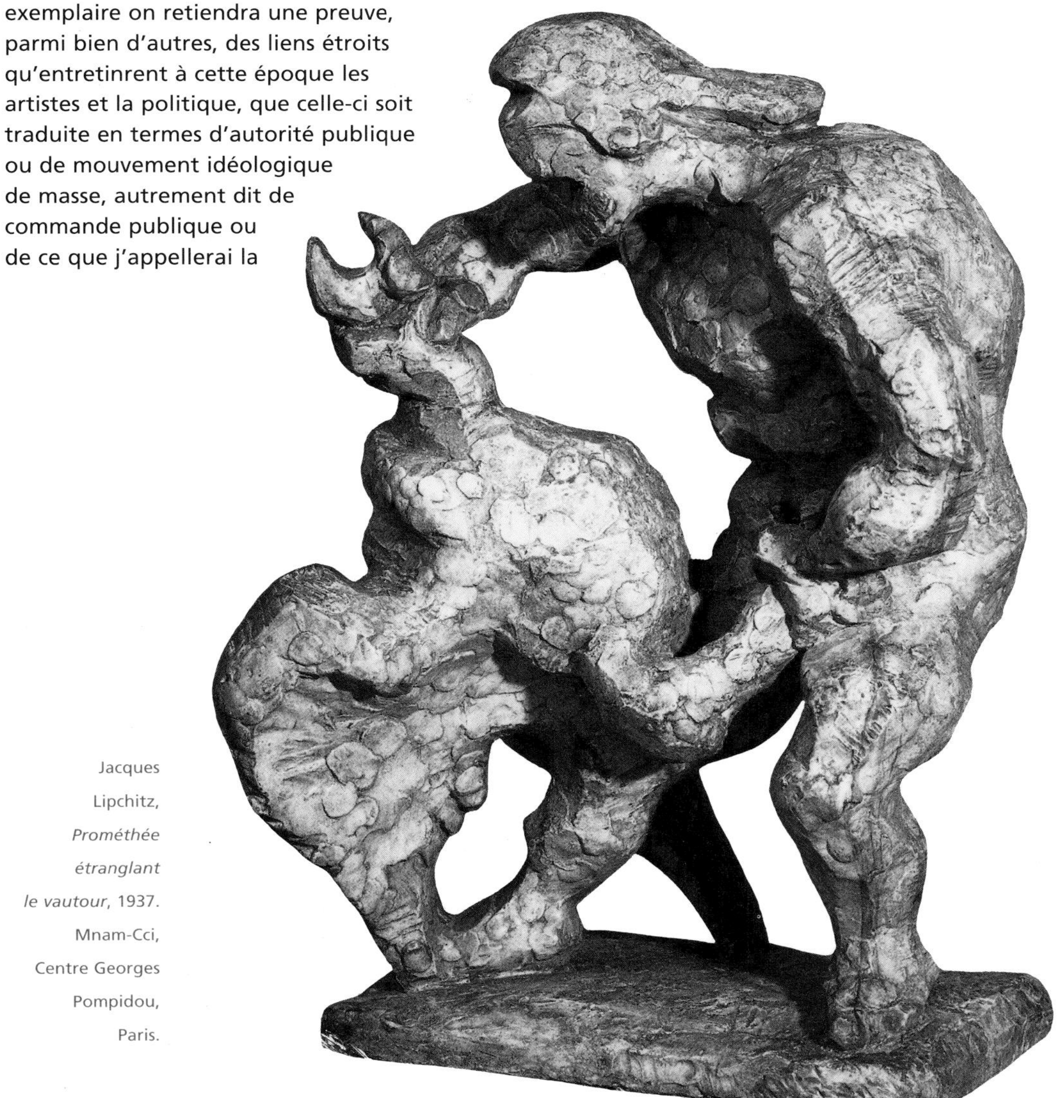

Jacques Lipchitz, *Prométhée étranglant le vautour*, 1937. Mnam-Cci, Centre Georges Pompidou, Paris.

D'écrire l'indicible à dessiner l'irreprésentable

Didier Schulmann

Dans les petits musées attenants à certains camps de concentration (Auschwitz, Terezín), dans les grands mémoriaux de la Shoah (Yad-Vashem, Washington), dans quelques musées juifs (Prague, Amsterdam), dans certaines grandes collections publiques (Centre Georges Pompidou) mais, surtout, dans les cartons de beaucoup de très vieux artistes rescapés ou de leurs familles, sont conservés, sur de mauvais papiers très abîmés, très salis, des petits dessins tracés dans des camps et miraculeusement sauvegardés. Depuis quelques années, des études, des colloques et des expositions révèlent, au-delà de son existence qui — pour certains dessins — est connue depuis 1945, l'importance qualitative et quantitative de ce corpus dont l'appréhension, l'identification et la caractérisation sont encore balbutiantes.

Dès la libération des camps, des publications éditées par les services gouvernementaux, par des groupes de presse ou des amicales de déportés (dont c'est bien souvent là la première manifestation) divulguent les premières images qui révèlent au monde la réalité tangible des « usines de la mort ». Ces publications reproduisent certains dessins, en regard de photographies prises par les correspondants de guerre et des premiers témoignages recueillis. Cette diffusion conjointe de dessins et de photographies provoque d'ailleurs, de la part d'artistes rescapés, de survivants désireux de témoigner par le dessin, et d'illustrateurs, comme ceux auxquels est demandée la réalisation des affiches et brochures des expositions stigmatisant les crimes nazis, l'émergence d'un véritable genre artistique. « L'art des camps de concentration », « l'art de l'Holocauste », « l'art de la déportation » sont devenus des sources d'inspiration, des prétextes à des œuvres, des sujets d'étude et d'exposition enfin, qui s'amplifient encore aujourd'hui à travers les mémoriaux et les monuments commémoratifs. Ce genre artistique a donc évolué très rapidement de l'évocation à l'allégorie, pour le pire comme pour le meilleur : de Paul Colin, qui signe l'affiche de l'itinérance londonienne de l'exposition officielle du gouvernement français en 1945, « The nazi crime », à *Maus*, 1973-1986, de Art Spiegelman.

Cette production artistique qui, sous toutes ses formes (y compris cinématographique), et depuis cinquante ans, s'« inspire » de la Shoah procède d'images qui se sont imposées en véritables clichés, et qui sont précisément ces dessins, mais surtout les photographies que le monde découvre entre l'été 1944 et l'été 1945. Les premières images des camps de concentration, accessibles et largement diffusées, sont celles de sites dont on ne peut dire qu'ils ont été libérés, tout juste ont-ils été atteints par les forces alliées : Majdanek en juillet 1944 était quasi désert, les nazis l'avaient vidé des derniers déportés. Le gouvernement soviétique décide de donner un retentissement mondial à la découverte du premier grand camp d'extermination, avec ce qui subsiste des installations industrielles d'assassinat en masse et ses magasins remplis des effets des morts. Les premières photographies horrifiantes sont donc celles de ces salles de douches, des fours crématoires et de ces empilements de chaussures, de lunettes, de valises et de vêtements. Puis viendront les images de ceux dont Primo Levi a fait connaître le qualificatif dont ils étaient affublés : les « musulmans ». Survivants certes, quand les Alliés les atteignent, mais dans un état de déchéance physique tel, sur les châlits où ils gisent dans leur maigreur cadavérique, que plus aucune particularité physionomique ne les différencie les uns des autres, hormis leur numéro tatoué que révèlent les haillons de leurs costumes rayés. Ce sont des rescapés anonymes dont il ne viendra à l'idée d'aucun des reporters photographes de demander les noms. Rien ne les distingue des tas de cadavres aux corps pareillement déchus et suppliciés dont les photos sont au même moment diffusées, sauf qu'un souffle de vie les habite et qu'une Lee Miller captera l'éclat effrayant de leurs yeux. Ces images d'un enfer peuplé de damnés anonymes sont du côté de la mort, alors que leur prise de vue coïncide avec la fin du massacre et l'éventualité d'un retour à la vie. À la différence — comme on le verra — des dessins, ces photographies, paradoxalement, rassurent : elles font signe de ce que les camps ont été libérés et, comme l'on sait que dans certains sites la technologie exterminatrice a fonctionné jusqu'au dernier moment, elles soulagent de ce que « ça aurait pu continuer » si les armées russes et américaines n'étaient pas parvenues aux portes des *Lager*. Dans leur

horrifiante cruauté, elles témoigneraient presque d'un « happy end », si elles ne correspondaient avant tout à notre moderne besoin de rédemption.
Les dessins sont d'un tout autre registre. Leurs tracés hâtifs et subreptices, réalisés à l'aide d'outils de fortune sur des supports improbables, révèlent ce que peu de photographies prises dans les camps de la mort donnent à voir : la vie quotidienne de martyrs, suppliciés dans leurs conditions d'existence. À l'échelle de l'histoire, les camps nazis et l'extermination des Juifs marquent le moment qui aura fait basculer le monde dans la modernité. De ce point de vue, les photographies prises lors de leur libération, leur diffusion et les discours dont elles sont accompagnées procèdent déjà de l'idéologie de la médiatisation, tandis que les dessins ressortissent apparemment de l'ancien monde et des modes traditionnels de la représentation. Pour autant, on ne peut parler de banalité dans la réalité qui est représentée : rien n'est courant ni habituel dans le mode de vie imposé aux déportés. Rien de semblable n'existe « au-dehors ». Aucune référence n'est à invoquer. La vie dans le camp, pourtant, et les rapports sociaux qui y règnent, décalquent, reproduisent et amplifient les structures, les fractures et les luttes de la société. La plupart des dessins dont on est assuré qu'ils ont été tracés dans les camps ne le font pas sentir, attachés qu'ils sont à des individus plus qu'à des situations. De même, ils ne restituent que peu la présence des accessoires, des outils et des dispositifs des villes-usines de la mort que feront découvrir les photographies, comme si tous ces rouages, ces installations et cette machinerie ne souffraient pas la moindre représentation. Que montrent-ils, donc, ces dessins ? Des gens, des hommes, des *Menschen* — comme on dit, tout à la fois en allemand et en yiddish —, errant, souffrant, travaillant, mourant. En définitive, ces dessins, qui ne sont en rien des reportages, donnent à voir l'autre, qui est vraiment, *stricto sensu*, un autre soi-même, le camarade de souffrance, doté d'un visage et d'une expression, souvent même d'un nom, griffonné dans un coin de la feuille. Croiser le regard de l'autre, du « musulman », c'est-à-dire celui qui allait mourir, c'était risquer, en le dessinant, de devenir l'autre, et risquer de mourir soi-même. En révélant une telle empathie du dessinateur pour le dessiné, ces dessins, quelles que soient leurs qualités plastiques, s'imposent comme des œuvres d'artistes.
Au-delà du témoignage poignant du supplice quotidien, ces dessins sont l'œuvre de personnes qui n'ont même plus le moindre espoir de libération à l'horizon de leurs épreuves. Malgré leur maladresse, leur absence de « style » et leur apparente banalité, ils produisent une impression d'insupportable — supérieure, souvent, à certaines photographies dotées d'une fonction ouvertement propagandiste et dont on dit qu'elles sont insoutenables. Ce rejet provient de ce qu'ils révèlent l'abandon et qu'ils ne sont porteurs d'aucun message. À ce titre, ils réveillent la culpabilité d'avoir laissé « cela » se faire. À la différence des

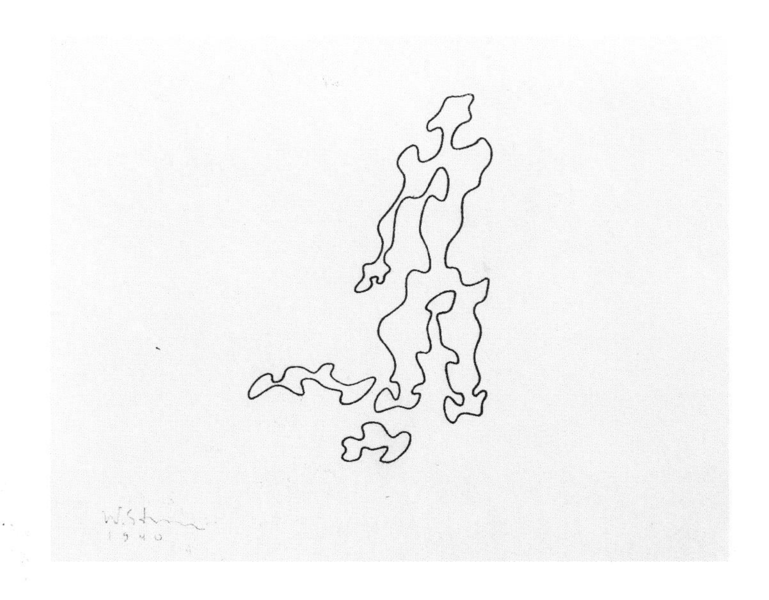

Wladyslaw Strzeminski, *Sur le pavé*, du cycle *Déportations*, 1940. Muzeum Sztuki, Lodz.

Felix Nussbaum, *Lagersynagoge* [La Synagogue du camp], 1941. Yad-Vashem, Art Museum, Jérusalem.

Karel Fleischmann, *Le Petit Enregistrement,* 1943. Musée d'Art juif, Prague.

Bedrich Fritta, *L'Unique Moyen de transport (vieux déportés attendant sur la voiture funéraire),* 1943. Musée d'Art juif, Prague.

photographies qui sont de temps en temps (car il y en a quelques-unes) l'œuvre des bourreaux, mais le plus souvent celle des libérateurs, ces dessins sont l'œuvre des victimes elles-mêmes. Ils constituent la seule trace « créatrice » qui nous vienne du pays des nuits et des brouillards, tant il est vrai que tous les récits et témoignages écrits, recueillis et publiés le furent après l'été 1945. Or, le fait d'avoir non seulement vu, de ses yeux vu, l'horreur concentrationnaire, d'y avoir été soumis, mais également d'avoir tenté, d'avoir pris la peine et le risque, d'avoir surmonté la difficulté de tracer, pour faire un dessin, d'avoir fait en sorte que l'esprit conduise la main, constitue une transgression, transgression de la discipline du camp, mais transgression également de l'interdit de la représentation. Cette transgression les a relégués là où ils ont été supportables : loin des œuvres d'art, avec les témoignages et les documents. Ainsi, cette transgression d'un interdit de la représentation — légitimement dénonçable s'agissant des fictions qui banalisent, et face à laquelle Claude Lanzmann, auteur du film *Shoah*, s'éleva lors de la sortie de *Schindler's List* (« La fiction est une transgression, je pense profondément qu'il y a un interdit de la représentation », *Le Monde,* 3 mars 1994) — entache ces dessins d'un jugement esthétique négatif, qui procède de leur assimilation sans discernement à tout ce corpus commémoratif d'« art de l'Holocauste ». Ils provoquent une méfiance et un rejet, comme si l'irreprésentable l'était effectivement, alors que de l'indicible (concept qui s'est précisément développé à propos de la Shoah), il est admis que, justement, il soit dit, proféré, écouté, écrit, publié, transmis et étudié. Il y aurait une sorte d'indécence, d'impudeur, de vulgarité, dans le trait, dans le fait de tracer, d'avoir osé figurer ce qu'il en était, auxquelles les mots, douloureusement assemblés après coup, échapperaient. Bizarrement, la perception de ces dessins par les historiens de l'art ne parvient pas à s'émanciper du jugement esthétique que l'on n'exige pas — sur le plan littéraire — des témoignages écrits. C'est sans doute pourquoi on ne les a guère vus exposés. Le jugement esthétique et l'analyse historique, inopérants jusqu'à présent à propos de ces dessins, ont établi entre le témoignage écrit et le témoignage graphique la même relation qu'entre images d'archives ou production d'archives (comme *Shoah*) et fiction (type *Holocauste* ou *Schindler's List)* dont Claude Lanzmann n'est ni le seul ni le moindre de ses fustigateurs. Cette confusion — qui s'apparente à de l'évacuation — entre dessins faits dans les camps et œuvres fictionnelles est sans doute la raison pour laquelle on les a si peu étudiés.

Ces dessins, pourtant, occupent, sans que l'on y prenne garde, une place essentielle face à l'histoire et pour l'art. Malgré leur faible nombre, ils constituent les seules images, les seuls portraits individualisés, vivants, des hommes, des femmes et des enfants gazés. Toutes les autres représentations (y compris les photographies anthropométriques prises par les nazis) sont celles de cadavres, comme le sont les recréations. De ce point de vue, ces dessins sont seuls susceptibles d'incarner la litanie des noms des déportés dont la profération, comme chaque 16 juillet lors de la commémoration de la rafle du Vél'd'hiv', constitue le fragile monument invisible sur lequel s'appuie la transmission du génocide.

À l'analyse enfin, ces dessins, plus par leur seule existence que par leur essence, ne participent-ils pas de la fondation de ce que l'on caractérisera ensuite comme « art d'après-guerre », dès lors que l'on a vu à quel point ils bouleversent les règles du jugement esthétique et que l'on considère que, depuis 1945, des pans entiers de la production artistique sont, consciemment ou non, marqués, modelés, déterminés, par la perception que les artistes ont de la Shoah ?

Zoran Music, *Dachau*, 1945. Mnam-Cci, Centre Georges Pompidou, Paris. Don de l'artiste (1995).

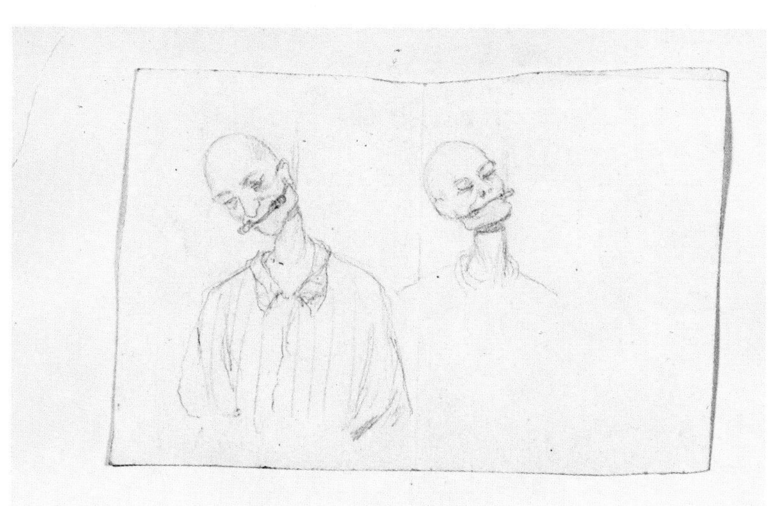

Dora 21 Mars 1945
Les pendus – à gauche : le schreiber (secrétaire) du bloc 132 accusé de complot politique et de sabotage

Léon Delarbre, *Les Pendus*. Dora, 21 mars 1945. Mnam-Cci, Centre Georges Pompidou, Paris.

1945, ou l'art dans les ruines

1945, ou l'art dans les ruines

Wieland Schmied

Si l'on s'intéresse à l'art apparu en Europe immédiatement après la fin de la Seconde Guerre mondiale, trois questions se posent :
— Comment les artistes allemands ont-ils réagi aux dévastations de cette effroyable guerre, dont l'Allemagne porte la responsabilité ? Dans quelle mesure les tableaux peints après 1945 reflètent-ils, à côté du désespoir causé par la catastrophe, la culpabilité de l'Holocauste ?
— La mesure des destructions et des souffrances liées aux noms de Stalingrad, d'Oradour, d'Auschwitz ou d'Hiroshima peut-elle se comprendre par des tableaux, dont les éléments — ou les chiffres — viennent de la réalité tangible ? Ou bien est-ce l'attitude de silence, de mutisme, qui est la bonne, attitude à laquelle s'est efforcée l'abstraction des années cinquante, que l'on a aussi appelée un « art autre » ?
— Quel sens cela a-t-il de représenter des ruines ? Parvient-on, avec l'évocation de champs de ruines, de maisons brûlées et de villes mortes, à rendre également visibles les destructions intérieures, les ravages psychiques chez des hommes qui ont vécu le désastre ? Peut-on alors choisir des images pour leur conférer un caractère de parabole ? Peut-on réaliser des représentations de ruines qui soient davantage que des documents sur l'époque, qui puissent prétendre à une importance pour l'histoire de l'art ?
Cherchons des réponses à ces trois questions — ou à ces trois ensembles de questions.

1

La question de savoir ce que les artistes ont fait, dans leur œuvre, du désastre de la guerre — un travail de deuil dont aucun n'arrive seul à bout — doit être envisagée à l'intérieur d'un contexte plus large d'histoire de l'art. Dans l'art allemand du XXe siècle se dégage presque systématiquement une composante qui conjure ce qui est sombre, menaçant, catastrophique. Cette composante existait déjà dans des tableaux peints avant le désastre, et avec au moins autant d'intensité que dans ceux qui en témoignent. Il en va ainsi pour les deux guerres mondiales. L'expressionnisme avait longtemps baigné dans une ambiance d'apocalypse. En poésie, de 1910 à 1914, les thèmes dominants sont la destruction, la ruine, la mort (Georg Heym, Georg Trakl, Alfred Lichtenstein, Ernst Städler, Gottfried Benn, etc.) ; il s'agit toujours de déluge, de fin du monde et de jugement dernier. Il en va de même dans la peinture. Oskar Kokoschka a peint l'expression du malheur à venir dans son *Stilleben mit totem Hammel* (« Nature morte au mouton mort ») comme dans ses portraits : ce ne sont pas simplement des visages de personnages, c'est aussi le visage d'une époque qui arrive à sa fin.
Ludwig Meidner a trouvé l'expression la plus éloquente pour traduire la conscience de la ruine. Dans une suite de peintures de 1913 (dont certaines datent de 1912), il montre un monde éprouvé par des bouleversements apocalyptiques. La commotion violente qui ébranle tout, faisant tomber les façades et disparaître les rues, semble à la fois jaillir de la terre en éruption convulsive et tomber de la formation menaçante des nuages. Les références à Nietzsche apparaissent dans les tableaux comme *Apokalyptische Landschaft* (« Paysage apocalyptique ») ou *Apokalyptische Stadt* (« Ville apocalyptique ») de 1913. Zarathoustra se livrait à une attaque des grandes villes : « abattoirs et cuisines de l'esprit », et souhaitait leur ruine : « Malheur à la grande ville ! Et je voudrais voir déjà la colonne de feu dans laquelle elle brûlera ! » Ludwig Meidner a peint cette colonne de feu. Dans les ciels de ses tableaux figurant des villes éclatent des soleils rouges, des arches de feu relient le ciel et la terre, et une bouche d'enfer s'ouvre pour engloutir les maisons et les hommes.
Nulle part en Europe, on n'a peint aussi passionnément des tableaux contre la guerre qu'en Allemagne après 1918. Otto Dix a traité, comme aucun artiste de son temps, le thème des victimes et des morts dans les tranchées, des estropiés, des survivants infirmes qui vivent en marginaux, rejetés par la société. George Grosz a formulé les accusations les plus véhémentes et les plus féroces contre ceux qui avaient appelé à la guerre pour en tirer le plus grand profit. Dans des tableaux comme *Die Nacht* (« La Nuit »), Max Beckmann jette l'anathème sur les horreurs de la guerre à l'aide de paraboles effrayantes qui évoquent la fatalité et l'enchaîne-

George Grosz,
Polarity-Apocalyptic Landscape
[Polarité-Paysage apocalyptique], 1936.
George Grosz Estate.

◁ George Grosz,
Apokalyptische Reiter
[Le Cavalier de l'Apocalypse],
série *Interregnum*, 1936.
Stiftung Archiv der
Akademie der Kunst,
Berlin.

Richard Oelze,
Erwartung [Attente], 1935-1936.
The Museum of Modern Art,
New York.

ment de la tragédie antique. Des tortionnaires ayant fait irruption dans une mansarde se livrent à des actes de torture sur une famille innocente. Cependant, George Grosz et Otto Dix ne se contentent pas de peindre ces atrocités dans les visages et les corps des hommes, ils annoncent aussi les catastrophes à venir. George Grosz dépeint avec *Sonnenfinsternis* («Ténèbres de soleil») et *Stützen des Gesellschaft* («Les Piliers de la société») — le volet central et le volet droit d'un triptyque inachevé de 1926 —, les présages d'une apocalypse future, provoquée par l'ignorance, la soif de pouvoir et la cupidité de la classe dominante. Pour y échapper, l'artiste émigre en Amérique en 1933. Chassé de son poste de l'Académie de Dresde la même année, Otto Dix peint dans le refuge campagnard de son «émigration intérieure» en 1934 le *Triumph des Todes* («Triomphe de la mort») : l'homme à la faux, désigné par une couronne comme maître du monde, s'éveille dans une nature à caractère démoniaque, faite de troncs d'arbres morts et de souches, où la chapelle qui promettait la protection est en ruine depuis longtemps. En 1939, Dix réalise un tableau, *Lot und seine Töchter* («Loth et ses filles»), où Dresde en flammes apparaît à l'arrière-plan — anticipation prophétique d'une destruction qui, six ans après, deviendra réalité.
Et les prémonitions de la catastrophe à venir apparaissent également dans les œuvres d'autres artistes. En 1935, à Paris, Richard Oelze figure dans son *Erwartung* («Attente»), une foule ayant fui la ville, et qui, dans une clairière, reste figée dans une terreur panique devant les nuages de l'orage à l'horizon.
Max Ernst évoque la menace qui surgit dans le monde avec des personnages qu'il appelle *Barbaren, gen Westen ziehend* («Barbares allant vers l'Ouest», 1934-1935), de même que le malheur qui participe de la série des *Hausengel* («Anges de la maison») — véritables anges exterminateurs, à qui rien de vivant n'échappera. À ces représentations du mal succèdent, pendant l'exil en Amérique, des méditations mélancoliques, telle *Europa nach dem Regen* («L'Europe après la pluie», 1940-1942).
La métaphore de la «grande pluie», du «déluge», reprise après 1945 par plusieurs artistes, est liée à celle des ruines dans une vision globale du déclin. La métaphore du déluge suppose la faute et l'expiation. Associée aux étendues de ruines des villes détruites vastes comme

des océans, elle porte l'accusation de quelque chose de concret, ici et maintenant. Cette accusation concerne un phénomène général : la civilisation moderne telle qu'elle s'est cristallisée dans les grandes métropoles de notre époque. Le tableau semble relever d'un esprit tout à fait romantique : la civilisation des temps nouveaux comme source de tous les maux. Encore une fois, Zarathoustra se fait entendre, mettant les grandes villes en accusation et exigeant leur destruction afin que puisse naître quelque chose de nouveau.
La métaphore du déluge situe les destructions de la guerre devant un horizon cosmique et confère quelque chose d'inévitable au désastre. Certes, le malheur qui s'est produit n'est pas seulement un fait naturel, il est ressenti comme une punition. Il n'y a pas de révolte contre cette punition, cela n'aurait pas de sens. La punition est admise, et la question de savoir si elle est juste demeure inexprimée. Elle est acceptée avec fatalisme — il nous faut la subir, disent ces tableaux, de la même façon que nous ne pouvons rien au mal et à la faute qui l'ont précédée. Nous qui sommes jetés dans ce monde, nous restons ce que nous étions dans les sombres années du règne du mal : ses victimes. Nous ne devons pas invalider cette attitude des artistes en la taxant de fuite devant la responsabilité historique.
L'identification au rôle de victime ne s'est pas produite sans fondement — presque tous les artistes contemporains dont les œuvres sont exposées dans les musées furent proscrits à l'époque nazie, mis au ban de la société comme « dégénérés », avec interdiction d'exposer et de peindre. Leurs tableaux furent saisis, écartés des musées, mis au pilori lors de l'exposition ignominieuse sur l'« art dégénéré », et plus tard purement et simplement anéantis. Les plus jeunes se trouvaient soumis aux tracasseries les plus diverses et leur route définitivement barrée. Le sentiment de la persécution était si fort que, pour beaucoup d'artistes, l'appel d'incorporation à la Wehrmacht pouvait être vécu comme la chance d'échapper à un dilemme sans issue.
Le déluge qui transforme un paysage de campagne en marécage, comme chez Richard Oelze, est une exception : *Verflossene Landschaft* (« Paysage noyé », 1948), *Baumtraum* (« Rêve d'arbre », 1948-1949). Ce sont le plus souvent les villes qui subissent le déluge : chez Rudolf Schlichter avec *Sinflut* (« Déluge », 1949), ce fléau démolit immeubles et palais et emporte leurs ruines. Avec Hofer, des hommes se réfugient sur une barque — sur une mer de ruines, ils commencent leur *Höllenfahrt* (« Voyage en enfer », 1947).
C'est chez Werner Heldt que l'alliance des motifs du déluge et des ruines s'exprime le plus clairement. Entre 1945 et 1952, il donne à une série de tableaux et de dessins le titre lapidaire *Berlin am Meer* (« Berlin sur mer »). Beaucoup d'éléments y apparaissent : l'image des collines de ruines semblables à de hautes vagues déferlant, et fracassant les maisons détruites contre les cloisons coupe-feu restées debout ; la représentation de l'espace et de l'ouverture, mais également de la solitude et de l'abandon ayant tout d'un coup envahi une ville si vivante. La conscience que Berlin a été édifié sur un sol qui fut, il y a des millions d'années, le fond d'une mer ; l'isolement des habitants après 1945, qui leur donne le sentiment de mener une existence d'« insulaires » ; la vision d'une métamorphose qui soustrait soudain Berlin aux contraintes de l'histoire et de la géographie réelles et lui confère une dimension shakespearienne (l'Anglais Shakespeare ne pouvait se représenter des pays comme la Bohême ou des villes comme Vérone qu'au bord de la mer).
Le plus important cependant était cette sensation oppressante que l'histoire avait surgi dans la ville comme une catastrophe naturelle, quand bien même un dieu en fureur aurait envoyé cette catastrophe appelée déluge, en punition. C'est cela que disent les paysages de Werner Heldt. Des témoignages personnels, des notes, des lettres, révèlent qu'il a ressenti dans sa chair, tout à fait concrètement, la culpabilité allemande. Dans différents textes, il a fait état de ce vécu d'où provient son art. Dans sa peinture, il ne pouvait le transposer que dans l'intemporel, pour ainsi dire. Mais dans ses paroles et ses essais, il le nommait de façon univoque. Ainsi, déclare-t-il en 1945, dans le discours d'ouverture d'une exposition d'artistes français :

« On ne réprime pas impunément la conscience. Chargée d'une rage démoniaque, devenue malade et mauvaise à cause du mépris, de la peur et de la haine, elle jaillit un jour de la prison de l'inconscient où elle était bannie et, vengeresse, elle attaque la communauté là où l'on a péché envers elle. Voulez-vous une preuve ? Le peuple allemand l'a donnée ! Ou bien êtes-vous d'avis qu'un peuple qui a accompli la folie sanglante des camps d'extermination, des meurtres en masse des Juifs dont le nombre de victimes dépasse même celui des Allemands engagés dans la guerre, croyez-vous que ce peuple a encore le droit de juger de la santé mentale de ceux [des artistes] qui entreprennent... de plonger pour retrouver les " mères " ? »

Werner Heldt, *Fensterausblick mit totem Vogel* [Vue d'une fenêtre à l'oiseau mort], 1945. Sprengel Museum, Hanovre.

Käthe Kollwitz *Der Turm der Mütter* [La tour des mères], 1937-1938. Käthe-Kollwitz-Museum, Berlin.

Et Werner Heldt écrivait, en 1951, dans une « lettre ouverte » :

> « Il y a le danger pour notre peuple qu'il cède à la tentation de ne pas sauver son honneur par de vraies preuves d'un changement de mentalité, mais que, en proie à une nouvelle folie collective et à l'enivrement de soi-même, il tombe dans la honte de récuser et de dénier son histoire, prenant ainsi la fausse route de l'intimidation et de l'emploi de la force... Nous, les artistes et les intellectuels allemands, qui sommes dans une situation tout à fait semblable à celle de nos concitoyens juifs, " étrangers chez nous ", nous négligeons souvent, dans l'amertume et la résignation, de parler avec notre peuple dans la langue qui trouve l'entrée de leur conscience... »

2

Entre 1945 et 1946, dès son retour de captivité, Werner Heldt peint *Fensterausblick mit totem Vogel* (« Vue d'une fenêtre à l'oiseau mort »). Le regard pénètre dans une ville abandonnée, se pose sur des cloisons coupe-feu, des ruines, s'insinue dans les trous sombres des fenêtres, ne s'arrêtant qu'au rebord de la fenêtre sur une cruche et un corbeau mort aux ailes rompues. Heldt livre les clés d'une époque à laquelle nous sommes retournés en étrangers, sans revenir chez nous : la ville abandonnée, les places vides, les ruines, l'arbre dénudé, les façades croulantes, les fenêtres noires.

Peu d'artistes en Allemagne peignent alors des tableaux comme *Vue d'une fenêtre à l'oiseau mort* — à part quelques exceptions, comme Karl Hofer, que nous avons déjà mentionné. Après la Première Guerre mondiale et ses destructions, l'on en arrive à un art de l'accusation, à la lutte contre l'époque et à la critique sociale agressive. Après 1918, dans les tableaux de Dix, Grosz ou Schlichter, apparaît un monde d'infirmes, de fricoteurs, de victimes, de meurtriers, d'opprimés, de mutilés, avec des viveurs, des flagorneurs, des bourgeois et des prostituées sordides, tous ceux qui, en des temps de lourdes privations, essaient de faire leurs petits profits. Mais tout cela, dans l'immédiat après-guerre, semble impossible à concevoir avec les moyens de l'art pictural. La formule souvent citée d'Adorno selon laquelle, après Auschwitz, il n'est plus possible d'écrire des poèmes, se confirme de façon étonnante avec la peinture : il semblait à peine possible de peindre des tableaux figuratifs. En dépit de l'aphorisme d'Adorno, des poèmes ont vu le jour, de ceux qui reflètent les terreurs d'une époque — que l'on pense à la *Todesfuge* de Paul Celan —, mais les tableaux d'un niveau équivalent restaient l'exception. La consternation, la désespérance atteignaient des zones où et à partir desquelles tout n'était plus représentable de façon directe dans un style qui serait d'une façon ou d'une autre réaliste. Elles conduisaient au silence, à l'évitement, à l'abstraction. Des écrivains pouvaient parler de cette misère, des philosophes réfléchir sur notre existence. Mais que restait-il aux peintres ? Il était déjà difficile de faire des tableaux après Auschwitz, Dachau, Buchenwald, Mauthausen, Bergen-Belsen... Peindre des tableaux sur Auschwitz, Dachau, Buchenwald ?... L'horreur perpétrée dépasse à tout point de vue notre force de représentation visuelle. Les camps d'extermination de masse aménagés par les nazis, les moyens d'extermination de masse comme la bombe atomique ne se laissent pas réduire à leur reproduction figurative.

Plus de cinquante ans se sont écoulés depuis la fin de la Seconde Guerre mondiale. À un demi-siècle de distance, la thèse de l'impossibilité de concevoir l'horreur avec les moyens d'un art voué à la réalité visible tient-elle encore ? Ou bien devons-nous la revoir ? Les tableaux de Berlin d'un Werner Heldt, même s'ils sont l'exception, ont déjà suscité des doutes sur la validité de cette thèse, et elle me semble efficacement et définitivement ébranlée par l'œuvre de trois artistes : Francis Bacon, Georg Baselitz et Zoran Music.

Francis Bacon a souvent mis l'accent sur le fait que rien ne lui était plus éloigné que de vouloir évoquer l'horreur de l'Holocauste, de la domination nazie et de la guerre atomique. Il ne se préoccupe pas de l'apocalypse globale. Il conjure les terreurs quotidiennes qu'un homme peut éprouver seul dans sa chambre. Mais dans ces terreurs de la banalité, de la violence d'une réalité quotidienne, dans la fragilité de notre *physis* se reflètent les grandes terreurs de notre époque. Dans les innombrables variations de Francis Bacon à partir de Vélasquez, qu'est-ce qui fait crier le pape sinon la conscience douloureuse de ce qui arrive à notre époque ?

Un chapitre particulier peut être consacré aux toiles de ruines que Georg Baselitz a faites au milieu des années soixante — au début de son œuvre, donc. Nous en reparlerons.

Reste le cas Zoran Music, instructif et révélateur à tout point de vue. Music est prisonnier à Dachau en 1944-1945. Il fixe, alors, dans des séries de dessins, les morts, les torturés, les pendus, les morts d'inanition, puis les amoncellements de cadavres, pétrifiés par le froid. À sa libération en 1945, il ne peut plus pendant longtemps se relier à ces dessins. Il doit se retrouver lui-même. Il se rend dans le Karst, dans les paysages duquel il peint la nature dans l'alternance des saisons, les paysans dans les montagnes, les chevaux et les ânes portant des fardeaux. Ce n'est qu'en 1970, un quart de siècle après sa libération de Dachau, qu'il est en mesure d'exprimer dans des tableaux simples ce qu'il a vu. Il commence la série *Wir sind nicht die Letzten* (« Nous ne sommes pas les derniers »). Ce qu'il peint alors, c'est ce qu'il avait dessiné en secret quand il était prisonnier, des morts et des mourants, mais hors des wagons à bestiaux et des cercueils, hors des charrettes et des cordes, sortis du contexte du camp. Alors, il ne reste rien que les corps décharnés, les bras tordus, les cous anormalement allongés, les chairs creusées par la maigreur, les membres disloqués ; il n'y a plus que les yeux grands ouverts et éteints, les bouches ouvertes et muettes. Les morts sont sortis du lieu et de l'heure, quand ce n'est pas des circonstances de leur mort. Individus qui sombrent dans l'anonymat, exemples de ce que les hommes peuvent faire subir aujourd'hui aux autres hommes.

3

Henry Moore,
Brown Tube Shelter
[Abri de métro en brun], 1940.
Collection The British Council.

Cette exposition rassemble une série de tableaux impressionnants de ruines d'après 1945. Ils proviennent d'artistes de différentes nations. Il y a Karl Hofer avec sa *Ruinennacht* (« Nuit de ruines ») de 1947. Hofer avait commencé à peindre *Mann in Ruinen* (« L'Homme dans les ruines ») dès 1937, l'année où s'ouvrait l'exposition « Entartete Kunst » (« Art dégénéré ») où était présentée une série de ses tableaux. *L'Homme dans les ruines* peut être considéré, au sens figuré, comme un autoportrait. L'artiste persécuté, livré sans défense à son destin, voit le monde autour de lui réduit en cendres. Il sait que la destruction intérieure sera bientôt suivie de la destruction objective.

La *Nuit de ruines* de Hofer est un tableau délibérément mis en scène de façon théâtrale. Les façades restantes des maisons font l'effet de coulisses. Elles ont des physionomies de masques, évoquant grimaces et grincements de dents. Les maisons brûlées nous regardent. Karl Hofer est le plus grand peintre des ruines, avec Werner Heldt et Wilhelm Rudolph.

De Franz Radziwill, il y a *Die Klage Bremens* (« La Plainte de Brême », 1946). Les destructions sur terre se poursuivent par une fracture du ciel, d'où de nouveaux malheurs menacent. Dans ses tableaux-reportages de dévastations, également peints pendant la guerre, Graham Sutherland confronte des façades qui restent debout avec d'amorphes tas de ruines et des terrils. Francis Gruber restitue la misère de l'époque, non à travers les ruines d'édifices, mais à travers l'infortune de personnages humains : ainsi, la silhouette nue de *Job* (1944), dans une ruelle de la banlieue parisienne, qui se tient la tête et

Franz Radziwill,
Die Klage Bremens
[La Plainte de Brême], 1946.
Freie Hansestadt Bremen,
Brême.

médite sur son destin. L'on comprend qu'Alberto Giacometti se soit senti attiré par les personnages émaciés du peintre. Le tableau de Gruber *Les Cadavres* (1946) annonce les montagnes de morts dont Zoran Music se souviendra vingt ans après.
Ce que représente le tableau d'Henry Moore, le *Bunker in Tilbury* (« Bunker à Tilbury », 1941), en revanche, donne un signal d'espoir : des hommes trouvent dans un abri de tranchée un refuge contre les bombardements allemands, et vont survivre. Dans la série de ses *Shelter Drawings* (« Dessins des abris anti-aériens »), il crée plusieurs variations de ce motif d'après ses observations dans les stations du métro londonien.
Les tableaux de ruines qu'Otto Dix et George Grosz réalisèrent après la Seconde Guerre mondiale sont, en revanche, plus décevants. Ils ne laissent plus rien soupçonner de la force et du mordant qui caractérisaient leurs œuvres dans les années vingt. À côté, le sculpteur Ossip Zadkine a remarquablement rendu la destruction de la ville à travers les blessures et les déformations d'un personnage humain (*La Ville détruite,* 1947-1951). Le délabrement d'un corps devient le cryptogramme de la ruine des maisons. Mais, à la différence des ruines, il peut donner l'expression à la douleur : avec le cri. C'est le cri de la créature innocente, que nous connaissons du *Guernica* de Picasso.
Évoquons encore un nom en parlant du paysage de ruines d'Europe centrale en 1945 : Wilhelm Rudolph. Les bilans de la destruction de Dresde dressés par ce petit maître de la Nouvelle Objectivité *(Neue Sachlichkeit)*, lors de ses passages sur les lieux de la ville bombardée, constituent un document sans pareil. « La lumière de l'aurore du 14 février 1945 éclairait les braises et la fumée des restes d'un incendie sur l'Elbe, là où, la veille, se trouvait Dresde... », écrivait Rudolph en 1973. Il se met aussitôt à établir le procès-verbal d'un témoin oculaire : deux cent soixante-dix dessins à la plume creuse, souvent colorés à l'aquarelle avec une technique particulière de mélange. Rien n'est embelli, rien ne prend valeur de symbole, seulement un rapport : « C'était comme cela. »
L'année 1945 et les années suivantes voient apparaître d'impressionnants tableaux de ruines — mais le danger demeurait que la prestation des artistes s'épuise dans leur témoignage, et qu'ils ne puissent rien donner d'autre que le rapport du témoin oculaire. Il est donné à peu de savoir associer le témoignage visuel immédiat avec la souveraineté de la distance qui révèle le grand artiste, tel Goya qui avait noté sur une des feuilles de ses *Desastres de la guerra* : « Je l'ai vu de mes propres yeux. » Vingt ans après la fin de la guerre, Georg Baselitz, qui n'a pas trente ans, se charge de représenter dans un tableau l'Allemagne détruite de l'immédiat après-guerre. Toutes les fois qu'il est question du paysage de ruines de 1945, ce sont ses tableaux qui viennent à l'esprit. Ce sont des œuvres d'imagination. Ils parlent d'une grande vision : de la chance du nouveau commencement. Georg Baselitz prend au pied de la lettre l'expression si souvent employée d'« heure zéro ». Il s'identifie à son pays et à sa génération, née pendant le règne de la terreur de l'« empire de mille ans ». Tout ce qui était valide quand cette génération a vu le jour se retrouve à l'état de débris. Tout ce qui devait lui montrer la voie pour l'avenir doit être reconstitué.
Baselitz qualifie les « pâtres » et les « héros » qu'il fait apparaître en 1965 de personnages d'un « type nouveau ». Avec ces personnages programmatiques, Baselitz essaie de clarifier son rôle d'artiste. Dans un paysage désolé, vide à perte de vue, et encore couvert des ruines du passé, s'engage son personnage, plus grand que nature, héros, pâtre et rebelle. Il est le survivant des tranchées d'époques antérieures, marqué de nombreuses blessures, les mains souvent liées, les habits déchirés; et il est l'avant-gardiste avec le minimum de bagages, il progresse parce qu'il s'est séparé de tant de choses. Le regard porté sur un lointain indéterminé, il est en même temps un visionnaire à qui se présente une voie nouvelle.
Le tableau de « l'artiste entravé » avait précédé en 1963 les personnages de pâtres-héros-rebelles : c'était le portrait de l'artiste appelé à témoigner, mais menacé dans son art. L'« artiste bloqué » de Baselitz a perdu une jambe, il s'appuie sur une béquille, se penchant sur un arbre mort. Ce personnage couvert de haillons qui rappellent l'uniforme d'une époque révolue n'est pas sorti de cette époque avec seulement quelques dommages apparents. Pourtant, l'« artiste entravé » semble prêt à entrer dans le monde des ruines qui l'entoure, à briser ses entraves intérieures et extérieures : il est animé d'une confiance inexplicable.

Traduit de l'allemand par
Marc Payen

Otto Dix, *Masken in Trümmern* [Masques dans les ruines], 1946. Kunstsammlung Gera, Gera.

Parcours

Alexandre **Deïneka,**
Kto kogo ?
[Qui l'emportera?], 1932.
Galerie Tretiakov,
Moscou.

tunato Depero,

Ala fascista
(Caprone alato,
Due aerei in volo,
Tre marinai)
[Aile fasciste
(Bouc ailé,
Deux avions en vol,
Trois marins)], 1937.
Collection particulière.

Fortunato Depero,

Ala fascista
[Aile fasciste], 1937.
Museo di Arte Moderna
e Contemporanea di Trento
e Rovereto.

Fortunato Depero,

Ala fascista
[Aile fasciste], 1937.
Collection particulière.

Franz Radziwill, *Dämonen* [Les Démons], 1933-1934. Collection particulière.

Mario Sironi,

Composizione monumentale con statua equestre [Composition monumentale avec statue équestre], *ca* 1937. Collection particulière.

Otto Dix,
Die sieben Todsünden
[Les Sept Péchés capitaux], 1933.
Staatliche Kunsthalle, Karlsruhe.

Oskar Kokoschka,
The Crab
[Le Crabe],
1939-1940.
Tate Gallery,
Londres.

Oskar Kokoschka,
Das rote Ei
[L'Œuf rouge],
1940-1941.
Nàrodní galerie,
Sbírka
Moderního Umění
Veletržní Palác,
Prague.

Oskar Kokoschka,
Marianne-Maquis,
1942.
Tate Gallery,
Londres.
Offert par
Mme Olda
Kokoschka, la
veuve de l'artiste,
en l'honneur
du directeur
Sir Alan Bowness,
1988.

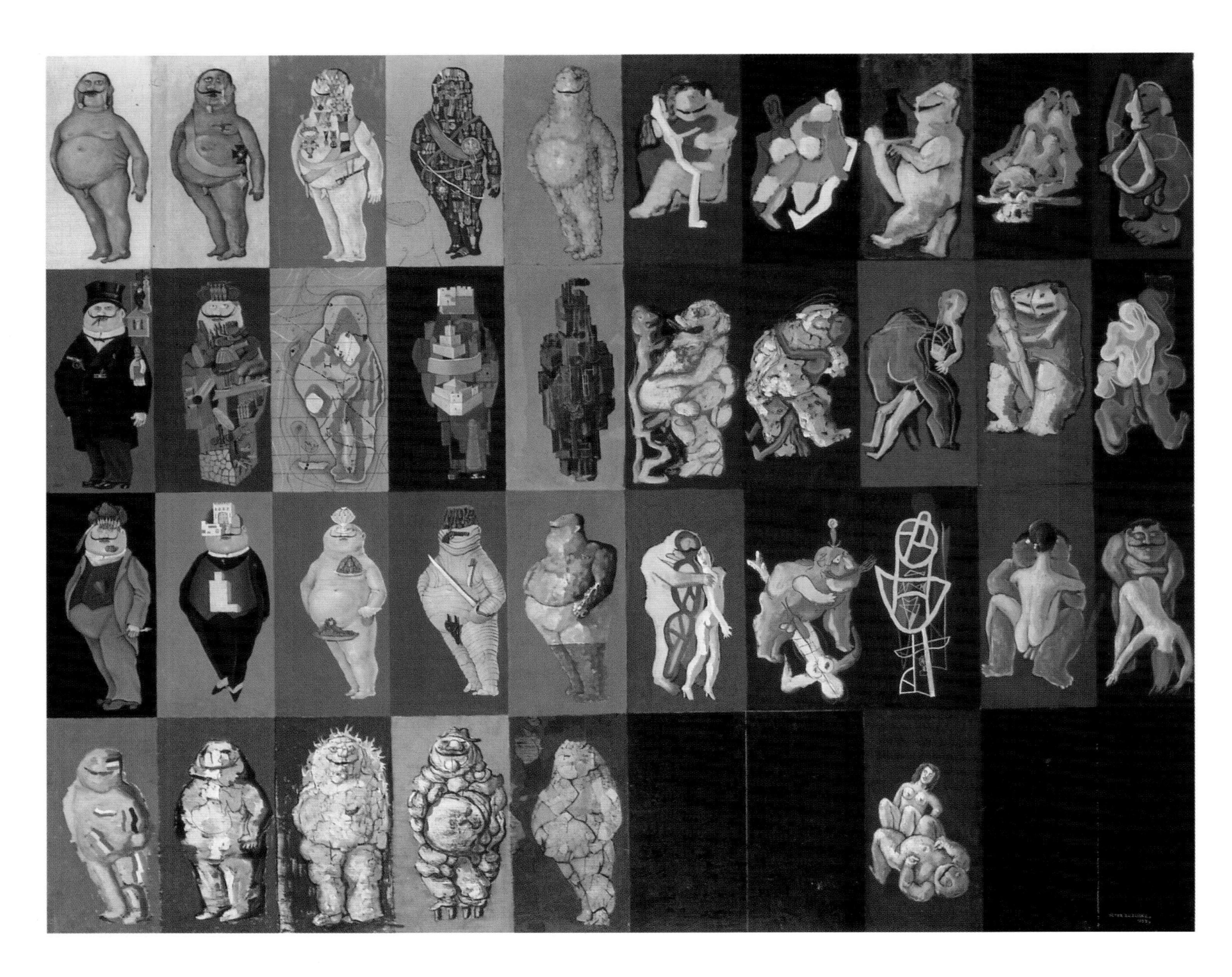

Victor Brauner,

L'Étrange Cas
de Monsieur K, 1934.
Ancienne collection
André Breton,
collection
particulière.

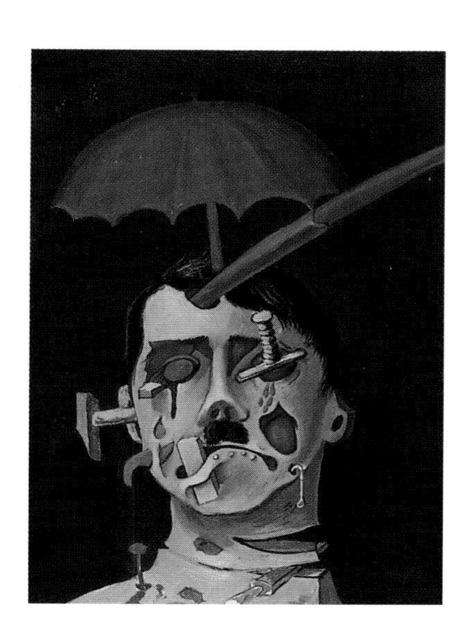

Victor Brauner,
Sans titre
(Hitler), 1934.
Ancienne collection
André Breton,
collection
particulière.

Max Beckmann,
Prometheus –
Der Hängengebliebene
[Prométhée –
Celui qui est resté pendu], 1942.
Collection particulière.

Max Beckmann,

Departure
[Le Départ], 1932-1933.
The Museum of
Modern Art, New York,
don anonyme
(par échange), 1942.

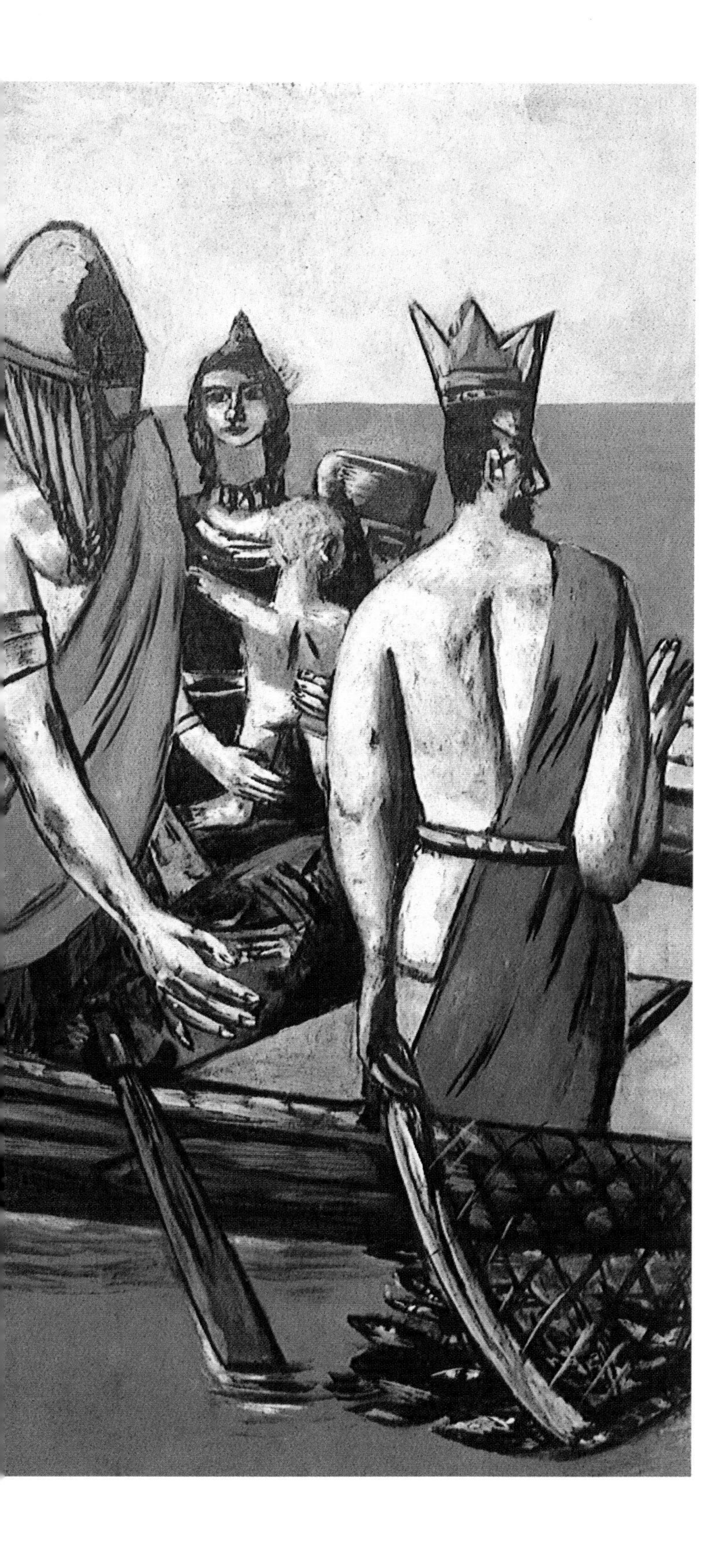

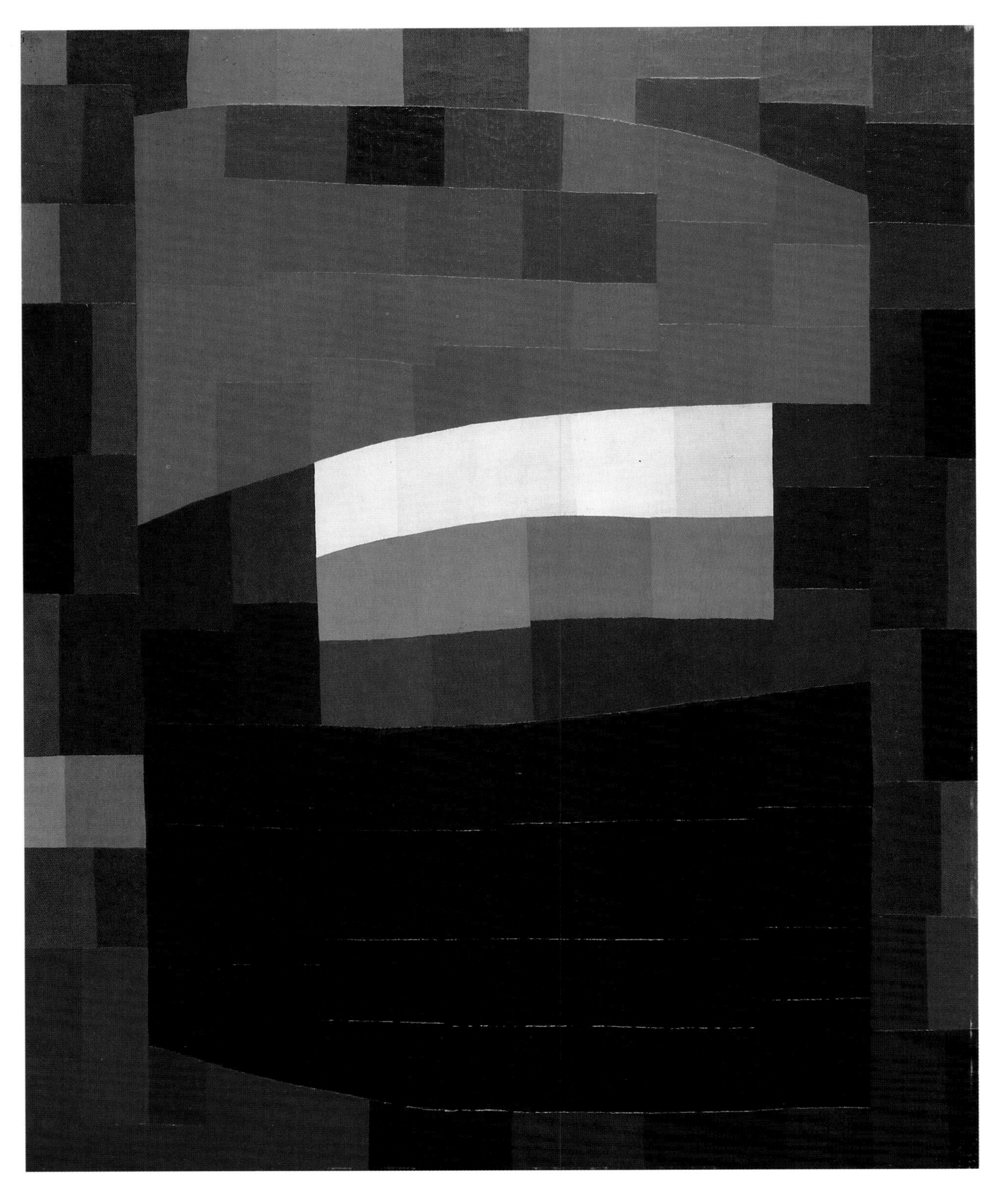

Otto Freundlich,
Mon ciel est rouge, 1933. Mnam-Cci, Centre Georges Pompidou, Paris. Attribution (don à l'État, 1953).

Wols,
Les Pendus, 1940.
Collection particulière.
Museum Villa Stuck,
Munich.

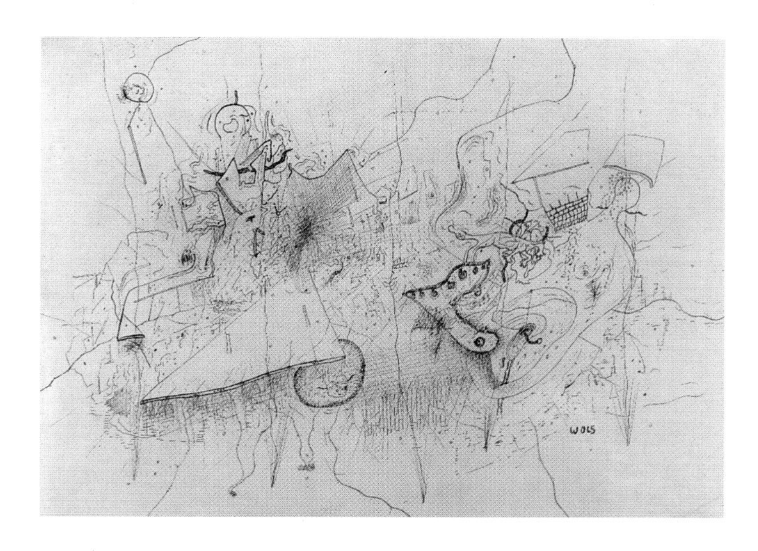

Wols,
Le camp s'enfuit,
1941-1942.
Collection particulière.

Paul Klee,
Der Boulevard der Abnormen
[Le Boulevard des anormaux], 1938.
Kunstsammlung Nordrhein-Westfalen,
Düsseldorf.

Otto Dix,

Judenfriedhof in Randegg im Winter mit Hohenstoffeln [Cimetière juif à Randegg en hiver avec chaumes], 1935. Saarland Museum Saarbrücken. Stiftung Saarländischer Kulturbesitz.

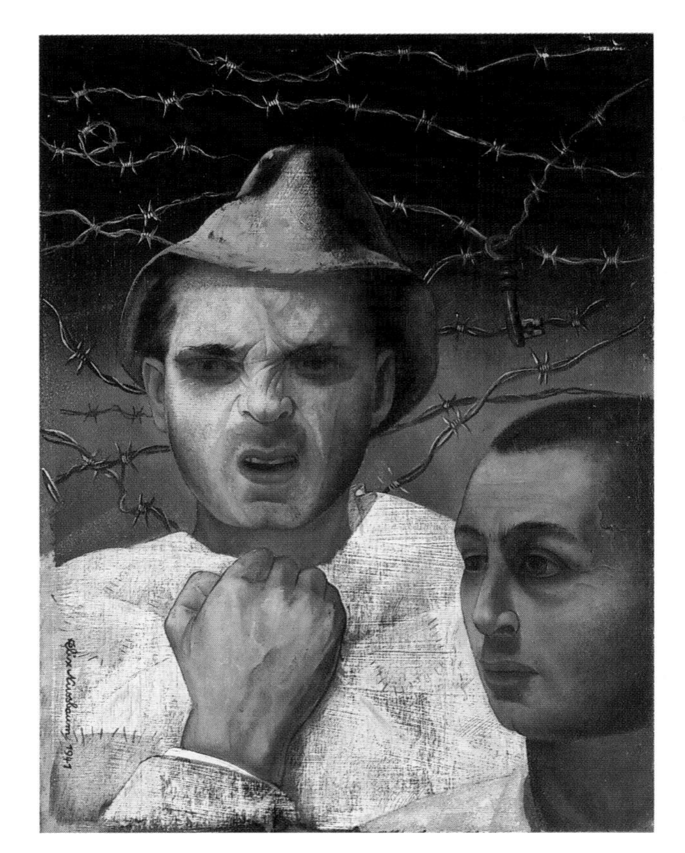

Felix Nussbaum,

Selbstbildnis mit Schlüssel im Lager St Cyprien [Autoportrait à la clé au camp de Saint-Cyprien], 1941. The Tel Aviv Museum of Art. Don de Maurice Tzwern et Philippe Aisinber, Bruxelles, en mémoire des victimes du fascisme.

Marc Chagall,
La Crucifixion blanche, 1938.
The Art Institute of Chicago.
Don d'Alfred S. Alschuler, 1946.

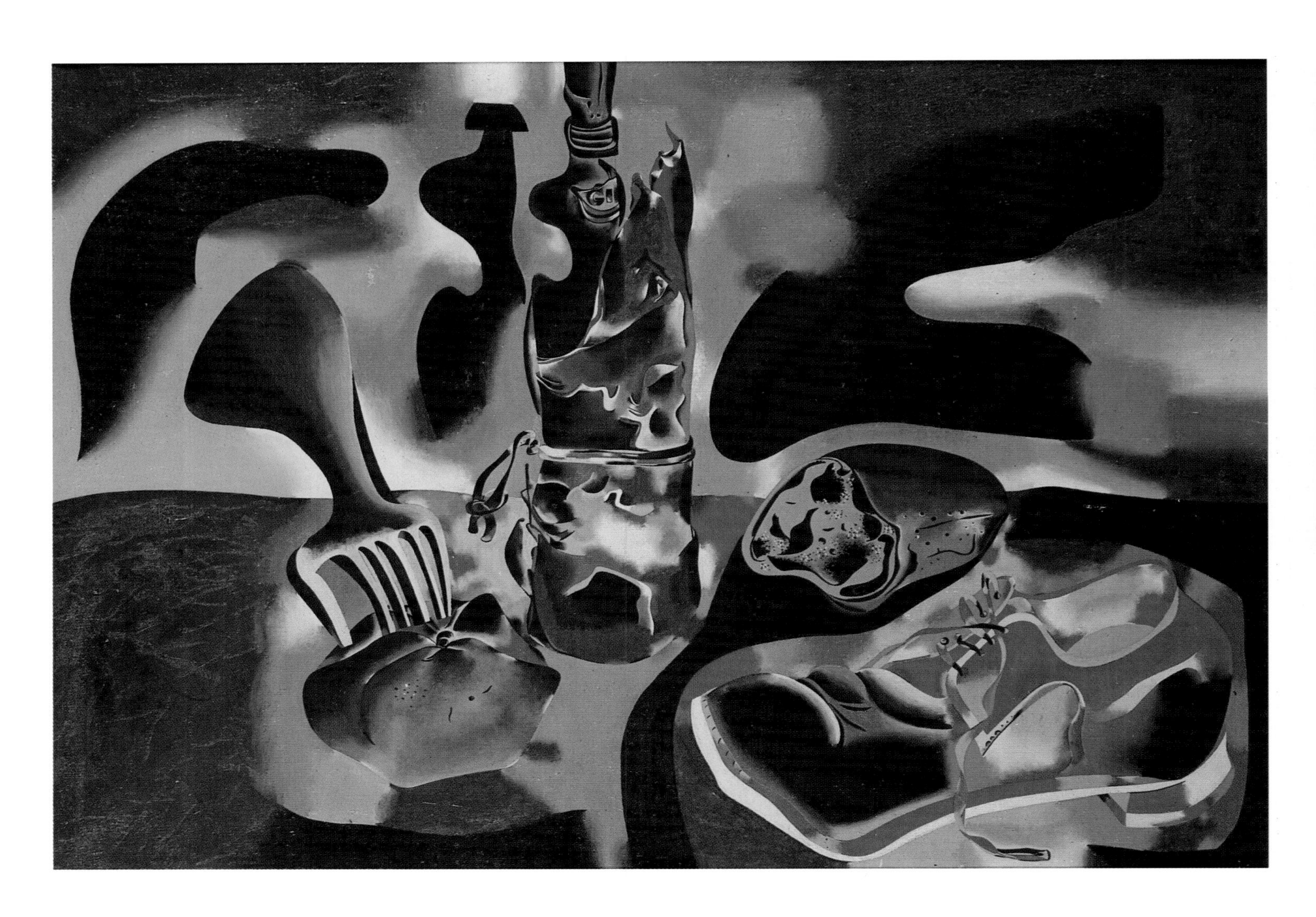

Joan Miró,

Nature morte au vieux soulier, 24 janvier-29 mai 1937. The Museum of Modern Art, New York. Don de James Thrall Soby.

Joan Miró,

L'Époque des monstres, 1935.
Collection particulière.

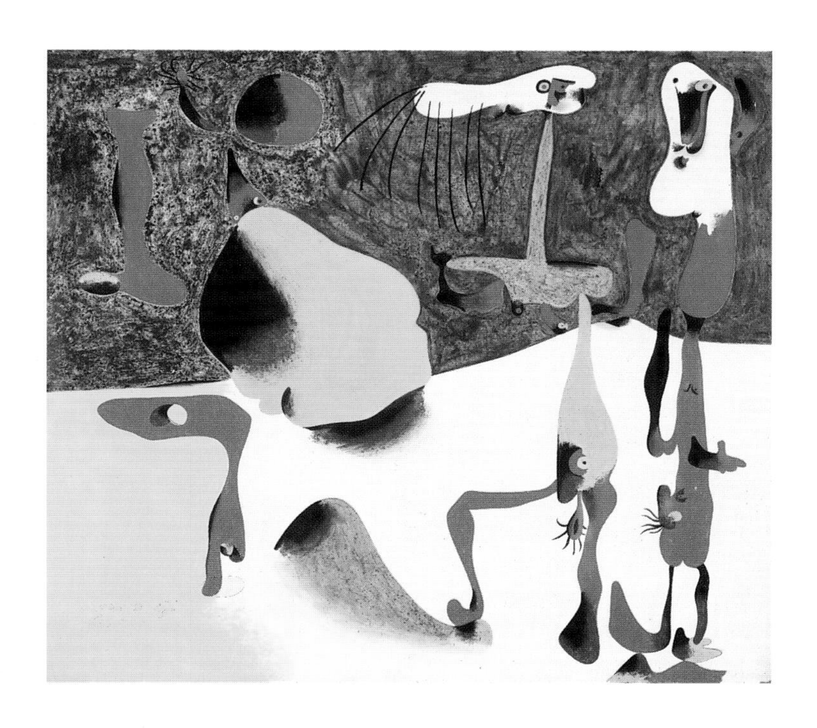

Joan Miró,

Personnages en présence d'une métamorphose, 1936.
New Orleans Museum of Art.
Legs Victor K. Kiam.

André Masson,

Les Moissonneurs andalous, 1935.
Galerie Louise Leiris,
Paris.

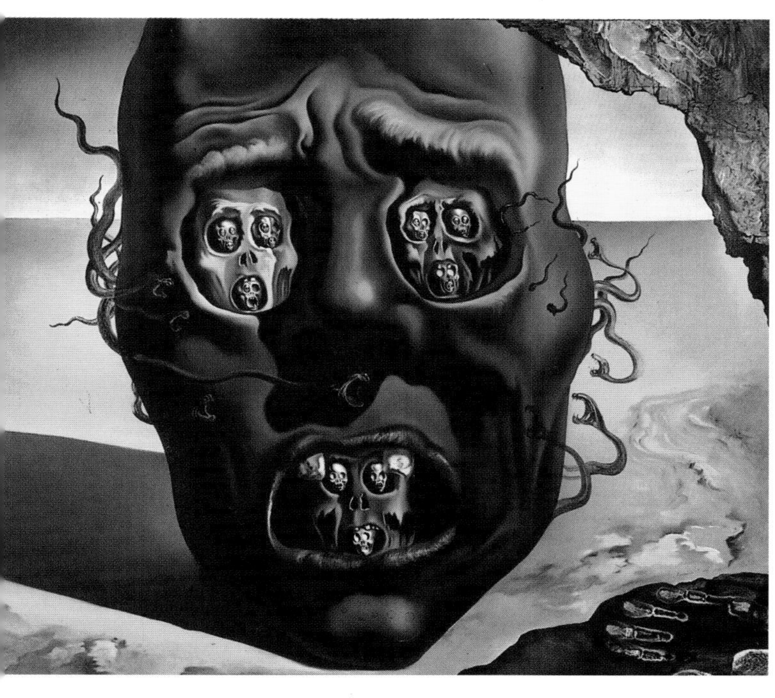

Salvador Dalí,

Le Visage de la guerre, 1940. Museum Boijmans-Van Beuningen, Rotterdam.

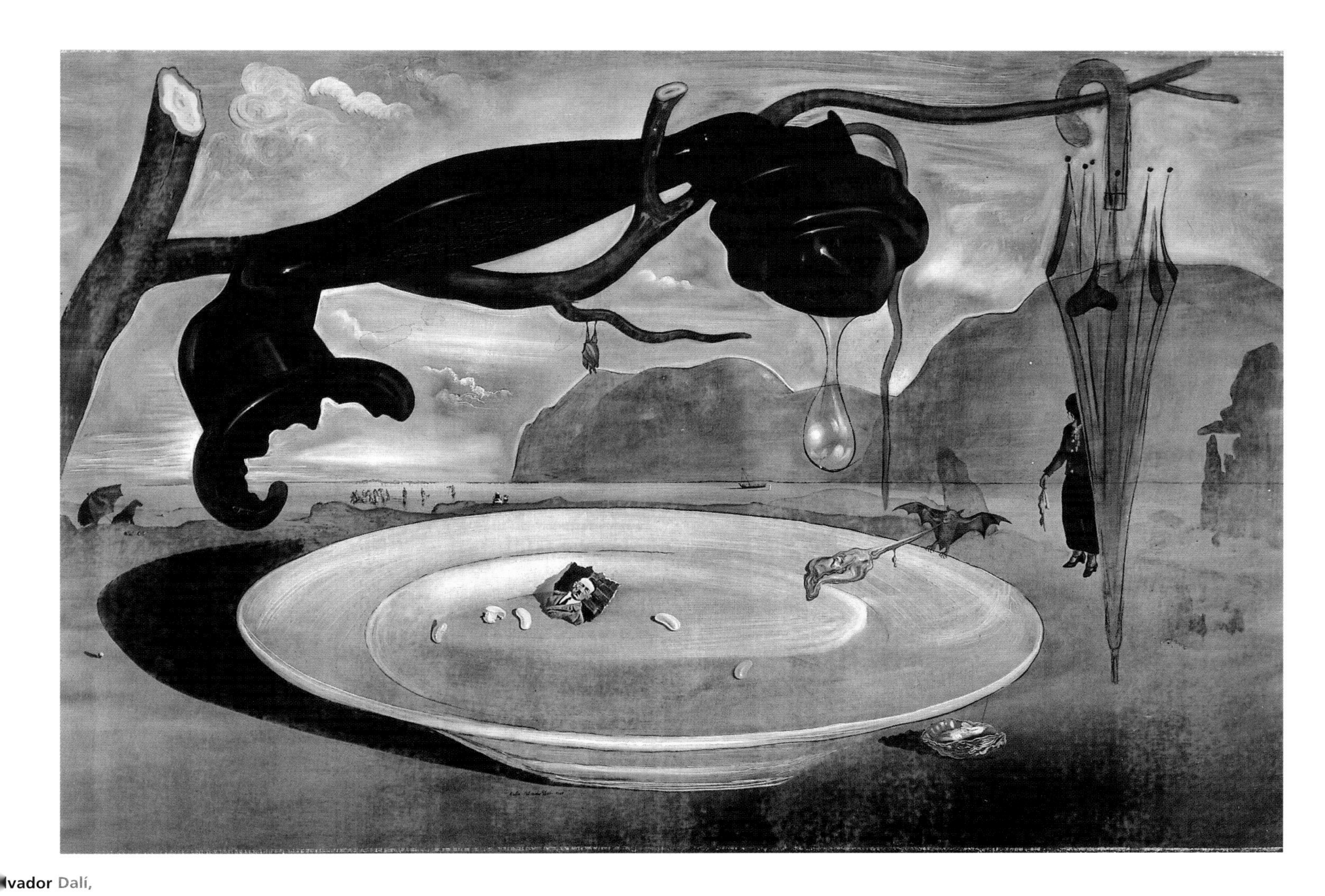

vador Dalí,

L'Énigme de Hitler, 1938. Museo Nacional Centro de Arte Reina Sofía, Madrid.

Max Ernst,

La Planète affolée, 1942.
The Tel Aviv Museum of Art.
Don de l'artiste, 1955.

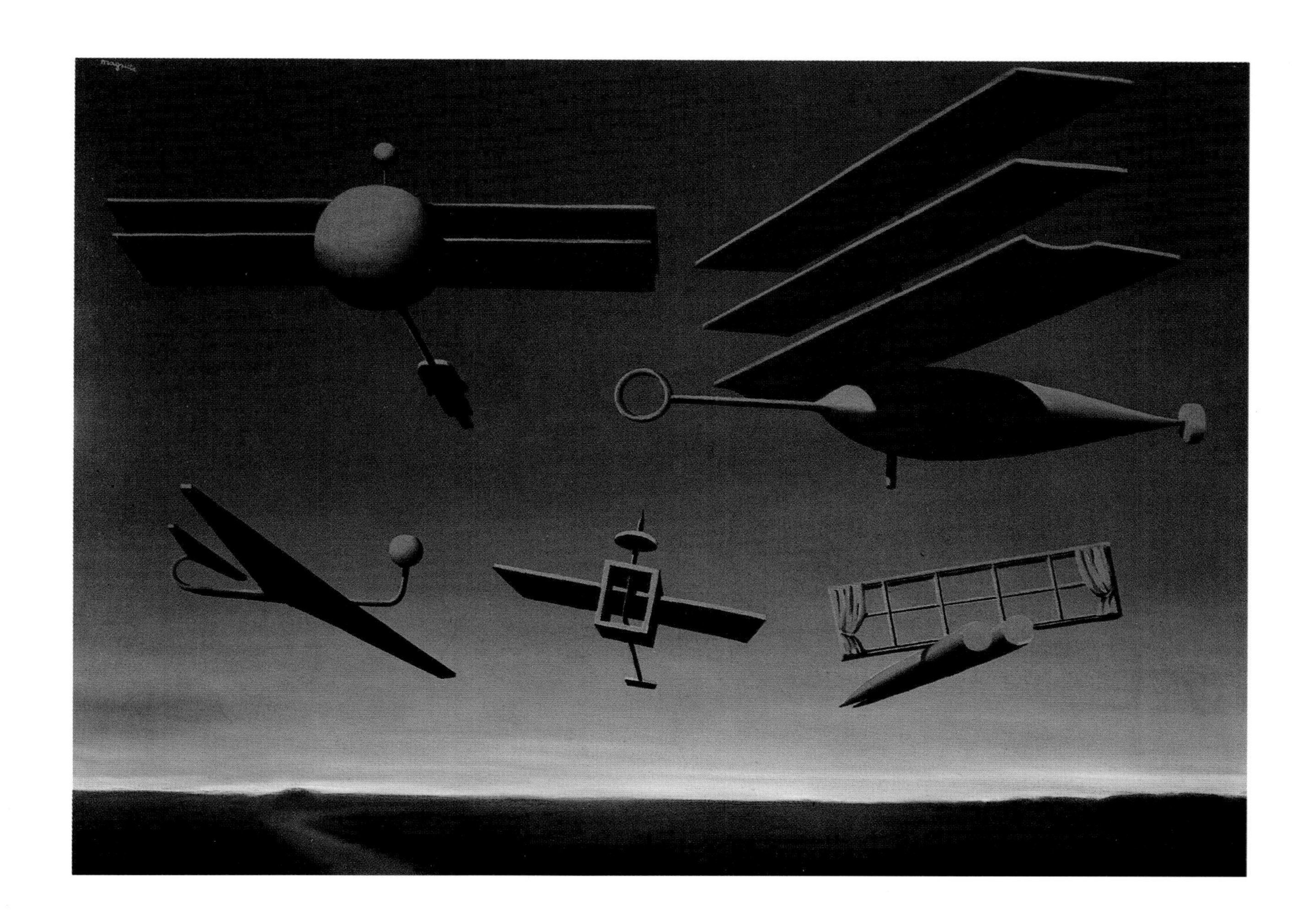

René Magritte,

Le Drapeau noir, 1937.
Scottish National
Gallery of Modern Art,
Édimbourg.

Pierre Tal-Coat,
Massacres, 1937.
Collection M. et Mme Bénézit, Paris.

Pierre Tal-Coat,
Massacre, 1937.
Collection J. Bénador, Genève.

Mario Mafai,
Fantasia n° 3 -
I Conquistatori
[Fantaisie n° 3 -
Les Conquérants],
1940-1943.
Collection particulière.

Mario Mafai,
Fantasia n° 16
[Fantaisie n° 16],
1940-1943.
Collection particulière.

David Alfaro Siqueiros,
Nacimiento del fascismo
[Naissance du fascisme], 1934.
INBA, Sala de Arte Público
David Alfaro Siqueiros,
Polanco, Mexique.

José Clemente Orozco,
Prometeo
[Prométhée], 1944.
INBA, Museo de Arte Alvar
y Carmen T. de Carrillo Gil,
Mexico.

Philip Guston,
Bombardment
[Bombardement],
1937-1938.
The Estate
of Philip Guston.
McKee Gallery,
New York.

Egill Jacobsen,
Obhöbning
[Accumulation], 1938.
Statens Museum
for Kunst,
Copenhague.

arley Toorop,
Clown voor ruinen van Rotterdam [Clown dans les ruines de Rotterdam], 1940-1941. Kröller-Müller Museum, Otterlo.

George Grosz, *The Grey Man Dances* [La Danse de l'homme gris], 1949. Collection Ralph Jentsch, Florence.

Karl Hofer,
Ruinennacht
[Nuit de ruines], 1947.
Stadtmuseum
Berlin.

Heinz Trökes,
Die Mondkanone
[Le Canon lunaire], 1946.
Berlinische Galerie,
Landesmuseum
für moderne Kunst,
Photographie
und Architektur,
Berlin.

Fausto Melotti,

Dopoguerra
[Après-guerre], 1946.
Collection Marta Melotti,
Milan.

◁ **Henry** Moore,

Row of Sleepers
[Rangée de dormeurs], 1941.
Collection The British
Council.

△ **Graham** Sutherland,

Devastation in the City :
Twisted Girders against a
Background of Fire
[Dévastation dans la ville :
Poutres tordues sur fond
d'incendie], 1941.
Ferens Art Gallery,
Kingston-Upon-Hull City
Museums & Galleries.

Jean Bazaine,

La Messe de l'homme armé, 1944.
Collection M. et Mme Maeght.

Pablo Picasso,

La Femme qui pleure, 1937.
Musée Picasso,
Paris.

Pablo Picasso,

Monument aux Espagnols morts pour la France, 1947.
Museo Nacional,
Centro de Arte
Reina Sofía,
Madrid.

Pablo **Picasso,**

Le Charnier, 1945.
The Museum of Modern Art,
New York.
Legs (par échange)
de Mrs. Sam A. Lewisohn,
fonds Mrs. Marya Bernard
en mémoire de son époux,
le Dr Bernard Bernard,
et fonds anonymes,
1971.

Isamu Noguchi,

Monument to Heroes
[Monument aux héros] 1943.
The Estate of Isamu
Noguchi, The Isamu Noguchi
Foundation, Inc.

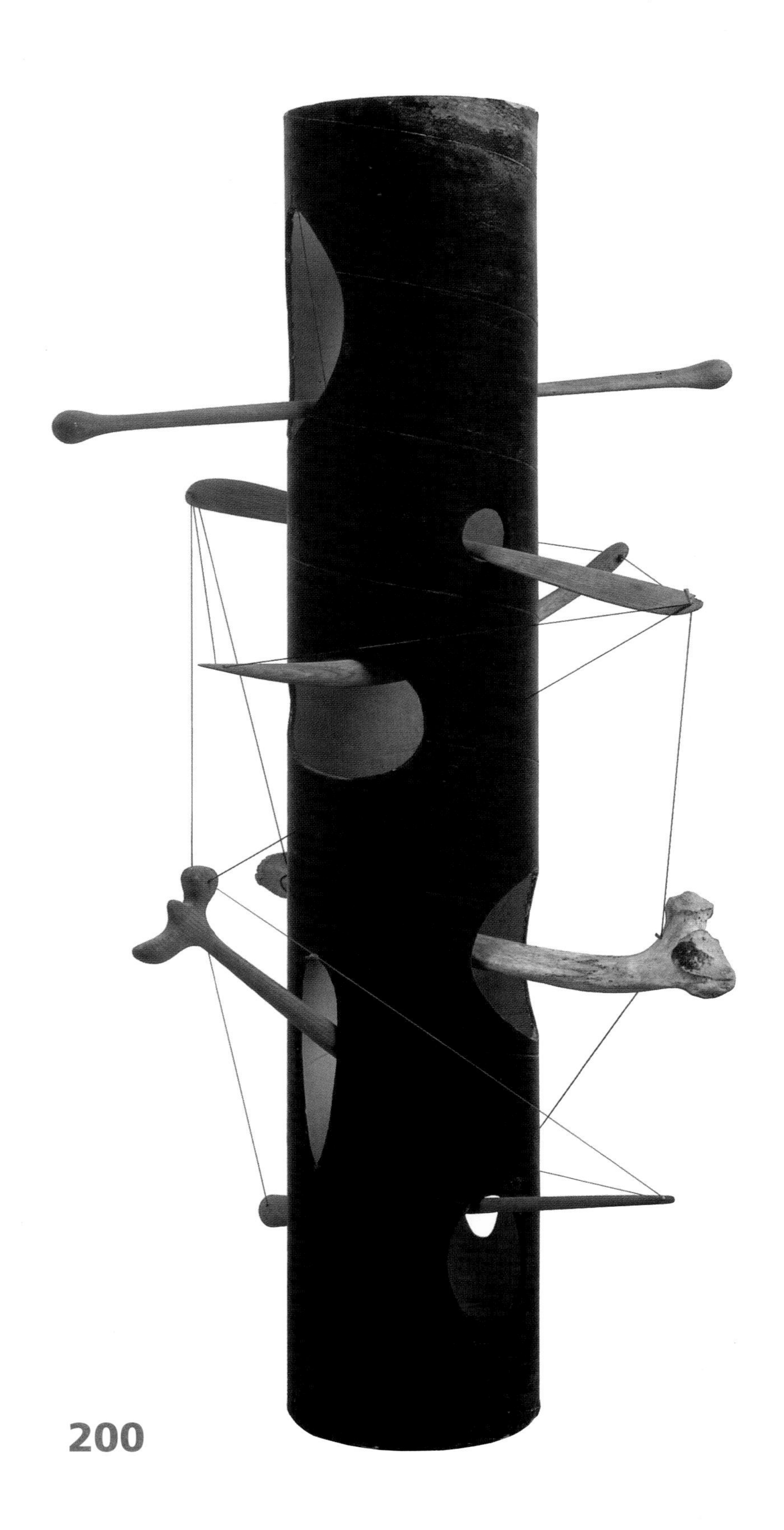

33
45

Chronologie

1933

Allemagne

Adolf Hitler est nommé chancelier le 30 janvier. Après l'incendie du Reichstag, il reçoit les pleins pouvoirs.
Les membres des partis communiste et social-démocrate sont arrêtés et les premiers camps de concentration sont mis en place. Le gouvernement appelle au boycott des commerçants, des médecins et des avocats juifs.
Une loi (7 avr.) élimine les fonctionnaires juifs et les opposants politiques de la fonction publique. Goering crée la Gestapo le 26 avril.
Confié à Joseph Goebbels, le ministère de la Propagande et de l'Instruction du peuple régente la vie culturelle.
Le 15 mars, le *Börsenblatt für den Deutschen Buchhandel* [revue des libraires allemands] publie la première « liste noire » officielle pour les beaux-arts. Des professeurs sont destitués, comme Willi Baumeister, Max Beckmann (31 mars), Karl Hofer, Max Pechstein, Oskar Schlemmer, Paul Klee, Oskar Moll et Heinrich Campendonk (avr.). Otto Dix, destitué de l'Académie des beaux-arts de Dresde, achève *Les Sept Péchés capitaux,* qu'il complétera en 1945 en représentant Hitler sous les traits d'un nain grotesque symbolisant l'Envie.
Considéré comme l'« officine du bolchevisme culturel », le Bauhaus est fermé le 11 avril, sur ordre de Goering. La première liste d'auteurs interdits est publiée le 23 avril. Le 10 mai, premiers autodafés de livres.
Certains pensent possible de concilier nazisme et art moderne : le 22 juillet, la galerie Ferdinand Moeller de Berlin et la Ligue des étudiants nationaux-socialistes ouvrent brièvement l'exposition « Trente peintres allemands », où figurent Rohlfs, Pechstein, Macke, Schmidt-Rottluff, Nolde, Barlach...
Nolde, Pechstein, Schmidt-Rottluff parviennent à montrer leur travail clandestinement, grâce aux expositions « Kunst am Arbeitsplatz » [L'art sur le lieu de travail], organisées par Otto Andreas Schreiber, et montrées dans les usines de 1939 à 1943.
Plusieurs expositions témoignent des orientations culturelles du pouvoir. Destinées à diffamer l'art moderne, elles recevront le surnom de « Schreckenskammern der Kunst » [Cabinets des horreurs de l'art]. La première est le fait de la Kampfbund für deutsche Kultur [l'Union de combat pour la culture allemande], une émanation de la Société nationale-socialiste pour la culture allemande créée par Rosenberg, sur des bases nationalistes, raciales et traditionalistes.
En avril 1933, son chef Hans Adolf Büher, directeur de l'Académie de Karlsruhe, organise une exposition attaquant les peintres « dégénérés » de Die Brücke et de Der Blaue Reiter, et Liebermann, Corinth, Von Marées, Munch...
À Stuttgart puis à Bielefeld, une exposition présente des œuvres de Dix, Beckmann, Chagall ou Grosz comme émanant de « l'esprit de Novembre [1918] au service de la subversion... ».
Le 23 septembre, s'ouvre à Dresde, au Neues Rathaus, « Spiegelbilder des Verfalls in der Kunst » [Reflets de la décadence artistique] qui présente *La Guerre,* de Dix, *L'Aventurier,* de Grosz, *Autour du poisson,* de Klee... Elle sera montrée dans huit villes d'Allemagne entre 1934 et 1936, et intégrée à l'exposition « Entartete Kunst » [Art dégénéré] de Munich, en 1937. Le 23 avril, Oskar Schlemmer proteste auprès de Goebbels contre la tenue des « Schreckenskammern der Kunst », sans résultat.

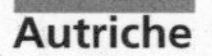

Goebbels annonce que le national-socialisme doit gagner la totalité de la culture et arracher celle-ci à l'influence « judéo-libérale ». Le 15 octobre, à Munich, Hitler pose la première pierre de la Maison de l'art allemand, sur des plans de l'architecte officiel du régime, Ludwig Troost.
Le 2 février, Heinrich Mann signe avec Käthe Kollwitz un appel, placardé à Berlin, invitant à la création d'un front uni des socialistes et des communistes contre le NSDAP. Le 1er avril, Albert Einstein donne sa démission de l'Académie de Prusse et prend parti contre Hitler. Le 9 juin, Arturo Toscanini refuse de participer au festival de Bayreuth pour protester contre les persécutions des artistes par les autorités allemandes et les violences antisémites. La plupart d'entre eux sont contraints à l'exil (George Grosz aux États-Unis, Heinrich Mann, Kurt Weill, Fritz Lang, Jankel Adler, Wassily Kandinsky à Paris; John Heartfield et Wieland Herzfelde à Prague, Rolf Nesch en Norvège, Paul Klee en Suisse).
En juillet, l'Association des écrivains allemands est recréée en exil. Elle tente de sauver ses membres restés en Allemagne.
À l'invitation de l'université de Londres, la « bibliothèque Warburg » est déménagée de Hambourg à Londres.
Un peu partout en Europe paraissent des revues allemandes antifascistes : *Die neue Weltbühne,* Prague-Paris-Londres-Zurich (1933-1939); *Das Neue Tagebuch,* Paris-Amsterdam (1933-1940); *Internationale Literatur,* Moscou (1932-1945); grâce à Heartfield et Malik-Verlag, *AIZ* (*Arbeiter-Illustrierte Zeitung*) continue d'être publiée à Prague de 1933 à 1936, puis paraît sous le titre *Volks-Illustrierte* de 1936 à 1938.
En Allemagne même, Otto Andreas Schreiber et Hartmann fondent en octobre *Kunst der Nation* [L'Art de la Nation], interdite en 1935.

Völkischer Beobachter (13 avril 1933). La fermeture du Bauhaus à Berlin. Photo © Bauhaus-Archiv, Berlin.

Autriche

En mars, un coup d'État porte Dollfuss au pouvoir. Le 19 juin, il interdit le Parti national-socialiste. Le 3 octobre, il est blessé par un militant national-socialiste. La loi martiale est proclamée le 10 novembre.
Joseph Roth et Arnold Schönberg quittent l'Autriche.

Chine

La république de Chine est instituée en 1912. De nombreuses académies des Beaux-Arts bâties sur le modèle occidental s'ouvrent de 1912 à 1928. En 1919, le Mouvement de la nouvelle culture du 4 Mai, antiféodaliste, met l'accent sur la fonction sociale des arts et introduit les techniques occidentales.
Le groupe Zuëlan She [Déluge], fondé en 1932 à Shanghai par Pang Xunqin et Ni Yide, veut promouvoir l'art moderne occidental. Créées en 1930, à Shanghai, la Ligue des artistes de gauche et l'Association de recherches sur la théorie marxiste de l'art et de la littérature traduisent des écrits de Lénine et de Marx.

AIZ
Prague, n° 36,
14 septembre 1933.
John Heartfield,
Goering Der Henker des Dritten Reichs...
[Goering, le bourreau du IIIe Reich].
Photo © Stiftung Archiv der Akademie der Künste, Berlin.

Espagne

Proclamée en 1931, la république adopte le suffrage universel et procède à une réforme agraire.
La laïcisation de la société (séparation de l'Église et de l'État, loi sur le divorce) entraîne le refus de la Constitution par l'Église.
Le 29 octobre, fondation par José Antonio Primo de Rivera de la Phalange, mouvement « antilibéral, antimarxiste, nationaliste et totalitaire ».
Le 19 novembre, victoire de la droite aux élections.
Les troubles politiques et sociaux, à l'instigation de la FAI (Federación Anarquista Ibérica) et de la CNT (Confederación Nacional del Trabajo) [anarcho-syndicaliste], se multiplient.
Un vaste mouvement culturel accompagne le changement politique : création des missions pédagogiques et des Maisons du peuple par l'UGT [Union générale du travail]; fondation par Federico García Lorca et Eduardo Ugarte du Théâtre universitaire de la Barraca qui va diffuser le répertoire classique espagnol à travers le pays.

États-Unis

Roosevelt présente, le 4 mars, son programme de redressement économique : le New Deal. En septembre, création de l'Artists' Union [syndicat des artistes], et du PWAP (Public Works of Art Project), en décembre.
Le PWAP est un projet

fédéral de secours aux artistes.
Le John Reed Club de New York, branche américaine du Syndicat international des écrivains et artistes révolutionnaires, créé en 1929, et à l'origine de *The Partisan Review*, organise en janvier l'exposition « The Social Viewpoint in Art ».
Le 28 mars, Diego Rivera, assisté de Ben Shahn et de Louise Nevelson, commence la fresque *L'Homme à la croisée des chemins, tentant, grâce à l'espoir et à une élévation spirituelle, de choisir un futur meilleur,* pour la Radio Corporation of America dans le Rockefeller Center. À cause du portrait de Lénine sur le panneau central, le contrat est annulé et le mural détruit en 1934. La presse donne un large écho à la polémique et les manifestations de soutien à Rivera aboutissent à la création de l'Artists' Committee for Action. Dans ses panneaux du *Portrait of America,* pour la New Workers School de New York, commandés par la Communist Party Opposition [antistalinienne], sur l'histoire des USA, Rivera met aussi l'accent sur la montée du fascisme et du nazisme et exhorte les travailleurs à l'union.
Le 4 novembre, Barnett Newman pose sa candidature à la mairie de New York, avec un manifeste intitulé « On the Need for Political Action by Men of Culture ».

France

Le malaise économique provoque une instabilité ministérielle chronique, aggravée par des scandales politico-financiers.
Fondée en mars 1932, par Paul Vaillant-Couturier, Henri Barbusse, Léon Moussinac, Francis Jourdain et Charles Vildrac, l'AEAR (Association des écrivains et artistes révolutionnaires) est la section française de l'UIER (Union internationale des écrivains révolutionnaires), créée en 1927 à Moscou. Elle compte dans ses rangs des artistes comme Gruber, Gromaire, Léger, Pignon. Dans le numéro 2 de *Feuille rouge,* l'AEAR se prononce « contre la terreur en Allemagne et l'impérialisme français », et Ozenfant, Signac, Elie Faure, Darius Milhaud, Eugène Dabit, Jean-Richard Bloch et Fernand Léger publient une déclaration (« La Culture contre le fascisme »).
Du 4 au 6 juin, un congrès antifasciste européen est réuni salle Pleyel. Il fait écho au congrès tenu en août 1932 à Amsterdam, à l'initiative de Romain Rolland et Henri Barbusse, qui décida la création d'un Comité mondial contre la guerre. Les deux mouvements fusionnent sous le nom de Mouvement Amsterdam-Pleyel.
En juillet, Breton est exclu de l'AEAR qui désigne Aragon et Paul Nizan rédacteurs en chef de la revue *Commune*.

Grande-Bretagne

L'AIA (Artists' International Association) est fondée en septembre à Londres par Clifford Rowe, Mischa Black, Pearl Binder, James Lucas et James Boswell dans le but de promouvoir « l'unité internationale des artistes contre la guerre impérialiste faite à l'Union soviétique, contre le fascisme et contre l'oppression coloniale ». Liée au Komintern, elle se donne pour mission de promouvoir l'art dans toutes les classes sociales, organise des expositions itinérantes dans les usines, et constitue l'Artists' Refugee Committee.

Italie

À Rome, la « Mostra della rivoluzione fascista » (28 oct. 1932-28 oct. 1934) témoigne de l'ouverture du régime aux différents mouvements artistiques. Y participent des Novecentistes (Funi, Pratelli, Sironi), des rationalistes (Libera, De Renzo, Terragni), des futuristes (Dottori, Prampolini), des « Selvaggi » (Bertoli, Maccari).
Somenzi, directeur de la revue *Futurismo,* plaide pour la communauté d'esprit révolutionnaire entre le futurisme et le fascisme. Au IIe congrès futuriste, à la galerie Pesaro de Milan, il propose le futurisme comme art d'État.
Organisée par Felice, Ponti et Sironi, la « Ve Esposizione triennale delle arti decorative e industriali moderne e dell'architettura moderna » [Milan, 6 mai-sept.], consacre une section, dirigée par Sironi, à la peinture et aux décors muraux; Cagli, Campigli, Arturo Martini, Sironi traitent de thèmes fascistes. Les artistes de Novecento sont attaqués par *Il Regime fascista* (revue dirigée par Roberto Farinacci) qui les accuse de xénophilie et de non-adhésion au parti fasciste. Sironi les défend en publiant « Basta ! » dans *Il Popolo d'Italia,* le 31 mai. En décembre, *La Colonna* (Milan) publie le « Manifesto della pittura murale », signé par Campigli, Carrà, Funi, Sironi : la peinture a une fonction sociale et éducative, et peut être à l'origine d'un « style fasciste ».

Japon

Le Japon glisse vers le totalitarisme et l'expansion militaire. Le 1er janvier, ses troupes entament l'invasion de la province du Jehol, située entre la Mandchourie et la Grande Muraille. L'écrivain communiste Takiji Kobayashi est assassiné en 1933. Le gouvernement dissout l'Union des artistes prolétariens et celle des écrivains prolétariens, proches du parti communiste, en 1934.

Mexique

Les muralistes subissent des attaques diverses : Rivera est critiqué pour ses fresques de l'escalier du Palais national (1929-30). Il est expulsé du parti communiste pour avoir accepté la direction de l'École nationale des beaux-arts, et déclaré ses sympathies trotskistes. Fondateur de la Confédération syndicale d'Amérique latine, Siqueiros est assigné à résidence à Taxco de 1930 à 1932, puis expulsé à Los Angeles où il peint des fresques sur ciment *(Amérique tropicale, Meeting ouvrier).*

Pays-Bas

Ger Gerrits, Leo Gestel, Joris Ivens, Hildo Krop, Harmen Meurs, Willem Penaat, Jan Sluyters et Jo Voskuil forment la branche néerlandaise du Comité mondial des artistes et intellectuels antifascistes, qui publie *Bruinboek von de Hitlerterreur* [Le Livre brun de la terreur hitlérienne].
Le 1er septembre, l'éditeur Emmanuel Querido publie à Amsterdam le premier numéro de la revue littéraire antihitlérienne *Die Sammlung* (directeur : Fritz H. Landshoff), fondée par Klaus Mann. Au comité de patronage figurent André Gide, Aldous Huxley et Heinrich Mann.

Pologne

Marinetti séjourne en mars à Varsovie, et donne deux conférences à l'Instytut Propagandy Sztuki [Institut de propagande de l'art]. Elles sont fraîchement accueillies par les traditionalistes, à cause de l'esthétique futuriste, et par la gauche à cause de son engagement en faveur de Mussolini.

Roumanie

L'extrême gauche et l'extrême droite entretiennent des troubles politiques à Bucarest.
Le gouvernement déclare l'état de siège, interdit le parti communiste et la Garde de fer, organisation paramilitaire antisémite d'inspiration fasciste.
Le 29 décembre, le président du Conseil, Ion Duca, est assassiné par un membre de la Garde de fer.
Accusés d'« attentat aux bonnes mœurs », Perahim et les poètes Aurel Blaga, Gherasim Luca, Sesto Pals et Paul Paun sont emprisonnés.
En décembre, le groupe Alge et Geo Bogza publient la revue *Viata immediata* [La Vie immédiate], qui plaide pour l'engagement des artistes dans le débat politique.

Regards, numéro spécial, mai 1933. Bibliothèque marxiste, Paris. Photo © Centre Georges Pompidou.

URSS

L'Union soviétique entame le second des plans quinquennaux décidés par Staline. Il est célébré par Deïneka dans son tableau *Kto kogo ?* [Qui l'emportera ?]. Le titre reprend celui d'un article de Lénine relatif à la compétition engagée entre capitalisme et socialisme.
Le décret du 23 avril 1932, édicté par le Comité central du parti communiste, supprime toutes les organisations artistiques

existantes et y substitue l'Union artistique. Il propose le « seul chemin possible si l'artiste veut survivre et continuer à travailler, le réalisme socialiste ».
L'Union artistique octroie le matériel et les ateliers, distribue les commandes, organise les débats et décide du contenu de la critique.
Au début de l'année, l'exposition « Les artistes de la RSFSR [République socialiste fédérative soviétique de Russie] des quinze dernières années » est inaugurée à Moscou après avoir été présentée en 1932 au Musée russe de Leningrad. Elle est divisée en trois parties : la première présente les œuvres répondant à tous les principes de l'art soviétique. La deuxième est composée des œuvres de « compagnons », artistes qui ne définissent pas encore leur position. La troisième représente les artistes « infectés par les maladies formalistes, influencés par les vestiges bourgeois ». Malevitch y montre ses toiles figuratives des années 30.
Le critique Ossip Beskine publie à Moscou *Formalizm v jivopisi* [Le formalisme dans la peinture]. Le formalisme y est qualifié d'« expression de l'idéologie bourgeoise et de sa vision du monde ».

Tableau vivant, spectacle de propagande contre le nazisme à Moscou dans les années 30. Photo © Collection Viollet.

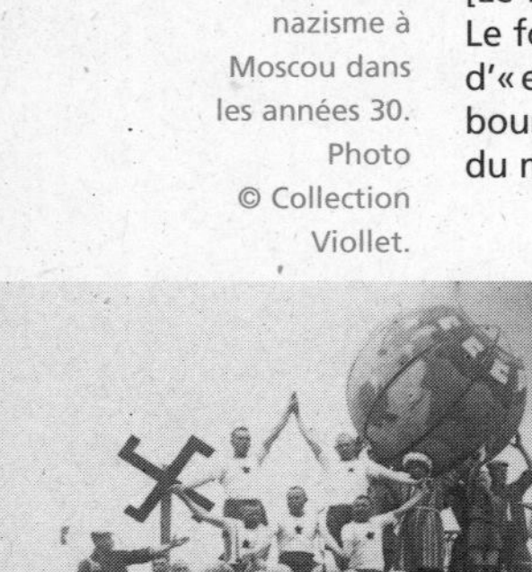

Yougoslavie

Dotée d'un gouvernement de droite autoritaire, la Yougoslavie n'accepte pas l'expression libre des mouvements d'avant-garde et des artistes engagés à gauche. Les positions politiques des surréalistes de Belgrade (Oskar Davico, Djordje Kostic, Djordje Jovanovic, Koca Popovic) leur valent d'être arrêtés en 1932.
En 1933, fondation à Zagreb du magazine *Kultura* [La Culture] qui contient un manifeste antinazi de Romain Rolland, cosigné par des intellectuels yougoslaves.

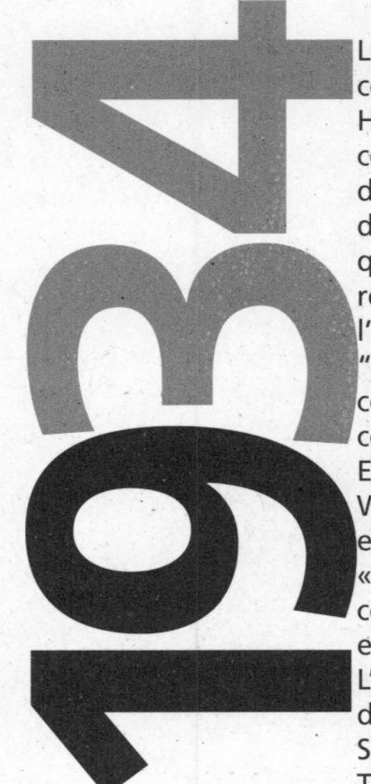

Allemagne

Himmler est nommé à la direction de la Gestapo (20 avr.). Le 30 juin, la « Nuit des longs couteaux » à Munich et à Bad Wiessee permet d'éliminer les SA. Le 9 juillet, Himmler est nommé à la tête des camps de concentration. Le 10, l'écrivain anarchiste Erich Mühsam est assassiné au camp d'Oranienburg.
Le maréchal Hindenburg, président de la République depuis 1925, meurt le 2 août. Hitler lui succède et cumule les plus hautes fonctions de l'État, avec le titre de Reichsführer.
L'opposition est écrasée : le 17 juin, le vice-chancelier von Papen prononce à l'université de Marburg un discours rédigé par l'écrivain Edgar Jung. Il critique l'orientation totalitaire du régime et annonce la formation d'une opposition conservatrice au nazisme. Jung est assassiné le 30.
Les nazis tentent de renouer des relations culturelles internationales. Le 2 août, Otto Abetz organise une rencontre entre des personnalités de France et d'Allemagne à laquelle l'écrivain Drieu La Rochelle participe. La répression intérieure et la censure continuent.
Le 12 mars, la création à la Philharmonie de Berlin de la symphonie *Mathis le peintre,* de Paul Hindemith, déclenche un scandale. L'œuvre est interdite. Wilhelm Furtwängler, vice-président de la Reichsmusikkammer, directeur de l'Opéra de Prusse et de l'Orchestre philharmonique de Berlin, proteste, puis démissionne provisoirement de ses postes.
Le 5 septembre, lors d'un congrès du NSDAP à Nuremberg, Hitler prononce un discours condamnant les « corrupteurs de l'art, cubistes, futuristes, dadaïstes... » et « les rétrogrades qui croient pouvoir imposer à la révolution nationale-socialiste l'héritage contraignant d'un "art teutonique" surgi du monde confus de leurs propres conceptions romantiques... ».
En novembre, Rosenberg et Walter Stang inaugurent deux expositions collectives. L'une, la « Berliner Secession », est consacrée aux paysages, portraits et natures mortes traditionnels. L'autre montre les scènes de genre du peintre Ferdinand Spiegel, et les sculptures de Thorak. Selon Rosenberg, les paysans de Spiegel montrent des « choses essentielles au point de vue racial et ethnologique », et les bustes de Hindenburg, Hitler ou Mussolini sculptés par Thorak sont les « porteurs de la volonté nationale, les artisans du destin du peuple ».
En 1934, Radziwill, membre du NSDAP de 1933 à 1935, date à laquelle il est considéré comme un artiste « dégénéré », peint *Révolution*. Dédié aux « victimes tombées pour le mouvement nazi », le tableau sera modifié par l'artiste, soucieux de se réhabiliter, en 1947. Il prend alors le nouveau titre *Dämonen* [Les Démons].

Autriche

Le 11 février, une insurrection socialiste à Vienne et à Linz est réprimée. Le parti, la presse et les syndicats sociaux-démocrates sont interdits. Le 1er mai, la Constitution démocratique de 1919 est abolie et un nouveau texte d'inspiration fasciste instaure un « État chrétien corporatif ».
Le 25 juillet, le chancelier Dollfuss est assassiné.

Belgique

Achille Chavée et Fernand Dumont forment le groupe surréaliste Rupture le 19 mars à la Haine-Saint-Paul, dans la province du Hainaut qui a connu des grèves importantes en juillet 1932. Rupture se veut distinct des Bruxellois, et plus proche de l'orthodoxie parisienne.
Union d'intellectuels contre le fascisme, l'ARC (Action révolutionnaire culturelle) est créée à Bruxelles le 22 mars par Henri Storck. Un manifeste, « L'action immédiate », rédigé par Nougé, Mesens, Magritte, Scutenaire et Souris, fait suite à la publication de *L'Intervention surréaliste,* numéro spécial de *Documents 34,* dans laquelle Eluard, Breton, Char protestaient contre la montée du fascisme.

Chine

Le Bureau de propagande du Guomindang fait détruire, en février, 149 livres progressistes des librairies de Shanghai, dont tous ceux de Lu Xun et Mao Dun.
Le 22 avril, Tchang Kaï-chek lance le mouvement de la Vie nouvelle, synthèse des traditions chinoises, qui s'appuie sur la pensée de Confucius.
Le 16 octobre, sous la pression du Guomindang, l'armée communiste basée dans le sud se retire vers le nord-ouest de la Chine. C'est le début de la Longue Marche.

Espagne

La situation politique se dégrade : les grèves se succèdent en Catalogne, à Madrid, à Saragosse et dans les Asturies. En octobre, l'armée réprime l'insurrection des Asturies. Le 19 novembre, un manifeste signé par Lorca, dénonce la répression. La presse de droite se déchaîne contre le poète. Le 6 octobre, le président de la Généralité de Catalogne, Luis Companys, proclame à Barcelone l'indépendance de l'État catalan et forme un gouvernement provisoire. Il est arrêté le lendemain.

Ludwig Hohlwein, *Reichssporttag 1934* [Journée du sport du Reich]. Affiche. Photo © Graphische Sammlung Staatsgalerie, Stuttgart.

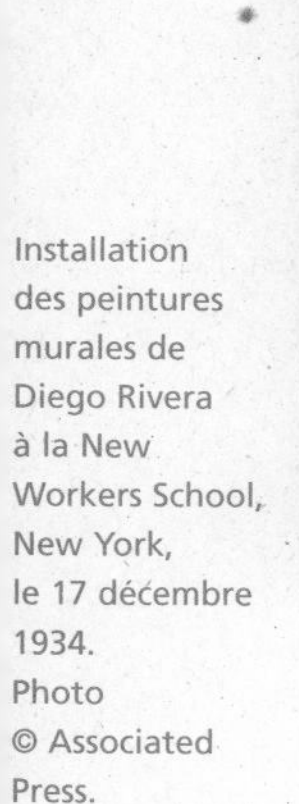

Installation des peintures murales de Diego Rivera à la New Workers School, New York, le 17 décembre 1934. Photo © Associated Press.

États-Unis

Parution en novembre de la revue *Art Front,* porte-parole des artistes révolutionnaires, éditée par l'Artists' Union dont Stuart Davis est président.

France

Pendant tout le mois de janvier, des manifestations violentes se déroulent à Paris, à l'appel des ligues patriotiques.
Le 6 février, des émeutes font dix-sept morts et deux mille blessés.
Le 9 février, contre-manifestation à l'appel du parti communiste et de la CGTU : neuf morts.
Du 27 janvier au 18 février, l'AEAR organise une exposition à la Porte de Versailles à laquelle participent plus de deux cents artistes (Marcelle Cahn, Hajdu, Léger, Lhote, Lingner, Lipchitz, Lorjou, Lurçat, Estève, Pignon, Signac...).
Le 10 mai, Heinrich Mann, Feuchtwanger, Rolland et Gide créent la « Bibliothèque allemande de la liberté ».
Le 2 février, Dalí présente au Salon des indépendants *L'Énigme de Guillaume Tell,* qui ridiculise Lénine. Le 5 février, le « Tribunal surréaliste » accuse Dalí de « saper la plate-forme politique du surréalisme ». Le 24 avril, les surréalistes publient « La Planète sans visa », tract qui proteste contre l'expulsion de Trotski.
En mars, le journal *L'Homme réel* publie des documents sur les atrocités commises dans les camps de concentration. Fondé le 17 février, en réaction aux manifestations d'extrême droite par le philosophe Alain, le physicien Paul Langevin et l'ethnologue Paul Rivet, le CVIA (Comité de vigilance des intellectuels antifascistes) lance le 5 mars un appel « Aux travailleurs », cosigné par plusieurs milliers d'universitaires et d'intellectuels, publié dans la revue *Commune*.
En décembre, Brauner présente, dans sa première exposition personnelle à Paris (galerie Pierre), *L'Étrange Cas de Monsieur K.,* charge féroce sur la brutalité bourgeoise et militaire.

Grande-Bretagne

Walter Gropius, Marcel Breuer et Erich Mendelsohn se réfugient à Londres.
Herbert Read, anarchiste et non-violent, publie *Art and Industry*. En 1935, il s'établira à Hampstead, dont la colonie d'intellectuels (Henry Moore, Ben Nicholson, Barbara Hepworth, Mondrian, Naum Gabo, Walter Gropius...) va être grossie par l'arrivée de réfugiés fuyant le nazisme.
En octobre l'Artists' International Association organise sa première exposition, « The Social Scene ».

Italie

Du 22 au 29 avril ont lieu les premières « Littorali della cultura e dell'arte ». Promue par Alessandro Pavolini et Giuseppe Bottai, cette rencontre annuelle confronte les jeunes des GUF (Gruppi Universitari Fascisti) sur des thèmes politiques, culturels, artistiques et présente de futurs opposants au régime : le peintre Guttuso, l'architecte Bruno Zevi, le critique Antonello Trombadori, les réalisateurs Alberto Lattuada et Michelangelo Antonioni.
La XIXe Biennale de Venise reçoit la visite d'Hitler, en voyage officiel en Italie du 14 au 16 juin. Marinetti y dirige la « Mostra degli aeropittori futuristi italiani » (Dottori, Fillia, Munari, Prampolini, Mino Rosso).
Marinetti, Fillia, Prampolini et De Filippis organisent à Gênes (14 nov. 1934-11 janv. 1935, Palazzo Ducale) la « Prima Mostra Nazionale di Plastica Murale per l'Edilizia Fascista », où figurent les œuvres réalisées en commun par Fillia, Oriali et Rosso : *L'État corporatif, Universalité fasciste, Civilisation du Licteur, La Révolution continue*.
En septembre, dans l'article « Il futurismo, Hitler e le nuove tendenze », publié dans *Stile futurista,* Enrico Prampolini dénonce le discours d'Hitler contre les avant-gardes.

Mexique

Sous la présidence de Lázaro Cárdenas (1934-1940), le Mexique se libéralise et entreprend une réforme agraire de grande envergure. Son arrivée au pouvoir favorise l'émergence d'organisations culturelles politiquement engagées.
Leopoldo Mendez, Juan de la Cabada et Pablo O'Higgins créent la LEAR [Ligue des écrivains et artistes révolutionnaires] qui publie la revue *Frente a Frente* à laquelle collaborent des artistes mexicains et américains.
Rivera commence la dernière partie des peintures du palais des Beaux-Arts, répliques des fresques du Rockefeller Center détruites. John D. Rockefeller y symbolise la corruption du monde de la finance.

Tchécoslovaquie

À la suite de l'exposition internationale « Poésie 32 » (27 oct. 1932-janv. 1933), montrant les principaux artistes surréalistes (De Chirico, Dalí, Arp, Ernst, Giacometti, Klee, Masson, Miró, Tanguy...), les artistes tchèques Janousek, Hoffmeister, Makovsky, Muzika, Stefan, Sima, Styrsky, Toyen, Wachman forment le mouvement Poétismus [Poétisme], dont le théoricien est Karel Teige. Ils représentent le noyau du futur groupe surréaliste fondé le 21 mars par les poètes Biebl et Nezval, le metteur en scène Honzl, le compositeur Jezek, le sculpteur Makovsky, et les peintres Styrsky et Toyen.
En avril, à l'ouverture de l'Exposition internationale de la caricature, à Prague, des photomontages de John Heartfield, Bidlo et Bert sont décrochés à la demande des Allemands. Heartfield est déchu de sa nationalité par le régime hitlérien.
En septembre, Oskar Kokoschka s'exile à Prague jusqu'à l'automne 1938.

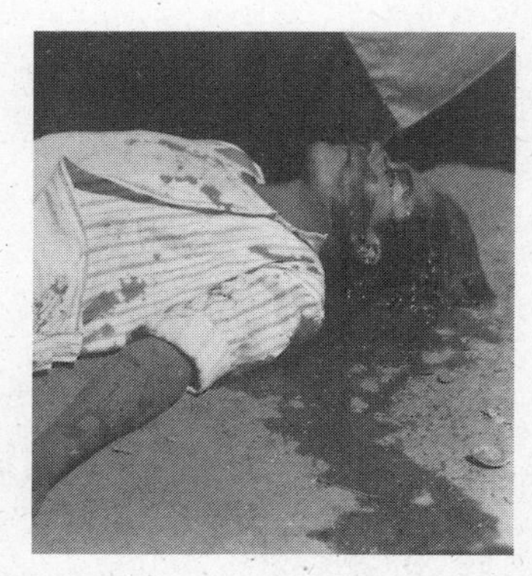

Manuel Alvárez-Bravo, *Ouvrier en grève assassiné,* 1934 (détail). Mnam-Cci, Paris. Photo © Centre Georges Pompidou.

URSS

Le premier congrès de l'Union des écrivains soviétiques se tient à Moscou du 17 août au 1er septembre sous la présidence de Maxime Gorki. Les débats portent principalement sur la doctrine du réalisme socialiste : « Le réalisme socialiste, étant la méthode principale de la littérature et de la critique artistique soviétique, exige de l'artiste une représentation véridique, historiquement concrète de la réalité, dans son évolution révolutionnaire. La véracité et le concret historique doivent contribuer à l'éducation idéologique et à la formation des travailleurs dans l'esprit du socialisme. »
Jdanov prône un « romantisme révolutionnaire » qui permet l'union du « travail dur et ennuyeux [...] avec l'héroïsme [...] et les perspectives » et, citant Staline, il rappelle que « les écrivains sont les ingénieurs de l'âme ».
Le 1er décembre, le meurtre de Kirov, secrétaire du Comité central du parti communiste, membre du Politburo et proche de Staline, déclenche une vaste répression. Le 23 décembre, une liste des personnes inculpées où figurent Grigori Zinoviev et Lev Kamenev est publiée.
Les arrestations se multiplient dans les milieux politiques et intellectuels.
Les artistes formalistes n'échappent pas à la répression. Vera Ermolaeïva, collaboratrice de Malevitch, son élève Kazanskaïa, le peintre Sterligov et ses élèves, Batourine et Kartaschov sont arrêtés.
Malevitch achève *L'Homme qui court,* qui a été interprété comme une allusion à sa situation personnelle et à son emprisonnement en 1933.

Xanti Schawinsky, *1934-XII. Si* [Décembre 1934 – Oui], 1934. Affiche. Museum für Gestaltung, Plakatsammlung, Zurich. Photo © Museum für Gestaltung, Bâle.

1935

Allemagne

Les nazis durcissent leur politique. Le service militaire est rendu obligatoire (16 mars), ainsi que le service du travail (26 juin). Les procès contre les dirigeants socialistes et communistes s'étendent.
Le 15 septembre, les lois de Nuremberg font perdre aux Juifs leurs droits civiques, la nationalité allemande, et prohibent les mélanges raciaux.
Le 8 juin, Brecht, exilé depuis 1933, est déchu de la nationalité allemande. Kurt Schwitters s'enfuit en Norvège.
Le 21 décembre, l'écrivain Kurt Tucholsky se suicide à Hindas, en Suède. D'autres se cachent, comme Oskar Schlemmer et Willi Baumeister, qui poursuivent leur activité artistique dans l'usine du fabricant de peinture Kurt Herberts à Wuppertal-Elberfeld.
Le 10 septembre, au congrès du Parti national-socialiste, Hitler attaque violemment l'art moderne.
Le prix Nobel de la paix est décerné au rédacteur en chef de la revue pacifiste *Die Weltbühne*, Carl von Ossietzky, emprisonné depuis 1933. Il meurt le 4 mai 1938 des suites de son internement dans un camp de concentration.

Chine

Au mois d'octobre, les communistes échappant à l'encerclement des nationalistes s'installent à Yenan (nord de la Chine). C'est la fin de la Longue Marche.
Malgré la trêve conclue un an plus tôt, l'expansion japonaise reprend dans le Nord. Le 9 décembre, les étudiants de Pékin déclenchent un mouvement de protestation antijaponais.
La Compagnie artistique chinoise autonome, créée par Liang Xihong et Li Dongping, présente « Dalí et le surréalisme » et participe, en octobre, à l'édition sur le surréalisme de la revue *Yifeng*. Le sentiment antijaponais renforçant le repli sur une peinture nationale, la compagnie est dissoute en 1937.

Espagne

Le statut d'autonomie de la Catalogne est suspendu le 2 janvier. Le 6 juin, Luis Companys est condamné à trente ans de prison pour rébellion armée. En réaction à la politique du gouvernement, partis de gauche et syndicats s'unissent sur un programme de Front populaire (juin-août).

Hitler lors du congrès du NSDAP à Nuremberg en 1935. Au premier plan, la cinéaste Leni Riefenstahl tourne le documentaire *Triomphe de la volonté*. Photo © Ullstein.

Le 25 septembre, création à Barcelone du POUM [Parti ouvrier d'unification marxiste], antistalinien et trotskiste.
En mai, inauguration à l'Ateneo de Santa Cruz de Tenerife de l'Exposition internationale du surréalisme, en présence de Breton qui prend position contre tout art qui prétend « se libérer du problème plastique par une profession de foi politique ».
À Valence, fondation de la revue *Nueva Cultura* (janv. 1935-oct. 1937), organe de l'Union des écrivains et artistes prolétariens.

États-Unis

Chargée du financement des grands travaux et des projets culturels, la WPA (Works Progress Administration) est créée le 6 mai. Dirigée par Harry Hopkins, elle crée en août le Federal Art Project pour les arts. La politique définie lors du VIIe congrès du Komintern [voir URSS] précipite la fin des John Reed Clubs, et donne un élan à la préparation de l'American Artists' Congress, aligné sur la politique de Front populaire, ouverte à tous les artistes antifascistes.

France

Annonçant le grand « Rassemblement populaire » du 14 Juillet, les manifestations culturelles se poursuivent : en avril-mai, les œuvres de John Heartfield, considérées par Louis Aragon comme l'expression même de la « beauté révolutionnaire », sont présentées à la Maison de la culture de l'AEAR. Le 9 mai, Crevel y anime la soirée sur le réalisme, qui clôture l'enquête « Où va la peinture ? », organisée par la revue *Commune* (réponses de Léger, Delaunay, Berni...).
Du 4 au 30 juin se tient à Paris le premier Salon de l'art mural. Il s'inscrit dans une réflexion sur l'intégration des arts à la collectivité et présente des œuvres de Delaunay, Herbin, Gleizes, Léger, Gromaire, Lurçat, Gruber, Vantongerloo.
Du 21 au 25 juin, un Congrès international des écrivains pour la défense de la culture scelle l'union des démocrates et des marxistes. Malgré leur rupture avec le parti communiste, les surréalistes y participent.
Le 2 juillet, le tract de Breton « Du temps que les surréalistes avaient raison » prend ouvertement position contre le stalinisme. La rupture avec le PCF est définitive.
Le 30 septembre, Aragon publie *Pour un réalisme socialiste*, qui regroupe divers textes : « Les écrivains dans les Soviets », « John Heartfield et la beauté révolutionnaire », « Message au congrès des John Reed Clubs », etc. Le 4 octobre, l'invasion de l'Éthiopie par l'Italie reçoit le soutien de personnalités comme Brasillach, Drieu La Rochelle, Martin du Gard, Maurras, Marcel Aymé, qui publient dans *Le Temps* le manifeste « Pour la défense de l'Occident et la paix en Europe », qui s'attire la réplique des intellectuels antifascistes dans *L'Œuvre*, le 5 octobre. Le 7, Breton et Bataille annoncent la parution des *Cahiers de contre-attaque* et rédigent le manifeste de l'Union de lutte des intellectuels révolutionnaires.

Grande-Bretagne

L'AIA organise l'exposition « Artists against Fascism and War », et publie *Five on Revolutionnary Art*, avec des contributions de Herbert Read, Eric Gill, F. D. Klingender, A. L. Lloyd et A. West.

Italie

Le 3 octobre, l'Italie pénètre en territoire éthiopien malgré la condamnation de la SDN. Marinetti se dit prêt à s'engager et publie « Estetica futurista della guerra » dans la revue *Stile futurista*.
C. Belli publie *Kn*, aux Edizioni del Milione (Milan). Considéré comme l'évangile de l'art abstrait en Italie, le texte établit un parallèle entre fascisme et abstraction : ordre, discipline et harmonie.

Japon

En février, Tatsukichi Minobe, professeur de droit à l'université de Tokyo, présente sa « théorie organique de l'Empereur » qui fait du souverain un rouage de l'État parmi d'autres, et non un dieu vivant, comme le voulait la tradition. Le pouvoir accroît son contrôle sur la vie intellectuelle, et réorganise la Teikoku Bijutsu-in [Institut impérial des beaux-arts].

Mexique

Le gouvernement fédéral commande aux peintres de la LEAR un mural de 1 500 m^2 pour le marché Abelardo L. Rodriguez de Mexico.
Au mois d'août, lors de la North American Conference of the New Education Fellowship, Siqueiros et Rivera, dont les engagements

ОГОНЕК

Ogoniok, n° 5, 15 février 1935. Musée d'Histoire contemporaine, BDIC, Paris.

politiques sont de plus en plus divergents, s'affrontent pistolets au poing.

Pays-Bas

Les artistes de gauche (dont Peter Alma, Paul Citroen, Charley Toorop, Joris Ivens) fondent le BKVK (Bond van Kunstenaars ter Verdediging van de Kultuur) [Alliance pour la défense des droits culturels].
Création par le sculpteur Leo Braat et les peintres Jan Wiegers et Charles Roelofsz de la revue d'art antinazie *Kroniek van Hedendaagsche Kunst en Kultuur*.

Roumanie

Brauner retourne à Bucarest pour lutter contre la Garde de fer. Il s'inscrit au parti communiste clandestin, qu'il quittera au moment des procès de Moscou.

Tchécoslovaquie

André Breton séjourne à Prague en mars-avril. Il donne plusieurs conférences, dont une intitulée « Position politique de l'art d'aujourd'hui », à l'invitation du groupe Front gauche. Il y défend « un front unique de la poésie et de l'art » au nom de la cause de l'« émancipation de l'homme ».

David Seymour, *Congrès pour la défense de la culture*, Paris, 21-25 juin 1935. À la tribune, Paul Vaillant-Couturier, André Gide, Jean-Richard Bloch, André Malraux. Au fond, le portrait de Maxime Gorki. Photo © David Seymour, Magnum.

Le *Premier Bulletin international du Surréalisme* paraît à Prague, le 9 avril.

URSS

Pour éliminer les « éléments contre-révolutionnaires », le Comité central du parti communiste poursuit la vérification de tous les documents du parti. La peine de mort est applicable aux « espions », aux « parasites », à « ceux qui auraient eu connaissance de telles activités » et aux citoyens soviétiques qui fuient à l'étranger.
En avril, à la première exposition des peintres de Leningrad, Malevitch montre cinq portraits. C'est la dernière présentation de ses œuvres jusqu'en 1962. Il meurt le 15 mai.
En juillet, ouverture à Moscou du VIIe congrès de l'Internationale communiste. Dimitrov, secrétaire général du Comité exécutif du Komintern, recommande l'alliance avec les partis démocrates bourgeois, contre le fascisme et la guerre. Cette stratégie de Front populaire doit éliminer les différences entre les groupes au profit de la cause commune antifasciste. Pour y parvenir, il faut attirer les écrivains et les artistes bourgeois les plus prestigieux, et opposer ainsi à l'ennemi une image crédible.
Le 17 novembre, Staline proclame au congrès des stakhanovistes : « La vie est devenue meilleure, camarades ! la vie est devenue plus gaie ! » Filonov, dans son journal, écrit le 6 mars : « Il n'y a presque pas de nourriture. Malgré ma santé de fer, je sens cependant mon ancienne force physique partir. »

Yougoslavie

Le 7 avril, la huitième exposition du groupe Zemlja [La Terre], de Zagreb, est interdite par la police. Zemlja (Anton Augustincic, Krsto Hegedusic, Drago Ibler, Omer Mujadzic, Kamilo Ruzicka et Ivan Tabakovic) pratique une nouvelle objectivité, appliquée à des thèmes sociaux et ruraux.
Opposé au réalisme socialiste mais imprégné d'idées sociales, il a aux yeux des autorités une coloration marxiste qui lui est fatale.

1936

33
45

Allemagne

Hitler entame une politique expansionniste. L'armée allemande pénètre en mars en Rhénanie démilitarisée.
En novembre, l'axe Rome-Berlin est proclamé, le pacte anti-Komintern signé avec le Japon.
En août, les Jeux olympiques de Berlin sont l'occasion d'une démonstration de force des nazis. Un concours international d'art, présidé par Adolf Ziegler, Hans Schweitzer et Walter Hoffmann, donne le second prix de sculpture à Arno Breker.
Le 8 septembre, au VIIIe congrès du NSDAP, Hitler donne le signal du « nettoyage des musées ». Le département moderne de la Nationalgalerie de Berlin est fermé le 30 octobre.
Le 26 novembre, Goebbels interdit la critique d'art.

Espagne

Les intellectuels (Lorca, Alberti) soutiennent le Front populaire lors de la campagne électorale qui précède le scrutin du 16 février. Vainqueur, le Frente popular amnistie les prisonniers politiques. Libéré le 2 mars, Luis Companys fait un retour triomphal à Barcelone. Le 14, Primo de Rivera, chef de la Phalange, est arrêté et exécuté le 19 novembre.
En mars, au musée d'Art moderne de Madrid, Marx Ernst présente son livre *Une semaine de bonté*, par solidarité avec la République.
En avril, l'Union syndicale des graphistes professionnels entreprend une campagne de recrutement d'affichistes pour le camp républicain (notamment Renau, Helios-Gomez, Fontseré, Catalá, Goni).
Au début de l'année, Dalí achève, à Paris, *Construction molle avec haricots bouillis, Prémonition de la guerre civile*.
Le 13 juillet, le dirigeant monarchiste Calvo Sotelo est assassiné. Le 17, les garnisons du Maroc espagnol se soulèvent. Agissant au nom du général Franco, les insurgés proclament l'état de siège et la loi martiale. La guerre civile commence. Le 20 juillet, les surréalistes français impriment le tract « Il n'y a pas de liberté pour les ennemis de la liberté [...] Arrêtez Gil Robles », qui dénonce la rébellion franquiste et réclame l'arrestation du fondateur de l'Action populaire, de droite.
Le 19 août, Lorca est arrêté à Grenade par les franquistes et fusillé. Son exécution bouleverse la communauté artistique internationale. Le 20 août, les surréalistes français rédigent le tract « Neutralité ? Non-sens, Crime et Trahison ! », qui proteste contre la politique de non-intervention de Léon Blum.
Le 19 septembre, Picasso est symboliquement nommé directeur du musée du Prado par la République espagnole.
Le 1er octobre, Franco est nommé généralissime des forces armées nationalistes et chef de l'État par ses partisans qui contrôlent la majorité du territoire espagnol.
Le 6 novembre, les premiers avions allemands de la légion Condor partent pour le camp nationaliste. Le 8 novembre, les premières Brigades

COME AND SEE GERMANY!
Der Zweck vons Janze
„Olympiagäste, im Gleichschritt — marsch!"

AIZ, n° 27, 1er juillet 1936. John Heartfield, *Come and See Germany* [Venez visiter l'Allemagne]. Photo © Stiftung Archiv der Akademie der Künste, Berlin.

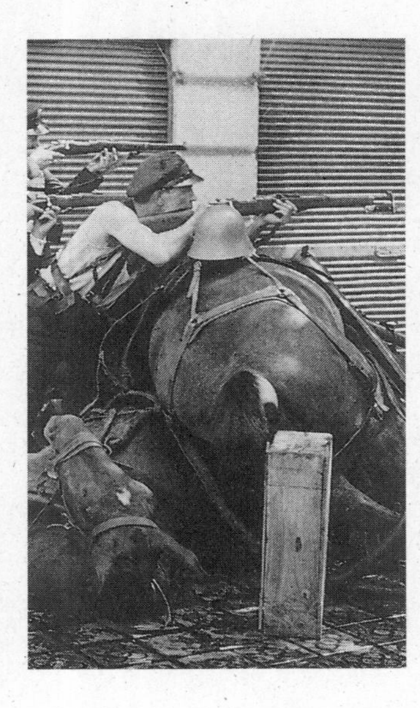

Agusti Centelles, « Dans Barcelone avec les héros antifascistes », *Regards* (n° 133, 30 juil. 1936). Musée d'Histoire contemporaine, BDIC, Paris. © Photo Planchet, Centre Georges Pompidou.

internationales défilent à Madrid. Les peintres Antoni Clavé, Esteban Francès, J. Viola, Nicolás Lekuona et Eugenio Granell s'engagent dans l'armée républicaine.

États-Unis

Créé par des intellectuels trostkistes de Columbia University, le premier numéro de *Marxist Quarterly* publie « Nature de l'art abstrait », où Schapiro affirme que l'art abstrait prend ses racines dans ses propres conditions de production. 400 artistes américains de toutes tendances se réunissent au premier American Artists' Congress against War and Fascism, autour de Lewis Mumford, Stuart Davis, Rockwell Kent, George Biddle, Meyer Schapiro, Orozco et Siqueiros pour former l'American Artists' Congress, dont le secrétaire exécutif est Stuart Davis. Lynn Ward présente le texte « Race, Nationalité et Art » qui analyse le travail idéologique produit par le concept d'art national. Celui de Schapiro, « The Social Bases of Art », insiste sur le lien entre l'artiste moderne et les conditions sociales de sa production.
Une exposition intitulée « Guerre et fascisme » (15 avr.-6 mai) prolonge le congrès.
Au printemps, Siqueiros fonde à New York le centre de travail collectif « Siqueiros Experimental Workshop, a Laboratory Modern Techniques in Art », auquel participe Jackson Pollock.

France

Les crises gouvernementales se poursuivent, et les ligues d'extrême droite sont dissoutes, après une agression contre Léon Blum, le 13 février.
Le « Rassemblement populaire » compte des organisations universitaires et intellectuelles (la Ligue des droits de l'homme, le Mouvement Amsterdam-Pleyel et le CVIA), très actives dans le domaine culturel. En mars, la CGT ouvre le musée du Soir, destiné aux ouvriers, et la Maison de la culture accueille l'AEAR, sous la présidence d'André Gide, où Malraux, Aragon, Léger animent des débats.
Le succès du Front populaire aux élections de mai renforce cette tendance : la Maison de la culture organise deux soirées (16 et 29 mai) dont les débats sont publiés en juillet sous le titre *La Querelle du réalisme,* édités dans la collection « Commune », avec Lurçat, Gromaire, Goerg, Aragon, Küss, Léger, Le Corbusier, Lhote, Cassou.
Du 3 au10 juillet, l'exposition de ces artistes, à la galerie Billiet-Vorms sous le titre « Le réalisme et la peinture », inspire deux articles à Georges Besson : « La querelle du réalisme » (*L'Humanité*, 19 juil.) et « La querelle du réalisme à la galerie Billiet-Vorms » (*Commune*, août). Blum forme le premier gouvernement du Front populaire le 5 juin. Le 7 juin, alors que le mouvement de grève touche deux millions de salariés, il négocie les « accords de Matignon ». La Chambre des députés vote les lois instituant les congés payés, les conventions collectives, le droit syndical dans l'entreprise, et la semaine de 40 heures.
Des listes d'artistes chômeurs sont déposées par la Confédération des travailleurs intellectuels, et la Fédération nationale des artistes et artisans d'art réclame « que l'on procède sans retard à l'attribution des commandes et achats directs aux artisans d'art et artistes ; que l'on applique le plan de résorption du chômage ».
Pour le 14 juillet, Taslitzky, Amblard, Fougeron, Gruber, Lasserre, Pignon reproduisent des tableaux célèbres, portraits d'artistes de la tradition réaliste et d'hommes politiques, sur des panneaux portés lors des manifestations populaires.
Le 3 septembre, au meeting « La vérité sur les procès de Moscou », Breton dénonce les procès staliniens.
Le 20 décembre, *Commune* publie une pétition d'intellectuels français (Le Corbusier, Cassou, Faure, Gide, Aragon, Pignon, Lipchitz, Tzara...) en faveur de la République espagnole.
La guerre d'Espagne inspire à Tal-Coat sa série des *Massacres* (1936-1937).

Grande-Bretagne

Penrose, Read, Moore, Nash et Mesens organisent à Londres, aux New Burlington Galleries, l'« International Surrealist Exhibition » (11 juin-4 juil.). Le groupe surréaliste condamne, en septembre, l'hypocrisie anglaise dans *The International Surrealist Bulletin* : « l'irresponsabilité morale, idéologique et politique à la base de l'art anglais ». Après un séjour en Espagne, Moore se déclare pour les républicains et contre la politique anglaise de non-intervention. Avec le groupe surréaliste anglais, il signe le manifeste « Declaration on Spain » dans *Contemporary Poetry and Prose*. Les activités politiques occupent Moore et ses amis qui participent à presque toutes les manifestations contre les fascistes anglais de Mosley.

Italie

Les troupes italiennes occupent Addis-Abeba le 5 mai. Le 9 mai, Mussolini proclame « la renaissance de l'Empire ». Le roi Victor-Emmanuel III reçoit le titre d'empereur d'Éthiopie.
En juin, à la Triennale de Milan, « salle de la Victoire » (Fontana, Nizzoli, Palanti et Persico). Sironi présente sa mosaïque *Italia corporativa*.
Le 3 novembre, à Rome, s'ouvre la « Seconda Mostra di Plastica Murale per l'Edilizia Fascista in Italia e in Africa » organisée par Marinetti, Prampolini et De Filippis sur les sujets suivants : « La guerre italienne en Afrique du Nord », « Le siège économique », « L'aviation de l'Italie fasciste » et « Trafics maritimes ».
Le 15 novembre, Giuseppe Bottai est nommé ministre de l'Éducation nationale. Appartenant à la « gauche fasciste », il fera preuve d'ouverture envers le courant moderniste.
De 1936 à 1939 une cinquantaine d'artistes travaillent pour les décors du Palais de Justice de Milan, construit par Marcello Piacentini. Arturo Martini réalise un haut-relief, *La Justice fasciste* (1936-37), et Sironi une mosaïque, *La Justice entre la loi et la force* (1936).

Japon

Le 26 février, un groupe d'officiers tente de renverser le gouvernement. Le coup d'État échoue à la suite de l'intervention de l'Empereur, et la loi martiale est instaurée. La position des militaires par rapport au gouvernement en sort renforcée. En novembre, le Japon et l'Allemagne signent un pacte anti-Komintern.

Mexique

Pour la première fois, un syndicat (Les ateliers graphiques de la Nation) commande un mural à la LEAR pour décorer son siège, sur le thème « lutte syndicale et droit de grève ».
Rivera peint quatre panneaux, commandés par Alberto Pani pour l'hôtel Reforma, qui représentent des personnalités du monde politique, religieux et des affaires.

Pays-Bas

En août, le BKVK organise, à Amsterdam, l'exposition « DOOD » (« Die Olympiade onder dictatuur ») [Les Olympiades sous la dictature]. Elle proteste contre le concours international de peinture pour les Jeux olympiques de Berlin, organisé par les nazis.
Les Allemands obtiennent le retrait d'œuvres comme *Das Dritte Reich,* de Gerd Arntz.
Fondé en octobre, le Kunstenaarscentrum voor

Front populaire, meeting communiste au stade Buffalo, le 14 juin 1936. Photo © Collection Viollet.

L'URSS en construction, n° 12, 1933. Alexandre Rodchenko, *Construction du canal mer Blanche-Baltique.* Musée d'Histoire contemporaine, BDIC, Paris. Photo © Centre Georges Pompidou.

1937

monument *Der Geisteskämpfer* [Le Lutteur d'esprit] de Barlach est retiré de l'église de Kiel. Le 24 août, *Engel*, le monument qu'il a érigé à Güstrow, est détruit par les nazis. 381 œuvres de Barlach sont confisquées, avant d'être détruites ou vendues.
Le 8 novembre, le Deutsches Museum de Munich inaugure

Le 19 juillet 1937, Hitler inaugure l'exposition « Entartete Kunst » [Art dégénéré] dans les arcades du Hofgarten, à Munich. Photo © Ullstein.

Geestelijke Weerbaarheid [Centre d'artistes pour la défense spirituelle] est un mouvement d'intellectuels pacifistes, anticommuniste et antifasciste.

Pologne

La Warszawska Spoldzielnia Mieszkaniowa [Coopérative du logement de Varsovie] organise en mai une exposition du groupe Czwiazek Artystow Plastykow [Association des plasticiens]. Berman expose des photomontages antinazis.

Roumanie

Perahim expose, au début de l'année, onze peintures et dix dessins, antimilitaristes et anticléricaux, menacés de destruction par la Garde de fer. Malgré la protection de l'Association des étudiants démocrates, l'exposition sera fermée.

Tchécoslovaquie

Les artistes tchèques se mobilisent autour du boycott de l'exposition des Jeux olympiques de Berlin. La prise de position du sculpteur Jakub Obrovsky, recteur de l'Académie des arts de Prague, en faveur du boycott a un grand retentissement. Il prononce le discours d'ouverture de l'olympiade populaire, organisée en août, à Prague, par l'Internationale rouge des sports.
En avril-mai, exposition d'Heartfield, à la « Internationale Foto Ausstellung im Kunstverein », organisée au siège de l'association Manes à Prague.

URSS

Le 17 janvier, un décret du Comité central organise le Comité des affaires artistiques, qui contrôle tous les arts.
Le 28 janvier, la *Pravda* publie « Bruits au lieu de musique », une critique de l'opéra de Chostakovitch, *Lady Macbeth de Mzensk,* et attaque les « altérations du gauchisme dans la peinture, la poésie, l'éducation et la science ». Ce sont, selon les termes de Staline, « sabotage, diversion, espionnage des agents des états étrangers ».
Lebedev publie un article « Contre le formalisme dans l'art soviétique », où il met en cause des peintres (Chterenberg, Fonvisine, Filonov, Tichler, certains tableaux de Guerassimov et Deïneka), « vestiges du capitalisme, ennemis du socialisme ». Le climat de délation se renforce. Le premier procès de Moscou s'ouvre le 19 août. Les seize accusés, dont Zinoviev et Kamenev, reconnaissent leur « complot » contre Staline et sont exécutés. Des milliers de prisonniers politiques achèvent la construction du canal mer Blanche-Baltique. Staline réalise le rêve d'Ivan le Terrible : faire de Moscou le « port des Cinq Mers ». Rodchenko avait, en 1933, réalisé un reportage photographique sur le sujet, présenté comme une grande opération de rééducation par le travail.
Le 5 décembre, la Constitution stalinienne, « la plus démocratique et la plus humaine dans l'histoire mondiale », remplace celle de 1924. Elle est le prélude aux grandes purges.

Allemagne

Président de la Reichskammer für Bildende Künste [Chambre du Reich des arts plastiques], le peintre Adolf Ziegler fait saisir plusieurs milliers d'œuvres dans les collections publiques et privées.
À Berlin, en juin et juillet, une exposition « Käthe Kollwitz » à la galerie Buchholz et une autre consacrée à Lovis Corinth sont interdites. Le 18 juillet, Hitler inaugure la Haus der Deutschen Kunst [Maison de l'art allemand], au palais des Beaux-Arts de Munich, par la « Grosse Deutsche Ausstellung ». L'exposition « Entartete Kunst » se tient du 19 juillet au 30 novembre dans l'ancien Galeriegebäude. Elle voue aux gémonies les œuvres des artistes modernes (Barlach, Beckmann, Nolde, Schmidt-Rottluff, Chagall, Meidner, Kirchner, Schwitters, Kandinsky, Klee, Feininger, Ernst, Hofer, Dix, Freundlich, Kokoschka, Baumeister, Lissitzky, Mondrian, Marc, Grosz, Jawlensky...).
De février à avril 1937, elle est présentée à Berlin, puis dans toutes les grandes villes allemandes et à Vienne, et reçoit des millions de visiteurs. À l'issue de l'exposition, les œuvres sont détruites, vendues à l'étranger ou rejoignent la collection de Goering.
Max Beckmann émigre à Amsterdam (19 juil.) ; Lyonel Feininger (28 juil.) et Moholy-Nagy (sept.) aux États-Unis, Kirchner, Barlach, Ludwig Gies, Mies van der Rohe, Rudolf Belling, Max Pechstein doivent quitter l'Académie prussienne des arts en juillet. Le 20 avril, le

« Der ewige Jude » [Le Juif éternel]. L'exposition, où figurent de nombreuses œuvres saisies, veut démontrer l'influence destructrice de la culture juive. Le 23 décembre, les Juifs sont exclus des professions commerciales et leurs biens sont confisqués.

Belgique

Réfugié en Belgique, Max Sievers, dirigeant du Mouvement des libres penseurs, déchu de sa nationalité allemande en 1933, publie le 14 janvier la revue *Freies Deutschland, Organ der Deutschen Opposition* [Allemagne libre, organe de l'opposition allemande].
Pour l'Exposition universelle de Paris, Franz Masereel réalise le panneau décoratif *L'Enterrement de la guerre,* dans le pavillon de l'Association pour la paix universelle.

Chine

Offensive générale japonaise en juillet, chute de Pékin en août, chute de Shanghai en novembre, de Nankin en décembre. En septembre, Mao Zedong et Tchang Kaï-chek forment un front uni contre l'envahisseur.

Dans ce climat de montée du nationalisme, les artistes se tournent vers des techniques utilisables à des fins politiques, comme la gravure sur bois, les illustrations comiques et caricaturales, ou les *Nianhua* [illustrations pour le nouvel an]. Quelques-uns se réfugient au quartier général de Mao, à Yenan.

Danemark

En septembre, le groupe Linien, fondé en 1934, organise à Copenhague une exposition qui réunit 23 artistes danois (Henry Heerup, Sonja Ferlov, Egill Jacobsen, Ejler Bille, Richard Mortensen, Carl Henning Pedersen, Asger Jorn) et 70 artistes étrangers d'avant-garde (Kandinsky, Klee, Miró, Ernst, Arp, Tanguy, Mondrian...). Le surréaliste Wilhelm Freddie expose, dans le magasin d'œuvres d'art Tidens malere à Copenhague, *Méditation sur l'amour antinazi*. La légation allemande obtient le retrait du tableau de l'exposition pour outrage à chef d'État étranger et interdit à Freddie de se rendre en Allemagne.

L'URSS en construction, n° 9-12, 1937. El Lissitzky, photomontage réalisé à l'occasion de l'Exposition universelle. Musée d'Histoire contemporaine, BDIC, Paris. Photo © Centre Georges Pompidou.

Espagne

Les offensives nationalistes contre la République remportent d'importants succès : Málaga tombe en février. La bataille de Madrid (8-18 mars) voit l'engagement sur le terrain des troupes italiennes et de l'aviation allemande. Madrid résiste, et l'effort des franquistes se porte sur le nord du pays, où sont concentrées les industries lourdes et d'armement.
L'offensive est lancée le 31 mars contre le Pays basque, la légion Condor bombarde Durango.
Le 26 avril, les Allemands bombardent Guernica. Le 1er mai à Paris, Picasso qui avait reçu – trois mois auparavant – commande du gouvernement républicain d'une peinture destinée au pavillon espagnol de l'Exposition universelle, commence ses premières études pour *Guernica*.
Une exposition, organisée par le POUM et l'UGT à Barcelone, vient à Paris, à la Maison de la culture (textes de Cabrol, Goerg, Jannot, Labasque, Lauze, Lefranc, Masereel). Paraît le premier numéro de la revue *Hora de España* (janv. 1937-nov. 1938) à laquelle collaborent écrivains espagnols, catalans et américains (Antonio Machado, Octavio Paz notamment).
Le 4 juillet s'ouvre à Valence le IIe congrès de l'Association internationale des écrivains pour la défense de la culture. Aragon, Benda, Malraux et Tzara représentent la France.

États-Unis

De retour d'Espagne, Hemingway prononce une conférence sur « l'écrivain et la guerre ». Le 8 juillet, Roosevelt se fait projeter le film *Earth of Spain* [Terre d'Espagne] tourné par le cinéaste Joris Ivens, sur un scénario d'Hemingway.
Le 19 décembre, le second American Artists' Congress, présidé par Stuart Davis, organise une exposition de soutien aux républicains espagnols. Le *New York Times* publie le 19 décembre un appel de Picasso en faveur de l'Espagne.
Le fascisme italien inspire à Peter Blume *The Eternal City*, et le bombardement de Guernica suscite *Bombardment*, de Philip Guston, et *Guernica*, d'Anton Refregier.

France

Le 24 mai, inauguration de l'Exposition internationale qui dure jusqu'au 26 novembre et reçoit trente et un millions de visiteurs. Il s'agit de célébrer la technologie moderne, mais les artistes y sont étroitement associés avec 718 commandes et 345 décorations murales (Raoul Dufy, *La Fée Électricité*; Robert Delaunay, le palais de l'Air et la façade de celui des Chemins de fer). Léger réalise *Transport de forces*, pour le palais de la Découverte. Lipchitz expose *Prométhée étranglant le vautour*, une sculpture qui symbolise la lutte des démocrates contre les totalitarismes.
Plusieurs expositions ont lieu conjointement : « Chefs-d'œuvre de l'art français » (Palais national des arts, juin-juil.); «Les maîtres de l'art indépendant, 1895-1937 » (Petit Palais, juin-oct.). Au Jeu de paume, « Origines et développement de l'art international indépendant » (30 juil.-31 oct.) présente *Cannibalisme d'automne*, de Dalí (1936) et *Nature morte au vieux soulier*, de Miró (1937), réalisés en référence à la guerre d'Espagne.
Les pavillons de l'Allemagne (architecte Albert Speer) et de l'URSS (architecte Boris Iofan) se font face, sur la rive droite de la Seine. Le pavillon espagnol construit par Josep Lluis Sert est inauguré avec sept semaines de retard. Sur le parvis, une colonne de bois de douze mètres de haut, d'Alberto Sanchez : *Le peuple espagnol suit un chemin qui le mène à une étoile*. Près du seuil, *La Montserrat*, de Julio González, et la *Tête de femme*, en ciment de Picasso. Le rez-de-chaussée abrite *La Fontaine de mercure*, d'Alexandre Calder, et *Guernica*. *Le Faucheur*, de Miró, est installé dans l'escalier. Peu remarqué, semble-t-il, par le grand public, le pavillon espagnol a les honneurs de la presse quotidienne et spécialisée. *Life* (26 juil.) publie la première reproduction de *Guernica*. Georges Sadoul écrit « Une demi-heure dans l'atelier de Picasso », publié le 29 juillet dans *Regards*. Les *Cahiers d'art* (n° 4-5) consacrent un numéro double au tableau, avec des textes de Jean Cassou, Paul Eluard, et « Faire-part » de Michel Leiris. Le premier numéro de *Verve* s'ouvre sur une reproduction de *Guernica* accompagnée d'une photographie de la ville en ruine.
Le pavillon des États pontificaux présente une toile de J. Maria Sert, en soutien aux franquistes : *Intercession de sainte Thérèse dans la guerre civile espagnole*.
Le 17 juillet, au IIe congrès de l'Association internationale des écrivains, Aragon s'en prend à Gide, auteur de *Retour de l'URSS* (nov. 36), prélude à *Retouches à mon Retour de l'URSS* (oct. 37), qui dénonce le culte de Staline et signale l'existence des camps.
Le 10 décembre, la revue de droite *Occident* publie le manifeste aux intellectuels espagnols, signé par Paul Claudel, Pierre Drieu La Rochelle, Abel Bonnard, entre autres : « Nous ne pouvons faire autrement que de souhaiter le triomphe en Espagne de ce qui représente actuellement la civilisation contre la barbarie, l'ordre et la justice contre la violence, la tradition contre la destruction, les garanties de la personne contre l'arbitraire. »
Jean Cassou préface le catalogue de l'exposition « L'art cruel », à la galerie Billiet-Vorms (17 déc. 1937-6 janv. 1938), qui proteste contre la guerre d'Espagne. La galerie La Boétie organise une exposition (30 déc. 1937-20 janv. 1938) au profit des enfants d'Espagne, avec des œuvres de Picasso, Masereel, Léger...

Jean Carlu, *Bombes sur Madrid... Civilisation !*, 1937. Affiche. Musée d'Histoire contemporaine, BDIC, Paris. Photo © Jean-Hugues Berrou.

Grande-Bretagne

L'AIA organise le First British Congress au cours duquel se manifestent des divisions entre réalistes socialistes (Boswell, Rowe et Finton), réalistes objectifs (Claude Rogers, William Coldstream), surréalistes et abstraits (R. Penrose, P. Nash, H. Moore, B. Nicholson, B. Hepworth).
Au printemps, Henry Moore réalise la couverture du numéro 9 de *Contemporary Poetry and Prose* : « Arms for Spain ».
En juin, Ernst présente *L'Ange du foyer* (ou *Le Triomphe du surréalisme*), à la Mayor Gallery de Londres, allusion directe et ironique au triomphe du fascisme en Espagne.
Graham Bell, William Coldstream, Victor Pasmore et Claude Rogers ouvrent à Londres la Euston Road School, une école de peinture réaliste, qui enseigne « un art à conscience sociale, un art pour le peuple ».

Italie

Reçu par Hitler à Berchtesgaden en septembre, Mussolini célèbre le rapprochement avec l'Allemagne. L'Italie adhère en novembre au pacte anti-Komintern et se retire de la SDN en décembre.
Condamnés pour activités antifascistes, Aligi Sassu et Renato Birolli passent quelques mois en prison.
En avril, le théoricien communiste Gramsci meurt en prison.
La politique répressive du régime s'accentue. L'OVRA, la police politique, traque les antifascistes réfugiés à l'étranger. En juillet, les frères Rosselli sont assassinés en France par l'organisation fascisante La Cagoule.
Marinetti publie le « Manifeste de la Poésie et des Arts corporatifs » dans *La Gazzetta del Popolo* (10 avr.).
Le 28 avril, Mussolini inaugure Cinecittà.
En mai, pour le pavillon italien de l'Exposition universelle de Paris, Cagli, aidé par Afro, réalise un cycle consacré à l'histoire de Rome et aux grands Italiens dont la liberté provoque la censure du ministre des Affaires Étrangères, Galeazzo Ciano.

L'exposition « Entartete kunst » de Munich reçoit le soutien d'*Il Popolo d'Italia,* le journal officiel du régime (Milan, 11 août). La revue *Il Perseo* réclame une même opération en Italie (Milan, n° 19, 1er oct.). Dans sa réponse au questionnaire du *Merlo,* organe de l'OVRA à Paris, Marinetti critique l'initiative allemande contre les avant-gardes et rappelle le rôle positif du futurisme italien en faveur du fascisme mussolinien (n° 164, 15 août).

Japon

Création en février du premier mouvement d'art abstrait japonais, la Jiyu Bijutsu Kyokai [Association de l'art libre] de Saburo Hasegawa, Yozo Murai, Kaoru Yamaguchi et Masanari Murai, auxquels se joignent des artistes tels que Jiro Yoshihara, Takeo Yamaguchi, Keisuke Yamamoto, Ken Hirote, Yumiko Katsura et Yoshishige Saito, qui seront des chefs de file de l'après-guerre. En juin, Shuzo Takiguchi et Shiro Yamanaka, associés à Paul Eluard, George Hugnet et Roland Penrose, organisent une exposition internationale du surréalisme.

Mexique

Léon Trotski et sa femme s'exilent à Mexico le 9 janvier. Ils sont hébergés chez Frida Kahlo et Diego Rivera à Coyoacán, jusqu'en 1939.
Pablo O'Higgins, Léopoldo Méndez, Luis Arenal fondent le TGP (Taller de Gráfica Popular) qui compte jusqu'à 60 graveurs et illustrateurs, antifascistes qui soutiennent les luttes ouvrières et paysannes. En 1938, ils font paraître un ensemble de lithographies intitulé *L'Espagne de Franco.*
Siqueiros prend part à la guerre civile espagnole et devient lieutenant colonel de l'Armée populaire républicaine.

Pologne

Inaugurée le 23 avril à l'Instytut Propagandy Sztuki [Institut de propagande de l'art], l'exposition de sculpture moderne allemande présente des artistes officiels du régime nazi. La critique remarque : « il ne nous a été montré qu'une partie des œuvres de la sculpture allemande [...] en accord avec "la tradition culturelle de la nation allemande". Nous serions curieux de voir l'autre partie ».

Tchécoslovaquie

Le Comité d'aide « À l'Espagne démocratique » publie *Spanelsko v nas* [Avec l'Espagne].
L'association Manes accueille une exposition d'affiches de propagande espagnole imprimées chez V. Kramar.
Theo Balden, Dorothea et Johannes Wüsten, John Heartfield, Eugen Hoffmann fondent l'association Oskar Kokoschka, à Prague, en faveur d'un art allemand progressiste et humaniste, contre l'idéologie nazie, pour la libération de l'Allemagne.
Le thème de la guerre d'Espagne est illustré par Sima, Styrsky, Capek, Filla, Sychra, Muzika...
À Prague, Kokoschka lance une campagne d'affichage « Aidez les enfants basques ».

URSS

Le deuxième procès de Moscou (23-30 janv.) débouche sur treize condamnations à mort dont celles de Piatakov, Radek, Serebriakov et Sokolnikov. En mars, Rykov et Boukharine sont exclus du parti. En juin, le maréchal Mikhaïl Toukhatchevski et sept autres généraux sont condamnés à mort.
L'épuration touche les milieux politique, économique, littéraire et culturel : des centaines de milliers de cadres sont déportés ou tués.
La plupart des anciens élèves de Malevitch (Klucis, Sterligov, Ermolaïeva, Drevine, Istomine) sont arrêtés et déportés. Les deux critiques de l'avant-garde, N. Puni et S. Tretiakov périssent dans les camps.
L'URSS participe à l'Exposition universelle de Paris. Le projet de Boris Iofan, architecte du palais des Soviets à Moscou, est retenu. Véra Moukhina, avec sa statue *L'Ouvrier et la Kolkhozienne,* en acier inoxydable, qui représente les deux bases du pouvoir soviétique, gagne le concours de sculpture. Nikolaï Souïetine, élève de Malevitch, réalise la décoration intérieure du pavillon. Le panneau-panorama de Deïneka *Stakhanovtzi* [Stakhanovistes] décore les murs de la salle d'honneur. Le tableau de Brodski, *Le Discours de Lénine à la réunion des ouvriers de l'usine Poutilovsky le 20 mai 1917,* est placé dans la troisième salle. Le photomontage de propagande est réalisé par Gustav Klucis, ancien élève de Malevitch, arrêté et déporté peu après.

Allemagne

Après la démission du chancelier von Schuschnigg, les troupes allemandes entrent en Autriche le 12 mars. C'est l'Anschluss, le rattachement de l'Autriche à l'Allemagne, approuvé par référendum par les Autrichiens.

Un décret du 3 mai permet de confisquer sans indemnités les œuvres d'« art dégénéré ».
Le 24 mai, inauguration des premières journées musicales de Berlin et ouverture d'une exposition sur la musique « dégénérée » : Paul Hindemith, Arnold Schönberg et Igor Stravinski sont proscrits par le régime.
Deux expositions d'art allemand à Munich (juil. et oct.) montrent les œuvres des sculpteurs nazis : Arno Breker, Josef Thorak, Georg Kolbe et Fritz Klimsch.
Le 29 septembre, signature des accords de Munich. L'Allemagne occupe les Sudètes. Le 30 septembre, Hitler et Chamberlain signent une déclaration de non-agression.
Le 7 novembre, l'attentat contre le conseiller de l'ambassade d'Allemagne à Paris, Ernst von Rath, mortellement blessé par Herschel Grynspan, un Juif polonais, fournit le prétexte pour déclencher la Nuit de cristal : le 9 novembre, les synagogues et les commerces juifs sont détruits. Les Juifs sont exclus des activités commerciales, des professions libérales, des lieux publics

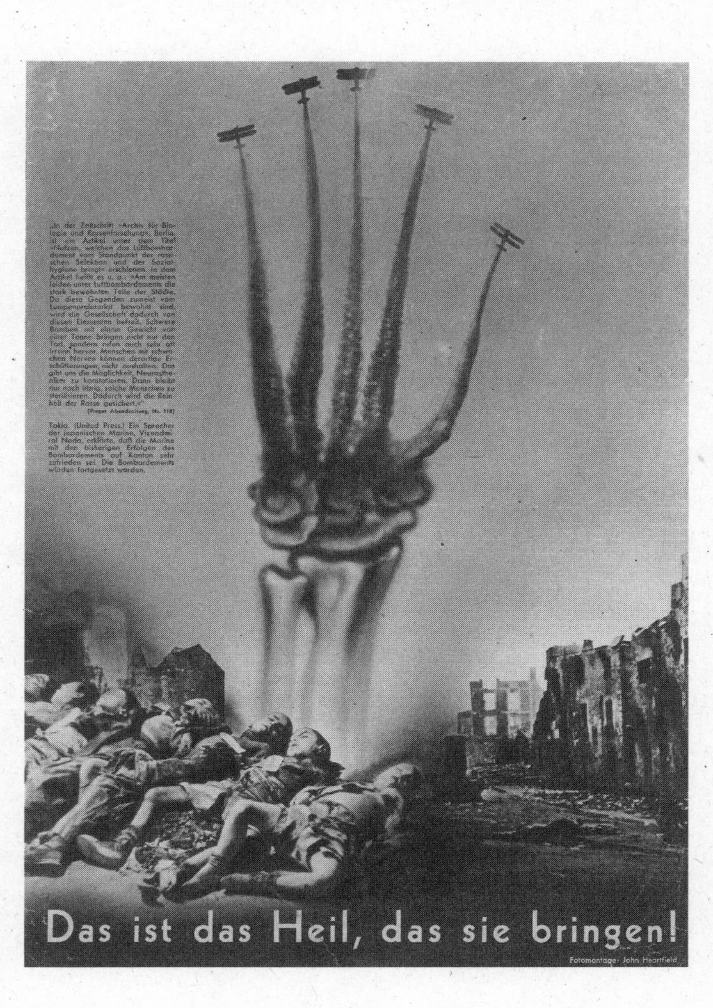

Volks-Illustrierte Prague, n° 26, 29 juin 1938.
John Heartfield, *Das ist das Heil, das sie Bringen !* [Voici la gloire qu'ils apportent !].
Photo © Stiftung Archiv der Akademie der Künste, Berlin.

en dehors de certaines heures et ne peuvent plus écrire, publier ou créer pour le théâtre et le cinéma à moins de traiter de sujets « strictement juifs ».

Autriche

Après l'annexion, de nombreux intellectuels et personnalités quittent le pays : les écrivains Elias Canetti, Robert Musil, Franz Werfel, Otto von Horvath, Friedrich Torberg, Carl Zuckmayer, l'architecte Adolf Loos, le sculpteur Fritz Wotruba, les peintres Georg Merkel et Max Oppenheimer. Le 5 juin, Freud quitte Vienne pour Paris puis Londres.
Un régime de terreur est installé contre les Juifs et les opposants. Le 30 juillet, l'exposition « Der Ewige Jude » est inaugurée à Vienne. À Salzbourg, en septembre, l'exposition « Entartete Kunst » reçoit plus de quarante mille visiteurs.

Chine

Après la chute de Canton en octobre, le gouvernement du Guomindang se replie à Wuhan puis Chongqing. Le front se stabilise jusqu'en 1944.
La Chine sous administration du Guomindang se réduit aux provinces de l'Ouest et du Sud-Ouest. Dans le Nord et le Centre les communistes opposent une résistance efficace aux Japonais.

Danemark

À l'initiative du peintre Walter Halvorsen, Leo Swanne, directeur du Kunst Museet de Copenhague, accueille une exposition d'artistes modernes français dont Picasso qui expose *Guernica*.
Dans l'émotion provoquée par la crise des Sudètes, Egill Jacobsen peint *Obhöbning* [Accumulation], qui évoque la montée des ténèbres et l'oppression en Europe.

Espagne

En mars, l'offensive nationaliste se développe en Aragon et au Levant. Barcelone est coupée de Valence.
Le retrait des Brigades internationales commence le 1er octobre. Le 23 décembre, début de l'offensive nationaliste en Catalogne.
Josep Renau réalise *Els trece punts de Negrin* [Les Treize Points de Negrin], une série de photomontages politiques.

États-Unis

En janvier, Beckmann présente, pour la première fois, son triptyque *Abfahrt/Departure* [Départ, 1932-1933] à la Buchholz Gallery de New York. L'œuvre a été souvent considérée comme une allégorie de l'exil.
Du Mexique, Trotski répond à *Partisan Review,* sur « L'art et la révolution ». L'article est une critique radicale de la conception totalitaire de l'art sous Staline, et une défense de l'art indépendant. Un second texte, cosigné par Rivera et Breton, est publié à l'automne : « Pour un art révolutionnaire indépendant ».

France

Sous l'égide du comité de libération d'Ernst Thälmann, le peintre Heinz Lohmar organise à Paris l'exposition « Cinq ans de régime hitlérien ».
Du 4 au 17 avril, une exposition de peintures, dessins, gravures en faveur de la République espagnole est organisée par la Maison de la culture, à la galerie Anjou.
Le 25 juillet, ouverture à la Mutualité à Paris d'une conférence de l'Association internationale des écrivains contre le bombardement des villes ouvertes.
Les intellectuels pacifistes (Alain, Giono, Guéhenno, Victor Margueritte) et les antimunichois (Romain Rolland, Langevin, Francis Jourdain) s'opposent sur la meilleure façon de résoudre la crise : le compromis ou la fermeté. Deux jours avant les accords de Munich, Breton publie le tract « Ni de votre guerre ni de votre paix ! » qui renvoie dos à dos capitalistes, staliniens, fascistes et nazis. Rupture avec Eluard, collaborateur de *Commune*.
La fascination pour le régime nazi s'accroît chez les écrivains d'extrême droite : le 28 octobre, dans *L'Émancipation nationale,* organe du Parti populaire français, Drieu La Rochelle signe l'article intitulé « Mourir en démocrates ou survivre en fascistes ».
Fondée le 20 avril par Ernst, Lohmar, Lingner, Wolheim, l'Union des artistes libres présente (4-18 nov.) une soixantaine de peintres allemands (Ernst, Grosz, Klee, Beckmann, Nussbaum, Kirchner, Kokoschka) à la Maison de la culture. Comme à Londres, il s'agit d'une réplique à l'exposition « Entartete Kunst » de Munich.

Accrochage de *Tentation,* de Max Beckmann, pour l'exposition « 20th Century German Art », organisée par Herbert Read et Roland Penrose, le 7 juillet 1938, aux New Burlington Galleries de Londres.
Photo © Hulton Deutsch/ Sipa Press.

Grande-Bretagne

En mars, Henry Moore saisit le prétexte d'une exposition organisée à Leeds, intitulée « Collective Security-The People's Answer to Dictators' », pour écrire au *Yorkshire Post* : « C'est notre propre civilisation, notre propre liberté et bien-être, notre propre foi dans un système démocratique qui est en danger. »
Le 1er mai, le groupe surréaliste présidé par Herbert Read prend part au cortège des syndicats du May Day, à Hyde Park, qui réclame la démission de Chamberlain.
Les expositions de soutien se multiplient : « Entartete Kunst » montre des toiles d'expressionnistes allemands (Kokoschka, Kirchner, Macke, Marc, Jawlensky...) aux Maclellan Galleries à Glasgow, à l'initiative du sculpteur lituanien, Benno Schotz. Le 7 juillet, aux New Burlington Galleries de Londres, « 20th Century German Art » – organisée par Read et Penrose – présente 270 œuvres dont *L'Autoportrait en artiste dégénéré,* d'Oskar Kokoschka. Le 15 décembre, Max Ernst expose à la London Gallery au profit des réfugiés juifs et tchécoslovaques.
En octobre, l'AIA crée l'Artists' Refugee Committee qui réunit des représentants du New English Art Club, du London Group, de l'AIA et des surréalistes.
Le 3 octobre, Churchill prononce un discours à la Chambre des communes, mettant en cause les accords de Munich et la démission des démocrates devant les nazis.
Du 4 au 29 octobre, « Guernica and Sketches » est présentée aux New Burlington Galleries. L'exposition regroupe le tableau et 60 études préparatoires. Organisée par Roland Penrose, Herbert Read et le Belge Edouard Mesens (directeur de la London Gallery et leader du groupe surréaliste anglais), elle réunit des fonds pour l'Espagne. Transportée ensuite à la Whitechapel Art Gallery, elle est inaugurée par le major Clement Attlee, ancien des Brigades internationales et leader de l'opposition travailliste.

Italie

Renato Guttuso peint *Fucilazione in campagna,* inspiré par l'assassinat de García Lorca, qui sera exposé en janvier 1940 à la « XXXI Mostra della Galleria di Roma ».
Le 1er janvier, premier numéro de *Vita giovanile,* mensuel culturel publié à Milan par Ernesto Treccani dont l'esprit frondeur, attire les artistes (Birolli, Cassinari, Guttuso, Migneco, Morlotti, Sassu, Treccani, Vedova). Il prend, en 1939, le titre de *Corrente*.
Le 10 juin 1940, jour de la déclaration de guerre de l'Italie à la France et à l'Angleterre, il est interdit.
L'Italie adopte des mesures antisémites : les Juifs étrangers sont interdits de séjour, les Juifs italiens ne peuvent exercer d'emploi dans l'administration et les mariages mixtes sont interdits. Les artistes juifs sont privés du droit d'exposer. Roberto Melli reste à Rome mais renonce à la vie publique ; Carlo Levi et Corrado Cagli s'établissent à Paris. Antonietta Raphaël Mafai se cache, avec son mari Mario Mafai, à Gênes.
L'art moderne italien subit des attaques de la presse réactionnaire : *Quadrivio* lance, le 4 décembre 1938, un « Referendum sull'Arte Moderna »,

qui vise à promouvoir une radicale condamnation de l'art moderne. Marinetti et Somenzi (directeur de la revue futuriste *Artecrazia*) se mobilisent contre ces attaques. Le numéro du 3 décembre d'*Artecrazia*, très polémique, est saisi, et la revue est supprimée. Bottai, ministre de l'Éducation nationale, prend cependant la défense de l'art moderne avec « Modernità e tradizione dell'arte italiana d'oggi », publié dans *Le Arti*.

Japon

La poursuite de la guerre sino-japonaise entraîne la mobilisation générale. Les manifestations martiales se multiplient : en mai, le Musée de la ville de Tokyo montre « L'art de la guerre », avec des peintures de Tomiji Kitagawa, Ryohei Koiso. En juin, un groupe d'artistes favorables à la militarisation du régime fondent la Dai-Nihon Rikugun Jugun Gaka Kyokai [Association des peintres de l'armée de terre du Grand Japon].

Mexique

Grâce à Saint-John Perse, André Breton est envoyé au Mexique d'avril à juillet par le ministère des Affaires étrangères, pour donner un cycle de conférences sur la littérature française. La LEAR [tendance stalinienne] prend publiquement position contre Breton et Rivera, accusés de trotskisme.
En mai, Breton rencontre Trotski pour créer une Fédération internationale de l'art révolutionnaire indépendant (la FIARI), qui s'opposerait à l'AEAR et à la LEAR. Le manifeste « Pour un art révolutionnaire indépendant » paraît le 1er octobre, dans le premier numéro de *Clave-tribuna libre* [revue marxiste mexicaine], signé par Breton et Rivera, mais rédigé par Breton et Trotski [voir États-Unis].

Breton, Rivera, Trotski et Jacqueline Lamba au Mexique, 1938. Photo © Archives Snark Edimedia, Collection Jacqueline Lamba.

Roumanie

Brauner revient en France pour fuir les persécutions fascistes et antisémites contre lesquelles il avait pris de grands risques en collaborant à des journaux de gauche, comme *Le Monde roumain*, et en réalisant, avec Perahim, des tableaux vendus au bénéfice du Secours rouge [association communiste d'aide aux détenus politiques].

Tchécoslovaquie

En mars, Nezval adhère au groupe Leva Fronta [Front gauche] qui s'oppose aux surréalistes. La place laissée vacante par Nezval est occupée par le poète Heisler. Teige publie la brochure polémique *Le Surréalisme à contre-courant*.
La revue *Volne Smery* [Tendances libres], éditée par l'association Manes, publie des photographies du pavillon espagnol à l'Exposition internationale de Paris, et de *Guernica* de Picasso.
En octobre, à la suite des accords de Munich, les Allemands occupent les Sudètes.
Filla peint alors son *Taureau agressant un lion*, Lauda et Bauch sculptent *L'Agression de la Tchécoslovaquie*, destinée au pavillon tchécoslovaque de l'Exposition internationale de New York.
Oskar Kokoschka, John Heartfield émigrent à Londres.

URSS

Ouverture du troisième procès de Moscou dénonçant la conspiration menée par « les droitiers et les trotskistes » (parmi les accusés : Nikolaï Boukharine, Alexeï Rykov et Kristian Rakovski). Le 13 mars, les accusés sont exécutés.
Deux grandes expositions se tiennent à Moscou : la première, consacrée au XXe anniversaire de l'armée et de la flotte soviétique, montre un énorme tableau de Guerassimov, *Staline et Vorochilov au Kremlin. À la garde de la Patrie*, dont le but est de « représenter notre peuple et l'invincible Armée rouge comme un tout unique : notre peuple est présent dans l'image de Staline, et notre armée dans l'image de Vorochilov ». La seconde exposition était intitulée « L'Industrie du Socialisme ».
Le jury refuse un des derniers tableaux de Kouzma Petrov-Vodkine, *La Crémaillère* (1937), mais accepte *La Fête kolkhozienne* (1937) d'Arkadi Plastov.

1939

Allemagne

Violant les accords de Munich, l'Allemagne envahit la Tchécoslovaquie le 15 mars, puis la Pologne le 1er septembre, sans déclaration de guerre. Les troupes soviétiques entrent à leur tour en Pologne. Le peintre Stanislas Witkiewicz se suicide le 18.
Le 3 septembre, la Grande-Bretagne et la France déclarent la guerre à l'Allemagne.
Le 20 mars, Goebbels autorise l'autodafé d'« art dégénéré » : 1 000 peintures, 3 800 dessins sont brûlés à Berlin. Du 30 juin au 4 juillet, la vente aux enchères « Gemälde und Plastiken moderner Meister aus deutschen Museen » [Peintures et sculptures des maîtres modernes des musées allemands], à la Galerie Fischer de Lucerne, permet la dispersion d'environ 300 tableaux et sculptures et 3 000 œuvres sur papier.
En juin, Hitler lance secrètement le Sonderauftrag Linz [Mission spéciale de Linz] qui prévoit de rassembler à Linz des œuvres d'art prises aux pays occupés dans ce qui doit devenir le plus grand musée du monde. À la fin de la guerre, 6 755 peintures seront retrouvées à Linz.
Les persécutions contre les artistes et intellectuels se poursuivent : le peintre Hans Grundig est interné jusqu'en 1944 au camp de Sachsenhausen. Lea Grundig et Ludwig Meidner émigrent.

Autriche

À la Nordwestbahnhalle de Vienne (7 mai-18 juin), l'exposition « Entartete Kunst » attire 147 000 visiteurs.
L'art officiel est exposé au Künstlerhaus sous le titre « Berge und Menschen der Ostmark » [Montagnes et Peuples de l'Autriche (l'Autriche, désignée ici comme « marche de l'Est »)].

Belgique

En janvier Achille Chavée revient d'Espagne, où il a participé avec les staliniens aux purges contre les anarchistes et les communistes. Il quitte le groupe Rupture et fonde, avec Fernand Dumont, Louis van de Spiegele, Marcel Lefrancq, Armand Simon, et Pol Bury, le groupe surréaliste du Hainaut qui suit la ligne du parti communiste.
Pour une vente au profit de l'Espagne républicaine, Magritte lui envoie le tableau *In memoriam Marc Sennett*.

Espagne

Le 25 janvier, les troupes franquistes s'emparent de Barcelone. Plusieurs milliers d'Espagnols s'exilent en France. Le poète Antonio Machado meurt à Collioure le 19 février.
La frontière pyrénéenne est bouclée par les franquistes le 10 février. Le 15, un décret de Franco impose aux Catalans l'usage de l'espagnol. Les 27 et 28, la France et l'Angleterre reconnaissent le gouvernement de Franco, qui adhère au pacte anti-Komintern. La prise de Madrid, le 28 mars, marque la fin de la guerre civile, officiellement annoncée le 1er avril.

En mars, les réfugiés républicains espagnols sont internés dans des camps du sud de la France. Photo © Robert Capa, Magnum.

États-Unis

L'Exposition universelle de New York est inaugurée le 30 avril. Le 1er mai, *Guernica* arrive à New York, pour être exposé

Große Deutsche K

(Im Haus der Deu

Adolf Hitler mit den Ehrengästen beim Rundgang durch die Kunstausstellung.

★

Bild links: Conrad Hommel: Reichsjägermeister Hermann Göring.

★

Bild rechts: Franz Triebsch: Bildnis des Führers.

Ludwig Spiegel: Kurbelwellenschmied.

Benjamin Godron: Frauenbild.

Arthur Kampf: Ansprache Friedrichs des Großen an seine Generale bei Köben.

Zweimal „Das Urteil des Paris".
Oben ein Ölbild von Adolf Ziegler, rechts ein Gemälde von Georg

Photos: Presse-Hoffmann 9, Scherls Bilderdienst und Presse-Bild-Zentrale je

tausstellung 1939

kunst zu München)

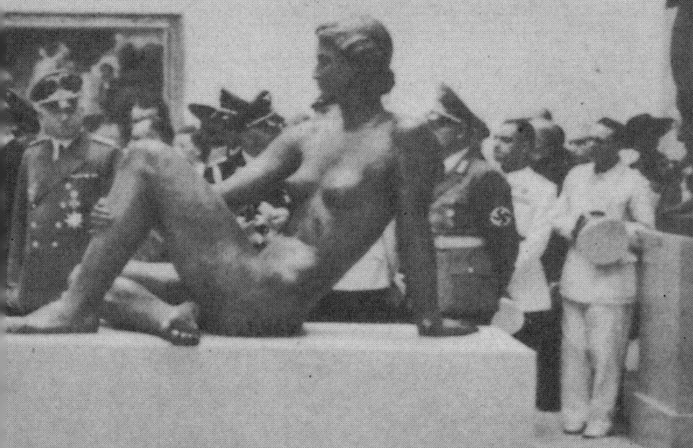

und seine Gäste vor einem Werk von Fritz Klimsch: Galatea.

Maria Theresia Hofmann: Geschwister.

Bild links:
Hermann Junker:
Durchs Trichterfeld
am Kemmel.

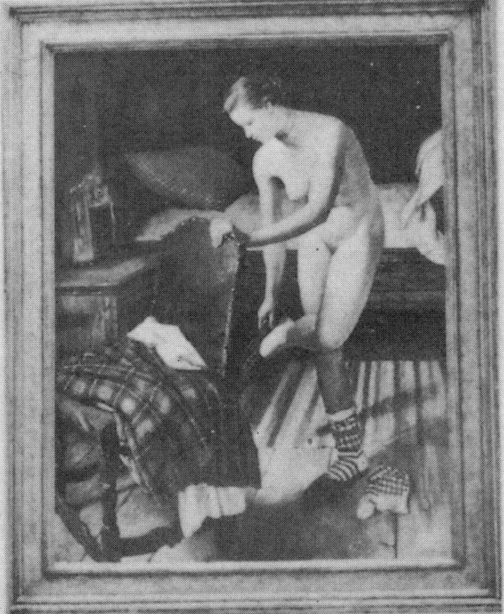

Sepp Hilz: Bäuerliche Venus.

Deutsche Illustrierte Zeitung, n° 31, 1er août 1939. Musée d'Histoire contemporaine, BDIC, Paris. Photo © Centre Georges Pompidou.

à la Valentine Gallery. Les bénéfices de l'exposition sont destinés à la Spanish Refugee Relief Campaign.
Clement Greenberg publie « Avant-Garde and Kitsch » dans *Partisan Review*. Selon lui, seule l'avant-garde peut s'opposer à la crise idéologique et à l'invasion du kitsch, symbole des puissances totalitaires.

Life, 12 juin 1939. Martin Harris, « Albert Einstein quitte le pavillon de la Palestine à l'Exposition universelle de New York ». Musée d'Histoire contemporaine, BDIC, Paris. Photo © Centre Georges Pompidou.

France

Publié dans la revue *Minotaure* (12-13 mai), un article intitulé « Le nationalisme dans l'art » précise la position des surréalistes : « En Allemagne, en Italie, en URSS, les pinceaux et les porte-plumes obéissent aux consignes imposées par les chefs politiques, ils servent à la propagande, ils tracent la gloire du maître... »
En réaction aux décrets contre les immigrés allemands ou autrichiens, et à la création de centres d'hébergement surveillés pour les étrangers, le comité national de la FIARI publie, dans sa revue *Clé* (n° 1, 1er janv.), « Pas de patrie ! » et « Persécutions "démocratiques" ». Le 21 janvier, un premier camp de concentration est ouvert à Rieucros (Lozère). Puis une dizaine d'autres sont ouverts dans le sud de la France, rassemblant plusieurs milliers d'étrangers. Max Ernst est interné au camp des Mille près d'Aix-en-Provence, où il retrouve Hans Bellmer. Wols est interné à Vierzon puis à Montargis. Otto Freundlich est emprisonné au camp de Francillon, puis à Sepoy. Après la signature du pacte germano-soviétique (23 août), le parti communiste et ses organisations affiliées sont dissous le 26 septembre.
Le 8 septembre, l'offensive française dans la Sarre marque le début de la « drôle de guerre », (sept. 1938-mai 1940).
Roberto Matta et Yves Tanguy partent pour les États-Unis en octobre.
Au questionnaire de *Cahiers d'art* soumis à différents artistes, et intitulé « L'acte créateur se ressent-il de l'influence des événements environnants ? », Miró répond : « Que les puissances de régression s'étendent encore cependant, qu'elles nous plongent un peu plus avant dans l'impasse de la cruauté et de l'incompréhension et c'en est fini de toute dignité humaine... »

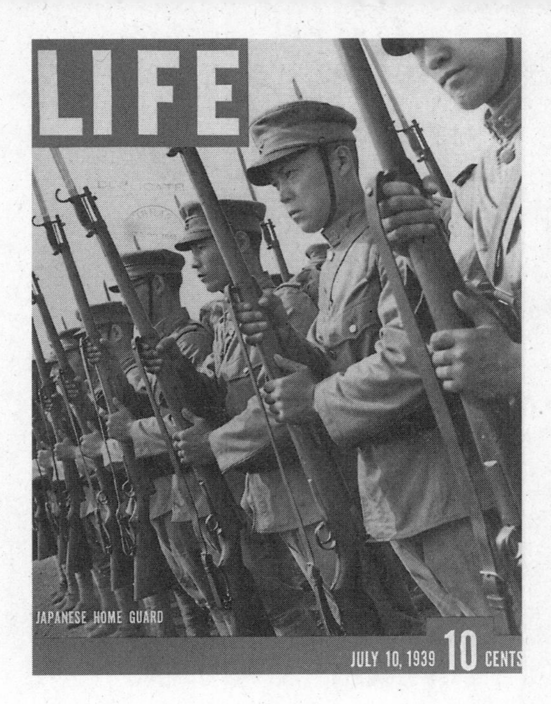

Life, 10 juillet 1939. Paul Dorsey, « Gardes nationaux japonais ». Musée d'Histoire contemporaine, BDIC, Paris. Photo © Centre Georges Pompidou.

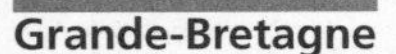

Grande-Bretagne

Organisée en janvier par le groupe surréaliste à la London Gallery, l'exposition « Living Art in England » regroupe des surréalistes, des abstraits et de nombreux artistes réfugiés. Pour Herbert Read, il s'agit de « déclarer la guerre à la culture nationaliste de la Grande-Bretagne et d'accueillir les artistes immigrés... ».
Kokoschka, qui dirige avec Fred Uhlmann le FDKB (Freier Deutscher Kultur Bund) à Londres, regroupant une centaine d'artistes, dont Heartfield et Schwitters, commence une série de tableaux qui constituent une vision satirique de la guerre, des puissances de l'Axe et des Alliés : *Anschluss-Alice im Wunderland* (1939), *The Crab* (1939-1940), *Das rote Ei* (1940-1941), *Marianne Maquis* (1942), *What we are fighting for* (1943).
Création par le ministre de l'Information du War Artists Advisory Committee (WAAC). La liste des « Official War Artists » comprend Paul Nash, Stanley Spencer, Graham Sutherland, Henry Moore.

Italie

Le 8 avril, l'Italie annexe l'Albanie. Le 22 mai, signature à Berlin du pacte d'Acier avec l'Allemagne.
La première édition du « Premio Cremona » a lieu en mai-juin au Palazzo Comunale et au Palazzo di Cittanova de Crémone. Le prix, promu par Roberto Farinacci, de l'aile la plus intransigeante du fascisme, est consacré à deux sujets : « Écoute à la radio d'un discours du Duce » et « États d'âme créés par le fascisme ».
En réaction, le ministre de l'Éducation, Bottai, crée le « Premio Bergamo, Mostra nazionale del paesaggio italiano » (sept.-oct., Palazzo della Ragione, Bergame). Le thème du paysage favorise la participation de différentes tendances artistiques, en excluant les peintures rhétoriques et de propagande.
Entre 1939 et 1942, Giacomo Manzù réalise la série de bas-reliefs *Cristo nella nostra umanità,* huit *Crucifixions* et *Dépositions,* inspirées de la Passion et de la guerre. Présentée en 1941 (galerie Barbaroux, Milan), elle est attaquée par la presse conservatrice et par l'Église.
Mafai commence la série des *Fantasia,* petits tableaux qui évoquent sur un mode grotesque des scènes d'interrogatoire, de torture, des processions militaires ou des orgies sanglantes.

Japon

En avril, Tsuguharu Fujita et Kenichi Nakamura constituent la Rikugun Bijutsu Kyokai [Association artistique des armées de terre] qui exalte les conquêtes impériales.
En juillet a lieu la première exposition « Seisen bijutsu » [L'Art de la guerre sacrée] organisée par l'Association des beaux-arts de l'armée et le journal *Asahi,* à Tokyo.
Plus de deux cents peintres de guerre (dont Chimei Hamada et Kikuji Yamashita) accompagnent l'armée en campagne.

Le 15 mars 1939, l'Allemagne envahit la Tchécoslovaquie. Photo © Keystone.

1940

Pologne

Après son invasion, en septembre par les troupes allemandes et soviétiques, le pays est démembré. Un « gouvernement général » est installé par les Allemands en Pologne centrale. Dantzig, la Poznanie et la haute Silésie sont rattachées au Reich, et les provinces orientales abandonnées à l'URSS. Les Allemands transfèrent les « populations non-assimilables » vers le gouvernement général, procédant à l'élimination des Juifs, des intellectuels, à la confiscation de biens culturels, l'objectif étant la disparition de la culture polonaise.
L'artiste constructiviste Wladyslaw Strzeminski fuit Lodz avec sa famille. Il commence *Biélorussie*, la première série de cycles de dessins sur la guerre poursuivis jusqu'en 1945.

Tchécoslovaquie

Après l'invasion allemande du 15 mars, la Tchécoslovaquie est dépecée : la Bohême et la Moravie sont sous protectorat allemand. La Slovaquie avec le soutien d'Hitler déclare son indépendance. F. Hudecek peint *15 Brezen 1939* [15 Mars 1939], et Jindrich Styrsky *Na hrobe* [Sur la tombe], références directes à l'événement.
Toyen, interdite d'exposition, commence un cycle de dessins, métaphore des horreurs de la guerre, intitulé *Tir*. Accompagné d'un poème de Heisler et d'un texte de Teige, il sera publié en 1946, à Prague.
Le 1er septembre, J. Capek et E. Filla sont déportés à Buchenwald. Capek meurt le 15 avril 1945 au camp de Bergen-Belsen.

URSS

En avril, l'URSS participe à l'Exposition universelle de New York. La décoration du pavillon soviétique est confiée à Souïetine. Pour le hall, Efanov réalise un énorme panneau *Les Notables du pays des Soviets*. Le tableau de Guerassimov, *Staline et Vorochilov au Kremlin. À la garde de la Patrie*, est également présenté. En septembre, à la suite de l'invasion de la Pologne par l'Allemagne, et en application du pacte germano-soviétique, l'URSS obtient les provinces polonaises orientales et l'inclusion des pays baltes dans sa sphère d'influence.
Le 30 novembre, elle envahit la Finlande. La guerre se prolonge jusqu'en mars 1940.

Allemagne

Le 9 avril, l'Allemagne attaque le Danemark et la Norvège ; le 10 mai, les Pays-Bas, la Belgique et le Luxembourg. Paris est occupé le 14 juin.
Le 22 juin, les autorités françaises et allemandes signent l'armistice de Rethondes : la Grande-Bretagne continue seule la lutte contre le IIIe Reich.
D'août à octobre a lieu la « bataille d'Angleterre ».
Le 27 septembre, l'Allemagne, l'Italie et le Japon signent à Berlin un pacte tripartite qui définit les zones d'influence de chacun. En novembre, la Hongrie, la Roumanie et la Slovaquie adhèrent au pacte.

Belgique

Durant l'invasion allemande, un grand nombre d'artistes modernes cachent leurs œuvres de peur qu'elles ne soient détruites en tant qu'« Entartete Kunst ». Magritte, Scutenaire, Ubac et Frans Masereel se réfugient en France. La Belgique capitule le 28 mai. Le roi Léopold III est fait prisonnier et le gouvernement s'exile à Londres. La guerre met un terme à la publication de la revue *L'Invention collective*, de Magritte et Ubac. Mobilisé, Marcel Mariën est fait prisonnier et envoyé en Allemagne.
De 1940 à 1944, Felix Nussbaum vit à Bruxelles dans la clandestinité. Son œuvre s'inspire des dessins réalisés au camp français de Saint-Cyprien. Arrêté en juillet 1944, il est déporté et meurt à Auschwitz.

Danemark

Le 9 avril, le Danemark est envahi par les troupes allemandes. En capitulant, le roi Christian X obtient le maintien d'un gouvernement et d'une police danois. La protection, puis l'évacuation de la communauté juive sont ainsi possibles jusqu'au 29 août 1943, date de la prise de pouvoir directe par les Allemands.
À cause de l'Occupation, l'exposition « Surréalisme-Art abstrait », qui a lieu en mai à Ålborg, ne regroupe plus que des Danois : Heerup, Jacobsen, Jorn, Mortensen, Pedersen, Freddie...
D'abord fasciné par le personnage d'Hitler, comme Knut Hamsun, l'écrivain Kaj Munk (auteur de la pièce *Ordet* [Le Verbe], à l'origine du chef-d'œuvre du cinéaste Carl Dreyer), dénonce le totalitarisme nazi, et sera assassiné en 1944 par la Gestapo.

États-Unis

Stuart Davis, Meyer Schapiro, Mark Rothko, Adolf Gottlieb et Ralph Pearson démissionnent le 5 avril de l'American Artists' Congress, à cause de l'invasion de la Finlande par l'URSS. Les dissidents organisent leur propre association, la Federation of Modern Painters and Sculptors (FMPS), de sympathies trotskistes.
Nation publie le 18 mai un article du poète Archibald MacLeish intitulé « Les irresponsables », attaquant la mollesse des intellectuels américains face au fascisme et à la guerre en Europe.
Roosevelt est réélu le 4 novembre.

France

En janvier, Yvonne Zervos ouvre à Paris la galerie Mai dont la première exposition accueille Chagall et *La Crucifixion blanche*, de 1938, qui dénonce les progroms antijuifs en Allemagne, et *Composition*, œuvre peinte en 1937-1939 en référence à la Révolution russe.
La défaite française amène le gouvernement à démissionner le 16 juin. Le maréchal Pétain forme un nouveau gouvernement le 17. Le 18 juin, le général de Gaulle lance de Londres un appel demandant aux Français de poursuivre la lutte aux côtés des Alliés. Le 3 juillet, une escadre britannique bombarde la flotte française à Mers el-Kébir. Philippe Pétain, après l'armistice, reçoit le 10 juillet les pleins pouvoirs de l'Assemblée nationale installée à Vichy. La France est divisée en une zone « libre » au sud et une zone occupée au nord. L'« État français » remplace la république. Les libertés démocratiques sont supprimées. Les persécutions contre les Juifs commencent. Le 30 octobre, Pétain appelle les Français à la collaboration avec les Allemands. Les artistes juifs sont interdits au Salon d'automne.
En mai, Lipchitz quitte Paris pour Toulouse. Il retranscrit cette expérience dans *La Fuite*, plâtre qui sera son seul bagage lors de son départ aux États-Unis en 1941.
Fin mai, Miró quitte la France pour s'installer à Palma de Majorque.
Freundlich, réfugié dans les Pyrénées-Orientales, est déporté et meurt en mars 1943.
André Breton part pour Marseille avec Victor Serge, où ils sont recueillis par le Comité américain de secours aux intellectuels, à la villa Air-Bel.
En octobre, Léger part pour les États-Unis.

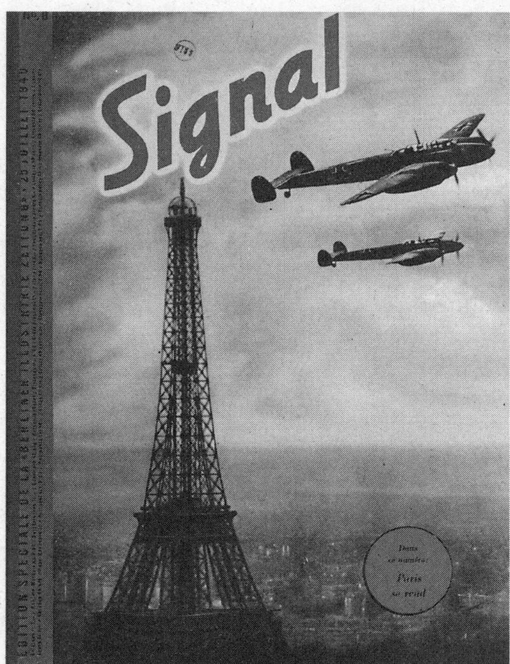

Signal, n° 8, 25 juillet 1940. L'aviation allemande au-dessus de Paris. Musée d'Histoire contemporaine, BDIC, Paris. Photo © Centre Georges Pompidou.

Le 1er juillet, Otto Abètz est chargé de la « protection » des œuvres d'art appartenant à l'État français, et de celles des particuliers juifs. Le 6 juillet, la Geheime Feldpolizei entreprend des perquisitions dans des galeries d'art et des collections privées.
Une commission dirigée par le directeur des musées de Berlin, le professeur Kummel, recense les

œuvres d'origine germanique. L'« Einsatzstab Reichsleiter Rosenberg », créé par Rosenberg, est autorisé à saisir tout ce qui lui paraît important sur le plan scientifique. Le 5 novembre, Goering visite le Jeu de paume et répartit entre les musées allemands, Hitler, Rosenberg et sa propre collection, les œuvres d'art volées par l' « Einsatzstab Reichsleiter Rosenberg » aux collections publiques et privées (Rothschild, Seligmann et Wildenstein notamment). En

Le groupe surréaliste réfugié à Marseille, villa Air-Bel, 1940. Photo © André Gomès.

juillet 1944, 203 collections, réunissant 21 903 objets d'art, auront été confisquées par les nazis.
Des intellectuels (Brasillach, Drieu La Rochelle, Céline, Rebatet...) s'engagent dans la presse de collaboration. En novembre, création de Jeune France pour diffuser la création auprès d'un large public. Jeune France regroupe des intellectuels venus d'horizons différents, souvent influencés par le personnalisme d'Emmanuel Mounier : Pierre Schaeffer, Claude Roy, Maurice Blanchot, Jean Vilar, Jean Bazaine. Certains (Max Pol Fouchet, Édouard Pignon) utiliseront l'association comme « couverture » pour leurs activités de résistance.
Les premiers groupes de résistance naissent dès l'été 1940 (comme le mouvement Combat, à Lyon, autour d'Henri Frenay).
Le premier numéro du journal clandestin *Résistance* paraît le 15 décembre. Issu du groupe du musée de l'Homme, il est fondé par Anatole Levitsky, Léon Maurice Nordmann et Boris Vildé. Claude Aveline, Jean Blanzat, Jean Cassou, Jean Paulhan, Paul Rivet y collaborent. Aragon, Char, Desnos et Eluard entrent également dans la Résistance.

Grande-Bretagne

Devenu Premier ministre en mai, Churchill porte la guerre hors de Grande-Bretagne, vers la Méditerranée et l'Afrique du Nord (bombardement de Mers el-Kébir). Les chefs d'État ou de gouvernement des pays occupés trouvent refuge à Londres. Hitler veut forcer l'Angleterre à céder en coupant ses approvisionnements maritimes et en organisant des raids de terreur contre les villes (bombardement de Coventry en novembre).
Graham Sutherland intègre le WAAC (War Artists' Advisory Committee) en qualité d'« artiste de guerre ». Il produit près de 500 œuvres entre 1940 et 1944 : usines d'armement, scènes du Blitz.
Moore est « artiste de guerre » jusqu'en 1942. Il dessine entre 1940 et 1942 les scènes du métro londonien transformé en abri pendant le Blitz (série des *Shelters Drawings*).
Le WAAC commande à Stanley Spencer une série de peintures monumentales sur la construction de navires sur la Clyde, dans le cadre de la propagande.
La première exposition du WAAC a lieu en juillet, à la National Gallery de Londres, avec succès.
Les réfugiés allemands sont internés dans des camps. Celui de Hutchinson, sur l'île de Man, regroupe Kurt Schwitters, Fred Uhlman, Ludwig Meidner.
Depuis Londres, Mondrian et Stanley William Hayter partent aux États-Unis.

Italie

Le 10 juin, l'Italie déclare la guerre à la France et à la Grande-Bretagne. Elle attaque l'Égypte en septembre et la Grèce en octobre.
En février, la création du Bureau pour l'Art contemporain, dépendant du ministère de l'Éducation nationale, vise à établir un lien plus étroit entre État et artistes.
Parution le 1er mars du premier numéro de *Primato,* revue culturelle dirigée par Bottai et ouverte aux courants non-conformistes, dont les collaborateurs sont Maccari, Guttuso et Pavolini.
Mussolini a lui-même fixé le thème de la deuxième édition du « Premio Cremona » : « La bataille du blé ». En septembre, l'exposition est présentée à la Kunstlerhaus de Hanovre.
Le second « Premio Bergamo » (sept.-nov.) a pour sujet « Deux ou plusieurs figures humaines, liées ensemble par un seul thème de composition ». Le jury donne le troisième prix à Guttuso pour *Fuga dall'Etna* (1938-39), une œuvre qui exprime la panique et la révolte.
Le 2 novembre, *Il Corriere Padano* publie le « Manifeste futuriste de la nouvelle esthétique de la guerre » et, le 4 décembre, *Il Giornale d'Italia* fait paraître le « Manifeste futuriste de l'aéro-peinture des bombardements », de Marinetti.

Japon

Le ministère de l'Armée envoie en avril les « Peintres de guerre » (dont Tsuguharu Fujita et Shigeo Miyata) au front pour réaliser des peintures-reportages. Contrainte par le pouvoir militaire qui contrôle l'usage du mot « libre », l'Association des artistes libres de Kaoru Yamaguchi, Saburo Hasegawa et Rokuro Yahashi se transforme en Association de la création artistique.

Mexique

Le 24 mai, Siqueiros dirige un assaut contre la maison de Trotski à Coyoacán pour s'emparer de ses archives et démontrer sa supposée collaboration avec les puissances ennemies de l'URSS. Siqueiros est arrêté et exilé. Pablo Neruda, alors consul du Chili au Mexique, l'aide à obtenir un visa pour le Chili.
Trotski est assassiné le 20 août par un agent de Staline, Ramón Mercader.
Après cet attentat, Rivera publie, dans *Esquire,* « Stalin, empresario de pompas funebres de la revolución » [Staline, fossoyeur de la Révolution].

Pays-Bas

La vie culturelle est régie par la Kultuurkamer, inspirée du modèle allemand, qui décide des expositions et distribue les fournitures pour les artistes.
Les unions artistiques (De Onafhanelijken et Arti et Amicitiae à Amsterdam ; Pulchri à La Haye) y adhèrent. Seul le Nederlandsche Kring van Beeldhouwers [le cercle de sculpteurs néerlandais] refuse de divulguer les noms de ses membres juifs. Henryk Werkman entre dans la Résistance, et crée la maison d'édition De Blaue Schuit [Le Bateau bleu]. Arrêté par la Gestapo, il est fusillé à Groningen le 10 avril 1945.

Pologne

En avril et octobre, création des ghettos juifs de Lodz et Varsovie.
Strzeminski réalise la série de dessins *Déportations* sur ce thème.
Dès octobre 1939, le pillage des richesses artistiques est systématique. Plusieurs centaines d'œuvres saisies sont stockées en attendant de rejoindre le futur musée de Linz.

Roumanie

En septembre, le général Antonescu prend le pouvoir (jusqu'en 1944) et installe un gouvernement pronazi auquel participe la Garde de fer (jusqu'en 1941). La Roumanie devient un État-satellite de l'Allemagne.

URSS

En mars, signature du traité de paix soviéto-finlandais : l'URSS annexe la Carélie (avec Vyborg).
À partir de juin 1940, à la suite de l'accord secret avec l'Allemagne, les États baltes (Lituanie, Lettonie, Estonie) sont occupés par l'Armée rouge puis incorporés en août à l'URSS.

Match, 21 mars 1940.
Scène d'exécution à Varsovie.
Collection particulière, Paris.
Photo © Centre Georges Pompidou.

SCENE D'EXECUTIONS
PAR LES AUTORITÉS ALLEMANDES EN PLEIN CENTRE DE VARSOVIE

Allemagne

Au début de 1941, l'Allemagne semble invincible. Elle a annexé le Luxembourg, l'Alsace et la Lorraine, ses troupes occupent la Bohême, la Pologne, la Belgique, les Pays-Bas, le Danemark, la Norvège et une moitié de la France. Elle a créé une ceinture d'États-satellites (Slovaquie, Hongrie, Bulgarie, Roumanie) dont les gouvernements s'inspirent du modèle nazi.
Pour épauler son allié italien, incapable de vaincre la résistance de l'Angleterre en Afrique du Nord et celle de l'armée grecque, elle intervient en mars en Cyrénaïque, envahit la Yougoslavie (6 avr.) et la Grèce (24 avr.). Soutenue par les nazis, la Croatie proclame son indépendance.
Le 22 juin, l'Allemagne attaque l'URSS : c'est l'opération « Barbarossa » pour laquelle Hitler a mobilisé 70 % de son potentiel militaire afin d'obtenir une victoire rapide.

Belgique

Constant Permeke refuse de participer à l'exposition itinérante « Flämische Kunst der Gegenwart » qui fait le tour de l'Allemagne. Son exposition à la galerie Breughel à Bruxelles est fermée par les autorités allemandes. Le *Brüsseler Zeitung* publie alors un article intitulé « Entartete Kunst in Belgien » [Art dégénéré en Belgique].
Le 14 mai, une exposition de photographies de Raoul Ubac dans la galerie bruxelloise Dietrich, première manifestation surréaliste depuis le début de l'Occupation, est aussi fermée par les Allemands.

États-Unis

Roosevelt souhaite aider la Grande-Bretagne dans sa lutte contre l'Allemagne, mais doit compter avec une opinion publique isolationniste. Il fait adopter en mars la loi de « Prêt-Bail », qui autorise le gouvernement à soutenir les États étrangers dont la protection « offre un intérêt vital pour la sécurité des États-Unis ».
Le 22 mai, l'exposition « Britain at War » est inaugurée à New York, au Museum of Modern Art. Elle comprend des tableaux de guerre de Paul Nash, Henry Moore, Graham Sutherland, Edward Ardizzone, Felix Topolski. Monroe Wheeler écrit dans le catalogue : « Personne ne peut plus prétendre que les questions politiques internationales et les conflits armés ne sont pas du ressort de l'artiste. »
Le 7 décembre, les Japonais lancent une attaque surprise contre la base américaine de Pearl Harbor. Les États-Unis déclarent la guerre au Japon, à l'Allemagne et à l'Italie le 11 décembre.

France

Le premier attentat contre un militaire allemand à Paris a lieu le 21 août. Perpétré par un communiste (le futur colonel Fabien), il déclenche une répression basée sur le système des otages et le développement de « cours de justice » spécialisées dans la répression des « terroristes ». Le 22 octobre, à la suite de l'assassinat du commandant allemand de Nantes, près de cent otages sont exécutés à Châteaubriant, Nantes et Bordeaux.
Un nouveau statut des Juifs est instauré en zone Sud en juin, élargissant la liste des emplois interdits et étendant l'« aryanisation » des biens juifs à l'ensemble de la France. En zone Nord, les autorités françaises et allemandes multiplient les rafles. Les galeries d'art, propriétés de Juifs, doivent fermer ou se soumettre à la gérance d'un « aryen ». En février, le film de propagande antisémite *Le Juif Süss* est projeté dans les cinémas parisiens. En septembre, l'exposition « Le Juif et la France » attire 100 000 visiteurs au palais Berlitz à Paris.
Du 19 mars au 3 avril, le musée Galliera présente une exposition intitulée « Le sport dans l'art ». Un article de Jean Giraudoux (« L'Art et le sport », *Comœdia,* 5 juil.) tente le même rapprochement : « Les peuples qui ont le pourcentage le plus considérable de revues d'art sont ceux qui comptent le pourcentage le plus fort de gymnastes : l'Allemagne et la Finlande... »
Le 24 mars, après un séjour à la villa Air-Bel de Marseille avec d'autres artistes en attente d'un visa, André Breton, André Masson, Wifredo Lam, Victor Serge et Claude Levi-Strauss embarquent pour les États-Unis. Benjamin Péret gagne le Mexique où il retrouve Wolfgang Paalen. Max Ernst quitte la France par la frontière espagnole en juin. Lipchitz et Chagall arrivent à New York.

Exposition « Le Juif et la France », Paris, palais Berlitz, septembre 1941. Photo © Collection Viollet.

Despiau, Friesz, Dunoyer de Segonzac, Vlaminck, Van Dongen et Derain à la gare de l'Est, partant pour l'Allemagne, à l'invitation de Abetz et Breker, en octobre 1941. Photo © Lapi-Viollet.

Le premier numéro de la revue de l'institut allemand *Deutschland-Frankreich* est publié le 18 avril, avec des textes de Otto Abetz, Friedrich Sieburg, Stewart Chamberlain, Ernst Jünger, Robert Brasillach...
En mai paraît le premier numéro de *La Main à plume*. Dirigée par Noël Arnaud, Jean-François Chabrun, Marc Patin, la revue témoigne de l'activité surréaliste en France. Le 10 mai, à la galerie Braun, vernissage de l'exposition « Vingt jeunes peintres de tradition française ». L'exposition préparée par Bazaine, sur l'initiative du mouvement Jeune France, est qualifiée d'art « zazou » par la presse.
Le 1er décembre, dans *La Nouvelle Revue Française* (*NRF*, n° 334), Jean Bazaine publie « Masques corporatifs » où il dénonce la tentative d'embrigadement des artistes dans un futur « ordre national des Arts graphiques et plastiques ».
Création du Front national des arts, branche artistique du Front national qui regroupe les organisations de résistance liées au PCF. Fougeron, Goerg et Pignon en sont les principaux animateurs. Joseph Billiet fonde avec François Desnoyer, Édouard Goerg, André Fougeron, Pierre Montagnac et Charles Walch le périodique *L'Art français*.
En novembre, Boris Taslitzky, peintre et résistant, est arrêté et déporté en 1944 à Buchenwald, où il réalise un ensemble de dessins sur le camp. En octobre, les Allemands organisent le voyage en Allemagne à des fins de propagande de Paul Belmondo, Henri Bouchard, André Derain, Charles Despiau, Kees van Dongen, André Dunoyer de Segonzac, Othon Friesz, Paul Landowski, Raymond Legueult, Roland Oudot, Maurice de Vlaminck, Louis Lejeune.

Grande-Bretagne

Lynn Chadwick, William Turnbull, Clarke et Langdon sont pilotes dans l'aéronavale.
Cette expérience des jeunes artistes britanniques aura

des conséquences sur leurs œuvres. Ils ne veulent plus « créer » mais « construire ». Les premières œuvres de Chadwick de l'après-guerre sont des constructions suspendues, des mobiles qui seront suivis par des constructions métalliques stables, « sculptures en équilibre » baptisées par Herbert Read la « géométrie de la peur ».
Lee Miller, photographe de guerre pour *Vogue*, publie *Grim Glory, Pictures of Britain under Fire* [Sinistre Gloire, Images de l'Angleterre sous le feu].

Italie

Choisi par Mussolini, le thème du troisième « Premio Cremona », est « la Jeunesse italienne du Licteur ». Un représentant de Goebbels est chargé de faire de l'exposition une manifestation artistique de l'Axe.
En septembre-octobre, le thème du concours du troisième « Premio Bergamo » est libre. Large participation des artistes de Corrente.

Japon

Dans une stratégie de conquête de l'Asie du Sud-Est, les Japonais entreprennent la conquête de l'Indochine française (oct. 1940) et des Philippines (déc. 1941).
En octobre, le général Hideki Tojo est chef du gouvernement.
Le 7 décembre, le Japon attaque la base américaine de Pearl Harbor et déclare la guerre aux États-Unis et à la Grande-Bretagne.
En mars, les artistes surréalistes Shuzo Takiguchi et Ichiro Fukuzawa sont arrêtés. Avec la mobilisation générale, les artistes, dont Tsuguharu Fujita, doivent exécuter des œuvres sur les opérations militaires. Un article de Shunsuke Matsumoto, publié dans la revue *Mizue,* critique le contrôle exercé sur la culture par le pouvoir militaire ; le ministère de l'Intérieur suspend toutes les revues d'art.

Mexique

De nombreux Européens, dont beaucoup d'Espagnols, s'installent à Mexico pendant la guerre ; parmi eux : Wolfgan Paalen (arrivé en 1939), Benjamin Péret, Pierre Mabille, Leonora Carrington (arrivée en 1940).

Pologne

Des ghettos sont créés à Cracovie (mars), Lublin (avr.) et Lvov (oct.). À la fin de 1941, tous les Juifs du gouvernement général de Pologne sont internés.

Tchécoslovaquie

Le 24 novembre, ouverture du ghetto de Terezín. Lieu de détention des Juifs de Tchécoslovaquie, puis de Juifs allemands, autrichiens, polonais, hollandais, danois, Terezín est conçu par les nazis comme un camp « modèle » destiné à être présenté aux organisations internationales. Des intellectuels et des artistes y sont regroupés. Fritz Taussig (dit « Fritta »), Karel Fleischmann, Franz Peter Kien, Leo Haas, Otto Ungar, Ferdinand Bloch, Leo Heilbrunn, Norbert Troller réalisent des œuvres témoignant de la vie dans le camp, qui, de 1941 à 1945, reçoit 140 000 prisonniers.
Publication clandestine à Prague, par les Éditions Surréalistes, de *Sur les aiguilles de nos jours,* textes de Heisler, illustrés par des photographies de Styrsky.

URSS

Le 22 juin, l'Allemagne envahit l'URSS. Désorganisée par les purges staliniennes, l'Armée rouge recule. En juillet, l'armée allemande atteint Smolensk ; Kiev tombe en septembre, Odessa en octobre. Le front se stabilise devant Moscou et Leningrad, dont le siège durera neuf cents jours. Au cours des opérations de l'été et de l'automne 1941, les « Einsatzgruppen » [groupes d'action spéciale] sont chargés de liquider les Juifs et les commissaires politiques soviétiques. Les massacres sont massifs (massacre de Babi-Yar 29-30 sept.).
En décembre, le décret « Nacht und Nebel » donne toute latitude aux SS pour exercer la terreur contre les civils.
Le 5 décembre débute la contre-offensive de l'Armée rouge qui rejette la Wehrmacht à une centaine de kilomètres de Moscou en avril 42.
En juin, V. Lebedev-Koumatch compose *La Guerre sacrée,* qui devient l'hymne du peuple soviétique pendant les quatre ans de guerre. L'affiche d'Irakli Toïdze, *La mère-patrie appelle* (1941), est une des plus fortes expressions de l'état d'esprit de la guerre. Les poètes D. Bedni, S. Marchak, V. Lebedev-Koumatch, les caricaturistes du groupe Koukrynitsky, le peintre Klimente Redko créent *Les Fenêtres de la TASS* [Agence télégraphique de l'Union soviétique] et publient des affiches sur l'actualité. Pavel Filonov meurt le 3 décembre à Leningrad. Dans la ville assiégée, Chostakovitch compose sa 7e Symphonie, dite « Leningradskaïa », dont la première interprétation a lieu en août 1942.

Yougoslavie

La résistance commence en mai et juin, sous la conduite du Parti communiste yougoslave. En septembre, Tito installe son quartier général à Uzice, dans le sud-ouest de la Serbie. Un atelier artistique y est animé par Dragoljub Vuksanovic, Pivo Karamatijevic, Bora Baruh.

Allemagne

Le 20 janvier, la conférence de Wannsee met au point les modalités de la « solution finale du problème juif en Europe » : elles prévoient la déportation à l'est et l'élimination de onze millions de personnes. La répression s'abat sur les rares résistants à l'hitlérisme. De février à mai, les organisations clandestines sont démantelées et leurs membres exécutés.

Belgique

Fernand Dumont et Louis van de Spiegele, membres du groupe surréaliste du Hainaut et résistants actifs, sont arrêtés et déportés en Allemagne. Fernand Dumont, secrétaire du groupe des antifascistes du Centre, meurt au camp de Bergen-Belsen en mars 1945.

Chine

En mai, Mao Zedong prononce un discours lors de la Conférence sur la littérature et l'art à Yenan (« l'art doit servir le peuple, donc les ouvriers, les paysans, et les soldats »), qui devient la référence culturelle du parti.

États-Unis

En janvier, création de Artists for Victory, rassemblement d'artistes abstraits et figuratifs, et d'organisations politiques radicales afin d'aider l'effort de guerre par un art de propagande. Des organisations gouvernementales comme le War

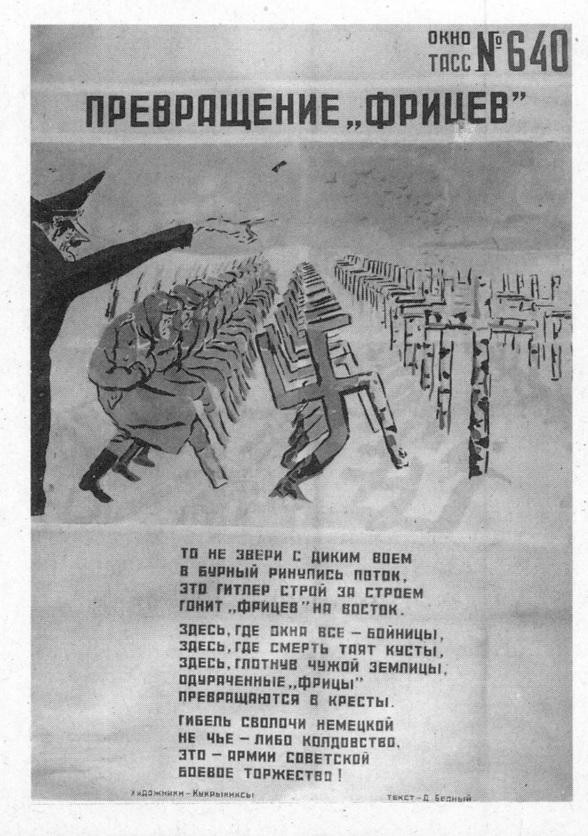

Groupe Koukrynitsky (Kouprianov, Krilov, Sokolov), *La Métamorphose des Fritz,* 1941. Affiche. Musée d'Histoire contemporaine, BDIC, Paris. Photo © Jean-Hugues Berrou.

Exposition « Artists in Exile », galerie Pierre Matisse, New York, mars 1942. Au 1er rang, Matta, Zadkine, Tanguy, Ernst, Chagall, Léger. Au 2e rang, Breton, Mondrian, Masson, Ozenfant, Lipchitz, Tchelitchew, Seligmann, Berman. Photo © MoMa, New York.

Department, l'Office of Facts and Figures et l'Office of War Information leur commandent des œuvres. En août, elle organise un concours d'affiches de propagande pour la guerre (National War Poster Competition) au Museum of Modern Art de New York, et une exposition au Metropolitan Museum of Art (7 déc. 1942-23 févr. 1943). 1418 œuvres sont présentées (John Stuart Curry, Peter Blume, John Atherton, Lyonel Feininger, Marc Tobey et Marsden Hartley). D'autres expositions militantes sont organisées, comme « Road to Victory » (MoMA, 21 mai-4 oct.) : un montage d'agrandissements photographiques représentant le peuple américain, réalisé par Edward Steichen, avec des poèmes et des textes de Carl Sandburg.
Du 3 au 28 mars, la galerie Pierre Matisse de New York présente l'exposition « Artists in Exile » : Berman, Breton, Chagall, Ernst, Léger, Lipchitz, Masson, Matta, Mondrian, Ozenfant, Seligmann, Tanguy, Tchelitchew, Zadkine.
Animateur de radio à « La voix de l'Amérique », Breton publie en juin, avec David Hare, le premier numéro de *V.V.V.* Le 14 octobre, s'ouvre l'exposition « First Papers of Surrealism », à la Whitelaw Reid Mansion, avec des œuvres de Kurt Seligmann, Leonora Carrington, Kay Sage, Esteban Francès...
Ben Shahn exécute des affiches de propagande pour l'Office of War Information, et Thomas Hart Benton commence sa série *The Year of Peril,* huit tableaux sur le fascisme et la guerre, utilisés par le gouvernement américain à des fins de propagande.

France

Après l'éphémère gouvernement de l'amiral Darlan, en 1941, Laval revient au pouvoir le 18 avril. Il accentue la collaboration, la traque des résistants et la déportation des Juifs étrangers (13000 personnes arrêtées lors de la « rafle du Vél'd'Hiv' » les 16 et 17 juil.). Le STO (Service du travail obligatoire) expédie vers l'Allemagne des travailleurs âgés de 21 à 35 ans. Cette politique donne une nouvelle impulsion aux mouvements de résistance que Jean Moulin s'efforce d'unifier sous l'autorité du général de Gaulle.

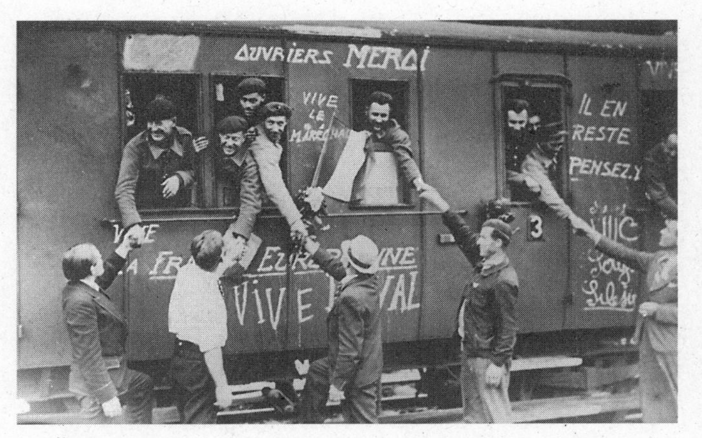

La relève des prisonniers français par les ouvriers partant pour l'Allemagne, le 24 septembre 1942. Musée d'Histoire contemporaine, BDIC, Paris. Photo © Centre Georges Pompidou.

La presse clandestine est réprimée : Jacques Decour, fondateur de *La Pensée libre,* une des premières revues de la Résistance, est arrêté en février, fusillé le 30 mai. Le 20 septembre, Jean Paulhan, Claude Morgan et Jacques Debu-Bridel créent *Les Lettres françaises,* émanation du Comité national des écrivains, et dont les 19 premiers numéros seront clandestins (jusqu'au n° 20, 9 sept. 1944). La revue *Les Étoiles* publie des textes de Cassou, Aragon, Eluard, Seghers, Mauriac. Vercors publie *Le Silence de la mer,* aux Éditions de minuit, fondées clandestinement en 1941.
La rétrospective du sculpteur officiel du Reich, Arno Breker, s'ouvre à l'Orangerie des Tuileries le 15 mai, en présence du ministre de l'Éducation, Abel Bonnard, accompagné des artistes ayant participé au voyage en Allemagne de 1941. Le 20, Robert Brasillach prononce l'éloge du sculpteur nazi au Théâtre des Arts Hébertot. Le 23, Jean Cocteau publie « Salut Arno Breker » en première page de *Comœdia*. Maurice de Vlaminck, dans « Opinions libres... sur la peinture » (*Comœdia*, 6 juin), se livre à une violente attaque contre Picasso dont André Lhote prend la défense dans la même revue, le 13 juin. Picasso a achevé *L'Aubade,* souvent considérée comme une allégorie du climat de l'Occupation, le 4 mai.
Des galeries s'efforcent de maintenir une forme de défense du modernisme. La plus active, Jeanne Bucher organise des expositions de Laurens et Kandinsky. À la galerie Friedland (ouverte depuis le 18 janv.), Gruber expose en juin son *Hommage à Jacques Callot*.
Après le débarquement des forces anglo-américaines le 8 novembre en Algérie et au Maroc, les Allemands et les Italiens envahissent la « zone libre » le 11 novembre. La flotte française se saborde en rade de Toulon.

Grande-Bretagne

Publication de *Art and the Industrial Revolution,* par F. D. Klingender et Frederick Antal (historiens d'art marxistes). Klingender est l'un des porte-parole de l'AIA.
En juin, une exposition de groupe au profit de la Russie alliée réunit des œuvres de Henry Moore, Ben Nicholson, Barbara Epworth, des surréalistes, des néoromantiques et d'artistes réfugiés tels que Kurt Schwitters et Jankel Adler. Du 1er juillet au 4 août, Artists Aid Russia regroupe, à la Wallace Collection, des œuvres de Schwitters, Uhlman, Georg Ehrlich, du sculpteur hongrois Laszlo Peri (cofondateur de l'AIA)...
En novembre, l'album *Salvo for Russia,* illustré par Banting, Ithell, Colquhoun et Penrose est édité par Nancy Cunard et John Banting, au profit des femmes et des enfants soviétiques.

Ben Shahn, *We French workers warn you...* [Nous, travailleurs français, vous prévenons...], 1942. Affiche. Musée d'Histoire contemporaine, BDIC, Paris. Photo © Jean-Hugues Berrou.

Italie

Dirigée par Raffaellino De Grada et soutenue par l'industriel et collectionneur Alberto Della Ragione, la Galleria della Spiga e di Corrente ouvre le 28 mars. Elle exposera des œuvres de Birolli, Prampolini, Migneco, Maccari, Cassinari, Morlotti, Treccani, Vedova.
Des artistes de Corrente participent à la quatrième édition du « Premio Bergamo » (sept.-oct.). Le thème est libre et Renato Guttuso reçoit le deuxième prix pour sa *Crocifissione* (1940-1941), qui est attaquée par la critique réactionnaire et l'Église qui interdit l'accès de l'exposition au clergé.
La XXIIIe Biennale de Venise (31 mai-31 oct.) n'accueille que dix pays, neutres ou alliés

de l'Axe. Les concours portent sur des thèmes guerriers.
Le 28 juillet, Marinetti est volontaire pour le front russe dont il revient en novembre.

Japon

Les Japonais prennent Manille en janvier, Singapour en février, Java et la Birmanie entre mars et mai. Une escadre américaine stoppe leur progression lors de la « bataille de la mer de Corail », qui sauve l'Australie.
En avril, les Américains lancent le premier raid aérien sur Tokyo. Juin voit une nouvelle défaite des Japonais lors de la bataille des îles Midway. Le 7 août, le débarquement américain à Guadalcanal marque le début de la reconquête du Pacifique.
En décembre, le journal *Asahi* organise, au musée de la Ville de Tokyo, la première exposition « Daitoa Senso Bijutsu » [L'Art de guerre de la Grande Asie orientale].

Exposition Arno Breker à l'Orangerie des Tuileries, mai 1942. Photo © Lapi-Viollet.

Pays-Bas

En mars les artistes ont l'obligation de s'inscrire à la Kultuurkamer.
Ils réagissent en publiant en mai la revue illégale *De Vrije Kunstenaar* [L'Artiste libre] qui appelle à la résistance. Une autre association, le Centraal bestuurde kunstenaarssteun [le support central d'artistes], issue du Kunstenaarscentrum, aide clandestinement les artistes réfractaires.

Pologne

Les premières exterminations de masse des déportés sont expérimentées en Pologne. Les camps sont intallés dans tout le pays (Belzec, Sobibor, Treblinka, Majdanek). En 1942, Auschwitz est le principal centre d'extermination des Juifs d'Europe. Du 22 juillet au 13 septembre, les trois quarts des Juifs du ghetto de Varsovie sont déportés à Treblinka. De 1942 à 1944, les peintres Felix Nussbaum, Charlotte Salomon, Otto Freundlich, Julo Levin disparaissent à Auschwitz ou Majdanek.

Tchécoslovaquie

À l'initiative de Chalupecky, Gross, Hudecek, Zivr, et le photographe Hak fondent le Groupe 42. Surtout inspirés par la métropole, certains de ses membres (Hudecek, Gross et Hak) rendent compte des atrocités de la guerre.

URSS

L'URSS subit une série de revers : en juillet, Sebastopol et Rostov sont prises par la Werhmacht, qui lance une grande offensive le 13 septembre sur Stalingrad. En novembre, la contre-offensive de l'Armée rouge aboutit à l'encerclement des armées allemandes et à leur capitulation le 2 février 1943.
Deïneka, frappé par une photographie montrant la ville de Sébastopol en ruine, peint *La Défense de Sébastopol*.
Pour stimuler le patriotisme de la population, les artistes cherchent l'inspiration dans le passé héroïque de la Russie. Ainsi, Pavel Korin peint un triptyque consacré à *Alexandre Nevski*.

Yougoslavie

Tito lève une armée de partisans pour lutter contre l'occupant allemand.

Allemagne

Le rapport des forces matérielles bascule en faveur des Alliés et au détriment de l'Allemagne, qui connaît les premières vagues de bombardements massifs.
Au cours de l'un d'eux, effectué sur Hanovre, le *Merzbau,* de Schwitters est détruit.

Belgique

Du 10 au 17 juillet, l'exposition clandestine de Magritte, à la galerie Lou Cosyn de Bruxelles, montre pour la première fois la série *Surréalisme en plein soleil,* dans laquelle il applique les techniques impressionnistes.

Danemark

En août, de violentes manifestations contre la loi martiale et l'interdiction des grèves amènent les Allemands à désarmer les soldats danois et à accentuer la répression contre la Résistance. Menacé, le peintre Wilhelm Freddie se réfugie en Suède.

États-Unis

L'exposition « American Modern Artists », organisée en janvier au Riverside Museum à New York (Lee Krasner, Mark Rothko, Adolf Gottlieb, Milton Avery), se veut une critique de l'académisme social réaliste soutenu par le Metropolitan dans son exposition « Artists for Victory ».
Gottlieb, Newman et Rothko, responsables du comité culturel de la FMPS (Federation of Modern Painters and Sculptors), publient « Globalism Pops into View » [Le Globalisme perce] dans le *New York Times* du 13 juin, manifeste qui définit ce que doit être la peinture américaine : une peinture qui rejette tout académisme, et affirme l'importance de l'individualité du peintre.
Fidèles à une vision réaliste, Philip Evergood peint *Boy from Stalingrad,* sur la bataille de Stalingrad et Ben Shahn, *Italian Burial Society* et *Italian Landscape,* sur le deuil causé par la guerre.
Isamu Noguchi, interné en Arizona en 1942 dans un camp pour citoyens américains d'origine japonaise, réalise *Monument to Heroes,* à partir d'un cylindre en papier noir, évidé et transpercé par des os.

France

Le gouvernement de Vichy, qui a perdu la « zone libre », sa flotte et son empire colonial, est totalement dépendant des Allemands. Les Alliés rompent leurs relations diplomatiques avec Vichy et, en août, reconnaissent le Comité français de libération nationale présidé par de Gaulle.
En janvier, les Allemands obtiennent l'envoi de 250 000 travailleurs supplémentaires au STO.
Le 30 janvier, Joseph Darnand crée la Milice française, qui lutte contre les maquis.
Le 27 mai, à Paris, a lieu la première réunion secrète du Conseil national de la Résistance (CNR), présidé par Jean Moulin. Le CNR élabore un programme commun aux syndicats, partis et mouvements clandestins, et constitue des Comités départementaux de libération. La direction politique de la Résistance unifiée est confiée au général de Gaulle.
Le 30 janvier, *Comœdia* publie « Peinture bleu, blanc, rouge », un texte de Bazaine qui exalte les couleurs du drapeau national.
En février, l'exposition « Douze peintres d'aujourd'hui », à la galerie de France, associe Bazaine, Estève, Borès, Chauvin, Fougeron, Gischia, Lapicque, Le Moal, Manessier, Pignon, Singier, Villon, conciliant traditions nationales et art moderne.
Selon Rose Valland (attachée du musée du Jeu de paume, où elle comptabilise secrètement les œuvres volées par les nazis), les autorités d'Occupation organisent le 27 mai un autodafé d'œuvres d'« art dégénéré » aux Tuileries. Des œuvres de Masson, Miró,

Max Jacob
à l'étoile jaune, 1943.
Photo © musée des Beaux-Arts, Orléans.

Klee, Ernst, Léger, Picasso sont détruites.
Du 11 juin au 12 juillet, au salon des Tuileries, Fougeron expose *Rue de Paris 43,* critique non déguisée de la misère durant l'Occupation.
Durant l'été, Charles Dullin crée *Les Mouches,* de Sartre, au théâtre de la Cité, lue comme un défi lancé à la tyrannie, un appel à la révolte.
Du 9 septembre au 5 octobre, insurrection en Corse, aidée par le débarquement des troupes françaises libres qui contrôlent l'île le 13 septembre.
Le 29 octobre, dans *Je suis partout,* Lucien Rebatet dénonce les activités picturales des Jeunes Peintres de tradition française dans un article intitulé « Révolutionnaires d'arrière-garde ».

Grande-Bretagne

Des expositions antinazies sont organisées à Londres par des artistes exilés : en janvier, « The War as Seen by Children » est inaugurée par un discours de Kokoschka.
En février, le FDKB et le Jewish Cultural Club montrent « Allies inside Germany » à la Whitechapel Art gallery à Londres.

Italie

Les Alliés débarquent en Sicile (9-10 juil.). Le 24 juillet, Dino Grandi lit devant le Grand Conseil fasciste une motion demandant le « rétablissement immédiat de toutes les fonctions de l'État ».
Le 25, la motion est approuvée, Mussolini démissionne puis est arrêté, et le maréchal Badoglio prend le pouvoir. Le parti fasciste, la Milice et le Grand Conseil sont dissous.
Mino Maccari, précédemment proche du régime et directeur de la revue *Il Selvaggio* (1926-juin 1943), ouvre le 11 août, dans son atelier de Cinquale, l'exposition antifasciste « Dux ».
Le 3 septembre, Badoglio signe l'armistice avec les Alliés. Les Allemands réagissent en occupant le nord et le centre de l'Italie.
Le 12 septembre, ils libèrent Mussolini qui s'installe à Salò, sur le lac de Garde, où il fonde l'éphémère République sociale italienne.
La résistance s'organise. Plusieurs artistes y participent, comme Birolli, Guttuso, Leoncillo, Levi, Novelli, Pizzinato, Treccani, Sassu, Turcato, Vedova. Guttuso réalise un ensemble de dessins sur l'Occupation, réunis dans l'album *Gott mit Uns.*

Japon

La constitution d'un vaste empire en Asie orientale est l'occasion d'exalter le nationalisme nippon. En mai Taikan Yokoyama fonde la Dai-Nihon Bijutsu Hokoku Kai [Association des beaux-arts du Grand Japon]. Le contrôle sur la vie artistique se renforce : un bureau spécial exerce le monopole sur la distribution des fournitures artistiques. En novembre, les revues artistiques sont toutes supprimées, à l'exception de *Bijutsu* [Beaux-Arts].

Pologne

En avril, la découverte du charnier de Katyn, où sont inhumés les corps de 10 000 officiers polonais assassinés par les Russes en 1939, provoque la rupture entre le gouvernement polonais en exil à Londres et Moscou. L'insurrection du ghetto de Varsovie (19 avr.-8 mai) se termine par la destruction du ghetto, la mort de 7 000 Juifs et la déportation de tous les survivants.

Tchécoslovaquie

Durant l'occupation allemande, le surréalisme tchèque s'imprègne du climat de terreur dominant. Des visions tragiques, scènes de cauchemar et d'angoisse s'imposent aux artistes. Les œuvres ultimes de Styrsky (mort en 1942), de Janousek (mort en 1943), et les cycles de peintures ou dessins de Toyen et Muzika *(Le Paradis bohémien),* évoquent la mort et la ruine.
De Nice, où il s'est installé, Sima peint des scènes mythologiques, allégories de la situation de

Destruction du ghetto de Varsovie, 1943. Photo © Keystone.

l'artiste en temps de guerre *(Le Désespoir d'Orphée),* ou de l'espérance d'une résurrection *(Les Hommes de Deucalion).*
Le massacre de la population de Lidice par les nazis le 10 juin, en représailles à l'assassinat du chef nazi Heydrich, inspire à Vaclav Tikal son tableau *Lidice* (1944).

URSS

Le général allemand von Paulus, encerclé par les troupes de Joukov, se rend le 2 février.
La fin de la bataille de Stalingrad marque la première grande défaite allemande. Au printemps, l'Armée rouge reprend l'initiative, et reconquiert le Donetz, l'Ukraine et la Biélorussie.

Yougoslavie

En novembre, à Jajce, la seconde session du Conseil antifasciste de libération nationale de Yougoslavie constitue un gouvernement provisoire de partisans. Les artistes Pivo Karamatijevic, Vojo Dimitrijevic, Ismet Mujazinovic, Djuro Tiljak, Marijan Detoni, travaillent pour le bureau de propagande.

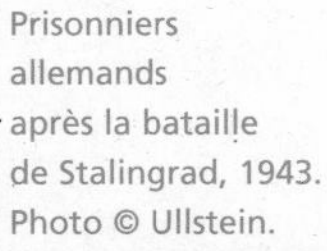

Prisonniers allemands après la bataille de Stalingrad, 1943. Photo © Ullstein.

1944

Allemagne

À partir de mai, l'Allemagne subit les bombardements massifs de l'aviation alliée. En quelques mois, le pays est en ruines, mais parvient à maintenir sa production militaire grâce aux usines souterraines. Les œuvres d'art volées dans les pays européens sont mises à l'abri, en Autriche. Le 20 juillet, une tentative de coup d'État contre Hitler échoue et les conjurés sont exécutés. Durant l'été, les arrestations se multiplient au sein des groupes de résistance. À l'automne, toute la population est mobilisée : les femmes envoyées dans les usines, et les garçons de 16 à 20 ans enrôlés dans le Volkssturm.

Débarquement en Normandie (photographie d'août 1944). Musée d'Histoire contemporaine, BDIC, Paris. Photo © Centre Georges Pompidou.

Picasso, Eluard et Dora Maar, lors de la manifestation au cimetière du Père-Lachaise, à la mémoire des victimes du nazisme, le 16 octobre 1944. Photo © Lapi-Viollet.

France

Durant l'hiver 1943-1944, les maquis se renforcent. Ils sont traqués et parfois anéantis (ceux des Glières en mai et du Vercors en juillet) par les Allemands et la Milice de Vichy.
La résistance des artistes se manifeste en avril par la publication de l'album *Vaincre* (qui rassemble Aujame, Fougeron, Goerg, Ladureau, Montagnac, Pignon, Saint-André Taslitzky), vendu au profit du mouvement des Francs-Tireurs et Partisans Français, proche du PCF.
Les Alliés débarquent en Normandie le 6 juin. Le 10, en représailles contre les actions de la Résistance, la population d'Oradour-sur-Glane est massacrée par les SS de la division Das Reich.
Le 15 août, le débarquement allié en Provence aboutit à la libération de Grenoble, Toulon, Marseille et Lyon.
Du 19 au 25 août, l'insurrection de Paris, déclenchée par le Comité parisien de libération, reçoit l'aide de la 2e D.B. du général Leclerc.
Le Comité directeur du Front national des arts, réuni à Paris le 3 octobre, réclame l'arrestation d'artistes et de critiques d'art collaborateurs : Paul Belmondo, Henry Bouchard, Othon Friesz, Paul Landowski, Jacques Beltrand, Jean-Marc Campagne, Camille Mauclair.
Picasso adhère au PCF (4 oct.) et s'en explique dans un entretien à la revue américaine *New Masses*, repris dans *L'Humanité* : « Mon adhésion au parti communiste est la suite logique de toute ma vie, de toute mon œuvre… comment aurais-je pu hésiter ? la peur de m'engager ? mais je me suis senti plus libre au contraire, plus complet. »
Au Salon d'automne de la Libération (6 oct.-5 nov.), Picasso expose 74 toiles qui déclenchent un scandale et Bazaine présente *La Messe de l'homme armé*, peint en juillet 1944 au moment du débarquement allié en Normandie.

Affiche de propagande allemande, Des Libérateurs ?… (dite « L'Affiche rouge »), 1944. Musée d'Histoire contemporaine, BDIC, Paris, Photo © Jean-Hugues Berrou.

La police garde les tableaux de Picasso au Salon d'automne, en octobre 1944. Photo © AFP.

Grande-Bretagne

Du 12 juin au 6 septembre, Londres est bombardée par 7 500 « V1 », bombes volantes allemandes qui causent d'énormes dégâts.
Le WAAC (War Artists' Advisory Committee) commande à Sutherland *Agony in the Garden*, pour l'église St Matthew à Northampton. Pourtant on lui préfère *Crucifixion*, inspirée par les photographies des camps de concentration.

Grèce

Ayant obtenu de Staline, lors de la conférence de Moscou, la reconnaissance des intérêts anglais en Grèce, Churchill fait débarquer le 14 octobre ses troupes à Athènes, pour empêcher la prise du pouvoir par l'EAM [Front national de libération (communiste)] et permettre le retour du gouvernement Papandréou en exil à Londres. Les 3 et 4 décembre, la grève insurrectionnelle déclenchée par les partisans de l'EAM marque le début de la guerre civile, qui se prolonge jusqu'en 1949.

Italie

En janvier, le peintre Aldo Carpi est dénoncé pour antifascisme, et déporté à Mauthausen, puis à Gusen, où il réalise en 1945 des dessins témoignant de la vie quotidienne des camps. Zoran Music est arrêté à Venise, accusé de collaborer avec les groupes antiallemands de Trieste. Déporté à Dachau, ses dessins rendent compte des derniers mois du camp, libéré au mois d'avril 1945 par les Américains.
Les Alliés libèrent l'Italie centrale (Rome le 4 juin, Florence le 4 août). Des grèves éclatent dans les usines du Nord. Le 21 avril, le gouvernement Badoglio s'ouvre aux antifascistes. Le 6 juin, il est remplacé par une coalition, regroupant communistes et socialistes.
Du 23 août au 5 décembre, à Rome, à la Galleria di Roma, exposition « L'Arte contro la barbarie. Artisti romani contro l'oppressione nazifascista », organisée par l'Unità, organe du PCI (œuvres de Cagli, Guttuso, Leoncillo, Mafai, Mazzacurati, Mirko, Purificato).

Japon

Les États-Unis entreprennent la reconquête progressive du Pacifique, dont les îles servent de bases pour le bombardement des villes japonaises. Au Japon même, tous les salons artistiques sont supprimés en juillet, à cause de l'aggravation de la guerre. Fujita peint en octobre *Mort glorieuse sur l'île de Saipan,* qui montre le suicide collectif de soldats nippons menacés par la défaite. Le réalisme accusateur avec lequel il représente la scène lui est reproché par la propagande officielle.

Pologne

En juillet se constitue un Comité national de libération soutenu par les communistes, que le gouvernement polonais en exil refuse de reconnaître. Le 1er août, la population de Varsovie se soulève contre les Allemands. L'insurrection est écrasée par la Wehrmacht sans que l'armée soviétique toute proche n'intervienne. Le 31 décembre, le Comité national polonais se proclame gouvernement provisoire de Pologne. Il rend la Galicie et la Biélorussie à l'URSS et revendique la ligne Oder-Neisse comme frontière avec l'Allemagne.

Roumanie

Le 23 août, insurrection à Bucarest et coup d'État du roi Michel Ier qui arrête le maréchal Antonescu pour former un gouvernement d'Union nationale. Bucarest est libérée par l'Armée rouge le 31 août.

Mc Knight Kauffer, *Yugoslav people led by Tito...* [Le Peuple yougoslave conduit par Tito...], 1944. Affiche. Musée d'Histoire contemporaine, BDIC, Paris. Photo © Jean-Hugues Berrou.

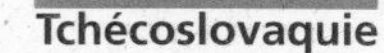

Tchécoslovaquie

Toyen réalise les dessins du cycle *Cache-toi guerre*, fin d'un ensemble commencé en 1937 avec *Les Spectres du désert* sur un texte de Heisler, publié à Prague, par Skira. Toyen y évoque les horreurs de la guerre par des paysages désolés occupés par des objets mystérieux. *Le Grand Requiem,* de Muzika rend hommage à l'écrivain Vancura, victime des représailles consécutives à l'assassinat de Heydrich en 1943.

URSS

Après la fin du blocus de Leningrad, le 27 janvier, l'offensive de printemps de l'Armée rouge refoule la Wehrmacht aux portes des pays baltes. Leningrad, la Biélorussie, la Crimée, l'Ukraine et la Bessarabie sont libérées. D'août à novembre, l'Europe centrale passe sous contrôle soviétique. À Moscou (9 oct.), Churchill accepte la prééminence des Russes sur l'Europe centrale et le nouveau tracé des frontières polonaises proposé par Staline.

Yougoslavie

La Serbie est presque totalement libérée par les partisans de Tito. La Wehrmacht évacue le sud de la Yougoslavie et de la Grèce. Avec l'aide de l'Armée rouge, Belgrade est libéré (20 oct.). Les peintres Zlatko Prica et Edo Murtic illustrent le poème de Ivan Goran Kovacic *Jama* [La Fosse], œuvre capitale de l'art résistant.

Algérie

Des manifestations pour l'indépendance ont lieu du 8 au 12 mai à Sétif et à Guelma. Le mouvement est durement réprimé (environ 6000 morts).

Allemagne

Commencée le 15 janvier, la contre-offensive alliée dans les Ardennes stoppe le dernier sursaut de l'armée allemande, qui ne parvient pas à contenir les deux fronts : à l'est, l'Armée rouge avance, libérant le camp d'Auschwitz, le 27 janvier ; à l'ouest, les troupes alliées franchissent le Rhin le 3 mars, et opèrent leur jonction avec les Soviétiques le 25 avril.
Les bombardements massifs démoralisent la population civile. Du 16 au 21 avril, les Soviétiques assiègent Berlin. Hitler se suicide le 30 avril.
Le 7 mai, l'armée allemande signe sa capitulation à Reims, et le lendemain, à Berlin, devant le maréchal Joukov. Présent lors de la cérémonie, le peintre russe Deïneka fait une série d'aquarelles, *Le Soleil de Berlin.*
À la conférence de Potsdam (17 juil.-7 août), Staline, Truman, Churchill (puis Atlee) mettent au point le partage de l'Allemagne, et fixent la frontière germano-polonaise à la ligne Oder-Neisse.
La « Kammer der Kunstschaffenden » [Chambre des créateurs d'art] est créée le 6 juin à la place des chambres culturelles nazies, et organise la première exposition de l'après-guerre à Berlin (juil.).
Le 18 juin, réouverture à Berlin-Charlottenburg, sous la direction de Karl Hofer, de la « Hochschule für bildende Kunst » (HfbK), [École supérieure des beaux-arts].
Le 25 juin, les autorités d'occupation soviétiques autorisent la constitution de la « Kulturbund zur demokratischen Erneuerung Deutschlands » [Association culturelle pour le renouveau démocratique de l'Allemagne], qui recrute ses membres dans tous les partis.
Le 11 novembre, à Dresde, exposition du groupe Der Ruf [L'Appel] qui accueille d'anciens membres de l'ASSO [Association des artistes plasticiens révolutionnaires d'Allemagne], proche du parti communiste.
Le 20 novembre s'ouvre le procès des criminels de guerre à Nuremberg.

Lee Miller, *Dachau, 30 avril 1945* (détail). Photo © Archives Lee Miller.

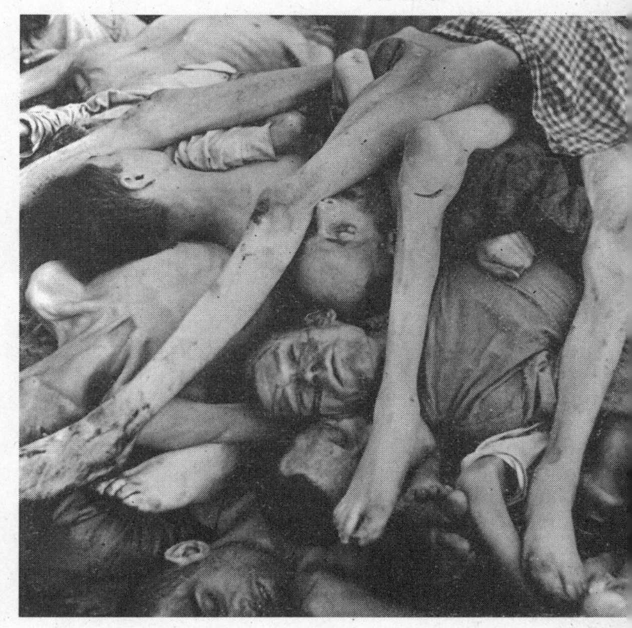

Autriche

Après la libération de Vienne le 13 avril, par l'Armée rouge, les partis politiques se reforment, et un gouvernement provisoire, approuvé par les Russes, proclame le rétablissement de la République.
Le 9 juillet, les puissances alliées divisent le pays en quatre zones d'occupation (russe, française, anglaise et américaine). La liberté de la presse est rétablie le 1er octobre. Le 25 novembre, premières élections du Parlement

Dresde en ruines, après le bombardement du 13 février 1945. Photo © Ullstein.

de la IIe République.
Le 20 décembre, Renner est élu président de la République.
Le 14 septembre, une exposition antifasciste organisée par Victor Th. Slama s'ouvre au Künstlerhaus, sous le titre « Niemals vergessen » [Ne jamais oublier].

Belgique

Le 8 septembre, Christian Dotremont écrit, dans *Le Drapeau rouge*, l'article « Des artistes rejoignent le parti des travailleurs ». Le même mois, ultime adhésion de Magritte au parti communiste qu'il quittera définitivement au bout de dix-huit mois. Après avoir publié dans *Le Drapeau rouge* (20-21 oct.) un « Hommage à James Ensor », critique à l'égard de l'exposition de la galerie bruxelloise Giroux, il est attaqué par Jeanine Demany (*Lanterne*, 31 oct.-1er nov.) et Paul Fierens (« Petit bilan de la résistance artistique. Peintures et sculptures 1940-1944 », *Revue générale belge*), qui rappelle qu'il « put montrer librement ses toiles les plus étrangement surréalistes [durant l'Occupation] ».
Le 15 novembre, au Café parisien de Bruxelles, une réunion présidée par Achille Chavée, avec Magritte, Colinet, Dotremont, Pol Bury discute de l'adoption du matérialisme dialectique et d'une éventuelle adhésion des surréalistes au PCB.
Magritte organise « Surréalisme. Exposition de tableaux, dessins, objets, photos et textes », à Bruxelles, à la galerie des Éditions La Boétie (15 déc.-15 janv. 1946). Dotremont expose, sous le pseudonyme de Witz, un sapin de Noël constellé d'insignes nazis, et Nougé déclare que « les surréalistes se sont ralliés sans réserve au parti communiste ».

Brésil

L'écrivain polonais Miéscio Askanasy organise, à la galerie Askanasy de Rio de Janeiro, une exposition d'artistes victimes du nazisme, comme Lasar Segall (1891-1957) qui figura à l'exposition d'« art dégénéré » de Munich.

Chine

Le 8 août, l'URSS déclare la guerre au Japon et envahit la Mandchourie. Les troupes américaines occupent la Chine du Nord et Pékin. Après la capitulation japonaise en septembre, la propagande de gauche se concentre sur la guerre de Libération. Les artistes quittent Yenan et l'Académie de Lu Xun pour consolider le contrôle communiste ailleurs.

Corée

Le 2 septembre, partage de la Corée en deux zones d'influence, américaine et soviétique.
Les troupes américaines débarquent en Corée-du-Sud (8 sept.). Création d'une Direction des arts plastiques de Choson [nom de la Corée, puis de la seule Corée-du-Nord]. Deux syndicats voient le jour : l'Union de l'art prolétarien de Choson [communiste] et la Société d'art de Choson [non-communiste]. Une exposition a lieu au palais de Toksu, dans le cadre d'un festival lié à la fin de l'Occupation.

Danemark

Le Danemark est libéré le 5 mai par les troupes anglaises et américaines, l'île de Bornholm par les Soviétiques.
À la fin de l'année, le groupe Host [Récolte] organise une exposition à Copenhague. Le catalogue reproduit le manifeste « Den Ny Realisme » [Le Nouveau Réalisme], signé par Else Alfelt, Ejler Bille, Kujahn Blask, Henry Heerup, Egill Jacobsen, Robert Jacobsen, Johannes Jensen, Asger Jorn, Tage Mellerup, Richard Mortensen, Erik Ortvad, Carl-Henning Pedersen, Viggo Rohde et Erik Thommesen.

États-Unis

Le président Roosevelt meurt le 12 avril. Truman le remplace. Il prend la décision de larguer des bombes atomiques sur Hiroshima et Nagasaki.
La Charte de l'ONU est signée à San Francisco par 51 États (26 juin), qui s'engagent à renoncer à l'emploi de la force pour régler leurs différends.
Clement Greenberg devient rédacteur en chef de *Commentary*, une revue anticommuniste liée à l'American Jewish Committee.

France

L'épuration frappe les responsables de Vichy : Pétain est jugé (23 juil.-15 août) devant la Haute Cour de justice. Condamné à mort, sa peine est commuée en détention perpétuelle. Laval est condamné à mort et exécuté le 15 octobre. Le 10 octobre, Joseph Darnand, ancien chef de la Milice, est fusillé.
L'épuration touche les milieux intellectuels : le 30 janvier, Maurras est condamné à la réclusion perpétuelle, Brasillach est fusillé le 6 février.
Après un référendum constitutionnel et des élections à l'Assemblée constituante, de Gaulle est élu chef du Gouvernement provisoire le 13 novembre. Le 21, il forme un gouvernement de coalition, avec cinq ministres communistes.
Aux yeux de nombreux intellectuels, le parti communiste se confond avec la Résistance. Léger y adhère le 19 octobre. Picasso devient un symbole. Sa présence dans Paris occupé, son adhésion au PCF, le placent au devant de la scène artistique. En juin cependant, lors du Xe Congrès du PCF, Garaudy le critique dans un discours intitulé « Le communisme et la renaissance de la culture française ».
Du 26 octobre au 17 novembre, la galerie René Drouin expose les *Otages* de Fautrier. Malraux préface le catalogue : « des figures mortelles qu'un trait simplifié, mais directement dramatique, tente de réduire à leur plus simple expression, et ces couleurs plombées, depuis toujours celles de la mort. [...] Il n'y a plus que des lèvres, qui sont presque des nervures; plus que des yeux qui ne regardent pas. Une hiéroglyphie de la douleur ».
Le 15 décembre paraît le premier numéro d'*Arts de France*, dont les collaborateurs sont d'anciens résistants ou des critiques d'art proches du PCF.

Grande-Bretagne

À la Lefevre Gallery, *Three Studies for Figures at the Base of a Crucifixion*, de Bacon, fait scandale par sa cruauté.

Hongrie

Le 13 février, l'Armée rouge s'empare de Budapest. Le 15 novembre, Zoltan Tildy devient chef du gouvernement. Le 6 décembre, l'Assemblée nationale adopte le projet de nationalisation des usines, présenté par le parti communiste.

Italie

Arrêté le 27 avril par des partisans, Mussolini est exécuté le 28 avril. Les Allemands capitulent le 2 mai.
Corrado Cagli, volontaire dans l'armée américaine, participe au débarquement en Normandie et

Robert Capa, « Victorious Yank » [Yankee victorieux], *Life*, 14 mai 1945. Musée d'Histoire contemporaine, BDIC, Paris. © Photo Planchet, Centre Georges Pompidou.

à la libération de camps de concentration qui lui inspire la série des dessins *Buchenwald*.
Retour d'exil de Lionello Venturi, un des rares universitaires à avoir refusé de prêter serment au régime fasciste en 1931.
Des nouvelles revues culturelles réclament l'intervention des intellectuels dans la vie sociale : *Il Ponte* (Florence, dirigée par Piero Calamandrei) et *Il Politecnico* (Milan, dirigée par Elio Vittorini).
À la fin de l'année se constitue le Gruppo arte sociale (Dorazio, Guerrini, Perilli, Vespignani...), qui aspire à un renouvellement social et culturel.

Japon

En mars, les raids se multiplient sur le Japon. Tokyo est particulièrement visée par les bombardements massifs.
En juillet, après la capitulation de l'Allemagne, les Américains demandent une reddition sans conditions que les Japonais refusent. En août, les bombes atomiques sont lancées sur Hiroshima (le 6), et Nagasaki (le 9). Le 15 août, l'empereur Hirohito annonce la capitulation à la radio. Le général MacArthur prend le commandement des forces d'occupation. L'acte de capitulation est signé officiellement le 2 septembre.
En octobre, MacArthur dissout la Dai-Nihon Bijutsu Hokoku Kai [Association des beaux-arts du Grand Japon].

Mexique

Rivera assiste à l'ouverture de la conférence interaméricaine sur les « Problèmes de la Guerre et de la Paix », le 21 février, à Mexico. Toutes les nations américaines y participent, sauf l'Argentine.

Signé le 5 mars, l'« acte de Chapultepec » prévoit l'assistance réciproque des 20 pays signataires en cas d'agression.

Pays-Bas

L'échec de l'offensive britannique de septembre 1944, à Arnhem, retarde la libération du pays. Rotterdam est presque totalement détruite. Deux expositions commémorent les souffrances du peuple hollandais. Du 30 juin au 30 juillet, « Kunst in harnas » [L'Art en armure], organisée au Stedelijk Museum d'Amsterdam rend hommage aux artistes néerlandais persécutés ou tués.
De septembre à novembre, au Rijksmuseum, l'exposition « Kunst in vrijheid » [L'Art en liberté] montre l'art d'avant-guerre. Les seules peintures influencées par le conflit sont *Petroleumkitten* (1943), *Arbeidersvrouw in ruines* (1943), de Charley Toorop, et *Germanendom et Winter 1944/45,* de Melle.

Pologne

L'Armée rouge libère Varsovie le 17 janvier, où le gouvernement de Lublin, soutenu par les Soviétiques, s'installe le 18.
En juillet, les États-Unis et la Grande-Bretagne reconnaissent le gouvernement d'Union nationale. Plusieurs expositions commémoratives de la guerre ont lieu à Varsovie. Strzeminski achève son cycle de dessins et de collages consacré à la guerre, avec la série *À nos amis les Juifs*.

Roumanie

Le 24 février, l'insurrection communiste à Budapest, soutenue par l'Armée rouge, aboutit à la constitution du ministère Groza (communiste), le 4 mars.

Tchécoslovaquie

Prague se soulève le 5 mai.
La ville est libérée le 9 par les Soviétiques.
Le poète Heisler, le sémiologue Mukarovsky et le théoricien de l'art K. Teige préfacent l'exposition des œuvres de Toyen des années 1939-1945 au Salon Topic de Prague (22 nov.-30 déc.).

URSS

Du 4 au 11 février, la conférence de Yalta réunit Staline, Roosevelt et Churchill. Roosevelt obtient l'entrée en guerre de l'URSS contre le Japon et l'accord de Staline sur le fonctionnement futur de l'ONU. L'Allemagne est divisée en quatre zones d'occupation (États-Unis, Grande-Bretagne, France, URSS). Staline obtient la reconnaissance du gouvernement pro-communiste polonais et du tracé de la nouvelle frontière polonaise.
Le pays sort du conflit triomphant sur le plan politique, mais il a perdu 26 millions de vies humaines et son économie est ruinée.
De gigantesques monuments sont élevés sur le site des grandes batailles, souvent réalisés par Voutchetich, sculpteur préféré de Staline (à Stalingrad, Berlin...).

Viêtnam

Les communistes déclenchent une insurrection le 18 août contre l'impérialisme japonais et le colonialisme français. L'empereur Bao Dai abdique, remplacé le 29 août par un premier gouvernement Hô Chi Minh qui proclame l'indépendance de la République démocratique du Viêtnam le 2 septembre.
Le 13, des troupes britanniques débarquent à Saigon. Le 14, des troupes chinoises pénètrent au Viêtnam du Nord. Le 23, les édifices publics de Saigon sont occupés par des militaires français libérés par les Japonais. Le général Leclerc arrive à Saigon le 8 octobre.

Yougoslavie

En mai, la Yougoslavie est libérée. Le 29 novembre, la République populaire yougoslave est proclamée par Tito.
Plusieurs expositions commémoratives de la guerre ont lieu à Belgrade, Ljubljana...
L'esprit de la reconstruction inspire l'exposition « L'agriculture et l'art » (1er-7 oct.) au Salon Ullrich à Zagreb (œuvres de Kraljevic, Detoni, Hegedusic, Pavlovec...).

Nagasaki, 9 août 1945. Photo © Yosuke Yamahata, Magnum Distribution.

Pablo Picasso,
Louis Aragon,
Vladimir Pozner
au Congrès des
partisans de la paix,
Paris, mai 1949.

1946
1959

Les formes engagées

Maurice Fréchuret

Jusqu'au siècle dernier, la peinture d'histoire fut toujours, à de rares exemples près, la peinture de la grande et belle histoire. Sacres et autres rituels festifs, portraits royaux ou princiers, descriptifs des batailles glorieuses ou comptes rendus d'échauffourées plus modestes se donnaient ainsi à voir comme de véritables spectacles, hauts en couleur et riches en éclats de toutes sortes. Ainsi, des étonnantes scènes de combat de Jacques Courtois (le Bourguignon) aux *vedute* historiques de Guardi, des somptueux portraits de Rigaud aux scènes d'apparat de Pannini, tout semble s'accorder pour dire la magnificence de la période traitée. Dans la hiérarchie des genres établie par Félibien dans sa préface aux *Conférences* de l'Académie, la peinture d'histoire, capable de représenter de grandes actions ou les hauts faits des personnages illustres, se situe encore en bonne place, bien avant la peinture de nature morte ou celle du simple portrait. Dès le XIXe siècle, l'effacement progressif de cette hiérarchie va aller de pair avec le déclin du genre. La peinture d'histoire va en quelque sorte s'altérer au contact des autres genres et ainsi perdre de son prestige et de son autorité pour, bientôt, devenir un exercice vite perçu comme académique et dépassé. Meissonier et son élève Detaille, Gros et Delaroche resteront, à cet égard, les tenants les plus représentatifs de cet art militaire auquel, au cours du siècle passé, la peinture d'histoire avait fini par s'identifier totalement.

Devant *Le Massacre de Scio* de Delacroix, le baron Gros ne pourra que dénoncer tout uniment le thème traité, si contraire aux figures habituelles de la peinture d'histoire, et la manière de l'artiste. Aussi indigné par la prise en considération d'un épisode récent de l'histoire dans le tableau que par la fulgurance stylistique de Delacroix, il lâchera, dépité : « C'est le massacre de la peinture. » En vérité, si ce que l'on a appelé la peinture d'histoire termine à ce moment sa longue carrière, si l'événement n'est plus l'objet d'un simple enregistrement à la gloire de l'autorité en place, l'histoire est loin d'être congédiée. Elle s'immisce dans la peinture non pour occuper le terrain, avec sa superbe habituelle, mais pour, avec la peinture, trouver les moyens de son émancipation.

Le XXe siècle pourrait bien être tout entier celui de ce double constat : l'exceptionnelle prise en charge de l'histoire par l'art et, parallèlement, le renouvellement radical de la forme. Plus précisément, il semble avoir été, dans une relation apparemment paradoxale, le siècle où l'histoire — dans ses configurations les plus spectaculaires et les plus prestigieuses — connut la plus grande éclipse dans l'art, et celui qui sut intégrer le plus profondément le questionnement sur l'histoire comme moteur de bien des œuvres et de bien des démarches artistiques.

Dans un même mouvement et dans un même temps, la forme s'est trouvée prise dans un processus irréversible de déconstruction ou de déstructuration qui l'a conduite aux métamorphoses exemplaires que l'on sait. Le rythme soutenu de ces transformations et l'apparition continue des tendances et des mouvements sont allés de pair avec une histoire qui, elle-même, a connu depuis la fin du siècle passé une sensible accélération. Le XXe siècle artistique reste sans nul doute celui où l'histoire a été la plus fréquemment convoquée dans les œuvres, car il a dû faire face à la réalité même de cette histoire si marquée, depuis le début, par les terrifiantes tensions, les conflits les plus brutaux, les violences les plus innommables faites aux hommes.

Tout au long du XXe siècle, l'art n'a pas su, n'a pas voulu ou n'a pu réfuter l'histoire, même si, dans ses développements les plus formalistes ou les plus liés à l'expérience individuelle, il a semblé parfois lui tourner volontairement le dos. Après la Première Guerre mondiale et durant la montée des périls totalitaires, c'est-à-dire durant pratiquement toute la première moitié du siècle, l'art s'est, un peu partout dans le monde, défini comme un des moyens d'activer la prise de conscience révolutionnaire. Il fut dès lors perçu, là où il pouvait encore s'exprimer librement, comme un acte d'engagement en faveur d'une histoire nouvelle qui était en train de s'écrire. Il affirmait du même coup la nécessité de travailler à l'émergence d'une société autre, armée d'une esthétique elle aussi nouvelle. De George Grosz à Tal-Coat, d'Otto Dix à Paul Klee, de Raoul Hausmann à Pablo Picasso, de John Heartfield à Joan Miró, la peinture n'est plus, à proprement parler, une peinture d'histoire dans l'acception courante du terme mais, indubitablement, le lieu où l'histoire est prise en compte, intégrée à l'œuvre, objet d'un questionnement inlassable et, plus souvent encore, objet de critiques exemplaires.

Après la Seconde Guerre mondiale, l'art va connaître un des moments intenses de doute. En effet, beaucoup d'artistes sont alors, et pour ainsi dire, en proie à une histoire qui se révèle brusquement sous ses aspects les plus funestes et les plus terrifiants. Le temps du « massacre de la peinture », si redouté par le baron Gros, se confond soudainement avec celui des massacres tout court, dont on découvre avec effroi et l'ampleur et les méthodiques procédés utilisés pour donner à ceux-ci le maximum d'efficacité. C'est dire combien, pour deux bonnes décennies, au moins, l'histoire et la réponse qui lui est faite vont faire partie de l'interrogation esthétique ; c'est dire combien toutes deux marqueront dorénavant une grande partie de la production artistique.

La principale question alors posée est donc moins l'attitude de l'artiste par rapport à l'histoire et à l'engagement qu'elle implique — toutes choses qui semblent dorénavant acquises —, et plus celle de la forme que peut ou doit revêtir l'appréhension du fait historique et de l'attitude à adopter à son égard. Étant entendu que l'art doit se ranger aux côtés de l'histoire en marche, le débat qui a lieu repose essentiellement sur la manière de faire. Si, comme Picasso le proclame alors, la peinture n'est pas faite pour décorer les appartements et si elle « est un instrument de guerre offensive et défensive contre l'ennemi[1] », si, ainsi que l'avance Fernand Léger, autre récent adhérent au parti communiste, « l'accession du Peuple à l'œuvre d'art est un problème qui est dans l'air, qui est partout[2] », si, enfin, le consensus semble établi pour conférer à l'art sa pleine dimension éducative, la forme même du projet reste la question fondamentale. Cette question va animer tous les débats et, partant, définir maints programmes ou intentions artistiques.

Parmi les formes possibles, celles que défend le réalisme figuratif engagé sont, sans aucun doute, les formes les plus immédiatement accessibles au commun. Telle est du moins l'hypothèse admise et défendue par les tenants d'un art clairement défini comme au service des causes et des luttes populaires. Il s'agit pour ces artistes d'assigner à l'art des fonctions précises d'éducation et, sur la base d'une dénonciation sans appel du formalisme, de définir une iconographie facilement abordable par le plus grand nombre, et susceptible d'accueillir les thématiques issues directement de l'expérience vécue ou des combats à mener pour vaincre l'oppression. Dans cette acception précise d'un art au service de la révolution, quelques artistes vont pratiquer une peinture qui souscrit étroitement aux préceptes de la formulation réaliste et socialiste de l'art telle qu'elle fut définie par Andreï Jdanov, cofondateur du Kominform, et par quelques autres au milieu des années trente en URSS : restitution fidèle par l'image de la réalité combattante du peuple. En vérité, peu nombreux sont, hors des pays directement placés sous l'hégémonie communiste, les artistes qui acceptent la terminologie doctrinaire du réalisme socialiste. En France, André Fougeron et Boris Taslitzky seront, à des degrés différents, les exemples, sinon isolés, du moins les plus avérés et les plus représentatifs de cet art de l'engagement. Auteur de la célèbre toile *Rue de Paris,* peinte en 1943 dans un Paris occupé, et depuis peu lauréat du Prix national de la Direction des arts et des lettres, André Fougeron entreprend en 1948 une autre toile qui, de Jean Marcenac à Georges Limbour, fera couler beaucoup d'encre. *Parisiennes au marché* est qualifié sans ambages par ce dernier de « plus mauvais tableau du monde[3] » et déjà confronté à son *alter ego* de la période précédente, *Femmes d'Italie,* dont le style reste, en 1947, encore redevable du cubisme et du fauvisme[4]. La différence stylistique est si déterminante que *Parisiennes au marché* devient le tableau-manifeste du nouveau réalisme socialiste, dont les textes théoriques d'André Fougeron entendent, par ailleurs, définir les objectifs[5]. Cette image « authentique » du peuple et de son combat, Fougeron en donnera d'autres versions dans les mêmes années, mais ni l'*Hommage à André Houllier*[6], ni *Les paysans français défendent leur terre,* ni même la gigantesque fresque déployée contre la *Civilisation atlantique* n'atteignirent le succès de scandale de la première. Quant à Boris Taslitzky, son œuvre se situe dans un parcours qui ne connaîtra pas de sauts stylistiques majeurs. D'emblée, la définition de l'image s'accommode des données du réalisme socialiste, et les thématiques choisies s'accordent avec celles préconisées : *Le Délégué, La Mort de Danielle Casanova* sont autant d'œuvres qui s'inscrivent en faux contre la peinture pure et où la représentation du sujet, dans sa confrontation à la réalité de l'histoire, l'emporte sur toutes autres considérations. C'est précisément ce qu'il est possible de lire dans des revues comme *Arts de France,* qui, sous le patronage de l'*Encyclopédie de la Renaissance française,* tentent de définir l'attitude de tout travailleur intellectuel et de tout artiste. Certes, les positions défendues ne sont sans doute pas toutes aussi tranchées, et place est laissée aux interrogations plus nuancées, ou plus opportunistes, dans lesquelles il est par exemple avancé qu'« il n'y a pas une esthétique du parti communiste [...]. La peinture de Picasso n'est pas l'esthétique du communisme. Celle de Taslitzky non plus. Ni celle d'aucun autre[7] ». Les « artistes sans uniformes » ainsi décrits par Roger Garaudy jouent, dans cette période de discussions et de remises en question, le rôle de résistance face aux sévères doctrines jdanoviennes du Kominform, mais semblent malgré tout faire leur l'objectif fondamental de l'art : celui de créer une « idéologie imagée[8] ». La réponse d'Aragon sur ce point est des plus claires : « Je veux dire ici, ne parlant qu'en mon nom, que je considère que le Parti a une esthétique, et que celle-ci s'appelle le réalisme[9]. »

C'est donc à l'aune du réalisme que, dans cette période cruciale, un pan entier de l'art moderne semble vouloir se mesurer. La peinture directement engagée dans le combat politique restera rivée, chez Fougeron, chez Taslitzky, mais aussi dans les toiles de Gustave Singer, de Jean Milhau, d'André Graciès, de Marie-Anne Lansiaux, de l'Italien Renato Guttuso et de quelques-uns encore, à un naturalisme formel qui se doit d'exprimer les aspirations du peuple en travaillant à sa prise de conscience, en l'aidant à atteindre les buts qu'il se propose. Ces mots, somme toute assez flous, sont précisément ceux que Laurent Casanova, responsable culturel du Parti, trouve pour atténuer la rigueur doctrinaire d'un Alexandre Guerassimov, artiste officiel de l'Union soviétique et essayiste zélé, pour qui l'art de Matisse ou de Picasso est l'exemple même du formalisme bourgeois[10].

Le hiatus est d'autant plus ennuyeux que Pablo Picasso s'efforce, au même moment, de faire bonne figure au sein de ce « Parti des fusillés » qu'il a choisi de rejoindre à l'automne 1944 parce que, dit-il, il lui semblait dans la logique de sa vie et de son œuvre d'adhérer[11]. Une part de réalisme a peut-être poussé Picasso à s'engager dans un parti avec lequel, on le sait, il entretint pourtant des rapports difficiles. Dans l'œuvre de Pablo Picasso, l'option réaliste fut, à n'en pas douter, toujours déterminante. En effet, la référence au réel a sans cesse été de rigueur et, même dans la riche et belle période des rapprochements surréalistes, la réalité ne fut jamais congédiée. Elle ne le sera évidemment pas à une époque où la réalité ne pouvait que se lire au travers du prisme de l'histoire. Une telle manière constitua d'ailleurs pour nombre d'artistes un exemple à suivre, et les courants les plus divers, en France comme à l'étranger, semblèrent adhérer à cette optique où la réalité est sans cesse l'objet du questionnement renouvelé de la forme. L'école de Paris dans son entier — et avec elle beaucoup d'artistes de la même génération — restèrent ainsi longtemps fidèles à la grille cubisante, qui paraissait vouloir encore ordonner une réalité pourtant passablement désarticulée. C'est plus précisément le cas des Français Jean Bazaine ou Tal-Coat, Alfred Manessier ou Édouard Pignon, des Italiens Renato Guttuso, Ennio Morlotti, Giulio Turcato ou Armando Pizzinato, de l'Allemand Anton Räderscheidt ou du Britannique Henry Moore, qui empruntèrent alors à ce langage les formes mêmes de leur dénonciation. Ils entendaient ainsi braver par le contenu de leur œuvre, par le message que cette dernière divulguait, mais également par cette formulation plastique que, peu de temps avant, les nazis s'étaient autorisés à qualifier de « dégénérée », un pouvoir qui devait durer mille ans.

D'autres aussi surent dire leur refus et manifester leur capacité à résister au démentiel programme mis en place par la race dite « des seigneurs ». Leur langage plastique reposait sur le pouvoir de l'image, sur les facultés de narration de cette dernière. Des artistes italiens comme Giacomo Manzù et Aligi Sassù fixèrent ainsi dans des reliefs en bronze, ou dans quelques peintures, des scènes éloquentes qui renseignaient tant sur la brutalité de l'époque. Les crucifiés et leur bourreau nanti d'un casque à pointe, que Manzù gravait d'un trait plein de subtilité dans le métal, renvoient à ceux que Marino Marini creuse dans le plâtre à la même époque[12]. Ces scènes curieusement silencieuses contrastent avec le tumulte qui règne dans les toiles de Graham Sutherland, nommé pendant la guerre peintre de guerre officiel, ou dans celles d'Edward Burra et de Franz Radziwill[13]. Mais toutes entendent dénoncer l'inacceptable par la précision du trait et par l'organisation soignée de la composition.

Mus par la même motivation de clarté, d'autres artistes prendront part, à leur manière, au débat historique. Leur langage n'est ni celui de l'image, ni celui de la narration ou de l'exposé descriptif. Pourtant, la forme ordonnée de leurs compositions géométriques, les couleurs pures étalées en larges aplats soigneusement délimités par la structure du dessin s'inscrivent dans une pensée artistique qui reste ouverte aux données de l'histoire. Tel est le cas des peintres et des sculpteurs comme Jean Dewasne, Auguste Herbin, Emilio Vedova ou Pietro Consagra, dont le langage plastique tout de rigueur ne saurait en aucun cas se soustraire aux contingences de la réalité. Ainsi Jean Dewasne prend-il le parti de confier aux formes géométriques les plus sévères et au chromatisme le plus tranché les messages de son engagement. Pour lui, l'art — fût-ce le plus abstrait — ne peut être vidé de toute substance et se doit d'intégrer les éléments du questionnement politique. En vérité, Jean Dewasne, cofondateur du Salon des réalités nouvelles en 1946, reprend, en le radicalisant, c'est-à-dire en le confrontant aux données du politique, le projet social contenu depuis toujours dans les théories de l'abstraction géométrique. L'*Apothéose de Marat* va ainsi devenir l'emblème d'une œuvre dont le rapport à l'histoire inclut le dialogue direct avec la pensée révolutionnaire. Cette immense toile peinte en 1951 ne fait aucunement signe à l'œuvre de David, comme on l'a si souvent affirmé, mais est la conséquence directe de la lecture des écrits de Marat, auxquels Jean Dewasne s'est montré très sensible et auxquels il rend, en cette toile, l'hommage souhaité[14]. L'admiration portée par le peintre à l'œuvre de David n'en est pas moins vive. Le formalisme froid, qui exclut tout débordement romantique de l'exaltation révolutionnaire, comme l'exactitude de la composition ont nécessairement compté dans la formation du peintre. C'est aussi pourquoi Jean Dewasne ne rompt pas non plus avec un certain développement dramatique, que laissent voir les aplats noirs et rouges de son *Apothéose de Marat,* les zébrures vivement colorées et le rythme soutenu des formes.

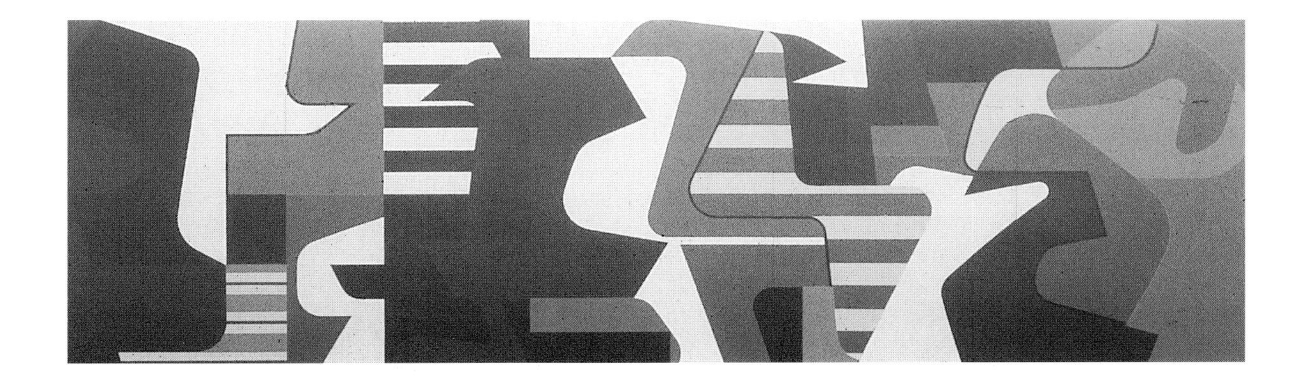

Jean Dewasne, *Apothéose de Marat*, 1951. Mnam-Cci, Centre Georges Pompidou, Paris.

Les déterminations politiques de Pietro Consagra et de ceux qui, avec lui, vont dès 1947 fonder le mouvement Forma 1 font elles aussi partie intégrante de son œuvre. En quelques lignes fortes, dont l'édification dans l'espace ne laisse pas de dire la puissance structurelle qui les anime, l'artiste italien renouvelle le style du monument commémoratif habituel en se débarrassant et de l'image et du pathos, qui, en cette occurrence, lui sont liés. Son *Monument au partisan* est un exemple de forme pure et concrète qui, sans contenu littéral, demeure conciliable avec le combat politique. Ce sont, dans une autre mesure, les mêmes enjeux qui sont contenus dans la peinture d'Emilio Vedova. La toile de 1950 intitulée *Campo di concentrimento* résume bien le parti pris de l'artiste. Les barres noires qui sillonnent violemment l'œuvre trouvent dans la seule touche centrale de couleur rouge leur point d'exacerbation totale, sorte de zone névralgique où tout se concentre et où tout se noue.

Parce que la réalité la plus récente fut, plus qu'à n'importe quelle autre époque, soumise aux terribles effets d'une histoire entrée dans une des pires phases de turbulence, parce qu'il importait aux artistes de ne pas renoncer à leur rêve de transformer le monde, parce que les convictions, bien qu'ébranlées, tentaient de trouver dans tel ou tel programme les moyens de leur réalisation concrète, certains artistes ont su, dans les années de guerre et dans celles qui suivirent, manier un langage de clarté auquel bien d'autres — et non des moindres — ne purent avoir accès. À l'opposé de cette abstraction formaliste qui, en France et ailleurs, clama haut et fort son adhésion au marxisme[15] se dessina, en effet, un autre courant bien plus difficile à cerner, et dont aucun manifeste ni aucun programme n'allaient établir les déterminations philosophico-politiques. Pourtant, les artistes dont il est question ne se réfugièrent nullement dans un art de pure forme, conscients qu'ils étaient de n'être pas hors de l'histoire. L'œuvre de Jean Fautrier est à inscrire dans ce courant sans nom et sans réelle identité, mais que certaines caractéristiques, communes à quelques artistes, permettent toutefois d'appréhender comme une manière de peindre propre à cette époque. Les pâtes épaisses dans lesquelles il façonne quelques formes approximativement humaines renseignent sur l'extrême difficulté qu'il y a à *en-visager* la réalité ou, pour être plus précis, à lui donner un visage. Nous n'insisterons sur ce point que pour dire combien cette caractéristique a frappé les observateurs et les historiens de cette période, qui s'accordent tous pour dire la dimension infigurable qui s'y rattache[16]. L'œuvre de Jean Fautrier établit, de ce point de vue, un étrange rapport avec l'histoire. Le brouillage intense du corps et du visage de ses *Otages* ou des objets qu'il peint au sortir de la guerre dit bien la courageuse lecture d'une histoire elle-même empêtrée dans les formes qu'elle a prises, mais il peut aussi bien être le déni, le signe manifeste de cette même histoire. Les poudres fines et colorées qui enjolivent les croûtes et autres enduits répandus à la surface de la toile sont comme autant de tentatives pour suspendre les effets mortifères de l'époque. Ces garnitures et ces parures faites de poudroiements subtils exercent sur l'œil une sorte de divertissement, qui, à bien des égards, semble contrarier le projet initial. Il reste que les formes premières, celles qui émergent des sommaires manipulations de l'artiste, expriment on ne peut mieux l'âpre et rêche réalité d'un art qui, constamment, dira sa méfiance à l'égard de la forme établie, de cette forme pleine d'assurance que certains veulent encore promouvoir et qui, pour d'autres, semble plus que jamais impossible à édifier.

Jean Fautrier ne sera pas le seul artiste dont « l'entrée en matière » constitue le désaveu le plus probant de cet art d'affirmation si contraire à la réalité même d'une histoire entrée dans l'extrême précarité, mais il est probablement celui qui a, avec Zoran Music, Alberto Burri, Agenore Fabbri, Leonardi Leoncillo, deux ou trois autres encore…, le mieux intégré dans sa peinture l'incertitude des temps. Les formes allusives des *Otages,* mêmes ravivées par les encres et les poudres de couleur, disent admirablement l'indétermination qui les a générées, comme elles disent admirablement bien aussi la précaire existence de ces hommes dont le cri d'agonie arrivait, de la forêt voisine, jusqu'à l'oreille de l'artiste.

Surgissant, plus de vingt ans après, dans des toiles quasiment monochromes, les corps des suppliciés de la série *Nous ne sommes pas les derniers,* de Zoran Music, rejoignent ceux de Fautrier. Dans la douleur, cela va sans dire, mais aussi dans cette matière qui, pour être plus rare chez le peintre italien, n'en dit pas moins la déroute et de la forme et de l'homme. C'est la même interrogation de la matière tumultueuse qui prévaut dans l'œuvre d'Agenore Fabbri, où les formes humaines et animales se mêlent les unes aux autres dans des combats sans nom. *Strage degli innocenti, Madre delle guerra* ou encore *Deposizione* sont parmi les terres cuites réalisées par l'artiste, dans cet immédiat après-Seconde Guerre mondiale, les sculptures les plus évocatrices de cet art où les formes nécessairement rudimentaires laissent à la matière le soin de suggérer l'essentiel. De cet exemple, nous rapprocherons celui de Leonardi Leoncillo, dont les céramiques, tout de pâte tourmentée, laissent la même impression de précarité, de consistance informe. C'est ce qu'il ressort aussi des œuvres contemporaines d'Olivier Debré, en dépit du langage quasi abstrait auquel l'artiste a choisi de soumettre ses formes. *Le Mort de Dachau, L'Assassin et le Mort* sont des toiles où les effets de la matière semblent confirmer l'observation de Samuel Beckett : « L'objet de la représentation résiste toujours à la représentation, soit à cause de ses accidents, soit à cause de sa substance, et d'abord à cause de ses accidents, parce que la connaissance de l'accident précède celle de la substance[17]. »

Cette forme ravagée, rompue, méconnaissable et, nous l'avons vu, infigurable donna lieu aux expressions les plus diverses. Encore faut-il noter que c'est par empêchement, ainsi que le rapporte excellemment Samuel Beckett, que la forme est entrée dans cette période d'éclipse, répondant à ceux qui, comme Roger

Bissière ou Bram van Velde, ont, pour les mêmes raisons liées à l'incertitude des temps, cessé de peindre durant les longues années de guerre.

Cette forme, qui fut l'objet d'une quête difficile, vouée dès le début à un échec probable, devint bientôt l'objet d'autres enjeux, dans lesquels les partis pris critiques allaient l'emporter. La forme « empêchée » de l'après-guerre allait, en effet, devenir quelques années plus tard, au milieu des années cinquante, la forme « contestée ». Parce que suspecte de définition par trop doctrinaire, la forme devint, en cette période de remise en question, la cible de tous ceux pour qui le renouveau artistique allait de pair avec le combat politique. Le mouvement Cobra s'était déjà aventuré à définir l'art dans son rapport d'immédiateté à la vie, et les artistes, réunis sous la bannière de l'internationalité, exercèrent leur art à pleines dents, celles qui, aussi bien, dévorent et mordent. Les belles et sauvages démonstrations qu'ils firent furent accompagnées, ici et là, par tout un courant qui, de Brassaï à Dubuffet, appréhendait également la production artistique dans une relation directe à l'existence quotidienne. La réinvention de l'art, qui était à l'ordre du jour, devait justement affronter l'ordre artistique habituel, préférant les valeurs non établies à celles qui avaient perduré jusqu'à présent. L'attention portée aux choses de la vie quotidienne — les matériaux sans qualité, les matériels déclassés, les graffitis sur les murs, les murs eux-mêmes (comme chez Tàpies ou Millarès)... toutes matières repérées pour leur vérité fondamentale et hostiles à la forme belle et affirmative — était le plus sûr moyen de tourner le dos à un art trop engoncé dans ses valeurs et ses principes. L'art se devait alors de retrouver ses racines dans la vie quotidienne, dont le sociologue Henri Lefebvre esquissait déjà la critique[18].

Aussi la forme pure — celle qui se structure sur la base du fonctionnalisme — fut-elle mise à mal au nom d'une fiévreuse et bouillonnante contestation de l'art, mais aussi au nom des transformations nécessaires de la vie auxquelles travaillaient parallèlement les artistes de la nouvelle génération. Cobra et, bientôt, le groupe hollandais Reflex, le groupe danois Høst, les membres du groupe du Surréalisme révolutionnaire belge, ceux de l'Internationale lettriste et, parallèlement, ceux du Mouvement pour un Bauhaus imaginiste allaient entreprendre une révision radicale de l'art sur la base d'une vision grandement renouvelée de la société dans son entier. Asger Jorn ne s'est point trompé lorsque, dans le numéro 2 de la revue *Cobra*, il affirme que « le problème de la forme est le problème essentiel de notre société », jetant déjà le doute sur les présupposés qui l'entouraient et qui la retenaient dans l'immobilisme. Mais l'originalité du questionnement sur la forme réside dans le fait que, chez Jorn et ceux qui avancent dans cette voie, cette interrogation n'est jamais exempte d'une réflexion sur la vie et sur l'environnement social et politique. Ainsi, si, à ses yeux, certaines propositions d'alors constituent une menace dans l'art après la guerre, c'est qu'« il semble que ce formalisme ne fait que refléter un aussi grave formalisme social et politique[19] ». En vérité, ce qui est dénoncé ici porte non seulement sur cette forme, rejetée parce que déterminée *a priori*, mais également sur le manque de contenu qui réduit l'art à n'être qu'une « ligne de conduite », alors qu'il doit être prioritairement « champ d'expérience ». L'apport du Bauhaus et du néoplasticisme fut évidemment remis en question par Asger Jorn et ceux qui participèrent à ces courants de pensée radicaux. Les analyses critiques qui se firent jour mirent surtout en évidence les limites d'un art étroitement défini par la forme qui émerge d'une projection mentale et non d'une expérimentation. Le réalisme absolu du néoplasticisme qu'analyse Asger Jorn va de pair avec la volonté de pérennisation d'un ordre qui tend à se mettre en place et qui voue toute chose à l'immobilisme. Une telle perception ne pouvait aucunement satisfaire les tenants d'un art dont les rapports à la vie passaient nécessairement par des phases de recherches communes. Mais le fonctionnalisme ne constitua nullement la seule cible de ces nouveaux pionniers de l'art, qui voyaient poindre le danger d'une expression individuelle seulement livrée à elle-même. Aussi n'hésitèrent-ils pas à dénoncer le rôle de ces artistes qui, d'après eux, se perdent dans des recherches où les seuls pathos et mal de vivre trouvent à s'exprimer. À la sclérose du fonctionnalisme se substituait, à leurs yeux, la catastrophe de l'existentialisme individuel, toutes choses que la pratique de l'art expérimental ne pouvait que rejeter[20].

C'est donc sur la base d'une véritable réflexion critique portant sur les pratiques artistiques du moment que se construisirent celles des groupes d'artistes expérimentaux qui, de Cobra au Surréalisme révolutionnaire, des lettristes au Bauhaus imaginiste, vont s'appliquer à trouver les moyens de leur ambition. C'est à travers les regroupements mentionnés, mais également à travers les nombreuses revues qui s'éditent alors, que se dessinent les nouvelles tendances. *Reflex, Cobra, Ion, Ur, Les Lèvres nues, Erestica, Potlach*..., sont autant de revues qui, à la fin des années quarante et, surtout, dans les années cinquante, se déterminent pour un art inséparable des expériences de la vie, c'est-à-dire pour un art unitaire où les différentes disciplines définissent les conditions pour la construction des situations telles que Guy Debord, Gil J. Wolman, Constant Nieuwenhuys, notamment, s'emploient à définir concept et contenu pratique. Ces différentes recherches, qui s'inscrivent dans le climat vivifiant d'une période en train de s'achever — celle de l'immédiat après-guerre — et ouvrant sur celle, plus prometteuse, des années soixante, ne semblent plus vouloir appréhender le problème de l'histoire dans la seule perspective de sa représentation ou de sa figuration dans l'art. Ce rapport connaît en effet, à ce moment — et, sans doute, pour la première fois de manière aussi radicalement affirmée —, un renversement qui fait de l'activité artistique un « art intégral », en interaction étroite avec les modes nouveaux de comportement et dans le cadre d'un urbanisme défini nécessairement comme unitaire. C'est précisément la notion d'urbanisme unitaire qui va, chez les membres de l'Internationale situationniste, devenir le creuset de l'ensemble des activités artistiques, indissociables des nouvelles formes de vie à inventer et des comportements expérimentaux à promouvoir.

Dans un monde perçu et analysé comme celui de la séparation et du spectacle, il n'y aura jamais d'art situationniste, mais seulement des propositions qui, comme celles de Constant ou de Giuseppe Pinot-Gallizio, exprimeront tout à la fois des ouvertures vers de possibles expérimentations d'ambiances nouvelles, et un refus manifeste, par la pratique du détournement, des pratiques artistiques jusqu'alors en cours. Prenant en compte les apports des pratiques de dérive psychogéographique dans l'espace urbain et de la réflexion qui leur est liée, développant une critique radicale de l'urbanisme et des formes imposées d'habitat, Constant élabore « une autre ville pour une autre vie[21] ». Ces propositions trouvent un début de réalisation dans les maquettes de sa ville ouverte, la *New-Babylon,* qui est une hypothèse particulière d'urbanisme unitaire, dans laquelle les zones diversifiées, les itinéraires, la création de nouvelles conditions climatologiques, les culs-de-sac, les espaces redéfinis, les labyrinthes..., déterminent des micro-ambiances inédites, qui sont les toutes premières ébauches d'une « géographie humaine à travers laquelle les individus et les communautés ont à construire les sites et les événements correspondant à l'appropriation, non plus seulement de leur travail, mais de leur histoire totale[22] ».

La pratique du détournement de données initiales prises dans le domaine de l'art ou dans d'autres domaines sera, pour toute cette génération, une constante particulièrement significative. De François Dufrêne à Giuseppe Pinot-Gallizio, de Piero Manzoni à Raymond Hains et Jacques Villeglé, de ceux dont le travail artistique repose essentiellement sur une certaine perception du monde environnant à ceux, plus déterminés et plus radicaux, qui veulent le transformer en profondeur, le détournement va devenir le langage courant de toute une époque. Il est, pour reprendre l'analyse de celui qui en fut le théoricien le plus éclairé, « le langage fluide de l'anti-idéologie » et, à ce titre, l'exact contraire de la citation[23]. Il est, pour revenir à Guy Debord, « au point le plus haut, le langage qu'aucune référence ancienne et supra-critique ne peut confirmer » ou encore « fragment arraché à son contexte, à son mouvement, et finalement à son époque comme référence globale et à l'option précise qu'elle était à l'intérieur de cette référence, exactement reconnue ou erronée[24] ».

Le « fragment arraché » et l'« image détournée » vont, du reste, dans une acception quelque peu différente, définir une pratique artistique particulièrement prisée en cette période. Il n'est pas indifférent de noter que l'espace urbain — perçu comme le plus historiquement significatif — reste l'espace privilégié où s'exercent le plus naturellement et le plus souvent les deux gestes ci-dessus nommés. Mimmo Rotella, Raymond Hains, Jacques Villeglé, François Dufrêne et quelques autres encore vont promouvoir ces postures, pareillement marquées par l'appétence iconoclaste et iconophile, au rang de pratiques artistiques. C'est, pensons-nous, plus par ce biais que les œuvres entretiennent un rapport étroit avec l'histoire et moins par la littéralité des images qu'elles véhiculent. Autrement dit, *La France déchirée* de Hains et Villeglé, leurs affiches politiques lacérées et les autres exemples contemporains font surtout face à l'histoire par la déconstruction ironique à laquelle ils soumettent le péremptoire langage des formes ou de l'écriture. Toutes ces œuvres s'inscrivent en ce sens dans la tradition des pratiques artistiques modernes pour qui la manière de procéder compte plus que le message immédiat de l'image, pour qui, encore, le rapport à l'histoire est indéniablement lié à la dissidence et à la transgression.

1. Pablo Picasso, *Les Lettres françaises,* 23 mars 1945.
2. Fernand Léger, « L'Art et le Peuple », *Arts de France,* Paris, 1946.
3. Georges Limbour, *Les Temps modernes,* nov. 1948.
4. Cf. à ce propos le texte de Denis Milhau, « Présupposés théoriques et contradictions du nouveau réalisme socialiste en France au lendemain de la Seconde Guerre mondiale », *Actes du colloque Art et Idéologies,* Éditions du CIEREC, Université de Saint-Étienne, 1976, pp. 103-131. L'auteur évoque déjà la stylisation de la forme et la formulation cubisto-futuriste du tableau qui porte ici le titre de *Les Marchandes d'oranges.*
5. Cf. André Fougeron, « Critique et autocritique », *Arts de France,* n° 27-28, pp. 33-70.
6. André Houllier, à qui la toile de 1949 d'André Fougeron rend hommage, était un militant communiste. Il fut abattu par un agent de police alors qu'il collait des affiches contre la bombe atomique. L'affiche reproduisait un dessin réalisé par André Fougeron (communication orale avec l'artiste, févr. 1996).
7. Roger Garaudy, « Artistes sans uniformes », *Arts de France,* nov. 1946.
8. Cf. l'article de Jean-Philippe Chimot, « Avatars de la théorie de l'art dans *Arts de France* (1945-1949) », *Art et Idéologies, op. cit.,* pp. 145-157.
9. Louis Aragon, « L'Art zone libre ? », *Les Lettres françaises,* 29 nov. 1946. Il faut également mentionner, en contrepoint, la question posée en décembre de cette même année par René Guilly : « Faut-il une esthétique du Parti communiste ? »
10. Alexandre Guerassimov, *Za socialističeskij realizm,* Moscou, Akademja Hudožestv, 1952. Cf. également « Vers l'épanouissement des arts plastiques soviétiques », *Pravda,* 11 août 1947, cité dans le catalogue d'exposition *Paris-Paris,* Éditions du Centre Pompidou, 1981, p. 206. L'auteur de ce texte fut, après avoir été le peintre de l'état-major tsariste, un des artistes officiels du pouvoir soviétique. On lui doit, entre autres, un portrait en pied de Staline et de Vorochilov au Kremlin, peint en 1938 et titré *Ils préservent la paix.* Cf. à ce propos l'ouvrage très documenté de Lionel Richard, *L'Art et la Guerre,* Paris, Flammarion, 1995, pp. 66-67 et 69.
11. Cf. Pablo Picasso, interview de l'artiste dans *New Masses,* 24 oct. 1944. Ce texte fut repris dans *L'Humanité* du 29 oct.
12. Le thème de la crucifixion est particulièrement récurrent en cette période. *Résistance,* de Marc Chagall, de 1937-1948, *De nouveau,* de Thomas Hart Benton, de 1943, ainsi que les scènes de crucifixion de Renato Guttuso, de Graham Sutherland, d'Edouard Goerg, d'André Marchand, d'Alfred Manessier comptent parmi les exemples les plus importants. Quant à celle peinte en 1944 par Francis Bacon *(Trois Études pour des figures au pied d'une crucifixion),* on se rappelle le scandale que provoqua sa présentation à la galerie Lefevre à Londres en 1945.
13. Le cas de Franz Radziwill est intéressant. Son appartenance à la Nouvelle Objectivité ne l'empêchera pas de souscrire un temps aux thèses du national-socialisme. Interdit de peindre à partir de 1937 et incorporé dans l'armée, il lui faudra attendre l'immédiat après-Seconde Guerre mondiale pour recommencer à travailler. Son art est fortement marqué par les bouleversements de l'histoire.
14. Jean Dewasne, communication orale, janv. 1996. On observera que le dialogue avec les maîtres anciens, si courant dans la pratique artistique de cette période, a pu abuser certains, qui, partis des exemples de Picasso, de Bacon et d'autres encore, ont imaginé le même scénario pour tous.
15. « Nous nous proclamons *formalistes* et *marxistes, car nous sommes convaincus que les termes de marxisme et de formalisme ne sont pas inconciliables* », *Forma 1, Mensile di arti figurative,* avr. 1947. Cf. sur le sujet Annette Malochet, « La Dispute de Forma 1 et les formalistes », *Art et Idéologies, op. cit,* pp. 223-229. Cf. également le catalogue d'exposition *Forma 1,* Bourg-en-Bresse, Musée de Brou, et Saint-Priest, Galerie municipale d'art contemporain, 1987.
16. Les écrivains comme les historiens de l'art ont fréquemment abordé le problème de l'infigurable. Pour mémoire, citons Primo Levi, *Si c'est un homme,* Paris, Julliard, 1987 ; Antonin Artaud, *Portraits et dessins,* galerie Pierre, 4-20 juil. 1947, Gallimard ; René Char, *Éloge d'une soupçonnée,* Paris, Poésie/Gallimard, 1988 ; Jean Clair, « Visages des Dieux, visages de l'homme ; à propos des *Crucifixions* de Francis Bacon », *Arstudio,* n° 17, été 1990 ; Georges Didi-Huberman, *Le Cube et le Visage, autour d'une sculpture d'Alberto Giacometti,* Paris, Macula, 1993 ; enfin, notre propre ouvrage, *L'Envolée, l'Enfouissement,* Genève, Skira/RMN, 1995.
17. Samuel Beckett, « Peintres de l'empêchement », *Derrière le miroir,* n° 11/12, Paris, juin 1948.
18. Henri Lefebvre, *Critique de la vie quotidienne,* Paris, Arche, 1980.
19. Asger Jorn, « Pour la forme », *Documents relatifs à la fondation de l'Internationale situationniste,* Paris, Allia, 1985, p. 533.
20. Cf. Asger Jorn, *ibid.* Un texte non signé, paru en 1959 dans la revue de l'Internationale situationniste, fait écho à cette remarque : « Partout on distingue la trace, chez les créateurs modernes, d'une conscience traumatisée par le naufrage de l'expression comme sphère autonome, comme but absolu » (« Le sens du dépérissement de l'art », *Internationale situationniste,* n° 3, déc. 1959).
Il convient à cette occasion de rappeler les activités de ce centre expérimental que fut Albisola Mare dans les années cinquante. Asger Jorn, Enrico Baj, Roberto Matta, Wifredo Lam, Karel Appel furent, entre autres, les artisans passionnés de ce renouveau.
21. Cf. Constant, « Une autre ville pour une autre vie », *Internationale situationniste,* n° 3, déc. 1959, pp. 37-40.
22. Guy Debord, *La Société du spectacle,* Paris, Buchet-Chastel, 1969, p. 145.
23. *Ibid.,* p. 167. On notera, au passage, la différence particulièrement saisissante entre la pratique du détournement, propre à une période qui veut énergiquement le changement, et la pratique citationnelle, si courante dans la période suivante, nettement déterminée par les désirs d'intégration.
24. *Ibid.*

Jean Fautrier, des *Otages* aux *Partisans*, 1945-1957

Patrick Le Nouëne

En 1946, dans l'article qu'il consacra à Jean Fautrier, Daniel Wallard se remémorait les débuts d'un engrenage de violence et d'horreur. Tandis que « de hautes flammes et des cris montaient de l'Espagne assassinée, on vit avec étonnement les restes d'hommes dépecés que les fascistes catholiques envoyaient dans les lignes gouvernementales, les yeux pourris des enfants, les Brigades internationales… ». Poursuivant son évocation, il se souvint qu'alors membre du comité de vigilance des intellectuels antifascistes, « Francis Ponge publia enfin son poème *Le Cageot*[1] », qu'il terminait par un soupir de regret : « À quoi bon tant parler d'un cageot en bois blanc ! Faudrait-il renoncer à ce monde magnifique et secret ! C'était la guerre, en nous, sur nous, sur toute la terre et presque dans le ciel[2]. » Wallard rappelait de la sorte comment, dix ans plus tôt, des poètes avaient dû s'engager. Ils n'étaient pas les seuls, des peintres aussi prirent le parti de la République espagnole et dénoncèrent la montée du fascisme. Pour sa part, Fautrier demeura indifférent à ces événements, seulement « préoccupé par les problèmes de son installation hôtelière à Val-d'Isère », comme le souligne Stalter[3]. En effet, à la suite de la crise économique, fatale à la relative aisance que lui avait apportée son contrat avec le marchand Paul Guillaume, il s'était retiré en 1934 dans les Alpes pour gagner sa vie. N'ayant pas d'atelier à sa disposition, il peignait peu, se plaignant que la « vie sans art est une chose odieuse[4] ». En 1937, plus optimiste, il écrivait à sa compagne, Andrée Vincent : « Je peins beaucoup et j'organiserai une exposition à Paris pour la peinture plus abstraite que je fais depuis quelques années[5]. »
La déclaration de guerre, la défaite française, puis l'Occupation, empêchèrent la réalisation de ce projet. De nombreux artistes furent obligés de se réfugier en zone Sud, dans des pays neutres ou alliés, et, pour certains, aux États-Unis. Fautrier, lui, regagna Paris. Au début de l'année 1943, « agacé par la Gestapo[6] », il fut arrêté, mais rapidement remis en liberté grâce à l'intervention du sculpteur Arno Breker, auprès de qui aurait intercédé Jeanne Castel[7]. Il dut alors s'éloigner de Paris et fut hébergé par le docteur Le Savoureux dans sa clinique de la Vallée-aux-Loups, avant de s'établir dans une maison de Châtenay-Malabry.

Longtemps plus tard, en 1952, Michel Tapié distingua deux expositions qui introduisirent un changement dans le domaine artistique et « marquèrent, en 1945, le début de cet autre chose dans lequel nous commençons à nous retrouver maintenant, y voyant d'inépuisables propositions d'aventure en profondeur : je veux parler des *Otages,* de Jean Fautrier, et des *Hautes Pâtes,* de Jean Dubuffet[8] ». L'année suivante, ce même critique se souvenait : « C'est pour moi en 1943, à la vue d'œuvres nouvelles de Fautrier, que j'ai eu l'impression pour la première fois qu'il y avait autre chose […] Fautrier ouvrit avec ses *Otages* […] les portes de l'Aventure à l'échelle de notre passionnante époque[9]. » Tapié confond là les deux expositions du peintre que la galerie René Drouin organisa au cours des années quarante : l'une, en novembre 1943, « Fautrier – Œuvre 1915-1943. Peintures, sculptures, gravures, dessins », regroupait des œuvres de ses différentes périodes, tandis que l'autre, en octobre 1945, « Les Otages – Peintures et Sculptures de Fautrier », ne présentait que des peintures ou des sculptures récentes. C'est la seconde qui établira une double cassure, d'une part à l'intérieur de l'œuvre du peintre — et la critique « s'en tiendra désormais à cette dialectique rigoureuse mais sommaire entre l'ancien Fautrier et le nouveau[10] » —, et de l'autre au sein de l'activité et du discours artistique, puisqu'il y sera distingué une peinture antérieure aux *Otages* et une postérieure, subjective et secrète, soucieuse de l'ineffable et du déferlement, plus repliée sur les surgissements de l'intime que préoccupée d'engagement. Par-delà le prétexte ou le sujet, *Les Otages* s'imposaient comme les « archétypes classiques d'un style : l'informel[11] », dont l'auteur devint le précurseur et auquel seront associés des artistes de la génération suivante, Jean Dubuffet et Hans Hartung, puis d'autres. « Style » qui connut sa consécration lorsque Fautrier et Hartung obtinrent conjointement le premier prix de peinture à la Biennale de Venise de 1960.
De nombreuses manifestations collectives ou individuelles précisèrent cette tendance et c'est au milieu de cette effervescence, après avoir exposé en février 1956 des nus à la galerie Larcade, et avant sa rétrospective à la galerie Rive droite en novembre 1957, « Trente années de figuration informelle », que

Fautrier présenta en janvier de cette même année et dans la même galerie l'exposition « Les Partisans, Budapest, 1956 ». Les œuvres étaient inspirées des événements douloureux et tragiques qui s'étaient déroulés en Hongrie en octobre 1956 lors de l'intervention des chars soviétiques contre l'insurrection populaire de Budapest et étaient vendues « au profit des enfants hongrois[12] ». Datés de 1956 ou de 1957, de dimensions identiques, ces tableaux suggèrent des têtes de partisans[13], aux formes bleutées ou rougeâtres, avec des cernes rapides pour des yeux, pour une bouche, ou des sillons nerveux pour esquisser l'énergie d'un profil, ou encore de larges traits pour oblitérer un visage. Leur étaient associées trois autres toiles plus grandes : *La Grande Place, Budapest,* vaste surface quadrillée dans la pâte de trajectoires bleues ou rouges qui suscitent l'idée d'un ratissage méthodique, un triptyque et un diptyque, tous les deux titrés *Budapest*. Pour renforcer le sens de son engagement, le peintre avait calligraphié sur chacune des vers empruntés au poème *Liberté* écrit par son ami Paul Eluard sous l'Occupation[14].

Les *Lettres françaises* passèrent sous silence cette exposition. En revanche, Alain Jouffroy évoqua ces « visions délicates et floues [qui] constituent plutôt une fuite hors du carnage et du crime qu'une vision de la révolution. On ne peut imaginer en tout cas tableaux plus ambigus, plus sibyllins et plus noble projet, il affronte l'inexprimable horreur d'un peuple assassiné[15] ».

Décrivant le triptyque *Budapest*, Michel Ragon nota que « dans le magma de la pâte, dans le feu d'artifice des couleurs écrasées dans la matière, se dessinent des silhouettes, une grande tête sur le tableau central et une multitude de têtes sur les volets latéraux ». En conclusion il releva, pour l'approuver, la rencontre entre Fautrier et l'événement, c'est-à-dire l'inscription de sa pratique dans l'histoire immédiate : « On reproche souvent aux peintres "modernes" de vivre dans une tour d'ivoire, de rester coupés des préoccupations sociales. Fautrier en est un démenti. Tout en restant fidèle à ses préoccupations plastiques, il démontre qu'un artiste peut esquisser des sentiments "de circonstances", des sentiments d'actualité[16]. » Dans le même sens, un autre critique souligna que « cette position prise par le peintre montre aisément que l'artiste ne s'étiole pas dans ses rêves, comme d'aucuns veulent bien l'imaginer, mais participe de toutes ses forces aux actes vivants[17] ». Les commentaires de ces toiles « engagées » établissaient une rupture avec la lecture formelle de l'œuvre de Fautrier. Par ailleurs, plusieurs critiques constatèrent que ces *Partisans* se reliaient aux *Otages.* « Ils en sont comme une réplique. Mais, alors que les *Otages* étaient essentiellement des petits tableaux de têtes, les *Partisans* sont une foule[18]. » Ainsi, par leurs structures et leurs sources d'inspiration, ces tableaux étaient rapprochés de ceux que le peintre avait exposés en 1945 : « Fautrier présente un triptyque intitulé *Budapest* où se devinent dans la pâte et les tons ocres, auxquels il nous a habitués, des profils très lointainement allusifs qui rappellent ceux des *Otages* exposés au lendemain de la dernière guerre[19]. »

Avec ces expositions, une autre lecture de son œuvre tumultueuse était proposée, qui tenait compte des titres qu'il leur avait lui-même choisis, en deux circonstances différentes. Occasion, à treize années d'intervalle, d'une clairvoyante dénonciation de la part d'un solitaire, altier et lucide, des exactions du nazisme allemand et de celles du communisme russe. Cette double dénonciation ne fut formulée que par quelques rares intellectuels, écrivains ou peintres, au cours de ces années, la plupart préférant soutenir leur « camp ». Se comportant ainsi, Fautrier ne pouvait que créer une ambiguïté de plus auprès de ceux qui vénéraient sa peinture pour sa peinture et lui reprochaient son identification à une précise actualité. En effet, enthousiaste et admiratif pour son exposition de 1945, Dubuffet avouait « que pour ce qui est des histoires d'otages et Oradour, etc., je m'en foutais, que je ne voyais pas d'otages dans tout cela, qu'il ne me paraissait pas du tout utile de mêler des otages à tout cela mais que c'était une manie du peintre[20] ».

Jean Fautrier, *La Grande Place, Budapest,* 1957. Collection privée. © M. Goelen.

C'est donc en octobre 1945, quinze mois après la libération de Paris, que la luxueuse galerie René Drouin, place Vendôme, révéla le travail récent de Fautrier. Un an avant, Paulhan écrivait à Ponge : « Je lui conseille de faire une exposition des vingt *Otages* (têtes, corps), qu'il peint depuis quelque dix mois. Voudrais-tu lui écrire une préface ? Ce serait bien[21]. » Peu de temps après, dans une petite revue éditée par la galerie Drouin, Ponge rendait compte de l'originalité de cette peinture : « C'est une série de toiles [...] auxquelles travaille depuis huit mois le peintre le plus révolutionnaire du monde à ma connaissance depuis Picasso [...] Il y a presque autant de peinture sur la toile que de chair comporte un visage. En tout cas plus que de pétales un gros bouquet de roses de Noël. Peut-être trouvera-t-on ces expres-

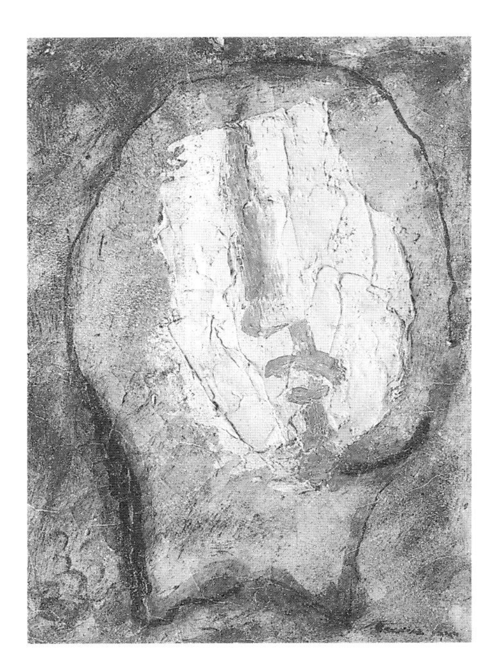

Jean Fautrier,
Tête d'otage n° 20, 1944.
Galerie Limmer,
Fribourg-en-Brisgau.

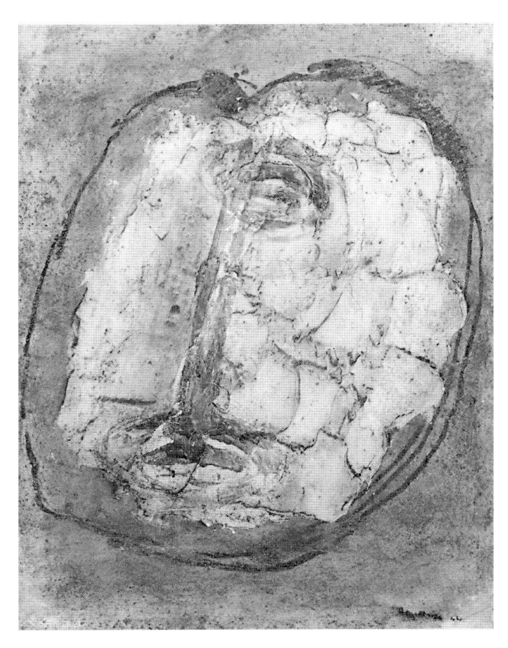

Jean Fautrier,
Tête d'otage n° 1, 1943.
The Museum
of Contemporary Art,
Los Angeles.
The Panza Collection.

Jean Fautrier,
Tête d'otage n° 8, 1943.
Collection particulière.

sions indécentes à propos d'un sujet aussi terrible que les *Otages*. Et certes, Fautrier a dû ressentir bien fortement ces horreurs pour en éprouver ensuite (esthétiquement) l'obligation. Mais le miracle est là justement : il nous restitue les *Otages* en beauté[22]. »
L'exposition n'ouvrit qu'un an plus tard. Dans la préface du catalogue, rédigée non par Ponge mais par Malraux, ce dernier expliqua que « Si chaque *Otage* est un tableau, la signification des *Otages*, dans toute sa force, est inséparable de cette salle où vous les regardez réunis, où ils sont à la fois les damnés d'un enfer cohérent, et des instants d'une évolution traquée[23]. » Il insistait ainsi sur une des originalités de cette exposition qui regroupait une majorité de tableaux simplement intitulés *Tête d'otage,* et numérotés de 1 à 33[24]. De format presque semblable, ils constituaient une série homogène, ce qui surprit. Michel Florisonne décrivit une « quarantaine de violentes taches blanchâtres, écrasées, numérotées, perdues uniformément sur des supports carrés gris, quelques autres plus grands, quelques traces parfois de couleur jaune[25] ». Chacune était détachée par cette bordure grise du fond sombre de la cimaise. Dans ses souvenirs, Tapié parlera d'un « accrochage très espacé de quelque vingt à trente très petites peintures [...] Imaginez trente fois cela, perdu sur d'immenses cimaises... pas de forme, pas de couleur, pas de métier[26] ». Ce procédé répétitif a parfois suscité de la lassitude et Marcel Arland se plaignit que « de l'ensemble, on est contraint de reconnaître que, par la continuité du sujet, du format et de la méthode, il ne va pas sans monotonie[27] ». Cette impression découlait directement de la manière dont un même thème avait été décliné sur un même format. Il en résultait une analogie entre cet accrochage et l'anonymat des otages face à leurs tortionnaires, ou face à l'histoire, qui rendait compte de l'inébranlable obsession de Fautrier sur un « objet », sorte de catharsis en réaction à la monotonie répétitive de l'horreur.
Cette « monotonie » n'était toutefois que superficielle puisque ces tableaux n'étaient pas traités d'une manière semblable, comme l'indiquait Malraux[28].
En effet, ces tableaux offraient une grande diversité, comme le souligna le critique Antimoine Chevalet, les « plus anciens sont les plus lisibles ; ils sont traduits par un signe, celui de l'homme martyr ». Ils sont rehaussés de teintes brunâtres, assourdies, mordorées, qui rappellent celles que Fautrier utilisait au cours des années trente. Dans d'autres, l'« artiste s'enfonce dans la recherche d'une expression nouvelle du tragique, ce signe disparaît ou se complique [29] ». Pour ceux-là, il utilisa une technique qu'il avait mise au point lorsque, délaissant la peinture à l'huile qui le « dégoûtait[30] », il peignait à plat sur un support de papier qu'il marouflait ensuite.
De plus, cette « monotonie » était distraite par de plus grands tableaux qui, disposés sur un fond blanc, scandaient l'accrochage. Leurs titres soit renvoyaient eux aussi à l'Occupation, à la guerre ou à la Résistance : *Oradour*, mais aussi *Massacre, Cadavre, Cadavre jaune, Torse de fusillé, Buste de fusillé, Femme suppliciée*[31], soit renvoyaient à la femme, un thème cher au peintre, et ne permettaient pas d'en déduire qu'ils étaient en rapport avec la guerre ou encore qu'ils mêlaient l'un à l'autre : *Grande Tête jaune, Grande Tête orange, Torse, Torse de femme, Buste de femme, Le Corps de la femme*[32]. La plupart sont connus, même si leurs titres actuels diffèrent.

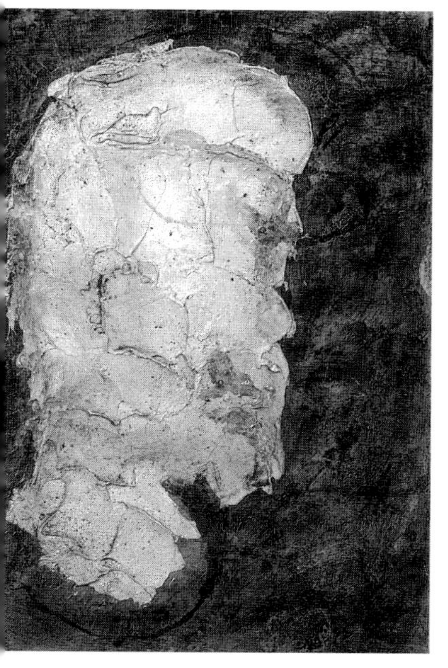

Jean Fautrier,
Tête d'otage n° 11, 1943.
Galerie Di Meo, Paris.

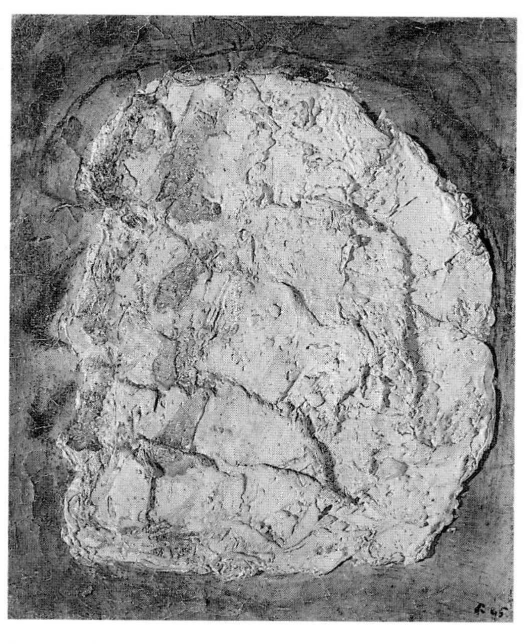

Jean Fautrier,
Tête d'otage n° 22, 1944.
Galerie Limmer,
Fribourg-en-Brisgau.

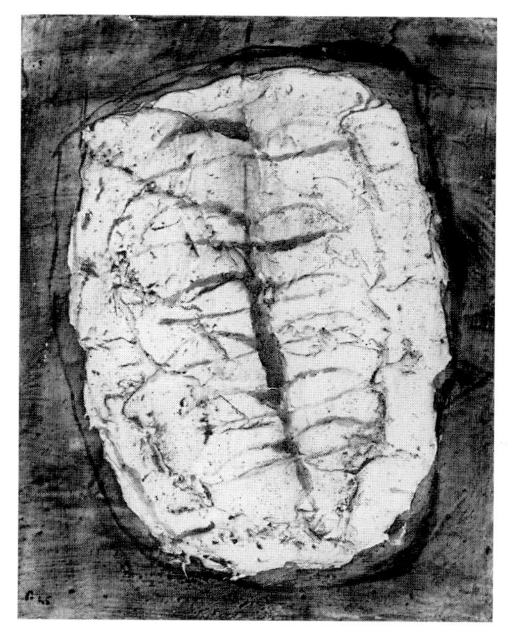

Jean Fautrier,
Tête d'otage n° 14, 1944.
The Museum
of Contemporary Art,
Los Angeles,
The Panza Collection.

Jean Fautrier,
Otage, 1943.
Galerie Limmer,
Fribourg-en-
Brisgau.
▽

Jean Fautrier,
Otage, 1945.
Collection particulière.
Paris.

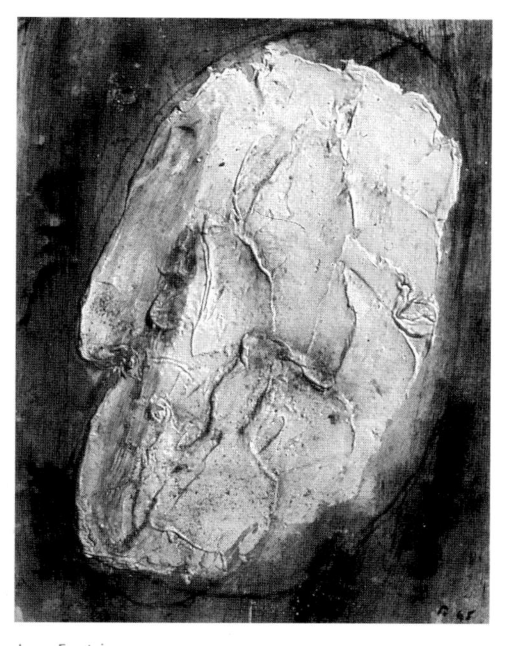

Jean Fautrier,
Otage n° 3, 1943.
Musée de
l'Île-de-France
Sceaux.
Donation Fautrier
(1964).

Peints selon la même technique que les *Otages,* ils se composent d'une forme compacte ramassée, plus ou moins anthropomorphe, corps meurtri, défait, décomposé, flétri, qui s'étale sur un fond aux couleurs végétales incertaines. Pour les autres, il peut s'agir de chairs alanguies qui s'exaltent sous des blondeurs rayonnantes. Ces nudités ne retinrent pas l'attention des critiques, et ce ne sera que plus tard que l'on soulignera que mort et sexe étaient réunis par celui qui illustra en 1942 le livre de Georges Bataille, *Madame Edwarda.*

Les historiens admettent que toutes ces toiles ne furent datées qu'en 1945[33]. De sorte qu'il n'est aisé ni de situer les sources d'inspiration de Fautrier, ni de suivre son cheminement créatif, hormis pour *Oradour,* dont les traits rouges silhouettent des profils qui semblent dire la multitude des victimes, et qui s'inspire d'un événement dont Fautrier eut connaissance par la presse — l'exécution sommaire de 642 hommes, femmes et enfants par les SS de la division « Das Reich » le 10 juin 1944 à Oradour-sur-Glane. Néanmoins, il est probable que Fautrier a peint les premières à Paris, comme l'a rapporté Wallard, qui s'est souvenu l'avoir vu « commencer en 1943 par un visage banal, informe, puis il s'est jeté dans le difficile, l'inexprimable[34] ». Cette précision doit être mise en relation avec l'article que Wallard publia au début de 1944 après une visite dans l'atelier du peintre que l'on peut situer à la fin de l'année précédente. Dans cet article, il rapportait d'ailleurs que Fautrier souhaitait peindre une toile qui serait « exactement ce que je porte en moi en ce moment [...] un vert violent, sans fatiguer, qui fondra sur la nuit, la séparera du sang. Les cadavres seront couchés là-dessus, dans l'éternelle présence de leur mort, dans ce sens irréfutable, les pieds au ciel, la tête noyée dans la nuit et le sang. Voyez la main qui surnage et par où s'échappe leur lumière[35] ». Par ailleurs, en 1945, Wallard signala la source d'inspiration de l'un de ces tableaux : « Ils étaient six compagnons et on les a photographiés sur leurs civières pour les identifier... Ce sont des documents : nez éclaté sur une éponge noire de sang, masses brunes, énormes et fragiles de ce que furent des yeux et le ricanement de monstres aux dents bizarres, des visages profanés[36]. » De sorte que Fautrier a pu, comme il l'avait déjà fait, travailler d'après une photographie pour peindre *Massacre,* tableau qui montre six têtes aux dimensions différentes, les unes délimitées par un trait rouge, les autres par un noir, ou par les deux à la fois, dont les yeux fixes font face, accusent et témoignent. Fautrier doit avoir continué ces toiles à Châtenay-Malabry, où il pourrait avoir vu des cadavres dans un charnier, comme l'indique Robert Droguet[37] ou réagir, comme le rapporte Georges Poisson, à la suite de beaucoup d'autres, à l'exécution d'otages à proximité de son domicile : « Ce jour-là encore, les Allemands avaient amené là quelques otages, en camion, assis sur les cercueils à eux destinés, et les avaient fusillés. L'écho du feu de salve avait à peine cessé que l'on entendait des détonations isolées : les coups de grâce[38]. » Si la chronologie et l'histoire de ces toiles demeurent à préciser, ces dernières ont été peintes alors que s'accentuaient les actes de résistance, que l'occupant et le gouvernement français assimilèrent à des actes de « terrorisme » et combattirent par des sévices ou des exécutions sommaires. Et constatons, comme Wallard, que si leur auteur « n'a pas été le témoin de ces scènes atroces, il a peint, il a tenté d'exprimer cette rencontre mille fois répétée de la barbarie sur le corps de l'homme[39] ».

Ces toiles furent exposées à un moment où, dans l'exaltation, étaient dénoncés les crimes allemands, nazis, ou ceux du gouvernement de Vichy, et célébrées leurs victimes ou encore la Résistance. Et c'est en référence à cette célébration que des critiques s'étonnèrent qu'elles ne soient pas en accord avec leurs propos. Pour Degand, « dans l'ignorance de son titre général, il est impossible de deviner non seulement qu'il s'agit d'otages, mais de masques tragiques[40] ». Pour un autre : « Qui devinerait, sans catalogue, cet *Oradour* ? [...] En tout état de cause, les recherches de matière ne suffisent pas, croyons-nous, à dresser un monument digne d'eux à ces hommes et ces femmes qui se sont sculptés dans les supplices et qui sont morts pour nous sans parler[41]. » De même, beaucoup de critiques, à la suite de Malraux et de Paulhan, doutèrent de la justesse des tons utilisés par Fautrier, « de ces roses et de ces verts presque tendres, qui semblent appartenir à une complaisance[42] », par rapport au thème de la mort. Arland ne fut-il pas stupéfié d'avoir entendu dire devant ces têtes de suppliciés : « ... c'est joli, c'est exquis, c'est ravissant » ? Et il continuait : « Il faut bien avouer que ces toiles nous séduisent plus qu'elles ne nous violentent... Je n'y sens pas la grandeur farouche ou macabre que laisse attendre le sujet[43]. » Ainsi, rares sont ceux qui acceptèrent que l'horrible et la douleur soient peints à l'aide des couleurs du plaisir, si ce n'est du frivole.

Pondéré, le critique du *Monde* admit que « Les œuvres sont d'une lecture difficile. Elles provoqueront sans doute la risée et l'exaspération ». Toutefois, le moins qu'elles lui « paraissent pouvoir exiger, c'est le respect pour la noblesse désintéressée de l'idéal qui y est enclos[44] ». Pour celui des *Nouvelles littéraires,* l'exposition fait « songer à de l'anonymat, à de la souffrance, à de nobles sacrifices[45] ». D'autres admirent l'adéquation entre le sujet lié aux événements tragiques et les moyens picturaux choisis par Fautrier pour évoquer « dans un puissant langage plastique le martyre des hommes qui ont payé de leur vie le salut des autres », comme l'écrivit Florisonne, qui continuait : « Ce sont des anonymes, ce sont des formes d'autant plus tragiques qu'elles sont symboliques, ce sont des représentants de l'humanité qui n'ont plus droit au visage personnel ; ils sont et ils ne sont déjà plus, ils font partie du cosmos[46]. » Pour Wallard : « Et voilà que Fautrier retrouve ces hommes martyrisés, lui, qui n'a jamais cessé de peindre le tragique, nous invite à regarder les restes inoubliables des otages[47]. »

D'autres resituèrent ces tableaux par rapport à un passé récent, comme Paulhan, qui évoquait un « temps où les hommes se sont trouvés soudain plus convulsés que des hommes. Un temps où l'homme vaincu se trouvait très exactement en proie à des ogres et des géants haineux — qui ne se contentaient pas de le torturer, qui le souillaient encore. Le corps disloqué, le sexe tordu, le couteau dans les fesses, c'était à la fois la pire insulte, la plus immonde — et tout de même la plus nôtre[48] ». Ponge, encore membre du parti communiste, dénonça au présent les auteurs de ces massacres : le « cannibalisme bourgeois » et « leurs hommes de mains, les nazis ». Il constatait que la « sauvagerie est là, elle inonde le siècle. Cher amateur, nous vivons en pleine sauvagerie[49] ».

Ces prises de parti sur le fond comme sur la forme expliquent que l'originalité de cette exposition ait embarrassé la majorité des critiques qui célébraient alors Picasso, Matisse et l'art moderne, mais aussi Marchand, Fougeron et bien d'autres. Fautrier fut dès lors perçu comme un « peintre qui a pour adversaires beaucoup de peintres, pour admirateurs la plupart des poètes[50] ». À la suite de cette remarque de Malraux, plusieurs critiques ironisèrent d'ailleurs sur ce soutien. Pour l'un d'eux, l'« art de Fautrier ne se soucie pas des problèmes de la peinture pure, il ne relève pas non plus à proprement parler d'une esthétique littéraire, mais il produit véritablement de la peinture pour littérateurs[51] ». Pour un autre, ces *Otages* ne lui paraissaient pas avoir « beaucoup à voir avec la création des formes plastiques. C'est pour cela, probablement, que les écrivains paraissent mieux s'y reconnaître que les peintres dans ces symboles[52] ».

Toutes ces incompréhensions empêchèrent de voir (sauf pour quelques-uns, principalement Ponge, qui publia quelques mois plus tard « Notes sur les *Otages*, peintures de Fautrier » daté de 1945 — même s'il semble que ce texte ait déjà été rédigé et connu) combien l'engagement et la dénonciation étaient étroitement imbriqués dans la peinture de Fautrier, qui puisait ses attraits à d'intimes nécessités, l'horreur de la violence, mais aussi mêlant la vie et la mort, le corps et le sexe, la terre et le ciel.

Avec les *Otages*, l'« horreur et la beauté mêlées dans le constat » clôturaient une conjoncture commencée dix ans plus tôt lorsque le « hurlement de l'Espagne martyrisée avait été esquissé plastiquement par la toile illustre de Picasso, *Guernica*[53] ». Dorénavant, alors que la guerre froide s'imposait sur l'Europe, que la première bombe atomique venait d'éclater, autre chose pouvait commencer, une peinture « à l'état pur » selon l'expression de Dubuffet[54], pour laquelle il fut adopté comme référence cette série de toiles engagées de Fautrier. Toutefois ce dernier ne renoncera jamais à un prétexte, tout au plus sera-t-il différent. Comme il avait peint les horreurs de la guerre, il continua à peindre des nus mais aussi la poésie des objets, un peu comme l'avait fait Ponge lorsque, avant la guerre, il décrivit la poétique simplicité du cageot.

1. Dans *Mesures*, n° 1, 15 janvier 1935, p. 151. Il fut republié dans Francis Ponge, *Tome premier*, Paris, Gallimard, 1965, p. 43.
2. Daniel Wallard, « Les arts. Les *Otages* de Fautrier », *Poésie 46*, n° 29, janvier 1946, p. 87.
3. M.-A. Stalter, *Recherches sur la vie et l'œuvre de Jean Fautrier (1898-1964) de leurs commencements à 1940. Essai de catalogue méthodique et d'interprétation*, thèse de doctorat d'État, université de la Sorbonne – Paris IV, 1982 (ronéotypée), 5 vol., p. 7.
4. Cité dans M.-A. Stalter, « Fautrier, du permanent au fugace : aspect de son art entre 1920 et 1943 », *Fautrier, 1898-1964*, cat. d'exposition, Paris, musée d'Art moderne de la Ville de Paris, 1989, p. 23.
5. *Ibid.*
6. « Fautrier à la Vallée-aux-Loups n'aura pas connu Fénéon. Agacé par la Gestapo, il s'y est réfugié voici près d'un an. F. F. venait de mourir. » (Francis Ponge, « Fautrier à la Vallée-aux-Loups », *Le Spectateur des Arts*, décembre 1944, n° 1, p. 21.) On en déduit qu'il s'y serait « réfugié » fin 1943 ou début 1944, puisque Fénéon décéda le 29 février 1944. D'autres versions furent données : « En 1940, sa maison à Paris avait été un des centres de la Résistance ; inquiété par les SS il s'était réfugié dans un pavillon à Châtenay ; c'est là que je l'ai vu peindre les fameux *Otages* qui seront en 1945 présentés par Malraux. » (Gerhard Heller, *Un Allemand à Paris 1940-1944*, Paris, Le Seuil, 1981, p. 121).
7. « La guerre donne à Arno Breker l'occasion de sauver Fautrier, et d'ailleurs Picasso. Fautrier (l'ancien gazé de 1918), sous la guerre : réunions chez lui de la Résistance ; quatre jours aux mains de la Gestapo ; refuge à la Vallée-aux-Loups chez les fous du Docteur Le Savoureux... » (Gaspard, « Notes sur l'art de Fautrier », *Cahiers bleus. Dossier Fautrier*, n° 2, automne 1975, rééd. 1982, p. 33). Voir aussi le témoignage d'Arno Breker sur ses rencontres avec Fautrier dans la galerie de Jeanne Castel, avenue de Messine (*J.-F. peintre et sculpteur*, mai 1975, *ibid.*, pp. 71, 72).
8. Michel Tapié, *Un art autre. Où il s'agit de nouveaux dévidages du réel*, Paris, Gabriel Girard, 1957, n. p.
9. Michel Tapié, « Espaces et expressions », *Premier bilan de l'art actuel*, Paris, 1953, n°s 3 et 4, p. 102.
10. M.-A. Stalter, *Recherches sur la vie et l'œuvre de Jean Fautrier..., op. cit.*, p. 8.
11. Pierre Restany, « Fautrier et le style informel », dans *Jean Fautrier*, Paris, Hazan, 1963, n. p.
12. Michel Ragon, « Fautrier. Budapest », *Cimaise*, janvier-février 1957, p. 38.
13. Il n'existe pas de catalogue de cette exposition. Dans son livre sur l'œuvre de Fautrier, P. Bucarelli (*Jean Fautrier, pittura e materia*, Milan, Il Saggiatore, 1960, pp. 344-347) a recensé onze *Tête de partisan*, à savoir les n°s 305, 306, 308 à 315 et 318. Elle en mentionne une autre d'un format différent, le n° 307.
14. Il s'agit d'extraits du poème *Liberté*, d'abord publié dans *Poésie et Vérité 42*, Monaco, 1942, et illustré par Fautrier, puis republié une première fois dans *Dignes de vivre*, Paris, Éditions Séquana, 1944. Voir Paul Eluard, *Œuvres complètes*, Paris, Gallimard, Bibliothèque de la Pléiade, 1968, t. I, pp. 1105-1107.
15. Alain Jouffroy, « Jean Fautrier. Budapest 1956 », *Arts*, 16-20 janvier 1957, p. 12.
16. Michel Ragon, « Fautrier. Budapest », *op. cit.*
17. Louis-Paul Favre, « L'art abstrait. Liberté », *Combat*, 21 janvier 1957, p. 7.
18. Michel Ragon, « Fautrier. Budapest », *op. cit.*
19. Michel Cosnil-Lacoste, « À travers les galeries », *Le Monde*, 11 janvier 1957, p. 8.
20. Jean Dubuffet, lettre à Jean Paulhan, octobre 1945, dans *Fautrier 1898-1964*, cat. d'exp., *op. cit.*, p. 222.
21. *Jean Paulhan – Francis Ponge. Correspondance 1923-1968*, t. I, Paris, Gallimard, 1986, p. 327.
22. Francis Ponge, « Fautrier à la Vallée-aux-Loups », *op. cit.*, p. 21.
23. André Malraux, « Les Otages », dans le cat. de l'exposition « Les Otages. Peintures et Sculptures de Fautrier », galerie Drouin, Paris, 26 octobre-17 novembre 1945, n. p.
24. En 1976, P. Bucarelli en a recensé vingt-quatre, voir *Jean Fautrier, pittura e materia, op. cit.*, pp. 314-320. D'autres sont également connus.
25. Michel Florisonne, « Les expositions. Les *Otages* », *Arts*, n° 11, 2 novembre 1945, p. 2.
26. Michel Tapié, *Un art autre..., op. cit.*, n. p.
27. Marcel Arland, « Peinture contemporaine. Les *Otages* de Fautrier », *xxe siècle*, 4 et 8 novembre 1945, p. 4.
28. André Malraux, « Les *Otages* », *op. cit.*
29. Antimoine Chevalet, « Les *Otages* de Fautrier », *Action*, 16 novembre 1945, p. 12.
30. « Je désire me composer une palette bien à moi, un système où le dessin devrait avoir sa place et une place importante sans que la couleur ou la pâte vienne déranger son sens, et puis il y avait autre chose (toujours dans le domaine technique), la peinture à l'huile me dégoûtait » (cité dans A. Verdet, *Fautrier*, Falaize, 1975, n. p.).
31. Dans le catalogue de P. Bucarelli (*Jean Fautrier, pittura e materia, op. cit.*, pp. 310-321), si certaines de ces toiles ont gardé leur titre et sont facilement identifiables, tel le n° 145, *Le Massacre (otages)*, 1943, daté de 1944, ou le n° 177, *Oradour*, 1944, d'autres pourraient correspondre à l'une de celles-ci : n° 144, *Le Fusillé*, 1943, daté de 1945 ; n° 146, *Nu otage*, 1943, daté de 1945 (ancienne collection Jean Paulhan) ; n° 149, *La Juive otage*, 1943, daté de 1945 ; n° 150, *Torse otage*, 1943, daté de 1944 ; n° 151, *Otage*, 1943, daté de 1945 ; n° 152, *Corps d'otage*, 1943, daté de 1944.
32. Aucun de ces titres n'étant précisément repris dans le catalogue de P. Bucarelli, il n'est pas aisé d'identifier ces œuvres, néanmoins on peut suggérer qu'elles pourraient correspondre aux n°s 128, *Le Nu aux mains*, 1942 (ancienne collection André Malraux) ; 120, *La Jeune Fille*, 1942 ; 143, *Le Torse nu*, 1943 daté de 1945 ; 147, *Nu*, 1943 ; 148, *La Toute Jeune Fille*, 1943, daté de 1945 (*ibid.*, pp. 310-314).
33. Dans le catalogue de la galerie Drouin, aucune œuvre n'était datée. P. Bucarelli a noté : « Après ceux datés de 1942, tous les *Otages* sont rassemblés entre 1943 et 1944, même s'ils portent la date de 1945. Fautrier, qui pour des raisons évidentes ne pouvait les dater et les signer durant ces années au cours desquelles il se tint réfugié, les data quand, la guerre terminée, fut organisée l'exposition à la galerie Drouin » (*ibid.*, p. 312, note 1).
34. Daniel Wallard, « Les arts. Les *Otages* de Fautrier », *op. cit.*, p. 89.
35. Daniel Wallard, « L'exposition Fautrier », *Confluences*, n° 28, janvier-février 1944, p. 100.
36. Daniel Wallard, « Les arts. Les *Otages* de Fautrier », *op. cit.*, p. 88.
37. « Ils [les otages] étaient, dit Fautrier, très monotones dans les charniers » (Robert Droguet, *Fautrier 43*, Paris, Échoppe, 1995, p. 16).
38. Georges Poisson, « Fautrier », *Jardin des Arts*, mai 1972, p. 69.
39. Daniel Wallard, « Les arts. Les *Otages* de Fautrier », *op. cit.*, p. 88.
40. Degand, « Du tragique à l'ascétisme », *Lettres françaises*, 10 novembre 1945, p. 4.
41. Jacques Gabriel, « L'hommage d'un peintre aux martyrs : les *Otages* de Fautrier », *Le Pays*, 19 novembre 1945, p. 1.
42. André Malraux, « Les *Otages* », *op. cit.*
43. Marcel Arland, « Peinture contemporaine. Les *Otages* de Fautrier », *op. cit.*
44. *Le Monde*, 2 novembre 1945, p. 3 (R. J., « Les arts. Petites expositions »).
45. *Les Nouvelles littéraires*, 8 novembre 1945, p. 5 (S. S., « D'une rive à l'autre »).
46. Michel Florisonne, « Les expositions. Les *Otages* », *op. cit.*
47. Daniel Wallard, « Les Arts. Les *Otages* de Fautrier », *op. cit.*, p. 88.
48. Jean Paulhan, « Fautrier l'enragé », *Variété*, n° 1, 1945, pp. 20, 34.
49. Francis Ponge, « La bataille contre l'horreur », *Confluences*, n° 5, juin-juillet 1945, pp. 472-480.
50. André Malraux, « Les *Otages* », *op. cit.*
51. L. Chéronnet, « Première saison de Paris », *Art et Style*, n° 3, décembre 1945, n. p.
52. *La Bataille*, 15 novembre 1945, p. 3 (S. S., « Dans les galeries »).
53. Francis Ponge, « Notes sur les *Otages*, peintures de Fautrier », Paris, Seghers, 1946, rééd. dans *Le Peintre à l'étude*, Paris, Gallimard, 1948, éd. ut., *Tome premier*, *op. cit.*, p. 467.
54. Cité dans *Jean Paulhan à travers ses peintures*, cat. d'exposition, Paris, Grand Palais, Éditions des musées nationaux, 1974, p. 96.

Réalismes sous le signe du drapeau rouge, 1945-1960

À la mémoire d'Annie Kriegel

« Qu'est-ce que le réalisme socialiste ?... Peut-être n'est-ce qu'une vision d'intellectuel transi de peur, surgie des ténèbres fantastiques de la dictature stalinienne ?... On évalue la production du réalisme socialiste en milliards de feuilles imprimées, en kilomètres de toiles et de pellicules, en siècles d'heures... »

Andreï Siniavski, « Le réalisme socialiste », *Esprit*, février 1959.

Sarah Wilson

Les parallèles entre l'art nazi et l'art soviétique sont devenus presque banals ; on ne compare pourtant jamais l'art non avant-gardiste d'après 1945 traitant de la guerre, les portraits de commande ou les paysages « militarisés », avec le réalisme socialiste soviétique. Et comment pourrait-on caractériser *La Baie des perles, 8 décembre 1941*, du Montparnassien Foujita, une peinture réaliste fondée sur des photographies militaires aériennes, ou son *Attaque japonaise sur l'aérodrome américain de Leyte* ? Considéré comme peintre criminel de guerre, Foujita s'enfuit en Amérique avec un passeport que lui délivra personnellement le général MacArthur[1].
À quel type de réalisme rattacher, d'autre part, Jack Levine, fils d'immigrants juifs lituaniens, influencé par Soutine, Beckmann et Kokoschka, dont les œuvres ont été acquises par le MoMA, le Metropolitan Museum ou le Hirshhorn, alors qu'il avait milité avant-guerre dans des organisations communistes telles que l'Artists' Congress ou les John Reed Clubs ? La définition qu'il donne lui-même du « réalisme socialiste » américain couvre « une gamme allant de l'héroïque à l'ironique, du satirique au sensationnel, du passionné au cérébral, du cliché à la fantaisie, du naturalisme au symbolisme, [...] une variété de styles qui comprend tous les modes actuels de ce côté-ci du non-objectivisme[2] ». Comme la plupart de ses toiles, *Election Night* (1954) est une allégorie quelque peu empreinte de l'expressionnisme européen de ses précurseurs, mais également singularisée par un sens de la chair, des bijoux, et une sensualité bien à lui. À partir des années trente et jusqu'au maccarthysme, Levine réalisa de grandes huiles — brechtiennes dans leur vision, profondément américaines dans leur nature — sur le thème du capitalisme, de la politique et du crime. Les comparaisons suggérées par Christine Lindey dans *Art in the Cold War* (« L'Art de la guerre froide »), entre les images de Staline et le *Franklin D. Roosevelt* de Frank O. Salisbury (1945), ou le *H. M. Queen Elizabeth II* de Pietro Annigoni (1954), soulèvent de nombreuses questions qui dépassent le cadre d'une histoire de l'art social et politique de l'après-guerre pour toucher aux dimensions anthropologiques des cultes de la personnalité[3]. N'oublions pas que quarante mille Français visitèrent l'exposition organisée pour le soixante-dixième anniversaire de Staline en décembre 1949. Les cadeaux — un ensemble d'œuvres allant de l'*Hommage à André Houllier, militant communiste abattu à l'âge de cinquante-quatre ans alors qu'il procédait à l'affichage de tracts contre la guerre*, d'André Fougeron, au dessin impertinent de Picasso *Staline à ta santé*, en passant par des dessins d'enfants et des chaussettes tricotées[4] — furent ensuite envoyés en URSS dans un train spécial et exposés au musée Pouchkine.
De manière significative, avant la création du Kominform en 1947, des artistes militants antifascistes se regroupèrent aussi bien à l'Est qu'à l'Ouest. En France, l'Union des arts plastiques, issue du mouvement résistant le Front national des arts, comprenait les survivants de l'Association des écrivains et des artistes révolutionnaires créée avant-guerre : Boris Taslitzky, Édouard Pignon et André Fougeron. En Allemagne de l'Est, la même chose se produisit pour les artistes de l'ASSO, appellation usuelle de l'ARBKD (Assoziation Revolutionären Bildender Künstler Deutschlands, « Association des artistes plasticiens révolutionnaires d'Allemagne »), l'organisation artistique du KPD (Kommunistische Partei Deutschlands). Comme en France, les premières expositions d'après-guerre en Allemagne de l'Est furent remarquablement pluralistes, même dans la zone soviétique. L'« Allgemeine Deutsche Kunstausstellung » (« Exposition générale d'art allemand »), à Dresde, organisée en 1946 par Will Grohmann avec Hans Grundig, ancien membre de l'ASSO, fut le premier inventaire des exilés de l'intérieur et de l'extérieur ; cette exposition présentait des styles aussi variés que

Jack Levine, *Election Night* [Nuit d'élections], 1954. The Museum of Modern Art, New York. Don de Joseph H. Hirshhorn, 1955. © The Museum of Modern Art, New York.

l'expressionnisme, le Bauhaus, la Neue Sachlichkeit (« Nouvelle Objectivité »), ainsi que celui des artistes de l'ASSO eux-mêmes, et des formats tels que celui du retable, qui rappelait l'utilisation qu'en avaient fait les artistes « dégénérés » comme Kirchner et Otto Dix. Un article de *Neues Deutschlands*, paru le 4 octobre 1946, appelait à un « nivellement » des styles. En octobre 1947, Max Grabowski, obéissant sans doute à des ordres soviétiques, condamna la Neue Sachlichkeit, le futurisme et le cubisme, annonçant une ère de conformisme réaliste[5]. Il est frappant que les phases de reconstruction et leurs liens avec la peinture, la sculpture et l'architecture réalistes socialistes aient suivi, à l'Est, des rythmes souvent tout à fait distincts de ceux de l'Ouest, en particulier après la mort de Staline[6]. Des thèmes généraux, comme celui des constructeurs sur échafaudages (repris en 1951 par Fernand Léger), sont rapidement devenus des clichés, de qualité variable. Le système de pensée schizophrène à l'Est fut révélé dans le livre de Czesław Miłosz, *L'Esprit captif,* publié en 1953 à l'Ouest. Il y évoque la « mascarade universelle » du culte de la laideur et la suppression de toute expérimentation artistique. Paradoxalement, aussi bien en Union soviétique que dans le bloc de l'Est, les masses étaient souvent capables de trouver une certaine beauté dans leur art et un esprit authentique de célébration dans leurs festivals culturels[7].

En 1947, le point culminant de la crise et de la division fut atteint. L'URSS traversa une période de consolidation et de lente sclérose. On laissa le soin de ratifier les directives aux experts culturels, à commencer par Alexandre Guerassimov, président de la nouvelle Académie des arts de l'URSS, « le bras exécutif du Parti dans le monde de l'art » ; un recueil de ses articles de 1948 à 1951 parut en URSS sous le titre *Pour un réalisme socialiste,* en 1952. Aussi important fut Andreï Jdanov, qui avait instauré en 1946 la persécution des artistes et des intellectuels soviétiques, particulièrement les Juifs, la « jdanovtchina »[8].

À Moscou, le réalisme socialiste en tant que forme d'art possédant une vigueur propre, un dynamisme, et même parfois un certain charme, passait par une stagnation. Malgré quelques projets architecturaux substantiels, comme l'université d'État de Moscou (1948-1953) ou d'étranges « chefs-d'œuvre » tels que *Le Matin de notre patrie,* de Fedor Shurpin (1948)[9], on trouvait surtout les peintures de Guerassimov, qui développaient un culte de la personnalité de plus en plus inflexible (*J. V. Staline près du cercueil de A. A. Jdanov,* 1948), ou tout un fatras de peintures ennuyeuses exécutées par des brigades de choc, dont Aragon fit malencontreusement la promotion en France en 1952[10]. L'artiste était devenu l'« exécutant aveugle de tâches commandées d'en haut[11] ». Les plus grands maîtres se trouvèrent dans une impasse — il suffit de comparer les brillantes constructions de Deïneka depuis les années vingt jusqu'à la Grande Guerre patriotique, et son maussade *Panorama des constructions de logements près de Moscou*, en 1949.

Jdanov, responsable de la définition du réalisme socialiste soviétique en 1934, devint, lors de la première conférence du Komintern, le porte-parole de la théorie des « deux camps », l'un « impérialiste et antidémocratique », l'autre « anti-impérialiste et démocratique », qui s'étendit rapidement aux arts[12]. En août 1947, Matisse et Picasso furent dénoncés par Guerassimov dans la *Pravda*, dans une attaque largement couverte par la presse française :

> « Il n'est pas concevable qu'à un niveau identique de développement, l'art soviétique puisse sympathiser avec l'art bourgeois décadent représenté par ces professeurs de pensée formaliste que sont les Français Matisse et Picasso[13]. »

Les archives du Kominform révèlent une obsession majeure autour du plan

Pablo Picasso, *Staline à ta santé*, 1949. Musée Picasso, Paris. © RMN.

Marshall, de la « trahison » yougoslave et des différentes stratégies culturelles. Cependant, alors qu'une exposition de peinture soviétique en Hongrie accueillait quelque deux cent seize mille personnes — un « nouvel intérêt extraordinaire », selon Rakovski, en 1949 —, le terme de « réalisme socialiste », de façon surprenante, n'apparaît pas dans les minutes de ces sessions du Kominform[14]. L'accent, au contraire, était mis sur la « paix », notamment sur la création du Mouvement de la paix, avec son organe officiel plurilingue *Pour une paix durable, pour une démocratie populaire,* ses campagnes d'affichages, ses expositions artistiques et ses pétitions, telles que l'appel de Stockholm contre la bombe atomique et la prolifération nucléaire[15].
Bien que le dépouillement des archives ne soit pas encore terminé, on peut affirmer que les politiques en matière d'art prenaient de plus en plus d'importance et étaient constamment révisées.

« Le Kominform donne les lignes directrices de la stratégie, de l'activité, de la réflexion et de la propagande des partis communistes jusqu'à sa dissolution, le 17 avril 1956. Il contrôle leur activité et exerce une pression permanente[16]. »

Le problème de l'héritage culturel national (évoqué par Lénine dans *Que faire ?* en 1902), théoriquement supprimé par une homogénéisation du bloc de l'Est, souleva de bien plus grands problèmes à l'Ouest. C'est à l'intérieur d'une société capitaliste et consumériste que fleurit la vaste « contre-société » telle que l'a définie Annie Kriegel :

« Un parti communiste occidental, c'est un parti qui n'est pas au pouvoir, qui opère dans une société industrielle dotée de tous les signes de la modernité (science, technologie, classe ouvrière, social-démocratie, empire colonial), qui a promesse de recevoir en héritage tout ce qui concourt à l'identité européenne[17]. »

La vie, les attentes en matière de culture, l'art même, n'étaient en rien comparables aux expériences de l'Est : le réalisme socialiste, en peinture, tâchait de faire face aux avant-gardes abstraites et postcubistes. Par ailleurs, chaque pays avait son leader politique, ainsi Thorez ou Togliatti, tandis que les principaux penseurs de l'esthétique, Brecht, Lukács (*The Meaning of Contemporary Realism,* 1957), n'écrivirent guère sur les beaux-arts au cours de ces années. La légitimation par l'intermédiaire des traditions réalistes nationales — malgré leur anachronisme — fut ainsi encouragée de diverses manières au sein de revues communistes telles que *Arts de France* ou *Realismo*[18].

En France, Laurent Casanova, porte-parole culturel au XIe Congrès du Parti communiste français en 1947, définissait ce qu'entendait le Parti par « avant-garde » artistique :

« D'abord, la volonté d'aider à la prise de conscience du peuple et le désir de l'aider à atteindre les buts qu'il se propose. C'est-à-dire, l'effort pratique avec le peuple. Ensuite, l'honnêteté dans la recherche des valeurs culturelles, propres à notre temps et à notre pays. C'est-à-dire la démarche objective de pensée. Enfin, l'esprit de responsabilité personnelle devant le peuple[19]. »

Les résultats se virent en France au moment où Maurice Thorez visita officiellement le Salon d'automne et fut photographié par *L'Humanité* devant un tableau de... Matisse. Une pratique réaliste socialiste ne pouvait se développer sans entraîner en parallèle une nouvelle histoire de l'art. Avec l'appui théorique de Beskine (*Contre le formalisme,* 1933), et, dans une moindre mesure, de Plekhanov et d'Aragon, le peintre Fougeron et ses camarades soulignèrent la nécessité d'un retour aux traditions nationales « réalistes », du David de la Révolution à Courbet et à Daumier ; de Poussin à Picasso, autour du trope du Massacre des Innocents[20].
Dans ces expériences, les éléments hagiographiques et eschatologiques furent cruciaux. Au-delà de l'horreur et de la compassion provoquées par des sujets souffrants, les morts parlaient aux vivants : une ascendance, une lignée, une « filiation » se créait de cette manière, tout en donnant une respectabilité culturelle au Parti — depuis les mineurs morts de Fougeron (1951), dans le style de David, de l'exposition itinérante « Le Pays des mines », jusqu'à *L'Ouvrier mort* de Pignon, ou dans *L'Hommage à Louis David. Les Loisirs* (1948-1949)[21] de Léger, où Marat dans son bain est évoqué par une jolie prolétaire. En 1950-1951, *La Mort de Danielle Casanova*, de Boris Taslitzky, est d'une résonance particulière : peinte au moment qui suivit la relance de la politique de la « main tendue » vers l'électorat catholique, cette toile déployait les tropes du martyre chrétien pour évoquer Auschwitz, et rendait hommage non seulement à Danielle et au large culte dont elle faisait objet, mais aussi à sa propre mère juive morte en déportation à Auschwitz ; en outre, la peinture fut exposée dans le contexte de la guerre de propagande du PCF contre l'engagement du gouvernement dans la Communauté européenne de défense incluant les Allemands : « Plus jamais ça[22]... »
Un réalisme alternatif, moderniste et libéral s'abrita sous l'égide de Picasso, dont le *Guernica* et le *Massacre en Corée* devinrent en reproduction les catalyseurs de la discussion des deux côtés du rideau de fer. En France, *Le Charnier*, exposé dans « Art et Résistance » en 1946, fut à l'origine du débat difficile sur communisme et style. « La peinture de Picasso n'est pas l'esthétique du communisme. Celle de Tatzlitsky [sic] non plus... Le marxisme n'est pas une prison[23]... », déclarait Roger Garaudy avant d'être sèchement réfuté par Aragon. Picasso lui-même, qui adhéra au PCF le 4 octobre 1944, devait rapidement devenir le plus célèbre communiste du monde après Staline et Mao Zedong ; il fut poursuivi avec une extraordinaire incompétence par le FBI à partir du 19 décembre 1944. Le dossier « Subject Pablo Picasso. File n° 100-337396 » fut établi avant même la fin de la guerre. Une page, largement caviardée de nos jours, qui date des années cinquante, énumérait ses « affiliations à des organisations : Comité d'aide aux républicains espagnols ; Comité français pour la "défense des Douze" ; Parti communiste français ; Comité collectif des réfugiés antifascistes ; Républicains espagnols en France ; Union des intellectuels espagnols ; Congrès mondial des intellectuels pour la paix ; Congrès mondial des partisans de la paix[24] ».
Picasso fut le centre d'un des plus grotesques malentendus de l'histoire de l'après-guerre. Considéré comme un moderniste repoussant en URSS (Guerassimov dut s'excuser devant

l'Académie soviétique de lui avoir serré la main au Congrès pour la paix de 1950), il l'était aussi pour certains sénateurs et généraux américains. L'erreur malheureuse que firent cependant ces derniers fut de déduire que l'ensemble de l'art moderne était « communiste ». L'attaque du sénateur George Dondero, selon lequel « l'art prétendument moderne contient tous les "ismes" de la dépravation, de la décadence et de la destruction », citant Picasso comme « l'un des leaders de l'art des "ismes", parue dans le *Chicago Daily Sun-Times* du 17 août 1949, fut reproduite dans le dossier du FBI estampillé, comme toujours, « Secret ». En revanche, pour les cadres les plus éclairés de la CIA et du MoMA, le modernisme d'Europe de l'Ouest était un bastion de liberté, d'avant-gardisme, à subventionner et à promouvoir contre l'art communiste[25]. À cette lumière déjà manichéenne, on pourrait comparer les expositions de la Conférence pour la paix de 1948 et 1950, tenues sous l'égide du Kominform, avec ce que l'on pouvait voir ces mêmes années à la Biennale de Venise.

C'est la ville en ruine de Wrocław qui fut choisie comme siège du Congrès international pour la paix organisé en 1948 à l'initiative des communistes. Picasso y exposa ses assiettes en céramique de Vallauris. Participèrent également Fernand Léger, Paul Eluard, Aimé Césaire, Ilya Ehrenbourg, et Renato Guttuso pour l'Italie. Une exposition de peinture française contemporaine s'ouvrit à l'université de Wrocław. Après avoir visité Cracovie et Auschwitz, Picasso fut décoré par Bolesław Bierut pour sa « contribution à l'œuvre de collaboration culturelle internationale et pour ses efforts dans le domaine de l'amitié franco-polonaise[26] ». Cependant, au second Congrès mondial pour la paix, interdit par le gouvernement travailliste et forcé de se déplacer de Sheffield en Grande-Bretagne à Varsovie vers la fin de l'année 1950, les expositions artistiques étaient profondément réalistes socialistes dans leur contenu, reflétant les changements advenus depuis 1948 dans les politiques des musées et des expositions en Pologne. Les collections d'art abstrait à Łódź furent fermées et l'on prescrivit un réalisme considéré comme étant en continuité parfaite avec la tradition polonaise du XIXe siècle.

Par ailleurs, dans l'exposition « Artistes plasticiens pour la défense de la paix », *La Paix invitant les dockers des pays impériaux à jeter à la mer les armes meurtrières,* de Wojciech Fangor, illustrait l'utilisation du réalisme socialiste français comme un modèle faisant autorité : le thème de l'anticolonialisme avait été spécifié par Maurice Thorez lors du XIIe Congrès du Parti en 1950[27]. *Le 10 février à Nice*, de Gérard Singer, version « poussinesque » des dockers rebelles, fut décroché par la police lors du Salon d'automne de Paris en 1951[28] avant d'être présenté à Łódź.

Ce fut pourtant à Varsovie que Picasso reçut le prix Lénine de la paix, non pour sa peinture mais pour son affiche de la colombe, déployée pour la première fois à l'occasion de la conférence Paris-Prague qui se tint à la salle Pleyel en novembre 1949. Pour Pablo Neruda :

> « La colombe de Picasso survole le monde. Le Département d'État la menace de ses flèches empoisonnées, les fascistes de Grèce et de Yougoslavie de leurs mains rouges de sang. Sur le peuple héroïque de Corée, MacArthur, l'assassin, lance sur elle des bombes incendiaires au napalm. Les satrapes qui gouvernent la Colombie et le Chili voudraient lui interdire l'entrée de ces pays. En vain[29]. »

« Artistes plasticiens pour la défense de la paix » montra également la dissémination rapide des thèmes révolutionnaires chinois. En mai 1942, au Forum de Yenan sur la littérature et les arts, s'appuyant sur une sélection mixte d'écrivains chinois et soviétiques, Mao avait défendu un art pour les ouvriers, les paysans, les soldats et les cadres révolutionnaires, qui dénoncerait la cruauté et les mensonges de l'impérialisme japonais, et il avait proclamé deux mots d'ordre : *p'u-chi* (populisme) et *t'i-kao* (élévation du niveau)[30]. Quand, en 1949, le Parti communiste chinois arriva au pouvoir et que le réalisme socialiste devint la doctrine officielle, le Parti le légitima en faisant remonter son origine à Xu Biehong, maître local des années trente. De 1949 à 1959, la Chine invita des experts soviétiques à enseigner dans ses académies et envoya des étudiants et des artistes en URSS[31].

L'exposition de Varsovie reflétait cette nouvelle dimension du réalisme socialiste avec *Le Portrait de Mao Zedong* de Z. Majewski, ou encore *Hô Chi Minh,* de L. Constanty. Vers 1949, le réalisme socialiste maoïste fut reproduit dans la revue communiste *Arts de France* et les portraits de Hô Chi Minh se mêlèrent aux thèmes staliniens dans l'exposition « De Marx à Staline », tenue à Paris en 1953[32]. En revanche, à la Biennale de Venise, symbole du renouveau de l'Italie et de ses structures artistiques, à côté de la pléthore de nouvelles œuvres abstraites, des artistes comme Renato Guttuso (actif pendant la Résistance dont il immortalisait l'héroïsme partisan), avec nombre de ses contemporains, exposaient à présent de grandes toiles dramatiques de thème explicitement communiste[33]. Le travail picassien de Guttuso présenté à la Biennale de 1948 enthousiasma les critiques britanniques Herbert Read et Douglas Cooper. Il exposa *Occupazione delle terre in Sicilia* (1949) à la Biennale de Venise de 1950, toile empreinte de la mémoire de son enfance, de sa famille, des lamentations des paysans affamés et de leurs manifestations militantes des années 1946-1947. Les muralistes mexicains Orozco, Rufino Tamayo et Siqueiros furent également révélés au public européen lors de la même Biennale, confirmant la tonalité militante de celle-ci. En 1952, Guttuso montra sa monumentale peinture historique *Battaglia al Ponte Ammiraglio*, une symphonie de corps belliqueux habillés de chemises d'un rouge brillant[34]. Les contre-stratégies américaines, à présent plus sophistiquées, exaltaient le libéralisme et la « liberté » culturelle en exposant le réaliste de gauche Ben Shahn conjointement à Willem De Kooning à la Biennale suivante, en 1954[35].

Il est intéressant de noter que, dans sa volonté de se détourner de l'école « bourgeoise » de Paris, le mouvement britannique des peintres comprenant des communistes et des sympathisants, redécouvrant la tradition ruskinienne d'italophilie après la guerre, fit de Guttuso son mentor et sa source d'inspiration, traduisit ses écrits et exposa ses œuvres à Londres. Guttuso était l'ami d'intellectuels tels que Ernst Gombrich et Richard Wollheim. La monographie de John Berger, écrite après un séjour passé avec l'artiste, fut publiée seulement en allemand, à Dresde, en 1957[36]. Tandis que Guttuso demeure une grande figure nationale dans un pays qui avait sa

propre tradition militante et sa marque particulière d'« eurocommunisme », cette excursion britannique fait largement partie des *Forgotten Fifties*[37].
La toile de Peter de Francia *Le Bombardement de Sakiet* (1958), contemporaine du *Massacre de Sakiet Sidi Youssef* de Fougeron, demeure sans doute le chef-d'œuvre britannique du genre. La question du colonialisme avait auparavant été formulée simplement comme anti-américaine, dans le contexte de la « sale guerre » : l'exemple type en était le *Massacre en Corée* de Picasso. La question du colonialisme français en Algérie représentait un dilemme pour le PCF « patriotique », champion des opprimés. À la suite de l'exposition de Fougeron, « Le Pays des mines » (1951), qui eut un immense succès, celle de Boris Taslitzky et Mireille Miailhe, « Algérie 52 », s'ouvrit à la galerie André Weil à de même que leur histoire. Le rôle de Miailhe en tant que femme peintre s'aventurant dans l'espace des femmes d'un Orient voilé et séquestrateur, rôle complémentaire de celui de Taslitzky, est particulièrement intéressant[38]. Des peintres comme Geneviève Zondervan et Marie-Anne Lansiaux devaient poursuivre l'histoire réaliste socialiste ; les militantes parmi lesquelles Annie Kriegel, Dominique Desanti, Hélène Parmelin, Nadia Léger, Elsa Triolet, ou, à un niveau politique plus haut, Jeannette Vermeersch, pour ne citer que des cas français, avaient un rôle crucial à jouer. Contrastant avec la grandiloquence et la « muscularité » débordante du réalisme socialiste, l'impact du vote des femmes à l'Ouest fut décisif dans l'orchestration du Mouvement de la paix et de ses héroïnes : le portrait qu'avait fait Picasso de Djamila Boupacha n'était que l'un de statistiques incontestables et les cartes précises des camps de travail soviétiques (corroborées par les conclusions du procès en diffamation de Pierre Daix contre David Rousset et par le livre de ce dernier, *Le Procès concentrationnaire. Pour la vérité sur les camps de concentration*, paru en 1951) rencontraient pourtant le déni symptomatique de larges fractions de la gauche française[40].
Dans un contexte dominé par le carnage colonial et l'exécution de Julius et d'Ethel Rosenberg, la dialectique entre gauche et droite, mâle et femelle, bien et mal, joie et désespoir, vie nouvelle et mort, tourne autour de *Civilisation atlantique* d'André Fougeron, la grande peinture d'histoire de la période de la guerre froide, occultée depuis le Salon d'automne de 1953. Son statut se rapproche de celui d'un rapport de Khrouchtchev encore dissimulé ; une lecture attentive révèle que ses

André Fougeron, *Massacre de Sakiet Sidi Youssef* (3e partie du *Triptyque de la honte*), 1958. Collection André Fougeron. © Jacques Faujour, Centre Georges Pompidou, Paris.

Paris en janvier 1953. Il est difficile aujourd'hui de se représenter les dimensions de l'exposition (quarante peintures et soixante dessins, dont le gigantesque panorama historique *Femmes d'Oran* de Taslitzky, dans lequel des femmes algériennes de dockers, enragées, relevaient leur voile pour attaquer la police coloniale, et *Jeunes Travailleurs agricoles* de Mireille Miailhe, œuvre de deux mètres sur trois), l'orchestration du vernissage, la foule des visiteurs venus par cars, les polémiques dans la presse parisienne et algérienne et, pour finir, le tour d'Europe de l'Est, destination ultime pour beaucoup de ces toiles, aujourd'hui perdues ses nombreux dessins faits pour la presse communiste à cette époque[39]. Par-dessus tout, le Mouvement de la paix mobilisa la femme comme épouse, mère et pleureuse des morts à l'intérieur de la « famille » communiste. La colombe était si célèbre au niveau international qu'une campagne de paix sans doute financée par le FBI fut lancée comme une riposte : son affiche la plus connue s'intitulait *La colombe qui fait boum.* S'appropriant « Paix et liberté » comme un slogan venant de ses rivaux communistes, le mouvement éponyme, avec ses affiches et sa campagne de propagande, avait son propre bulletin, *Défendre la vérité*. Des dénonciations kaléidoscopiques de la culture de la guerre froide sont sous-tendues par une situation d'aporie perturbante. La victoire de la révolution prolétarienne était à présent une cause désespérée ; dans la « contre-société » communiste, toutes les idées d'une alternative soviétique en 1953-1954, dans la période européenne de consumérisme et de miracle économique, étaient risibles, tandis que l'équation : modernisation égale américanisation était, dans la peinture de Fougeron, et demeurait, en France, franchement inenvisageable.
Ce fut curieusement l'exposition du réalisme mexicain à Tôkyô en septembre

1955 qui donna au Groupe de discussion des artistes japonais (Seisakusha Kondankai) une alternative non européenne au réalisme, avec des dimensions politiques et critiques. Le critique communiste Hayasha Fumio avait amorcé une polémique sur le réalisme depuis les années 1946-1949. Le groupe à présent condamnait le dogme du réalisme socialiste européen (la réputation de Fougeron avait atteint le Japon), et dénonçait évidemment les impérialistes américains qui, à partir de 1950, au moment où l'on avait besoin de l'archipel afin d'y établir une base pour la guerre de Corée, lancèrent une purge anticommuniste. En 1954, Kikuji Yamashita, dans son *Conte du nouveau Japon,* dénonçait les produits étrangers yankees. Un artiste comme Hiroshi Nakamura, né en 1932, et qui fut membre du parti communiste de 1955 à 1959, commémora cette même année, dans *Métropole révolutionnaire*, la répression violente des mouvements populaires du 1er mai 1952 qui visaient à rebaptiser en « place du Peuple » la place faisant face au palais impérial[41]. Les collages de tracts du Parti communiste japonais sur cette toile sont contemporains de la célèbre *Discussione* de Guttuso (1959), où étaient collés en surface des titres de *Iskusstvo*, des *Lettres françaises,* ou encore des fragments d'une reproduction des *Constructeurs* de Fernand Léger ; les stratégies pour la « modernisation » d'un art de contestation politique dans le monde « libre » se multipliaient.
De la même façon, pendant la période de dégel de l'URSS, la stratégie de déstalinisation passa par la célébration des « grands anciens » du modernisme « réaliste » ; Siqueiros s'adressa à l'Académie soviétique en octobre 1955, et n'hésita pas à réprouver ce qu'il appela « l'académisme formaliste et le réalisme mécanique[42] ». À la veille du XXe Congrès du PCUS, où éclatèrent les dénonciations dévastatrices des crimes de Staline et du culte de la personnalité, Picasso fut invité en Union soviétique[43]. Il n'accepta pas et octobre 1956 vit sans lui l'exposition de son soixante-quinzième anniversaire à Moscou et à Leningrad — ainsi que l'invasion soviétique de la Hongrie...
De façon surprenante, le Département d'État américain organisa une exposition pour Moscou en 1959, « Le musée et ses amis : dix-huit artistes américains vivants sélectionnés par les amis du Whitney Museum ». Picasso fut proposé par Ehrenbourg pour le prix Lénine de la paix en 1961. Le dégel continua : l'exposition de Guttuso fit une tournée en 1961, de l'Ermitage à Novossibirsk en passant par le musée Pouchkine ; l'exposition posthume de Léger (avec des œuvres de Nadia Khodassievich et Georges Bauquier) se tint au musée Pouchkine en janvier 1963. Par un revirement brutal, le discours de Khrouchtchev du 8 mars 1963 fut la déclaration sur les arts la plus sévère depuis Jdanov en 1946[44]. Ilya Ehrenbourg était dorénavant écarté. Malgré la fin officielle du dégel, ces expositions eurent naturellement une influence sur les artistes soviétiques[45].
La première critique du réalisme socialiste provenant de l'URSS apparut en France en février 1959, dans le contexte d'excitation qui entoura Boris Pasternak après son refus du prix Nobel et la publication du *Docteur Jivago* à l'Ouest, à partir de

Fernand Léger, *Liberté*, 1953. Mnam-Cci, Centre Georges Pompidou, Paris. © Centre Georges Pompidou, Paris.

Boris Taslitzky, *Reportage en Algérie : Femmes algériennes assises sur des chaises pliantes*, 1952. Mnam-Cci, Centre Georges Pompidou, Paris. Don de l'artiste (1988). © Centre Georges Pompidou, Paris.

Werner Tübke, *Zur Geschichte der deutschen Arbeiterbewegung IV* [L'Histoire du mouvement ouvrier allemand IV], 1961. Museum der bildenden Künste, Leipzig. © Museum der bildenden Künste Leipzig, Gerstenberger 1996.

1957-1958. Andreï Siniavski fit la description d'un système immense, écrasant, téléologique et quasiment théologique, tout entier pris dans le désordre qui suivait la mort de Staline[46]. Le moment où le réalisme socialiste commença à être détourné depuis l'intérieur du bloc de l'Est ne peut pas être théorisé sans faire allusion à l'émergence de talents individuels. *Zur Geschichte der deutschen Arbeiterbewegung IV* (« L'Histoire du mouvement ouvrier allemand IV »), de Werner Tübke (1961), se déploie dans une structure en triptyque, avec des architectures empilées et des scènes de foule propres aux vieux maîtres de la peinture allemande renaissante, pour raconter une histoire contemporaine : « Le froid cinglant, l'âpreté, les visages noueux des paysans, le combat intraitable des survivants, dit-il, sont ceux de nos ancêtres » ; une intemporalité poignante devient un trope de défense contre les réalités de stagnation économique à l'Est[47]. Dans les pays occidentaux où l'« eurocommunisme » fleurissait de diverses manières, des stratégies telles que la Nouvelle Figuration, le Réalisme critique ou son équivalent italien se développèrent à la fin des années soixante[48]. En contraste à la réadmission solennelle de l'art abstrait pour l'exposition du XVIIIe Congrès du PCF en 1967 (anticipant l'exposition « Lénine 1870-1924 », au Grand Palais en 1970...), la critique ironique du réalisme socialiste commença sérieusement. Les œuvres satiriques de l'artiste berlinois Johannes Grutzke, par exemple, coïncidèrent avec les débuts de la théorisation du kitsch pour la génération des année soixante, une décennie avant la découverte du « Sots-Art » à l'Ouest[49].

Le courage et la beauté du modernisme pionnier avaient donné forme aux propositions artistiques les plus dérangeantes du siècle. Les réalismes politiques, au contraire, doivent fonctionner pour nous comme une mémoire, qui contient des héros révolutionnaires, des tragédies, des splendeurs et décadences, et des échecs : Levine nota que l'expression de Hannah Arendt la « banalité du mal » s'applique ici. La panoplie des pouvoirs, les diktats totalitaires, les « kilomètres de toiles » dont parlait Siniavski, reléguaient à l'arrière de la scène les vies ordinaires mais elles étaient aussi capables de produire des ténacités extraordinaires : Gerhard Richter, entraîné à admirer Guerassimov, Fougeron et Picasso, s'échappa finalement de ce qu'il appelait l'« "idéalisme" criminel des socialistes » et fut capable de formuler une vision neuve pour notre temps, dans laquelle réalisme, mémoire et deuil se mêlent inextricablement aux pratiques modernistes : « Pour croire, il faut avoir perdu Dieu ; pour peindre, il faut avoir perdu l'art[50]. » Dans le discours de l'histoire de l'art, l'opposition du réalisme socialiste au modernisme constitue une dialectique qui, selon les prémisses mêmes de la théorie du reflet, incarne l'épopée de la guerre froide. Regardons cette épopée au-delà de l'idéologie, afin de réévaluer la peur, la compassion et la passion engagées dans ces débats.

1. Sylvie et Dominique Buisson, *La Vie et l'œuvre de Léonard Tsuguharu Foujita*, Paris, ACR Éditions, 1987, pp. 203 *sqq.*; les pages 450-451 recensent toutes les peintures politiques de Foujita conservées au Musée national d'art moderne de Tôkyô.
2. Jack Levine, *Jack Levine*, introduction de Milton W. Brown, textes rassemblés et édités par Stephen Robert Frankel, New York, Rizzoli, 1989, p. 9.
3. Christine Lindey, « The hidden tradition, western popular prints », dans *Art in the Cold War, from Vladivostok to Kalamazoo, 1945-1962*, Londres, The Herbert Press, 1990, pp. 109-139. L'essai de Gérard Vincent sur « Le communisme comme mode de vie » aborde les dimensions psychologiques du communisme, dans Antoine Prost et Gérard Vincent, *De la Première Guerre mondiale à nos jours. Histoire de la vie privée*, vol. 5, Paris, Le Seuil, 1987.
4. Stéphane Courtois et Marc Lazar, *Histoire du Parti communiste français*, Paris, PUF, 1995, p. 279; Sarah Wilson, « Débats autour du réalisme socialiste », dans *Paris-Paris, Création en France, 1937-1957*, Éditions du Centre Georges Pompidou, 1981, pp. 208-211.
5. Karin Thomas, *Die Malerei in der DDR, 1949-1979*, Cologne, DuMont Buchverlag, 1980, pp. 17-18 *sqq.* Dans ce texte écrit avant la chute du communisme, ces directives ne sont pas coordonnées avec les ordres du Kominform au SED (Socialistischen Einheitspartei Deutschlands, « Parti socialiste unifié d'Allemagne »).
6. Voir la périodisation de Martin Damus dans *Malerei der DDR. Funktionen der bildenden Kunst im Realen Socialismus*, Reinbek bei Hamburg, Rowohlt Taschenbuch Verlag, 1991.
7. Rosalinde Sartori, « Stalinism and carnaval : organisation and aesthetics of political holidays », dans Hans Günther (éd.), *The Culture of the Stalin Period*, Londres, Macmillan, 1990, pp. 41-77; voir aussi les neuf interventions de la 22e conférence annuelle de l'Association des historiens de l'art, dont le sujet était « Beauté ? », session « Socialist Realism and Aesthetic Value under Stalinism and Destalinisation », présidée par Susan Reid, Newcastle-upon-Tyne, avr. 1996.
8. Sur ces deux hommes, voir Matthew Cullerne-Bown, « Aleksandr Guerassimov », dans Matthew Cullerne-Bown et Brandon Taylor (éd.), *Art of the Soviets. Painting, Sculpture and Architectures in a One-Party State, 1917-1932*, Manchester University Press, 1993, pp. 121-139, et A. A. Jdanov, *Sur la littérature, la musique et l'art*, Paris, Éditions sociales, 1950.
9. Sur les projets pour l'université d'État de Moscou et l'hôtel *Leningradskaïa* sur la place Komsomolskaïa, datant tous les deux de 1948-1953, voir *Tyrannie des Schönen Architectur der Stalin-Zeit*, MAK-Österreichisches Museum für angewandte Kunst (Vienne), Munich, Prestel Verlag, 1994, pp. 112-115. Un agrandissement de la toile de Shurpin dominait un décor hallucinant au cœur de l'exposition.
10. Les longues séries d'articles de Louis Aragon écrites pour *Les Lettres françaises* nos 398-408, du 24 janvier au 3 avril 1952, furent très sélectivement reproduites, pour ne pas dire censurées dans la sélection de Jean Ristat (éd.), *Louis Aragon, Écrits sur l'art moderne*, Paris, Flammarion, 1981.
11. Aleksandr Kameski, « Art in the twilight of totalitarianism », dans Cullerne-Bown et Taylor, *Art of the Soviets, op. cit.*, p. 157 (il y souligne la valeur de « graine de semence » d'un art non orthodoxe produit de 1941-1945 par des artistes tels que Robert Falk et Vera Moukhina).
12. Andrei Alexandrovitch Jdanov, « On the international situation », dans Giuliano Proccacci *et al.*, *The Cominform : Minutes of the Three Conferences, 1947, 1948, 1949*, Milan, Fondazioni Giangiacomo Feltrinelli, 1994, en coopération avec le Centre russe de conservation et d'étude d'archives pour l'histoire moderne (RT sKhiDNI), p. 225, reproduit à l'époque dans *Cahiers du communisme*, nov. 1947, p. 1150.
13. Françoise Levaillant, « Note sur l'"affaire" de la *Pravda* dans la presse parisienne, août-sept. 1947 », dans *Cahiers du Musée national d'art moderne*, numéro *Paris-Paris*, avr. 1982, pp. 147 *sqq.*
14. Giuliano Proccacci *et al.*, *The Cominform : Minutes of the..., op. cit.*, minutes de la 3e conférence, 16-19 nov. 1949, pp. 687 et 723.
15. L'exposition « L'art et la paix », organisée par le Comité lyonnais pour la défense de la paix en avril 1950, regroupait plus de trois cents artistes. Stéphane Courtois et Marc Lazar estiment à neuf ou dix millions le nombre de réponses françaises à l'appel de Stockholm, *Histoire du Parti communiste français*, *op. cit.*, p. 278.
16. « [...] La dépendance du PCF envers l'URSS et le Kominform est donc totale [...] », *ibid.*, p. 260. La mise au jour de nouvelles archives soviétiques doit dorénavant radicalement modérer des études telles que *Le PCF : la culture et l'art, 1947-1954*, de Dominique Berthet, Paris, Éditions La Table Ronde, 1990.
17. Annie Kriegel, *Le Système communiste mondial*, Paris, PUF, 1984, p. 144.
18. Voir, par exemple, Christopher Duggan and Christopher Wagstaff (éd.), *Italy in the Cold War. Politics, Culture and Society, 1948-1958*, Oxford et Washington, Berg, 1995.
19. Laurent Casanova, *Le Communisme, la pensée et l'art*, Éditions du Parti communiste français, 1947.
20. Voir les extraits de *L'Art et la vie sociale* de Plekhanov, parus d'abord dans *Littérature de la révolution internationale*, 3-4 nov. 1931, puis dans *L'Humanité* de janv. 1932. Voir aussi, par exemple, André Fougeron, « David et nous », *Arts de France*, n° 31, 1950; Louis Aragon, *L'Exemple de Courbet*, 1952, et Hélène Parmelin, *Le Massacre des Innocents*, 1954, publié, comme la très idéologique *Anthologie des écrits sur l'art* (3 vol., 1952-1954), de Paul Eluard, par les Éditions Cercle d'art à Paris (peut-être financièrement soutenues par Picasso).
21. Voir Jean-Marie Goulemot, « Candide Militant », *Libre*, n° 7, 1980.
22. Voir Sarah Wilson, *Art and the Politics of the Left in France, c 1935-1955*, Ph. D., Université de Londres, 1992, chap. 5 : « Martyrs and Militants », pp. 281 *sqq.* et chap. 6, pp. 352-353.
23. Voir Roger Garaudy, « Artistes sans uniformes », *Arts de France*, n° 9, 1946.
24. Les sources vont du *Washington Post* ou encore, de façon décisive, du quotidien communiste *Daily Worker*, à l'ensemble des journaux d'immigrés nord-américains, tels que *A Teny*, un mensuel de langue hongroise publié à Los Angeles. Au-delà des frontières nationales, le FBI recevait des rapports d'Amérique latine (*El Nacional* au Venezuela, le *Dairo Popular* à Montevideo) et de Cuba sur les activités de Picasso.
25. L'histoire du financement par la CIA, d'abord exposée par Max Kozloff et Eva Cockroft dans les années soixante-dix, est sujette à développement et à révision critique : voir Andrew Hemingway (éd.), *Cold War Culture*, Londres, Pluto Press, à paraître, et en particulier Stacy Tenebaum, *A Dialectical Pretzel. The New American Painting. The Museum of Modern Art and Cultural Diplomacy, 1953-1959 : Revisionism revised*, M. A. report, Londres, Courtauld Institute of Art, 1992.
26. Collectif, *Picasso w Polsce*, Wydawnicto Literackie, Cracovie, s. d., et Dominique Desanti, *Nous avons choisi la paix*, Paris, Éditions Pierre Seghers, 1949.
27. Jean-François Laglenne : « L'art au congrès de la Paix », *Arts de France*, n° 34, janv. 1951.
28. Voir Louis Aragon, *L'Art et le sentiment national. Le Scandale du Salon d'automne*, Éditions Les Lettres françaises et tous les arts, 1951, et Daniel Abadie, Bernard Ceysson, Jean-Luc Daval, *Gérard Singer*, Genève, Éditions d'art Albert Skira, 1995.
29. Pour le discours de Neruda (22 nov. 1950), voir *Arts de France*, n° 33, déc. 1950.
30. Le discours de Mao est reproduit en français (avec beaucoup d'autres précieux documents) dans Éric Janicot, *La Pensée plastique de Zao Wou-Ki et les naissances de l'art moderne chinois*, 3e cycle, Paris-I, Panthéon-Sorbonne, 1984.
31. Voir Arnold Chang, *Painting and Politics in the People's Republic of China. The Politics of Style*, Colorado, Westview Press, Boulder, 1980; Joan Lebold Cohen, *The New Chinese Painting, 1949-1986*, New York, Harry N. Abrams Inc., 1987, et Julia F. Andrews, *Painters and Politics in the People's Republic of China*, 1949-1979, Berkeley & Los Angeles, University of California Press, 1994.
32. *Hô Chi Minh*, de Bancel et *Hô Chi Minh au Congrès de Tours*, d'Andrée Fontainas furent exposés dans « De Marx à Staline », Maison de la Métallurgie, Paris, 14-31 mai 1953.
33. Sur le contexte réaliste mal connu des premières œuvres de Guttuso, voir *Italienische Realisten, 1945 bis 1974*, Neue Gesellschaft für Bildende Kunst und Kunstamt, Berlin, Kreuzberg, 1974.
34. Voir Mario De Micheli *et al.*, *Guttuso*, Milan, Fratelli Fabbri Editore, 1976, p. 58; ce livre cite des textes extraits de Guttuso, *Contadine de Sicilia*, Rome, Edizioni di Cultura sociale, 1951 et de De Micheli, *Guttuso. L'Occupazione delle terre*, Milan, Alberto Schubert editore, 1970.
35. Voir Frances K. Pohl, « An American in Venice : Ben Shahn and American Foreign Policy at the 1954 Venice Biennale », *Art History*, n° 4, mars 1981, pp. 80-113.
36. Voir James Hyman, « A "Pioneer Painter", Renato Guttuso and Realism in Britain », dans *Renato Guttuso*, Whitechapel Art Gallery, Londres, Thames and Hudson, 1996, pp. 39-53.
37. Voir Lynda Morris et Robert Radford, *AIA, the Story of the Artists' International Association, 1933-1953*, Museum of Modern Art, Oxford, 1983, et *The Forgotten Fifties*, Sheffield City Art Galleries, 1984.
38. Mon texte « Femmes d'Algérie, femmes françaises, autour de Mireille Miailhe » (complément essentiel à l'étude de Christian Derouet sur les dessins de Taslitzky) était le seul témoin de la lutte et de la torture des femmes de toute l'exposition; il fut omis, à la demande de l'artiste, du catalogue de l'exposition « La guerre d'Algérie », musée d'Histoire contemporaine, Paris, 1992.
39. Voir Gérard Gosselin (éd.), *Picasso, 145 dessins pour la presse et les organisations démocratiques*, La Courneuve, Éditions de l'Humanité, 1973.
40. Voir Philippe Régnier, *La Propagande anticommuniste de Paix et Liberté, France, 1950-1956*, Université libre de Bruxelles, 1986, et pour les affiches de « Paix et Liberté », Laurent Gervereau et Philippe Buton (éd.), *Le Couteau entre les dents*, Paris, Éditions du Chêne, 1989. Voir également le mouvement Pane et Liberta en Italie qui implique sans doute une stratégie à l'échelle européenne.
41. Voir Kaido Kazu, « Reconstruction : the role of the avant-garde in postwar Japan », dans *Reconstructions. Avant-Garde Art in Japan*, 1945-1965, Museum of Modern Art, Oxford, 1985, et Haryu Ichiro, « Réalisme et mouvements politiques », dans *Le Japon des avant-gardes*, Paris, Éditions du Centre Georges Pompidou, 1986, pp. 238 *sqq.*
42. David A. Siqueiros, « Open letter to the painters, sculptors and engravers of the Soviet Union », dans *Art and Revolution*, Londres, Lawrence and Wishart, 1975, p. 178.
43. Une note secrète du département à la culture du PCUS, datée du 21 févr. 1957, « Sur la situation des beaux-arts soviétiques », tout en dénonçant le monopole des commissions d'État, déclarait néanmoins l'impossibilité de réfuter les méthodes du réalisme socialiste.
44. Voir Priscilla Johnson, *Khrushchev and the Arts. The Politics of Soviet Culture*, 1962-1964, Cambridge (Massachussetts), the MIT Press, 1965, avec des documents choisis.
45. Voir Susan E. Reid, *Destalinisation and the Remodernisation of Soviet Art. The Search for a Contemporary Realism*, Ph. D., University of Northumbria, Newcastle, 1996.
46. « Le réalisme socialiste » d'Andreï Siniavski, commencé en 1956, parut anonymement dans *Esprit* en février 1959 (pp. 535-566) et sous le titre de *On Socialist Realism* par « Abram Tertz », à New York, Pantheon Books, en 1960. Voir également Max Hayward, *On Trial*, New York, Harper and Row, 1966.
47. Voir Eduard Beaucamp, « Der Maler Werner Tübke », dans Eckhart Gillen et Rainer Haarmann (éd.), *Kunst in der DDR. Künstler, Galerien, Museen, Kulturpolitik*, Overath, Kiepenheuer & Witsch, 1990, pp. 376-378.
48. Voir Agnès van der Plaetsen, *La Politique culturelle et artistique du PCI. Les arts plastiques 1956-1973*, doctorat de l'Institut universitaire européen, Florence, 1992.
49. Voir Ludwig Giesz, *Phänomenologie des Kitsches* (1960), Munich, Wilhelm Fink Verlag, 1971 (paru avant Gillo Dorflès, *Kitsch*, Milan, Gabriele Mazotta editore, 1968). L'article de Komar et Melamid sur le « Sots-Art » autour de 1978, publié dans *Zinovy Zinik*, parut dans *Syntaxis* n° 3, Paris, 1979.
50. Gerhard Richter, « Notes, 1962 », dans *The Daily Practice of Painting* (*Gerhard Richter, Texte*, 1993), Londres, Thames and Hudson, 1995, pp. 13 et 15.

De Cobra au situationnisme (et après)

Jean-Clarence Lambert

Constant, *L'Attaque aérienne*, 1951. Stedelijk Van Abbe Museum, Eindhoven, Pays-Bas.

Appelons-les « expérimentalistes » ou « artistes expérimentaux ». Plus qu'une doctrine esthétique, ce sont en effet un état d'esprit et une particulière pratique de l'art (la libre expérimentation) qui caractérisent les peintres, sculpteurs et poètes-peintres réunis un bref moment à l'enseigne du surréalisme révolutionnaire (1947-1948), puis de Cobra (1948-1951) et de l'Arte nucleare (1951-1957), jusqu'au situationnisme — à ses débuts, du moins, avant qu'il n'annonce la « dissolution de l'art » dans l'action politique révolutionnaire.
Pour comprendre comment ces différentes attitudes se sont définies et comment elles ont évolué, il convient de rappeler tant soit peu les circonstances historiques, ainsi que la perception qu'en avaient les expérimentalistes. Sans doute, dès Cobra, Jorn et Constant avaient développé une très vive « conscience sociale et universelle » : mais c'était en tant qu'artistes, et leur « face à l'histoire » était marqué, bon gré mal gré, par leur « désir » et leur « besoin » de création (pour employer leur propre vocabulaire). S'ils ont, l'un et l'autre, pensé leur époque, s'ils ont couché par écrit cette pensée, c'était aussi pour définir les meilleures conditions d'une libre créativité. En situant l'artiste dans la société, ils situaient tout autant leurs propres œuvres dans le tissu historique.
Remarquons toutefois que le temps de l'art et le vécu des artistes ne sont pas forcément synchrones du temps historique et de l'actualité sociale et politique. Les faire coïncider à toute force a conduit aux pires méprises et aux plus graves mutilations. L'exigence d'engagement dans une action politique concrète est extérieure à la pensée artistique : s'y soumettre, c'est se soumettre à un système de pouvoir et donc aliéner sa liberté. Les expérimentalistes ne s'y trompèrent pas : ce sont des libertaires, des artistes de la « liberté libre », pour reprendre Rimbaud, par eux lu et relu.
La période est celle de la difficile transition entre la Seconde Guerre mondiale et la reconstruction d'une Europe dès lors profondément scindée. D'une part, le monde dit « libre » : capitaliste ou social-capitaliste (comme en Scandinavie) ; de l'autre, le monde communiste, dit « révolutionnaire », soumis à la dictature, non du prolétariat mais d'une oligarchie bureaucratique et policière, qui donnait si bien le change.
Avec le recul dont nous disposons aujourd'hui, il est certes plus facile d'en parler sans passion ; encore faut-il chaque fois repréciser le sens des mots d'alors, tant les contextes ont été variables et variés. Des notions qui nous sont aussi familières, désormais, que « stalinisme » n'avaient cours que dans quelques milieux extrêmement critiques (ou vigilants), groupes marginaux et de peu d'audience. Souvenons-nous : dans les années pré-Cobra et Cobra, Staline était au comble de sa puissance et de sa gloire. Le communisme soviétique s'imposait comme l'horizon indépassable de la transformation révolutionnaire du monde ; il régnait sur un bon tiers des terres émergées de la planète. Quant à la guerre froide, c'était celle du Bien et du Mal, représentés par l'un ou l'autre camp. Guerre des propagandes d'État, aussi bien : face au bon Staline, le méchant Truman, ou l'inverse... Entre les deux, un non-aligné fascinant : Tito. Autre instance traumatique : la bombe atomique, la menace de destruction nucléaire, avatar de l'imago maternelle mauvaise, nous dira la socio-psychanalyse. Quant au plan Marshall, c'était selon : produit sophistiqué du capitalisme impérialiste, ou meilleur moyen, pour l'Europe, de rapide développement.
Que d'illusions, que de méprises, et que d'aveuglement ! C'est pourtant ainsi que l'après-guerre s'est organisé (si l'on peut dire) dans sa binarité truquée ; et que le système occidental (la modernité) a su imposer à la planète sa suprématie. Suprématie techno-économique aussi bien qu'artistique : la version euro-américaine de l'art règne sans partage,

comme en témoignent les musées d'art moderne qui ont proliféré en tous pays. Pendant la guerre, qu'ils fussent danois (Jorn, Pedersen, Heerup), hollandais (Appel, Constant, Corneille), belges (Dotremont, Alechinsky) ou français (Doucet), les futurs Cobra ont tous été des antinazis militants. Ici, une remarque vaut d'être faite. Alors que nombreux furent les écrivains qui se laissèrent séduire par le nazisme ou les autres versions du fascisme, dans le monde des arts visuels, à quelques exceptions près, comme Nolde et Breker, en Allemagne, ou Arturo Martini, en Italie, il n'y eut pour ainsi dire aucun créateur marquant qui s'en soit accommodé. Tous opposants et souvent — trop souvent — victimes. Dans « L'art moderne contre les tyrannies », publié dans l'ouvrage *Le Règne imaginal* (tome 2), j'ai eu l'occasion d'analyser ce fait tellement significatif pour cette période honteuse du xxe siècle européen où les dictatures ont proliféré. Je n'en rappellerai ici que l'idée axiale : l'art moderne, avant toute particularisation, se définit par son esprit libertaire et critique ; aucun régime totalitaire — léninisme, stalinisme, hitlérisme, fascisme mussolinien, pétainisme —, ou tout autre tyrannie anti-humaniste, ne pouvait évidemment le tolérer.

Henry Heerup,
Døden Høster
[La mort moissonne],
1943.
Louisiana Museum
of Modern Art,
Humlebaek,
Danemark.

Un épisode, qui a valeur exemplaire d'apologue, est le choc ressenti par un jeune artiste danois appelé à devenir l'un des Cobra majeurs, Carl Henning Pedersen, lors de sa visite de l'exposition de propagande hitlérienne, l'« Art dégénéré ». C'était en 1939, à Francfort. « Je me demande comment j'aurais continué à peindre si je n'avais pas vu cette exposition... Elle a joué un rôle plus profond que ce dont j'ai pu me rendre compte sur le moment. Il y avait là des tableaux qui sont encore vivants dans ma mémoire, se souvenait-il, trente années plus tard. Évidemment, je me sentais solidaire de ceux que Hitler voulait *ausradieren.* »
Antinazisme, donc. Et, pour beaucoup, marxisme-léninisme, ce qui en conduira plusieurs à se rapprocher du parti communiste, reconnu comme « seule instance révolutionnaire ». Ainsi, avant d'être interdits dans leur pays, les artistes tchèques du groupe Ra, qui avaient rejoint le surréalisme révolutionnaire en 1945 ; ils exprimaient la conviction générale quand ils déclaraient : « Les progressions artistiques et sociales ne peuvent pas ne pas former une unité. La philosophie marxiste nous est aussi indispensable que le besoin d'expérience artistique. » Dotremont développera ces vues dans « Le coup du faux dilemme », texte éditorial de l'unique numéro de la revue *Le Surréalisme révolutionnaire*. Pourtant, malgré la référence à Staline qu'on y trouve, le rejet de toute inféodation de l'artiste pointe déjà : « Il est périlleux de demander à l'œuvre d'art d'être toujours manifestement ou littéralement engagée. » Deux ans plus tard, en pleine période Cobra, ce sera la rupture définitive, avec le décrassant pamphlet *Le Réalisme socialiste contre la révolution*, qui comprend, entre autres formulations des plus énergiques, une excellente définition dudit réalisme socialiste en tant

que « suicide d'un contenu révolutionnaire par le moyen du naturalisme bourgeois ».
Il y eut à Paris deux expositions à l'enseigne du surréalisme révolutionnaire. La première, en février 1948 — « Prises de terre », à la galerie Breteau, rue Bonaparte —, rassemble des surréalistes figuratifs (Labisse, Bucaille, Daussy), des abstraits lyriques gestuels (Hartung, Schneider, Soulages). La seconde, en novembre de la même année — chez l'antiquaire Jean Bart, dans le Marais —, accueille les futurs Cobra : Appel, Constant, Corneille, Jorn, avec Atlan, Istler, Mortensen et Passeron. Comme on le voit, on ne pouvait ignorer plus parfaitement la doctrine Jdanov, désormais imposée à tous les partis communistes, et qui condamnait comme « décadence bourgeoise » toute forme d'art éloignée du réalisme.
De toute façon, le Parti communiste français ne voulait pas du surréalisme révolutionnaire, ce qui contribua à la rapide autodissolution du groupe. Les surréalistes révolutionnaires auraient pu alors se rapprocher du groupe de Breton, ce que feront certains, comme Edouard Jaguer, mais après Cobra. Sur le moment, il en alla autrement, pour diverses raisons. L'une d'elles était qu'en marxistes qui se voulaient conséquents, Dotremont, Jorn ou Constant condamnaient comme « idéaliste » l'attirance de Breton pour l'« autre tradition européenne », celle de l'occultisme et du métarationnel. Ils ne percevaient pas que Breton se lançait ainsi dans une tentative éperdue de résistance à la domination de la « raison » économique et technicienne, qu'elle fût au service du capitalisme ou du communisme stalinien. Et qu'à l'idolâtrie historiciste il entendait opposer une « remythologisation » s'appuyant sur les « grandes images », plus agissantes en profondeur que les célèbres « faits têtus », lesquels ne sont que des interprétations d'événements plus ou moins fallacieuses, malgré leur prétention à l'objectivité. Entre le socialisme dit « scientifique » et le socialisme utopique, le choix de Breton, comme en témoigne sa grande *Ode à Charles Fourier*, était clair. On peut en déceler l'influence, plus ou moins cachée, jusqu'au situationnisme.
Quant aux Cobra, leur antirationalisme, qui les reliait malgré tout au surréalisme, sera non pas tant théorique et réfléchi

Karel Appel,
Personnage en flammes, 1954.
Collection de l'artiste.

Karel Appel,
Jeune Fille en pleurs, 1953.
Collection Mme Ethel Portnoy,
en dépôt au Stedelijk Museum,
Schiedam, Pays-Bas.

que pratique et quotidien. C'est pourquoi à l'« automatisme », trop purement psychique au goût de Jorn (cf. son « Discours aux pingouins », *Cobra*, n° 1), ils préféreront la « spontanéité », qu'ils venaient en outre de retrouver invoquée comme valeur révolutionnaire dans l'ouvrage d'Henri Lefebvre *Critique de la vie quotidienne*.
À Cobra, l'apport de Jorn a été déterminant. Il était l'aîné de tous; il avait déjà publié en Scandinavie des articles de fond. Ses idées étaient proches de celles que Constant avait exposées dans son « Manifeste » pré-Cobra de la revue *Reflex*. Mais aussi, ce qu'on ne savait guère, c'est que, génie prodigue, Jorn avait derrière lui un millier de pages et de notes, écrites de 1946 à 1949, où il avait élaboré une théorie esthétique globale dont Cobra pourrait être l'illustration. Quand il lui advenait d'y faire allusion, c'était comme à un « horripilant tas de paperasses », sans plus...
Pour la forme. Ébauche d'une méthodologie des arts, qui sera édité en 1958 par l'Internationale situationniste, ainsi que les autres ouvrages que Jorn publia de son vivant, s'y rattachent sans doute : il n'en a pas moins fallu attendre les efforts, vraiment remarquables car la tâche n'était pas aisée, de Graham Birtwistle, universitaire britannique enseignant aux Pays-Bas, pour que l'ampleur et la profondeur des réflexions de Jorn nous soient connues dans leur ensemble. *Living Art* (Utrecht, 1986), le livre que Birtwistle en a tiré, place Jorn indiscutablement au rang des plus grands théoriciens de l'art moderne, comme Klee ou Kandinsky.
En frayant la voie à une synthèse métahistorique des formes et des symboles, Jorn a, en quelque sorte, associé Bauhaus et surréalisme. On ne saurait, bien sûr, en rendre compte en quelques lignes : il faut lire *Living Art* dans son intégralité. (Quand le traduira-t-on en français ?)
Comme Jorn s'appuie, pour ce qui relève de la sociologie et de l'histoire, en plus de Freud, sur Marx et Engels, on comprend qu'il y a là une « esthétique marxiste » ou « esthétique matérialiste » complète et cohérente. Par comparaison, elle fait mieux apparaître la dérisoire nullité des aragonneries, garauderies et autres chienneries obscurantistes qui nous furent servies à Paris dans ces mêmes années.
Afin de donner une idée de l'ambition

Asger Jorn,
Churchills indtog i København
[L'Entrée de Churchill à Copenhague], 1949-1950.
Propriété du Centre de Recherches Carlsberg.
Donation de la Fondation Ny Carlsberg,
Copenhague.

(accomplie) de Jorn, je citerai, à tout le moins, une phrase-programme écrite dans les débuts de Cobra, en 1948 : « Ma théorie prend ses racines dans le désir de rétablir les relations entre la vie et l'art, qui existent chez les primitifs et ont été coupées dans la société moderne, au grand détriment de l'humanité et de la culture. » Jorn visait à un « art naturel ». Optimiste, il était persuadé que le capitalisme ferait faillite et que le socialisme triompherait, parce que « la voie socialiste de vie est la voie naturelle ». C'est pourquoi son « chef-d'œuvre », au sens ancien, réalisé dans le plus grand enthousiasme, est sans doute l'ensemble de peintures dont il recouvrit à La Havane, en 1967, les murs d'une ex-banque américaine nationalisée et convertie en musée des Manuscrits de la révolution cubaine.
« La fin de l'économie amènera la réalisation de l'art », avait-il écrit dans une brochure situationniste de 1959-1960, *Critique de la politique économique*.
De même, Karel Appel, dans la lancée de Cobra, dont il a été l'un des protagonistes, a prouvé que la peinture pouvait être une « utopie concrète » : « C'est probablement le mode d'expression le plus social, parce qu'elle est visible de tous, et que tout le monde y a accès. Elle répond aux traits sociaux inhérents à chaque être humain, car tout le monde est créatif. »
En 1976, abandonnant ses spacieux ateliers de Paris ou de New York, Appel vient travailler dans un bidonville au sud de Lima, Villa El Salvador. Là vivent dans des conditions précaires des milliers de paysans indiens qui ont quitté la misère rurale pour s'approcher de la capitale ; une telle migration est, du reste, un mouvement général dans toute l'Amérique latine, et l'on se demande si une forme originale de société n'en résultera pas. Dans ce désert au bord du Pacifique, où il ne pleut jamais, Villa El Salvador croît de façon exponentielle avec un optimisme courageux. Les fonds de la communauté sont gérés par une Caja comunal (« Caisse communale ») qui résistera quelque temps aux vraies banques, toujours à l'affût. C'est cette Caja comunal qu'Appel peint à fresque avec le concours de tous ceux qui le veulent, dont beaucoup d'enfants. Puis la peinture sort dans la rue, d'autres murs sont décorés : dix jours d'une « allégresse ressentie instinctivement et immédiatement contagieuse », notera-t-il. Le travail se poursuit même après l'ouverture de la Caja... Finalement, le ministère de la Culture s'y intéresse, mais Appel est déjà reparti : « Pour moi, l'expérience d'El Salvador est une sorte de symphonie sociale fondée sur la liberté intérieure. »
Quelques années plus tard, je me suis rendu à El Salvador. Les beaux espoirs s'étaient évanouis : la Caja comunal avait fait faillite. Elle était devenue une cantine et un simple lieu de réunion, et ses murs peints étaient agrémentés de slogans politiques. On se souvenait vaguement du passage du peintre étranger qui avait laissé là l'une de ses œuvres les plus apparemment heureuses...
Peinture et utopie : de 1953 à 1957, Jorn avait élaboré sur le papier un Mouvement international pour un Bauhaus imaginiste (MIBI), qui sera une étape marquée vers le situationnisme. C'est le MIBI qui attirera un moment les jeunes peintres italiens de l'Arte nucleare : Enrico Baj, Sergio Dangelo, Gianni Bertini.
Dans un contexte autobiographique, Baj a parlé de la « vision apocalyptique du monde » qui était la sienne : « Dès la première bombe atomique, j'avais senti que l'humanité vivait dans un état constant d'alerte et de peur, et que l'anéantissement était, dès lors plus que jamais, sur nos têtes. » Satire et/ou mythologie critique de l'*homo economicus*, son œuvre, où la dérision le dispute à l'humour, le monstrueux à l'idyllique, culminera dans une composition de soixante mètres qu'il exposera à Milan en 1979, et qui s'intitule, bien évidemment, *Apocalypse*. Baj illustre exemplairement le processus mythopoétique du « bricolage », tel que Lévi-Strauss l'a repéré dans *La Pensée sauvage*, tel que Schwitters et Picabia

l'ont réinventé pour notre époque. Gianni Bertini, quant à lui, par les moyens plus purement picturaux de l'abstraction lyrique, qu'il conjugue en virtuose avec le traitement photographique de l'image, nous propose ce que j'ai appelé ailleurs une « anti-légende du siècle », célébration rageuse du chaos contemporain. Dans l'espace comme théâtralisé de chacun de ses tableaux se rencontrent conflictuellement (et parfois pactisent) une conscience historique très personnelle et une vision mythologique qui ne craint pas, au demeurant, de se référer, quoique très librement, à la mythologie classique, quand ce n'est pas à l'iconographie chrétienne : mais peut-on s'en étonner de la part d'un Italien ? Baj suspend son compagnonnage avec les ex-Cobra lors du Congrès des artistes libres à Alba, qui récuse toute activité artistique spécialisée et proclame la « nécessité d'une construction intégrale du cadre de vie par un urbanisme unitaire qui doit utiliser l'ensemble des arts et des techniques modernes » (2-8 septembre 1956). Comme Bertini, Baj rejoint à Paris le groupe Phases, animé par Édouard Jaguer, qui se rapproche alors de Breton. Pour Jorn comme pour Constant, Alba, puis la « conférence d'unification » MIBI-Internationale lettriste de Cosio d'Aroscia, qui voit la naissance de l'Internationale situationniste, ouvrent une nouvelle période d'activités à la fois théoriques et créatives.

Pendant Cobra, Constant avait donné de notre époque une vision marquée par les désastres d'une guerre qui fut particulièrement cruelle et dévastatrice pour les Pays-Bas, comme en témoigne, entre autres, sa série *La Guerre* (1951). Avec lui, Cobra sera aussi refus et révolte, dans une perspective marxiste : « Détruire l'esthétique idéaliste de la société bourgeoise », proclame-t-il dans le « Manifeste » qui constitue, pour l'essentiel, le numéro 1 de la revue *Reflex*, publiée en septembre 1948 avec Corneille et Appel, mais ces derniers, fort peu théoriciens, écrivent plus volontiers des poèmes. Détruire pour dépasser le négativisme et le pessimisme générés par une société qui a déchaîné la guerre sur la planète... Constant annonce une nouvelle créativité : « La phase problématique dans l'histoire de l'art moderne est finie ; elle va être suivie par une phase expérimentale, une période de liberté illimitée. » Il est ici en complet accord avec Jorn, dont il vient de faire la connaissance par hasard à Paris. Dans un second manifeste — « C'est notre désir

Constant, *Ode à l'Odéon*, 1969. Collection de l'artiste, en dépôt au Gemeentemuseum, La Haye.

qui fait la révolution » (*Cobra* n° 4, 1949) —, Constant affirme : « Il est impossible de connaître un désir autrement qu'en le satisfaisant, et la satisfaction de notre désir élémentaire, c'est la révolution. [...] Parler du désir, pour nous, hommes du XXe siècle, c'est parler de l'inconnu, parce que tout ce que nous connaissons de nos désirs, c'est qu'ils se résument en un immense désir de liberté. » Ainsi Cobra est-il aussi bien « un art libre » que « la liberté en art », deux formulations qui conviennent parfaitement aux œuvres d'alors de Constant. Pour leur thématique majeure, on peut reprendre l'enseigne goyesque des *Désastres de la guerre*, à quoi s'ajoute une invocation à l'instinct animal et à l'enfance en tant qu'âge du jeu et de l'expression spontanée.
Cobra s'arrête en 1951, et Constant se met à douter de la peinture; en outre, il refuse la « spécialisation » de l'artiste, laquelle résulte, selon la formule de Marx, de la « division du travail ». Il est vrai que, d'une façon générale, l'avant-garde (l'art expérimental) connaît en ces années-là, en partie sous l'impact de Duchamp, une mutation sans précédent. « Délivrer l'art de l'artistique », abolir les traditionnelles catégories esthétiques du haut et du bas, du majeur et du mineur, du légitime et de l'illégitime, du canonique et du non-canonique. Plusieurs options s'offrent alors, que j'ai décrites avec leur foisonnement et souvent leur inconséquence dans mon livre *Dépassement de l'art ?*, titre qui renvoyait à *La Société du spectacle*, de Debord. Constant, pour sa part, disait : « L'image du monde se modifie et fait place à des univers technoïdes mécanisés. L'artiste reste en dehors du mouvement; il est clairement inapte à y participer. L'art passe à la défensive, devient un élément à la traîne, le dernier refuge d'un individualisme périmé. » Il annonçait ainsi sa nouvelle orientation : après un *Adieu à la p.* (titre d'une toile de 1962), ce sera l'utopie expérimentale de *New Babylon* et la conception d'un urbanisme unitaire conduisant à la ville ludique, création collective continue.
Pour en arriver là, c'est-à-dire à la fondation de l'Internationale situationniste, il faudra que Constant retrouve Jorn et rencontre Debord : on lira dans *Constant, les trois espaces* la monographie que j'ai publiée en 1991 aux Éditions Cercle d'Art, une description de ce trajet tout en ruptures et reprises. Trajet à multiples voies, aussi bien, et qui constitue un véritable « labyrinthe », ce qui est parfaitement logique : le labyrinthe, en tant que structuration de l'espace vécu-perçu-conçu, domine toute l'œuvre de Constant, comme on a pu le voir lors de la double rétrospective récente qui lui a été consacrée au Stedelijk Museum d'Amsterdam et au Gemeentemuseum de La Haye de novembre 1995 à mars 1996. Mais c'était aussi l'une des préoccupations majeures de Jorn, voire de Guy Debord, du moins jusqu'à ce que celui-ci s'immerge corps et biens dans la théorie et l'activisme politiques. Au demeurant, il est certain que le labyrinthe s'impose, sous une forme ou sous une autre, à toutes les époques critiques et de mutation.
L'histoire contemporaine n'a cessé de hanter Constant, comme elle hantait Jorn, mort le 1er mai 1973, comme elle hante Karel Appel : chaque fois, sur le mode tragique. À eux, comme à nous tous, sans doute, convient l'exclamation de Stephen, le héros de Joyce : « L'histoire, ce cauchemar dont j'essaie de m'éveiller. »

Enrico Baj, *Spiralen (Nucleare)* [Spirales (Nucléaire)], 1951. Collection Amelia Bolis, Milan.

Matta et le choix de la figuration politique

Mario De Micheli

Ce n'est pas un hasard si, en 1948, Matta, rentrant de son exil aux États-Unis, choisit Rome, et non Paris, comme centre de ses nouveaux intérêts. C'est à cette époque, en effet, que ses « morphologies psychologiques » vont se transformer en « morphologies sociales ». Breton ne comprendra ce choix que plus tard : « Ta politique italienne, écrira-t-il alors, est en train de porter ses fruits. » Matta est fasciné par l'impétueuse énergie créative des forces populaires. Il s'agit, chez lui, d'une passion nouvelle qui découle du foisonnement démocratique de cet immédiat après-guerre, l'intense ferveur de l'engagement des masses paysannes et ouvrières le travaillant avec une stimulante énergie.
Une autre raison, conséquence logique de la première, est à rechercher, durant ces années particulières, dans l'évolution que la culture a connue dans les domaines du cinéma, de la littérature et de l'art. Bien que ne partageant ni la méthode ni la façon dont le mouvement réaliste s'est développé en Italie, il n'en comprend pas moins l'exigence de fond, à savoir celle de retrouver, par une adhésion plus immédiate, un rapport direct avec le monde objectif des hommes. Son séjour romain durera quatre années, de 1950 à 1954, mais ses liens avec l'Italie subsistent encore aujourd'hui. Lors de sa grande exposition de 1963, dans les salles du Museo Civico de Bologne, a lieu une table ronde au cours de laquelle Guttuso, l'un des participants, déclare, notamment : « Je tiens d'abord à dire que Matta est non seulement l'un des rares artistes que j'estime beaucoup, mais qu'il est aussi un de ceux qui m'aident à réfléchir et que je considère comme actifs dans le monde actuel. Tout ce qu'il dit est pour moi aussi stimulant qu'éclairant[1]. »
C'est donc une nouvelle preuve, aussi bien pour Matta que pour Guttuso, de la situation favorable qui s'est créée en Italie. Il faut également rappeler que c'est en 1953, pendant le séjour de Matta en Italie, qu'est présentée à Rome la superbe exposition, consacrée à Picasso, que les communistes français, peut-être sensibles aux critiques des Soviétiques, n'avaient pas eu le courage d'organiser.

Quoi qu'il en soit, l'un des tableaux les plus importants de l'après-guerre pour Matta est précisément une œuvre « américaine », datant encore de 1945 : *Être avec*. Il s'agit d'une grande toile dans laquelle Matta se révèle désormais maître de son propre vocabulaire et de sa propre syntaxe et, ainsi, capable d'exprimer sans hésitation à la fois les raisons

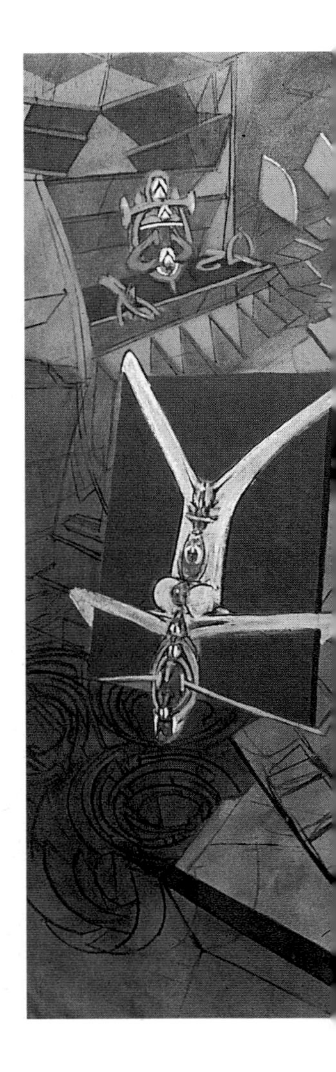

Roberto Matta, *Être avec*, 1945. Collection particulière, Paris.

de ses inquiétudes personnelles et celles — quoique transfigurées — de l'histoire en actes. La guerre terminée, les problèmes de l'après-guerre s'imposent : c'est ce que Matta veut communiquer dans cette œuvre. Pour ce qui est de son propre langage, il n'a plus d'hésitations : la tendance à récupérer celui des *comics* se généralise et devient — à travers une graphie nerveuse, rapide et impulsive — un terme spécifique de son « écriture » singulière. Dans cette période cruciale, il dessine des groupes de corps déchirés, torturés, bafoués — corps spectraux ou énigmatiques, pris dans un enchevêtrement d'aiguillons aux couleurs grises, ou plus vives.
Si cette œuvre, réalisée à New York et achevée en 1946, a également été présentée dans l'exposition de Bologne en 1963, c'est que Matta la considérait comme exemplaire, tant pour son caractère de langage nouveau que pour sa signification implicite. C'est en effet sur la trame de ce « code » que Matta a réussi à déployer ses propres images dans la continuité de sa recherche.

L'un de ses tableaux italiens, réalisé lors de la première année de son séjour à Rome, a pour titre *Contra vosotros asesinos de Palomas* (1950) : c'est une œuvre tourbillonnante et agressive, aux espaces tranchants, tels des éclats géométriques insolents, dans laquelle la violence meurtrière des tueurs s'exprime à travers le seul mouvement convulsif de l'œuvre. Bien différent est, en revanche, le tableau intitulé *Les roses sont belles*, peint l'année suivante (1951).
L'œuvre renvoie au procès du couple Rosenberg. Matta est parfaitement au courant de ce qui se passe aux États-Unis à l'époque de la célèbre Commission sur les activités antiaméricaines, dirigée par McCarthy. Si le « cas Rosenberg » fut sans aucun doute le plus célèbre, des scientifiques — tel Oppenheimer — et nombre d'artistes, d'écrivains, d'acteurs et de réalisateurs subirent également enquêtes et persécutions. C'est dans ce contexte qu'Erwin Panofsky, alors réfugié aux États-Unis, écrit : « Bien que cela puisse sembler indélicat, il y a un point qu'il serait hypocrite de ne pas aborder : l'effroyable surgissement de ces forces qui, dans les années trente, nous ont contraints à fuir l'Europe — le nationalisme et l'esprit d'intolérance. On ne peut pas fermer les yeux devant le fait qu'actuellement les Américains peuvent être poursuivis non pas pour ce qu'ils font ou ont fait, mais pour ce qu'ils demandent ou ont dit, pour ce qu'ils pensent ou ont pensé. Les moyens punitifs ne sont certes pas les mêmes que ceux utilisés par l'Inquisition, mais ils sont néanmoins largement comparables[2]. »
Pour Matta — à l'instar de ce qu'avait pu signifier pour Zola l'affaire Dreyfus — les Rosenberg représentent les martyrs d'une machination politique. Ils sont les victimes d'une hystérie collective. Dans le tableau, on voit plusieurs personnages menottes aux poings, une foule au

Roberto Matta, *Les roses sont belles*, 1951. Collection particulière, Genève.

regard indifférent et d'autres spectateurs alarmés, ainsi que, semble-t-il, des journalistes vociférants. Puis, sur la droite, Julius et Ethel qui se tiennent par la main, immobiles et raides, le visage assombri comme s'ils étaient déjà condamnés à mourir sur la chaise électrique (ils le seront en 1951, avant d'être exécutés en 1953).
Comme toujours chez Matta, la représentation est allusive, grouillante de détails, disposés ici sur une structure de plans nets et tranchants où prennent place les différents personnages de la scène, du jury qui devra se prononcer jusqu'à tous ceux qui feignent de ne pas réaliser l'affront fait à la justice. Le langage est, ici, celui auquel Matta nous a habitués, riche en solutions graphiques et généreux en inventions : un langage qui se renouvelle dans la continuité, désormais acquise, de ses présupposés.

À son retour à Paris, il se sent en pleine forme. Les tableaux de cette époque réaffirment la valeur de son expérience : ce sont des peintures d'inspiration diverse, qui allient faculté d'introspection et récupération d'images politiques. En 1955, il peint *S'objective de nuit*, l'année suivante *J'ai j'eu* et *Aux franges du rêve,* et en 1957 *La Question*, une œuvre encore manifestement politique où, sur une sorte de grand écran, à gauche, tout un public s'insurge, proteste, frémit. Mais une plus grande « question » approche : celle de l'Algérie, à laquelle Matta répondra avec l'œuvre dédiée au martyre de la partisane Boupacha. Il s'agit de *La Question Djamila*, l'un de ses tableaux les plus connus, qui le rendit célèbre en remportant en 1962 le prix Marzotto en Italie. Djamila y est représentée comme une lumière d'un rouge incandescent qui aveugle les robots gris des bourreaux. C'est un tableau dont émane une conviction profonde, mais qui se veut aussi acte d'amour idéal, offert à la liberté individuelle de chacun d'entre nous : un élément indissociable de la pensée de Matta.
On y voit bien la double tension qui l'anime, et qui traverse l'ensemble des œuvres touchant explicitement aux raisons de son opposition à l'arrogance du pouvoir. Le tableau qu'il peint contre le coup d'État de Pinochet, en 1973, en est un exemple flagrant. Il ne faut pas oublier que le Chili est sa patrie, comme elle est celle de Pablo Neruda. La peinture « dédiée » au nouveau dictateur et intitulée *El gran Burundún-Burundá ha muerto* est une œuvre grotesque de grandes dimensions, dont la valeur est tout à la fois celle d'une invective et d'une dénonciation. Le sarcasme qui l'imprègne n'est pas loin de rappeler les gravures de Picasso : *Sueño y mentira de Franco* (« Songe et mensonge de Franco »). Matta l'a peinte telle une marche triomphale, où le nouveau tyran est figuré monstrueusement alourdi, précédé et suivi de ses généraux porcs-reptiles-amphibiens, tandis qu'au-dessus de sa tête volent les généraux corbeaux et les généraux chauves-souris. L'œuvre, parodique, est en noir et blanc, comme *Guernica*, mais aussi parce que la peinture d'un crime contre une population entière n'admet pas la couleur. L'artiste a voulu représenter l'avancée macabre de l'irrationalité dans l'histoire contemporaine, c'est-à-dire une métaphore de nature « idéologique » : le grotesque pour justifier le désordre de l'oppression.

Matta a en effet transformé « L'imagination au pouvoir » — l'un des slogans les plus suggestifs de Mai 1968 — en « L'imagination contre le pouvoir ». Ce qui n'est pas peu de chose. L'origine surréaliste de Matta est indiscutable. S'il ne peut être pensé ni expliqué en dehors de cette filiation, il semble cependant avoir développé, à travers le conflit de l'histoire, une conscience qui lui a permis de dépasser ses anciennes positions en lui ouvrant d'autres espaces, d'un dynamisme plus concret. En dépit des changements survenus et des illusions perdues, Matta continue de croire qu'il n'y a pas une séparation si nette que cela entre histoire et imagination. Selon lui, s'il existe bien une imagination qui s'écarte de la réalité, il y en a également une qui converge sur le réel, qui l'ouvre, le fouille et en dégage les contradictions, afin de les représenter dans un jugement qui ne devra pas en faire abstraction. Il s'agit d'une imagination du sentiment, mais aussi de la conscience et de la connaissance. Pourquoi introduire des distinctions abstraites dans la totalité dialectique de l'être humain, de ses rapports avec les autres et avec la nature ?

Matta a toujours soutenu être un « révolutionnaire », parce que, naturellement, « le cœur est à gauche ». Une position qu'il confirme encore aujourd'hui, au seuil de ses quatre-vingt-cinq ans. Mais, désormais, l'idée d'une révolution politique, se retirant dans la seule sphère de l'utopie, s'est éloignée et apparaît plus mythique. Les soi-disant révolutionnaires professionnels se sont trompés : « Ils nous ont fait croire qu'il y avait une politique capable d'engendrer des transformations révolutionnaires. En fait, ils n'en avaient que l'idée, n'ayant pas été capables d'appliquer la politique. C'est

un peu ce qui est arrivé à Léonard de Vinci avec l'aviation[3]. »
C'est ce qu'a répondu Matta à un journaliste italien qui l'interrogeait, à Paris, sur ses positions actuelles concernant ce problème. Mais, de ce point de vue, Matta va à l'encontre même de Breton, du moins à propos d'un certain nombre de questions : « Si Freud, observe-t-il, n'avait pas été si préoccupé par le langage scientifique, et si, au lieu du mot "psyché", il avait utilisé "âme", mes tableaux se seraient appelés *Morphologies de l'âme*. Mais Breton me disait : "Nous sommes anticléricaux, nous ne pouvons accepter un terme à connotation si religieuse, tu dois dire *psyché*." Même si c'est ce que j'ai fait, c'est bien de l'âme dont je voulais parler. On croit connaître les passions du corps, que l'Église désigne par péchés : mais moi, ce qui m'intéresse, ce sont les passions de l'âme, ce que l'âme cherche vraiment, ce qui nous anime et nous pousse à avoir des passions pour la vie. J'ai toujours pensé qu'un artiste devait s'appliquer à rendre visibles les parties d'un territoire inconnu. Il y a une quantité de choses qui existent même si l'homme ne les voit pas à l'œil nu : le microscope et le télescope nous les ont montrées. À l'époque du surréalisme, je cherchais à dresser une carte morphologique de ce monde qui anime notre corps et que j'appelais "infra-réalisme", en référence à ce que l'on ne pouvait voir qu'aux rayons infrarouges : non dans un sens physique mais, plutôt, dans celui d'un bon usage de la raison, permettant de voir ce qui nous échappe quand on renonce à l'imagination et à l'intelligence[4]. »

On voit donc bien que, dans la pensée de Matta, il est impossible de séparer inspiration et révolution, secrets de l'existence et raisons de la contestation, éléments de son monde intérieur et révolte. Et, finalement, on peut noter combien la technique des *comics*, empruntée à la banalisée/banalisante culture de masse, n'a pas pour lui la simple valeur d'une appropriation mécanique. Il n'est effectivement pas difficile de découvrir dans ses figures, dans leur schématisme voulu, dans leur profil et dans le caractère essentiel de leurs gestes, certains signes figuratifs de la préhistoire ou de la culture populaire « naïve » latino-américaine.
Anthropologie et surréalisme se retrouvent ainsi indissolublement liés dans son acte créateur, habilement intégrés dans une vision qui se nourrit de son intervention dans l'épaisseur du monde réel, c'est-à-dire dans la « chronique » de la réalité.
Matta a hérité des surréalistes deux « sentences » de Rimbaud : « être moderne », et « changer la vie ». Les images de Matta véhiculent un message qui ne peut les méconnaître, car elles relèvent de la même exigence. Toutefois, être « moderne » ne signifie pas être « moderniste », ce dont il faut se défendre comme d'une faute ou d'un crime de « lèse-authenticité ». Être authentique correspond donc à une qualité primordiale, essentielle pour transformer la vie.
Il s'agit là d'exigences indispensables à la résolution des problèmes qui nous incombent aujourd'hui. Matta, du moins, en est convaincu. Mais, pour changer la vie des autres, il faut d'abord changer la sienne. C'est justement ce conflit qui a conféré et confère à la démarche de Matta une extraordinaire vitalité expressive. La fantaisie l'accompagne partout, que ce soit dans son grand atelier-monastère de Tarquinia, en été, ou rue de Lille, à Paris, en hiver. Le succès a désormais consacré son travail, mais Matta ne cesse, néanmoins, de nous mettre en garde contre ses dangers : « Le succès, dit-il, c'est le sida de l'artiste[5]. »

Traduit de l'italien par
Muriel Caron

1. Table ronde sur le thème « Art et révolution », Bologne, Italie, 24 mars 1963 ; outre Guttuso, étaient présents à cette réunion Francesco Arcangeli, Giulio Carlo Argan, Mario De Micheli, Roberto Antonio Sebastian Matta et le maire de Bologne de l'époque, Renato Zangheri. Le XXXe débat se trouve dans le catalogue de l'exposition présentée à Bologne en mai de la même année.
2. Erwin Panofsky, « The History of Art », *The Cultural Migration; The European Scholar in America*, Philadelphie, W. R. Crawford (éd.), 1953.
3. Interview de Matta par Gabriele Invernizi, parue dans *L'Espresso*, Rome, 19 janv. 1992, p. 92.
4. *Ibid.*, p. 93.
5. *Ibid.*, p. 94.

Sculpture et histoire : deux monuments commémoratifs

Hans-Ernst Mittig

Dans l'Europe divisée du début des années cinquante, deux ambitieux concours pour des monuments furent lancés, presque en même temps, sur des thèmes apparentés. À Buchenwald, près de Weimar, fut érigé sous l'égide de la Vereinigung der Verfolgten des Naziregimes (VVN, « Union des persécutés du régime nazi ») et sur commande du gouvernement de la RDA un ensemble monumental, dont la sculpture de Fritz Cremer constituait la partie centrale. De son côté, l'ICA (Institute of Contemporary Arts), dont le siège était à Londres et qui cherchait un projet de « monument au prisonnier politique inconnu », sans avoir choisi le lieu où celui-ci serait érigé, se décida pour la maquette de Butler. Les deux œuvres évoquaient le thème, lié au passé récent et toujours actuel, de l'internement politique : elles se tenaient *face à l'histoire*. Cremer voulait apporter sa contribution à l'« histoire devenue œuvre d'art » et donner une forme à la « reconnaissance du contexte social »[1]; Butler entendait marquer l'attention qu'il portait aux événements des années passées et son « engagement dans la réalité sociale »[2]. Mais les deux œuvres semblent avoir été ensuite dépassées par le cours de l'histoire. Le projet de Butler, primé, ne fut pas réalisé; considéré comme l'exemple type d'une sculpture moderne conçue sans relation avec un lieu réel, il fut refusé comme « trop abstrait[3] », également, dans son aspect formel.
Le groupe en bronze de Cremer pour le *Monument de Buchenwald* présente aujourd'hui[4] peu d'intérêt en tant qu'information sur l'histoire des camps. Il constitue plutôt un héritage problématique de l'État est-allemand effondré, dans la mesure où il est le prétexte d'une exploitation idéologique, voire d'une falsification de l'histoire.

Il s'agit en effet d'une œuvre d'art étatique choisie par une « commission de l'État pour les affaires artistiques ». Le règlement du concours, paru le 14 décembre 1951, mentionnait que les « formes abstraites » ne pouvaient apporter « l'expression de l'amour et du respect à l'égard des révoltés de tant de nations ». Le monument, inauguré en 1958, se caractérise donc par des motifs de sculpture figurative et par une architecture traditionnelle. Il met en œuvre les idées de deux projets primés (architectes : Ludwig Deiters, Hans Grotewohl, Horst Kutzat, Hubert Matthes, Hugo Namslauer, Kurt Tausendschön; sculpteurs : René Graetz, Waldemar Grzimek, Hans Kies; enfin, pour le bronze, Fritz Cremer [1906-1993]).

Sur un versant du mont Ettersberg, un large chemin, où alternent marches et paliers, conduit à un clocher, qui représente le terme du parcours. L'ascension s'achève sur une place de rassemblement. Sur une vaste surface plane apparaît, spectaculaire, le groupe de bronze, presque deux fois plus grand que nature. Quand on atteint la place, celui-ci s'offre de dos, silhouettes découpées dans le paysage. Ces deux angles de vue — correspondant au déroulement du parcours et à l'utilisation du monument — sont très différents.
De l'escalier, le groupe guide une ascension qui est aussi métaphorique. Une structure triangulaire dissymétrique — concrètement, un drapeau et deux mains tendues — pointe vers le haut. Un personnage qui prête serment domine la scène, la ligne de son bras droit rencontrant celle du drapeau. Le mouvement est différencié : exactement au milieu, un personnage tombe; tout à fait à droite (du point de vue du spectateur), deux personnages isolés symbolisent le « cynisme » et le « doute ». Sur le socle, travaillé dans les moindres détails, une surface inégale et couverte de sillons rappelle le paysage originel des collines. La relation au lieu est perceptible jusque dans la caractérisation des personnages. Du côté du camp de concentration se tient un jeune garçon prématurément vieilli. Du côté de Weimar, ville de culture, la mimique et le manteau du « cynique » indiquent une origine bourgeoise[5]. Les bras tendus du personnage qui tombe évoquent un combattant pour la liberté du tableau de Goya *Tres de Mayo.* L'attitude de celui qui crie rappelle les hauts-reliefs de l'Arc de triomphe de Paris, dans une « tradition des serments pour la liberté[6] », qui commence avec *Le Serment des Horaces* de David. L'homme qui prête serment et le combattant à

droite renvoient aux principaux personnages de *La Liberté guidant le peuple* de Delacroix. Le drapeau et les mains tendues s'accordent avec la verticalité de la tour. Sur la porte est inscrit le serment antifasciste qui constitue le thème du groupe, lequel est placé entre le souvenir de la souffrance et de la mort, évoqué dans les parties que l'on traverse ensuite, et la perception de la lumière à l'intérieur de la tour[7].

Monument de Buchenwald, vue générale.

Depuis la place des manifestations, on voit les hommes rangés en ligne : image exemplaire de ceux qui se rassemblent et s'engagent à rester sur le même rang. Le visage de celui qui crie apparaît maintenant de profil, le geste d'appel de sa main gauche s'inscrit dans l'espace intermédiaire entre les combattants et les deux personnages qui se tiennent debout à l'écart. De par la configuration du sol, le « cynique » et le « porteur de drapeau », de l'autre côté de l'alignement, semblent dominer légèrement les silhouettes centrales. Ceci tient surtout au plan cunéiforme, qui ordonne le groupe de façon pyramidale pour le regard tourné vers lui, tandis que, depuis la place du rassemblement, la disposition des personnages apparaît comme égalitaire.

Fritz Cremer, *Monument de Buchenwald,* vu du sud.

Ce double aspect reflète les phases de la genèse de l'œuvre. Cremer avait d'abord conçu le monument en référence aux *Bourgeois de Calais* de Rodin : un groupe de huit prisonniers sur un sol plan. « Aucun n'est au-dessus des autres, tous sont également marqués par l'injustice qui leur est faite[8]. » La perspective du groupe vu de dos conserve aujourd'hui encore cette idée fondamentale.

Ce premier projet fut critiqué car il manquait de certitude en la victoire. Aussi Cremer en présenta-t-il un second, qu'il compara lui-même au « final apparemment triomphal d'une mauvaise pièce de théâtre[9] ». Le groupe, assemblé en pyramide, est surmonté d'un drapeau ; le personnage qui prête serment a le visage d'Ernst Thälmann, assassiné en 1944 ; les hommes ne sont plus disposés « comme s'ils se trouvaient [...] face aux armes des SS », mais le groupe symbolise une « évolution générale [...] ascendante qui naît chez les prisonniers des camps de concentration de Buchenwald se libérant eux-mêmes[10] ». La sculpture conforte les

Fritz Cremer, *Monument de Buchenwald,* vu du nord.

témoignages selon lesquels les prisonniers auraient vaincu eux-mêmes leurs gardes le 11 avril 1945. Ce fait, mythe fondateur entretenu par les Allemands de l'Est, a longtemps été mis en doute. Quoi qu'il en soit, cette libération s'est passée sans effusion de sang[11]. Une attaque contre les derniers SS restés dans le camp n'aurait rien changé au fait que seule l'approche des troupes américaines permettait la libération.

« Une sorte d'association du premier et du deuxième projet », un « procédé dialectique »[12] conduisit à une troisième version, conçue en 1954 et réalisée en 1958. Cremer essaya de traduire en images, dans une gradation allant du « cynique » au « porteur de drapeau », le processus de développement de la conscience socialiste : le camp de concentration n'est pas seulement un lieu de souffrances, il est en même temps l'endroit où l'on apprend à « construire un monde nouveau de paix et de liberté[13] ». Cremer fait également allusion à l'enseignement des défaites passées : un combattant de la guerre d'Espagne, reconnaissable à son béret, évoque la guerre civile espagnole (plusieurs autres monuments créés plus tard en RDA se réfèrent à cette guerre[14]). La version définitive du groupe de Buchenwald attire l'attention sur plusieurs phases[15] et sur plusieurs interprétations de ces événements : apparaît clairement une « disposition héroïque[16] » à la lutte contre les SS. À première vue, le personnage qui tombe semble atteint par une balle de fusil, mais, en regardant de plus près, on se rend compte qu'il s'effondre sous l'effet de la maladie ou de l'épuisement[17]. Il est clair — et Otto Grotewohl l'a souligné le 19 avril 1958 — que le serment du 14 septembre 1945 valait pour l'avenir : « Nous n'arrêterons le combat que lorsque le dernier coupable sera condamné par le tribunal de toutes les nations[18]. »

Ce monument ne constitue pas seulement un témoignage et une interprétation de l'histoire. Il appelle aussi à prendre position et à agir, et ce à plusieurs titres.

Comme souvent dans les œuvres du XIXe siècle, la disposition générale du monument doit être comprise comme un geste offensif : Bertolt Brecht avait déjà proposé le 3 février 1952 de « sculpter en nombre impair des hommes gigantesques, prisonniers libérés, qui regardent vers le sud-ouest, où s'étendent encore des contrées non libres[19] ». Dans le même temps, on parlait en RFA d'une « libération de l'est de l'Europe[20] ».

Du point de vue de la politique intérieure, le *Monument de Buchenwald* fut la contribution artistique la plus marquante à l'édifice idéologique antifasciste de la RDA. Au moins le groupe de Cremer rappelait-il, avec les personnages en marge, qu'en dehors des résistants bien d'autres personnes avaient souffert dans le camp[21]. En fêtant une victoire, mais en situant en dehors du pays le combat ultérieur contre les racines du fascisme[22], l'État est-allemand rejetait sa part de responsabilité dans l'iniquité de l'État nazi et niait lui être lié par une quelconque continuité (la question de savoir si cela transparaît dans les formes architecturales est un point litigieux[23]). Indéniablement justifié, l'hommage aux prisonniers politiques n'en refoulait pas moins le souvenir des Juifs, des Tziganes, des homosexuels, des prisonniers de guerre et autres personnes qui, sans avoir d'activités politiques, avaient été internés en camp de concentration.

On a en outre reproché au *Monument de Buchenwald* de condamner les camps de concentration tout en omettant d'évoquer l'utilisation postérieure qui fut faite de Buchenwald[24] : de 1945 à 1951 subsista un camp d'internement soviétique, où, avec les nazis, furent enfermés un nombre croissant d'adversaires du régime d'après-guerre. Le *Monument de Buchenwald* ne nie pas totalement ce fait — la dernière de ses sept stèles de hauts-reliefs figure des prisonniers qui enferment leurs bourreaux après la terreur subie dans les camps[25] — mais l'abus politique que constituait l'utilisation du camp après la libération est néanmoins occulté.

On pourrait croire que *Le Monument au prisonnier politique inconnu* conçu par Butler a été préservé d'un tel amalgame avec le combat politique, dans la mesure où il ne se rapporte pas à un événement précis sujet à controverse. Le thème du concours répondait à une idée qui avait un écho international : offrir des funérailles avec les honneurs à un soldat inconnu[26]. Mais il n'était pas prévu, toutefois, de représenter un enterrement. Dès 1947, on avait envisagé d'ériger un « monument au combattant inconnu de la Résistance » à Buchenwald[27].

Le concours de Londres[28] est dû à l'initiative de l'ancien attaché culturel Anthony J. T. Kloman, qui apportait le financement de donateurs américains. Les rumeurs d'une participation financière des autorités gouvernementales américaines n'ont jamais été confirmées[29]. Le texte de proclamation du concours, qui date de janvier 1952, prévoyait aussi bien « une exécution d'un caractère symbolique ou non-représentatif » qu'une « exécution d'un caractère plus naturiste[30] ». Le mot « moderne » est répété avec insistance. Quelque trois mille cinq cents candidatures furent envoyées (dont trois cent trois de France), nécessitant la mise en place d'une présélection nationale. Le jury de Londres se décida le 11 mars 1953 pour le projet du sculpteur britannique Reg Butler (1913-1981)[31].

L'artiste hésita entre des lieux d'exposition aussi différents que la côte escarpée du sud de l'Angleterre ou la place publique d'une grande ville. Sur un bloc imitant la forme d'une pierre naturelle devait se dresser une ossature métallique de trente à cent trente mètres de hauteur[32]. Trois piliers transversaux soutenant une plateforme et deux rectangles placés verticalement délimitaient un espace semblable à l'intérieur d'une caisse, d'où se dressait un grand mât. Trois figures féminines en bronze *(Watchers)* devaient observer l'édifice comme si les prisonniers, bien qu'invisibles, occupaient leurs pensées.

L'évocation d'un mirador est indéniable. Cependant, outre l'idée de surveillance, lui est en même temps associée celle de libération. Certes, l'espace entourant la plateforme évoque une cage, mais il s'agit d'un espace ouvert. Le rectangle d'acier, qui rappelle un écran de téléviseur, réitère la suggestion de l'ouverture au monde visible, mais en suscitant des associations d'idées ambivalentes. D'un côté, cette technique télévisuelle, encore toute récente, renvoyait à la surveillance totalitaire d'un Big Brother[33]; de l'autre, elle introduisait, avec le mât semblable à une antenne, l'idée de média d'information comme vecteur potentiel des Lumières, à l'instar de ce que Picasso avait réalisé en 1937 en introduisant des lignes de journaux dans *Guernica*[34].

Tout comme Cremer avec son groupe de Buchenwald, Butler semble s'être fié à des moyens d'expression reconnus par l'art traditionnel. Certains ont cité comme modèles des trois statues de femmes les *Three Standing Figures* d'Henry Moore (1947-1948) et les *Three Studies for Figures at the Base of a Crucifixion* de Francis Bacon (1944)[35]. *Le Serment des Horaces* de David avait, quant à lui, déjà conforté le cliché qui veut que les protagonistes masculins soient accompagnés de la sollicitude de trois femmes.

La triade, explicitement mentionnée par Butler[36], revient dans les supports de la structure métallique ; la plateforme paraît légèrement arrondie, telle une coupelle ; ce, afin d'évoquer, selon l'endroit d'où on la regarde, un trépied avec un flambeau, comme il en existe à Buchenwald ou ailleurs pour rendre hommage aux victimes du fascisme.

Robert Burstow a montré en 1989 que l'auteur du projet était conscient des diverses ressemblances mais qu'il était aussi guidé par une association inconsciente[37]. Butler a même laissé au spectateur la liberté d'envisager d'autres interprétations de son œuvre en rapport avec la persécution politique et la captivité[38]. Il y a lieu, toutefois, de se demander si toutes les interprétations sont conformes à ce qu'on voit. Burstow tient pour vraisemblable que Butler voulait se référer, dans sa construction, au four du livre de Daniel (chap. 3), dans lequel trois Juifs étaient gardés prisonniers[39]. Ce qui donne à penser que le thème de l'œuvre de Butler serait la persécution des Juifs par les nazis et, peut-être, les chambres à gaz. Mais l'ouverture, la transparence et le vide de la structure de Butler sont incompatibles avec la représentation d'un objet aussi massif qu'un four ; dans le récit biblique, les hommes qui évoluent dans le feu sont visibles et sortent du four. L'allusion au livre de Daniel n'est donc pas prouvée.

Encore moins que chez Cremer, on ne peut deviner ici le moindre signe permettant d'identifier des hommes persécutés, non pas pour s'être révoltés ou organisés politiquement, mais pour des raisons racistes. Selon les termes de l'avis du concours, le monument vise à « commémorer tous les hommes et femmes inconnus qui, à notre époque, ont sacrifié leur vie et leur liberté pour servir la cause de la liberté humaine ». Si on reconnaît dans la structure métallique du monument de Butler une note d'anthropomorphisme[40], comme nous y encouragent nombre de ses dessins préparatoires et maquettes, ainsi que d'autres œuvres de même ordre, on peut en déduire, en tous cas, que la gestuelle renvoie non pas à une souffrance passive, mais plutôt à une attitude de défi délibéré, dans le sens de sacrifice de soi conscient. Une croix à peine visible est posée sur la plateforme.

Butler aspirait à une voie intermédiaire entre « réalisme » et « abstraction »[41]. Sa méthode montre que, paradoxalement, une abstraction limitée peut potentialiser la relation de l'objet à la réalité ; en évitant de se fixer sur une seule relation à l'image[42], elle permet d'en relier plusieurs entre elles. L'inconvénient est que les liens avec l'histoire s'affadissent et perdent en précision et en solidité. Quand la relation à des objets connus est enrichie, mais aussi distendue, le risque augmente de voir attribuer à une œuvre des contenus diamétralement opposés.

Burstow en déduit que l'art abstrait n'est pas approprié à la politique.

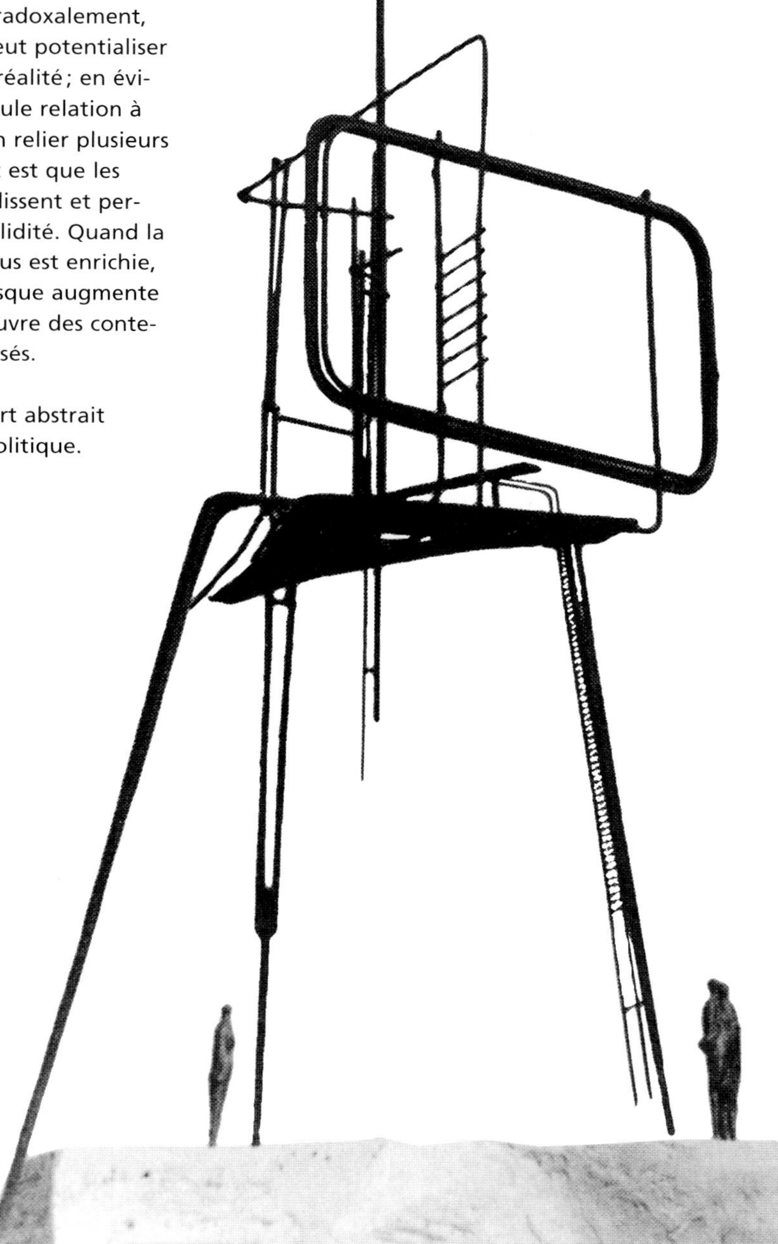

Reg Butler, *Working Model for « The Unknown Political Prisoner »* [Maquette pour « Le Monument au prisonnier politique inconnu »], 1955-1956. Tate Gallery, Londres.

D'après lui, le projet de Butler n'a pas reçu un soutien suffisant, parce que l'abstraction était alors associée, d'une part, au capitalisme, et, de l'autre, au communisme, si bien que les gens de gauche comme les conservateurs pouvaient également se formaliser de ses œuvres[43].

À l'époque, la relation entre l'art moderne et la liberté politique individuelle, fondamentale pour une société démocratique, était énergiquement affirmée[44]. Les campagnes d'opinion qui s'en faisaient l'écho ne se contentaient pas d'argumenter : elles recouraient à des actions concrètes. Dans la phase initiale, des projets artistiques naquirent, qui ne purent aboutir, mais dont la genèse[45] fit toutefois évoluer l'opinion. En cela au moins, ils n'échouèrent pas totalement. Ceci vaut aussi pour *Le Monument au prisonnier politique inconnu*. À cette époque, grâce à la conception de ce projet retentissant, l'idée que l'art moderne symbolisait l'opposition aux « concepts totalitaires d'uniformité et d'obéissance aveugle »[46] commença à s'imposer.

Le nazisme était visé en tant que régime autoritaire et totalitaire, mais dans la mesure où un monument moderne était censé exprimer la « révolte contre des tyrannies inhumaines »[47], celui-ci pouvait aussi être considéré comme une protestation contre le système des camps existant dans les pays communistes, particulièrement en Union soviétique. Aussi les États du bloc de l'Est avaient-ils boycotté le concours[48]. Deux argumentations, l'une se référant rétrospectivement au régime nazi, et l'autre directement liée au présent du stalinisme, étaient en concurrence dans le projet de Butler. Ce dernier, quant à lui, avait « toujours compris le concours en tant que rappel des atrocités nazies[49] » ; il mentionnait ainsi les chambres à gaz et nommait Bergen-Belsen, Buchenwald et Auschwitz[50].
La ressemblance, souvent remarquée, avec les installations de radars des côtes anglaises n'y change rien. L'image de telles armatures dirigées vers l'Est évoque davantage la guerre froide que les camps de concentration, mais les documents photographiques de Butler proviennent de la guerre contre l'Allemagne nazie.

En janvier 1953, les projets allemands et suisses furent exposés à Berlin[51]. L'idée de s'en servir dans le contexte de la guerre froide prédominait. Le bourgmestre Ernst Reuter (mort le 29 septembre 1953) reprit la proposition de Kloman[52] d'édifier le monument à Berlin. Dans l'exposé du 21 février 1951, il n'est plus question des camps de concentration nazis. Il y est déclaré que « Berlin est depuis des années un avant-poste du monde libre, enclavé dans un territoire sous domination soviétique, un point essentiel du combat de la liberté contre l'oppression et la tyrannie[53] ». En 1957, le sénateur chargé de l'éducation populaire exprima également le vœu que le monument soit tourné « vers la zone opprimée[54] ». Le Sénat de Berlin-Ouest décida en effet le 1er avril 1957 que le lieu d'exposition serait situé à proximité de la frontière du secteur soviétique[55]. Un bunker de protection antiaérienne[56] dynamité en 1948 et presque transformé en colline devait occuper la place du rocher prévu à l'origine pour former le socle. Butler considérait son œuvre, en 1958, comme un « symbole de la volonté d'éliminer la persécution politique et la haine raciale qui, au cours de l'histoire, avaient fait des

Naum Gabo, *Model for a « Monument to the Unknown Political Prisoner »* [Maquette pour « un Monument au prisonnier politique inconnu »], 1952. Tate Gallery, Londres.

Émile Gilioli, *Prière et Force*, 1952. Tate Gallery, Londres.

Pietro Consagra, *Prigioniero politico ignoto* [Le Prisonnier politique inconnu], 1952. Tate Gallery, Londres.

affaires humaines un enfer »[57]. Avec ses quelque soixante-quinze mètres de haut et son illumination nocturne, son monument devenait un fanal de la guerre froide, mais Butler ne fait pas mention de ce dessein dans le récit détaillé de la genèse de son *Working Model*[58].

De l'avis de Burstow, l'échec du projet est dû aux prémices de la détente qui s'instaura après la mort de Staline : les donateurs américains ne trouvaient plus à propos d'édifier d'un tel symbole[59]. Cependant, à Berlin, après la construction du Mur (13 août 1961), l'intérêt porté à des monuments symbolisant la résistance aux dangers qui menaçaient la liberté — comme celui d'Eduard Ludwig, dédié au pont aérien (1951) — connut un regain notable. *La Flamme* (1963) de Bernhard Heiliger (un des participants au concours de Londres) rendait actuel le mot de Reuter : « La paix ne peut exister que dans la liberté. »

Les formes nouvelles de ces monuments — qui finirent par emporter l'adhésion générale[60] — ne nous autorisent pas à conclure que l'art moderne avait reçu d'emblée une large approbation en Allemagne de l'Ouest : il provoquait une réaction de rejet, même lorsqu'il n'était pas associé à la politique. Reuter, lui aussi, s'offusqua du projet de Butler[61]. Les autorités sénatoriales pour la construction et l'éducation populaire déclarèrent en 1955 que les projets choisis pour le concours international n'étaient pas adéquats[62]. En 1956, la nouvelle Académie des arts s'engagea dans une réalisation pour Berlin-Ouest[63], mais presque tous les fonctionnaires compétents boycottèrent la rencontre organisée avec Kloman[64]. Les gouvernements des Länder empêchèrent une collecte publique[65].

Quoi qu'il en soit, le peu d'écho rencontré par le projet de Butler prouve que la population n'était pas prête à lui accorder un large soutien. Il est difficile de distinguer dans ce refus la part imputable à son esthétique originale de celle due aux thèmes inquiétants dont il traite. Les courriers des lecteurs et autres articles publiés dans les journaux font apparaître que la réaction de rejet ne visait pas l'abstraction en tant que telle, mais, au contraire, des détails très reconnaissables, comme celui du mirador, qui ne s'éloignaient pas assez des images d'un passé désagréable, et restaient trop directement *face à l'histoire* : d'anciens prisonniers de guerre protestèrent même[66].

Dans ces conditions, une collecte publique aurait été vaine. Et l'on ne pouvait pas compter sur l'État. Les moyens financiers devaient venir de l'extérieur[67], mais le gouvernement fédéral refusait d'accorder son soutien. Faute de participation allemande, les 10 000 dollars mis à disposition à deux reprises par les États-Unis furent retirés[68]. Le 14 juillet 1964, le Sénat de Berlin-Ouest déclara que le projet était abandonné[69]. Un dernier espoir naquit à l'annonce d'une tentative effectuée aux Pays-Bas[70], mais celle-ci se solda par un échec.

Il serait faux, cependant, d'en attribuer les causes au manque de compréhension de l'administration et du public. Des critiques comme Will Grohmann (membre du jury de Londres), qui, dans les années cinquante et soixante, faisaient connaître l'art moderne au public, avaient défini leur liberté comme libération de toute fonctionnalisation politique — et donc

Theodore Roszak, *The Unknown Political Prisoner (Defiant and Triumphant)* [Le Prisonnier politique inconnu (défiant et triomphant)], 1952. Tate Gallery, Londres.

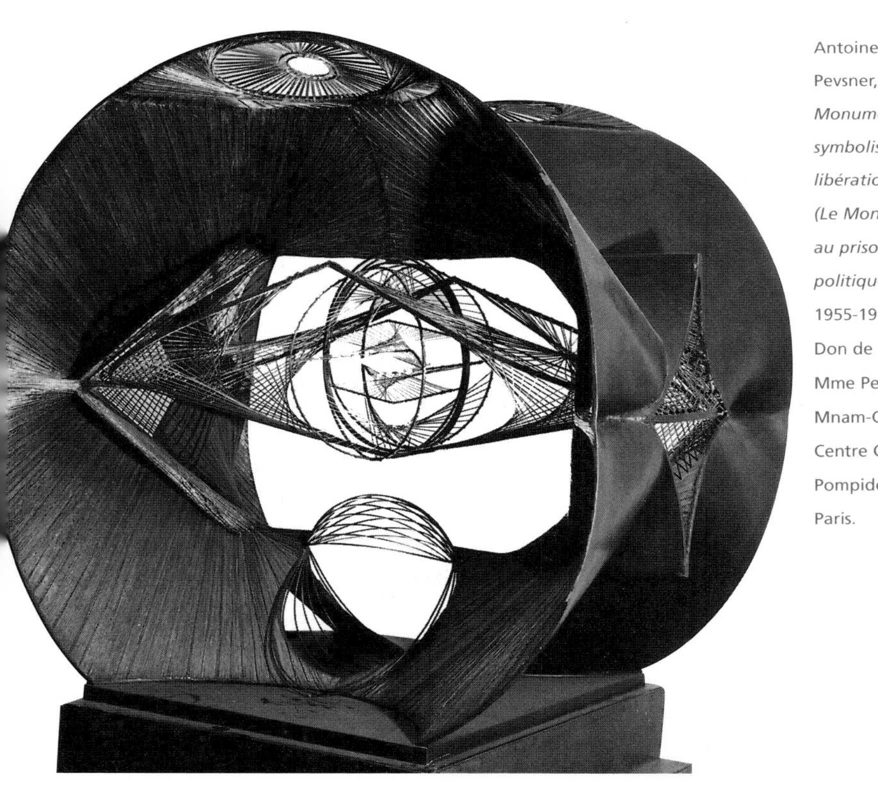

Antoine Pevsner, *Monument symbolisant la libération de l'Esprit (Le Monument au prisonnier politique inconnu)*, 1955-1956. Don de Mme Pevsner, 1962. Mnam-Cci, Centre Georges Pompidou, Paris.

du handicap qui constitue un thème à traiter[71]. Si l'art moderne devait se prêter à un projet de monument qui, par son intitulé, équivalait à une prise de position politique, cela restait une contradiction gênante. Les monuments sont des paradigmes du rapport à l'histoire et à la politique.

Une telle relation existait concrètement aussi bien pour le *Monument de Buchenwald* que pour *Le Monument au prisonnier politique inconnu* dans sa version de Berlin : tous deux se dressaient « face au » monument soviétique de la victoire du quartier de Treptow, à Berlin-Est (créé par Yevgueni Viktorovitch Vutchovitch et d'autres, en 1946-1949). Ce dernier était le prototype de celui de Buchenwald : selon la prescription habituelle, il était censé renforcer l'attachement à l'Union soviétique[72]. À l'inverse, l'œuvre de Butler était conçue pour s'opposer, « sur un lieu élevé à Berlin-Ouest, avec vue sur le secteur est [...], au monument de la guerre du parc de Treptow[73] ».

Le projet de Butler de 1952 avait néanmoins évité de se référer trop ouvertement à certains faits historiques interprétés de manière politique, au contraire de celui de Cremer qui représentait les événements du 11 et du 19 avril 1945. « Le serment des prisonniers libérés de Buchenwald devient dans une partie de l'Allemagne, la RDA, une praxis des masses populaires qui s'accomplit sous la direction de la classe ouvrière et de son parti », proclama rétrospectivement Bartke en 1960, avant de poser la question de la contribution du monument à l'évolution de l'art[74]. L'œuvre de Butler également a une fonction déterminée, ce qui est tout aussi problématique. Le but visé par l'ICA était de frayer la voie aux formes, encore impopulaires, de l'art moderne. Selon Kloman (1956), « On était finalement d'accord pour reconnaître que la sculpture avait le plus grand besoin d'être encouragée, et le sujet du prisonnier politique inconnu avait été choisi parce qu'il éveillait un intérêt universel. À cette fin, j'étais capable de produire les fonds nécessaires, [...] de focaliser l'intérêt de tous sur la sculpture et les sculpteurs »[75]. Le texte du concours (1952) fait certes plusieurs fois état d'un « thème », mais ne l'expose que brièvement et en conclusion. Le thème du prisonnier politique inconnu devait servir à développer et à imposer des formes modernes de sculpture.

Le projet de Butler était opportun en Allemagne de l'Ouest, non seulement parce qu'il permettait, en ces temps de guerre froide, de porter une accusation contre l'adversaire, mais aussi, en même temps, parce qu'il évitait d'évoquer le caractère à part des crimes nazis. Grohmann lui-même écrivit en 1965 en retraçant rétrospectivement toute l'entreprise : « Probablement, au début, on avait surtout bien pensé aux terribles événements des camps de concentration nazis, mais il est apparu ensuite que l'Allemagne n'avait pas été le seul pays à avoir des camps, et qu'à l'époque du concours il y avait toujours des camps de prisonniers et des camps de travail qui n'étaient pas mieux (!) que ceux de 1933[76]. » La mise à mort systématique de millions d'être humains dans les chambres à gaz est ainsi refoulée, occultée par cette mise en équation.

L'assimilation des crimes nazis avec ceux du régime stalinien correspondait certes au discours ambiant; mais il y a une différence entre l'utilisation de cet argument dans le discours politique[77] et la volonté de l'accréditer par des œuvres d'art dont la sémiologie fait appel aux symboles universels de la captivité sans différencier clairement les systèmes politiques. Des déclarations comme celle de Grohmann ont relativisé et édulcoré le tableau des « atrocités nazies » que *voulait* évoquer Butler. En revanche, cet abus était rendu impossible à jamais avec le *Monument de Buchenwald* de Cremer.

Je remercie Christine Fischer-Defoy, qui a travaillé en même temps sur les deux monuments, en préparant ses contributions pour le catalogue de l'exposition historico-culturelle pour le 300e anniversaire de l'Académie des arts et de l'École des arts, *Die Kunst hat nie ein Mensch allein besessen* (« Jamais un homme n'a été seul à posséder l'art »), Berlin, 1996, pour toutes les suggestions et les informations qu'elle m'a apportées sur ce thème.

Traduit de l'allemand par
Marc Payen

1. *Fritz Cremer. Projekte, Studien, Resultate*, cat. d'exposition, Staatliche Museen zu Berlin/Nationalgalerie/Akademie der Künste der DDR, 1976-1977, pp. 147 et 37.
2. *Illustrated Catalogue of Acquisitions 1978-1980*, Tate Gallery, Londres, 1981, p. 80.
3. Richard Calvocoressi, « Standortsuche. Die britische Skulptur in den fünfziger Jahren », dans Walter Grasskamp (dir.), *Unerwünschte Monumente*, Munich, 1989, p. 60.
4. Volkhard Knigge, « Vom provisorischen Grabdenkmal zum Nationaldenkmal », *Bauwelt 86*, 1995, pp. 2258-2266.
5. Pour les détails indiquant des origines dans la bourgeoisie cultivée, penser aux manteaux du monument d'Ernst Rietschel dédié à Goethe et à Schiller (Weimar, 1852-1858) et aux sourcils dans les représentations habituelles du Méphistophélès.
6. Volkhard Knigge, art. cité, p. 2263.
7. *Ibid.*, p. 2266.
8. *Ibid.*, p. 2263.
9. Fritz Cremer, *op. cit.*, p. 139.
10. La citation date de 1954. Fritz Cremer, *ibid.*, p. 138.
11. Ulrike Puvogel, *Gedenkstätten für die Opfer des Nationalsozialismus*, Bonn, 1987, p. 778; Manfred Overesch, *Die Befreiung Buchenwalds 1945. Thüringer Blätter zur Landeskunde*, Arnstadt, 1992; du même auteur, *Buchenwald und die DDR oder die Suche nach Selbstlegitimation*, Göttingen, 1995.
12. Fritz Cremer, *op. cit.*, pp. 21 et 139.
13. Volkhard Knigge, art. cité, p. 2264; cf. p. 2265, note 33.
14. Gabi Dolff-Bonekämper, « Das Spanienkämpfer-Denkmal von Fritz Cremer », *Bildersturm in Europa. Die Denkmäler der kommunistischen Ära im Umbruch, ICOMOS. Hefte des Deutschen Nationalkomitees Nr 13*, Munich, 1994.
15. Eberhard Bartke, « Das Denkmal », dans E. Bartke (dir.) *et al.*, *Das Buchenwald Denkmal*, Dresde, 1960, p. 30.
16. Ulrike Puvogel, *op. cit.*, p. 778, note 23.
17. Contrairement aux thèses développées dans l'ouvrage d'Eberhard Bartke, *op. cit.*, pp. 23, 30-31.
18. Cité dans l'introduction d'Heinz Lüdecke, *ibid.*, p. 5, cf. Ulrike Puvogel, *op. cit.*, p. 779. Volkhard Knigge, art. cité, admet à tort, p. 2265, que le monument situait la victoire définitive de la classe ouvrière en avril 1945.
19. Volkhard Knigge, *op. cit.*, p. 2262, note 23. Dans la réalisation, le groupe est orienté vers le sud. La distance à la frontière, à l'époque, est de 55 km.
20. Ernst Nolte, *Deutschland und der Kalte Krieg*, édition 2, Stuttgart, 1985, pp. 304 et 355.
21. Eberhard Bartke, *op. cit.*, pp. 18, 19 et 23.
22. Ce n'est pas encore le cas le 19 avril 1945, comme on peut le constater en comparant les textes (Volkhard Knigge, *op. cit.*, p. 2258).
23. Peter Guth, *Wände der Verheissung*, Leipzig, 1995, p. 123.
24. Volkhard Knigge, art. cité, p. 2265.
25. Eberhard Bartke (dir.) *et al.*, *op. cit.*, illustr. pp. 40 et 41 (sculpteur : Graetz).
26. Volker Ackermann, « "Ceux qui sont pieusement morts pour la France..." Die Identität des Unbekannten Soldaten », dans Reinhart Koselleck et Michael Jeismann (dir.), *Der politische Totenkult*, Munich, 1994, pp. 281-314; Ken S. Inglis, « Grabmäler für Unbekannte Soldaten », dans Christoph Stölzl (dir.), *Die Neue Wache Unter den Linden*, Munich-Berlin, 1993, pp 150-171.
27. Volkhard Knigge, art. cité, pp. 2259, 2260, note 12.
28. *Illustrated Catalogue of Acquisitions 1978-1980*, *op. cit.*, pp. 72-82 (avec, notamment, les déclarations de Reg Butler). Richard Calvocoressi, « Reg Butler : The Man and the Work », dans *Reg Butler*, cat. d'exposition, Tate Gallery, Londres, 1983-1984, pp. 9-33; Reg Butler, « The Venus of Lespugue and Other Naked Ladies », *ibid.*, pp. 35-48; Robert Burstow, « Butler's Competition Project for a Monument to "The Unknown Political Prisoner" ; Abstraction and Cold War Politics », *Art History 12*, 1989, pp. 472-496.
29. Richard Calvocoressi, « Standortsuche », art. cité p. 57. Sur la question d'une participation de l'Information Agency of United States, cf. Michael Kimmelman, « Revisiting the Revisionists : The Modern, Its Critics, and the Cold War », dans *The Museum of Modern Art at Mid Century*, New York, 1994, pp. 40-42.

46
59

30. *Concours international de sculpture*. Livret quadrilingue, Londres, 1952. Landesarchiv Berlin, rep. 14, n° 311.
31. Pour le projet d'origine (modelé juillet-octobre 1952, réparé après un dommage, coll. part.), cf. *International Sculpture Competition. The Unknown Political Prisoner*, cat. d'exposition, Tate Gallery, Londres, 1953; *Illustrated Catalogue of Acquisitions 1978-1980, op. cit.*, p. 74. Pour la réplique I (The Museum of Modern Art, New York) : *ibid.* Alfred H. Barr (dir.) et William S. Liebermann, *Masters of Modern Art*, New York, 1954, p. 159. Pour la réplique II (Tate Gallery, Londres) : Penelope Curtis, *Modern British Sculpture from the Collection*, Tate Gallery, Liverpool, 1988, pp. 73-74. Pour le « Working Model » (1955-1956, Tate Gallery, Londres) : *Illustrated Catalogue of Acquisitions 1978-1980, op. cit.*, pp. 72, 74-75, 80-82.
32. Citation de Reg Butler extraite de *Illustrated Catalogue of Acquisitions 1978-1980, op. cit.*, p. 78. Landesarchiv Berlin, rep. 14, n° 311 (Sculptor's Description of Model).
33. Robert Burstow, art. cité, p. 486, et note 104.
34. Au sujet de *Guernica*, cf. Robert Burstow, *ibid.*, p. 475.
35. Richard Calvocoressi, « Standortsuche », art. cité, p. 24.
36. Reg Butler, « Zum Entwurf für das Denkmal des Unbekannten Politischen Gefangenen », *Das Kunstwerk*, 1957, vol. n° 2, p. 35.
37. Robert Burstow, art. cité, pp. 475, 492 (note 28).
38. Reg Butler, « Zum Entwurf », art. cité, p. 35.
39. Robert Burstow, art. cité, p. 488.
40. *Reg Butler*, cat. d'exposition, *op. cit.*, p. 18, illustr. pp. 60-62; Reg Butler, *ibid.*, p. 38; Robert Burstow, art. cité, p. 484.
41. Robert Burstow, art. cité, pp. 484 et 490. En 1983, Richard Calvocoressi justifie une association intéressante de ce point de vue à Paul Klee, p. 19. Là où seules les « formes absolues » sont considérées comme modernes, une voie intermédiaire n'a de valeur qu'en tant que « compromis » (« formes absolues » et « compromis » sont en français dans le texte, N.d.T.); cf. Jorge Romero Brest, « Concours international de sculpture de Londres », *Art d'aujourd'hui*, n° 4/5, juil. 1953, p. 8.
42. Reg Butler s'exprime très clairement sur ce sujet dans *Illustrated Catalogue of Acquisitions 1978-1980, op. cit.*, p. 79.
43. Robert Burstow, art. cité, p. 491. Au sujet de la suspicion de communisme, cf. Kimmelman en 1994, art. cité, p. 42, et notamment note 25.
44. Robert Burstow, art. cité, p. 491. Pour la situation en Allemagne, cf. Hans-Ernst Mittig, « Immer wieder unpolitisches Künstlertum ? », dans Michael Groblewski et Oskar Bätschmann (dir.), *Kultfigur und Mythenbildung*, Berlin, 1993, pp. 152-153.
45. Souvent aussi importante que les œuvres elles-mêmes, cf. Hans-Ernst Mittig, « Das Denkmal », dans Werner Buschl (dir.), *Funkkolleg Kunst*, Munich-Zurich, 1987, vol. 2, p. 539.
46. Herbert Read, préface au catalogue d'exposition de l'exposition du concours, Londres, 1953; voir également l'introduction d'Anthony J. T. Kloman; cf. Robert Burstow, art. cité, pp. 480-481.
47. Herbert Read, *ibid.*
48. *Illustrated Catalogue of Acquisitions 1978-1980, op. cit.*, p. 73.
49. Richard Calvocoressi, « Standortsuche », art. cité, p. 20; Robert Burstow, art. cité, p. 481 et note 114.
50. Reg Butler, « Zum Entwurf », art. cité, p. 34.
51. « Austellung der deutschen und schweizerischen Modelle für den Londoner Wettbewerb zum "Denkmal des Unbekannten Politischen Gefangenen" » [Exposition des modèles allemands et suisses pour le concours londonien du Monument du prisonnier politique inconnu], Haus am Waldsee, Berlin, 1953. Une série de modèles est restée là-bas et a été exposée en 1996.
52. Landesarchiv Berlin, rep. 14, n° 311 (23 févr. 1953).
53. *Ibid.* Un télégramme a précédé la lettre.
54. Landesarchiv Berlin, rep. 14, n° 312/1 (30 janv. 1957).
55. *Ibid.*, rep. 14, n° 312/2 (2 mars 1959; comparer avec celles du 25 et du 30 avr. 1957).
56. Au sujet de l'histoire de ce bunker, il y a eu en 1996 une exposition au Heimatmuseum de Wedding, Berlin : « Bunker/Berg ».
57. *Illustrated Catalogue of Acquisitions 1978-1980, op. cit.*, p. 82.
58. *Ibid.*, pp. 72-82; au sujet de sa hauteur, cf. Landesarchiv Berlin, rep. 14, n° 311 (25 févr. 1961).
59. Robert Burstow, art. cité, p. 488 et note 114.
60. Will Grohmann a argumenté citant le monument au pont aérien, qui était d'abord contesté; cf. Landesarchiv Berlin, rep. 14, n° 312/2 (18 janv. 1961).
61. Will Grohmann, « Elegie auf ein Denkmal », *Frankfurter Allgemeine Zeitung*, 10 sept. 1965 (aussi l'ouvrage de Robert Burstow de 1989 est-il mis en doute, voir p. 488, note 116). D'après le document des Landesarchiv Berlin, rep. 14, n° 311 (15 avril 1955), Reuter se serait exprimé de façon dilatoire vis-à-vis du projet de Reg Butler. Les hésitations de Willy Brandt, maire de Berlin à cette époque, apparaissent dans le document des Landesarchiv Berlin, rep. 14, n° 312/1 (2 oct. 1962); douteux concernant Brandt : Krysztof Z. Cieskowski, dans Colin Naylor (dir.), *Contemporary Masterworks*, Chicago-Londres, 1991, p. 43.
62. Landesarchiv Berlin, rep. 14, n° 311 (10 mai 1955).
63. Pour plus de détails, cf. le catalogue de l'exposition historico-culturelle pour le 300e anniversaire de l'Académie des arts et de l'École des arts, Berlin, 1996 (avec quelques projets concurrentiels).
64. Landesarchiv Berlin, rep. 14, n° 311 (27 janv. 1956, 7 mars 1956).
65. *Ibid.*, rep. 14, n° 312/1 (28 mai 1964); n° 312/2 (26 mars 1960, 7 mai 1960).
66. *Berliner Morgenpost*, 18 janv. 1953; *Der Tag* (Berlin), 30 avril 1959.
67. Landesarchiv Berlin, rep. 14, n° 312/1 (28 mai 1964).
68. *Ibid.*, rep. 14, n° 312/2 (18 janv. 1961).
69. *Ibid.*, pareillement le document du 20 oct. 1965. Les organisateurs londoniens avaient déjà renoncé en 1960, alors que Butler et Grohmann persévéraient, cf. Burstow, art. cité, p. 488, Landesarchiv Berlin, rep. 14, n° 311/25, 25 févr. 1961; n° 312/2, 4 sept. 1961. La mort de Grohmann en 1968 n'a pas joué de rôle dans le cours des choses, en dépit de ce qui est écrit dans l'ouvrage de Curtis, p. 74.
70. D. K., *Kurier*, Berlin, 11 août 1965; Landesarchiv Berlin, rep. 14, n° 312/1, 20 oct. 1965.
71. Karin v. Maur, « Will Grohmann, Wegbereiter der Moderne », dans *Memoriam Will Grohmann*, cat. d'exposition, Staatsgalerie, Stuttgart, 1987-1988, p. 10.
72. Volkhard Knigge, art. cité, p. 2263.
73. Richard Calvocoressi, « Standortsuche », art. cité, p. 58; Robert Burstow, art. cité, pp. 483-484, 488.
74. Eberhard Bartke, *op. cit.*, pp. 11-12.
75. Voir aussi le compte rendu d'activité de 1956, Archives de l'Akademie der Künste, Berlin.
76. Will Grohmann, art. cité. Le refoulement réapparaît à la surface quelques lignes après : dans un remarquable lapsus du typographe, du rédacteur ou bien de l'auteur, on fait du mot *Gefangenenlager* (camp de prisonniers) l'expression paradoxale, jamais utilisée auparavant, *Gefallenenlager* (littéralement « camp des tombés »).
77. Lire Hans-Ulrich Wehler, *Entsorgung der deutschen Vergangenheit? Ein polemischer Essay zum « Historikerstreit »*, Munich, 1988.

Histoire et poésie devant l'Histoire

Marcelin Pleynet

« Nul poème n'est destiné au lecteur, nul tableau à l'amateur, nulle symphonie à l'auditeur. »

Walter Benjamin, *Mythe et violence*[1].

Quelle histoire ?

Histoire des sociétés ? Histoire des hommes ? Histoire des idées ? Histoire de l'art ? Où et quand a-t-elle commencé ? Où en est-elle ? Se poursuit-elle ? A-t-elle abouti ? Est-elle achevée ?

Comment penserons-nous ce XXe siècle dans ses soubresauts monstrueux et dans son mode d'asservissement de l'humanité aux pouvoirs sans mesure du développement spectaculaire des sciences et de la technique ? Sans doute ne manquons-nous pas de témoignages de peintres, d'intellectuels et d'écrivains qui, sensibles à ces soubresauts, et à leurs conséquences, les vécurent plus ou moins heureusement et s'employèrent plus ou moins heureusement à les penser. Mais, dans le bouleversement sans précédent qui marque ce XXe siècle du sceau de la domination des sciences et des techniques, et des conséquences de cette domination (la bombe atomique — 1945 — et l'énergie nucléaire ne sont pas des moindres), ce qui fut et reste à penser, l'aboutissement d'une histoire, précisément, dont l'évolution se révèle porter les fruits de sa propre destruction…, ce qui reste à penser est si considérable que toute conscience qui s'y confronte ne l'aborde, le plus souvent, qu'en le déjouant. Nous n'avons désormais plus d'autre histoire, parce que nous n'avons plus d'autre histoire de la pensée que celle que Nietzsche déclare habitée par la crise de la métaphysique. L'histoire devant laquelle nous nous trouvons en effet en demeure de penser, c'est essentiellement celle de la métaphysique, de son achèvement et de son dépassement : questionnement dont, comme l'on sait, l'œuvre de Heidegger est seule tout entière occupée.
Reste que pouvoir dire cela, pouvoir écrire cela, suppose que ce qui nous occupe ne date pas d'hier. Heidegger le fait souverainement avec sa lecture de Nietzsche[2]. Mais l'œuvre de Nietzsche elle-même ne témoigne-t-elle pas d'une crise, et de l'expérience d'une crise, propre au XIXe siècle ? Ne témoigne-t-elle pas d'une exigence à penser ce qui, dès le XIXe siècle, s'annonce, plus ou moins déclarativement, de la fin d'une histoire dont nous sommes pourtant aujourd'hui encore habités ?
Si l'on convient de cela, on se trouve engagé à considérer les événements qui marquent le XIXe et le XXe siècle non plus comme témoignant d'une continuité historique, mais comme manifestant, dans le cadre de l'aboutissement de cette histoire, d'une tentative d'assumer, de penser et de répondre à la crise qui hante, si je puis dire, la continuité de l'achèvement.
Autrement dit, s'il y a achèvement de la métaphysique, il y a achèvement d'une vaste et prestigieuse période du mode de déploiement de la pensée occidentale, ce qui implique dès lors de penser le même avec, mais autrement. Notamment pour ce qui nous occupe ici : les œuvres d'art.

Le tableau d'histoire

Faut-il encore débattre pour savoir si le *Guernica* de Picasso est ou n'est pas un tableau d'histoire ? Pourquoi ne pas considérer *Guernica,* dont la stature domine de haut le siècle, comme une œuvre d'art considérable, essentiellement liée, par la vertu de l'extraordinaire intelligence poétique qui l'habite, à ce que Nietzsche disait l'« histoire monumentale » ?
Le tableau d'histoire, comme genre noble, occupant le premier rang dans la hiérarchie académique, est déclarativement pris à partie par Courbet en 1850, avec la plus vaste peinture que l'artiste ait réalisée (hauteur : 3,15 m ; largeur : 6,68 m) : *Un enterrement à Ornans. Tableau de figures humaines, historique d'un enterrement à Ornans*. Tel est le titre complet, écrit de la main de Courbet dans le registre des entrées au Salon, conservé à la bibliothèque du musée du Louvre. Il n'est pas besoin d'accorder beaucoup d'arrière-pensées à Courbet (on sait qu'il n'en manquait pas) pour saisir ce que cet « enterrement » a d'« historique » : la fin du « tableau d'histoire », bien entendu, mais aussi la mise en question d'une définition aussi bien classique qu'encyclopédique du caractère chronologique de l'histoire tel que l'établissait la hiérarchie académique. Avec ce tableau, Courbet s'emploie à dévoiler la situation, en première et en dernière instance, singulière et privilégiée de l'œuvre d'art quant à la fondation de l'histoire. Avec *Un enterrement à Ornans,* Courbet se reconnaît et s'impose dans le dévoilement d'une histoire littéralement monumentale. Il renouvellera ce geste et cette même déclaration en 1856 avec *L'Atelier du peintre, allégorie réelle déterminant sept années de ma vie d'artiste*[3].
Ce déplacement historique, tel qu'il fait événement dans la hiérarchie acadé-

mique des arts, sans renier la tradition[4], nous renvoie à une autre façon de penser l'histoire comme « histoire monumentale », en ce que celle-ci serait d'abord marquée par le surgissement poétique venant manifester, en vérité, dans son dévoilement, « une essence du monde ».

L'art abstrait

C'est très paradoxalement que l'art comme « vertu de l'intelligence poétique[5] » va bénéficier de la mise en question de la théorie des arts de la poétique classique par Lessing, dans son *Laocoon*[6], et de la mise en place du formalisme qui en fut la conséquence, et qui, implicitement ou explicitement, gère aujourd'hui encore toute approche historique ou critique de l'art. La fin du « tableau d'histoire » et la souveraine réactualisation de cette fin par le Picasso de *Guernica* permettent d'éclairer la façon dont un certain nombre d'artistes assument, jouent et déjouent la théorie de l'art formaliste qui règle l'histoire et la pensée de la peinture moderne, et l'histoire de l'art en général[7].
Si l'on convient que les critères de « modernité », pour le XIXe et le XXe siècle, se marquent d'une tendance de tous les domaines de l'activité artistique à se séparer les uns des autres et à revendiquer leur autonomie spécifique ; à « décliner pour leur compte et dans leur ordre propre » (leur différence et leur spécificité), jusqu'à s'identifier à leur pure essence, conformément au mot d'ordre lancé à la veille de la dernière guerre mondiale par le critique américain Clement Greenberg dans un article dont le titre avait à lui seul valeur de programme : « Towards a Newer Laocoon[8] », on constate que c'est la question même de la spécificité de son art qui va, face à l'histoire, conduire l'artiste à dévoiler la vertu de l'intelligence poétique qui l'habite et qui, en tant que telle, le constitue présent à la présence de son art. Il n'y a pas d'autre « mystère » Picasso que celui-là. Et comment s'étonnerait-on que, face aux multiples et monstrueux bouleversements de l'histoire sociale de ce XXe siècle, l'artiste se soit employé à révéler ce qui constitue la vie et la présence vivante des formes : le rythme (« Apprends le rythme qui règle la vie des humains », dit, en 650 avant J.-C., Archiloque[9]) ? Le rythme qui, malgré tous les obstacles et avec tous les obstacles, est poétiquement garant d'une « essence du monde », fût-ce dans un monde insensé.
Les œuvres d'art dites « abstraites », qui se constituent le plus souvent en série, ne visent-elles pas une semblable disposition rythmique et, dans cette visée, ne marquent-elles pas, à leur façon, « quelle sorte de rapport porte les hommes[10] ».
Le paradoxe veut ici que le détournement de la poétique classique des arts (Lessing) et la fondation des théories formalistes soient subvertis par la vertu de l'intelligence poétique, qui habite et seule rend finalement fiable l'œuvre d'art. Nous ne verrons certes jamais plus réapparaître une théorie du « parallèle entre les arts », mais cela n'exclut pas pour autant la détermination et l'essence fondamentalement poétique de leur rapprochement. Rapprochement qu'à des fins d'éclaircissement un certain nombre d'artistes ne se sont pas privés d'établir, à commencer par celui que Picasso établit entre la peinture et la tauromachie, et faute duquel *Guernica* resterait inintelligible.

Poésie, Histoire et Peinture

Je me suis arrêté plus particulièrement à *Guernica* d'abord, bien entendu, parce que, encore une fois, l'œuvre domine monumentalement son siècle, mais aussi parce que, et en conséquence, elle éclaire toute autre tentative de faire face à l'histoire et à ses obscurcissements. Les plus de deux cents peintures que l'artiste américain Robert Motherwell consacre à la République espagnole sous le titre *Élégie à la République espagnole* ne sont pas étrangères à *Guernica*, Motherwell m'assurant, dans une de ses dernières lettres, qu'il a effectivement vu l'œuvre de Picasso dès 1939, lors de la rétrospective de Picasso au MoMA de New York, et précisant : *Guernica* « me paraît maintenant de manière indubitable un des chefs-d'œuvre majeurs de l'art du vingtième siècle[11] ».
Les deux œuvres sont liées à la guerre civile espagnole, dont on peut rappeler qu'après la victoire électorale du Front populaire (en février 1936) elle commença avec le soulèvement de Franco en juillet 1936, qu'elle dura trente-deux mois, fit six cent mille morts et se termina en mars 1939 avec l'entrée des troupes franquistes à Madrid. Picasso, comme l'on sait, peint *Guernica* pour le Pavillon de la République espagnole, de la très sinistre Exposition universelle présentée à Paris en 1937. Le motif que va développer la vaste partition des *Élégies à la République espagnole* apparaîtra pour la première fois dans l'œuvre de Motherwell en 1948, soit neuf ans après le renversement du régime républicain par Franco.
Il est intéressant de noter que les dates proposent ici une chronologie, un rapport au temps qui, bien que tenant compte de l'événementiel, non seulement ne fixent pas l'événement dans sa stricte actualité, dans la stricte actualité du face-à-face, du pendant, de l'avant et de l'après d'un face-à-face, mais en quelque sorte s'emploient, pourrait-on dire, à le vivre et à le penser dans un temps hors du temps chronologique ; soit, ce qui est toujours le propre de toute œuvre d'art, dans un éternel présent.
Ce qui se pense de la guerre civile espagnole dans les œuvres de Picasso — *Guernica* —, de Motherwell — *Élégies à la République espagnole* —, mais aussi bien dans les romans de Malraux — *L'Espoir* —, de Hemingway — *Pour qui sonne le glas* —, de Claude Simon — *Les Géorgiques* (où, en 1981, l'auteur évoque à nouveau la guerre civile) — n'actualise ou ne réactualise l'événement que pour témoigner du présent, de ce qui, dans le temps, et hors du temps, établit cette vérité présente du temps qui, comme vertu de l'intelligence poétique, fait indéfiniment face à l'histoire.
Dans leur genèse comme dans leur déploiement, sur plus de cinquante ans et de deux cents peintures, la plupart monumentales, les *Élégies à la République espagnole* de Robert Motherwell permettent de mieux comprendre ce qui se constitue de la présence de l'artiste et de son art face à l'histoire, et les enjeux réels d'un tel face-à-face.
La matrice formelle des *Élégies à la République espagnole* surgit dans l'œuvre de Robert Motherwell comme une sorte de commentaire graphique à quelques vers de Harold Rosenberg (« I knew who had sent them in those

green cases/Who doesn't lose his mind will receive like me/That wire in my neck up to the ear. ») qui laissent entendre que, face à certaines informations, la santé mentale consiste à savoir accueillir et écouter (à l'écoute « jusqu'à l'oreille ») ce qui pourtant déjà tient la nuque. Quoi que l'on pense de ce message, qui est loin d'être anodin, on ne peut pas ne pas retenir que c'est le langage poétique d'Harold Rosenberg qui détermine le geste du peintre. Et, comme si cette première indication ne suffisait pas, lorsque Motherwell reprend un an plus tard, en 1949, et presque trait pour trait l'esquisse initiale (qui passe de 27,3 x 21,6 cm à 38,1 x 50,8 cm), c'est sous le titre *At Five in The Afternoon* : à savoir la traduction littérale d'un vers qui sert de leitmotiv au poème que Federico García Lorca a consacré à la mort du torero Ignacio Sanchez Mejias, *Llanto por Ignacio Sanchez Mejias*[12].
On le voit, la détermination poétique de l'œuvre de Motherwell ne laisse aucun

Robert Motherwell,
At Five in The Afternoon
[À cinq heures de l'après-midi], 1949.
Collection particulière.

doute. Il suffit de rappeler que Federico García Lorca fut fusillé par les franquistes à Vezua en 1936 pour comprendre comment se constitue l'œuvre du peintre que l'on dit « abstrait ». N'est-ce pas littéralement la fondation d'une parole poétique, son rythme — le poème de Lorca est fortement organisé autour du motif et de la disposition thématique du temps « At five in the afternoon » (« À cinq heures de l'après-midi ») — qui détermine le geste et la pensée du peintre. Et, comme on l'entend bien, le rapprochement de la peinture avec la poésie, le dévoilement poétique de la raison peinte passe ici par un rapprochement, une intelligence entre la poésie, la peinture et la tauromachie. Autrement dit, Motherwell n'a pas besoin de penser explicitement à *Guernica* lorsqu'il développe le leitmotiv des *Élégies à la République espagnole,* c'est d'abord et essentiellement l'intelligence et la disposition poétique des œuvres qui les associent. Motherwell ne reprend-il pas le titre du poème de Lorca « Llanto por... » (*llanto* : latin « elegia », grec « elegeia », « élégie »). Le *Llanto por Ignacio Sanchez,* toréador tué dans l'arène à cinq heures de l'après-midi, devient « Llanto (élégie) por » la République espagnole — la République espagnole est identifiée au torero. Quant à savoir ce qu'est le taureau, c'est Picasso qui, à sa façon, en 1944, l'explique à un soldat américain : « Non, le taureau n'est pas le fascisme, mais c'est la brutalité et l'obscurantisme[13]. » Qu'est-ce à dire, sinon que le face-à-face de l'homme et du taureau est un art de combat, et que ce n'est jamais que par la vertu de cet art, par la vertu de l'intelligence poétique (comme on peut le voir ici pour l'œuvre de Picasso et celle de Motherwell), que l'artiste fonde un monde et établit avec l'histoire une histoire dont, en vérité, ses œuvres témoignent monumentalement.

Le génie poétique et sa ligne

La place manque ici pour dégager l'ampleur de ce qui, au milieu de ce XXe siècle, semble fixer le génie poétique sur la guerre civile espagnole. Cet événement politique fut un des plus émotionnellement vécus par des brigades internationales composées d'hommes aussi divers et prestigieux qu'André Malraux, Pablo Neruda, John Dos Passos, George Orwell, Stephen Spender, Claude Aveline, Andrée Viollis, David Alfaro Siqueiros, Ilya Ehrenbourg, Claude Simon... Ce qui s'y joue profondément reste vivant dans la mémoire de ces hommes et de leurs cadets, et les œuvres, aujourd'hui encore, s'imposent, présentes à notre mémoire, comme si l'enjeu essentiel de cette guerre fut, alors, et reste, aujourd'hui, lié à l'éternelle question de l'identité du souvenir et de l'oubli[14]; ou, si l'on préfère, de la mémoire, de la poésie et de l'histoire, tant il est vrai que, comme l'écrit le poète : « Telle est la mesure de l'homme. Riche en mérites, c'est *poétiquement* pourtant, que l'homme habite[15]. »
Le souvenir et l'oubli sont ainsi portés d'âge en âge. Motherwell rencontre *Guernica* aux États-Unis, et le dialogue, pourtant plein de malentendus et de terreurs, s'instaure malgré tout. S'agit-il là de peinture « abstraite », de peinture « américaine », de peinture « gestuelle » ? Ou de ce qui hante le langage des hommes, de ce qui, comme l'écrit Heidegger, « commence à rendre le langage possible[16] » ?
Comment un peintre italien, Vedova, né en 1919 et proche du Parti communiste italien, échappe-t-il au réalisme socialiste, alors dominant, en tenant d'abord compte des exigences techniques, artistiques, qu'implique le libre mouvement de son inspiration et de l'acte révélateur que doit être sa peinture ? Il est intéressant de constater que cette attitude l'entraînera un moment, avec quelques autres (Crippa et Afro), à dialoguer avec l'art américain. À ce propos Michel Ragon note que Vedova a su : « conduire sa propre peinture vers une expressivité dramatique appuyée sur une conviction politique[17] ». Mais est-ce vraiment d'un dialogue avec l'art américain qu'il s'agit ? N'est-ce pas un peintre américain, Jackson Pollock, qui déclare : « Les problèmes fondamentaux de la peinture moderne ne sont l'apanage d'aucun pays[18]. » Ce qui préoccupe les artistes dans l'immédiat après-guerre et s'impose à la fin des années cinquante, et plus nettement à partir des années soixante, avec ce que l'on dit alors « l'art abstrait », c'est d'abord, bien entendu, en fonction des colorations propres à chaque langue et à chaque culture, le rôle déterminant et révélateur de ce que je dirais les vertus de l'intelligence poétique. Étroitement lié aux dispositions techniques qui spécifient telle ou telle forme de réalisation artistique, cette attitude nouvelle, quant à la présence de l'artiste à l'histoire politique et événementielle, se trouve inévitablement trahie lorsqu'elle est, comme ce fut jusqu'ici le cas, versée au compte d'un pur formalisme; bien que l'esprit qui habite de semblables œuvres s'impose d'abord dans l'organisation formelle et la technique propre au génie de tel ou tel artiste. Et, de ce point de vue, dans la perspective de ce que j'ai proposé comme méditation de la mémoire et de l'oubli,

Miró dans son atelier à San Boter (Palma de Majorque) devant *L'Espoir du condamné à mort*, 1974. Photo Andreu Catala.

il n'est pas étonnant que, d'une part, Emilio Vedova revienne, en 1962, sur le douloureux souvenir qu'a laissé la guerre civile espagnole, en évoquant les prisons qui en perpétuent l'actualité ; et que, d'autre part, l'ensemble de peintures qu'il réalise alors sous le titre *Per la Spagna* constitue un moment particulièrement privilégié et décisif dans son œuvre. L'inspiration de l'impressionnant et vaste quadriptyque de 1961-1962, *Per la Spagna,* évoquant ce qui se passe alors dans les prisons espagnoles, est évidemment commandée par cette expérience de la liberté et de l'emprisonnement, dans laquelle l'artiste, en tant qu'artiste, se trouve lui-même engagé. Ce que Michel Ragon dit d'une « expressivité dramatique appuyée sur une conviction politique » peut s'entendre : une expressivité dramatique appuyée sur une expérience personnelle, subjective, qui s'objective dans l'expérience picturale et, en tant que telle, devient, à sa façon, propre et singulière, politique. La force, la violence du geste qui ordonne l'évidente liberté de la peinture, est ici la réponse essentielle à toute tentative d'emprisonnement. N'oublions pas que le cycle polémique intitulé *Per la Spagna* se trouve préparer, à sa façon, la suite des *Plurimi* (peintures polyfrontales) sur bois, projetant dans l'espace la construction et les divisions de ses plans et utilisant diverses techniques : collage, décollage, brûlure, déchirure, peinture gestuelle, graffiti, incision..., peintures auxquelles l'artiste se consacre à partir des derniers mois de 1962 (1962-1963) et qui s'imposent massivement avec les *Absurdes Berliner Tagebuch* et les *Berliner Plurimi* en 1964 et 1965. Douterait-on que l'enjeu du cycle *Per la Spagna* soit l'affirmation de la liberté de la peinture face à toutes les formes d'emprisonnement, que la description que Vedova donne de l'invention des *Plurimi* suffirait à lever ce doute : « ...Ces Plurimi sont nés comme *armes dynamiques* d'un signe agressif *qui ne pouvait plus rester pris dans la dimension statique et préconstituée* du tableau (superficie passive)[19]. » Déclaration dans laquelle on ne peut pas ne pas entendre que c'est la liberté de l'inspiration poétique (l'essence même de la liberté) qui fonde et détermine l'engagement de l'artiste dans son monde et dans son art. En mettant l'accent sur la nécessité de libérer la disposition gestuelle et l'inspiration picturale des limites du cadre, préétabli, d'une surface, si l'on veut leur conserver leur fonction d'« arme dynamique », l'artiste ne souligne-t-il pas, aussi explicitement que possible, ce qu'il en est des « problèmes fondamentaux de la peinture moderne », qui ne sont « l'apanage d'aucun pays », pour être d'abord et essentiellement celui de chaque homme dans sa liberté.

Et puisque c'est une œuvre de Vedova dédiée à l'Espagne qui maintenant accompagne cette question, comment ne pas constater qu'après Picasso, et dans l'adresse même du tableau de Vedova *(Per la Spagna),* c'est un autre peintre espagnol (dont l'œuvre semble tout entière occupée de ce seul problème) qui répond. À une question, qui en vaut bien une autre, que lui pose Georges Raillard en 1975 : « Imaginez qu'on tombe sur vos toiles dans trois mille ans : que souhaiteriez-vous qu'on y lise ? », Miró répond : « Qu'on comprenne que j'ai aidé à libérer, pas seulement la peinture, mais l'esprit des hommes[20]. » Il n'est sans doute aucune œuvre où la technique (l'art) soit, comme chez Miró, manifestement livrée à la vertu de l'intelligence poétique. L'artiste n'a pas manqué d'insister sur ce point avec une évidence aveuglante, en effet, puisque chacun s'en est plus ou moins tenu au — si je puis dire — premier degré du « poétique » qui ponctuellement titre ses tableaux, sans tenir compte que, jusque ce premier degré, cette feinte naïveté poétique fondait une œuvre susceptible de déjouer la misère et la dérision propre à ce que l'on entend aujourd'hui généralement par poésie, et à établir, et à rétablir, la mesure de l'art en vérité, c'est-à-dire en toute liberté, dans la vertu de son intelligence poétique. Les exemples de la force de décision et de la complexité d'un tel geste ne manquent pas[21], et le triptyque que Miró réalise en 1974, *L'Espoir du condamné à mort,* en est une preuve évidente et déclarative. L'œuvre est déterminée par « la mise à mort, par le supplice du garrot, d'un jeune anarchiste catalan, Puig Antich, à l'heure de l'agonie du franquisme[22] ». Jean-Louis Prat écrit fort justement à ce propos : « On aurait tort de prendre cette toile comme le résumé du calvaire d'Antich, ou de croire Miró uniquement préoccupé de combattre les injustices d'un régime pourrissant[23]. » Miró, de son côté, déclarera à Georges Raillard : « Sa mort. Une ligne qui allait s'interrompre[24]. » L'œuvre, qui n'a rien de mortifère, n'est pas plus faite pour Puig Antich qu'elle n'est faite pour Miró, ou vous et moi. Elle est faite pour « la ligne » — pour que la ligne soit toujours là, présente et toujours susceptible de s'interrompre, et pour qu'elle ne s'interrompe pas.

---

1. Walter Benjamin, *Mythe et violence,* trad. de Maurice de Gandillac, dossier des « Lettres Nouvelles », Paris, Denoël, 1971. La phrase que je cite ne figure pas dans l'édition française. Elle est citée par Hannah Arendt, « Walter Benjamin », dans *Vies politiques,* Paris, Gallimard, 1974.
2. Martin Heidegger, *Nietzsche,* Paris, Gallimard, 1971.
3. Voir Marcelin Pleynet, *Les Modernes et la tradition,* Paris, Gallimard, coll. « L'Infini », 1990.
4. Gustave Courbet : « J'ai voulu tout simplement puiser dans l'entière connaissance de la tradition le sentiment raisonné et indépendant de ma propre personnalité », dans Marcelin Pleynet, *ibid.*
5. Définition de l'art qui ouvre la *Métaphysique* d'Aristote (A, 1-980 b 25).
6. Gotthold Ephraim Lessing, *Laocoon,* Paris, Hermann, coll. « Savoir sur l'art », 1990.
7. De Gotthold Ephraim Lessing à Clement Greenberg.
8. Hubert Damisch, préface au *Laocoon* de Gotthold Ephraim Lessing, *op. cit.* Voir également Jolanta Bialostocka, introduction au *Laocoon* de Lessing (*op. cit.*), qui cite Hans Sedlmayr : « Depuis la fin du dix-huitième siècle, les arts commencent à se séparer. Les divers domaines de la production artistique tendent à devenir "autonomes", c'est-à-dire autarciques, et, chacun à sa manière, "absolus" dans les deux sens de ce mot : ils veulent se présenter avec une "pureté" totale, une pureté que l'on comprend même comme une sorte de postulat éthique. »
9. Archiloque, *Fragments,* trad. d'A. Bonnard, Paris, Les Belles-Lettres, 1968.
10. Archiloque, trad. proposée par Heidegger dans « Rimbaud aujourd'hui », enquête de Roger Munier, parue dans *Archives des Lettres modernes,* Paris, 1976.
11. Robert Motherwell, lettre du 26/8/1991 à Marcelin Pleynet, publiée dans *La Revue d'esthétique,* 27/95, Paris, J.-M. Place, 1995.
12. Federico García Lorca, *Œuvres complètes,* t. I, Paris, Gallimard, coll. « Bibl. de la Pléiade », 1981.
13. Cité par Pierre Daix, *Dictionnaire Picasso,* Paris, Robert Laffont, 1995.
14. Søren Kierkegaard, *Ou bien... ou bien,* Paris, Gallimard, 1943. Kierkegaard écrit : « Oubli et souvenir sont ainsi identiques, et l'identité ingénieusement établie est le point d'Archimède autour duquel on soulève le monde entier. »
15. Friedrich Hölderlin, *Œuvres complètes,* Paris, Gallimard, coll. « Bibl. de la Pléiade », 1967. C'est moi qui souligne « poétiquement ».
16. Martin Heidegger, « Hölderlin et l'essence de la poésie », dans *Approche de Hölderlin,* Paris, Gallimard, 1962.
17. Michel Ragon, *Journal de l'art abstrait,* Genève, Éditions Skira, 1992.
18. Jackson Pollock, citation dans Marcelin Pleynet, *Art et littérature,* Paris, Le Seuil, 1977.
19. Cat. d'exposition *Vedova,* Trente, Galleria Civica di Arte Contemporanea, 1996.
20. Georges Raillard, *Ceci est la couleur de mes rêves,* entretiens avec Miró, Paris, Le Seuil, 1977.
21. Voir Rosalind Krauss, « Michel, Bataille et moi après tout », dans *G. Bataille après tout,* Paris, Belin, 1995.
22. Cité par Jacques Dupin, *Miró,* Paris, Flammarion, 1993.
23. Jean-Louis Prat, *Miró,* cat. d'exposition, Saint-Paul-de-Vence, Fondation Maeght, 1990.
24. Georges Raillard, *op. cit.*

Les artistes abstraits italiens face à l'histoire

Nathalie Vernizzi

Par un de ces paradoxes de l'histoire, les Italiens, qui avaient célébré la victoire de la Grande Guerre dans une atmosphère de défaite, affrontaient la débâcle de 1945 comme une libération. Le pays ruiné appartenait au camp des vaincus et pourtant l'optimisme l'emportait. Un immense espoir réveillait les énergies car la chute du régime fasciste laissait entrevoir aux Italiens la possibilité de couper les ponts avec le passé et de se lancer dans la modernité : en bref, de devenir enfin des protagonistes à part entière de l'histoire.
On n'insistera jamais assez sur l'étroite imbrication des questions politiques et des problèmes artistiques dans l'Italie postfasciste. La prise de conscience politique et culturelle formait un tout dont les éléments étaient indissociables, au point que le militantisme politique a parfois fâcheusement pesé sur les choix esthétiques. La recherche radicale de renouveau qui animait la jeunesse signifiait pour les artistes faire coïncider le progrès social avec le progrès artistique. L'espoir de créer une société meilleure se mêlait à celui de conquérir une place nouvelle pour l'art dans la société.
Pourtant, cette jeunesse qui voulait en finir avec les années de plomb et brûlait de participer activement au renouveau éthique, politique et social de l'Italie, s'est finalement heurtée au dogmatisme et au conservatisme. Face à l'élan rénovateur d'une génération en plein essor, la société italienne allait faire preuve de conformisme et d'incompréhension. Encore repliée sur elle-même, prisonnière de vieux schémas, empêtrée dans le provincialisme, elle était incapable de s'ouvrir aux tendances modernes car on ne vit pas si longtemps retranché du monde sans subir de préjudice esthétique.
Lorsque Milan, Rome, Venise — grâce à la Biennale —, offraient aux artistes quelques poches d'oxygène, le reste du pays menait la vie dure aux réformateurs.
Dans cette Italie libérée du fascisme, les artistes avaient placé tous leurs espoirs dans la gauche. Ils se trouvèrent alors confrontés à une réalité décevante. Au nom de la lutte politique, le Parti communiste italien, par la voix de son chef Palmiro Togliatti, jetait l'anathème sur l'art abstrait et le climat culturel de l'après-guerre fut entièrement dominé par une polémique réalisme-abstraction qui enflammait les esprits parce que l'argumentation s'appuyait sur des raisonnements d'ordre politique et moral ne tenant pas compte des nouvelles exigences esthétiques. Le durcissement progressif du PCI, qui choisissait de s'aligner en matière artistique sur le réalisme socialiste soviétique théorisé par Jdanov, imposait aux artistes de plier la création aux besoins de l'idéologie communiste.
Togliatti condamnait ouvertement l'art abstrait en même temps que tous les mouvements de l'avant-garde internationale et prônait la défense de valeurs « populaires » nationales. Cette condamnation sans appel et d'une violence démesurée des nouvelles tendances de l'art a provoqué de cruelles crises de conscience dans les rangs des artistes, puisqu'il s'agissait de faire reculer la liberté de création, à peine retrouvée, devant les nécessités de la lutte politique. Dans le cadre de ces positions sectaires, l'artiste était en effet tenu de privilégier la fonction réaliste et sociale de l'art afin d'en faire un outil de démonstration et de propagande.
Il était dès lors prévisible que le désir de participer à l'histoire et de témoigner de son temps s'exprimerait chez les artistes de manière antagoniste. Ceux qui s'engageaient sur le chemin de l'art abstrait avaient bien l'intention de démontrer que les choix artistiques n'étaient pas incompatibles avec les options politiques, et ils ne jugèrent pas nécessaire de mettre leur art au service de l'histoire pour contribuer à son évolution. C'est autour de cette ferme conviction que les membres du groupe Forma 1 se rassemblent en 1947 et qu'ils publient leur célèbre manifeste[1].
Les plus lucides d'entre les artistes avaient pris conscience de l'étroitesse du panorama culturel italien. Ils réalisaient qu'ils étaient passés à côté des grands courants européens de la création et ils ressentaient comme une urgence de reconstituer la mémoire dont ils avaient été privés. Force était donc de traverser des expériences picturales déjà dépassées dans les autres pays pour se réinsérer dans un dialogue culturel international.
En réaction à vingt ans d'autarcie, ils privilégiaient l'étude des modèles étrangers, négligeant d'approfondir les accomplissements les plus significatifs réalisés en Italie depuis le début du siècle, soit parce qu'ils étaient entachés par un lien avec le fascisme, soit parce qu'ils jugeaient les propositions trop expérimentales. Le plus souvent parce qu'ils ne les connaissaient tout simplement pas. Si bien que les premiers protagonistes de l'art abstrait italien n'ont exercé, à de rares exceptions près, qu'une faible influence sur la créa-

tion de l'immédiat après-guerre. Les *Compenetrazioni iridescenti* (« Compénétrations iridescentes ») imaginées par Giacomo Balla en 1912, les tableaux abstraits qu'Alberto Magnelli réalise à Florence dans les années dix, le rationalisme lyrique des peintures d'Osvaldo Licini n'ont pas eu la possibilité de servir de point d'appui à la réflexion des jeunes artistes de l'après-guerre. De même que les œuvres présentées dans les années trente à la galerie Il Milione par Atanasio Soldati, Mauro Reggiani, Luigi Veronesi, ou encore les peintures abstraites de Mario Radice et Manlio Rho réalisées dans le cadre du groupe de Côme, sont restées inconnues des nouvelles générations et par conséquent sans retombées immédiates. Il faut en effet attendre les années soixante pour voir le travail de ces artistes devenir source d'inspiration.

Dans cette volonté de mise à jour, les artistes cherchaient trop souvent des modèles à suivre et s'enlisaient dans un langage suranné. Incapables de dépasser ce qui appartenait déjà à l'histoire, ils s'enfermaient dans l'anachronisme pictural. Ainsi, au lieu de marquer le point de départ d'un apprentissage, le néo-cubisme pouvait encore paraître dans les années cinquante comme le sommet du renouveau. En fait, la plupart n'adoptaient de l'esthétique cubiste que l'aspect superficiel et presque rien de ses qualités essentielles car l'objectif visait à apporter un bain de modernité à des formules établies. Picasso représentait alors pour eux le modèle du peintre révolutionnaire : il avait abandonné, selon eux par conviction politique, les recherches expérimentales du cubisme et l'hermétisme de son langage trop intellectuel. L'attention se portait en priorité sur son tableau *Guernica*.

Dès mars 1946, la revue *Numero* publiait à Milan un manifeste du réalisme, sous le titre *Oltre Guernica*. Les signataires, pour la plupart des anciens membres du mouvement Corrente[2], insistaient sur la nécessité de montrer la réalité sociale contemporaine au moyen d'un art réaliste. Parmi eux se trouvait Emilio Vedova. Ces positions développaient, somme toute, un discours dont la *Crocifissione* de Guttuso, primée à Bergame en 1942, avait été le signe annonciateur. On se souvient que le durcissement du régime fasciste, dans la deuxième moitié des années trente, avait entraîné une crispation de la politique culturelle, crispation dont la conséquence directe avait été la création en 1939 des deux grands prix Cremona et Bergamo orchestrés par le régime. Le Premio Bergamo, soutenu par Bottai, s'inscrivait dans la politique du « débat culturel » et servait de caution à un prétendu libéralisme. La participation à ce concours d'artistes comme Guttuso accréditait de toute évidence cette idée, et il ne semble pas que l'artiste ait été gêné par l'amalgame idéologique que représentait le recours à une iconographie catholique pour défendre des idées communistes dans un concours patronné par des fascistes. Dans le néant culturel laissé par le fascisme, le langage postcubiste, la couleur arbitraire, la brutalité de l'expression, l'exécution peu soignée avaient pu symboliser la modernité auprès d'artistes coupés des grands courants de la création européenne. La circulation des hommes et des images allait cependant rétablir les valeurs. Si les options politiques de Guttuso avaient donné à sa peinture une importance « idéologique » qui retardait une critique du langage pictural, les profondes divergences sur les choix esthétiques n'allaient pas tarder à se manifester, une fois dissipée l'euphorie de la fin de la guerre. La déception et le ressentiment furent alors à la hauteur de l'attente que l'artiste sicilien avait inspirée. Ceux des artistes italiens qui aspiraient à se réinsérer dans un véritable dialogue culturel international sentaient la nécessité de dépasser le cubisme et d'assimiler le vocabulaire formel élaboré en Europe depuis le début du siècle. Paris s'imposait comme une étape indispensable de la mise à jour et ils ont été nombreux à se rendre dans la capitale française où, grâce à la présence de Magnelli et de Severini, ils établissaient aussitôt des contacts avec les milieux artistiques parisiens[3].

Tous ont témoigné de l'importance capitale de cette expérience et pourtant, dans cette confrontation avec les découvertes de l'école de Paris, ils avaient l'impression de diriger leurs regards vers le

Emilio Vedova, *La Lotta* [La Lutte], 1949. Collection de l'artiste, Venise.

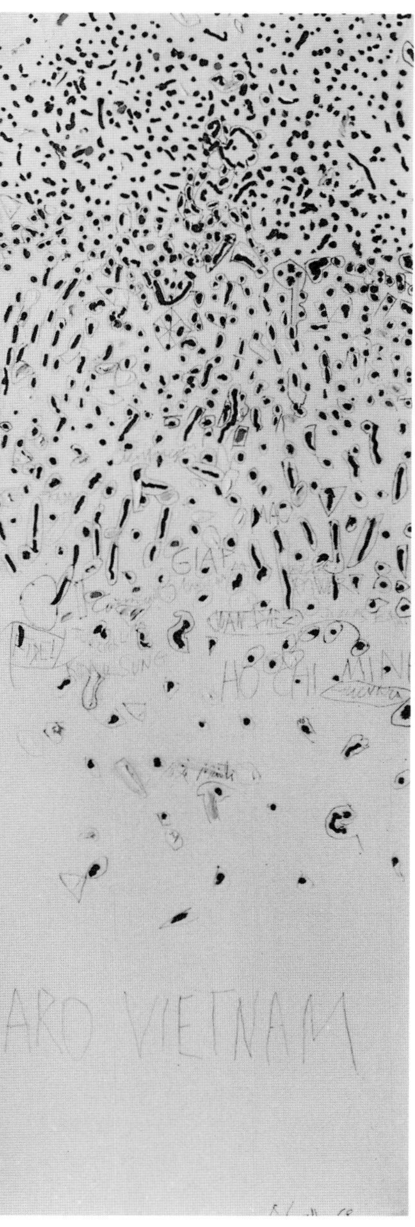

Gastone Novelli, *Caro Vietnam* [Cher Viêtnam], 1968. Collection particulière.

passé. Les jeunes Italiens éprouvaient le vif désir de se mesurer à une nouvelle réalité artistique, et de s'associer à une histoire en train de se faire. Dans cette perspective, l'Amérique s'avérait plus riche en promesses pour le futur. Les liens établis après la guerre entre les artistes italiens et américains ont été aussi précoces que durables, car leurs objectifs convergeaient : pour les Italiens comme pour les Américains, une expression de la modernité restait à inventer. L'évolution esthétique des uns et des autres s'était longtemps située dans l'ombre de l'école de Paris, et il était temps de régler les comptes. Ils souffraient tous du provincialisme de leur culture, tenue à l'écart des grands courants de la création depuis 1914, mais ils partageaient aussi le désir de greffer sur la tradition nationale les inventions de l'avant-garde. Les peintres abstraits italiens, moins conditionnés que leurs collègues européens par une tradition déjà formée de la modernité, se sont donc montrés plus réceptifs aux innovations audacieuses des Américains. À cet égard, la leçon du futurisme fut décisive. L'Action Painting, le style *all over*, la puissance du chromatisme de la peinture américaine ont été aussitôt assimilés par ceux des artistes italiens qui avaient renoué des liens avec le premier futurisme. La notion de dynamisme plastique, la force du chromatisme, le principe des lignes-force, la conception du tableau comme un champ d'énergie, l'homogénéité de la surface picturale sont des notions propres au futurisme qui annonçaient les développements à venir de la peinture aux États-Unis. Personne n'était mieux préparé que les Italiens pour comprendre et assimiler les découvertes de l'école de New York. On ne peut donc s'étonner que le langage de l'expressionnisme abstrait aussi bien que de la Color Field Abstraction ait été intégré au patrimoine culturel italien dès la fin des années cinquante, en particulier grâce au travail d'Afro, de Dorazio et de Tancredi.
Le premier contact avec la peinture américaine s'est effectué aussitôt après la guerre grâce à la Biennale de Venise, véritable outil de médiation culturelle. Les Italiens ont pu y voir un large panorama des dernières créations américaines et en particulier y admirer des œuvres de Gorky, Pollock, De Kooning, Clyfford Still, pour la première fois présentés en groupe en Europe. Rothko et Tobey disposaient de salles personnelles à la Biennale de 1958 et l'événement n'est pas resté sans conséquences sur les recherches des Italiens. La confrontation avec le meilleur de la création américaine se faisait aussi par l'intermédiaire de Peggy Guggenheim qui facilitait les échanges. Ainsi, grâce à son rapport privilégié avec elle, Tancredi put acquérir très tôt une connaissance approfondie de la peinture américaine. Les séjours à Rome dans les années cinquante de Twombly, Kline, De Kooning, Rothko ont également influé sur le parcours de plusieurs artistes. La convergence des recherches de Cy Twombly et de Gastone Novelli (1925-1968), ainsi que les liens entre Afro et Arshile Gorky ne sont plus à démontrer. Cette présence de la culture américaine sur le sol italien allait aussi inciter les peintres à se déplacer outre-Atlantique, aussitôt après l'expérience parisienne[4].
Pour tous ces artistes, la confrontation avec la culture européenne et américaine s'était avérée indispensable pour prendre le pouls de l'histoire et recommencer à battre à l'unisson avec elle. Ils avaient trop souffert du provincialisme de leur culture pour accepter de restreindre le sens de l'histoire en lui apportant le moindre qualificatif d'ordre national, régional ou partisan. Et puisqu'il s'agissait pour eux de retrouver le sens de l'histoire, ces jeunes artistes ressentaient comme une nécessité de dépasser l'évocation de faits anecdotiques, d'événements subsidiaires ou de particularismes locaux : funérailles, café à la mode ou autre glorieuse bataille. C'est précisément cet esprit d'ouverture vers le monde qui leur a permis d'échapper au piège du provincialisme et des controverses idéologiques par trop éloignées des préoccupations esthétiques. Leur but était certes de faire des tableaux révolutionnaires, mais dont l'esprit de révolution consistait d'abord en un renouvellement du langage formel. Si les problèmes esthétiques ont prévalu sur toute autre considération, les œuvres n'ont cependant pas cessé d'interpeller l'histoire contemporaine. De la manière la plus efficace, les peintres abstraits ont su maintenir leur art de plain-pied avec leur temps, exprimer les préoccupations de l'époque et rendre compte de l'évolution de la société humaine. Ce face-à-face avec l'histoire a pris les formes les plus variées. Que l'on envisage le cas de Piero Dorazio dont les aspirations socialistes, en 1948, lui inspirent *Petit Poème socialiste*, ou dont l'admiration pour le peuple et la culture de Chine est à l'origine de *Qualités jaunes*, en 1960 ; celui de Tancredi, dont la révolte vise à dénoncer la folie des hommes (la série d'œuvres sur le thème d'*Hiroshima*), l'absurdité de notre société et de ses mécanismes mercantiles (les cycles *Diari paesani*, en 1961, et *Fiori dipinti da me e da altri al 101 %*, « Fleurs peintes par moi et par d'autres à 101 % », en 1962) ; celui, encore, de

Giulio Turcato et de ses tableaux engagés, par exemple *Comizio* (« Rassemblement ») ou *Rivolta* ; que l'on considère, enfin, le cas des peintures contestataires de Gastone Novelli (*Guerra alla guerra*, *Caro Vietnam*, *L'Oriente risplende di rosso,* « L'Orient resplendit de rouge », en 1968) ou celui des grandes allégories d'Emilio Vedova (*La Lotta, Trittico della Libertà,* « Triptyque de la liberté ») en 1950, *Per la Spagna*, en 1961-1962), dans tous les cas de figure, ces artistes ont su créer des images suggestives, qui expriment la force des convictions de leurs auteurs au moyen d'un langage dont le vocabulaire formel est entièrement abstrait. Personne ne peut non plus mettre en doute l'engagement personnel sans concession d'un Licini, maire communiste de son village natal[5], d'un Veronesi, ou d'un Nigro. Autant de prises de position qui perpétuaient d'ailleurs une tradition inaugurée dans les années dix par les futuristes[6]. L'art abstrait italien est le dépositaire d'une grande tradition picturale. Son rationalisme lyrique est le fruit d'un savant syncrétisme entre un rationalisme sensible et un lyrisme construit[7]. La peinture abstraite italienne met en jeu des formes qui n'existent que dans le monde poétique des artistes. Jamais figées dans un système reflétant un ordre établi *a priori*, les compositions sont inscrites dans un espace en mouvement et sont susceptibles d'évoluer à tout moment.
L'originalité de cette école repose sur le refus de ses protagonistes de faire table rase de la leçon des maîtres du passé et dans leur capacité à assimiler le meilleur des découvertes picturales contemporaines au patrimoine national. Cette peinture de la continuité, et non de la rupture, a su adapter le vocabulaire formel de la peinture ancienne aux mécanismes linguistiques modernes et préserver le sensualisme du faire, démontrant ainsi que le respect d'une tradition picturale n'a pas forcément un caractère réactionnaire. De sorte qu'en recueillant l'héritage du passé, les artistes contemporains ont préservé pour les générations à venir les sédiments de la mémoire esthétique.
Une autre façon d'assumer le poids de l'histoire sans se couper du développement historique. Un autre moyen de rester face à l'histoire sans se laisser absorber par ses contingences.

1. Le groupe Forma 1 publie son manifeste en mars 1947. Il est signé par Carla Accardi (née en 1924), Ugo Attardi (né en 1923), Pietro Consagra (né en 1920), Piero Dorazio (né en 1927), Mino Guerrini (né en 1927), Achille Perilli (né en 1927), Antonio Sanfilippo (1923-1980) et Giulio Turcato (1912-1995). Le document s'inspire des manifestes futuristes et s'adresse de toute évidence à Guttuso et à ses amis.
2. Né à la fin des années trente à l'initiative d'Ernesto Treccani comme revue littéraire, Corrente devient un mouvement d'opposition dans le cadre du « débat culturel » et se transforme ensuite en un regroupement d'artistes autour de la galerie « La Bottega di Corrente ». Le ciment du groupe très hétérogène de Corrente consistait dans une solidarité d'opposition, en particulier à Novecento, ce qui n'empêchait pas les artistes d'exposer régulièrement au Premio Bergamo. Parmi les participants au mouvement Corrente, citons en particulier Birolli, Cassinari, Guttuso, Migneco, Morlotti, Sassu, Valenti, Vedova.
3. Citons, parmi les peintres abstraits qui se rendent à Paris, Savelli (1911-1995), Tancredi (1927-1964), Afro (1912-1976), Dorazio, Perilli, Guerrini. Licini, pour sa part, s'y rendait régulièrement et depuis longtemps, puisque sa famille s'y était établie en 1902. Il y réside pendant de longues périodes entre 1917 et 1926.
4. Citons pour exemple Afro en 1950, Piero Dorazio, dont le premier voyage remonte à 1953, Angelo Savelli, qui s'installe définitivement à New-York en 1954, Toti Scialoja (né en 1914), et plus tard Giulio Turcato. De son côté, Carlo Nangeroni (né en 1922) fait le parcours inverse : né à New York, il rentre en Italie en 1958.
5. Monte Vidon Corrado dans les Marches.
6. Citons pour exemple : de Boccioni, *Rissa in galleria* de 1910 ; de Giacomo Balla, *Dimostrazione interventista in piazza del Quirinale*, *Canto patriatico in piazza di Siena*, *Bandiere all'altare della patria*, en 1915 ; de Carlo Carrà, *Funerale dell'anarchico Galli* en 1911, et *Manifestazione interventista*, le célèbre collage de 1914.
7. Cf. Nathalie Vernizzi, *Razionalismo lirico, ricerca sulla pittura astratta in Italia*, Milan, Scheiwiller, 1994.

Giulio Turcato, *Comizio* [Rassemblement], 1949. Collection Anna d'Ascanio, Rome.

Modernités, histoires : le cas japonais

John Clark

Cette étude se propose d'examiner deux histoires : celle du Japon depuis l'ère Meiji, et celle de la modernité dans son art. Il n'y a pas nécessairement de lien entre elles, mais ma tâche ici consistera précisément à chercher où il pourrait y en avoir.

L'ère Meiji (1868-1912) fut sans aucun doute une époque où un très grand nombre de courants historiques de l'art se développèrent en parallèle avec les processus à l'œuvre dans la société. En particulier se produisirent un vaste transfert et une assimilation du réalisme académique euraméricain[1] et des techniques de la peinture à l'huile, ainsi que l'apparition d'une grande variété de nouveaux moyens graphiques, auxquels les techniques de haut niveau de l'ancienne industrie de la gravure sur bois purent facilement s'adapter[2]. Tout comme l'assimilation des systèmes d'éducation euraméricains et des idées politiques — de l'étatisme prussien à la démocratie parlementaire —, celle de ces nouveaux discours artistiques, au demeurant puissants, n'alla pas sans opposition. En effet, un nouveau discours néotraditionnaliste, appelé *nihonga,* s'était développé depuis le début des années 1880 en réponse au réalisme académique, qui lui-même s'attachait à assimiler le réalisme académique euraméricain tout en affirmant la légitimité d'une large part du discours passé, considéré comme ayant été purement japonais[3]. En un sens, le passé de la peinture se trouva réarticulé par la nécessité de se recomposer en un discours différent et plus intégré, sous l'impact de ce que les Japonais voyaient comme une forme singulière de la représentation euraméricaine.

Le passé était devenu un spectacle visuel pour les gouvernés comme pour les gouvernants, grâce à la multiplication des estampes traitant de thèmes qui avaient été autrefois des sujets historiques censurés sous le shogunat Edo. Celles-ci furent très vite suivies de gigantesques peintures sur des thèmes contemporains populaires, comme *La Bataille de Taiwan,* de Renjô Shimooka[4], réalisée dès 1876 (actuellement au temple Yasukuni). Non seulement le passé devenait le spectacle d'événements réels, mais des événements contemporains ou qui venaient de se produire commencèrent aussi à être représentés en tant que spectacle. C'est, ici, à la base de la société davantage que dans les hautes sphères du pouvoir que nous pouvons peut-être voir le véritable héritage de la période Edo. Le Japon du milieu du XIXe siècle était une société prête à construire la modernité à travers l'adoption populaire de nouvelles formes artistiques. Le Japon put aussi, assez facilement et de manière quelque peu artificielle, transformer l'ancienne hiérarchie entre arts majeurs et arts mineurs en une autre, distinguant beaux-arts et artisanat.

Ce processus ne s'acheva sans doute qu'avec l'apparition du concept d'artiste spécialisé et professionnel vers 1900-1907, mais il se préparait depuis le milieu du XIXe siècle.

Dans les années 1890, une équivalence nouvelle fut établie entre la revisualisation des éléments mythologiques et le fait de privilégier un nouveau spectacle par l'accomplissement des techniques de la peinture à l'huile. Ceci est notable en particulier dans deux œuvres qui marquèrent un tournant décisif : *Kannon chevauchant le dragon,* de Naojirô Harada[5] (musée d'Art moderne de Tôkyô), en 1890, et *Urashima Tarô,* de Hôsui Yamamoto, en 1893 (musée d'Art de Gifu). On remarquera sans surprise que ces deux artistes avaient étudié en Europe : Harada à Munich avec Gabriel von Max, et Yamamoto avec Gérôme à Paris, où il avait illustré un recueil de poèmes japonais traduits par Judith Gautier et Kinmochi Saionji[6]. Yamamoto avait également réalisé des décors de théâtre à Paris, puis au Japon. L'atmosphère d'une revue de variétés fondée sur une trame mythologique ou historique vaguement expurgée n'est pas absente d'*Urashima*. Ses dettes picturales sont à chercher du côté de *La Victoire de Galatée,* de Raphaël (Rome, Villa Farnèse), et de la peinture française des années 1880, caractérisée un peu plus tard par *Le Chevalier dans un champ de fleurs,* de Rochegrosse (1894, Besançon, Archives préfectorales). Le contenu narratif a pour origine le conte oral traditionnel d'*Urashima* — personnage qui revient d'un palais féerique sous-marin sur le dos d'une tortue —, qui ne trouvera une publication écrite que dans une collection enfantine, en 1896. Les références « occidentales » servent ici à accréditer le peintre ; pour le public de l'époque, leur simple trace dans une démonstration radicale de maîtrise d'un moyen d'expression étranger faisait la preuve que les thèmes japonais pouvaient ainsi prendre plus de force et être réactivés. De telles œuvres affirment au plan du discours

Hôsui Yamamoto, *Nymphe marine accompagnant Urashima Tarô de retour chez lui,* 1893. Musée d'Art de Gifu.

pictural ce qui allait être proclamé dans le discours international contemporain du pouvoir, à savoir que, désormais, le Japon maîtrisait ce qu'il avait appris et était parvenu à la maturité.

À cette époque précise où le Japon s'apprêtait à étendre sa domination sur la Corée et la Mandchourie, surgit l'idéal d'un Orient antithétique de la civilisation occidentale, dont les autorités japonaises et leurs penseurs avaient été très conscients dès les années 1880, grâce à leur parfaite connaissance des textes de la civilisation chinoise. Le Japon se mit idéologiquement en position pour devenir l'incarnation moderne de cet idéal de l'Orient[7] ; il est intéressant de noter qu'autour de 1900-1905, dans des œuvres comme *Le Visage de Tempyô,* de Fujishima Takeji (1902, musée d'Art Ishibashi, Kurume), on assiste à une tentative visant à plaquer sur le passé japonais des idéaux de civilisation utilisant le discours académique de l'histoire de la peinture européenne. Le passé japonais fut transformé en l'équivalent d'un passé classique européen, pour être ensuite rétabli visuellement comme exemple moral ou comme démonstration de l'accomplissement de sa civilisation. Cette romantisation transférée, exprimée par une démonstration de maîtrise du discours européen, déploie le passé visualisé de manière nouvelle comme moyen de rasseoir la légitimité des accomplissements du présent.

Tandis que l'État Meiji avait eu besoin d'une telle visualisation rétrospective à. l'époque du gouvernement des partis politiques entre 1918 et 1932, l'État fut en mesure de formaliser et de rendre quasi autonomes ses demandes artistiques grâce à la création institutionnelle de salons nationaux (dès 1907), et à la diversité et à la stabilité remarquables qui caractérisèrent de nombreux aspects de la vie culturelle japonaise pendant les années vingt. Cette période, qui, à de multiples égards, annonce de façon prémonitoire le Japon des années soixante-dix, n'obligea pas les citoyens à mettre tous leurs efforts, et dans tous les domaines, au service des desseins de l'État. L'artiste bénéficia d'une liberté et d'une subjectivité nouvelles dans l'art, où sa personnalité fut reconnue pour la première fois, semble-t-il, comme le domaine de légitimation de la pratique artistique[8]. Dans certains cas, comme dans *Nature morte,* de Ryûsei Kishida (1920, musée d'Art Ôhara, Kurashiki), l'artiste devenait une sorte de chaman du réel. Il pouvait ignorer l'élan de l'histoire qui avait amené l'État Meiji à acquérir l'ensemble du savoir scientifique et administratif euraméricain et à le japoniser. Étant japonais, l'artiste pouvait de par cette vertu incarner par sa pratique la japonéité. Il n'était nullement contraint de manifester de façon explicite que son travail était japonais. Kishida avait toute latitude pour adopter un style dans la lignée du XVIIe siècle hollandais, et une telle liberté offrait magiquement aux artistes la possibilité de réinvestir les différents passés du discours pictural européen, dont seuls quelques effets avaient été assimilés pendant l'époque Meiji. Ceci peut nous frapper soit en tant que revanchisme pervers, soit comme une sorte d'élargissement des passés européens, comme si, dans une certaine fiction d'omnipotence artistique, de telles œuvres avaient fictivement constitué des références constamment disponibles à tous les passés japonais. Le travail de Kishida et d'autres de ses contemporains, tel Fujishima, qui peignit d'impeccables portraits de femmes chinoises dans la manière du Titien, semble anticiper la liberté prise par rapport à la téléologie historique de l'art que l'on peut remarquer dans l'art euraméricain des années soixante-dix considéré comme « postmoderne ».

Cependant, le monde artistique qui se développa dans les années vingt fut, de toute évidence, moderne dans un sens euraméricain. Il disposait d'une gamme très articulée d'institutions pour le courant académique, d'une contre-culture, ainsi que d'une avant-garde[9]. Les artistes japonais exposaient directement avec les futuristes italiens à Berlin, et les liens avec Paris étaient si forts qu'un grand nombre de peintres japonais y résidèrent pendant la majeure partie des années vingt et trente. De jeunes artistes, tel Tarô Okamoto — récemment décédé (1911-1996) —, exposaient directement avec des groupes comme Abstraction-Création à côté de Kandinsky et de Picasso. Cela n'a pas de sens de voir le monde artistique japonais, dans les années trente, comme encore autonome par rapport à l'art euraméricain.

Toutefois, cette situation du monde de l'art ne reflétait nullement la situation politique. À la fin des années vingt, l'armée japonaise, dont les officiers d'active ne pouvaient plus, depuis 1911, accéder au poste de ministre des Armées, tenta de réimposer la prééminence qu'elle pensait mériter dans les affaires nationales par son droit d'en référer directement à l'empereur sans passer par le Cabinet. Les jeunes officiers, qui étaient souvent les fils supérieurement intelligents de familles d'agriculteurs du Nord sinistré, se voyaient comme les sauveurs légitimes du Japon face aux autorités civiles corrompues, politiciens et bureaucrates.

À une telle conscience de leur mission s'ajoutait l'influence croissante de l'idéologie ultranationaliste, qui justifiait une pratique politique fondée sur l'assassinat :

celle-ci débuta avec le triple meurtre par la police de l'anarchiste Sakae Ôsugi, de sa compagne et de son neveu après le tremblement de terre de 1923, et culmina avec le meurtre du Premier ministre Hamaguchi en 1930. Au Japon, certaines fractions de l'armée et, en Mandchourie, toute l'armée du Kwangtung échappèrent à l'autorité du Cabinet et entrèrent finalement en guerre ouverte avec la Chine en 1937. La militarisation de la vie politique japonaise s'accompagna de plus en plus de contrôles totalitaires sur la vie politique et culturelle. L'art moderniste s'était scindé autour de 1926 entre un courant formaliste, qui allait se tourner plus tard vers le surréalisme, et un constructivisme qui s'était brièvement transformé, de 1927 à 1934, en art prolétarien. Alors que les tendances prolétariennes de l'art furent interdites, le surréalisme ne passa pas à la clandestinité et fut toléré, jusqu'à l'arrestation en 1941 des surréalistes Ichirô Fukuzawa et Shûzo Takiguchi[10].

Le monde de l'art officiel montra une préférence soit pour un réalisme académique réorienté, soit pour une nouvelle forme assimilée du fauvisme. Cette dernière pouvait être vue dans les salons institutionnels, et également dans le monument type de l'art officiel de la fin des années vingt, la Galerie-Mémorial dédiée à l'empereur Meiji, qui existe toujours. Ce bâtiment abrite deux séries de quarante peintures, l'une réalisée par des peintres néotraditionnels dans un style japonais, l'autre par des artistes académiques peignant à l'huile[11]. On remettait aux artistes un dossier très détaillé auquel ils devaient soumettre leurs ébauches, fondées sur les événements historiques du règne de l'empereur Meiji[12]. *La Bataille de Pyongyang pendant la guerre sino-japonaise* (après 1926, Galerie du mémorial Meiji, Tôkyô), qui est à première vue une huile assez franchement académique, révèle après un examen plus minutieux des implications plus profondes quoique beaucoup moins radicales. Nous regardons des faits qui se sont produits, nous ne les examinons pas à l'intérieur d'un espace légitimant qui interagit avec le matériau traité. Le passé est devenu un spectacle de tableaux photographiques, dont la reconstruction décorative est la première tâche du peintre qui travaille pour un projet public. La guerre sino-japonaise, d'où est tirée cette scène, fut le premier conflit où avait été envoyée une équipe de photographes officiels de l'armée (sous l'autorité du comte Koreaki Kamei), et le quasi-naturalisme du point de vue, qui pourrait facilement avoir été inspiré d'une photographie de guerre, masque l'effet de distance que provoque le raccourci délibéré et l'étroitesse étudiée du champ. Fait significatif, cette œuvre fut offerte par la ville de Kôbe, et, parmi les mécènes d'autres œuvres, on trouvait des villes, des préfectures, des banques et quelques riches individus qui, tous, sont cités dans le catalogue de la Galerie du mémorial Meiji. Kanayama n'était pas opposé au fait de situer une scène comme il le fit dans *Carrières de charbon à Suszou,* exposé au Salon national « Teiten » en 1931. Il était clairement un artiste officiel qui travaillait sur commande. Ce que révèle son travail pour le mémorial est une voie distincte du modernisme dans le discours pictural japonais des années trente : la livraison sur commande d'un site idéologique.

Ce projet, et le travail que Kanayama lui consacra, est un indice de la *Gleischaltung* fleurissant dans le Salon national japonais, qui allait être réorganisé et ramené sous la tutelle du ministère de l'Éducation en 1936-1937. Kanayama déploie une représentation mimétique pour reconstruire le passé moderne d'une manière qui voile les interprétations alternatives des événements historiques dépeints. En cela, il suivait exactement les fonctions idéologiques de la peinture d'histoire européenne, qui était une des trajectoires de la peinture japonaise depuis les années 1890.

Le sommet fut peut-être atteint dans les peintures de guerre liées à l'immolation de la défaite finale, dans les dernières années de la Seconde Guerre mondiale. À la fin de 1942, il était évident que, quels que soient les succès à court terme qui avaient pu être obtenus de manière spectaculaire grâce aux attaques-surprises sur Hawaii et sur la Malaisie (depuis les bases de l'Indochine française vichyssoise), le Japon ne pourrait conserver l'avantage d'aucune des victoires si la guerre devait se poursuivre six mois de plus. À long terme, l'esprit ne pouvait pas conquérir la matière, et quand l'esprit lui-même était vaincu, continuer le combat signifiait s'immoler soi-même dans un déni de la vie. La valeur de la façon de mourir allait prendre plus d'importance que celle de la façon de vivre.

Il est évident que la peinture de style « occidental » au Japon était plus populaire et qu'elle produisait plus d'œuvres à la fin des années vingt[13] que la peinture de style « japonais ». Mais elle n'avait certainement pas encore acquis la popularité qu'elle allait connaître dans le Japon en guerre[14]. Les sociétés de beaux-arts qui se créèrent en 1938, pendant la guerre de Chine, puis en 1942, pendant la guerre du Pacifique, étaient organisées pour l'armée et la marine, et il en résulta un grand nombre d'expositions pendant la guerre. Les artistes qui remplissaient ce service étaient pour la plupart des peintres de style occidental qui étaient allés à Paris à la fin des années vingt et pendant les années trente afin de parfaire leur expérience après leurs études dans une école d'art japonaise ; à leur retour, ils avaient créé officiellement en 1936 un groupe artistique, le Shinseisakuha Kyôkai. En 1940, Tsuguharu Fujita, qui avait vécu à Paris presque sans interruption de 1913 à 1940, rejoignit ce groupe. Fils d'un médecin de l'Armée impériale, Fujita était prédisposé à la carrière militaire, ce qui ne l'empêchera pas de se montrer assez cynique dans les travaux qu'il réalisera pour l'armée. Sa dernière œuvre, non exposée, *Mort glorieuse sur l'île de Saipan*[15] (1944, musée d'Art moderne de Tôkyô), dénote à la fois un goût pour l'étalage sensationnaliste et une transcendance nihiliste qui peut être mise à son propre compte, mais qui traduit aussi une forme de désespoir du discours de l'art en échec de sa tentative moderniste. Ici, l'immolation de soi, qui est le fait non seulement des soldats mais aussi des civils japonais, mères et enfants y compris, est dépeinte avec une sorte de vérisme graphique. Malgré sa dette évidente et sa rivalité consciente envers Delacroix ou ses successeurs, la toile atteint un tel sommet d'étalage pornographique de futilité que l'on peut se demander si Fujita n'était pas plus lucide qu'il semble l'avoir jamais admis par rapport aux ambivalences conceptuelles du discours artistique et historique japonais dans sa rivalité avec l'« Occident ».

Le double choc du bombardement atomique et de la défaite, en août 1945, ne fut peut-être pas moins sévère que les changements apportés à la constitution politique et culturelle, qui interdisait au

Japon toute possibilité de prédominance des militaires dans les affaires intérieures et l'orientait vers une relation culturelle internationalisée, à travers l'occupation et l'émulation qui s'ensuivit avec une puissance « occidentale » : les États-Unis d'Amérique. Ceci ne ressemblait à rien de ce que le pays avait connu jusque-là, même depuis le début de l'ère Meiji, au milieu du XIXe siècle.

Divers types de modernismes avaient suivi leur développement propre dans le Japon des années vingt, et avaient été relativement autonomes vis-à-vis des interventions politiques jusqu'à la montée du militarisme. Avec la transformation du pays en un nouveau régime démocratique, qui, dans sa première période, avant le début de la guerre froide, offrit une place considérable, dans les arts, à l'expression socialiste, les discours artistiques prirent de plus en plus leurs distances par rapport aux autres forces sociales, auxquelles ils avaient autrefois été mêlés. En effet, s'il y a une chose qui nous paraît frappante dans l'art japonais depuis les années soixante jusqu'à aujourd'hui — en dehors de la prise de conscience concernant la guerre du Viêtnam et du rappel continuel de Hiroshima comme d'une expérience originelle pour les Japonais, sinon pour toute l'humanité —, c'est la séparation du discours moderniste vis-à-vis des préoccupations sociales et politiques, et le développement d'une pratique artistique presque entièrement formaliste. Un problème social ne peut émerger que s'il est médiatisé par les politiques culturelles et le positionnement du discours artistique. Ce ne fut pas le cas jusqu'à la fin des années cinquante.

Hiroshi Nakamura, *Sunagawa goban* [Sunagawa n° 5], 1955. Musée d'Art contemporain de la ville de Tôkyô.

Les artistes avaient alors presque tous l'expérience de la guerre, soit en tant qu'enfants ayant subi les bombardements, soit en tant que soldats envoyés sur le front et exposés à la cruauté des combats. Certains artistes s'attachèrent à présenter le Japon et les Japonais comme victimes du système militariste, et ils le firent en mobilisant de manière assez horrible l'imaginaire surréaliste. Dans *Élégie pour un conscrit (Paysage)* (1952, musée préfectoral d'Art moderne de Kanagawa), Chimei Hamada montrait que le suicide était la seule solution possible, selon lui, pour ceux qui avaient protesté, ce qu'il mettait facilement en relation avec le système social qui avait produit un tel état de fait[16]. Les gouvernants survivants du système se servirent de ces attaques contre un système censé avoir victimisé les anciens soldats, mais en exerçant cette victimisation sur des participants le plus souvent volontaires, pour dissuader le Japon d'après-guerre d'enquêter sur leurs responsabilités et de leur reprocher d'avoir entraîné le pays sur la voie aveugle de la guerre. À la différence de l'Allemagne, il n'y eut pas, après l'occupation, de réflexion publique et officielle sur le passé. En conséquence, la question de la responsabilité du système d'avant-guerre vis-à-vis de ses propres victimes japonaises fut éludée.

L'imaginaire d'avant-guerre de la révolte de l'érotisme, du grotesque et de l'absurde — l'*ero-guro-nansensu* — trouva son avatar d'après-guerre dans un monde qui se dressait contre les forces sans visage de l'économisme et de l'expansion économique japonaise, et contre l'oppression exercée par un État à leur service[17]. Il est possible que l'État ait été la cible d'une froide colère picturale contre la vie étriquée et réactionnaire d'un village dans *Le conte du village d'Akebono,* de Kikuji Yamashita, 1953 (Galerie Nippon, Tôkyô), ou bien qu'il ait été pris comme cible à la suite de l'interdiction arbitraire de manifestations contre la construction d'une base aérienne américaine — c'est le thème de *Sunagawa Goban,* de Hiroshi Nakamura (1955, musée d'Art contemporain de la ville de Tôkyô) —, ou, encore, qu'il se soit trouvé confronté à un mouvement de colère contre l'impérialisme culturel, comme dans *Le Conte du nouveau Japon,* 1954, de Kikuji Yamashita (galerie Nippon, Tôkyô). Mais les réels vainqueurs de la reconstruction d'après 1945 furent l'État, qui se montra implacable, et la bureaucratie. Le domaine de la résistance dans la vie de tous les jours pouvait être néanmoins maintenu, mais c'était une double résistance à la fois à l'État et à l'esthétisation ou à la formalisation de l'art qui était en train de s'installer au nom d'une pratique d'avant-garde. Les visages indistincts des policiers dans l'œuvre de Nakamura — peints avec une maladresse délibérée, semble-t-il, pour marquer leur insensibilité, en tant qu'agents de l'État —, et le jeu des compositions étirées de chaque côté de la toile étaient des dispositifs qui essayaient d'infléchir le discours de l'art vers la réalité, de ne pas le laisser vaguer dans un solipsisme décoratif.

L'Anti-Art devint la caractéristique de ce qui fut effectivement le dernier mouvement de protestation dans l'art, dans les années soixante, avec le néo-Dada de *Soyez propre !* et du *Jugement du billet de 1 000 yens*[18] d'Akasegawa, dont le renversement, ou plutôt l'appropriation des soucis formalistes, mena à un retour à

Koshô Itô, *Œuvre rouge et marron à l'ocre pour Hiroshima*, 1988. Musée d'Art moderne de la ville de Hiroshima.

l'*objet* sans voix dans le Monoha de la fin des années soixante et du début des années soixante-dix[19], et à l'explosion de l'art de l'installation qui suivit. Tetsumi Kudô, un des artistes actifs dans l'Anti-Art à la fin des années cinquante et qui vint habiter à Paris en 1962, produisit avec vigueur des œuvres avec lesquelles il espérait scandaliser les classes moyennes japonaises aisées, de plus en plus nombreuses, en leur faisant reconnaître la mort silencieuse régnant dans leur existence. Dans une série de boîtes et dans quelques œuvres planes — une série de portraits du début des années soixante, dont *Votre portrait* (1966, musée d'Art de la ville de Chiba) —, Kudô, toujours en révolte contre le Japon, s'attaqua férocement à la chambre de torture « en soie » de la culture : « Nous/vous, nous ne vivons pas. On nous fait vivre[20] ! »

La roue du temps n'est pas la roue de la fortune, mais elle fournit la conjonction qui empêche l'amnésie historique de remporter toutes ses victoires. Hiroshima reste un site marqué par l'un des trois inqualifiables holocaustes du siècle, avec les batailles de la Somme et Auschwitz. La compréhension historique du sens de Hiroshima sera différée jusqu'à ce que soit reconnue sa réciprocité avec les propres actes inqualifiables du Japon en Corée et, auparavant, en Chine. Fait significatif, les maires de Nagasaki et de Hiroshima, et, avec retard, quelques personnalités du gouvernement japonais lui-même, l'ont récemment compris. Cette prise de conscience s'est étendue aux arts, et le musée d'Art moderne de Hiroshima est l'un des rares musées japonais à avoir introduit des œuvres d'art asiatiques récentes dans sa vision de la modernité. L'*Œuvre rouge et marron à l'ocre pour Hiroshima* (1988, musée d'Art moderne de la ville de Hiroshima), de Koshô Itô, qui occupe le sol d'une cour de ce musée, est faite à partir d'un mélange carbonisé d'argile et de coquillages de Hiroshima. En enflammant l'argile, l'artiste a recouvert l'image de Hiroshima (la mort) et l'œuvre (l'imagination)[21].

Cette réaffirmation de l'histoire par l'art est sur une trajectoire ouverte, contrairement à celle qui s'est fermée dans le *Saipan* de l'imaginaire de Fujita.

Traduit de l'anglais par
Joris Lacoste

1. Ce mot traduit le japonais *Ôbei*, et indique en même temps que l'« Occident » en tant qu'ensemble culturel ne recouvre pas seulement l'« Occident » en tant que constellation d'États.
2. Cf. J. Clark, *Japanese Nineteenth Century Copperplate Prints*, Londres, British Museum, Occasional Paper, 1993.
3. Cf. J. Clark, « Modernism and Traditional Japanese-Style Painting », *Semiotica*, vol. 74, n° 1/2, 1989, pp. 43-60 ; Ellen P. Conant *et al.*, *Nihonga, Transcending the Past : Japanese-Style Painting, 1868-1968*, Washington, The Saint-Louis Art Museum, et Tôkyô, The Japan Fondation, 1995.
4. Cf. Naoyuki Kinoshita, *Nihon bijutsu no 19-seiki*, Kôbe, Hyôgo Kenritsu Kindai Bijutsukan, 1990 ; Kinoshita Naoyuki, *Bijutsu to iu misemono*, Tôkyô, Heibonsha, 1993.
5. Pour illustration voir « Yôga in Japan : Model or Exception ? Modernity in Japanese Art, 1850s-1940s : An International Comparison », *Art History*, vol. 18, n° 2, juin 1995, pp. 253-285.
6. Cf. le catalogue *Yamamoto Hôsui no sekaiten*, Tôkyô, Asahi Shinbunsha, 1993, avec des études de Shigeru Aoki, Hideaki Furukawa et Yôjin Sugano.
7. Exprimé de façon très remarquable par Kakuzo Okakura dans *The Ideals of the East*, Londres, John Murray, 1903.
8. Cf. Noriaki Kitazawa, *Kishida Ryûsei to Taishô avangyarudo*, Tôkyô, Iwanami Shoten, 1993.
9. Cf. Museum of Modern Art, Kamakura, Seibu Museum of Art, Tôkyô Shimbun (éd.), *Dada and Constructivism*, Tôkyô, Tôkyô Shimbun, 1988 ; Toshiharu Omuka, *Taishôki shinkô bijutsu undô no kenkyû*, Tôkyô, Sukaidoa, 1995.
10. Cf. J. Clark, « Surrealism in Japan », dans D. Ades, L. Lloyd (éd.), *Surrealism : Revolution by Night*, Camberra, National Gallery of Australia, 1993 ; J. Clark, « Artistic Subjectivity in the Taisho and Early Showa Avant-Garde », dans A. Munro, *Scream Against the Sky*, New York, Abrams, 1994 ; J.-C. et M. Lamme, « Le futurisme russe et l'art d'avant-garde japonais », *Cahiers du monde russe et soviétique*, vol. 25, n° 4, oct-déc. 1984 ; V. Linhartová, *Dada et Surréalisme au Japon*, Paris, Publications orientales de France, 1987.
11. Cf. le catalogue bilingue *Meiji Jingû shôtoku kinen hekigashû*, Tôkyô, Meiji Jingû Shamusho, 1960.
12. Cf. *Hekiga gadai shiryô*, Tôkyô, Meiji Jingû Hosankai, juil. 1937. Je remercie Naoyuki Kinoshita pour la copie d'extraits de cet article à mon intention.
13. Cf. le sommaire de mon article de 1995, la note 6 ci-dessus, et également le chap. IV de John Clark, *Modern Asian Art*, Sidney, Fine Art Press, 1996.
14. Cf. Hisao Tanaka, *Nihon no sensô kaiga*, Tôkyô, Perikansha, 1985 ; J. Clark, « The Art of Modern Japan's Three Wars », *Bulletin of the Japanese Studies Association of Australia*, vol. 11, n° 2, 38-44, 1991.
15. Le terme de « mort glorieuse » est la traduction de *gyokusai* (littéralement, « faire éclater comme du jade ») qui renvoie à un personnage de l'*Histoire du royaume des Wei du Nord*. Il était utilisé comme métaphore pour désigner l'action de se jeter sur l'ennemi, ou de se suicider devant un ennemi supérieur en nombre.
16. Hamada écrivit en 1972 que « le caractère insoutenable de l'ancienne armée japonaise tenait bien plus à l'utilisation aberrante de l'individu par la classe qui avait été mise en place en tant que système nécessaire à la poursuite de la guerre, à l'œuvre sur le champ de bataille sous l'autorité de la Section des affaires internes ou de son prolongement, qu'à l'inconfort physique ou au danger encouru ». Cf. Chimei Hamada, *Hamada Chimei sakuhinshû*, Tôkyô, Gendai Bijutsusha, 1982, p. 59.
17. Cf. Meguroku Bijutsukan, Hyôgo Kenritsu Kindai Bijutsukan, Hiroshimashi Gendai Bijutsukan, Fukuoka Kenritsu Bijutsukan, Asahi Shimbunsha (éd.), *Sengo bunka no kiseki, 1945-1995*, Tôkyô, Asahi Shimbunsha, 1995.
18. Cf. A. Munro *et al.*, *Scream against the sky : Japanese Art after 1945*, New York, Harry N. Abrams, 1994.
19. Cf. Kokuritsu Kokusai Bijutsukan (éd.), *Geijutsu to nichijô : Hangeijutsu/Bongeijutsu*, Ôsaka, Kokuritsu Kokusai Bijutsukan, 1991 ; Toshiaki Minemura, *Monoha to posutomonoha no tenkai, 1969-nen ikô no Nihon no bijutsu*, Tôkyô, Seibu Bijutsukan & Tama Bijutsu Daigaku, 1987 ; auteurs divers, *1970-nen – Busshitsu to chikaku, monoha tokongen wo tou sakkatachi*, Tôkyô, Yomiuri Shimbunsha et Bijutsukan Renraku Kyôgikai, 1995.
20. Cité par Keiji Nakamura dans le catalogue *Kudô Tetsumi, Kaikoten*, Ôsaka, Kokuritsu Kokusai Bijutsukan, 1994, p. 14 (traduit par J.-F. Guerry).
21. D'après les notes du 10 nov. 1995 du musée d'Art moderne de Hiroshima, qui m'ont été aimablement rapportées par Hiroshi Miyatake. À la terre furent ajoutés du feldspath, de la poudre de verre et des coquilles d'huîtres pilées. Le tout, empaqueté dans des boîtes en carton, fut ensuite brûlé à plus de 1 200°. L'œuvre fut d'abord exposée à Muramatsu Garô, Tokyô, en juil. 1988, puis installée à Hiroshima. Cf. *Geijutsu Shinchô*, août 1988, p. 83.

Les affichistes face à l'histoire ou l'histoire de l'« Action Non-Painting »

Catherine Bompuis

Les affichistes ne furent ni un mouvement ni même un groupe, mais de très jeunes artistes qui, au lendemain de la Seconde Guerre mondiale, ne s'engagèrent pas dans une aventure picturale.
L'appropriation d'affiches lacérées anonymement en 1949 par Raymond Hains et Jacques Mahé de la Villeglé marque une prise de position idéologique et élabore une nouvelle relation sujet/objet, après celles de Duchamp, de Breton et du surréalisme.
Ce geste artistique fut d'une extrême « radicalité » dans le contexte de l'après-guerre.
L'Amérique du Nord influença de façon déterminante l'histoire de l'art et de ses mots à partir de la guerre froide en 1946. Au nom de la liberté de l'artiste, une totale dichotomie entre un champ artistique et un champ politique fut alors instaurée et revendiquée.
Le triomphe de l'Action Painting pendant vingt ans (supplanté par celui du Pop'Art) comme principale forme artistique « authentique » soulève la question de l'impérialisme et de la récupération d'un mouvement à des fins hégémoniques.
En France, les querelles entre l'art figuratif, le réalisme socialiste et l'art abstrait gestuel ou géométrique monopolisèrent le débat artistique. L'art abstrait gestuel était à la mode et constitua le nouvel académisme. Il faut rappeler que Duchamp rompit en 1912 avec le cubisme en affirmant que prendre une position intellectuelle était opposé à la servitude manuelle de l'artiste. Toutefois, les questionnements éthiques et esthétiques de Duchamp et de Breton quant à l'objet d'art, à la révolution de l'objet, furent marginalisés au profit d'une prise de position formelle qui limitait l'interrogation artistique à l'espace du tableau.
Si Hains se qualifia d'« Inaction Painter », l'histoire de l'action de ne pas peindre est sans aucun doute l'histoire d'une des pratiques artistiques non seulement les moins bien comprises, mais également les plus subversives de l'après-guerre. La « dictature de l'abstrait » dont parle Villeglé occulta le sens d'un engagement qui attaquait de façon drastique l'idéologie picturale en interposant le réel entre le sujet et l'objet, comme nécessaire mise à distance du système artistique.

L'appropriation critique délivre l'artiste d'avoir à produire. La collaboration de Hains et Villeglé pour la réalisation d'un film abstrait, *Pénélope,* et d'un certain nombre d'affiches prélevées et signées par leurs deux noms dura de 1949 à 1954. Mais il serait réducteur de s'en tenir aux affiches sans aborder le processus de recherche dans sa globalité. Dès 1947, l'invention par Hains de l'hypnagogoscope[1] — procédé destiné à l'observation des images et des lettres ou à la création de formes obtenues en intercalant entre l'objet et la prise de vue un à trois verres cannelés fixés sur un objectif photographique — substitue le concept d'invention à celui de création. La présentation de ses photographies hypnagogiques en 1948 à Paris, à la galerie Colette Allendy, proposait une conception de l'abstraction qui allait à l'encontre de la relation fusionnelle objet/sujet revendiquée par la peinture abstraite.
Les fils d'acier, fragments de prospectus, débris de murs ramassés par Villeglé en 1947 sur la plage de Saint-Malo et présentés comme des sculptures, obéissaient déjà au principe de l'appropriation.
Les premiers morceaux d'affiches, photographiés et filmés avant d'être arrachés par Hains et ensuite par Villeglé, s'inscrivent dans la pratique du hasard objectif défini par le surréalisme. Si l'objet surréaliste est prélevé au nom d'une « surréalité » (la vanité intellectuelle et artistique de l'objet d'art avait déjà été dénoncée par Breton), les affiches le sont au nom d'une réalité. Si la notion de « témoin oculiste » est à l'œuvre dans la question de l'appropriation, comme révélatrice du déjà vu et du jamais vu (selon Michel Carrouges), elle est opposée à la conception duchampienne de l'artiste et à l'idée d'indifférence visuelle du readymade. L'affiche n'est pas dépourvue de la gestualité, de l'« authenticité » du geste tant recherchée par les abstraits lyriques. Formellement, elle a l'apparence d'une peinture abstraite, elle en possède les qualités plastiques : composition, format, couleur... Hains la surnomme « peinture radieuse » en hommage à Le Corbusier. Le choix de l'affiche, du cadrage, permet de différencier plastiquement le système d'appropriation de chacun des deux artistes, qui repose, comme l'énonce Hains, sur le plaisir de la rencontre et « le coup de foudre ». L'humour et l'ironie deviennent une technique de travail. Les affichistes se proposent d'être les « témoins oculistes » de l'œuvre des autres. Hains et Villeglé regardent le monde comme un tableau. L'attitude provocatrice et l'interchangeabilité des rôles et des règles du jeu amènent ces experts artistiques à désigner comme art les objets qui exposent la critique du monde. L'affiche lacérée témoigne d'une conscience collective et politique, elle symbolise une forme de protestation. L'artiste choisit ce qui doit être sauvé de l'histoire du monde, il est en accord intellectuellement avec le sens des objets qu'il s'approprie.

L'appropriation suppose un processus d'identification ainsi énoncé par les deux artistes : « Nous n'avons pas découvert les affiches, nous nous sommes découverts en elles[2] » (Villeglé) ; « Inventer, c'est aller au-devant de mes œuvres. Mes œuvres existaient avant moi, mais personne ne les voyait car elles crevaient les yeux[3] » (Hains).
L'identité de l'artiste est, de fait, transformée. En 1959, Villeglé prit l'identité du collectionneur et présenta les œuvres du Lacéré anonyme dans l'atelier de Dufrêne. Il collectionne les affiches par séries thématiques, établissant un système de références picturales sans la peinture. Hains, qui dialectise discours et forme, endossa successivement plusieurs identités : Raymond l'Abstrait (celui qui fit abstraction de l'abstraction), une Abstraction personnifiée, un Dialecticien des Lapalissades. Si l'artiste est le témoin d'une rencontre avec le monde, il lui reste à vivre l'art comme une nouvelle réalité. « Mon atelier, c'est la rue[4] », ajoute Hains. L'histoire de l'art se voit ridiculisée dans son approche formaliste et académique, et lui est substituée l'histoire du monde.
En 1957, Hains et Villeglé exposèrent leurs affiches à la galerie Colette Allendy sous le titre « Loi du 29 juillet 1881 », loi qui détermine les conditions des emplacements réservés à l'affichage, loi qui condamne l'art aux emplacements réservés. Ils invitaient le public à franchir la palissade de l'exposition. L'acte de ravir une affiche désigne l'acte artistique comme transgressant la loi établie.
Sous le titre « La France déchirée », Hains exposa en 1961, à la galerie J (Jeanine Restany), sa série d'affiches politiques (de 1950 à 1961) qui va de la guerre d'Indochine à la guerre d'Algérie. Il présenta des œuvres cosignées avec Villeglé (*Et quand vous nous dites Soviétique Patrie est notre plus juste histoire de lard*, 1950 ; *L'Humanité, c'est la vérité*, 1957). Ses propres affiches (*La Révérente Mère expulsée de Chine*, 1950 ; *Paix en Algérie*, 1956 ; *L'Algérie perdue, ce serait Sedan*, 1956 ; *C'est ça le renouveau*, 1959 ; *Quand vous tiriez à la courte paille, c'était toujours le mousse qu'on bouffait*, 1960 ; *De Gaulle veut un bain de sang, il l'aura*, 1961) montrent l'intérêt — qu'il conservera toujours — pour les mots. (Leur sens, leur double sens en déterminent le cadrage et le décollage.) L'exposition eut lieu un an avant la proclamation de l'indépendance de l'Algérie. Cette guerre dura de 1954 à 1962. Si l'on se réfère aux discours officiels de l'époque, il n'y eut pas de guerre en Algérie, puisque l'Algérie appartenait à la France. Le titre « La France déchirée » révèle le non-sens d'une position nationaliste et colonialiste. Hains refusa de vendre sa collection d'affiches politiques au nom de l'éthique : « La France n'est pas à vendre. » La décision de soustraire les œuvres du marché, à une époque de totale consommation de l'objet d'art, marque, à elle seule, une date historique. Hains opère ainsi l'adéquation entre l'exigence esthétique et l'exigence éthique. Aucun artiste, à l'époque, pas même Rothko[5], ne posa avec autant de radicalité la question de l'objet d'art et de sa non-interférence avec le commerce. Hains dialectise la relation de l'art et du politique au nom de la liberté de l'artiste, et détourne les affiches d'une récupération institutionnelle fétichiste en conférant à ces œuvres la réelle et totale autonomie de leur pouvoir critique. Après cette exposition, et se voyant devenir « un poulain » de la galerie J, Hains abandonna les affiches comme une « vieille dépouille » en posant cette interrogation : « L'artiste est-il une affiche de propagande pour son pays[6] ? »

Raymond Hains, *Avec le grand concours de L'Humanité et de La Nation française*, 1956. Collection particulière.

L'appropriation dépasse la question de l'objet et de l'affiche pour élaborer un appareillage autonome qui articule forme et discours. En 1950, Hains invente le concept de l'« ultra-lettre » et déforme les mots à l'aide du verre cannelé déjà utilisé pour ses photographies hypnagogiques. Hains, le Chef de Laboratoire des Frères Lissac de l'Illisible, et Villeglé firent éclater, en 1953, un poème phonétique de Camille Bryen : *Hépérile éclaté*. Ce petit livre de Bryen, qui porte sur la « désappropriation » du langage, fut alors passé à l'hypnagogoscope par Hains et Villeglé : « enfin nous nous servons de trames de verres cannelés qui dépossèdent les écrits de leur signification originelle. Par une démarche analogue, il est possible de faire éclater la parole en ultra-mots qu'aucune bouche humaine ne saurait dire. Le verre cannelé nous semble le plus sûr moyen de nous écarter de la légèreté poétique[7] ». La création d'un langage, le langage de l'illisible, met au défi toute tentative de lecture possible et

Jacques Villeglé, *Hommage à la Marseillaise de Rude*, décembre 1957. Collection Dr Zenz, Courtesy Galerie Reckermann, Cologne.

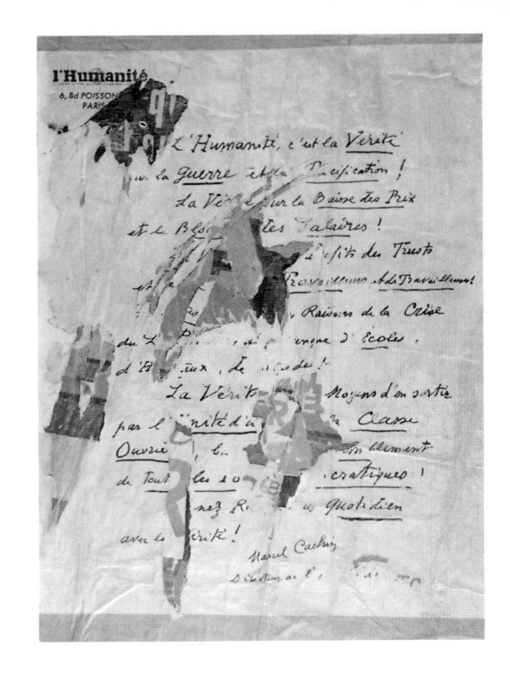

Jacques Villeglé, *6 boulevard Poissonnière - Marcel Cachin*, mai 1957. Collection Patrice Trigano.

assure l'autonomie des œuvres.
C'est à l'intérieur de cette problématique que les œuvres de Hains et de Villeglé prennent des chemins différents. 1954 est la dernière année de leur collaboration. Villeglé continue à collectionner les affiches de façon radicale, Hains élabore sa relation discours/forme.
Après les affiches, Hains découpa, ou fit découper, des tôles de panneaux d'affichage et devint un « tôlard, prisonnier volontaire d'un style ». Si la tôle est un art de la fugue, un art de la composition, elle est aussi un art de l'évasion.
L'apparente futilité, ou la « logorrhée associative », comme certains l'ont qualifiée, est un appareillage complexe, clé de l'œuvre, nécessaire antidote au système artistique, qui élabore une construction autonome, localisant les questions dans lesquelles les objets sont insérés.
Hains échappe ainsi à la dimension écrite de l'art, et sa décision de faire « éclater » certains textes reste à étudier pour approcher l'œuvre. L'utilisation de l'homophonie, en forme de calembours ou de jeux de mots — création rousselienne — lui permet, à partir d'une même sonorité et de sens différents, d'organiser un labyrinthe dialectique avec l'objet. L'entreprise de démolition et de réorganisation du langage utilise les lois de la rhétorique pour détruire des catégories de pensée. L'utilisation de l'oralité, chez Hains, définit l'acte de penser dans une forme qui doit être nécessairement inventée et réinventée à partir de lectures, de voyages, de rencontres, de hasards, de « coïncidences-incidences »... L'artiste construit (pour ceux qui veulent bien prendre le temps de l'écouter) oralement, métaphoriquement, à l'aide de calembours et de jeux de mots, la relation de l'objet avec sa dimension tout à la fois critique, théorique, historique et biographique. Nous sommes en position de déchiffreurs, de « décrypteurs », et non plus de spectateurs. Des faits appartenant au domaine de l'art sont dérobés et réinjectés dans le domaine beaucoup plus vaste du savoir. L'appropriation de morceaux choisis (au même titre que les affiches, photos ou autres objets) transforme l'« abordage » de l'œuvre en un continuel et infini jeu de piste.
La rencontre avec Dufrêne eut lieu en 1954. Dufrêne, poète lettriste intéressé par les cris-rythmes, et ultra-lettriste en hommage à l'inventeur de l'ultra-lettre, débuta sa collection d'affiches en 1957. Son intérêt pour les dessous d'affiches lui permit de lier ses recherches poétiques et phonétiques sur l'audible/inaudible à la question du lisible/illisible, du visible/invisible. Il participa pleinement à l'élaboration de cet appareillage verbal et théorique proche du dadaïsme par son esprit délibérément provocateur et son projet de destruction des valeurs traditionnelles au moyen du langage.

L'appropriation est un procédé de substitution du pictural par le réel, et non une annexion du réel à des fins picturales. L'appropriation d'affiches pratiquée par Rotella et Vostell doit être étudiée en tenant compte de leurs spécificités et de leurs différences.
Rotella expose pour la première fois en 1954, à l'Art Club de Rome, des affiches déchirées. La rencontre avec Hains, Villeglé et Dufrêne a lieu en 1960. Peintre, à l'origine, Rotella conçoit l'acte de décoller des affiches comme une forme de protestation « contre une société qui a perdu le goût des changements et des transformations fabuleuses ». La technique du décollage, puis du collage, consiste à arracher des affiches, à les reporter sur toile pour les déchirer à nouveau. La composition est l'élément principal sur lequel travaille Rotella. Jusqu'en 1957, celui-ci parle de collage, et non de décollage. L'affiche publicitaire, la collection d'affiches sur le cinéma *Cinecittà* participait déjà des questions posées par le Pop'Art et des *Combine Paintings* de Rauschenberg.
Les premiers dé-coll/ages d'affiches de Vostell datent de 1954, et l'action de décoller fut à l'origine du mouvement Fluxus. Vostell utilise, intègre et compose à partir de l'objet-affiche, pour élaborer un art total où se mêlent théâtre, poésie, peinture. Les premiers happenings, en 1959-1960, reposaient sur la participation du spectateur. Vostell abandonna le décoll/age pour l'effaçage. L'action est fondamentale dans l'œuvre de Vostell et les affiches sont à replacer dans la logique d'un travail qui insère l'arrachage, la destruction d'objets, les bruits de murs qui s'effondrent, dans le concept de « musique décollage ».
À partir de ces différences, le mouvement du Nouveau Réalisme peut être reconsidéré. En 1960, Pierre Restany publie à Milan le premier manifeste du Nouveau Réalisme. Le groupe fut officiellement constitué le 27 octobre 1960 au domicile d'Yves Klein, en présence d'Arman, Dufrêne, Hains, Klein, Raysse, Restany, Spoerri, Villeglé et Tinguely (César et Rotella, invités, étaient absents).
L'optimisme dans un monde nouveau et l'effacement de la fonction critique de l'œuvre d'art caractérisent ce nouveau mouvement artistique :

> « L'art abstrait refusait le monde réel au profit de l'univers intériorisé d'une conscience individuelle : à cet art d'évasion a succédé un art de participation. L'avant-garde actuelle est optimiste et réaliste, l'artiste tend à réintégrer le corps social. Dans le monde automatisé de demain, le problème capital sera l'utilisation du temps libre. L'artiste apparaîtra dès lors non plus comme un paria ou un révolté mais comme l'ingénieur et le poète de nos loisirs. [...] Dédaignant la satire stérile et la peinture de bons sentiments, les Pop'artistes new-yorkais sont retournés aux sources de leur folklore urbain. Ce faisant, ils ont vu juste, ils ont touché au vrai but, ils sont allés vers le plus grand nombre. Leur parfaite intégration au réel constitue un premier pas vers l'esthétique collective et la socialisation de l'art, préambule nécessaire à un humanisme nouveau[8]. »

Mario Pedrosa, critique d'art brésilien, traduit en 1968 le « Manifeste pour l'art total » de Restany pour le quotidien *Correio da Manha*. Dans les années soixante, il fut le premier à parler du postmodernisme, l'associant au Pop'Art, qui intégrait confortablement l'artiste et la production d'œuvres dans la société de consommation. Pour lui, la question de la postmodernité est avant tout une question politique. Le Nouveau Réalisme est ainsi dénoncé :

« Rompant avec l'esthétique individualiste et romantique de la figuration narrative, Restany tente une fusion ou une synthèse du Pop'Art américain avec le Nouveau Réalisme européen. [...] Le point central du manifeste est le refus du principe de l'unicité de l'œuvre d'art. Cela n'est plus une nouveauté. [...] Ce qu'on n'avait encore jamais fait avec une si grande généralité était de tirer la conclusion esthétique et logique de ce phénomène : la perte de l'unicité de l'œuvre d'art. Ce fut à partir de cette constatation que je désignai comme art "postmoderne" toute activité artistique cadrée dans ce nouveau contexte technico-culturel. C'est ainsi que Restany, le protagoniste, non le principal mais certainement le plus actuel des "ismes" significatifs de la seconde moitié du siècle, prend une attitude radicale vis-à-vis du mouvement artistique précédent, jusqu'à ses ultimes modalités, pour nier "l'existence réelle" du xxe siècle et se projeter comme un messager de "l'art total" du xxie siècle. L'art d'aujourd'hui serait à peine un embryon mal formé d'un art qui ne s'exprimerait plus à travers les œuvres non substituables d'artistes individuels, comme on peut le vérifier dans toute l'histoire de la culture occidentale jusqu'à nos jours, mais au travers de manifestations collectives, de fêtes, dans une société qui, après être passée par la seconde Révolution industrielle, s'installe dans l'automatisme, le temps libre, le loisir.
Aujourd'hui, ce que l'artiste le plus conscient fait est aussi inédit dans l'histoire : l'exercice expérimental de la liberté.
Restany part d'un présupposé optimiste que cette métamorphose technologique et culturelle se fera sans obstacles et sans catastrophes, fondée sans doute sur l'ordre socio-économique de l'appropriation privée des moyens productifs, du marché et de la consommation par la consommation. Il n'est toutefois pas certain qu'une société fondée sur ces bases puisse produire un art autrement que sous une forme collective ou sous la forme d'une fête[9]. »

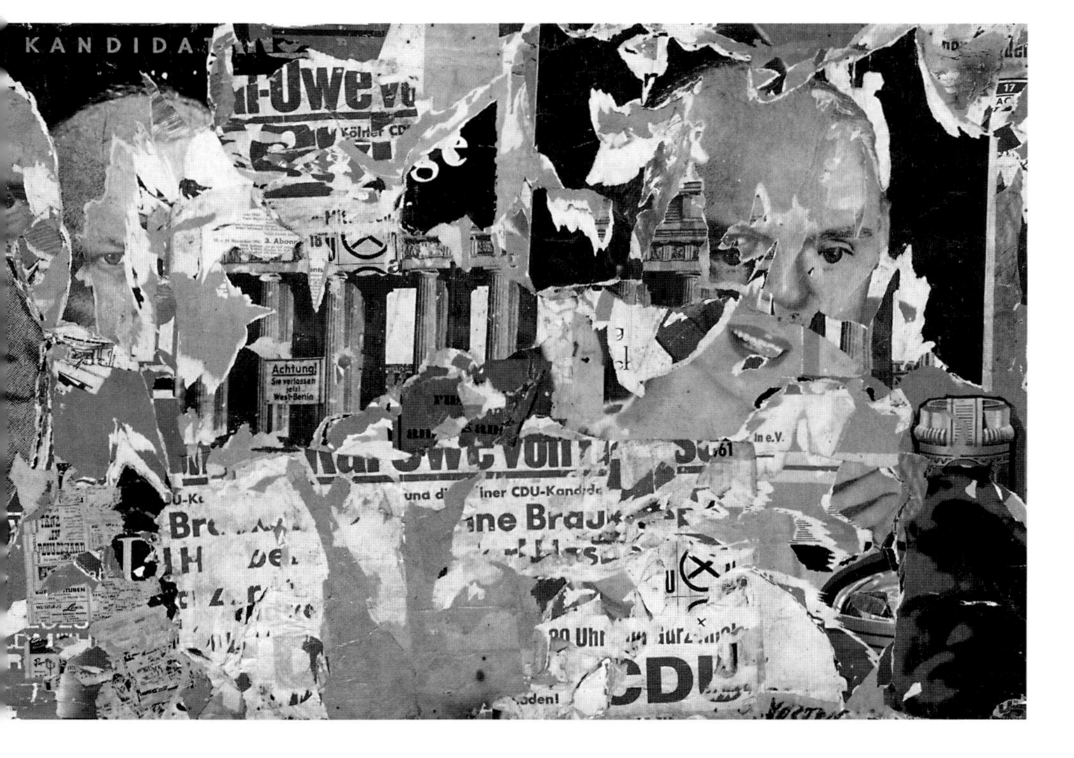

Wolf Vostell, *Ihr Kandidat* [Votre candidat], 1961. Prêt de la République fédérale d'Allemagne, en dépôt à la Haus der Geschichte, Bonn.

Cette réflexion introduit un nouveau champ historique au débat sur la postmodernité. La pertinence et la formulation de questions théoriques et politiques opèrent un renversement des rôles entre l'histoire du « premier » et du « troisième monde ». La nécessité d'ouvrir un champ théorique qui ne se limite pas à l'Europe et aux États-Unis permet également de rendre apparente l'histoire d'un décalage entre des pratiques artistiques et les discours idéologiques qui les supportent.

À partir de 1963, Hains prit l'identité du Sigisbée de la Critique. Si le critique d'art est un artiste qui n'a que l'œuvre des autres pour s'exprimer, l'artiste est son Cavalier servant : « Il n'y a pas de groupe Nouveau Réaliste. Il n'y a qu'un mouvement à la Tinguely dont nous sommes tous les Rotella, étymologiquement de petits rouages, et ce mouvement qui est notre machine à gloire deviendrait notre machine à honte si nous ne plantions pas un clou dans l'arbre de la liberté[10]. »
En réponse au texte de Pierre Restany « À quarante degrés au-dessus de Dada », Hains et Christo réalisèrent *Le Néo-Dada emballé ou l'Art de se tailler en palissades,* maquette en bois qui sera agrandie et présentée par Hains au salon « Comparaisons » en 1963. Ce monument dédié à l'artiste bâillonné par la critique d'art rend aujourd'hui hommage à une œuvre qui réussit à échapper aux pièges du système artistique.

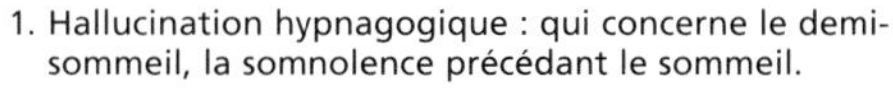

1. Hallucination hypnagogique : qui concerne le demi-sommeil, la somnolence précédant le sommeil.
2. Cf. Jacques de la Villeglé, dans *Lacéré anonyme,* cat. d'exposition, Paris, Centre Georges Pompidou, 1977.
3. Cf. Raymond Hains, dans *La Chasse au CNAC,* cat. d'exposition, Paris, Centre national d'art contemporain, 1976.
4. Raymond Hains, dans « *Guide des collections permanentes ou mises en plis* ». *Raymond Hains,* cat. d'exposition, Paris, Éditions du Centre Pompidou, 1990.
5. Rothko, en 1959-1960, reçoit une commande de l'un des plus grands restaurants de New York. Il l'accepte, puis refuse de la livrer afin de manifester l'incompatibilité de son œuvre avec le lieu.
6. Cf. Raymond Hains, dans « *Guide des collections permanentes ou mises en plis* ». *Raymond Hains, op. cit.*
7. Tract annonçant la parution de *Hépérile éclaté,* galerie Lutétia, Paris, 1953. Repris dans Raymond Hains, dans « *Guide des collections permanentes ou mises en plis* ». *Raymond Hains, op. cit.*
8. Pierre Restany, « Le Pop Art et le Réalisme contemporain », dans *Un manifeste de la Nouvelle Peinture. Les Nouveaux Réalistes,* Paris, Éditions Planète, 1968.
9. Mario Pedrosa, « Le manifeste pour l'art total de Pierre Restany », *Correio Da Manha,* Rio de Janeiro, 17 mars 1968.
10. Cf. Raymond Hains, dans *La Chasse au CNAC, op. cit.*

Parcours

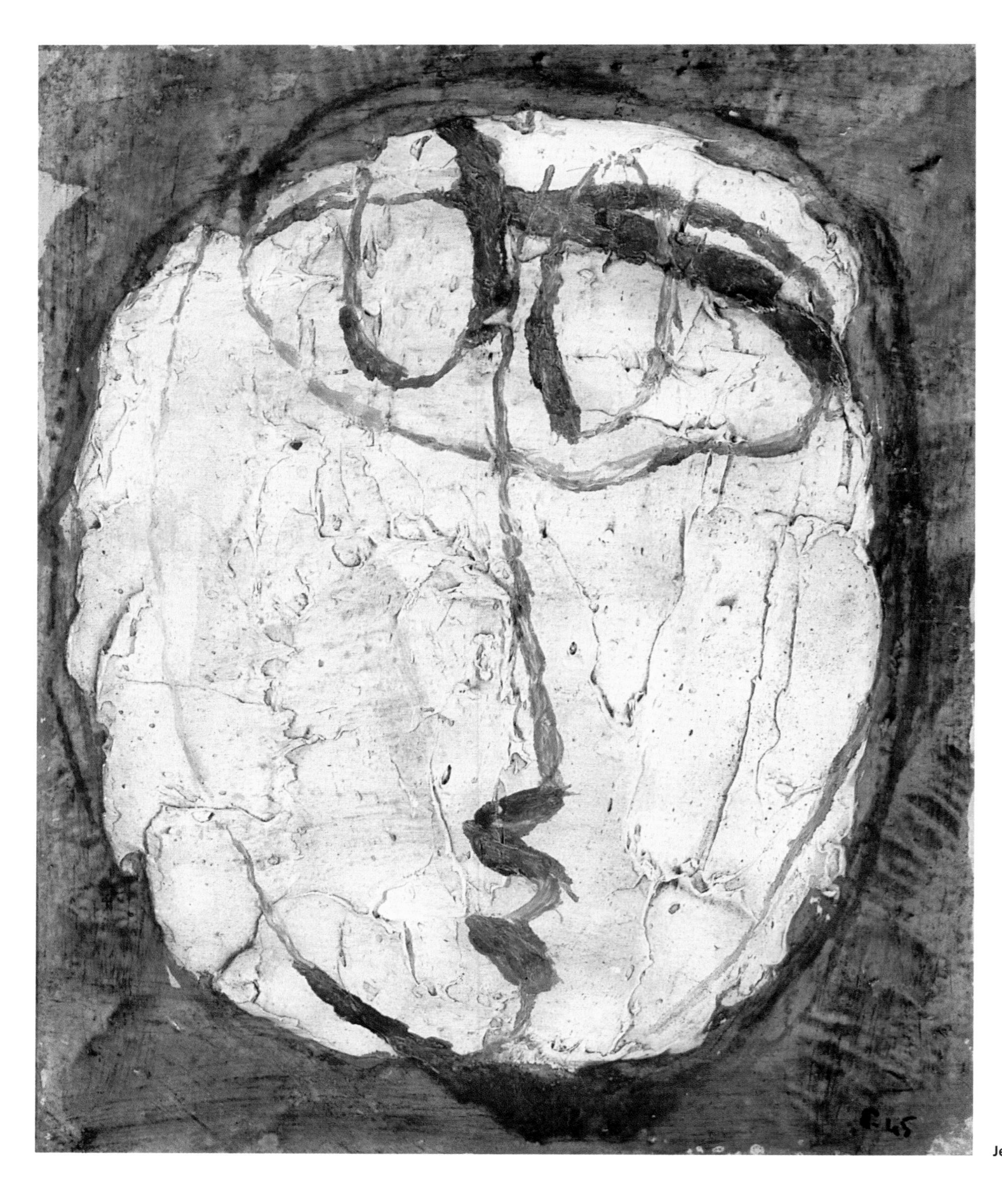

Jean Fautrier,

Tête d'otage n°
1944.
Collection
M. et Mme
Lombrail.

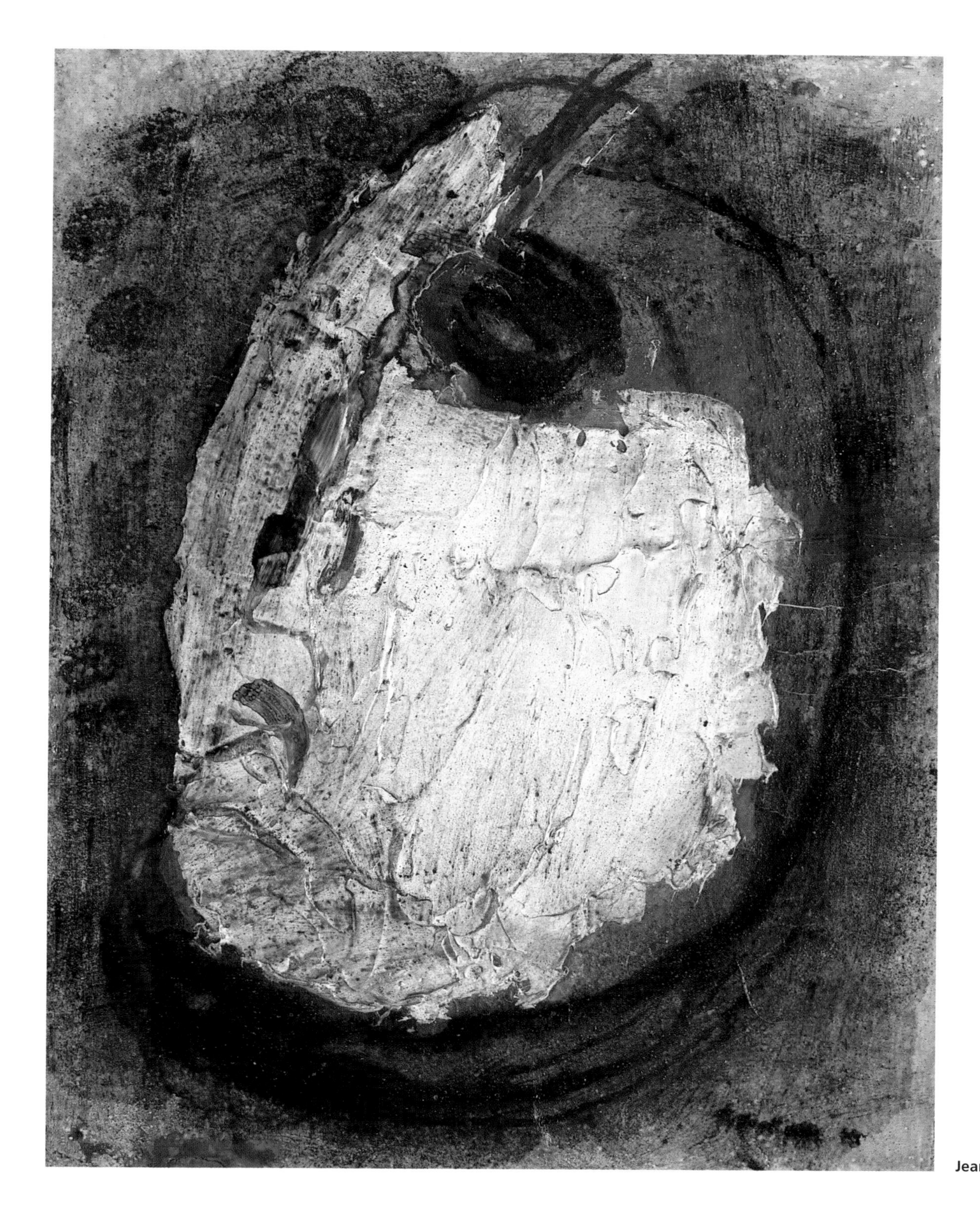

Jean Fautrier,

Tête d'otage n° 7, 1944. Collection particulière.

Jean Fautrier,

Tête d'otage n° 21,
1945.
Collection
particulière.

Jean Fautrier,

Otage, 1944.
Collection
particulière,
Paris.

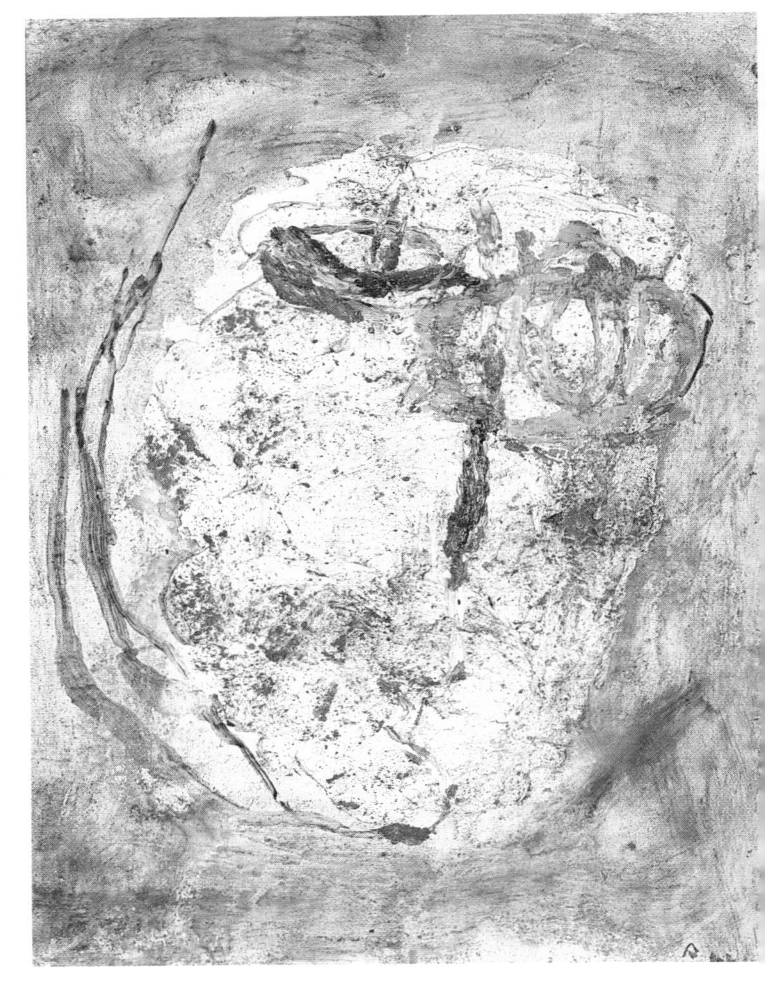

n Fautrier,
Tête d'otage,
1945.
Collection
particulière.

Jean Fautrier,
Tête d'otage n° 19,
1944.
Collection
J.-M. Rossi.

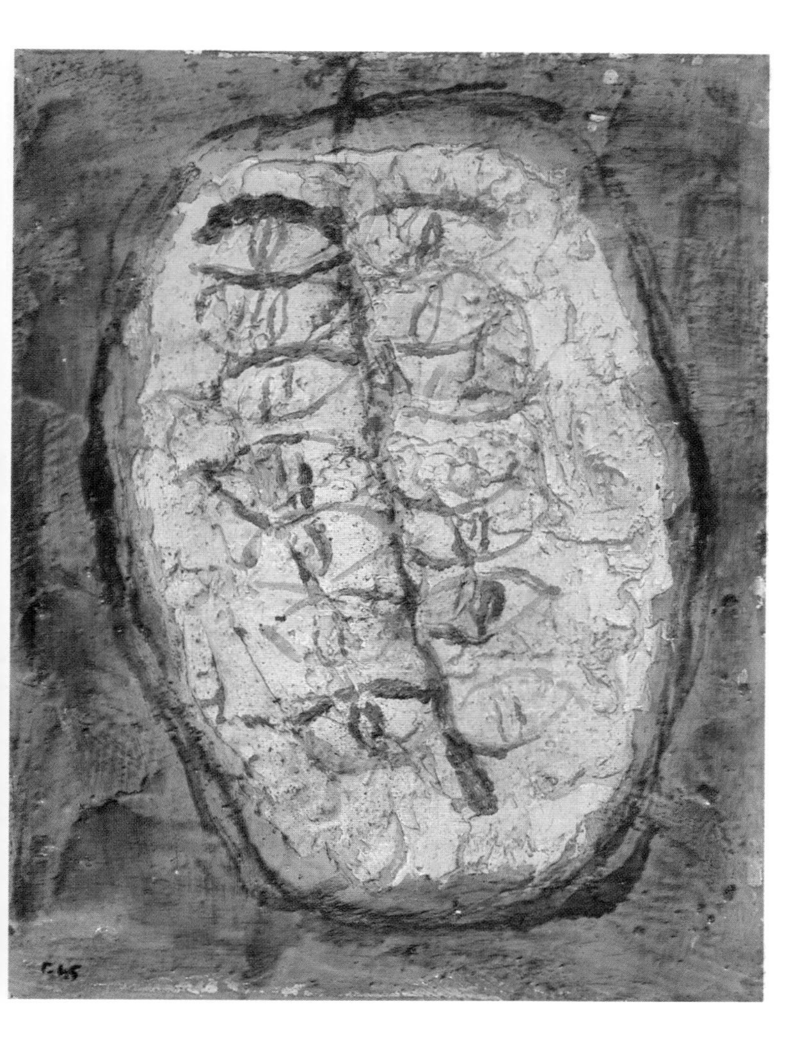

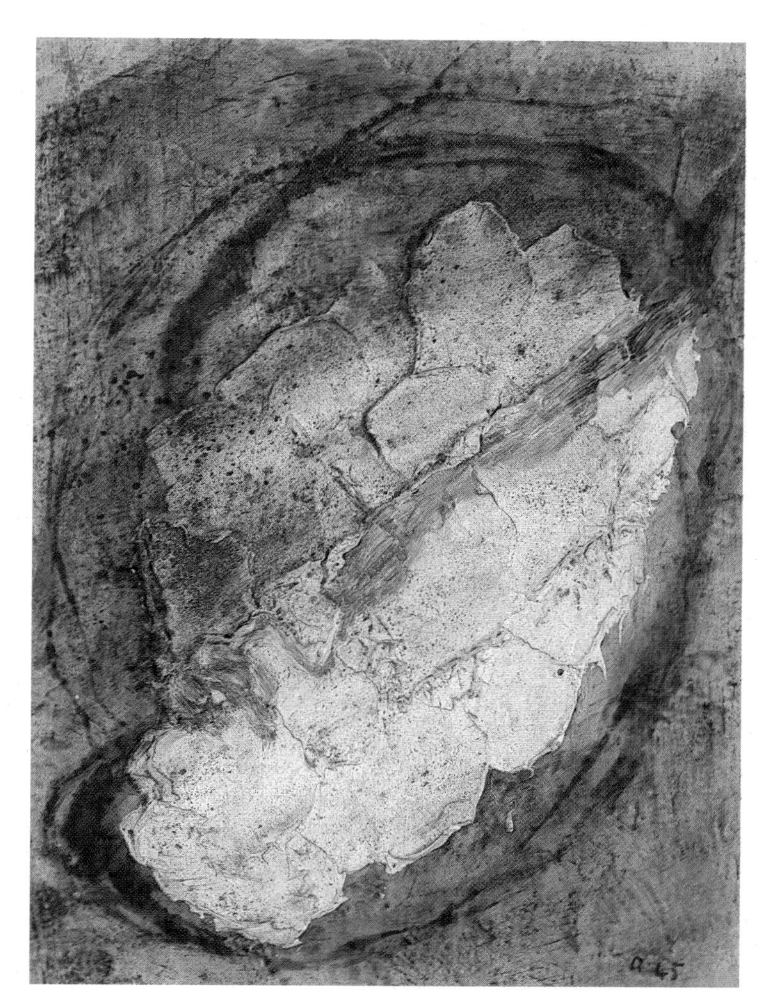

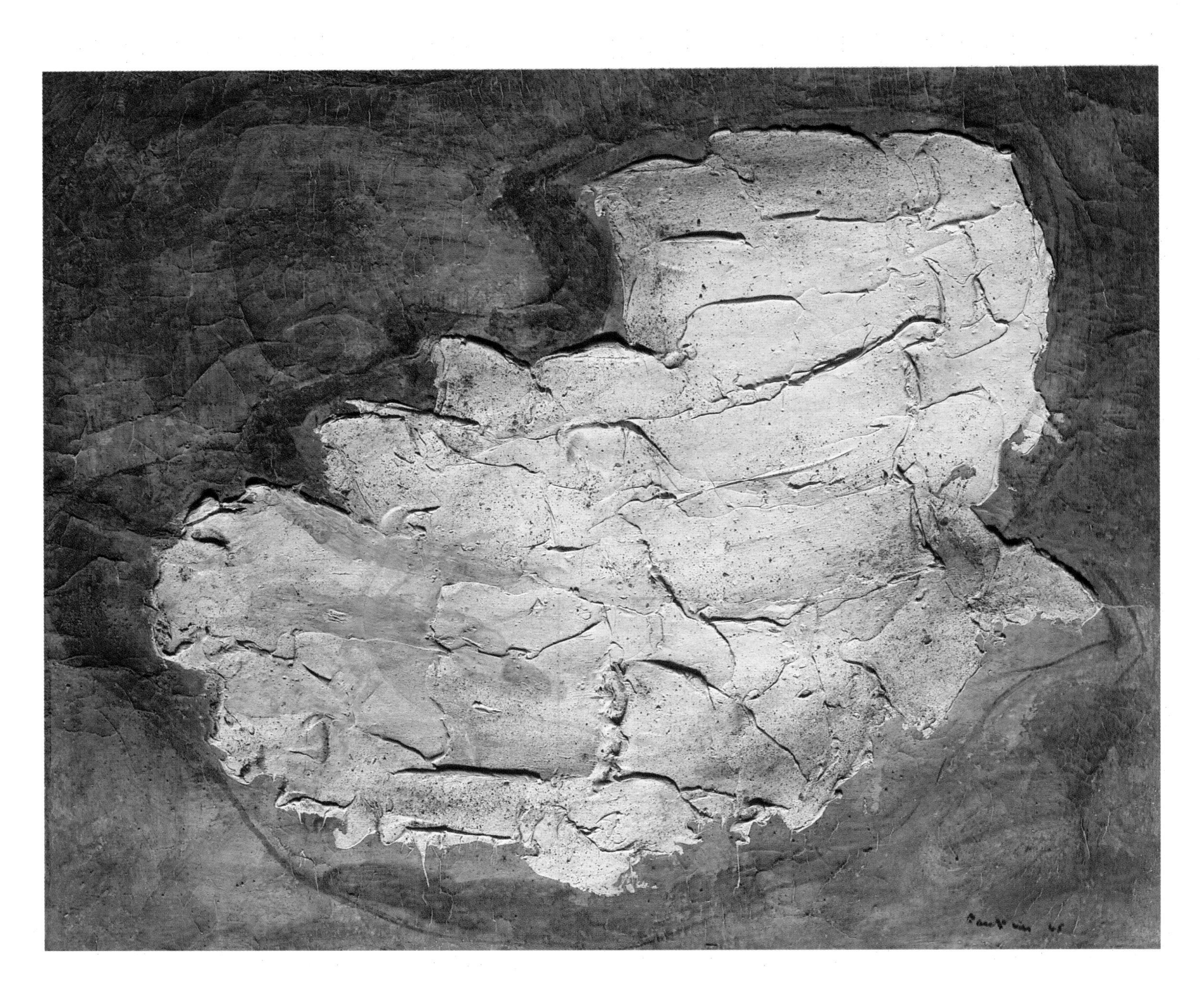

Jean Fautrier,
Le Fusillé, 1943.
Collection
particulière.

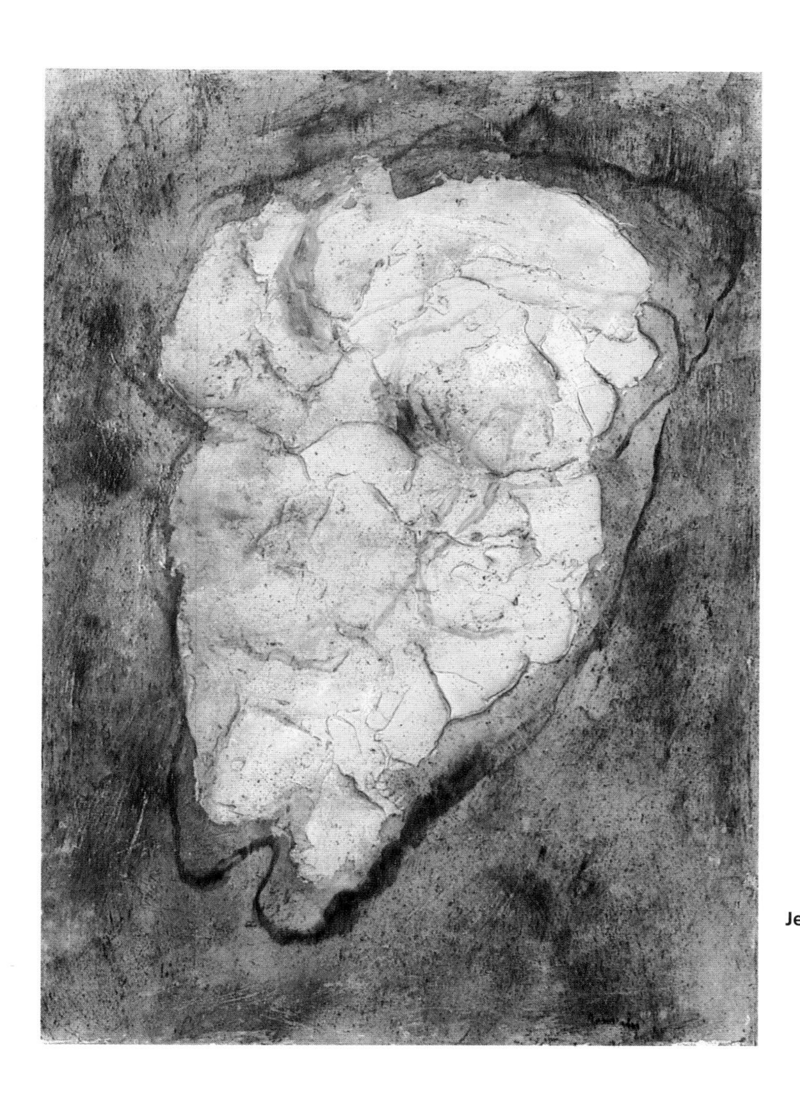

Jean Fautrier,

Nu, 1943.
The Museum of
Contemporary Art,
Los Angeles. The Panza
Collection.

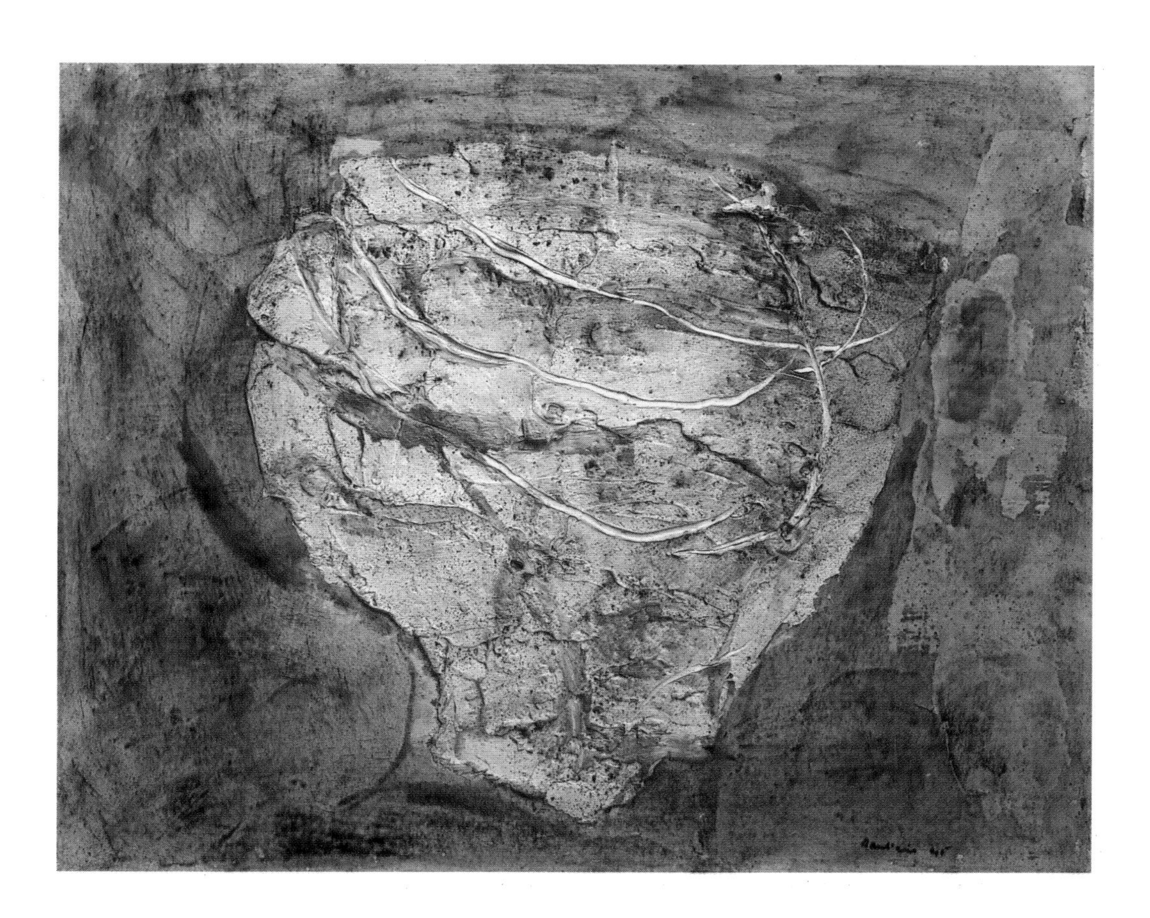

Jean Fautrier,

Otage, 1943.
Collection
particulière.

Renato Guttuso,

Occupazione delle terre incolte in Sicilia
[Occupation des terres incultes en Sicile], 1949-1950.
Stiftung Archiv der Akademie der Künste,
Berlin, Kunstsammlung.

Édouard Pignon,

Les Deux Mineurs,
1948. Mnam-Cci,
Centre Georges Pompidou, Paris.
Don de Madame Jeannette
Thorez-Vermeersch (1992).

Fernand Léger

Étude pour
Les Constructeurs - L'Équipe au repos, 1950.
Scottish National Gallery of Modern Art, Édimbourg.

Pablo Picasso,
Massacre en Corée, 1951.
Musée Picasso,
Paris.

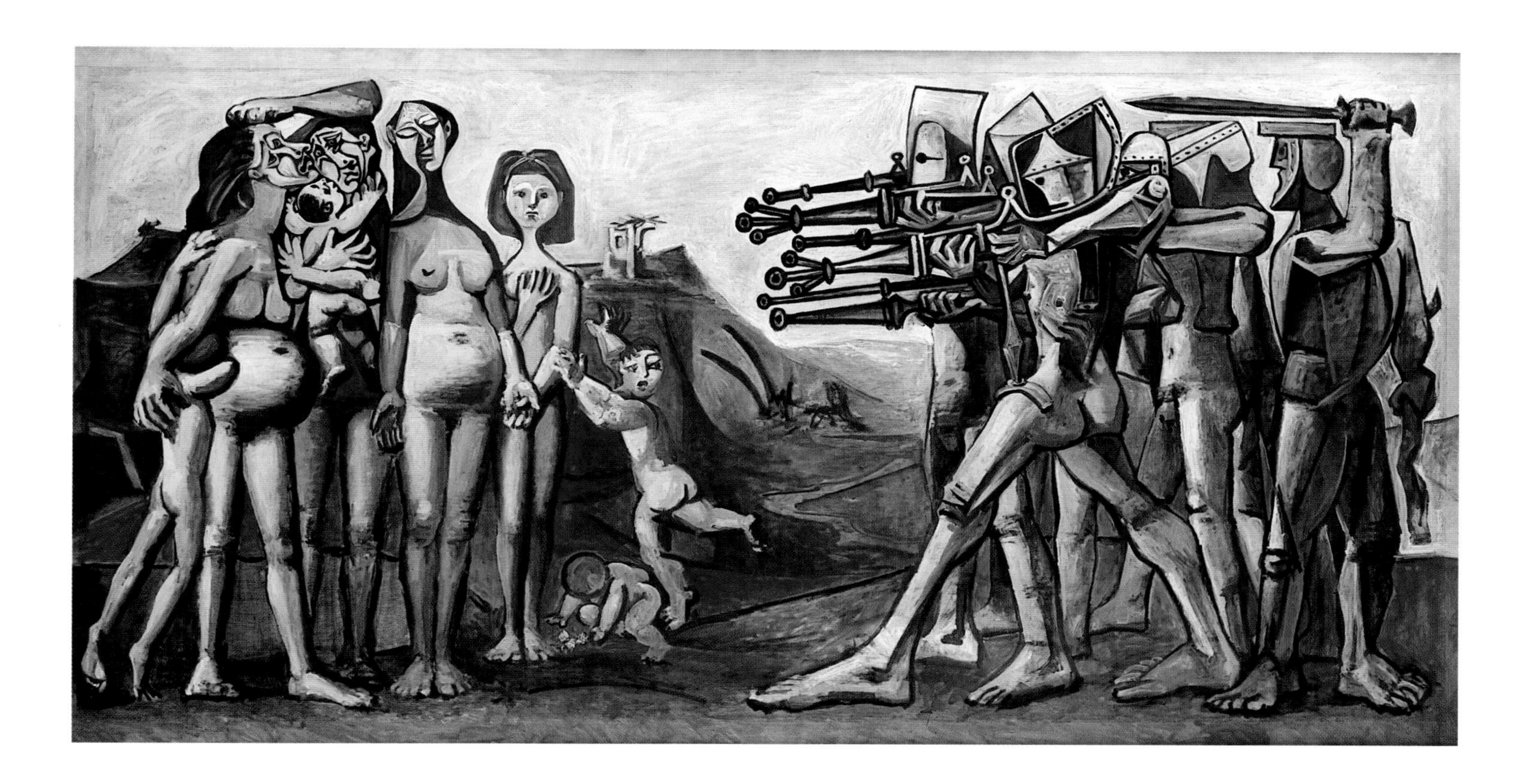

René Magritte,

La Liberté de l'esprit, 1948.
Musée des Beaux-Arts,
Charleroi.

David Alfaro Siqueiros,
Cain en los Estados Unidos
[Caïn aux États-Unis], 1947.
INBA Museo de Arte
Alvar y Carmen T. de Carrillo Gil,
Mexico.

Karel Appel,

Les Condamnés.
Hommage aux Rosenberg, 1953.
Stedelijk Van Abbemuseum,
Eindhoven.

Constant,
Gewonde Duif
[Colombe blessée], 1951.
Museum Boijmans-Van Beuningen,
Rotterdam.

Asger Jorn,

Rovdyrpagten II
[Le Pacte des prédateurs II], 1950.
Esbjerg Kunstmuseum,
Esbjerg, Danemark.

Asger Jorn,

Ørnens Ret I
[Le Droit de l'aigle I], 1950.
Nordjyllands Kunstmuseum
Åalborg, Danemark.

Enrico Baj,
Lo scoppio viene da destra
[L'explosion vient de la droite], 1952.
Collection Consuelo Accetti, Milan.

oberto Matta

La Question, 1957.
Collection
particulière.

Enrico Baj,
Roberto Crippa,
Giani Dova,
Erró,
Jean-Jacques Lebel,
Antonio Recalcati,

Le Grand Tableau antifasciste collectif, 1961.
Musée Cantini, Marseille,
don des artistes.

SEtiF
CONSTANTINE
LA MORT
PATRIE
LA MORALE

Auguste Herbin,
Lénine-Staline, 1948.
Musée Matisse,
Le Cateau-Cambrésis.

Piero Dorazio,

Qualités jaunes, 1960.
Collection de l'artiste.

Alfred Manessier,
Requiem pour novembre 1956, 1956-1957.
Staatsgalerie Stuttgart.

Georges Mathieu,
L'Excommunication du roi Pierre d'Aragon par le pape Martin IV, 1952.
Collection de l'artiste.

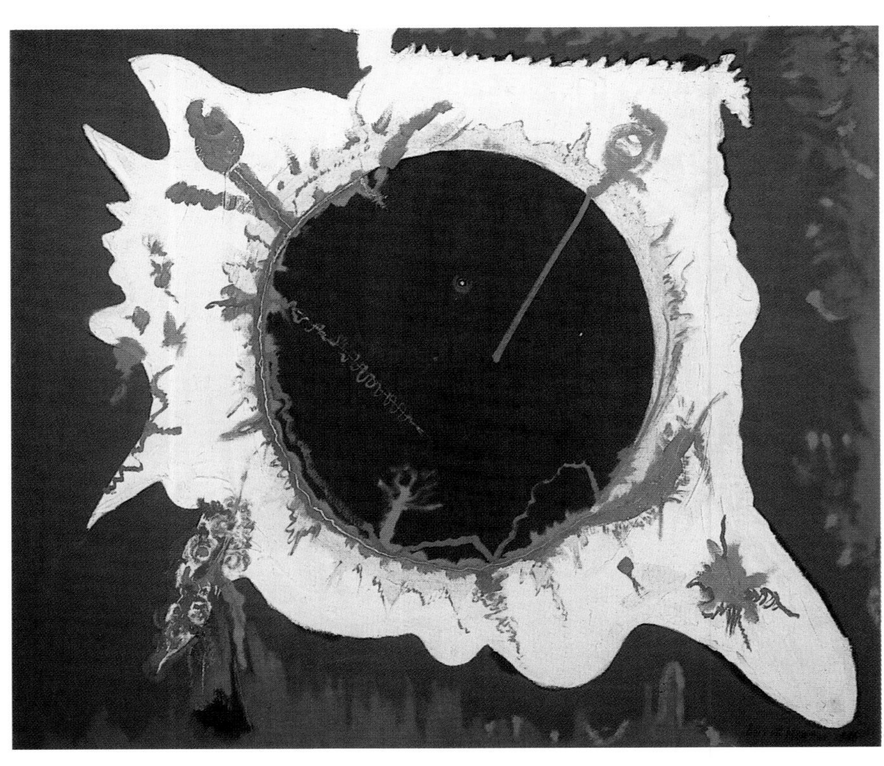

Barnett Newman,
Pagan Void
[Vide païen], 1946.
National Gallery of Art,
Washington,
don d'Annalee Newman,
en l'honneur
du 50e anniversaire de
la National Gallery
of Art, 1988.

Robert Motherwell,

Elegy to the Spanish Republic # 34
[Élégie à la République espagnole n° 34], 1953-1954.
Albright-Knox Art Gallery, Buffalo.
Don de S. Seymour H. Knox, 1957.

Emilio Vedova,

Per la Spagna
[Pour l'Espagne], 1961-1962.
Collection de l'artiste.

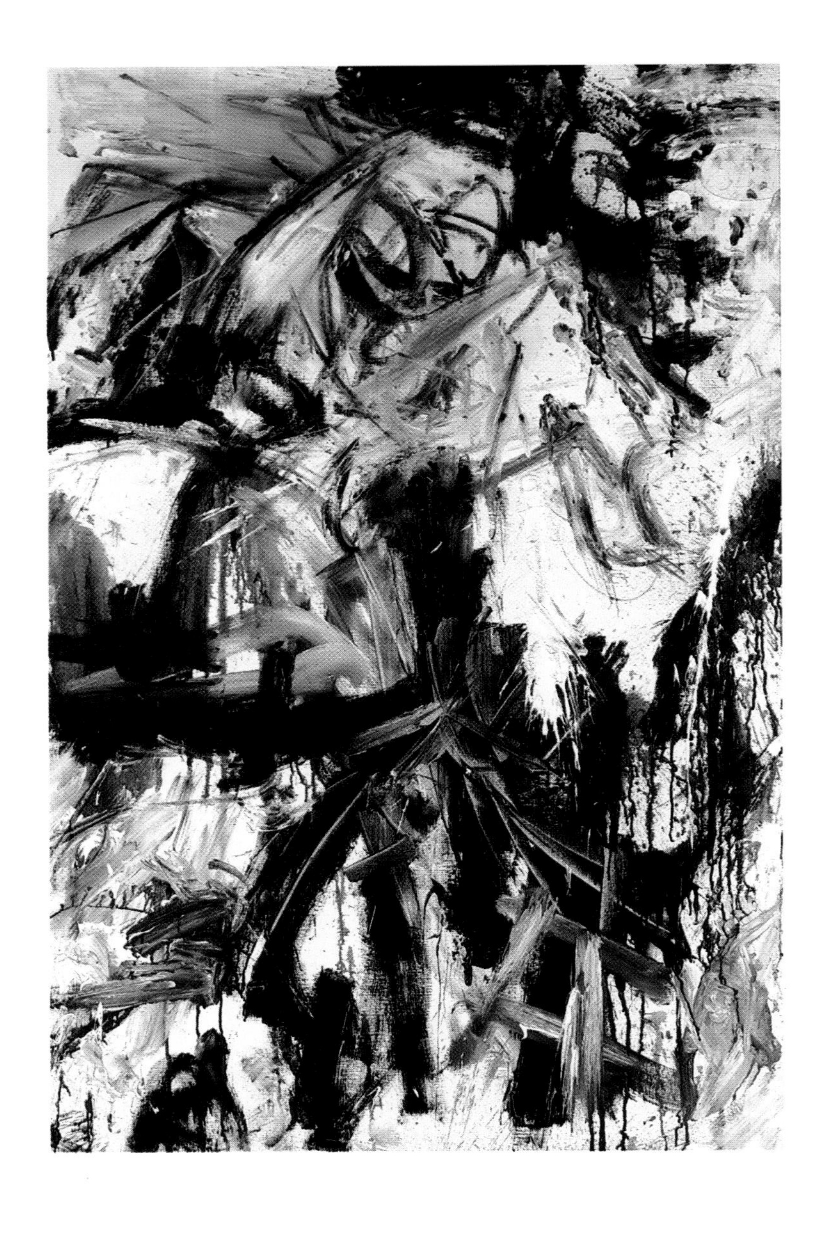

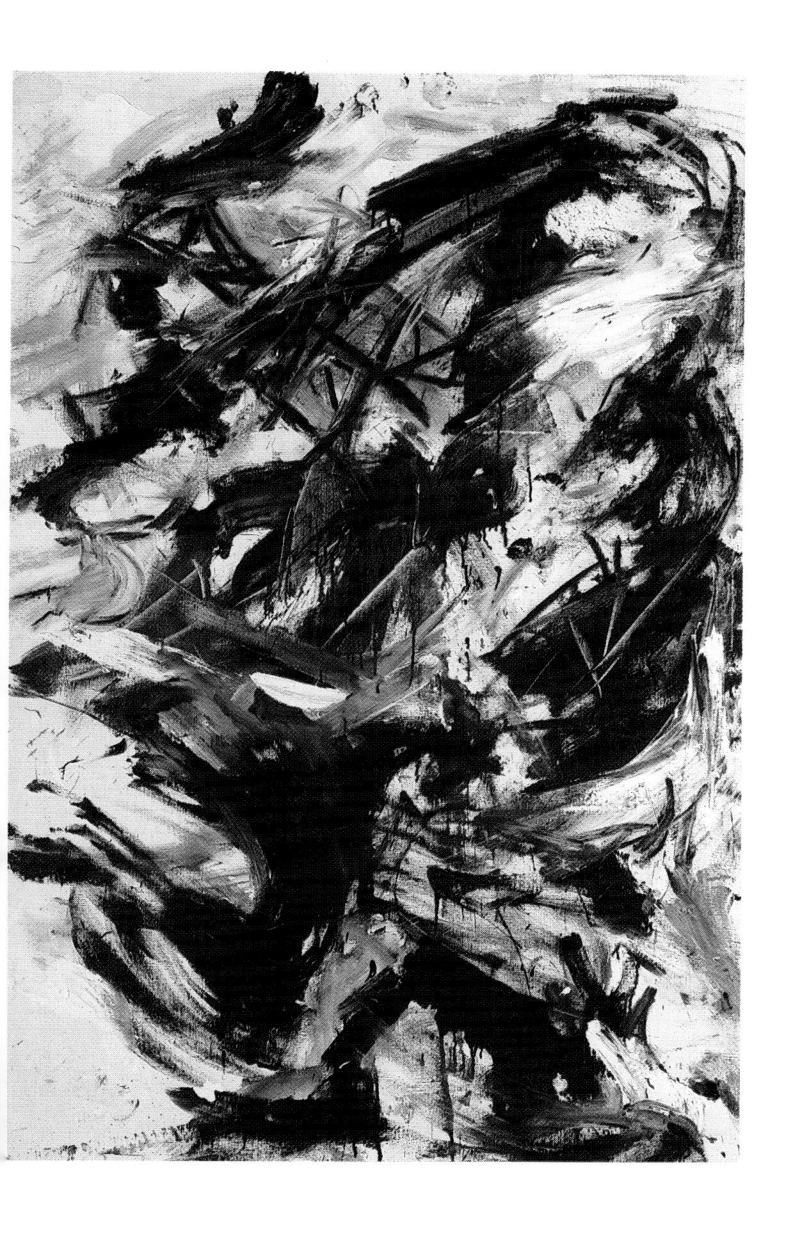

Joan Miró,
L'Espoir du condamné à mort I, 1974.
Fundació Joan Miró,
Barcelone.

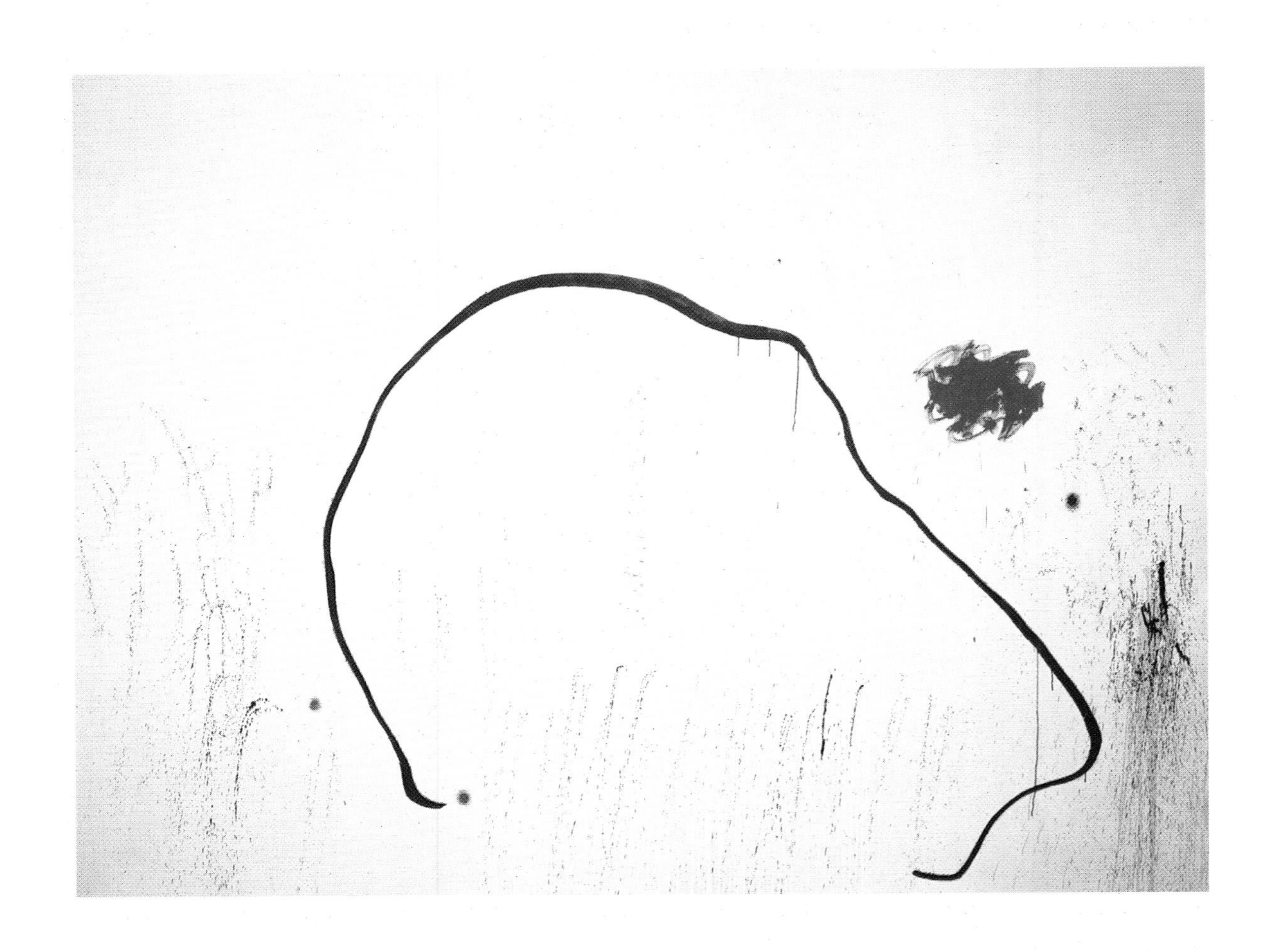

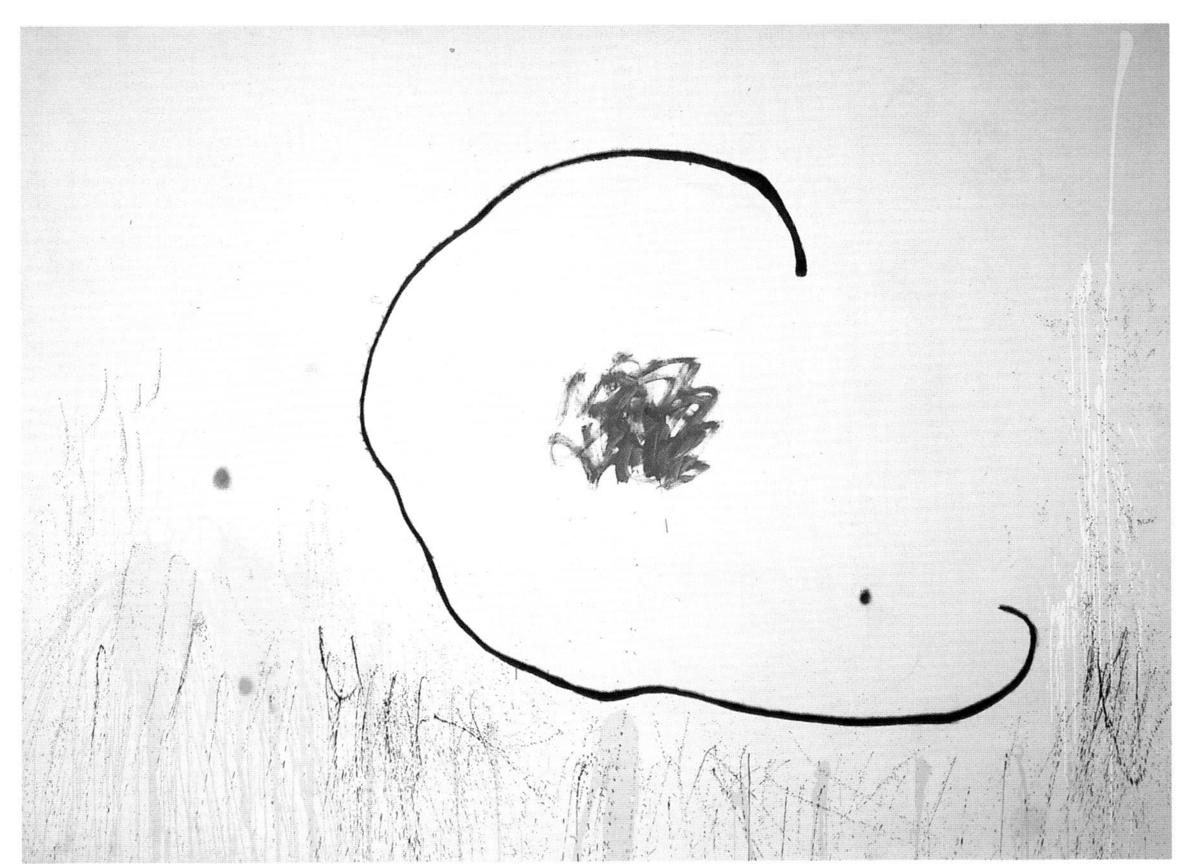

Joan Miró,
L'Espoir du condamné à mort II, 1974.
Fundació Joan Miró, Barcelone.

Joan Miró,
L'Espoir du condamné à mort III, 1974.
Fundació Joan Miró, Barcelone.

Vlassis Caniaris,
Hommage aux murs d'Athènes 1941-19...,
1959.
Collection Vlassis Caniaris.

Manolo Millares,
El Muro
[Le Mur], 1969.
Galería Vegueta

Antoni Tàpies,

Relief gris perforé au signe noir n° X, 1955. The Museum of Contemporary Art, Los Angeles. The Panza Collection.

Raymond Hains,
Cet homme est dangereux, 1957.
Collection particulière.

François Dufrêne,
Hôtel Drouot, toujours plus ou *La Rose au poing,* 1977.
Collection particulière.

Jacques Villeglé,
Rue Taylor «33 ans-3 enfants», septembre 1960.
Collection Patrice Trigano.

Mimmo Rotella,

Omaggio al Presidente [Hommage au Président], 1963. Collection particulière, Turin.

46
59

Chronologie

1946

Allemagne

À Berlin, au début de l'année, fondation du SED [Parti socialiste unifié d'Allemagne] associant communistes et socialistes.
Les communistes s'emparent des postes politiques clés dans la zone sous contrôle soviétique.
À l'Ouest, la fusion progressive des zones américaine et britannique se concrétise le 10 août par la création d'une administration commune.
La partition de l'Allemagne en secteurs sous différents contrôles militaires a des conséquences politiques et culturelles. À l'Est, l'Administration militaire de la zone soviétique en Allemagne (SMAD) encadre les productions culturelles.
La restructuration de l'Académie de Leipzig est confiée en février à l'artiste antifasciste Kurt Massloff qui l'oriente vers « un art réaliste et compréhensible par les masses populaires ».
Hans Grundig est chargé pour sa part de réorganiser l'Académie des beaux-arts de Dresde.
Dans la Stadthalle de cette ville, l'« Allgemeine Deutsche Kunstausstellung » [Exposition générale d'art allemand], qui a lieu du 25 août au 31 octobre, dresse un bilan de l'évolution artistique en RDA.
Réuni à Berlin-Est, le 26 octobre, le premier Congrès allemand des artistes crée l'Union du travail des artistes socialistes qui s'inspire directement du programme stylistique et politique de l'ASSO [voir 1945].
Du 22 octobre au 6 novembre, se tient, à Berlin-Ouest (puis à Fribourg et Munich), l'exposition « Moderne französische Malerei » ; les artistes d'origine allemande Wols et Hans Hartung, intégrés à la scène artistique parisienne, jouent le rôle d'intermédiaires.

Argentine

L'année de l'élection du colonel Perón à la présidence (24 févr.), l'Argentine connaît plusieurs événements artistiques majeurs : la parution du « Manifeste Invencionista » de l'association Arte Concreto-Invencíon, créée en 1945 autour de Tomás Maldonado ; la création du groupe Madí [Matérialisme dialectique] avec, entre autres, Carmelo Arden Quin, Gyula Kosice, Carlos Maria Rothfuss qui font paraître un manifeste déclarant : « Madí confirme le désir de l'homme d'inventer des objets proches de l'humanité en lutte pour une société sans classe qui libère l'énergie et domine l'espace et le temps dans toute leur plénitude, et la matière jusque dans ses ultimes conséquences. »

Life, 10 décembre 1945. Goering au procès de Nuremberg, photo Edward Clark. Collection American Library, Paris. Photo © Centre Georges Pompidou, Paris.

États-Unis

Le 5 mars, Churchill prononce un discours à Fulton (Missouri), dénonçant la mainmise des Soviétiques sur l'Europe de l'Est, et parle du « rideau de fer qui, de Stettin dans la Baltique, à Trieste dans l'Adriatique, s'est abattu sur le continent ». Le 30 juin et le 24 juillet, les États-Unis procèdent à des essais nucléaires sur l'atoll de Bikini, dans les îles Marshall. Deux tableaux abstraits de Ralston Crawford sont reproduits dans le numéro de décembre de la revue *Fortune,* en référence à ces explosions.
En octobre, le Département d'État finance l'exposition « Advancing American Art » avec un don de 49 000 dollars. Il charge Leroy Davidson de l'achat de 79 œuvres de 45 artistes, dont Avery, Davis, Gottlieb, Gropper, Guston, Hartley, Kuniyoshi, Levine, Marin, Marsh, MacIver, O'Keeffe, Rattner, Weber et Ben Shahn, et organise deux expositions itinérantes : 40 œuvres pour l'Europe, le reste pour l'Amérique latine. Immédiatement, un éditorial de *The Baltimore American* accuse le Département d'État de subventionner des artistes communistes. En mars 1947, le président Truman critique une peinture de Kuniyoshi, incluse dans l'exposition : « Si c'est de l'art, je suis un Hottentot. » Selon le *Time Magazine,* le secrétaire d'État George Marshall est outragé par le radicalisme de l'exposition, et refuse de subventionner désormais l'art moderne. Peu de temps après, le Département d'État ordonne l'arrêt de l'exposition.

France

Charles de Gaulle démissionne le 20 janvier de ses fonctions de président du Gouvernement provisoire de la République. Il est remplacé par un gouvernement de coalition (SFIO, MRP, PC) ; c'est le début du tripartisme.
Le 10 novembre, les élections législatives sont remportées par le parti communiste avec 28 % des suffrages.
Les premières manifestations lettristes ont lieu en janvier à Saint-Germain-des-Prés. Fondateur du mouvement, Isidore Isou publie *La Dictature lettriste,* à laquelle participent Brau, Dufrêne, Lemaître, Pomerand, Wolman. Le manifeste lettriste « Pour une nouvelle poésie, pour une nouvelle musique » définit le lettrisme non pas comme une école artistique, mais comme un mouvement de libération par la généralisation de la créativité.
Du 15 février au 15 mars se tient, au Musée national d'art moderne, l'exposition « Art et Résistance », organisée par l'association des Amis des Francs-Tireurs et Partisans français.
Y participent, entre autres, Atlan, Bazaine, Chagall, Dominguez, Fougeron, Giacometti, Gruber, Herbin, Lipchitz, Léger, Lurçat, Masereel, Masson, Matisse,

Inauguration de l'exposition « Art et Résistance », Paris, février 1946. Elsa Triolet, Aragon, Picasso, Charles Tillon, Laurent Casanova. Collection H. Roger Viollet. Photo © Lapi-Viollet.

Messagier, Pignon, Prassinos, Tal-Coat, Taslitzky, Vasarely... À cette occasion, Picasso présente *Le Charnier* (1945).
En octobre, le philosophe communiste Roger Garaudy publie « Artistes sans uniformes » (*Arts de France,* n° 9), qui nie l'existence d'une ligne esthétique du parti. Aragon répond le 20 novembre, dans un article des *Lettres françaises* intitulé « L'art, zone libre ? », déclarant que l'esthétique du parti communiste est le réalisme. Le 29, dans la même revue, Léon Degand prend la défense de l'art abstrait dans un article titré « Progrès de l'expressionnisme ».
En décembre, les deux principaux prix de peinture sont attribués à deux artistes liés au PCF. Un abstrait, Jean Dewasne, reçoit le premier prix Kandinsky. À un réaliste, André Fougeron, échoit le Prix national des arts.

Italie

Après l'abdication du roi Victor-Emmanuel III, le 9 mai, les partisans de l'abolition de la monarchie et de la création de la république l'emportent lors du référendum organisé le 2 juin. De Gasperi forme un gouvernement de coalition nationale composé de démocrates-chrétiens, de socialistes et de communistes.
En février, le « Manifesto del realismo di pittori e scultori » (connu aussi comme « Oltre Guernica ») est signé par Ajmone, Bergolli, Bonfante, Dova, Morlotti, Paganin, Peverelli, Tavernari, Testori et Vedova. Il est publié en mars dans la revue *Numero* (II, n° 2). Les artistes y soutiennent un réalisme qui n'est pas « vérisme, naturalisme ou expressionnisme », mais qui reflète la vie humaine elle-même. Du 2 au 15 mars, ils organisent au Caffè Brera, à Milan, l'exposition « Oltre Guernica ».
Le 1er octobre, le « Manifesto di fondazione della Nuova Secessione Artistica Italiana » est rédigé à Venise. Il sera publié dans une « Corrispondenza » envoyée par Birolli à *Numero Pittura* (15 déc.), avec les signatures de Birolli, Cassinari, Guttuso, Leoncillo, Levi, Morlotti, Pizzinato, Santomaso, Turcato, Vedova et Viani. L'année suivante, sur proposition de Guttuso, le groupe prend le nom de Fronte Nuovo delle Arti.
La première exposition du Gruppo Arte Sociale (auquel participent, entre autres, Dorazio, Guerrini, Perilli, Vespignani) a lieu en mars dans une section du PSI, *via* Molise, à Rome. Le groupe publie en août l'unique numéro de *La Fabbrica,* dans lequel il se déclare autonome des partis, tout en se situant à gauche.
En avril, un article de Alicata intitulé « La corrente Politecnico », publié dans *Rinascita* (n° 4), déclenche une polémique. Elle oppose principalement Togliatti et Vittorini, dans les pages de *Rinascita* et du *Politecnico,* qui débattent du rapport entre politique et culture. La querelle est parallèle à celle qui se déroule en France : la livraison de septembre-décembre de *Il Politecnico* publie « Non esiste un'estetica del Partito Comunista », la traduction du texte de Roger Garaudy, paru en octobre dans *Arts de France*. La polémique se poursuit en 1947 (en janvier, Vittorini publie dans *Politecnico* « Politica e cultura. Lettera a Togliatti » qui revendique la liberté de créer) et s'achève en 1951, lorsque Vittorini quitte le parti.

Japon

En janvier, l'empereur intervient à la radio pour condamner le principe de sa divinité et celui de la supériorité du peuple japonais. En mars, il accepte la nouvelle Constitution. Le procès des criminels de guerre s'ouvre en mai à Tokyo et va durer trente mois. La question de l'empereur en est délibérément évacuée.
En avril, Shunsuke Matsumoto fonde la Nihon Bijutsu Kai [Association d'art japonais] qui se fixe un certain nombre d'objectifs : recherche de la responsabilité des artistes pendant la guerre, création d'une coopérative d'artistes, défense de la vie des créateurs, développement de l'art populaire. L'association comporte des membres du parti communiste, reconstitué après la défaite, mais aussi des artistes indépendants.
En juin, réquisition de 153 tableaux de guerre, comme ceux de Kenichi Nakamura, de Makoto Suzuki, de Shigeo Miyata et de Tsuguharu Fujita, par les autorités d'occupation américaines (les tableaux reviendront au Japon en 1970 à titre de prêts permanents, et sont conservés au Musée national d'art moderne de Tokyo).
En novembre, une polémique s'engage sur la question du réalisme en peinture, assimilé à la propagande du régime militaire pendant la guerre. Un débat s'engage sur l'indépendance des artistes à l'égard des institutions.

Pays-Bas

L'exposition « Weerbare Democratie » se tient en mars à la Nieuwe Kerke d'Amsterdam. Elle présente l'occupation allemande à travers des documents et des œuvres d'artistes réalistes.

Pologne

Afin de consolider le régime, le gouvernement fait adopter par référendum, le 30 juin, les principales mesures politiques qui instaurent une « république socialiste » dans le pays : suppression du Sénat, nationalisation de la production, acceptation de la frontière Oder-Neisse.
À Varsovie, érection du *Mémorial du soulèvement de Varsovie,* de Leon Marek Suzin. Cette construction se compose d'un disque de grès rouge marquant le lieu de la première prise d'armes.

Tchécoslovaquie

Aux élections générales de mai, le PCT devient le premier parti du pays.
Le 21 janvier, inauguration de l'exposition « Les peintres espagnols de Paris » à la galerie de l'association Manes, à Prague. Avec 250 œuvres, elle commémore la participation du pavillon espagnol à l'Exposition internationale de 1937 à Paris.
Du 4 au 25 avril, la galerie Manes organise également l'exposition de Jindrich Styrsky.
Durant l'été, la publication du recueil *Et tandis que la guerre* marque la constitution du groupe Ra qui conjugue les principes de la peinture imaginative avec des éléments morphologiques abstraits. Le groupe compte dans ses rangs des personnalités comme Josef Istler et Vaclav Tikal.

URSS

Le durcissement politique du régime accompagne le retour à la paix. Le IVe plan quinquennal est marqué par la relance productiviste et les méthodes stakhanovistes, tandis que la répression s'abat sur les minorités nationales, suspectes d'avoir collaboré avec les Allemands, et sur les mouvements nationalistes actifs en Ukraine et dans les États baltes. Le système concentrationnaire atteint son apogée.
Le durcissement du régime est particulièrement perceptible sur le plan culturel. Sous la direction de Jdanov, « l'esprit décadent de l'Occident » est pourchassé. Le 14 avril, un décret du Comité central condamne les revues *Leningrad* et *Zviezda* pour avoir publié les poèmes d'Anna Akhmatova et les textes de l'écrivain Zochtchenko.
Le 26 août et le 4 septembre, le répertoire des théâtres dramatiques et la production cinématographique (dont *Ivan le Terrible* d'Eisenstein) sont à leur tour la cible du Comité central.

Viêtnam

Les affrontements franco-vietnamiens à Haiphong, en novembre, entraînent le bombardement de la ville par la marine française. En réponse, le 19 décembre, Hô Chi Minh organise le soulèvement de Hanoi contre les Français. C'est le début de la guerre d'Indochine qui se prolonge jusqu'en 1954.

1947

Allemagne

En août, la conférence de Londres, qui réunit les États-Unis, la Grande-Bretagne et la France, évoque le renouveau économique de l'Allemagne, sur la base de l'intégration à l'Europe. À l'Est, en zone soviétique, un organe de planification centrale, le DKW, est mis en place.
En décembre, le premier Congrès populaire allemand pour l'unité et pour la paix juste se réunit à Berlin-Est. Dominé par le SED, il est boycotté par les représentants des partis non communistes de la zone occidentale.
Le fossé entre les deux parties de l'Allemagne se creuse également sur le plan culturel. À l'Est, tandis que la conférence culturelle du SED, en janvier, fixe le « socialisme scientifique » comme base du travail culturel, les groupes Das Ufer, à Dresde (composé d'anciens membres de l'ASSO comme Hans et Lea Grunding), et Die Fähre, à Halle (Karl Erich Müller, Willi Sitte), s'engagent en faveur du réalisme. À l'Ouest, plusieurs expositions sur l'art abstrait sont organisées, dont « Extreme Malerei », à Augsbourg (avec, entre autres, Willi Baumeister, Werner Gilles, Fritz Winter...).

Argentine

La création de l'Académie d'Altamira avec Lucio Fontana (professeur de sculpture), Romero Brest (professeur d'histoire de l'art), Pettoruti (professeur de peinture) est l'occasion pour des artistes de gauche de se regrouper. Plusieurs professeurs mettent un terme à leurs cours pendant le péronisme, comme Romero Brest qui crée des cours privés d'esthétique et d'histoire de l'art.

Eveleigh, *Nations unies*, 1947. Affiche éditée à l'occasion de la création de l'ONU. Musée d'Histoire contemporaine, BDIC, Paris. Photo © Jean-Hugues Berrou, musée d'Histoire contemporaine, BDIC, Paris.

Belgique

À Bruxelles, le 5 avril, autour de Dotremont et Chavée, se forme le groupe des surréalistes révolutionnaires belges. Ils rédigent, le 7 juin, le tract « Pas de quartiers dans la Révolution », dirigé contre Breton, et qui exprime la volonté de rattacher le surréalisme à la politique du parti communiste, en le reconnaissant comme seule instance révolutionnaire valable. Le texte est signé par Broodthaers, Dotremont, Scutenaire, ainsi que Mariën, Nougé, Magritte, etc., malgré la suspicion de ces derniers pour le surréalisme révolutionnaire. Il est publié le 9 juillet, dans *Le Drapeau rouge*.
Le 1er juillet, en réponse au tract « Rupture inaugurale », publié à Paris par le groupe Cause [voir France], les surréalistes révolutionnaires belges et français publient le tract « La cause est entendue » qui considère que, « en abandonnant le matérialisme dialectique, on remet en question les fondements mêmes du surréalisme ».
Du 29 au 31 octobre, Chavée préside la Conférence internationale du surréalisme révolutionnaire à Bruxelles, à laquelle participe un représentant du Parti communiste belge. S'y retrouvent, entre autres, les Français Noël Arnaud, René Passeron, les Tchèques Zdenek Lorenc et Josef Istler (représentants du groupe Ra de Prague), et Asger Jorn qui rencontre Christian Dotremont. Les travaux de la conférence aboutissent à la création du BISR (Bureau international du surréalisme révolutionnaire) et au projet d'une revue baptisée *Le Surréalisme révolutionnaire*, dont le comité directeur est composé de Noël Arnaud, Christian Dotremont, Asger Jorn et Zdenek Lorenc. Le premier et unique numéro paraîtra en janvier 1948 à Bruxelles.
Le 1er novembre, les surréalistes révolutionnaires participent au Congrès des artistes communistes de Belgique, à Anvers.
En octobre, formation du groupe Forces murales, autour de Roger Somville et Edmond Dubrunfaut, pratiquant une figuration monumentale aux préoccupations sociales, à travers des fresques peintes ou des céramiques murales.

États-Unis

Le 12 mars, le président prononce un discours devant le Congrès américain, qui sera ensuite défini comme la « doctrine Truman » : « Notre politique doit être de soutenir les peuples libres qui résistent à la soumission que leur imposeraient des minorités armées ou des pressions extérieures. » Truman garantit ainsi à tous les peuples leur indépendance grâce à l'aide américaine. Il s'agit surtout d'enrayer l'expansion soviétique. Au cours de l'été, le diplomate George Kennan formule la théorie de l'endiguement, dans la revue *Foreign Affairs* : « Le principal élément de toute politique américaine doit consister à contenir patiemment, mais d'une manière ferme et vigilante, les tendances expansionnistes de la Russie. »
Le 5 juin, à Harvard, Marshall annonce le plan qui désormais porte son nom, et invite les pays européens à s'unir pour l'organisation de leur économie, cette union étant la condition d'une aide efficace des États-Unis.
L'anticommunisme touche aussi le secteur culturel : en mars, le représentant du Mississippi, John Rankin, demande que l'industrie du cinéma soit « nettoyée » de ses communistes. En octobre-novembre, le House Un-American Activities Committee commence ses auditions sur la pénétration communiste à Hollywood.

France

En avril, en solidarité avec les Vietnamiens en guerre, les surréalistes français font paraître le tract « Liberté est un mot vietnamien ».
Le 4 mai, après les grèves du début de l'année, les députés communistes refusent de voter la confiance au gouvernement sur sa politique économique et sociale. Le lendemain, Ramadier renvoie les ministres communistes. C'est la fin du tripartisme.
En juin, une conférence réunit à Paris les représentants des pays qui pouvaient être concernés par le plan Marshall. Le Russe Molotov, invité, refuse l'aide américaine le 2 juillet, entraînant à sa suite des pays-satellites comme la Pologne, la Yougoslavie et la Tchécoslovaquie. Le durcissement politique se reflète dans l'exacerbation du débat intellectuel : le 11 avril, une conférence de Tristan Tzara à la Sorbonne, intitulée « Le Surréalisme de l'après-guerre », où le poète décrit le communisme comme l'aboutissement logique du surréalisme, est violemment interrompue par Breton.
Le 21 juin, Breton et ses amis du groupe Cause (Bousquet, Mabille, Pastoureau...) publient (en réponse aux attaques des communistes, des surréalistes révolutionnaires et de Sartre) le tract-manifeste « Rupture inaugurale » qui décrit le marxisme comme « figé dans une mystification délibérée » et veut « promouvoir un mythe nouveau, propre à entretenir l'homme vers sa destination finale ».
L'Exposition internationale du surréalisme qu'organise Breton (galerie Maeght, 7 juil.-7 août) est l'occasion de nouvelles attaques des communistes (Aragon, Roger Vailland...).
Le 9 juin, ouverture du Musée national d'art moderne au palais de Tokyo à Paris. Jean Cassou en est le conservateur en chef. Georges Salles, directeur des Musées de France, inaugurant le musée, déclare : « Aujourd'hui cesse la séparation entre l'État et le Génie. »
En août, le critique Léon Degand, défenseur de l'abstraction géométrique, doit quitter *Les Lettres françaises* qui ont adopté la ligne du parti. Les théories de Jdanov l'emportent, relayées par un discours de Laurent Casanova, « Le communisme, la pensée et l'art », prononcé lors du XIe Congrès du PCF en juin.

Grande-Bretagne

Création de l'Institute of Contemporary Art (ICA), financé par l'État. Il offre un lieu de rendez-vous à Londres pour les nombreux artistes disséminés par la guerre.

Italie

Le 15 mars, à Rome, Attardi, Consagra, Dorazio, Guerrini, Perilli, Sanfilippo et Turcato constituent le groupe Forma 1. Leur manifeste sera publié en avril dans le seul numéro de leur revue *Forma 1*. Les artistes se proclament « FORMALISTES et MARXISTES, car [...] convaincus que les termes de marxisme et de formalisme ne sont pas INCONCILIABLES, spécialement de nos jours où les éléments progressistes de notre société

doivent maintenir une position RÉVOLUTIONNAIRE ET D'AVANT-GARDE et ne pas s'attarder sur les ambiguïtés d'un réalisme épuisé et conformiste dont les derniers avatars en peinture et en sculpture ont montré clairement l'étroitesse et les limites ».
En octobre, le groupe reçoit le soutien du critique communiste Corrado Maltese, qui publie « Formalismo e Marxismo » dans la revue *Alfabeto* (15-31 oct.).
En mai, communistes et socialistes sont exclus du gouvernement. Birolli, Corpora, Fazzini, Franchina, Guttuso, Leoncillo, Morlotti, Pizzinato, Santomaso, Turcato, Vedova, Viani participent à la « Prima Mostra del Fronte Nuovo delle Arti » (Galleria della Spiga, Milan, 12 juin-12 juil.). Ces artistes, de différentes tendances esthétiques, se rejoignent dans l'objectif d'exprimer à travers l'art l'engagement moral d'un renouvellement de la société.

Japon

En mai, la nouvelle Constitution entre en vigueur. L'empereur perd sa souveraineté et devient « le symbole de l'État et de l'unité de la nation ».
Plusieurs associations d'artistes sont fondées : en avril, la Zenei Bijutsu Kai [Association d'artistes d'avant-garde] par Iri Maruki, Kikuji Yamashita ; en septembre, le Club des artistes d'avant-garde japonais par Taro Okamoto, Ichiro Fukuzawa, Iwami Fukusawa.

Pologne

Le 5 février, le communiste Boleslaw Bierut est élu président de la République.
En décembre, le congrès du syndicat des plasticiens (ZZPAP) incite les artistes à se tourner vers le réalisme socialiste. Cependant, les expositions organisées dans l'année à Varsovie, Poznán et Cracovie voient encore coexister différents courants esthétiques.

Chaguine et Droujkov, « Réalité de notre programme... », 1947. Affiche éditée à l'occasion du IVe plan quinquennal, 1946-1950. Musée d'Histoire contemporaine, BDIC, Paris. Photo © musée d'Histoire contemporaine, BDIC, Paris.

Roumanie

Le 30 décembre, le roi Michel de Roumanie est forcé d'abdiquer. La République populaire roumaine est proclamée.

Tchécoslovaquie

Toyen et Heisler quittent Prague pour Paris où tous deux adhèrent au groupe surréaliste de Breton, qui préface l'exposition de Toyen, dont le cycle de dessins *Cache-toi guerre* paraît à Paris. Teige et Heisler organisent à Prague, au salon Topic, l'exposition « Le Surréalisme international » qui sera reprise sous une forme réduite à Paris, lors de l'Exposition internationale du surréalisme.

URSS

Le 5 octobre, à l'issue de la conférence de Szklarska Podeba (Pologne), présidée par Jdanov, création du Kominform, bureau d'information associant les partis communistes de France, d'Italie, d'Europe centrale et d'URSS.
Le Kominform fixe à ses membres le double objectif de la lutte contre la pénétration américaine en Europe et de la défense de la paix. Un anti-occidentalisme brutal accompagne la création du Kominform : le 24 juin, Jdanov a rappelé dans un discours les principes essentiels du marxisme-léninisme applicables à la littérature, à la philosophie et à l'art.
Le 11 août, le peintre Guerassimov a publié, dans la *Pravda*, un article intitulé « Vers l'épanouissement des arts plastiques soviétiques » opposant l'art soviétique au formalisme bourgeois des avant-gardes occidentales, en y incluant Matisse et Picasso. L'article, qui condamne l'École de Paris, fait scandale dans les milieux artistiques français.

1948

Allemagne

La conférence de Londres (20 avr.-1er juin) entre les USA, la Grande-Bretagne et la France élabore le projet d'une réforme monétaire et la mise en place d'une assemblée constituante pour toute l'Allemagne de l'Ouest.
Entre le 23 et le 25 juin, en réplique aux décisions prises à l'Ouest, les autorités soviétiques organisent le blocus de Berlin qui durera jusqu'au 12 mai 1949.
En mai, à Berlin-Est, le premier Congrès culturel du SED décide un programme pour toute l'Allemagne démocratique et défend un travail culturel systématique parmi les masses ouvrières. Il met officiellement l'accent sur un « art fidèle à la réalité et populiste ».
Dans le journal *Tägliche Rundschau* du 19 novembre, l'officier soviétique culturel A. Dymschitz, dans son article « Sur l'orientation formaliste dans la peinture allemande », critique massivement la peinture allemande moderne dans laquelle régnait une tendance formaliste, réactionnaire à ses yeux.
Attaquant l'art et la compréhension de l'art dans la zone d'occupation soviétique, l'article introduit une longue discussion sur le réalisme et le formalisme en art.
À l'Ouest, deux expositions marquent l'année : l'une, sur l'art américain, « Gegenstandslose Malerei in Amerika », organisée par la Fondation Guggenheim à Karlsruhe, du 21 mars au 18 avril (puis montrée à Düsseldorf, Mannheim, Munich, Stuttgart), et l'autre, organisée à Stuttgart, après le IIIe Salon des Réalités nouvelles de Paris (23 juil.), intitulée « Wanderausstellung Französischer abstrakter Malerei ». Elle sera ensuite présentée dans plusieurs autres villes allemandes (Baden-Baden, Cassel, Düsseldorf, Francfort, Hambourg, Hanovre, Munich, Wuppertal).

Belgique

Le premier et unique *Bulletin international du Surréalisme révolutionnaire* paraît en janvier à Bruxelles, avec le compte rendu de la conférence du surréalisme révolutionnaire d'octobre 1947.
La même année, Magritte peint *La Liberté de l'esprit*, qu'il projettera de joindre en 1950 à son texte « Mise au point adressée confidentiellement aux intellectuels communistes ». Dans ce texte, Magritte rapprochera l'esthétique propagandiste du réalisme socialiste des conceptions artistiques de l'Allemagne nazie.

Paez Torres, *Pax-United Nations*, 1948. Premier prix du concours international pour l'affiche de l'ONU. Musée d'Histoire contemporaine, BDIC, Paris. Photo © Jean-Hugues Berrou, musée d'Histoire contemporaine, BDIC, Paris.

Canada

En août, Paul Émile Borduas publie le manifeste « Refus global », contresigné par quinze artistes.
Cette « déclaration révolutionnaire », dont tous les exemplaires sont vendus en six mois, entraîne un débat animé à Montréal, et des réactions défavorables : Borduas est démis de ses fonctions d'enseignant.
Breton, en soutien à Borduas, écrit : « La lecture de ce manifeste m'a pleinement convaincu de l'identité des façons de voir et d'appréhender le monde dans les milieux les plus évolués du Canada comme d'ici. »

Corée

La République de Corée (du Sud) est créée le 19 août à Séoul par

Syngman Rhee, et la République populaire de Corée (du Nord) le 9 septembre, à Pyongyang, par Kim Il-sung. Elle est reconnue par l'URSS et ses alliés. L'Association des artistes de Choson devient l'Association des artistes de la République de Corée (Taehan) ; les artistes communistes sont interdits. Un groupe se forme, Réalité nouvelle, qui s'oppose à toute peinture engagée et figurative.

Espagne

Cuixart, Brossa, Ponç, Puig, Tàpies, Tharrats et Modest créent *Dau al set* [Septième Face du dé], revue d'art et de poésie qui publie des textes critiques et idéologiques, sans dessein politique bien précis, mais avec la volonté de poursuivre la trajectoire avant-gardiste de leurs aînés (Picasso, Miró et Dalí) contre le milieu académique et réactionnaire de l'époque qui préconise un « retour à l'ordre ».

André Fougeron, *Il faut sauver la paix*, 1948. Affiche éditée par le Parti communiste français. Musée d'Histoire contemporaine, BDIC, Paris. Photo © DR.

États-Unis

Voté par le Congrès, le plan Marshall entre en vigueur le 3 avril. Le 21 mars, Truman crée le « Employee Loyalty Program », destiné à vérifier le loyalisme des fonctionnaires. En avril, dix scénaristes et metteurs en scène d'Hollywood sont condamnés pour outrage au Congrès car ils refusent de coopérer pendant une audition devant le House Un-American Activities Committee, destinée à démontrer l'infiltration communiste à Hollywood. Le 17 février, l'Institut d'art moderne de Boston change de nom et devient l'Institut d'art contemporain (ICA), en publiant dans *Artnews* (mars) un manifeste qui justifie ce changement parce que l'art moderne « est trop obscur et trop difficile à comprendre ». Le critique James J. Sweeney réagit en envoyant un télégramme à Picasso pour lui demander son aide. Celui-ci ne donne pas suite. Les artistes organisent un débat, le 5 mai, au MoMA. Il réunit 200 personnes, dont 36 artistes, parmi lesquels, Davis, Gottlieb, Morris, Pollock, et le critique Sweeney. Harry Truman est réélu à la présidence au mois de novembre. Au cours de l'année, Motherwell réalise le dessin à l'encre, *Élégie n° 1*, pour illustrer un poème de Harold Rosenberg « L'Oiseau pour tout oiseau ». Ce dessin sera à l'origine de sa série *Élégies à la République espagnole*.

France

Du 11 février au 7 avril, les surréalistes révolutionnaires (Noël Arnaud, Christian Dotremont, Édouard Jaguer, René Passeron...) organisent cinq conférences à Saint-Germain-des-Prés (Salle de géographie), sur le thème « Qu'est-ce que le surréalisme révolutionnaire : art abstrait ? Surréalisme ? Non-figuration ? ». Les surréalistes, mais aussi les lettristes y assistent pour les perturber. En février, les communistes désavouent l'exposition « Prises de Terre », organisée par les surréalistes révolutionnaires (galerie Breteau), qui présente principalement des œuvres abstraites (Atlan, Hartung, Passeron, Soulages...). En avril, les surréalistes révolutionnaires français dissolvent leur groupe. Du 21 juin au 21 juillet, l'exposition « Manifeste de l'Homme témoin », à la Galerie du Bac, réunit Simone Dat, Michel De Gallard, Bernard Lorjou, André Minaux, Yvonne Mottet, Paul Rebeyrolle, Thompson. Le Manifeste est rédigé par Jean Bouret, critique d'art, et membre du PCF. Le 8 novembre, au café Notre-Dame à Paris, Jorn (Danemark), Dotremont et Noiret (Belgique), Appel, Constant et Corneille (Pays-Bas) fondent le groupe Cobra (Copenhague-Bruxelles-Amsterdam) [l'acronyme Cobra fut inventé le 13 novembre]. Dotremont rédige le manifeste « La cause était entendue ». Au Salon d'automne (24 sept.-1er nov.), les tendances réalistes sont largement représentées : Fougeron montre *Parisiennes au marché*, et Taslitzky *Les Délégués*. Fougeron devient le symbole du réalisme socialiste à la française. En octobre, son affiche contre la bombe atomique, publiée par le PCF, provoque un scandale. Fougeron se justifie le 15 novembre, dans « Le peintre à son créneau », publié dans *La Nouvelle Critique*, déclarant puiser son inspiration dans le peuple. Le 12 décembre, André Houllier, un militant communiste, est tué par la police alors qu'il collait un tract reproduisant l'affiche contre la bombe de Fougeron. Le peintre lui rend hommage le 14, dans *Les Lettres françaises*. En réaction aux prises de position esthétiques du parti, Herbin rédige le « Premier manifeste du Salon des Réalités nouvelles ». Il y dénonce le réalisme socialiste protégé par le parti communiste dont il était membre depuis le Congrès de Tours, en 1920. En décembre, il peint *Lénine-Staline*, toile abstraite, qui applique les principes de son alphabet plastique à un sujet politique. Le 19 novembre, un jeune Américain Garry Davis tente d'interrompre une assemblée générale de l'ONU à Paris pour demander la création d'un gouvernement mondial. Présents dans l'assistance, Breton, Camus, Mounier, Paulhan, Peret, manifestent en sa faveur. Le 13 décembre, Breton participe, aux côtés de Camus, Carlo Levi, Richard Wright, au meeting du « Rassemblement démocratique révolutionnaire », mouvement créé par David Rousset et Jean-Paul Sartre pour impulser la création d'une Europe socialiste, neutre, et indépendante des deux blocs.

Israël

Le 14 mai, l'indépendance d'Israël est proclamée à Tel-Aviv par David Ben Gourion. La guerre avec les États arabes voisins entraîne l'émigration des Palestiniens. En octobre, un cessez-le-feu est ordonné par l'ONU.

Italie

Achèvement du monument réalisé sur le lieu du massacre des Fosses Ardeatines, perpétré le 23 mars 1944 par les Allemands contre 335 otages italiens. Pour le monument, Mirko réalise, entre 1949 et 1951, trois grilles en bronze. Le 1er mars, lors du VIe Congrès national du PCI, la direction adopte la résolution « Per la salvezza della cultura italiana », qui vise à créer une opposition à l'influence de l'impérialisme américain et de l'Église catholique dans la culture italienne. Le deuxième manifeste des spatialistes, signé le 18 mars, à Milan, par Dova, Fontana, Kaisserlian, Joppolo, Milani, Tullier, affirme : « avec les ressources de la technique moderne, nous ferons apparaître dans le ciel : des formes artificielles, des arcs-en-ciel de merveille, des graphismes lumineux. Nous transmettrons par la radio-télévision des expressions artistiques d'un genre nouveau ». En avril, premières élections de la République italienne. À Paris, Piero Dorazio peint *Petit Poème socialiste*, une œuvre abstraite inspirée par son idéal politique. Dans une lettre titrée « La pittura e la scultura nell'Occidente borghese », publiée le 20 mars par *Rassegna della Stampa Sovietica*, le critique soviétique Kemenov présente le modèle du réalisme socialiste soviétique et critique l'évolution de l'art en Occident. Il attaque notamment Picasso, principal responsable de la corruption de la peinture contemporaine. La Biennale de Venise (6 juin-6 oct.) consacre deux salles au Fronte Nuovo delle Arti. Le groupe (sauf Franchina) expose ensuite avec d'autres

Fondation de l'État d'Israël. Créaton d'un kibboutz. Photo © Robert Capa, Magnum Photos.

1949

artistes (Afro, Cagli, Cassinari, Mirko, Treccani...) à la « Prima Mostre Nazionale d'Arte Contemporanea », à Bologne (Palazzo Re Enzo, 17 oct.-5 nov.).
Le numéro de novembre de la revue communiste *Rinascita* publie un article anonyme (généralement attribué à Togliatti), très critique sur les œuvres exposées.
En décembre, dans la même revue, une lettre ouverte signée par un groupe d'artistes communistes (Consagra, Franchina, Guttuso, Leonardi (Leoncillo), Mafai, Maugeri, Mazzullo, Mirabella, Bracaglia Morante, Natili, Parisi, Penelope, Ricci, Turcato) s'exprime contre l'abstraction formaliste et « un art sans contenu », mais défend le renouvellement formel de l'expression artistique.

Pays-Bas

Le 16 juillet, Appel, Constant, Corneille, Jan Nieuwenhuys, Rooskens, Wolvekamp et Hansma fondent l'Experimentele groep. En septembre, ils publient le premier numéro de leur revue *Reflex*. Le manifeste, écrit par Constant, y est reproduit : « l'art sera populaire », c'est-à-dire « expression directe, vitale, collective », en dehors des catégories traditionnelles du beau et du laid.
Au même moment, Appel peint le mural *Vragende kinderen* [Enfants interrogateurs] pour le restaurant de l'Hôtel de ville d'Amsterdam. Œuvre violente inspirée par les enfants faméliques rencontrés dans l'Allemagne vaincue, elle sera recouverte en 1949 par décision du conseil municipal.

Pologne

Le 19 avril est inauguré le monument en l'honneur du soulèvement du ghetto de Varsovie, dû à Nathan Rappoport.
Du 25 au 28 août, le premier Congrès mondial des intellectuels pour la paix est organisé à Wroclaw.
Guttuso est élu membre du Conseil mondial de la paix. La délégation française comprend notamment Picasso, Léger, Eluard, Césaire, Seghers, Vailland, Casanova, Daix, Joliot-Curie. Le Mouvement des intellectuels pour la paix, dirigé par Frédéric Joliot-Curie, est issu de ce congrès.
En décembre, l'exposition de l'art moderne organisée par le Club des artistes à Cracovie présente un vaste panorama des tendances polonaises incluant des œuvres de T. Kantor, A. Wroblewski, A. Szapocznikow...
Du 15 au 21 décembre, fondation du Parti ouvrier polonais (PZPR) réunissant communistes et socialistes sous la domination des premiers.

Roumanie

En février, la Roumanie s'aligne sur l'URSS, par un traité d'amitié et d'assistance mutuelle.
En avril, la République populaire roumaine est proclamée.
Les surréalistes sont interdits d'activité, et le réalisme socialiste est imposé.

Tchécoslovaquie

Le 25 février, le président E. Benes doit accepter, sous la pression des milices communistes, la formation d'un gouvernement quasi exclusivement communiste dirigé par K. Gottwald. Après la démission de Benes, le 7 juin, Gottwald devient président de la République démocratique tchécoslovaque. C'est le « coup de Prague ».

URSS

Le 10 février, un décret du Comité central condamne *La Grande Amitié,* un opéra de Mouradeli. Le décret dépasse le cadre de la musique, et concerne l'art en général : « L'échec de l'opéra de Mouradeli n'est pas un cas particulier, il est étroitement lié [...] à la propagation [...] du formalisme. Cette mouvance formaliste, antipopulaire, touche l'œuvre des compositeurs Chostakovitch, Prokofiev, Khatchatourian, Chebaline, Popov, Miaskovski. »
Le contrôle idéologique s'étend aux sciences : en août, les thèses du biologiste Lyssenko sur l'hérédité des caractères acquis sont approuvées par l'Académie des sciences de l'URSS ; elles justifient la théorie stalinienne de l'« Homme nouveau » soviétique.

Yougoslavie

Accusée de « révisionnisme », de « déviationnisme » et d'« antisoviétisme » par le PC soviétique, la Yougoslavie de Tito est exclue du Kominform le 28 juin. Le boycott économique et politique par l'Union soviétique entraîne la rupture entre les deux pays. Le réalisme socialiste reste, toutefois, la doctrine officielle.

Allemagne

RDA

Le 7 octobre, fondation de la République démocratique allemande (RDA) : le SED devient le parti dirigeant d'un État marxiste-léniniste.
La IIe exposition d'art allemand qui se tient à Dresde (fin août-début sept.) réunissant des œuvres du réalisme socialiste, du réalisme expressif et d'artistes d'Allemagne de l'Ouest et de l'Est est jugée sévèrement par la critique officielle à cause du manque de représentation de l'« Homme nouveau », et par le parti qui reproche aux douze peintures murales commandées pour l'exposition leur décadence formaliste.

RFA

La loi fondamentale de la République fédérale allemande (RFA) est adoptée le 8 mai.
Le 12 septembre, Theodor Heuss devient président. Le 15, Konrad Adenauer est élu chancelier.
En avril, fondation, à Munich, du groupe Zen 49 qui rassemble Willi Baumeister, Julius Bissier, Rolf Cavael, Gerhard Fietz, Ernst Geitlinger, Emil Schumacher, K. R. H. Sonderborg, Fred Thieler, Conrad Westphal, Fritz Winter. Le groupe s'inscrit entièrement dans une perspective abstraite.

Belgique

Du 19 au 27 mars se tient, à Bruxelles, l'Exposition internationale réunissant les artistes proches de Cobra (Alfelt, Appel, Bille, Bury, Constant, Corneille, Dotremont, Doucet, Gilbert, Istler, Jacobsen, Jorn, Noiret, Pedersen...). À l'occasion de l'exposition est publié le numéro 2 de *Cobra ;* il contient le texte de Jorn « Les formes conçues comme langage », dans lequel il propose, contre le réalisme socialiste, « le vrai réalisme, le réalisme matérialiste [qui] est dans la recherche et l'expression des formes fidèles au contenu ».

Le 22 octobre, dans une lettre à Achille Chavée, Dotremont annonce sa rupture définitive avec le parti communiste.

Chine

Après la chute de Pékin en janvier, de Shanghai en mai, la République populaire de Chine est proclamée le 1er octobre.
Un gouvernement central a été désigné par la Conférence consultative populaire, avec Mao Zedong comme président.
En décembre, les nationalistes se replient sur Taiwan avec Tchang Kaï-chek.
Une nouvelle politique culturelle est édictée : les arts doivent servir le peuple, inspirer son éclaircissement politique et encourager son enthousiasme pour le travail. L'Association des artistes chinois (ACC), créée sous la direction du Département de propagande du parti communiste, est chargée

Proclamation de la République populaire de Chine. Fête célébrant l'entrée solennelle de l'armée à Shanghai le 1er août 1949. Photo © Henri Cartier-Bresson, Magnum Photos.

d'exécuter les politiques des arts plastiques du parti. Ce regroupement professionnel a une double fonction, syndicale et politique.
Un mouvement de « refonte idéologique » oblige les intellectuels à apprendre le marxisme et l'histoire du mouvement révolutionnaire, et à entrer en contact avec les ouvriers et les paysans.

Pablo Picasso, *Congrès mondial des partisans de la paix*, 1949. Affiche. Musée d'Histoire contemporaine, BDIC, Paris. Photo © musée d'Histoire contemporaine, BDIC, Paris.

États-Unis

Le 4 avril, à Washington, le Pacte atlantique est signé entre les représentants des USA et ceux de douze pays européens. Il prévoit une défense commune en cas d'agression contre un des signataires.
Le 16 août, le représentant républicain du Michigan George Dondero commence sa campagne contre l'art moderne. Il prononce un discours à la Chambre des députés intitulé « L'assujettissement de l'art moderne au communisme », où il déclare : « Le cubisme vise à détruire par un désordre étudié ; le futurisme vise à détruire par le mythe de la machine ; le dadaïsme vise à détruire par le ridicule ; l'expressionnisme vise à détruire en singeant le primitif et le fou ; l'abstraction vise à détruire en bouleversant l'esprit ; le surréalisme vise à détruire en niant la raison. »

France

Le 24 janvier, la première audience du procès entre Kravtchenko et *Les Lettres françaises* commence. Qualifié de faussaire par la revue, pour avoir révélé au grand public l'existence des camps soviétiques dans son livre *J'ai choisi la liberté* publié en 1948, Kravtchenko avait déposé plainte pour diffamation. Le procès est l'occasion de violentes polémiques entre témoins des camps et dirigeants communistes.
Du 20 au 25 avril, le Congrès mondial des partisans de la paix se tient à Paris, salle Pleyel. Aragon en a choisi l'emblème : *La Colombe* de Picasso. À cette occasion, les surréalistes révolutionnaires belges publient le tract « La Colombe de Picasso », s'élevant contre le réalisme socialiste sur lequel s'alignent les dirigeants communistes belges.
Le 16 mai, à la suite de la polémique sur son affiche de 1948 contre la bombe atomique, Fougeron est accusé de participer à une entreprise de démoralisation de l'armée et de la nation.
Du 30 septembre au 6 octobre, le Salon d'automne (salle 1) présente l'*Hommage à André Houllier* de Fougeron, *Le Four électrique dans une usine de locomotive* de Taslitzky, *Les Mariniers* de Singer, *Les Partisans de la paix* d'Auricoste... Pignon, en y exposant *Ostende* (et sa série des *Mineurs* en mars, à la Galerie de France), maintient ses distances avec le réalisme socialiste. Le Salon d'automne suscite une fois de plus des débats dans la presse : tandis que, pour Taslitzky et Fougeron, « c'est le parti qui a su indiquer aux artistes les seules voies du renouvellement possible de la peinture » (Taslitzky, dans *Franc-Tireur,* oct.), pour Julien Alvard (dans *Arts d'aujourd'hui*) et Christian Zervos (dans *Cahiers d'art*), la doctrine du réalisme socialiste imposée par le PCF à ses artistes les conduit à la totale insignifiance. Parmi les artistes proches du PCF, la défense ouverte de l'abstraction comme seul art révolutionnaire reste marginale avec Herbin, Dewasne, Atlan.
Le 20 décembre, le PCF fête à la Mutualité le 70e anniversaire de Staline. À cette occasion, un dessin de Picasso, *Staline, à ta santé,* est publié dans *Les Lettres françaises,* et Staline reçoit en cadeau l'*Hommage à André Houllier,* de Fougeron et *Police chargeant les travailleurs de Renault,* de Taslitzky.
Après un voyage en Yougoslavie, Jean Cassou publie dans *Esprit* (déc.) « La Révolution et la vérité », avec un article de Vercors, « Réponses », sous un titre général donné par Emmanuel Mounier : « Il ne faut pas tromper le peuple. »
Georges Mathieu commence à utiliser des références historiques pour les titres de ses œuvres abstraites. Les titres de ses tableaux commémorent les grands moments de l'histoire de la monarchie française. À partir de 1952, ses œuvres atteignent des formats monumentaux.

Victor Kravtchenko, auteur de *J'ai choisi la liberté,* lors de son procès à Paris. Photo © Keystone.

Hongrie

En février, le prince-primat Joszsef Mindszenty, accusé d'hostilité envers le régime de démocratie populaire, est condamné à la prison à perpétuité.
En septembre, sur la base de chefs d'accusation inventés de toutes pièces (espionnage, trotskisme et titisme), Laszlo Rajk et d'autres dirigeants communistes sont jugés et condamnés à mort.

Italie

Alberto Burri réalise *SZ1,* la première de ses œuvres où apparaît un sac en toile provenant de l'aide américaine d'après-guerre destinée à l'Europe.
La « III Mostra annuale dell'Art Club » (5 mars-5 avr., Rome, Galleria Nazionale d'Arte Moderna) présente les artistes de Forma 1 et d'autres abstraits (Burri, Capogrossi, Mirko, Rotella, Savelli...). Dans son article « La mostra dell'Art Club » (*l'Unità,* 30 mars), Maltese, devenu le critique d'art du quotidien du PCI, exprime sur l'art abstrait une position bien plus rigide qu'auparavant. Il termine en tirant la morale de l'exposition : « Il y a eu un moment où il était possible d'ouvrir un large crédit, de regarder avec sympathie les "expériences" et les tentatives. Aujourd'hui les choses ont profondément changé [...] Que personne ne s'étonne si la manière de juger ces "essais" deviendra dorénavant plus dure. »
Au cours des grandes grèves des journaliers, plusieurs artistes liés au PCI sont envoyés travailler parmi les grévistes (Attardi, Leoncillo, Turcato...).
Le 11 juin, à Rome, à la Casa della Cultura, ouverture de l'exposition « I pittori e l'Agro », dessins exécutés dans les campagnes par de nombreux artistes qui ont ainsi exprimé leur solidarité avec les journaliers de Santo Stefano del Cacco. Des prix pour les meilleurs dessins sont offerts par *l'Unità* et par la Chambre du Travail.
Le 13 juillet, le Vatican frappe d'excommunication tous ceux qui collaborent avec les communistes.
À son VIIe congrès (12 août), le PCI adopte la résolution « Contro l'oscurantismo imperialista e clericale », qui poursuit les buts d'une résolution précédente [voir 1948] en précisant l'organisation du parti dans les domaines culturels.

Japon

En février, au Musée de la ville de Tokyo, l'exposition « Nihon Independants », organisée par le journal *Yomiuri,* témoigne du mécénat des grands journaux japonais qui participent à la renaissance de la scène artistique japonaise d'après-guerre.

Pays-Bas

Du 3 au 28 novembre, au Stedelijk Museum d'Amsterdam, l'Exposition internationale d'art expérimental reçoit les membres du groupe expérimental (Appel, Constant, Corneille), mais aussi Alechinsky, Alfelt, Atlan, Bille, Doucet, Gear, Gilbert, Götz, Heerup, Istler, Jorn, Kemeny, Ortvad, Pedersen, Tajiri...
À l'occasion de l'exposition, se tient le IIe Congrès international de Cobra auquel sont associés les artistes anglais, suédois, allemands de l'exposition.
La dénomination « Internationale des artistes expérimentaux » est alors créée. Le numéro 4 de *Cobra* contient le manifeste de Constant : « C'est notre désir qui fait la révolution. »

Pologne

En mars, à Poznan, a lieu la première exposition du groupe 4 F+R (Forma-Farba-Fantastyka-Faktura+Realism) avec la participation d'artistes se réclamant du cubisme et du surréalisme (Houwalt, Lenica, Nowowiejski, Wieczorek...). De 1950 à 1955, le groupe 4 F+R ne pourra exposer car, à partir de 1949, le réalisme socialiste devient la doctrine officielle du ministère de la Culture.

Tchécoslovaquie

Sur l'invitation de Cobra, le groupe Ra participe à l'Exposition internationale d'art expérimental d'Amsterdam (3-28 nov.). L'Union des artistes, organe officiel du ministère de la Culture, surveille l'application de la doctrine du réalisme socialiste. Les différents groupes artistiques sont alors dissous. Arrêt de la publication de la revue de l'association Manes *Volne Smery* [Tendances libres].

URSS

Le 21 janvier, à Moscou, création du Conseil d'assistance économique mutuelle (Comecon) entre l'URSS et les pays d'Europe de l'Est (Bulgarie, Hongrie, Pologne, Roumanie, Tchécoslovaquie). Le 14 juillet, l'URSS procède à son premier essai d'explosion atomique. Après les expositions artistiques de la fin des années 1940 et les décrets de 1946 et 1948, le magazine *Iskousstvo* renforce la lutte contre le « formalisme, naturalisme et primitivisme » dans l'art soviétique. Certaines œuvres de Guerassimov, Sarian, Osmerkine, Fonvisine sont jugées trop proches des impressionnistes et de Cézanne; celles de Deïneka, Goudiachvili, Vasnetsov, du primitivisme et de la stylisation. Le tableau de Deïneka, *Le Retour,* est défini comme « vicieux et faux ». Plusieurs peintres sont ainsi exclus de l'Union des artistes, comme Klimente Redko qui travailla, dans les années 1927-1935, en France, accusé d'être un « peintre marqué par l'influence occidentale ». Qualifié d'« ennemi du peuple », N. Pounine, historien de l'art et professeur à l'université de Leningrad, est arrêté et envoyé dans un camp à Komi, où il meurt en 1953.

Yougoslavie

Au cours de l'année, l'URSS et les autres pays du bloc socialiste rompent les uns après les autres toute relation d'amitié et d'assistance avec la Yougoslavie. Des procès sont engagés dans tous les pays d'Europe centrale et orientale contre les communistes accusés de partager les idées de Tito – en Albanie (Dodze), en Hongrie (Rajk), en Bulgarie (Kostov) –, et se terminent par des condamnations à mort. Devant la gravité de la situation économique, Tito fait appel à l'aide occidentale et obtient un prêt des États-Unis.

L'URSS en construction, novembre 1949. Montage de la carcasse métallique d'un immeuble place de Smolensk, à Moscou. Collection particulière. Photo © Centre Georges Pompidou.

Allemagne

RDA

Le IIIe congrès du SED aligne l'organisation du parti sur le modèle soviétique et Walter Ulbricht est nommé secrétaire général. Avec pour thème culturel « Le renouvellement démocratique de la culture allemande », l'art et la littérature deviennent des secteurs de combat dans les démêlés avec la décadence occidentale. La peinture murale de Horst Strempel, *Trümmer weg, baut auf !,* située dans la gare Friedrichstrasse à Berlin, est badigeonnée par le SED. Le Verband Bildender Künstler Deutschlands (VBKD) [Union des artistes plasticiens d'Allemagne] est créé le 16 juin.

RFA

Le 10 juin, le Parlement approuve l'entrée de la RFA au Conseil de l'Europe. En été, le premier colloque de Darmstadt sur le thème de « La lutte pour le moderne » voit s'opposer Hans Sedlmayr (tenant d'un art figuratif) à Willi Baumeister au nom de la défense de l'art abstrait. Itten, Hartlaub, Roh et Adorno participent au colloque.

Autriche

Au début des années 50, un art informel autrichien se forme autour d'Arnulf Rainer, Oswald Oberhuber et Maria Lassnig. Alfred Hrlidcka peint son tableau *La Guerre en Extrême-Orient,* dans lequel il attaque l'indifférence des Autrichiens à la guerre de Corée qui a débuté le 25 juin.

Belgique

Dotremont publie « Le Réalisme socialiste contre la révolution » (*Cobra,* juin). Dans un tract publié la même année, « Cobra pour le contact », Dotremont constatera : « La peinture pratiquement n'existe plus : elle disparaît derrière ses classifications. Cette peinture, dit-on à gauche, est abstraite donc bourgeoise; réaliste donc progressiste; surréaliste donc réactionnaire. Aux yeux de la gauche, si je puis ainsi m'exprimer, il suffit de peindre comme au XIXe siècle pour appartenir à l'avant-garde; et il suffit de chercher la peinture du XXe siècle pour être agent de Wall Street. L'expérimentation dans ces conditions a un rôle historique à remplir : déjouer les préjugés, développer les sensibilités, déboutonner les uniformes de la peur. »

Brésil

Création du Clube de Gravura de Porto Alegre, bastion du réalisme social et militant, par les peintres Carlos Scliar et Vasco Prado.

Chine

Le 14 février, la Chine signe le traité d'amitié, d'alliance et d'assistance mutuelle sino-soviétique. L'arrivée de spécialistes culturels russes et est-européens contribue à l'introduction du réalisme socialiste à la soviétique.

Corée

Le 25 juin, les troupes de Corée-du-Nord, bientôt aidées par les troupes chinoises, pénètrent par surprise en Corée-du-Sud et prennent Séoul. C'est le début de la guerre de Corée. Quelques jours plus tard, le président Truman engage l'armée américaine en Corée-du-Sud aux côtés des troupes de l'ONU.

Danemark

En juin, à quelques jours du déclenchement du conflit coréen, Jorn présente à Copenhague un ensemble de peintures qu'il intitule *Visions de guerre*. Parmi ces œuvres, plusieurs font allusion

Guerre de Corée. Camp de prisonniers pour les Nord-Coréens. *ca* 1950. Photo © Werner Bischof, Magnum Photos.

à la puissance jugée maléfique de l'Amérique *(Le Droit de l'aigle, Le Pacte des Prédateurs)*. Quelques mois plus tard, du 16 au 27 septembre, dans son exposition personnelle à la galerie Birch, Jorn montrera un ensemble de « peintures historiques » faisant référence à des événements réels ou fictifs de l'histoire danoise. Faisant partie de ce groupe, *L'Entrée de Churchill à Copenhague* ne sera exposée que deux ans plus tard.

Espagne

La résolution de l'ONU de 1946, condamnant le régime espagnol, est levée. Les premiers crédits américains sont débloqués.
En février, le Salón de los Onze d'Eugeni d'Ors réunit Cuixart, Dalí, Miró, Oteiza, Bohigas i Padrós, Ponç, Tàpies, Torres-García, Zabaleta, Zanini.

Commission McCarthy. Photo © Eve Arnold, Magnum Photos.

États-Unis

Dans son discours du 9 février, le sénateur McCarthy accuse le Département d'État d'être infiltré par les communistes. La chasse aux sorcières commence et la loi Mac Carran-Nixon décrète l'enregistrement de toutes les organisations communistes. C'est le début du « maccarthysme ». Le 12 mai, le secrétaire général du parti communiste est incarcéré.
Au cours du même mois, les principaux peintres classés dans le courant expressionniste abstrait (Pollock, Motherwell, Still, Newman, Rothko, Gottlieb, Baziotes...) signent une lettre ouverte contre le directeur du Metropolitan Museum de New York qui a organisé le concours préalable à l'exposition « American Painting Today ».
Ce concours ne s'explique, selon les artistes, que par l'hostilité du directeur à l'art moderne. Le *New York Times* leur consacre sa une et ils sont photographiés par *Life*, sous l'appellation : « Les Irascibles ».

France

En janvier, Fougeron, à la demande du syndicat CGT des mineurs du Nord et du Pas-de-Calais, s'installe à Lens. Il réalise une série d'œuvres sur le thème des mineurs.
Le même mois, le premier Salon des jeunes peintres se tient à la galerie des Beaux-Arts (Buffet, Minaux, Rebeyrolle, Singer...). L'attribution du prix à Rebeyrolle provoque, le 18 mai, une controverse dont la presse se fait l'écho, et la démission d'une partie du jury; *La Femme aux gants* est jugée réaliste socialiste par les partisans de l'art abstrait.
Du 15 au 24 avril, à l'occasion du 50e anniversaire de Maurice Thorez, une exposition est organisée à la Maison des Métallurgistes (Paris). Fougeron y expose *La Matinée du Premier Mai;* Taslitzky, *La Mort de Danielle Casanova;* Picasso, *Portrait de Maurice Thorez;* et Pignon, *Les Paysans de Sanary*.
Au cours de l'été, Picasso (qui a participé en mars au Congrès des partisans de la paix à Stockholm) se voit offrir, par la ville de Vallauris, une ancienne chapelle désaffectée afin qu'il puisse y peindre sur le thème de « La Guerre et la Paix », lié au conflit de Corée. En remerciement, Picasso offre à Vallauris sa sculpture, *L'Homme au mouton*. Son installation sur la grand-place de la ville, le 6 août, est l'occasion d'un discours du dirigeant communiste Laurent Casanova en présence de Paul Eluard. L'année se conclut par une exposition-hommage à Picasso à la Maison de la Pensée française à Paris.
Le 4 août, consécration de l'église Notre-Dame-de-Toute-Grâce, située sur le plateau d'Assy, en Haute-Savoie. Construite par l'architecte Maurice Novarina, elle marque le renouveau de l'art sacré d'après-guerre. Avec une originalité : les artistes sollicités ne sont pas forcément chrétiens. Léger et Lurçat sont même communistes. Germaine Richier est catholique, mais son *Christ* est dénoncé par des intégristes d'Angers et déplacé par l'évêque d'Annecy.
La tendance réaliste socialiste se poursuit au Salon d'automne, avec, entre autres, Taslitzky, Fougeron, Singer...
En septembre, Jean-Paul David fonde le mouvement Paix et Liberté afin de combattre le Mouvement de la paix sous influence communiste.
En décembre, Bernard Lorjou présente au Salon des Tuileries une immense peinture intitulée *L'Âge atomique*.

Grande-Bretagne

Clement Attlee, Premier ministre, dénonce l'International Peace Congress, qui doit se dérouler en novembre à Sheffield, comme « A Great Red Peace Lie ». La plupart de ses délégués, Aragon, Chostakovitch, Guttuso, Neruda, se voient interdire l'entrée dans le pays. La présence de Picasso, sur le sol britannique, est tolérée après un long questionnaire, mais le congrès est remis.

La colombe qui fait BOUM, 1950. Affiche éditée par le mouvement Paix et Liberté en réponse à la colombe de Picasso. Photo © Musée d'Histoire contemporaine, BDIC, Paris.

Italie

Dissolution, le 3 mars, à Venise, du Fronte Nuovo delle Arti, après les différends qui opposent les artistes de la tendance abstraite-concrète, soutenant l'autonomie de la création artistique, et les artistes de la tendance réaliste, alignés sur la politique culturelle du parti communiste.
En juin, Dorazio, Guerrini et Perrilli, membres de Forma 1, ouvrent la librairie-galerie « L'Âge d'Or », à Rome. Leur position politique trotskiste, d'influence surréaliste, contraste avec celle de Consagra et Turcato qui préfèrent lutter en faveur d'une nouvelle politique culturelle au sein du parti communiste.
Du 8 juin au 15 octobre, se tient, à Venise, la XXVe Biennale. Guttuso y expose *Occupazione delle terre incolte in Sicilia* (1949-1950), Vedova, *Campo di concentramento* (1950), *Europa '50* (1949-1950), *Trittico della libertà* (1950), et Turcato, *Comizio* (1950), faisant partie de la série consacrée aux « meetings politiques ». Orozco, Siqueiros, Rivera et Tamayo, de leur côté, représentent le Mexique.

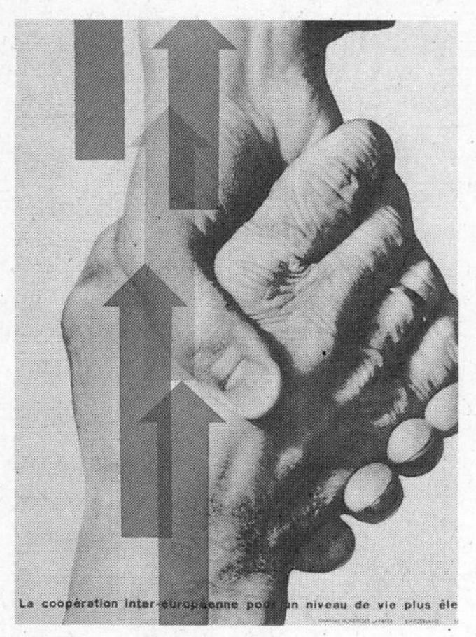

Honegger-Lavater, *La Coopération intereuropéenne pour un niveau de vie plus élevé*, 1950. Affiche. Musée d'Histoire contemporaine, BDIC, Paris. Photo © DR.

Japon

Avec le début de la guerre de Corée, le Japon devient, en septembre, une base arrière de l'armée américaine, d'où un brusque revirement de la politique des autorités d'occupation ; une « chasse aux sorcières » est déclenchée contre les cadres du parti communiste, lequel commence à envoyer (à l'instar des partis communistes français et italien) des brigades de « peintres-reporters » dans les usines et les campagnes.

Pologne

En novembre, à Varsovie, se tient le IIIe Congrès des partisans de la paix. Picasso et Neruda reçoivent le prix Lénine de la paix.

Suède

Le 19 mars, le Congrès des partisans de la paix réuni à Stockholm, en présence de Picasso, se prononce en faveur de « l'interdiction absolue de l'arme atomique ». L'appel de Stockholm, impulsé par les partis communistes dans le monde entier, recueillera des millions de signatures.

Yougoslavie

Le 30 mai, une loi sur les conseils ouvriers dans les entreprises inaugure l'application du principe de l'« autogestion » dans le système économique yougoslave. Pour la première fois depuis la guerre, des artistes yougoslaves participent à la Biennale de Venise.

Allemagne

RDA

En mars, lors du congrès du Comité central du SED, la lutte contre le formalisme est officialisée par la résolution « La lutte contre le formalisme dans l'art et la littérature – pour une culture allemande progressiste ». Pour contrôler le travail créatif des artistes et appliquer les directives du SED dans le domaine de la culture, le gouvernement de la RDA met en place, le 31 août, une Commission nationale des affaires artistiques.

RFA

En mars, le Conseil des ministres de l'Europe décide d'admettre la République fédérale allemande comme membre de plein droit du Conseil de l'Europe. En juin, elle est admise à l'Unesco et, en septembre, à l'Organisation de défense atlantique.
Dans le cadre des « Berliner Festwochen », au cours de l'été, se tient, au château de Charlottenburg, l'exposition « Amerikanische Kunst der Jahre 1720 bis heute », avec, entre autres, Baziotes, Motherwell, O'Keefe, Pollock, Rothko, Tobey. Il s'agit de la première grande rétrospective consacrée à l'art américain en Allemagne.

Belgique

La IIe Exposition internationale d'art expérimental proposée par Cobra se tient à Liège (palais des Beaux-Arts du parc de la Boverie, 6 oct.-6 nov.), avec, entre autres, Alechinsky, Appel, Atlan, Bazaine, Bury, Constant (qui présente des œuvres de sa série *La Guerre*), Corneille, Doucet, Étienne-Martin, Giacometti, Götz, Jorn, Lam, Pedersen, Miró, Trökes, Ubac.
En octobre paraît le dernier numéro (n° 10) de la revue *Cobra*.

Brésil

À l'initiative de Francisco Matarazzo Sorinho, création de la première Biennale de São Paulo.

Corée

La guerre se prolonge dans l'ensemble du pays entre les troupes américaines (alliées à celles de l'ONU) et les troupes sino-coréennes. En novembre, un front s'établit le long du 38e parallèle. Un cessez-le-feu est effectif en novembre.
L'Association des artistes de la République de Corée organise l'exposition « L'Art en temps de guerre ».

Espagne

L'Institut de culture hispanique organise, au Palais des expositions de Madrid, la Ire Biennale hispano-américaine d'art. Inaugurée par Franco, elle réunit presque tous les artistes d'avant-garde dans une exposition officielle. La présence de jeunes artistes abstraits soulève des polémiques dans la presse.
À Paris, les artistes exilés organisent une contre-biennale.

États-Unis

En mars s'ouvre le procès des époux Rosenberg. Le 6 avril, ils sont déclarés coupables et condamnés à la peine capitale pour espionnage nucléaire. Ils seront exécutés en 1953.
Au cours de l'année, Arthur Schlesinger Jr. (auteur, en 1950, de *Politics of Freedom*, qui considérait bolchevisme et nazisme comme des idéologies totalitaires jumelles), James Burnham, James Farrel et Sydney Hook créent l'American Committee for Cultural Freedom, branche nationale du Congrès international pour la liberté de la culture réuni à Berlin en 1950.

Fernand Léger dans son atelier, avec *Les Constructeurs*, Paris, 1951. Photo © Willy Maywald.

Ce comité s'engage à signaler les sympathisants communistes dans la presse anglo-saxonne. Les deux cibles sont la revue américaine *The Nation,* et la revue britannique *The New Statesman*. Clement Greenberg s'associe à la campagne en dénonçant comme agent soviétique un des collaborateurs de la revue *The Nation,* Alvarez de Vayo, ancien ministre des Affaires étrangères de la République espagnole.

France

Fougeron expose du 13 au 26 janvier, à la galerie Berheim-Jeune. L'exposition « Le pays des mines – Contribution à l'élaboration d'un nouveau réalisme français » partira ensuite en itinérance en pays minier.
La Fédération des mineurs achète le *Portrait d'Henri Martin,* de Taslizky.
Le premier Salon des peintres témoins de leur temps (après scission avec le Salon de la jeune peinture) se tient du 2 février au 4 mars. Sur le thème du travail, il présente des œuvres de Fougeron, Buffet, Lorjou, Léger...
De février à mars, la première exposition d'ensemble de Cobra, à Paris, est organisée par Dotremont et Michel Ragon à la Librairie 73.
À la suite de l'exposition de *Massacre en Corée,* au Salon de mai, Picasso est défendu, le 17 mai, par Jean Marcenac dans *Les Lettres françaises*. Picasso est également célébré dans *Les Lettres françaises* du 25 octobre, qui consacre sa une aux soixante-dix ans de l'artiste.
En juin, la revue *Arts de France* annonce, avec son 35e numéro, sa disparition. Une rétrospective Fernand Léger est organisée à la Maison de la Pensée française (12 juin-7 oct.). Il y expose *Les Constructeurs.*
En octobre, à partir de la volonté de synthèse des arts dans l'architecture et l'urbanisme, Beothy, Dewasne, Gorin, Jacobsen, Lardera, Del Marle, Prouvé, Vasarely, entre autres, fondent le groupe Espace, sous la présidence d'André Bloc. Le manifeste préconise : « Un art constructif qui, par d'effectives réalisations, participe à une action directe avec la communauté humaine. » C'est la même année que Dewasne peint *L'Apothéose de Marat,* gigantesque peinture (200 x 900 cm) en hommage à l'écrivain révolutionnaire.
Le 7 novembre, lors du Salon d'automne (6-25 nov.), sept toiles sont décrochées par la police, accusées de « porter atteinte au sentiment national » : *Les Dockers* de Bauquier (l'un des bateaux représentés porte l'inscription « Pas un bateau pour l'Indochine »), *Manifestation* de Berbérian, *Maurice Thorez va bien* de Milhau, *Le Défilé du Premier Mai* de Marie-Anne Lansiaux, *Le 10 février à Nice* de Singer, *Riposte (Port-de-Bouc 1949)* de Taslitzky, montrant des CRS lâchant des chiens sur des dockers en grève, et (sous le pseudonyme stendhalien de Julien Sorel) *Portrait d'Henri Martin*. Selon Jean Guichard-Meili, dans *Témoignage chrétien,* le réalisme socialiste devient un « Saint-Sulpice pour militants ». Aragon proteste contre ce décrochage, et publie dans *Les Lettres françaises* (15 nov.) un article intitulé « Au Salon d'automne. Peindre a cessé d'être un jeu. L'Art et le Sentiment national ».
Le groupe surréaliste publie le 16 novembre, dans le journal anarchiste *Le Libertaire,* « Ce que pensent, ce que veulent les surréalistes... », un récapitulatif de tous leurs principes.
La participation régulière des surréalistes au *Libertaire* marquera cette période jusqu'en 1952.
Pendant l'année, Albert Camus publie *L'Homme révolté* (« Bien que cela heurte les préjugés du temps, le plus grand style en art est l'expression de la plus haute révolte »).

Grande-Bretagne

Création d'Artists for Peace, réunissant des artistes de tendances diverses, prêts à donner leur nom et leur travail pour servir la cause de la paix. Cette organisation apparaît comme une plateforme naturelle pour faire passer le message réaliste.

Italie

Le 18 janvier, à l'occasion de la visite du général Eisenhower à Rome, le vernissage de la 2e exposition « L'Arte contro la barbarie » (Galleria di Roma, 18 janv.-2 févr.) est interdit par la police sous un prétexte administratif. L'exposition, qui visait à manifester une opposition à la présence en Italie d'Eisenhower et à la guerre de Corée, présentait Attardi, Capogrossi, Corpora, Guttuso, Leoncillo, Mafai, Mazzacurati, Pizzinato, Turcato, Vedova...

En novembre, la première exposition de peinture « nucléaire » de Baj et Dangelo se tient à Milan à la galerie San Fedele.

Japon

En janvier, le Japon devient membre de l'Unesco. La signature du traité de paix et du pacte de sécurité avec les États-Unis (8 sept.) divise l'opinion japonaise.
En février, le journal *Mainichi* organise dans le cadre du Salon de mai, au grand magasin Takashimaya, l'exposition « L'Art en France aujourd'hui ». Antoni Clave, Georges Dayez, André Marchand, Édouard Pignon et d'autres artistes exposent leurs œuvres qui exerceront une grande influence sur les artistes japonais.
Chimei Hamada expose *L'Élégie pour un nouveau conscrit : paysage,* à la 16e exposition de la Jiyu Bijutsuka Kyokai [Association des artistes libres]. L'œuvre fait référence au militarisme japonais durant la Seconde Guerre mondiale.

Mexique

Siqueiros publie *Como se pinta un mural ?* [Comment peint-on un mural ?] et édite la revue *Arte publico* [Art public] à laquelle participent les muralistes.

Tchécoslovaquie

En février, arrestation de dirigeants communistes soupçonnés de titisme.
En novembre, le dirigeant Rudolf Slansky est à son tour arrêté.
Ils seront condamnés à mort pour espionnage et exécutés l'année suivante.
L'artiste et critique d'art Karel Teige meurt d'une crise cardiaque au moment de son arrestation par la police.

Yougoslavie

La Yougoslavie reçoit l'aide des États-Unis, de la Grande-Bretagne et de la France. Le régime entame une politique de décentralisation progressive, d'inspiration titiste.
À la fin de l'année, le groupe EXAT 51 (V. Kristl, I. Picelj, B. Rasica, A. Srnec) est fondé à Zagreb. Il se donne comme objectif de lutter pour la légitimation de l'art abstrait et pour le « tableau-objet », par opposition au « tableau-représentation » conforme à la théorie du réalisme socialiste.

Allemagne

RDA

Lors de la IIe conférence du SED, Walter Ulbricht explique le but du réalisme socialiste en donnant la définition de l'« Homme nouveau », qui, « en tant qu'activiste héroïque, porte la construction socialiste ».
L'Union des artistes plasticiens (VBKD) est transformée le 9 décembre en une organisation autonome comportant six sections artistiques. Toutes les autres organisations existantes sont dissoutes.

RFA

La France, la Grande-Bretagne et les États-Unis signent le 26 mai, à Bonn, avec l'Allemagne, les accords « germano-alliés » qui abrogent le statut d'occupation et rendent à la République fédérale allemande son indépendance. Un « rideau de fer » sépare désormais la RFA et la RDA.
En mai, début des émissions de Radio Free Europe, à partir de l'émetteur de Munich. Les programmes émis en différentes langues constitueront pendant longtemps une des principales sources d'informations politiques et économiques sur la situation mondiale pour de nombreux habitants de l'Europe de l'Est.

Belgique

Du 4 au 17 mars, à Bruxelles (galerie Apollo), Baj et Dangelo exposent leurs peintures « nucléaires » et diffusent le « Manifeste de la peinture nucléaire » signé par eux, à Bruxelles, le 1er février précédent.
Ils entrent en contact avec

Reg Butler, *Le Monument au prisonnier politique inconnu,* 1952. Projet d'installation. Photo © Tate Gallery, Londres.

quelques artistes du groupe Cobra (désormais dispersé) parmi lesquels Alechinsky.

Espagne

L'Espagne est admise à l'Unesco. L'admission de l'Espagne correspond à la réinsertion progressive du pays dans le bloc occidental en dépit de la décision de Franco de refuser tout retour à la démocratie.

États-Unis

Le 4 novembre, Eisenhower est élu à la présidence des États-Unis. La première bombe H américaine est lancée le 1er novembre.
Le programme international du Museum of Modern Art de New York est lancé avec une subvention de 625 000 dollars du fonds Rockfeller. Le 14 décembre, Alfred Barr, ancien directeur du MoMA, publie, dans le *New York Times Magazine,* « Is Modern Art Communistic ? », article où il développe la thèse selon laquelle l'art moderne témoigne d'une liberté qui a amené les régimes communiste et nazi à le combattre et à tenter de l'éliminer. Appeler communiste l'art moderne est donc ignorer les faits ou les dénaturer.
Le même mois, le Comité américain pour la liberté de la culture envoie une pétition à Picasso lui demandant de retirer son soutien aux régimes communistes ; parmi les signataires : Baziotes, Calder, Greenberg, Motherwell, Pollock, Sweeney.

France

En janvier, Boris Taslitzky et Mireille Miailhe, envoyés en Algérie par le parti communiste, y effectuent un reportage de deux mois. Taslitzky rapporte des carnets de dessins sur la situation algérienne. La toile de Mireille Miailhe, *Groupe de jeunes Arabes en loques,* présentée au Salon des Tuileries (16-23 oct.) sera décrochée avant l'inauguration officielle.
Le même mois, Jean Dewasne prononce à l'Atelier d'art abstrait sa conférence intitulée « L'art abstrait et le matérialisme dialectique », où il développe la thèse du caractère progressiste de l'art abstrait et concordant avec les principes du marxisme.
En réplique à l'article d'Aragon publié en décembre 1951 dans *Les Lettres françaises,* Breton publie le 11 janvier, dans *Arts,* le premier d'une série d'articles « Pourquoi nous cache-t-on la peinture russe contemporaine ? ». Le 24 janvier, Aragon fait paraître, dans *Les Lettres françaises* (n° 398), « Réflexions sur l'art soviétique ». Breton publie le 1er mai, dans *Arts,* en conclusion de sa polémique avec Aragon, « Du réalisme socialiste comme moyen d'extermination morale ».
Les 23 et 24 avril se tiennent, sous la direction de Laurent Casanova, les Journées d'études des plasticiens communistes qui réunissent 70 participants (mais sans Picasso ni Léger). Pignon, soutenu par Eluard, défend la nécessité de liberté d'expression. L'exposition de *L'Ouvrier mort,* de Pignon, provoque, au 27e Salon de mai, un rejet à la fois par les tenants de l'abstraction et par ceux du réalisme socialiste. Pignon réalisera, à la Galerie de France, en juin, une nouvelle exposition autour de *L'Ouvrier mort*. Francis Cohen critique l'œuvre de Pignon, dans *L'Humanité* (5 juil.), la trouvant trop éloignée du réalisme.
En réaction à la série de Fougeron *Le Pays des mines,* réalisée en 1951, le peintre Robert Lapoujade, sympathisant du parti communiste, expose *L'Enfer et la mine,* du 30 octobre au 19 novembre, à la galerie de Jean-Robert Arnaud, lui-même « compagnon de route ». Dans un manifeste rédigé à cette occasion, Lapoujade s'élève contre le réalisme socialiste et entend démontrer qu'on peut être à la fois social et abstrait. L'exposition circule ensuite à Milan, Florence et Turin.
En novembre, scission au sein du mouvement lettriste et fondation de l'Internationale lettriste, autour de Gil Wolman et Guy Debord, qui étend l'art à une transformation de la vie.
Picasso préside, en décembre, un meeting de défense des époux Rosenberg à la Mutualité.

Grande-Bretagne

En janvier, The International Sculpture Competition, organisée sur le thème du Prisonnier politique inconnu, est annoncée à l'Institute of Contemporary Art (ICA) par Anthony Kloman. Plus de 3 500 maquettes sont présentées par 57 pays. Le jury international en retient 80. Les cinq premiers prix sont attribués, en mars 1953, à Reg Butler (GB), Naum Gabo (USA), Mirko Basaldella (Italie), Barbara Hepworth (GB) et Antoine Pevsner (France). Seuls l'Union soviétique et les pays-satellites d'Europe de l'Est ne participent pas au concours car l'un des sites envisagés pour le gagnant se situe à la frontière de Berlin-Ouest et de Berlin-Est.
Le même mois, un groupe d'architectes, artistes et critiques d'art fréquentant l'ICA (Lawrence Alloway, Reyner Baham, Magda Cordell, Mc Hale, Richard Hamilton, Nigel Henderson, Eduardo Paolozzi, Alison et Peter Smithson), fondent l'Independant Group. Pour eux, les nouvelles directions culturelles ont été données par l'explosion technologique de l'après-guerre. Leur action atteindra son apogée entre 1952 et 1955.
John Berger (chef de file du mouvement réaliste) organise, en septembre, l'exposition « Looking Forward », à la Whitechapel Art Gallery, à Londres, sur le thème du réalisme. Y participent, entre autres, William Roberts, Stanley Spencer, des artistes immigrés comme Josef Herman ou Peter Peri, des membres de l'AIA comme Boswell, Carpenter, ainsi que Greaves, Middleditch, Minton, Moynihan, Rogers, Smith, Spear. Cette exposition sera aussi montrée en 1956 à la South London Art Gallery.

Italie

En avril, publication de *Per una cultura libera, moderna, nazionale*, document de la Commission culturelle nationale du PCI. La « Thèse de résolution », faisant partie de la brochure, vise à soutenir la lutte contre l'anticommunisme à travers le développement des moyens et des organisations culturelles liés au parti.
À l'occasion de l'exposition de peintures « nucléaires » de Baj, Dangelo et Colombo, organisée par l'Associazione Amici della Francia (Milan, 3-19 avr.), est diffusé le « Manifesto BUM ».
Le 26 mai, lors d'une conférence donnée à l'Association pour la liberté de la culture, à Paris,

Life, « An Atomic Open House », 5 mai 1952 American Library, Paris. Photo © Centre Georges Pompidou, Paris.

GUESTS ON NEWS NOB waiting for the blast surround AEC Chairman Gordon Dean (front row, third from right). At left halfway up hill is mirror in which Photographer Eyerman took picture at left.

AN ATOMIC OPEN HOUSE

AEC plays host to cameras, newsmen and TV at blast on Yucca Flat

Lionello Venturi critique fortement l'absence de liberté dans la peinture officielle soviétique. Le texte de la conférence sera ensuite diffusé en Italie.
À la XXVIe Biennale de Venise (14 juin-19 oct.), dans le pavillon italien sont présentes : la tendance du réalisme (Guttuso, Pizzinato, Farulli, Francese, Migneco, Mucchi, Treccani, Zigaina) et la tendance de l'abstraction concrète (Afro, Birolli, Corpora, Moreni, Morlotti, Santomaso, Turcato, Vedova). Ces

derniers sont réunis par Lionello Venturi dans le groupe des Otto pittori italiani, dans un essai-manifeste, publié juste avant la Biennale, sous le même titre (Roma, De Luca, mai). Le critique oppose ce groupe soit au réalisme, soit à la non-figuration concrète ; les Huit ne renoncent pas à l'expression du donné extérieur, mais le traduisent en organisme formel autonome.
Dans la salle qui lui est consacrée, Guttuso expose la *Battaglia di Ponte dell'Ammiraglio* (1951-1952). En raison d'une censure (à l'instigation du Patriarcat de Venise), la *Crocifissione* (1940-1941) n'est pas exposée.

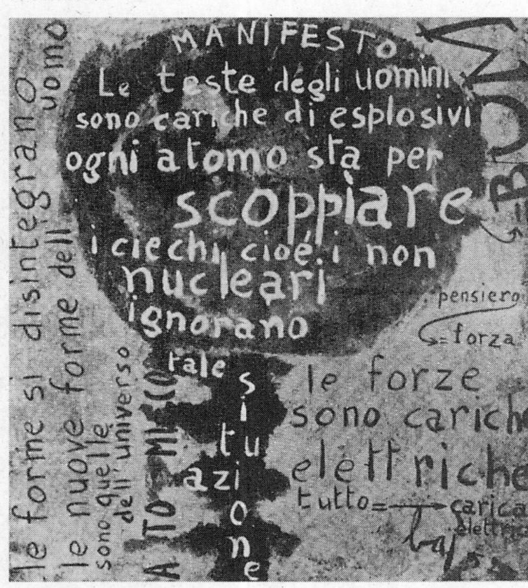

Enrico Baj, *Manifesto BUM,* avril 1952, Milan. Photo © DR.

Japon

Le Japon retrouve son indépendance, en avril, après la ratification des traités de paix de l'année précédente. Il se retrouve pour la première fois intégré au jeu international, dans le camp occidental et le nationalisme doit faire place aux valeurs imposées par une occupation étrangère qui a duré plus de six ans. L'anti-américanisme se rencontre aussi bien à droite qu'à gauche.
En avril, la série des *Vues d'Hiroshima* d'Iri Maruki et Toshiko Akamatsu reçoit la médaille d'or du Sekai Heiwa Kyogikai [La conférence pour la paix mondiale].
Le journal *Mainichi* organise en mai l'exposition « Nihon Kokusai Bijutsu » [L'Art international au Japon], dite également Biennale de Tokyo (Musée de la ville de Tokyo). Sept pays (Belgique, Brésil, France, États-Unis, Grande-Bretagne, Italie, Japon) y participent et quatre cents œuvres y sont présentées.
En août, l'exposition « L'art et la paix » se tient au Musée de la ville de Tokyo.
Création, en novembre, de la Gendai Bijutsu Kondankai [Association amicale des artistes contemporains] par Jiro Yoshihara et Shigeru Ueki dont sortira la Gutai Bijutsu Kyokai [Association de l'art concret].

Mexique

Rivera peint *Le Cauchemar de la guerre et le Rêve de la paix,* où l'on peut voir Staline et Mao Zedong posant leurs mains sur l'appel de la paix de Stockholm, contemplés par Marianne, l'oncle Sam et John Bull. Au fond apparaissent des scènes de guerre entre Sud-Coréens et Nord-Coréens. Le tableau est retiré du palais des Beaux-Arts par l'administration, car il prend parti contre des gouvernements amis. Rivera le donnera à la République populaire chinoise.

Tchécoslovaquie

Le 27 novembre, à l'issue de leur procès, Slansky, ex-secrétaire général du Parti communiste tchécoslovaque, et plusieurs de ses coaccusés sont condamnés à mort et exécutés le mois suivant pour espionnage.

URSS

Campagne du parti communiste contre le « cosmopolitisme ». La dénonciation prend un caractère antisémite avec l'arrestation et l'exécution d'écrivains juifs.

Hans Erni, *Atomkrieg, Nein* [Non à la guerre nucléaire], 1954. Affiche éditée par le Mouvement suisse pour la paix. Museum für Gestaltung, Zurich. Photo © Museum für Gestaltung, Bâle.

Allemagne

RDA

Le 17 juin, à la suite de l'annonce du relèvement des normes de travail dans l'industrie est-allemande, des dizaines de milliers de Berlinois manifestent en réclamant la démission de W. Ulbricht. L'état de siège est proclamé et les chars russes interviennent dans la rue pour écraser la révolte.
En mai, se tient, à Dresde, la IIIe exposition d'art allemand. Les sujets abordés (portraits d'ouvriers, scènes de travail, manifestations officielles) répondent tous aux exigences du réalisme socialiste mais on note encore la présence d'artistes ouest-allemands dans l'exposition.
En mai, le peintre Sigmar Polke quitte la RDA, pour s'installer en RFA.

Brésil

IIe Biennale internationale de São Paulo, avec l'inauguration du Parque Ibirpuera. Construit par Oscar Niemeyer, le bâtiment abritera les biennales suivantes.

Corée

Le 27 juillet, un accord de cessez-le-feu est signé et marque la fin de la guerre. L'armistice de Panmunjon entraîne la division de la Corée.

Cuba

Création du Mouvement du 26 juillet à la faveur du coup de main de la caserne de la Moncada organisé par Fidel Castro.
IIe Biennale hispano-américaine à La Havane en collaboration avec l'Institut culturel hispanique (franquiste). Une antibiennale « Plastique cubaine contemporaine » est organisée l'année suivante pour lutter contre les dictatures. L'exposition, itinérante à Cuba, est un hommage à José Martí, héros national.

États-Unis

En janvier, le peintre Ben Shahn présente sa conférence, « L'artiste et l'homme politique », à l'Emergency Civil Liberties Committee. Elle est organisée pour protester contre les actions du sénateur McCarthy et le House Un-American Activities Committee. Elle sera publiée en septembre dans la revue *Art News.*
Le 1er août, création de l'United States Information Agency (USIA), organisme gouvernemental chargé en Europe occidentale de « promouvoir une meilleure compréhension de l'OTAN et d'autres mesures de défense collective, [...] de dévoiler le mythe soviétique et de réduire son influence [...], de redonner à cette partie du monde très éduquée une image convaincante et positive de l'Amérique et de sa politique nationale et internationale ».
En octobre, A. H. Berding, porte-parole de l'USIA, propose d'interdire dans les futures expositions itinérantes de l'USIA « les œuvres des communistes déclarés, ou des personnes qui refusent publiquement de répondre aux questions des comités du congrès sur leurs relations avec le mouvement communiste ».
La même année, le député George Dondero, président du House Committee on Public Works, crée une sous-commission chargée d'explorer la possibilité de détruire des peintures murales réalisées durant le New Deal et qui sont « une insulte à chaque Américain moyen ». Il vise particulièrement les peintures d'Anton Refrigier, réalisées pour le bureau de poste de San Francisco, qui contiendraient de la « propagande communiste ». Celles-ci resteront en place.
Le 19 juin, Julius et Ethel Rosenberg sont exécutés malgré les protestations suscitées dans le monde entier. Leur martyre est évoqué dans l'œuvre de Karel Appel, *Les Condamnés* (1953), et dans celle de Matta, *Les roses sont belles* (1952).
En décembre, Larry Rivers présente à la Tibor de Nagy

LETTRES ARTS
françaises
Prix : 35 fr.
STALINE
et la
FRANCE
par ARAGON
Poème pour le Vél' d'Hiv'
par Henri BASSIS

Portrait de Staline par Picasso, paru dans *Les Lettres françaises* (12-19 mars 1953). Photo © DR.

Gallery son tableau *Washington Crossing Delaware,* inspiré par une célèbre peinture académique américaine du XIXe siècle sur le même thème. L'œuvre est mal accueillie par la critique.

France

Taslitzky et Miailhe montrent, le 3 janvier, à l'exposition « Algérie 52 » (galerie Weil), leurs dessins réalisés lors de leurs reportages en Algérie.
Le 12 mars, avec l'autorisation d'Aragon, *Les Lettres françaises* publient, en première page, *Le Portrait de Staline* (décédé le 5 mars) dessiné par Picasso. La publication est condamnée par le PCF, et le peintre est désapprouvé dans *L'Humanité* (18 mars) et *Les Lettres françaises* (26 mars). Aragon doit publier plusieurs articles dans *Les Lettres françaises* pour s'expliquer.
Lors de l'exposition « De Marx à Staline » (70e anniversaire de la mort de Marx), qui se déroule à la Maison de la Métallurgie (14-31 mai), Pignon expose *Jacques Duclos;* Fougeron, *Les paysans français défendent leur terre;* Taslitzky, *Visite de Staline à Maurice Thorez malade;* et Léger, *Les Constructeurs*...).
Présentée au Salon d'automne du 4 au 29 novembre, l'immense toile de Fougeron, *Civilisation atlantique* (400 x 500 cm), qui présente de façon délibérément caricaturale la France sous occupation américaine, s'attire le désaveu d'Aragon dans un article intitulé « Toutes les couleurs d'Automne... Halte à Fougeron », publié le 21 novembre dans *Les Lettres françaises*.

Grande-Bretagne

En mars est décerné le premier prix du concours pour « Le Monument au prisonnier politique inconnu » organisé en 1952. La maquette de Reg Butler, relevant d'une symbolique abstraite (une cage vide soutenue par un trépied), remporte le premier prix.
Le Parlement renonce finalement à faire installer le monument sur les falaises de Douvres.
En octobre se tient, à l'ICA, l'exposition « Parallel of Life and Art », à laquelle participent Eduardo Paolozzi, Nigel Henderson, Ronald Jenkins, Alison et Peter Smithson. L'exposition présente des photographies scientifiques (dont beaucoup faites au microscope ou aux rayons X), disposées dans une sorte d'environnement pour le visiteur.

Italie

En réponse à l'enquête sur l'art et le communisme menée par la revue *Nuovi Argomenti,* Guttuso publie, en mai-juin, « I comunisti e l'arte ». L'artiste affirme : « Nous parlons d'humanisme, de clarté, de raison. Celle-ci est la grande obligation liée à l'idéologie marxiste [...] L'idéologie communiste ne peut que nous amener au réalisme. »
Une rétrospective des œuvres de Picasso a lieu à Milan, au Palazzo Reale (23 sept.-31 déc.), faisant suite à celle qui s'est tenue à la Galleria Nazionale d'Arte Moderna de Rome (5 mai-30 juin). Les deux expositions représentent la consécration de l'artiste en Italie. L'organisation en est répartie entre représentants d'une culture indépendante (Venturi) et critiques communistes militants, en accord avec la politique d'alliance de l'opposition en vue des élections du 7 juin. À Milan sont exposés *Guernica* et *Massacre en Corée* (qui n'avait pas été présenté à Rome – en période d'élections – du fait de l'objection d'Andreotti, représentant de la démocratie chrétienne).
En décembre, Asger Jorn annonce par lettre à Baj son projet de fonder le Mouvement international pour un Bauhaus imaginiste (MIBI) et lui demande l'adhésion du Mouvement nucléaire. Jorn affirme avoir posé la même question « aux autres artistes de tendances libres ».
Le 2 janvier 1954, Baj répond en donnant son accord et celui du Mouvement nucléaire. L'adhésion aura lieu en mars 1954. Le MIBI naît en opposition aux théories fonctionnalistes et au concept d'« artiste-créateur », producteur d'objets industriels, défendu par la Hochschule für Gestaltung de Ulm (dirigée par Max Bill dès 1953). Le MIBI revendique au contraire les principes d'un art « expérimental » réalisé par l'« artiste libre ». Y participeront Alechinsky, Appel, Baj, Dangelo, Goetz, Oesterlin, Sottsass Jr...

Japon

Fondation, en mars, de la Nihon Seinen Bijutsuka Rengo [Alliance des jeunes artistes japonais] par Kikuji Yamashita et d'autres artistes. Cette association regroupe notamment les jeunes artistes communistes envoyés dans les usines et les communes rurales en « brigades d'action culturelle » et chargés de réaliser des « peintures de reportage » sur les différents aspects de la vie du peuple japonais.
En octobre, Masao Tsuruoka expose à la 17e exposition de Jiyu Bijutsu [L'art libre] *Vaporisation des hommes,* une composition abstraite au sujet de la bombe atomique, formée de cinq panneaux placés en croix.

Pays-Bas

La sculpture monumentale de Zadkine, *La Ville détruite,* est inaugurée à Rotterdam le 16 mai. Elle est édifiée d'après un projet de Zadkine de 1946.

Tchécoslovaquie

Jiri Kolar, condamné à un an de prison, est amnistié au bout de neuf mois. Ses écrits ne peuvent cependant plus être publiés.

URSS

La mort de Staline est annoncée le 5 mars, par Radio-Moscou.
La nouvelle provoque des démonstrations impressionnantes de désespoir, et même quelques suicides. Du monde entier, des témoignages de sympathie sont transmis aux dirigeants soviétiques.
En septembre, Nikita Khrouchtchev est nommé premier secrétaire du Comité central du parti communiste.

Ossip Zadkine, *La Ville détruite,* Rotterdam, 1953. Photo © Keystone.

Vue générale de la manifestation en faveur de Julius et Ethel Rosenberg, place de la Nation à Paris, 4 avril 1953. Photo © Keystone.

Manifestation contre les Rosenberg aux États-Unis, en 1953. Photo © Elliott Erwitt, Magnum Photos.

1954

Algérie

Le 1er novembre, une série d'attentats à travers le pays décidés par les nationalistes algériens du CRUA (Comité révolutionnaire d'unité et d'action) donnent le signal de l'insurrection armée. C'est la « Toussaint rouge ».

Allemagne

RFA

En octobre, à la suite des accords de Londres et de Paris, la République fédérale allemande est autorisée à se doter à nouveau d'une armée dans le cadre de l'OTAN. Le 23, est fondée l'Union de l'Europe occidentale, intégrant la défense de la RFA à celle des autres pays européens.

Chine

Adoption, en septembre, de la première Constitution (sur le modèle soviétique).
L'Association des artistes chinois crée le mensuel *Meishu* [Beaux-Arts].
L'écrivain Hu Feng, disciple de Lu Xun, est exclu de l'Union des écrivains et arrêté pour sa dénonciation des « cinq poignards plongés dans le cerveau des écrivains ».

États-Unis

Le 17 mai, un arrêt de la Cour suprême condamne la ségrégation dans l'enseignement public. Il sera confirmé l'année suivante.
Le 2 décembre, le Sénat vote une motion condamnant l'attitude et les méthodes du sénateur McCarthy.
Jasper Johns peint *Flag,* première représentation du drapeau américain dans son œuvre.

France

Le 19 juin, formation du gouvernement Mendès France.
En avril-mai, le IIIe Salon des peintres témoins de leur temps a pour thème « L'homme dans la ville ». Fougeron, dans son tableau *La Zone : Nord-Africains aux portes de la ville,* traite du thème algérien avant le début de la guerre, en montrant des Algériens dans un bidonville français; Léger expose *Les Constructeurs*.
Le 22 juin, création de la revue hebdomadaire *Potlatch, Bulletin d'information du groupe français de l'Internationale lettriste,* qui diffuse les thèses de l'Internationale lettriste. Le groupe revendique un dépassement possible de l'esthétique, en vue d'une véritable transformation de la vie.
Au XIIIe congrès du PCF (Ivry-sur-Seine, 3-7 juin), Aragon, dans son discours « L'art de parti en France... », critique les excès du passé et souhaite plus d'ouverture aux différents courants réalistes, au-delà des limites du réalisme socialiste. Il est publié par *La Nouvelle Critique* (hors série, VI, juil.-août).
Cette « détente » se traduit dans les expositions organisées par la Maison de la Pensée française au cours de l'année : Pignon, en février; Picasso, en juin; Léger, en novembre.

Boris Taslitzky, *Reportage en Algérie (Réunion de femmes pour la paix),* 1952. Mnam-Cci, Centre Georges Pompidou. Don de l'artiste. Photo © Centre Georges Pompidou.

Grande-Bretagne

En décembre, le critique d'art David Sylvester crée l'appellation « Kitchen Sink School », dans son article « Kitchen Sink » qu'il publie dans *Encounter*. Il s'agit d'un label attribué à un mouvement de peinture réaliste autour d'artistes comme Bratby, Coker, Dudley, Duxbury, Fullard, Greaves, Hughes, Middleditch, Smith. Généralement issus de milieux ouvriers, ces artistes privilégient les sujets de la vie domestique quotidienne du prolétariat, d'hommes travaillant à l'usine ou aux champs, en mettant en valeur l'atmosphère de reconstruction de l'après-guerre. Ces thèmes sont également privilégiés par les historiens d'art marxistes comme Frederick Antal et F. D. Klingender. La recherche d'un style réaliste par la Kitchen Sink School s'élargit aussi avec Ivon Hitchens et Lynn Chadwick. Le critique et peintre John Berger en assure la promotion dans la revue *The New Statesman*. Après 1956, l'appréciation de John Berger devient plus critique.
Son interrogation demeure la suivante : « Est-ce que le travail artistique doit aider ou encourager les gens à connaître et revendiquer leurs droits sociaux ? »

Italie

Après la mort de Staline et le processus de déstalinisation, se manifeste l'exigence d'une révision critique de la politique du PCI. Celle-ci se reflète dans des débats sur la politique culturelle du parti.
À Milan, Banchieri, Guerreschi, Romagnoni, Vaglieri constituent un groupe auquel Ferroni et Ceretti participent l'année suivante. En 1956, dans son article « Un gruppo di giovani » (*Il Giorno,* 30 avr.), le critique Marco Valsecchi utilisera à leur égard la définition de « réalisme existentiel ». Ces artistes sont inspirés par l'existentialisme, mais aussi par les luttes syndicales et sociales.
À Venise, à l'exposition collective « Arte Nucleare » (Sala degli Specchi à Ca' Giustian), Baj expose, entre autres, *Lo Scoppio viene da destra* (1952), *Forma cranica* (1952), *Spiralen* (1951), *Non uccidete i bambini* (1953).
Le 30 octobre, au cours de la Xe Triennale de Milan (à laquelle le Mouvement international pour un Bauhaus imaginiste participe avec une exposition intitulée « Incontro Internazionale della ceramica »), a lieu le Ier Congrès international du design industriel. Jorn réplique à l'intervention générale de Max Bill, centrée sur le thème « Design industriel dans la société », avec son intervention titrée : « Contre le Fonctionnalisme ».

Japon

Jiro Yoshihara, Shozo Shimamoto, entre autres, fondent en décembre la Gutai Bijutsu Kyokai [Association de l'art concret]. Kazuo Shiraga y participera à partir de 1955.
Kikuji Yamashita présente au Salon des Indépendants japonais (déc.) *Le Conte du nouveau Japon*, peinture violemment satirique qui attaque l'américanisation de la vie quotidienne au Japon.

URSS

Réunion du IIe Congrès des écrivains soviétiques, vingt ans après le premier en 1934. Dans les milieux intellectuels, les interrogations se font jour, peu à peu, sur le rôle des écrivains dans la société soviétique. Après l'essai du critique Pomerantsev (« De la sincérité en littérature ») paru dans la revue *Novy Mir,* en décembre, Ilya Ehrenbourg publie en avril, dans la revue *Znamia,* une nouvelle *Le Dégel,* dans laquelle il montre, côte à côte, des artistes officiels sans talent et des artistes marginalisés pour avoir refusé de se soumettre aux directives du parti. À la suite de cette publication, le terme de « dégel » reviendra pour désigner cette première période de « déstalinisation ».

Viêtnam

Le 7 mai, les troupes françaises sont anéanties à Dien Bien Phu par les troupes viêt-minh du général Giap.
Le 21 juillet, après les accords de Genève, la France reconnaît l'indépendance du Cambodge, du Laos et du Viêtnam dont le territoire est partagé en deux le long du 17e parallèle; la réunification définitive du Nord (communiste) et du Sud devant avoir lieu dans un délai de deux ans à l'issue d'élections libres.

Yougoslavie

Milovan Djilas (l'un des quatre dirigeants issus de la résistance) doit démissionner du parti communiste, à la suite de ses articles très acerbes contre l'idéologie et les mœurs de parvenus communistes. En 1957, il sera condamné à sept ans de prison et libéré en 1961.

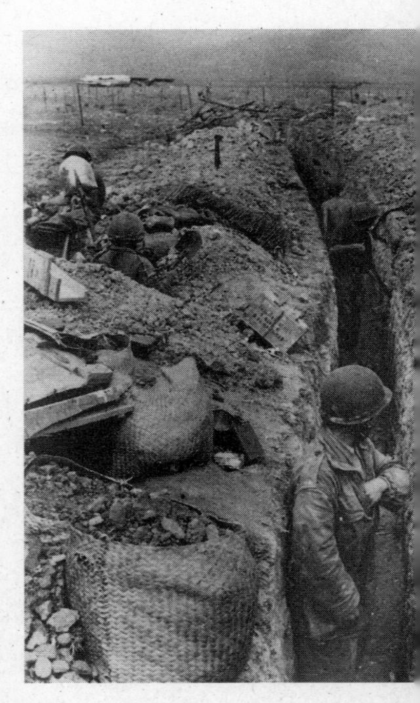

Guerre d'Indochine, bataille de Dien Bien Phu, novembre 1953 -mai 1954. Photo © Keystone.

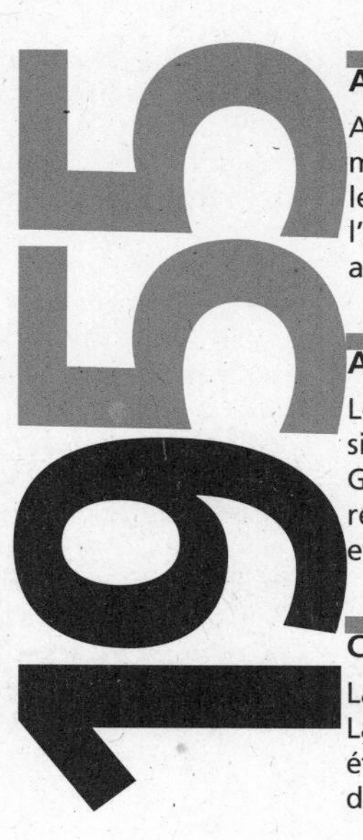

Algérie

Les 20 et 21 août, des émeutes dans le Constantinois font 123 morts, dont 71 Européens. La répression fait officiellement 1 273 morts musulmans.
Le 30 septembre, la délégation française quitte l'Assemblée de l'ONU qui a voté à l'ordre du jour l'inscription de l'affaire algérienne. Les émeutes du Constantinois consacrent la rupture définitive entre Musulmans et Européens.

Allemagne

RDA
Au début de l'année, à Berlin-Est, se tient le IIIe congrès du VBKD (Union des artistes plasticiens allemands) dont l'objet est : « Comment la liberté créatrice des artistes peut-elle être en accord avec les exigences d'un commanditaire public pour atteindre le plus grand impact social ? »

RFA
Le 5 mai, en application des accords de Paris d'octobre 1954, la République fédérale allemande recouvre sa souveraineté.
Du 16 juillet au 18 septembre, l'exposition « Documenta I » s'ouvre à Cassel, au musée Fridericianum. Premier bilan quadriennal de l'actualité artistique internationale, l'édition de 1955, dirigée par Arnold Bode, propose une vue d'ensemble sur la « modernité classique » de la peinture européenne (avec, entre autres, Albers, Baumeister, Bazaine, Butler, Calder, Chadwick, Hofer, Hepworth, Manessier, Marini, Moore, Nay, Music, Nicholson, Soulages, Sutherland, Vasarely...).

Argentine

Après un coup de force de la marine survenu le 15 septembre, le général Péron s'enfuit à l'étranger. Une junte militaire assume le pouvoir.

Autriche

Le 15 mai, un traité d'État signé par les USA, l'URSS, la Grande-Bretagne et la France rend l'Autriche souveraine et neutre.

Cuba

Lam expose à l'université de La Havane, en solidarité avec les étudiants luttant contre la dictature de Batista.

États-Unis

Après condamnation par la Commission de commerce inter-États de la ségrégation raciale dans les transports, le 25 décembre, le pasteur Martin Luther King appelle les Noirs de Montgomery (Alabama) au boycott des transports, pour protester contre la ségrégation encore en vigueur dans les autobus de la ville.

France

Devant la recrudescence de la violence en Algérie, le projet de loi sur l'état d'urgence est voté le 31 mars. Les libertés publiques sont suspendues par l'Assemblée nationale sur le territoire algérien.
Du 4 au 26 février, Bernard Buffet présente à la galerie Drouant-David son exposition « Les horreurs de la guerre ».
En avril, Mouloudji, chanteur d'origine algérienne, enregistre le premier la chanson *Le Déserteur* de Boris Vian, créée en février 1954 et considérée comme une incitation à la rébellion contre l'intervention militaire en Algérie.
Boris Taslitzky se voit refuser au Salon d'automne son *Tremblement de terre d'Orléansville*, imposante toile montrant des Algériens pris de panique lors du sinistre du 9 septembre 1954.
Le 5 novembre se constitue le Comité d'action contre la poursuite de la guerre en Afrique du Nord. Y figurent, notamment, Bataille, Breton, Cassou, Frédéric et Irène Joliot-Curie, Cocteau, Lévi-Strauss, l'abbé Pierre, Mauriac, Morin, Sartre... En janvier, la presse (*France-Observateur* et *L'Express*) publie les premiers articles des intellectuels (Claude Bourdet, François Mauriac) contre la torture en Algérie.

Répondez à l'appel de la Fondation Maréchal de Lattre. Les soldats d'Algérie artisans de la fraternité franco-musulmane, 1955. Affiche. Musée d'Histoire contemporaine, BDIC, Paris. Photo © Jean-Hugues Berrou, musée d'Histoire contemporaine, BDIC, Paris.

Grande-Bretagne

Le critique John Berger crée le Geneva Club où sont organisées des réunions régulières centrées sur le thème du rôle de l'artiste dans la société. Y participent, chaque mois, Michael Ayrton, Harry Baines, Derrick Greaves, Peter de Francia, Peter Peri, Jack Smith...
En mai se tient, à la Hatton Gallery de Newcastle, l'exposition « Man, Machine & Motion » où Richard Hamilton présente un ensemble de photographies documentaires sur les différentes sortes de locomotion : terrestre, aérienne, sous-marine, etc. L'exposition sera ensuite présentée à Londres, en juillet, à l'ICA.

Indonésie

Du 17 au 24 avril, la conférence de Bandung réunit 29 pays d'Afrique et d'Asie de toutes tendances politiques (Chine, Égypte, Éthiopie, Indonésie, Inde, Irak, Iran, Japon, Pakistan, Turquie, Viêtnam...). Les États y affirment leur solidarité face au colonialisme et leur idéal de coexistence pacifique.

Italie

Le 9 janvier, dans *l'Unitá*, un article de Carlo Muscetta, « La lotta per il realismo », évoque la crise du réalisme et conclut : « Ouvriers et paysans fantoches ne servent pas à l'art, ne servent pas à la culture, ne servent pas à la lutte politique. »
Le 29 septembre, Pinot Gallizio, Piero Simondo et Asger Jorn fondent, à Alba, le Laboratorio Sperimentale del Movimento Internazionale per un Bauhaus Immaginista. Quelques jours après (6 oct.), Jorn communique par lettre à Baj la fondation du Laboratoire et lui demande d'y adhérer. L'activité du Laboratoire vise à l'expérimentation artistique.

Japon

En avril, Tatsuo Ikeda, On Kawara, Yoshikuni Iida et Shigeo Ishii fondent la Seisakusha Kondankai [Réunion amicale des créateurs] dont l'objectif est de créer un nouvel art réaliste affranchi des canons du réalisme socialiste.
En mai, le débat contre l'élargissement de la base militaire américaine de Sunagawa s'engage. À l'occasion de l'incident de Sunagawa, Hiroshi Nakamura peint *Sunagawa n° 5*. Il adhère, la même année, au parti communiste.

Mexique

Lors d'un séjour en URSS, Siqueiros dépose à l'Académie des arts une « Lettre ouverte aux peintres, sculpteurs et graveurs soviétiques» dans laquelle il dénonce les limites du réalisme socialiste, son formalisme, son travers commémoratif qui en fait un art non actuel.

Pologne

Les 11 et 14 mai, à Varsovie, les pays socialistes concluent un traité d'amitié, de coopération et d'assistance mutuelle et décident de doter leurs forces armées d'un commandement suprême commun; le pacte de Varsovie est la réponse des États socialistes à la création de l'OTAN.
De juillet à août, à l'occasion du Vᵉ Festival de la jeunesse et des étudiants à Varsovie, sont présentées des œuvres d'artistes modernes non officiels, notamment les artistes réunis dans Grupa 55 d'influence surréaliste et tachiste. Plusieurs autres expositions témoignent au cours de l'année du dégel artistique

Dej (Roumanie), Bierut (Pologne), Boulganine, Koniev, Molotov et Joukov (URSS), avant la création du pacte de Varsovie. Photo © Keystone.

polonais : «Contre la guerre» en août, à Varsovie (avec Celnikier, Wroblewski, Szapocznikow), et l'exposition des «dix», en novembre, à Cracovie (Kantor, Brzozowski, Novosielski...).
Le 4 septembre, parution du premier numéro de l'hebdomadaire étudiant *Po Prostu,* qui devient rapidement un symbole du dégel culturel polonais.

Yougoslavie

La visite à Belgrade de Khrouchtchev, en mai-juin, rétablit les contacts entre la Yougoslavie et l'Union soviétique; les Russes acceptent le point de vue de Tito sur les «chemins indépendants menant au socialisme».

1956

Algérie

Au cours de l'année, le Front de libération nationale (FLN) reçoit l'appui des indépendantistes algériens modérés et du Parti communiste algérien clandestin. Les attentats meurtriers organisés par les indépendantistes comme par les partisans de l'Algérie française se multiplient.

Belgique

La revue *Les Lèvres nues* (éditée depuis 1954 par Marcel Mariën) publie, en mai (n° 8), «Mode d'emploi du détournement», un article signé par Debord et Wolman. Dès octobre, la revue éditera les premiers textes situationnistes.

Chine

Mao Zedong annonce, le 2 mai, une nouvelle politique : «la campagne des Cent Fleurs» qui sera lancée le 13 juin avec la publication du discours de Lu Ting-Yi, chef de propagande du PC. Une attitude plus libérale envers les intellectuels est prônée. Des débats sur l'impressionnisme et la peinture chinoise commencent, et les peintres traditionnels chinois sont encouragés à exposer. En juillet se tient la IIᵉ Exposition nationale de peinture traditionnelle.

Égypte

L'expédition militaire franco-anglaise de Suez, en octobre, contre la nationalisation du canal de Suez par Nasser, est stoppée suite à l'opposition conjointe de l'URSS et des USA.

États- Unis

Le 29 février, Eisenhower annonce qu'il briguera un second mandat. Il est réélu le 6 novembre, à une très forte majorité.
Le 4 mars, la Cour suprême confirme sa décision de 1954 condamnant le principe de la ségrégation raciale dans les écoles et l'étend aux universités et collèges financés par des fonds publics.

France

La France reconnaît, en mars, l'indépendance du Maroc et de la Tunisie.
Le 20 mars, les intellectuels du Comité d'action contre la poursuite de la guerre en Afrique du Nord publient une déclaration, après le vote des pouvoirs spéciaux au gouvernement Guy Mollet (envoi du contingent, généralisation de l'état d'urgence...). Ils demandent que le gouvernement «engage dans les plus brefs délais la négociation d'un cessez-le-feu avec les combattants algériens».
Le dessinateur Siné publie son premier album *Complaintes sans paroles,* dans lequel il s'élève contre la guerre d'Algérie.
En mai, l'Internationale lettriste (Bernstein, Dahou, Debord, Wolman) adhère au Mouvement international pour un Bauhaus imaginiste, sur la base de la position commune, anti-fonctionnaliste d'une «nouvelle architecture pour la vie».
L'intervention soviétique en Hongrie provoque, le 7 novembre, de violentes manifestations à Paris contre le parti communiste. Le 8, *France-Observateur* publie un appel de 21 intellectuels (de Beauvoir, Lanzmann, Leiris, Morgan, Prévert, Rebeyrolle, Roy, Sartre, Schwarz, Spire, Vailland, Vercors...) contre l'intervention soviétique.
Louis Aragon refuse de publier l'opinion de Tristan Tzara dans *Les Lettres françaises.* En dénonciation de l'écrasement de la révolution hongroise, Breton participe au tract «Hongrie, soleil levant» qui est reproduit dans *Franc-Tireur* (10-11 nov.) et *Le Figaro littéraire* (17 nov.).
Le 20 novembre, Picasso, Pignon, Hélène Parmelin, Francis Jourdain... signent la «Lettre des dix», demandant au Comité central du PCF la convocation d'un congrès extraordinaire.
En réaction aux événements de Hongrie, Fautrier peint sa série des *Partisans de Budapest* (comportant des citations du poème d'Eluard *Liberté*); Manessier, *Requiem pour novembre 1956;* Lorjou, *Massacre de Rambouillet;* John F. Koenig, le diptyque *Buda Pest.* Rebeyrolle peint, pour signifier sa rupture avec le PCF, *À bientôt j'espère.*
Le 12 avril, Breton participe à la rédaction par Jean Schuster du tract «Au tour des livrées sanglantes!», rappel des positions surréalistes après le XXᵉ Congrès du PCUS (14-25 févr.).
Au cours de l'année, Asger Jorn, installé à Paris, commence à peindre son tableau *Stalingrad,* sa plus grande œuvre à référence historique (150 x 540 cm) qu'il modifiera ensuite à plusieurs reprises jusqu'en 1972.

Grande-Bretagne

Du 9 août au 9 septembre, l'exposition «This is Tomorrow», à la Whitechapel Art Gallery, marque le couronnement d'une nouvelle génération d'artistes anglais et d'architectes (Mc Hale, Hamilton, Henderson, Paolozzi, Smithson, Stirling...) attentifs aux rapports entre l'art et l'environnement urbain et à la culture populaire. À ce propos, le critique anglais Lawrence Alloway utilisera en 1958 le terme de «Pop'Art». Une vision ironique et distanciée de l'avenir de la société se substitue à la vision réaliste et politiquement engagée, défendue par le critique John Berger.

Hongrie

Le 23 octobre, une série de manifestations étudiantes se prononcent en faveur de la démocratisation de la vie politique et du retour au pouvoir d'Imre Nagy, dirigeant communiste à la réputation libérale.
Dans les usines, des comités de grève se mettent en place et lancent, le 26 octobre, des appels à la grève générale.
Le 27, Imre Nagy forme un gouvernement de front national (PC, parti paysan et parti des petits propriétaires); il annonce, le lendemain, le retrait des troupes soviétiques, et ordonne le cessez-le-feu. La neutralité de la Hongrie et son retrait du pacte de Varsovie sont proclamés le 1ᵉʳ novembre. Le 2, Nagy fonde le Parti socialiste des ouvriers hongrois.
Les troupes soviétiques interviennent massivement le 4 novembre, à Budapest, approuvées par le président

La campagne des Cent Fleurs, Chine, 1956. Photo © Marc Riboud, Magnum Photos.

du Conseil, Janos Kadar. L'insurrection hongroise est anéantie le 12. Dix jours plus tard, Imre Nagy et plusieurs personnes de son entourage sont enlevés par les Soviétiques malgré les garanties de sécurité données par le gouvernement Kadar. En 1958, on apprendra l'exécution de Nagy et de ses collaborateurs condamnés pour haute trahison.

Italie

Le 13 juin, Togliatti, dans une interview donnée à la revue *Nuovi Argomenti,* fait le bilan de la période du « culte de la personnalité » en URSS et dénonce la présence de formes de dégénérescence dans la société soviétique.
L'URSS participe à nouveau, après vingt-deux ans d'absence (dernière participation en 1934), à la Biennale de Venise (16 juin-21 oct.). Sa section propose des artistes de plusieurs générations, actifs dans ces deux décennies, représentants du réalisme.
Du 2 au 8 septembre, se tient, à Alba, le premier Congresso Mondiale degli Artisti Liberi. Titré « Le Arti Libere e le Attività Industriali », le congrès est organisé par Gallizio, Jorn, Simondo, avec Baj, Sottsass Jr., Verrone. Y sont invités artistes et exposants de courants culturels d'avant-garde de huit pays (Algérie, Allemagne, Belgique, Danemark, France, Hollande, Italie, Tchécoslovaquie). Dotremont, malade, n'y participe pas. Les peintres tchèques Rada et Kotik, retenus par des tracasseries administratives, arrivent lorsque le congrès se termine. Le premier jour de la réunion, Baj est exclu du congrès à la demande de Wolman et le Movimento Nucleare se sépare du MIBI (Mouvement international pour un Bauhaus imaginiste). La déclaration finale du congrès affirme l'adhésion au programme de l'Urbanisme unitaire (une conception expérimentale de l'urbanisme mise en connexion avec un style de vie), énoncé par l'Internationale lettriste à travers son délégué Wolman (Debord est resté à Paris).

SMALL WAR IN SHADOW OF A BIG-STICK THREAT

FRANCO-BRITISH ATTACK ON SUEZ

A delayed but effective British-French air and seaborne invasion against Egypt brought to a climax an 11-day pocket war in which the defense never had a chance. Hit on the north by the two Western powers and in the east by Israel, Egyptian forces melted away from the Suez zone. Before the paratroops struck, air and naval bombardment had destroyed the bulk of Egypt's Soviet-supplied armament as well as her soldiers' will to resist. The paratroopers battled briefly against her snipers but Egypt's resistance crumbled and Port Said fell. Then the war was broken off.

It was broken off not only because the U.N. had called for a cease-fire but also—and significantly—because Russia had intervened with an ominous threat. Fearful of losing their newly won foothold in the Middle East and anxious to distract attention from their atrocities in Hungary, the Soviets blatantly warned the British, French and Israelis that their arms would "crush the aggressors."

The English and the French quickly contented themselves with only the Port Said area, although they had previously planned to occupy the whole Suez Canal Zone. The Israeli forces halted their successful advance short of the canal on the east. All three nations agreed to yield the areas they had overrun to a U.N. police force which was hastily being put together. But they made tacit qualifications which might still cause more trouble. And Egyptian President Nasser, who had appealed to the U.N. for help, also had reservations.

At the week's end, U.S. planes began to airlift the first U.N. units to their uncertain assignment. But the Russians, pressing their policy of threats, talked darkly of "volunteers" from the U.S.S.R. and hinted these might be thrown in on the Egyptian side. The Russians had been bluntly warned by President Eisenhower, even before his sweeping reelection, to keep their hands off. To show that he meant it, the U.S. had put its armed forces on a warlike footing. Many believed the Russians were bluffing, but they also may have miscalculated. Out of a local war a specter

Life, attaque franco-britannique sur Suez, 19 novembre 1956. American Library, Paris. Photo © DR.

Insurrection de Budapest, novembre 1956. Photo © Erich Lessing, Magnum Photos.

Japon

Les Japonais et les Soviétiques signent, en octobre, une déclaration commune qui met fin à l'état de guerre entre les deux pays et rétablit leurs relations diplomatiques.

Pologne

Des émeutes sanglantes éclatent à Poznan, le 28 juin, où cinquante mille ouvriers descendent dans la rue pour protester contre la politique salariale du gouvernement.
Le 21 octobre, le Bureau politique du Parti ouvrier polonais réintègre Wladyslaw Gomulka, ancien secrétaire général emprisonné sous Staline. Les Soviétiques, opposés à ce retour, chargent Nikita Khrouchtchev de rencontrer les dirigeants polonais.
Le 15 novembre, un accord entre la Pologne et l'URSS maintient les troupes russes contre une aide économique à Wladyslaw Gomulka.

URSS

Le 14 février, lors du XXe Congrès du parti communiste, Khrouchtchev présente (aux seuls membres du parti) son « rapport secret », dans lequel il dénonce le « culte de la personnalité », les erreurs et certains des crimes de Staline. La presse soviétique n'admettra jamais l'existence d'un tel rapport. Les villes, villages, rues portant le nom de Staline sont débaptisés.
Le 30 juin, le Comité central adopte le décret sur l'élimination du « culte de la personnalité » et ses conséquences. Peu à peu, les victimes de Staline sont réhabilitées, et les retours des camps sont massifs.
Le parti appelle à l'« indépendance créatrice ». Doudintsev est autorisé à publier, dans la revue *Novy Mir,* « L'homme ne vit pas seulement de pain », qui met en cause implicitement la bureaucratie soviétique. Le 22 octobre, il est condamné par l'Union des écrivains.
L'exposition « Picasso », à Moscou, la première organisée en URSS, par Ilya Ehrenbourg, est inaugurée le 24 octobre. Guerassimov voit dans cette exposition un défi et encourage des délégations de protestataires venus créer la perturbation dans les salles.

Viêtnam (Sud)

Le 9 avril, le gouvernement Diem refuse de procéder au référendum sur la réunification du Viêtnam prévue dans les accords de Genève de juillet 1954.
Lors des élections parlementaires du Viêtnam-du-Sud (4 mars), les partis gouvernementaux remportent la totalité des sièges. Les communistes n'ont pas pu participer au scrutin.
Une nouvelle vague de répression contre les opposants au régime de Saigon débute le 17 juillet.

1957

Algérie

Nommé responsable du maintien de l'ordre de l'agglomération algéroise, le général Massu déclenche, le 7 janvier, la « bataille d'Alger » (janv.-sept.), une répression brutale contre les militants ou sympathisants du FLN.
En juillet, Maurice Audin, professeur à la Faculté des sciences, est arrêté et disparaît, victime de la torture.
Les méthodes de terreur sont également utilisées par le FLN contre ses adversaires (massacre des habitants du village de Melouza le 29 mai).

Allemagne

RDA
La conférence culturelle du SED, en octobre, achève la campagne contre « les tendances révisionnistes ». Le parti renforce la lutte contre la « décadence dans l'art moderne occidental et demande aux artistes de considérer les directives de la conférence non pas comme des modèles théoriques mais comme des directives pour la pratique.
En juillet, Georg Baselitz, étudiant à Berlin-Est, après avoir été appelé à l'École des beaux-arts de Karlsruhe, quitte la RDA.

Chine

En août, le mouvement de répression « antidroite » vise à répondre aux attaques dont ont été victimes les dirigeants du parti communiste pendant « les Cent Fleurs ». Tous ceux qui sont trop actifs ou ont trop critiqué pendant « les Cent Fleurs » soit la peinture traditionnelle, soit la peinture réaliste révolutionnaire sont considérés comme des éléments de droite et sont exclus du parti communiste.

Espagne

Le 14 janvier, ouvriers et étudiants manifestent à Barcelone.
Le 1er avril, grève des mineurs à Oviedo (Asturies) et manifestations contre le régime à Madrid.
En février, le groupe El Paso (1957-1960) est créé autour des peintres Antonio Saura, Manuel Millares, Rafael Canogar, Manuel Rivera, Antonio Suárez, du sculpteur Pablo Serrano et des critiques José Ayllón et Manuel Conde, qui, le même mois, signent un manifeste. Le groupe se fixe pour objectif de surmonter la crise que traverse l'Espagne sur le plan artistique en impulsant un art révolutionnaire conforme aux traditions expressionnistes et dramatiques du pays.
En mai, le groupe Equipo 57 est créé autour de Jorge Oteiza, Angel Duarte, José Duarte, Juan Serrano, Agustín Ibarrola, puis Juan Cuenca. Après sa dissolution en 1961, Agustín Ibarrola et José Duarte se lancent dans le réalisme social, en apportant leur contribution au groupe de graveurs sur bois de l'Estampa Popular (1959), tandis qu'Angel Duarte reste fidèle aux idées constructivistes.

États-Unis

Le 29 août, le Sénat vote une loi protégeant le droit de vote des Noirs. Des violences raciales ont lieu à Little Rock (Arkansas) le 24 septembre : des manifestants expulsent violemment neuf enfants noirs d'une école publique malgré la mise en garde du président Eisenhower. L'armée intervient. Le 18 novembre, le président Eisenhower lance un appel aux Américains afin de mettre un terme à toutes les formes de discrimination.

France

Georges Mathieu, Simon Hantaï et le philosophe Stéphane Lupasco organisent à la galerie Kleber (7-27 mars) une série d'installations baptisée « Cérémonies commémoratives de la deuxième condamnation de Siger de Brabant ». Le caractère ultramonarchiste et ultracatholique de la manifestation provoque la réplique de Breton et des surréalistes qui rédigent, le 25 mars, le tract « Coup de semonce ».
La première rétrospective d'affiches lacérées de Raymond Hains et Jacques de la Villeglé a lieu à la galerie Colette Allendy le 24 mai, sous le titre « Loi du 29 juillet 1881 » (loi qui détermine les conditions des emplacements réservés à l'affichage). Hains et Villeglé présentent un ensemble d'affiches lacérées anonymement et collectées dans la rue depuis 1949. Beaucoup d'entre elles sont des affiches à caractère politique ou électoral.
En mai, Guy Debord publie le *Rapport sur la construction des situations et sur les conditions de l'organisation et de l'action de la tendance situationniste internationale,* document préparatoire à la conférence d'unification fondant l'Internationale situationniste [voir Italie].
En juin, Bernard Lorjou installe une baraque sur l'esplanade des Invalides, où il présente *Les Massacres de Rambouillet*. Cette œuvre est décryptable de plusieurs manières : allégorie des événements de Budapest en 1956, ou encore allusion satirique aux chasses présidentielles.

LA REVOLUTION
ALGERIENNE
UN PEUPLE
AU COMBAT
CONTRE LA BARBARIE COLONIALISTE

La Révolution algérienne, s. d. Affiche éditée par le Front de libération nationale. Collection Steven Davidson, Amsterdam. Photo © DR.

Fondation de l'Internationale situationniste. De gauche à droite : Pinot-Gallizio, Simondo, Verrone, Bernstein, Debord, Jorn, Olmo. Photo © documents relatifs à la fondation de l'Internationale situationniste, Éditions Allia, 1985.

Hongrie

Du 1er au 5 janvier, les dirigeants de tous les partis communistes d'Europe de l'Est (sauf l'Albanie et la RDA) se rencontrent à Budapest. Le 6, Janos Kadar annonce le maintien des troupes soviétiques dans le pays.
L'Union des écrivains est dissoute le 28 avril et l'écrivain Tibor Déry est arrêté. Le 13 novembre, il est condamné à neuf ans de prison par le tribunal populaire de Budapest.

Italie

Le 25 mars, signature des traités de Rome par les Six (Belgique, France, Italie, Luxembourg, Pays-Bas et RFA) qui instituent la Communauté économique européenne (CEE) et l'Euratom.
Le 28 juillet, fondation de l'Internationale situationniste, à la conférence de Cosio d'Arroscia (Imperia). Participent à la conférence les délégués du Mouvement international pour un Bauhaus imaginiste (Gallizio, Jorn, Olmo, Simondo, Verrone), les délégués de l'Internationale lettriste (Debord, Bernstein), le Comité psycho-géographique de Londres, représenté par Ralph Rumney. Le vote établit la fusion de leurs groupes dans l'Internationale situationniste.
Le Laboratorio Sperimentale del MIBI devient le Laboratorio Sperimentale dell'Internazionale Situazionista, Sezione Italiana (avec Gallizio, son fils Giors Melanotte, Olmo, Simondo et Verrone [les trois derniers seront bientôt exclus]). Debord et Jorn organisent aussitôt des sections en Algérie, Allemagne, Belgique, Scandinavie.

Japon

Toshimitsu Imaï rentre en août au Japon, en compagnie de Michel Tapié et de Georges Mathieu afin de présenter l'art informel au public japonais.

Une exposition de Mathieu est organisée, en septembre, à la galerie du grand magasin Shirokiya à Tokyo. Le jour de l'inauguration, Mathieu réalise, sous les yeux du public, *La Bataille de Gowa,* un grand tableau en référence à l'histoire japonaise. À Osaka, il peint, sur le toit de l'immeuble Daïmaru, *L'Hommage au général Hideyoshi.*

Pologne

Le 18 janvier, à Varsovie, s'ouvre l'exposition des artistes constructivistes polonais Katarzyna Kobro et Wladyslaw Strzeminski. Appartenant à l'avant-garde abstraite polonaise de l'entre-deux-guerres, ces deux artistes n'avaient eu aucune exposition officielle depuis plusieurs années.
À Varsovie, la suppression de l'hebdomadaire *Po Prostu* provoque, le 3 octobre, de violentes manifestations étudiantes.

URSS

Le 4 octobre, l'URSS lance le premier satellite artificiel, *Spoutnik*. Un deuxième *Spoutnik* sera lancé le 3 novembre, avec, à son bord, la chienne Laïka.
En février se tient le premier Congrès des artistes, et l'Union des artistes soviétiques est créée. Dans le cadre du Festival mondial de la jeunesse et des étudiants à Moscou (28 juil.-11 août, parc Gorki), est organisée une Exposition internationale d'arts plastiques (500 artistes venus de 52 pays, 4500 œuvres). Les jeunes peintres moscovites peuvent voir pour la première fois les tableaux des tendances les plus diverses de l'art moderne, y compris de l'abstraction américaine. Rabine y reçoit le prix d'honneur, et Zverev, la médaille d'or (Zverev découvre l'abstraction américaine à ce festival et crée sa propre variante du tachisme).
Rabine, peintre rattaché au néo-expressionnisme, ou au réalisme fantastique, s'attache à représenter la réalité russe. Inspirateur idéologique, il jouera un rôle très important dans la diffusion d'un art « non officiel » en URSS.
Début des « expositions d'appartements » : Zverev, chez le collectionneur Costakis; Yakovlev, chez le compositeur Volkonsky; Krasnopetsev, chez le pianiste Richter; Sitnikov, Plavinsky, Nemoukhine, chez la femme du journaliste américain Stivens.

Algérie

Le 8 février, en riposte aux attaques du FLN provenant de la zone frontalière Tunisie-Algérie, le village tunisien de Sakiet Sidi Youssef est bombardé par l'aviation française; 69 civils sont tués. L'affaire, évoquée à l'ONU, alarme la communauté internationale.
Le 13 mai, à Alger, des partisans de l'Algérie française envahissent le siège du gouvernement général; un « Comité de salut public » associant des civils et des chefs militaires est créé sous la présidence du général Massu qui fait appel au général de Gaulle.
Lors de son premier voyage en Algérie (4-7 juin) en tant que chef du gouvernement, le général de Gaulle prononce plusieurs discours (dont le célèbre « Je vous ai compris ») proclamant qu'il n'y a en Algérie que « des Français à part entière avec les mêmes droits et les mêmes devoirs ».
Le 19 septembre, un Gouvernement provisoire de la République algérienne (GPRA) présidé par Ferhat Abbas est constitué par les leaders du FLN.

Allemagne

RDA

La IVe exposition d'art allemand à Dresde présente pour la première fois exclusivement des artistes de la République démocratique allemande; la peinture détaillée et illustrative du réalisme socialiste est remplacée par une peinture simplifiée qui détermine de larges champs picturaux.
Le *Monument de Buchenwald,* de Fritz Cremer, est inauguré le 14 septembre, à Buchenwald, en souvenir du soulèvement des détenus du camp de concentration en 1945.

RFA

En avril, Heinz Mack et Otto Piene forment le groupe Zero, et publient les deux premiers numéros de leur revue *Zero*. Intéressé par les possibilités optiques de l'art abstrait, le groupe Zero vise à la création d'« environnements » susceptibles de concerner le milieu de vie dans son ensemble.

Autriche

Le peintre Friedensreich Hundertwasser publie un manifeste intitulé « Verschimmelungsmanifest gegen den Rationalismus in der Architektur » [Manifeste de la moisissure contre le rationalisme en architecture], dans lequel il se déclare contre l'architecture linéaire et rationnelle pratiquée dans les constructions d'après-guerre.

Chine

En mai est lancé le « Grand Bond en avant », gigantesque projet économique fondé sur la mobilisation de la population pour la réalisation de grands travaux d'infrastructure agricole et la collectivisation accélérée de la vie sociale dans les « communes populaires ». Les artistes et étudiants des beaux-arts partent travailler dans les usines et dans les campagnes, c'est le mouvement Xia Fang [Dispersion à la base]. Après son échec, le mouvement des communes populaires est interrompu.
En décembre, Mao renonce à la présidence de la République, mais demeure président du Comité central du parti communiste.

États-Unis

Explorer I, premier satellite américain, est lancé le 31 janvier.

France

Le 27 mars, le gouvernement fait saisir *La Question,* un livre du journaliste communiste Henri Alleg, concernant les tortures qu'il a subies en Algérie de la part des militaires français. Matta consacre également un tableau à la torture qu'il titre aussi *La Question*.
Le 12 mai, le livre de Pierre Vidal-Naquet, *L'Affaire Audin,* est saisi à son tour.
Le 15 mai, à l'appel des insurgés d'Alger, le général de Gaulle annonce qu'« il est prêt à assumer les pouvoirs de la République ».
Le 29, le président René Coty propose de le désigner comme chef du gouvernement.
Le 1er juin, de Gaulle est investi par l'Assemblée nationale.
La nouvelle Constitution de la Ve République, proposée par de Gaulle, est approuvée le 28 septembre, par référendum.
Le 21 décembre, de Gaulle est élu président de la République.

Oui pour l'Algérie nouvelle..., 1961. Affiche éditée à l'occasion de la campagne pour le référendum sur l'autodétermination de l'Algérie. Musée d'Histoire contemporaine, BDIC, Paris. Photo © Jean-Hugues Berrou, musée d'Histoire contemporaine, BDIC, Paris.

Jacques Villeglé, *Oui, rue Notre-Dame-des-Champs, 22 octobre 1958.* Affiches lacérées. Collection de l'artiste. Photo © Centre Georges Pompidou, Paris.

En juillet, le dessinateur Bosc publie un très violent album de dessins chez Jean-Jacques Pauvert, *Mort au tyran*, faisant ouvertement référence à de Gaulle.
André Fougeron présente au Salon des Indépendants (18 avr.-11 mai) *La Nuit*, suite du *Triptyque de la honte,* dont faisait partie, en 1954, *La Zone*, consacrée au problème algérien. Quelques semaines plus tard, il présente au Salon de mai la troisième partie de son triptyque, *Massacre de Sakiet Sidi Youssef*. Le bombardement du village tunisien est également le sujet retenu par deux artistes : Bernard Lorjou, qui présente *Renart à Sakiet* à l'Exposition universelle de Bruxelles (avr.-sept.), et l'Anglais Peter de Francia, qui montre *The Bombing of Sakiet* à la Waddington Gallery de Londres.
En juin paraît le premier bulletin de l'Internationale situationniste. Le numéro contient les « thèses sur la révolution culturelle » dans lesquelles Debord énonce le projet du dépassement de l'esthétique traditionnelle (liée à une prétention d'éternité) par « la participation immédiate à une abondance passionnelle de la vie, à travers le changement des moments périssables délibérément aménagés ».

Italie

Dans le Laboratorio Sperimentale dell'Internazionale Situazionista, à Alba, Pinot Gallizio commence, en janvier, la production de sa « peinture industrielle ».
Le 23 septembre, la section italienne de l'Internationale situationniste reconnaît le gouvernement algérien.

Mexique

La première Biennale interaméricaine de peinture et gravure est organisée par l'Institut national des beaux-arts de Mexico. La plupart des pays d'Amérique Latine y participent.

Tchécoslovaquie

L'association Manes organise à Brno une exposition d'artistes tchèques intitulée « Nouvelles tendances ». Une exposition de même type est présentée à Prague l'année suivante.
O. Zoubek réalise *Les Sacrifiés*, sculpture de ciment qui traduit le sentiment de toute une génération d'artistes qui, consciente d'une carence – celle de la liberté –, se considère comme une « génération perdue ».

URSS

En octobre, le prix Nobel de littérature est décerné à Boris Pasternak, auteur du *Docteur Jivago*. Sous la pression des autorités, il est contraint de le refuser, après avoir été exclu de l'Union des écrivains.
Le poète et peintre Leonid Kropivnitsky rassemble autour de lui, à Liazonovo (proche de Moscou), un groupe d'artistes (dont Rabine, Masterkova et Nemoukhine, Vetchtomov) ainsi que plusieurs poètes. Le groupe, sans orientation artistique particulière, se donne pour objectif de rompre avec l'isolement subi par les artistes pendant la période stalinienne. Il devient l'un des principaux centres de l'art « non conformiste ».

De droite à gauche : André Malraux, Marc Chagall, le consul d'URSS et Eugène Claudius-Petit lors du vernissage de l'exposition « Marc Chagall » au musée des Arts décoratifs, Paris, 1959. Photo Hélène Adant. © Centre Georges Pompidou, Paris.

1959

Algérie

Le général de Gaulle proclame, le 16 septembre, le droit des Algériens à l'« autodétermination », par voie de référendum sur trois questions : sécession, francisation ou autonomie en association avec la France. En réponse à de Gaulle, le Gouvernement provisoire de la République algérienne se dit prêt à discuter des conditions du cessez-le-feu et de l'autodétermination de l'Algérie.

Allemagne

RDA

La première conférence culturelle de Bitterfeld propage l'image de l'ouvrier comme écrivain et peintre. Lors de son discours, W. Ulbricht insiste sur la nécessité d'effacer les limites entre art professionnel et art amateur ; la classe ouvrière devant devenir porteur de la nouvelle culture socialiste.

RFA

Réuni au congrès à Bad Godesberg, le parti social-démocrate allemand (SPD) renonce dans son nouveau programme politique à toutes ses anciennes références politiques : les nationalisations, la séparation de l'Église et de l'État, le rôle moteur de la classe ouvrière dans les transformations sociales.
Le groupe SPUR est fondé à Munich autour de Heimrad Prem, Hans Peter Zimmer, Helmut Sturm. Lors du IIIe congrès de l'Internationale situationniste à Munich, en avril, le groupe est admis comme nouveau membre de la section allemande.

Chine

Du 19 au 23 mai, la révolte du Tibet contre l'occupation chinoise est brisée par l'armée. Le dalaï-lama se réfugie en Inde.
Liu Shao-chi est élu président de la République le 27 avril. Chou En-lai garde la présidence du conseil. Mao Zedong demeure président du Comité central du parti.
Lors de la conférence du parti à Lushan (2-16 août) et devant l'échec économique du « Grand Bond », Mao Zedong présente une autocritique et le parti revient sur certaines réformes.

Cuba

Le 1er janvier, Fidel Castro s'empare de Santiago. Le dictateur Batista s'enfuit de La Havane et, le 8, Fidel Castro entre à La Havane. Washington reconnaît le nouveau régime.
Le 14 février, Castro devient Premier ministre et annonce, le 17 mai, une réforme agraire avec partage des terres, qui touche les intérêts de quelques grandes compagnies américaines.
Création du Théâtre national, de l'Institut cubain de cinéma et de l'industrie cinématographique, de la Casa Americas.
Le premier numéro du journal *Revolucion,* organe du Mouvement du 26 juillet, est publié sous la direction de Carlos Franqui.

Espagne

Le groupe Estampa Popular (1959-1972), créé à Madrid à la fin de l'année, apparaît comme un mouvement de protestation face aux moyens de diffusion de l'art. Il défend un art de contenu social politique dans un style réaliste très simplifié.
Ses membres utilisent surtout la gravure comme principal moyen de communication, celle-ci étant plus économique et favorisant une meilleure diffusion.
Le groupe, composé d'artistes de différentes tendances, a une diffusion dans tout le pays.

États-Unis

L'USIA (United States Information Agency) commence à préparer l'« American National Exhibition » qui doit s'ouvrir à Moscou, pendant la visite prévue du vice-président Nixon en été. Lorsque la liste des artistes est connue, le représentant Francis Walter la dénonce comme comportant 34 communistes sur 67 artistes.
Larry Rivers exécute *The Last Civil*

Parade du 1er Mai à Berlin-Est. Photo © Erich Lessing, Magnum Photos.

War Veteran, œuvre inspirée d'une photographie parue dans le numéro du 11 mai de la revue *Life,* représentant le dernier soldat de la guerre de Sécession.

France

Le 8 janvier, Michel Debré, nommé Premier ministre, constitue son gouvernement. André Malraux est nommé ministre des Affaires culturelles.
La première Biennale des jeunes est inaugurée le 2 octobre, au musée d'Art moderne de Paris. Hains et Villeglé exposent, dans l'auditorium qui leur est réservé aux côtés de Dufrêne, un ensemble d'affiches lacérées prélevées dans la rue intitulé *Palissade avec emplacements réservés,* ce qui provoque un scandale interne. Le 3 octobre, Bernard Lorjou publie le tract-manifeste « De la nausée à la colère », dénonçant la transformation des musées en « dépotoirs à palissades ».

Italie

En janvier, le manifeste « Arte interplanetaria » est signé par 18 artistes et écrivains (parmi lesquels Baj, Recalcati, Sordini, Verga, les membres du groupe 58 – Biasi, Del Pezzo, Di Bello, Fergola, Luca, Persico –, le futuriste Farfa, et les jeunes poètes d'avant-garde Anceschi et Balestrini).
Vers la fin de l'année, se constituent plusieurs mouvements d'art « optique » : à Milan, le Gruppo T et, à Padoue, le Gruppo N (promu par Biasi, Chiggia, Landi et Massironi).

Japon

Quatre-vingt-six intellectuels, critiques et artistes japonais remettent, en mars, un communiqué protestant contre le plan de révision du traité de sécurité entre les États-Unis et le Japon.
Lors de la première exposition « Nippon » qui se déroule en juin, On Kawara présente 16 peintures de la série *La Salle de bain.* Des têtes, des membres, des corps mutilés apparaissent sur un motif de carrelage de salle de bain.

Pologne

En juillet, inauguration, dans la galerie Krzysztofory de Cracovie, de l'exposition organisée par la revue française *Phases.* Soixante-quinze œuvres de 37 artistes de tous pays sont présentées (entre autres, Baj, Bertini, Bryen, Brzozowski, Corneille, Dova, Falhström, Götz, Herold, Lam, Lebel, Matta, Reutersward, Toyen...).
L'exposition témoigne de l'ouverture de la Pologne aux avant-gardes d'Europe occidentale.
La même année, à Varsovie, l'exposition annuelle de la galerie d'art contemporain du Musée national présente, ensemble, des œuvres abstraites (Hiller, Jarema, Strzeminski, Stazewski, Wlodarski, Stern), informelles (Brzozowski, Kantor, Nowosielski...) et « coloristes » (Cybis, Czapski, Potworowski...).

Tchécoslovaquie

Création du groupe pragois Smidrové autour des personnalités de Dlouhy, Nepras et Vozniak. D'un esprit proche des nouveaux réalistes parisiens, sa démarche découle d'une volonté de conserver une autonomie face à la pression de l'État. La transposition expressionniste sublime la « désagréable réalité ».
Bostik et John réalisent *Pensée pour les victimes de l'holocauste en Bohême dans la synagogue pragoise Pinkas.*

URSS

Le 18 mai, le IIIe congrès des écrivains soviétiques dénonce la « grisaille » de la littérature soviétique et le manque de responsabilité des écrivains.
Pasternak, accusé d'avoir « trahi la patrie », est interdit de tout contact avec les étrangers.
En septembre, se déroule, au palais de l'Industrie, une exposition d'art américain (Albright, Pollock, Rothko, De Kooning...) organisée par l'USIA [voir États-Unis]. La présentation en URSS de l'art américain constitue pour les artistes et le public soviétique une « fenêtre ouverte » sur le monde occidental. Elle alimente le débat dans les cercles intellectuels en dépit de l'écho restreint que souhaitent lui donner les autorités soviétiques.

Fidel Castro et ses partisans, durant leur marche vers La Havane avant le renversement du régime de Batista, 1959. Photo © Burt Glinn, Magnum Photos.

Manifestation
contre la ségrégation raciale.
Birmingham (Alabama),
4 juin 1963.

1960
1979

1960-1980
Critique politique, critique de contestation et détournement

1960-1980 Critique politique, critique de l'image, contestation et détournement

Marie Luise Syring

La mobilisation de l'art à partir de l'histoire

Peut-être y a-t-il des époques assez supportables pour que les artistes se contentent de jeter sur l'histoire un regard qui l'illustre, la commente ou l'interprète. De toute évidence, il y a des moments où seuls un cri désespéré ou une plume satirique leur permettent de se protéger de son cours meurtrier. Cependant, s'il y eut au XXe siècle une période où de nombreux artistes voulurent influencer leur temps et où, de surcroît, les conditions sociales s'y prêtaient, ce furent les années soixante et, dans une moindre mesure, les années soixante-dix.

Les artistes de ces années-là se mobilisent et se politisent devant la multiplication des crises politiques, qui exigent d'eux une réaction et exercent une pression dont ils ne peuvent ou ne veulent plus se soustraire. S'ils bénéficient de meilleures conditions pour intervenir dans l'histoire que les artistes à l'époque de la révolution d'Octobre ou de la guerre d'Espagne, c'est parce que les structures de la géopolitique, de la société et de la culture vont, dans les années soixante, devenir plus ouvertes, et par conséquent plus propices à un changement progressif et durable.

Utopies concrètes

Les États-Unis entrent dans cette décennie en choisissant, avec Kennedy, un président porteur d'espoir, qui entreprend des réformes sociales et veut en finir avec la guerre froide. En réalité, celle-ci sera exacerbée par la crise de Cuba et l'édification du mur de Berlin en 1961 : elle atteint même son paroxysme en 1964 avec l'engagement militaire au Viêtnam. Pendant ce temps les Noirs, dans un mouvement d'émancipation, réclament leurs droits civils et la fin de la discrimination raciale.

La France termine en 1962 une guerre de huit longues et dures années en Algérie, due à une politique extérieure marquée par l'héritage du colonialisme. L'opinion publique prend connaissance des pratiques de torture tolérées par le gouvernement, des massacres et des actes de terrorisme. À ces informations se mêlent les revendications légitimes du mouvement de libération populaire algérien, déclenchant une vague d'autocritique qui culminera quelques années plus tard avec l'agitation étudiante, la grève des travailleurs et les manifestations contre la guerre du Viêtnam.

En Allemagne, le procès d'Eichmann en 1961 et le début du procès des gardiens du camp d'Auschwitz en 1963, qui rappellent l'extermination des Juifs dans les camps nazis — longtemps passée sous silence —, laissent les Allemands sous le choc, particulièrement les jeunes. Le conflit de générations irrémédiable qui s'ensuit aboutit à un vaste mouvement anti-autoritaire, et en fin de compte aux actions antifascistes ciblées de la Fraction armée rouge. À peine commence-t-elle à penser, la jeune génération, qui a grandi dans l'esprit craintif de l'après-guerre et de la reconstruction économique *(Wirtschaftswunder)*, bute sur les résidus du fascisme et du racisme. Elle a appris ses leçons dans *La Dialectique de la Raison* et *Socialisme et Barbarie,* et elle éclôt maintenant dans un deuxième rationalisme « critique » (la « Kritische Aufklärung », de Lothar Baier), qui ne se réalise plus seulement au nom de la raison, mais se réclame de l'imagination, du plaisir, de l'économie du désir, de la joie, du courant chaud *(Wärmestrom),* de l'utopie (Ernst Bloch). On découvre la possibilité d'une « prise de conscience à travers l'action » (Reinhard Mohr/Daniel Cohn-Bendit).

Peu nombreux sont ceux qui croient qu'un changement social immédiat soit réalisable au moyen de stratégies révolutionnaires ou de simples actions spontanées. Toutefois, la conviction s'affirme que l'homme peut modifier les mentalités par des actes symboliques et qu'il peut améliorer les conditions de l'émancipation individuelle, signifiant que chaque être humain, quelle que soit sa classe sociale ou son origine, peut développer librement toutes ses facultés spirituelles et créatrices (Rudi Dutschke).

Cette conviction a son origine dans un magma spirituel qui résulte aussi bien des événements historiques que d'une série de théories nouvelles au sein des sciences humaines : les théories révolutionnaires sont issues d'une relecture de Marx et de Lénine, de Gramsci et de Rosa Luxemburg. L'analyse de la société post-capitaliste est marquée par les écrits de Horkheimer, d'Adorno, de Wilhelm Reich et d'Herbert Marcuse. La parution du texte intégral de *Das Prinzip Hoffnung* (« Le Principe espérance »), d'Ernst Bloch, fournit la base philosophique à l'énergie utopique en Allemagne, le philosophe transposant le concept utopie d'un futur non daté et non localisé dans un moment aux conditions concrètes et aux buts réalisables. La contribution des structuralistes, de Michel Foucault, de Louis Althusser, de Roland Barthes, de Jacques Lacan et d'autres, consiste à reformuler la position du sujet par rapport à l'histoire et aux structures dominantes de la société. Franco Basaglia, Ronald Laing et Félix Guattari transforment la psychiatrie. Le féminisme, l'éducation anti-autoritaire des enfants et l'émancipation des minorités dans la société ne sont plus seulement revendiquées, mais font l'objet d'études scientifiques.

Avec le plus grand enthousiasme sont enfin saluées, à partir de 1966, les informations sur la Révolution culturelle chinoise, mal comprises à nos yeux d'aujourd'hui, mais d'un invraisemblable impact à l'époque.

Le point caractéristique et déterminant de ce bouleversement radical dans les années soixante est le surgissement — on pourrait dire l'« invention » — d'une contre-opinion publique, qui se manifeste en une conquête de la rue et qui non seulement sape la puissance des médias officiels, mais réussit pour un moment à ébranler tout le système politique des pays concernés.

On ne pourrait pas dire que cette volonté de résister à la manipulation médiatique n'existe plus aujourd'hui. Un certain potentiel critique demeure, qui peut mener à différentes formes de protestation, mais celles-ci sont loin d'avoir l'envergure du mouvement massif de mobilisation des années soixante, amorcé par les foules qui suivent les concerts des Beatles, jusqu'aux manifestations estudiantines de 1968.

Quoi qu'il en soit, cette contre-opinion d'un dynamisme considérable constitue l'explication et, de toute évidence, la base de l'interaction intensive et fructueuse qui interviendra entre l'art et l'histoire contemporaine dans les années 1960-1980 : pendant deux brèves décennies, la vie devint partie intégrante de l'art et l'art s'épanouit dans la vie.

« La démocratie doit être chantée »

(Joseph Beuys)

À la fin des années cinquante, de nouvelles tendances artistiques apparaissent, qui visent à dépasser l'individualisme excessif de l'art informel et la négation sublime des expressionnistes américains abstraits. Les formes d'expression du début du siècle semblent avoir fait leur temps et semblent s'avérer aussi dépassées que les structures sociales en place.

Si l'on débattait jusque-là de la question de savoir si l'avant-garde devait s'exprimer en formes abstraites ou figuratives, les années qui suivent se placent sous le signe d'un concept esthétique « enrichi » de nombreuses nuances. Le développement d'un grand marché international et d'un échange vivant entre les différentes scènes artistiques s'accompagne d'une véritable explosion de nouveaux courants créatifs. Et ce en si peu de temps qu'on ne peut guère y déceler une succession ou une suite logique de tendances : on voit coexister le Nouveau Réalisme, le Pop'Art, le situationnisme, le happening et Fluxus, l'Art cinétique, l'Arte povera et la Nouvelle Figuration. Que la plupart de ces courants se vouent à la vie quotidienne et à la réalité n'est que leur dénominateur commun le plus général : tandis que les Nouveaux Réalistes utilisent les déchets de l'industrie et les objets usuels pour prendre de la distance avec l'industrie de consommation et découvrent l'esthétique des affiches murales déchirées, les artistes pop imitent l'*american way of life,* font entrer dans l'art le kitsch, les produits de grande consommation, les fétiches, les idoles, les méthodes de la publicité et le commerce médiumnique avec la réalité. Les situationnistes refusent cette réalité tout autant que son écho artistique : ils y voient un résultat de la « société du spectacle » et exigent que l'art se limite à la « construction de situations ». Les artistes du happening et de Fluxus se concentrent sur cette pratique activiste. Ils mêlent la musique, l'art, la poésie et la théorie et suscitent la participation des spectateurs, les objets qu'ils fabriquent ou utilisent ne représentant la plupart du temps que des accessoires. Les artistes cinétiques propagent une pratique anonyme et font progresser la démocratisation de l'art par la multiplication. Apportant par leurs projets une contribution à l'architecture, ils cherchent, grâce à leur esthétique du mouvement, une connexion avec les structures des grandes villes et des techniques nouvelles. L'Arte povera, en revanche, utilise les matériaux les plus simples et les plus pauvres pour faire parler la substance et le rayonnement du matériau quasiment brut.

Enfin, partout où de jeunes peintres figuratifs tentent de briser la prépondérance de la peinture abstraite, que ce soit dans les ateliers de Berlin, dans les galeries d'artistes, au sein du groupe du Réalisme capitaliste (dont les protagonistes vivent à Düsseldorf), ou dans la Figuration narrative à Paris, on retrouve souvent les aspects ironiques du Pop'Art assemblés à un regard désabusé sur la réalité. Il s'agit là d'un art qui « prend son époque en main » (Alain Jouffroy) et avec lequel nous est tendu un « miroir fraternel » (Gérald Gassiot-Talabot). Mais l'époque accouche de monstres dont on ne peut bientôt plus venir à bout de façon narrative ou ludique.

Quand, en 1960, des appelés français refusant de prendre part à la guerre d'Algérie sont cités en justice, une exposition « Anti-Procès » est montée, à laquelle participent plus de cinquante artistes venant de Paris, de Venise et de Milan et où, pour l'occasion, est réalisé un gigantesque collage collectif de peintures, *Le Grand Tableau antifasciste collectif*[1]. En 1961, Wolf Vostell réagit immédiatement à la construction du mur de Berlin. Il illustre l'aspect dramatique de la situation en utilisant des coupures de journaux et la technique du dé-coll/age et de l'effaçage. Ainsi il montre l'irruption soudaine de la politique dans la vie par le morcellement du texte et de l'image, qu'il efface en partie, suggérant en même temps la disparition irréversible du passé. Alors que Vostell cite et interprète de façon nouvelle des photos de presse représentant par exemple des bonds désespérés dans la liberté, mettant ainsi en question les mécanismes de la communication par les mass media, A. R. Penck, en 1963, symbolise à sa façon, dans un style archaïsant, la fuite de l'Est vers l'Ouest en la comparant à la marche d'un homme sur une corde raide en flammes.

La même année, l'assassinat de Kennedy ébranle le monde. Par la répétition en série, les sérigraphies d'Andy Warhol représentant Jackie Kennedy souriante, puis en deuil, détournent des états d'âme individuels et montrent plutôt une négation du fait historique. L'événement instantané fournit l'occasion, le matériau de base provient de la presse à sensation, et le résultat en image vise à prouver que la reproduction massive affadit et banalise l'information. Décolorée mais pas banale, la reproduction picturale par Gerhard Richter d'une photo de Jackie Kennedy, *Frau mit Schirm* (« Femme au parapluie », 1964), donne l'impression d'une grande distance grâce, précisément, à ce flou qui souligne la solitude et la fragilité de l'existence humaine. En comparaison, les œuvres de Rauschenberg, en 1964, montrent, rétrospectivement,

Kennedy dans l'attitude d'un homme qui règne et décide, entouré des attributs de son temps : un avion de chasse et des parachutistes, signes alarmants d'une menace de plus en plus présente.

Jusqu'à ce que les événements historiques poussent les artistes à un rôle plus actif, ces premiers « peintres de l'histoire » des années soixante restent des exemples isolés sur une scène artistique prospère et très hétérogène.

Depuis le milieu des années soixante — précisément depuis 1964 — affluent les informations sur les guerres injustifiées, les injustices sociales, l'exploitation du tiers-monde par le monde industrialisé et les crises de politique intérieure, dont la signification globale n'échappe guère à une jeunesse au jugement affiné. À New York, Washington et Boston, à Paris, Berlin, Milan ou Amsterdam, des actions de protestation sont menées, qui visent non seulement à attirer l'attention sur les conflits mais à y mettre fin. Il en résulte, sur le plan international, une tendance généralisée de l'art à la politisation, sans qu'il y ait un style dominant ou une préférence pour une pratique spécifique. Au contraire, on peut relever un large spectre de formes d'expression : de même que l'éruption anti-autoritaire se compose d'une multiplicité de micro-révoltes, la scène artistique présente un large éventail de tendances. Même les courants de l'abstraction, tels le minimalisme, le Land Art et l'Art conceptuel, qui, au milieu des années soixante, arrivent des États-Unis pour s'installer en Europe, se fondent sur une réflexion politique. Avec eux se manifestent au premier plan de jeunes artistes qui veulent ramener l'art à son degré zéro. Conscients de leur valeur, ils se placent à la pointe d'une ère nouvelle. Ce qui entrera dans l'histoire de l'art comme art conceptuel des années soixante-dix commence en 1967-1968 par un certain nombre d'actions ou de gestes situationnistes et un refus radical d'une production de l'art sous forme d'objets. L'abstraction lyrique ? Un fade académisme. Le nouvel art figuratif ? Des gadgets pour les salles de séjour bourgeoises. L'art cinétique ? Positiviste et dépourvu de critique. « Tout doit disparaître ! » assène Ben Vautier. « Attention, l'art corrompt », avertit Jochen Gerz. « À bas les images ! » clame un graffiti sur les murs de la Sorbonne. Pourquoi donc devrait-il encore y avoir de l'art, puisque, selon Daniel Buren, il est « objectivement réactionnaire ». Le but est de se libérer totalement des formes traditionnelles.

Jochen Gerz, *Exit/Le Projet de Dachau*, installation, 1972-1974. Courtesy Museum Bochum, Allemagne.

Germano Celant fête en 1968 la « problématisation » de la langue comme une forme d'« anarchie linguistique ». Il s'agit de trouver une forme artistique ouverte, non encore déterminée par la société et la culture, un langage non représentatif, libéré de la hiérarchie et de sa propre violence. D'où les gestes de refus dirigés contre les idéologies et les doctrines, mais aussi contre le puissant marché de l'art ; d'où l'absence de mémoire des signes, la subversion de l'image et du texte, l'ivresse de l'ouverture totale, le rêve de ne-plus-vouloir-montrer et de ne-plus-vouloir-dire. Il s'agit pour les conceptualistes de sortir de l'instrumentalisation de l'art par le politique, mais nullement de renoncer à l'action politique.

Bien sûr, que l'affirmation de la représentation soit instrumentalisable ne correspond pas, en 1968, à l'opinion de la majorité des artistes : la plupart considèrent l'art comme un puissant moyen pour éclairer *(Aufklärung)* et former l'opinion. C'est en ce sens que Gilles Aillaud, Eduardo Arroyo et Antonio Recalcati, qui se sont faits en 1965 les meurtriers symboliques de Marcel Duchamp[2], manifestent une confiance certaine, quoique hésitante, en l'art dans sa relation à l'histoire :

« Même l'art n'est pas cette force salvatrice que nous appelons de façon si pressante et d'une voix si faible. Son pouvoir d'intervenir dans l'histoire se limite à la capacité de donner quelques avis. Mais au demeurant, par là même, il n'est pas totalement mort en tant qu'art, il est autre chose qu'un secteur de la production culturelle parmi d'autres. Pour nous qui avons l'intention de faire nos preuves d'individus réels dans le temps et l'espace, il ne s'agit pas d'inventer ou de découvrir de nouvelles formes d'expression artistique, mais de donner davantage à penser[3]. »

En 1965, ils croient que les moyens de la peinture ou de la sculpture figuratives suffisent largement à ébranler l'observateur, à le rendre conscient dans l'espace et le temps, peut-être même à intervenir sur le cours de l'histoire pour la changer. Cependant, avec l'accumulation des conflits, les artistes sont de plus en plus disposés à se rallier à la vague internationale croissante des protestations et des actions.

« Cela pourrait impliquer de faire sortir l'art dans la rue, d'aller sur les barricades pour y jouer un rôle plus actif, si c'est nécessaire — de quelle façon, cela reste encore à définir —, dans cette révolution culturelle qui ébranle et détruit partout dans le monde et, précisément maintenant, les fondements d'une prépondérance occidentale blanche totalement décadente[4]. »

L'art international en « action »

En 1964, les forces de guerre des États-Unis commencent à bombarder les villes et les villages du Viêtnam. « Fini le silence ! » adjurent des centaines d'intellectuels américains dans un appel publié le 27 janvier 1965 dans le *New York Times* et dirigé tant contre l'intervention américaine au Viêtnam que contre le soutien au gouvernement d'extrême droite de la République dominicaine[5]. Ils sont bientôt suivis par les artistes, les directeurs de musées, les critiques d'art et les directeurs de galeries qui ne veulent plus se taire.

« Arrêtez ce sale carnage ! » proclame un tract édité par un groupe réuni autour de Leon Golub après l'assassinat de Martin Luther King : le carnage au Viêtnam, et aussi celui des Noirs aux États-Unis[6]. L'Artists and Writers Protest Committee (« Comité de protestation des artistes et des écrivains ») est fondé en 1966 ; à Los Angeles, deux cent cinquante artistes participent à la construction d'une *Tour de la paix* pour le Viêtnam. À New York, au cours de l'« Angry Arts Week », en 1967, quelque cent vingt artistes exécutent un *Collage of Indignation*. Le bénéfice de nombreuses expositions, ventes aux enchères et sérigraphies va au soutien de la grande marche de Washington en 1968. Les artistes pop Claes Oldenburg, James Rosenquist, Andy Warhol, Peter Saul et beaucoup d'autres s'expriment, au sujet de la guerre et des émeutes raciales, avec leurs images caricaturales et stéréotypées. Edward Kienholz érige des monuments énigmatiques et caustiques à la petite bourgeoisie américaine, à sa fierté nationaliste aveugle et à son racisme invétéré. Les environnements de Georges Segal, avec leur forme classique, sévère, font fonction d'avertissement. Il en va de même des images allégoriques de Nancy Spero, des héros tragico-épiques de Leon Golub, ou des diverses manifestations de solidarité — paroles, textes ou formes abstraites — des minimalistes et des abstraits, des artistes de l'Op'Art et du happening.

En 1967 est fondée à Berlin la Kommune 1, qui s'en prend à travers ses provocations et ses happenings absurdes aussi bien à l'appareil de répression étatique qu'aux fondements théoriques du SDS (Sozialistischer Deutscher Studentenbund, « Association des étudiants socialistes »), ressentis comme dogmatiques. Dans les académies d'art de toute l'Allemagne se forment des cellules du mécontentement, qui touchent un vaste public à la Documenta 4, en 1968, et lors de la contre-exposition spectaculaire organisée pendant le Deuxième Marché de l'art de Cologne, en octobre. Ces grands événements artistiques permettent à ces cellules de lancer leurs premières critiques contre l'establishment de l'art et le caractère fétichiste et mercantile de l'œuvre. À la fin de l'année, le groupe Culture et révolution, au sein du SDS de Berlin, ouvre dans la presse un débat qui durera près de deux ans sur « l'art en tant que marchandise dans l'industrie de la conscience ».

La lutte contre la guerre du Viêtnam est mêlée au combat contre les modèles de pensée hérités du national-socialisme, contre les professeurs, les juges, les médecins, les hommes politiques et toutes les autorités qui exercent à nouveau malgré leur passé nazi, contre une presse au service de l'État, les méthodes répressives de la police, les lois d'exception et les interdictions professionnelles, contre tous ces « fascismes quotidiens » (Reinhard Lettau) que l'on s'attache à détecter dans son propre pays. Les autres cibles visées sont les forces répressives et réactionnaires des États étrangers, de l'Ouest comme de l'Est : la discrimination permanente des Noirs en Amérique et en Afrique, la dictature militaire en Grèce, le franquisme en Espagne, le régime totalitaire du chah en Iran, la guérilla en Bolivie, l'écrasement du printemps de Prague par les chars soviétiques, le coup d'État au Chili, la guerre entre Israéliens et Palestiniens. La violence est l'un des principaux thèmes traités par les artistes engagés de Berlin, Düsseldorf ou Cologne, qu'ils soient conceptualistes ou réalistes critiques. Et un long débat s'ensuit : les manifestations non violentes sont-elles le seul moyen d'atteindre un changement de la conscience, ou la violence est-elle permise contre les objets ? Dans tous les cas, on est convaincu que l'art ne cessera d'être une marchandise de l'industrie de la conscience que s'il provoque, effraie, scandalise, tourne en ridicule, et si, tout en étant explicatif dans ses contenus, il est violent dans ses formes, voire autodestructeur. Les innombrables publications anonymes underground de Berlin dénoncent l'information mensongère sciemment véhiculée par les médias. La fondation par Joseph Beuys d'un parti d'étudiants, sa campagne pour la démocratie directe et sa philosophie de la « sculpture sociale » poursuivent, sur le plan artistique, le même objectif que l'« opposition extra-parlementaire ». Les œuvres humoristiques et satiriques de la fraction marxiste de Fluxus, les premières actions du groupe de Lidl autour de Jörg Immendorff sont autant de tentatives visant à démontrer le caractère dérisoire originel de cette République fédérale instaurée après 1945.

C'est en janvier 1968 que se tient à La Havane un congrès culturel international centré sur les problèmes du tiers-monde. Quatre cent soixante-dix intellectuels et artistes de soixante-dix pays se rencontrent et protestent contre le conflit Est-Ouest, réglé *manu militari* dans les États du tiers-monde et aux dépens des pays en voie de développement. Dans l'Appel de La Havane, ils demandent la condamnation des agressions impérialistes par le boycott des expositions et le refus des invitations officielles. Dans l'Espagne de Franco, qui est restée un État policier, les performances musicales du groupe Zaj prennent des aspects anarchistes. Le collectif d'artistes Equipo Crónica se saisit de l'art des avant-gardes pour porter témoignage et fustiger la situation politique en Espagne ou ailleurs. En Tchécoslovaquie, le climat change : des artistes pratiquant le happening et appartenant à Fluxus annoncent leur volonté d'autodétermination. Depuis la fin des années cinquante, une « culture parallèle » se développe qui agit dans le secret, dans des lieux alternatifs, mais se fait connaître grâce à des artistes de renom international comme Jiří Kolár et Milan Knižák. Ce qui, au début, n'est qu'une résistance esthétique tourne à l'opposition politique lors du printemps de Prague. En Hollande, on voit émerger le mouvement des Provos, très influencé par des membres de Cobra et l'Internationale situationniste. En Italie, l'opposition culturelle, dont le centre est à Turin, se forme, également dans le sillage des situationnistes et de l'Arte povera, qui leur est lié. À Milan, où sont installés les maisons d'édition et les périodiques de gauche, une grève est déclarée à la Galleria d'Arte et à la Triennale au printemps 1968. À l'inauguration de la Biennale de Venise, on obtient la fermeture de quelques pavillons après l'intervention de la police contre les rassemblements d'artistes sur la place Saint-Marc. La majorité des participants italiens, trois des quatre exposants français, les Suédois et un Danois retournent leurs travaux contre le mur ou barrent l'accès à leurs espaces d'exposition. Pino Pascali, Mario Merz, Michelangelo Pistoletto et bien d'autres, artistes conceptuels, réalistes, ou de l'Arte povera, engagent leur intelligence et leurs moyens d'expression pour remettre en question les idéologies cachées derrière les appareils culturels.

Dans la France gaulliste, les disputes idéologiques et esthétiques de tous ordres atteignent leur point culminant lors de la révolte de mai. À Paris, sous le mot d'ordre « L'imagination au pouvoir ! », les maoïstes, les marxistes-léninistes, les trotskistes, les anarchistes, les situationnistes, les surréalistes révolutionnaires et les enragés érigent des barricades. Le potentiel artistique de cette foule bigarrée s'exprime pleinement au moment où, le 13 mai 1968, jour de la grève générale, les artistes des écoles d'arts plastiques transforment leurs ateliers d'impression en « ateliers populaires ». À la Sorbonne, à la faculté de Nanterre et dans les rues du Quartier latin, des milliers d'affiches — lithographies et sérigraphies — appellent les jeunes révoltés et des travailleurs en grève à la solidarité.

À côté de nombreux autres groupes, le Comité révolutionnaire d'agitation culturelle (CRAC) et l'Union des arts plastiques voient le jour. Le Salon de la Jeune Peinture, tenu depuis 1965 par les peintres réalistes, organise des expositions sur les thèmes de l'actualité : « La Salle rouge pour le Viêtnam », en 1968, et « Police et culture », en 1969.

Le *Bulletin de la Jeune Peinture* relance le débat sur le réalisme socialiste. Mais la plupart des artistes n'ont à leur programme ni propagande ni aucune forme d'art liées de quelque façon que ce soit au socialisme « réel ». Leur langage est destructeur et déstabilisant. À la falsification perpétuelle de la réalité par les mass media et par la publicité, on oppose la démythification, telle que l'entend Roland Barthes. Par des perspectives découpées en tranches et des techniques de superpositions, on évite une simple contemplation dénuée de toute réflexion et on prive le matériau artistique de son effet de séduction immédiate. Des assemblages grotesques ou des effets de zoom font apparaître des contradictions. Par la surenchère et l'exagération, l'image est rendue absurde. Les tableaux caricaturaux des *Polit-Comics* d'Erró par exemple représentent une des facettes de ce réalisme démythifiant, tout comme les travaux de Rancillac, de Monory, d'Aillaud, de Gasiorowski, de Cremonini, de Recalcati ou de Fromanger.

Une contradiction : le rire cynique et l'Histoire écrite en lettres capitales

Une attitude tout à fait spécifique qui caractérise l'ensemble du mouvement d'émancipation et anti-autoritaire de 1968 est toutefois moins visible dans ces témoignages, d'un art « élevé » que dans les affiches éphémères des « ateliers populaires ». Ces affiches créées à la va-vite, souvent écrites à la main et qui utilisent les métaphores picturales les plus simples, évoquent un nouvel art populaire. Ce qui les distingue, c'est leur insouciante témérité folâtre et ce que l'on pourrait appeler un irrespect prolétarien à l'égard des contenus et des formes de la société établie. Cet élément cynique (dans le sens classique) présent dans tout l'art anarchiste de l'époque 68 est également typique des graffitis innombrables qui fleurissent sur les murs des universités et recouvrent les affiches publicitaires, dans les rues. Ces graffitis, qui, à ce moment-là, ne sont pas encore considérés comme de l'art, sont issus du programme des situationnistes et définis par eux comme la meilleure méthode de « détournement » du texte et de l'image : « L'art, c'est de la merde. » Même en peinture, on recourt fréquemment à un tel déplacement de sens comme moyen d'aliénation. Les symboles de l'État et les drapeaux des nations sont particulièrement visés par ces « détournements », dans la mesure où ils représentent un patriotisme que l'on accuse de militarisme et d'impérialisme, d'hypocrisie et de génocide.

Les jeux de mots et la manipulation des images, qui abondent en 1968 et au cours des années suivantes, atteignent un rare niveau d'agressivité. *Das grosse Schimpftuch* (« Le Gros Torchon d'injures ») de Sigmar Polke en est un exemple, ainsi que la peinture de Jörg Immendorff intitulée *Arrêtez de peindre*. De même Joseph Beuys qui, le 1er mai 1972, balaie la Karl-Marx-Platz à Berlin-Ouest, accomplit un geste à la fois cynique et rationnel : « Je voulais démontrer par là qu'il fallait aussi balayer l'option idéologique rigide des manifestants, à savoir ce que l'on annonce sur les banderoles comme une dictature du prolétariat[7]. » Les feuilles d'automne jaunies et tombées en poussière que Beuys rassemble et expose dans une vitrine sont une métaphore parfaite et pour illustrer son refus de toute idéologie, et pour suggérer que la théorie du prolétariat en tant que seul sujet révolutionnaire de l'histoire est dépassée.

Le révolutionnaire a-t-il le droit de rire ? L'humour noir et le scandale public sont des moyens d'éveiller les consciences tout à fait courants depuis le dadaïsme et le surréalisme. Les hippies qui mettent des fleurs dans le canon des fusils des soldats ou bien les femmes qui montrent leurs seins pendant les séminaires de sciences sociales d'Adorno utilisent ces procédés, à l'instar de la poétesse Joyce Mansour, qui, au congrès de La Havane, en 1968, frappe le peintre Siqueiros, un protagoniste de la révolution mexicaine, tout en l'apostrophant : « À l'assassin de Trotski, de la part de Breton ! »

De cet incident mené contre le fameux Siqueiros se dégage une tendance autre, qui, à cette époque sans règles, crée une règle nouvelle : ce sont les anti-héros de la révolution qui sont célébrés, Che Guevara et Martin Luther King et, à travers eux, les assassinés et les humiliés. Ce sont les anonymes, dont on évoque la mémoire, comme les enfants en fuite à My Lai ou les citoyens de Prague qui, de leurs corps, font barrage aux chars. Par contre, les soi-disant « vrais » héros de l'histoire sont mis en doute ou soumis à la banalisation, à l'ironie et à la moquerie, comme dans les portraits historiques peints par Eugen Schönebeck, comme dans celui de Mao par Sigmar Polke ou de Franco par Arroyo. La satire introduit une distance par rapport au sujet du tableau, elle le dépouille de son contexte idéologique, le prive de son aura et nous rapproche de la vérité historique.

Dans l'art engagé de ces années, le passé est fréquemment mis à contribution pour révéler les abus, mais les germes d'utopie du présent le sont aussi. Des citations (images ou paroles) sont intégrées à l'œuvre, des moments historiques sont isolés et réinterprétés. Des événements non contemporains sont transposés dans une synchronie démonstrative : le Viêtnam voisine ainsi avec Auschwitz, et les interventions brutales de la police contre les manifestations des étudiants sont associées aux méthodes des fascistes. D'autre part, on se réfère sans cesse aux forces constructives des révolutions antérieures.

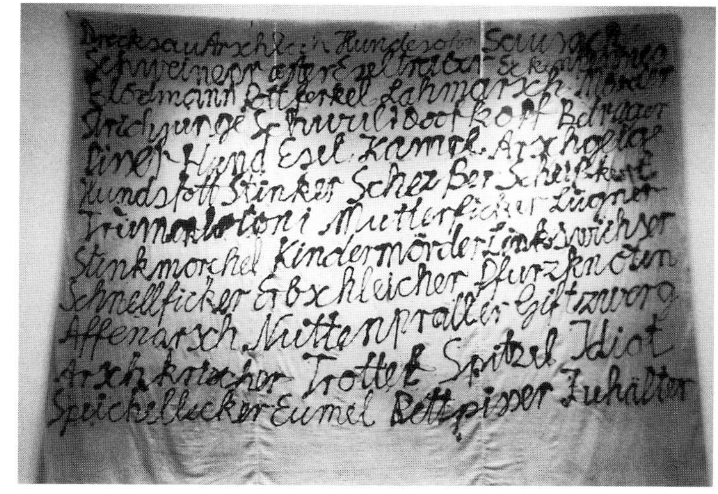

Sigmar Polke, *Das grosse Schimpftuch* [Le Gros Torchon d'injures], 1968. Courtesy of Thomas Ammann Fine Art, Zurich.

Dans tous les cas, on peut affirmer que, dans l'art politique de cette époque, l'histoire mondiale est envisagée d'un point de vue qui est commun à tous. Dans de nombreux exemples de toutes origines — américaine, espagnole, française, allemande ou autre —, il apparaît qu'en analysant le présent, on ne travaille pas seulement sur son propre passé, mais sur le passé en tant qu'héritage collectif. Ce mouvement de 1968, axé sur le changement et l'avenir, traverse les frontières nationales et assume le fardeau d'un héritage historique international. C'est pourquoi il ne me semble pas contradictoire que ces œuvres qui témoignent de l'histoire contemporaine — en dépit du fait qu'elles accusent, agressent ou ironisent, qu'elles annoncent un monde meilleur ou qu'elles condamnent le monde présent — soient toutes portées par un certain pathos, s'accordant au grand devoir que l'on s'impose à soi-même.

À première vue, la situation est très différente dans la période qui suit 68 : les années soixante-dix, décennie des « mythologies individuelles » et des micro-cellules d'émancipation, produisent « l'art dans le contexte social » — l'artiste en tant que travailleur social, l'ethnologie du quotidien —, auquel se rattachent le Body Art, la performance et le questionnement sur l'identité artistique dans l'art vidéo, qui se répand à l'époque. D'innombrables initiatives visant à garantir l'autonomie des arts voient le jour, tels les collectifs d'artistes et les expositions alternatives. La pratique et la théorie sont étroitement liées. Le thème de l'art critique de son temps (au sens étroit du terme) fait moins qu'auparavant l'objet de débats. Il est plutôt question d'un changement concret des conditions de production, de distribution et de réception de l'art. Il ne s'agit plus à vrai dire d'art politique, mais de « comment rendre l'art politique » (Dieter Hacker).

Le pathos que nous avons mentionné plus haut apparaît paradoxalement plus fort encore dans la peinture de ces années, époque où le ressort révolutionnaire et la pensée internationale disparaissent progressivement. Il semble être une réaction à l'affaiblissement des énergies utopiques, car « The reality has been very different » (« La réalité a été très différente »), comme l'écrit Katharina Sieverding, désabusée, à propos d'une de ses photographies de grandes dimensions. En même temps, des peintres comme Anselm Kiefer et Sigmar Polke, ou comme les dissidents soviétiques Boulatov, Sidorov et Kossolapov, s'abandonnent à une emphase surdimensionnée qui semble nécessaire pour maîtriser un passé ou un présent insupportables.

L'art engagé des années soixante et soixante-dix ne doit pas être considéré comme un simple épisode ni sa production minimisée, comme c'est souvent le cas aujourd'hui. Il a été une nécessité historique, et il mérite d'être apprécié à l'intérieur du contexte de son époque. Il me semble, en tout cas, que ces deux décennies ont été les dernières où l'histoire s'est écrite en lettres majuscules et où elle a également joué en cette qualité son rôle dans l'art. Tout à fait dans le sens d'une histoire qui n'a pas encore été mise en épreuve dans la réalité, telle que Ernst Bloch la concevait quand il écrivait : « Puisque tant de passé n'est pas encore révolu, cette dernière fait du tapage à travers l'aube de la nouveauté. »

Traduit de l'allemand par

Marc Payen

1. « Anti-Procès. Manifestation collective », Galerie des Quatre Saisons, Paris, 29 avr.-9 mai 1960 (et Milan, 1960 et 1961). Voir Jean-Jacques Lebel, *Retour d'Exil. Peintures, Dessins, Collages 1954-1988,* Paris, Galerie 1900-2000, 1988.
2. Gilles Aillaud, Eduardo Arroyo, Antonio Recalcati, « Vivre et laisser mourir ou La Mort tragique de Marcel Duchamp », texte qui accompagne les huit tableaux du même titre, Paris, 1965.
3. *Ibid.*
4. « I accuse », tract de Jean Toche, New York City, Judson Gallery, 10 mai 1968.
5. « End Your Silence », proclamation, *The New York Times*, 27 juin 1965.
6. « Stop The Damned Killing ! » (Tract For Artists and Writers Protest : Rudolf Baranik, Leon Golub, Irving Petlin, Jack Sonnenberg).
7. Joseph Beuys, cité d'après : Harlan, Rappmann, Schaka, *Soziale Plastik,* Achberg,1976.

De la Figuration narrative à la Figuration critique

Gérald Gassiot-Talabot

Le titre proposé ici semble mettre en rapport, peut-être en opposition ou en complémentarité, deux ensembles aux contours ambigus, qui en fait ne veulent pas dire, dans leur connexion avec le monde, ce que leur énoncé semble impliquer. La « Figuration narrative » a été formulée par moi aux alentours de 1964 pour rendre compte d'un phénomène troublant qui surgissait littéralement de la documentation rassemblée et des informations reçues, concernant les travaux des artistes et les expositions organisées dans tous les pays occidentaux : l'apparition d'un art qui, sans le dire explicitement, faisait une place dominante à la temporalisation. C'est en 1965, dans l'exposition « La Figuration narrative dans l'art contemporain », que furent étudiées les différentes façons d'inscrire la durée sur la toile. Et ces catégories narratives (style continu, juxtapositions temporelles, narration par épisodes, etc.) allaient relever l'usage de pratiques, familières à différents moments de l'histoire, mais rejetées par ce qu'il est convenu d'appeler l'art moderne. Après le parti antitemporel de l'art abstrait, il apparaissait très surprenant que les cloisonnements, les juxtapositions, la métamorphose des sujets, la résonance d'une continuité de toile en toile deviennent de plus en plus fréquents et usuels (Berni, Schlosser, Aillaud, Fromanger, Seguí). Il paraissait naturel d'entrer dans une toile par un bout et d'en sortir par un autre (Boshier, Perilli, Novelli, Malaval, Arroyo...). Il a donc fallu proposer une définition de la Figuration narrative reposant sur un concept précis et sur une dilatation sémantique permettant un champ d'exploitation très large du contenu. C'est pourquoi, en 1967, dans l'exposition « Bande dessinée et Figuration narrative », fut avancée cette approche, maintes fois citée : « Est narrative toute œuvre plastique qui se réfère à une représentation figurée dans la durée, par son écriture et sa composition, sans qu'il y ait toujours à proprement parler de "récit". » Cette définition est assez large pour permettre d'étudier ensemble des artistes qui ont choisi délibérément de rendre la durée et ceux dont l'œuvre recoupe cette préoccupation, même provisoirement. Le dessein de tels artistes n'est pas nécessairement de fournir une information explicite ni strictement discursive mais de pratiquer une appropriation de la réalité avec un écart, un hiatus, une transposition. Pierre Gaudibert ajoutera « reprise, détournement et glaciation ». Cette considération permet d'ouvrir à une voie historique et politique, un enchaînement logique, presque mécanique. Un certain nombre de peintres ont utilisé la temporalité narrative à des fins autobiographiques, mythologiques, anecdotiques, sociologiques, analytiques, comme Foldès, Voss, Bertholo, Sandorfi, Weiss, et, dans un registre différent, Adami, Schlosser, Csernus, Le Boul'ch, Kermarrec, Byzantios.

Si la Figuration narrative a dans son principe un contenu neutre et polyvalent, la manipulation des moyens de l'écriture temporelle a conduit par l'historicité et l'autobiographie à passer à la peinture d'histoire, aux catégories de la mémoire et à déboucher sur l'historicisme et l'histoire en cours, c'est-à-dire sur les événements politiques, l'actualité, le monde d'aujourd'hui.
Les branchements effectués entre l'histoire et l'art reposent d'abord sur le traitement du visage et du corps.
L'« offense » faite à l'image humaine est la proposition du tragique de sa condition, du travail de la mort, de la défiguration des apparences : Bacon, Hamilton, Fautrier (les *Otages*), Dubuffet, Alechinsky, Bettencourt, Dado et plus récemment la chair laminée de Franta, les distorsions pathétiques de Christoforou, les champs de torture de Veličković, la banalité iconique des stars de Rancillac, les cadavres jetés d'Ernest Pignon-Ernest, la cruelle exactitude de Hucleux, les corps blessés et offensés de Sandorfi. Chez Klasen, le découpage sadien des corps

féminins explosera dans une opération sur le mur de Berlin et dans la dénonciation du traitement infligé aux aliénés, qui s'extrapole à l'usage de la contrainte et de la torture en politique.
L'histoire de la représentation dans ce siècle ne se fixe pas seulement dans une galerie d'images torturées du corps, mais s'insinue dans une peinture qui passe par le truchement d'objets ou d'animaux pour dire la condition carcérale, l'ambiguïté onirique du désir, ou le dégagement des forces chez Aillaud, Cremonini, Cueco. Si la lecture des *Hommes rouges,* de ce dernier, porte à l'allégorie de la révolte et au combat de rue, plus ambiguë apparaît l'occupation de l'espace, policé ou sauvage, par les meutes de chasse ou les chiens de Saqqara dans le désert. Le zoo énuméré par Aillaud nous éloigne du contresens de la peinture animalière pour donner, en une sorte de résignation et d'apathie, l'analogie de la condition humaine, voire de la condition de l'artiste. L'animal, généralement par son mouvement (sauf chez Aillaud) s'inscrit naturellement dans la temporalisation, d'autant que d'aucuns, comme Veličković, se fondent sur Muybridge pour analyser la course de lévrier ou de l'homme et signifier une fuite en avant dans le temps, qui est sans doute l'une des écritures narratives les plus péremptoires.

La peinture politique trouve généralement un champ d'expression relatif à un état du monde pendant une période donnée, ou un point d'analyse sur un événement notable, propre à frapper les sensibilités et à marquer les consciences. On voit très bien quels sont les moments majeurs de la double décennie 1960-1980 : peut-être parce qu'elle se termina en 1962, au moment où allaient éclore les prises de date des artistes, la guerre d'Algérie fut moins directement traitée (excepté par Matta et par Cremonini) que la guerre d'Indochine, qui mobilisa les peintres avec des œuvres éloquentes. Dans ce corps à corps personnel, Saul, Rancillac, Monory, Golub, Equipo Crónica, Equipo Realidad sont des figures majeures. Disons cependant un mot de l'étonnant pouvoir polémique de Fromanger, avec ses coulures de rouge sur les drapeaux, capable de produire un saisissant effet de subversion. Cette technique de la contamination par le rouge a été appliquée avec brio dans la série *Boulevard des Italiens,* où des personnages en rouge viennent perturber l'écoulement des passants polychromes. Même lorsque les artistes, comme Télémaque et Klasen, « répugnent à la tentation de commenter à travers la peinture des événements politiques et sociaux ponctuels », ils le font parfois exceptionnellement et dans des œuvres qui atteignent à un pouvoir de signification décuplé. Et Klasen résume les raisons de peindre en une analyse que partageront beaucoup d'autres artistes : « L'acte de peindre est d'abord un acte de réflexion, d'analyse des causes de ce "décalage" par rapport à la réalité. C'est réfléchir sur les phénomènes qui ont conduit à la perversion de nos systèmes politiques, analyser les menaces qui pèsent sur nos libertés individuelles et prendre conscience des dangers engendrés par le progrès technique. »

C'est ainsi que l'on verra chez Mathelin, Naccache, Guyomard, Maurice Matieu, Birga, la prise de conscience d'états ou de situations litigieuses, plus que la dénonciation d'événements. Cette forme de réflexion dilatée est flagrante dans les travaux du groupe DDP (Devivery, Dupré, Perrot), par une écriture-lecture des images qui fait une place de plus en plus grande au mot. D'où l'importance des aphorismes de Ben, et de la présence du lettrisme à mot, l'hypergraphie dépassant le champ de l'écriture et de la parole, pour donner avec Isou, Lemaître, Pomerand, Sabatier, une réaction critique très originale, souvent parente avec celle des situationnistes.
Les événements majeurs des deux décennies sont autant de titres de tableaux, de sculptures, de manifestations collectives. Mais l'attitude des artistes est ambiguë. On peut avoir le sentiment qu'ils désignent l'événement pour confirmer une célébration ou un opprobre, et qu'ils sont à la limite du simple constat, de l'acte tautologique. Le plus souvent, ils invitent à aller plus loin et jouent sur la complexité, l'équivoque, l'ambiguïté. Le cas d'Erró est exemplaire de ce brouillage de lecture. Ses *American Intérieurs,* où l'on voit l'espace domestique envahi par des hordes de Chinois propulsés par la Révolution culturelle, peuvent être perçus ou bien comme une hypothèse assez terrifiante d'invasion de l'Occident, ou bien comme un canular d'enfant terrible. Mais ce même procédé (car il y a une grande permanence chez Erró à travers les années) donnera une série de cinq toiles sur les Malouines, Beyrouth, la Pologne, la politique de Brejnev et les enjeux du pétrole. Ainsi Erró pourra aussi bien se retrouver sur la couverture d'*Art et contestation* que faire l'objet d'une censure pour une confusion provocante entre Israël et le nazisme. Encore faudra-t-il étudier le jeu des structures, qui pren-

Erró, *American Intérieur n° 7,* 1968. Ludwig Forum für internationale Kunst, Aix-la-Chapelle.

Gérard Fromanger, *Le Rouge*, sérigraphie (détail), 1969. Collection particulière, Paris.

Jacques Monory, *Situation n° 971879054...*, 1971. Collection particulière.

nent une grande part à la prise de sens, notamment par les accumulations d'objets engendrant saturation, trop plein du sens, nausée. « Je cherche à témoigner d'un moment, d'un état fugitif de la société avant que les faits disparaissent par amnésie collective. » Et il met des points de suspension au sens de sa peinture en écrivant : « La narration figurative s'emploie à prendre en compte les informations contradictoires, les faux bruits journalistiques qui font l'événement. Elle procède par galaxies d'images, sans jugement moral ou politique. » Ce degré zéro de la signification va à l'inverse du propos des peintres les plus virulents, comme Rancillac, qui est partie prenante à tous les épisodes violents de l'histoire et se retrouve comme témoin partisan avec les fedayins, les Vietnamiens, les Africains. À l'inverse, pourrait-on dire, Monory aborde la violence et l'événement politique à travers le filtre d'une mise en page très particulière et d'une imprégnation chromatique spécifique. Une mélancolie indicible, une difficulté d'être, une manière d'errance lucide font le charme désenchanté de cette œuvre peuplée d'animaux piégés, de villes sans âme, d'espaces dilatés, d'accidents et de meurtres, c'est-à-dire de tous les épisodes de l'histoire convulsive de notre temps.
Seguí a créé un monde glauque, où déambule son personnage, Señor Gustavo, dans une errance urbaine, sous le regard aveugle d'une foule qui semble à la fois le menacer et l'ignorer.
La sculpture a sa place dans ce jeu, qui permet à Kudo de fournir les inventaires et les paysages d'une ère postatomique pour laquelle on ne sait s'il déplore la destruction du monde ou s'il célèbre la résistance des insectes.
Fahlström, le génial Fahlström, dont les peintures ont proposé toutes les variations possibles sur l'identité, la corrosion du temps, la mutation des formes, n'a sans doute jamais été aussi inventif que dans ses montages dans l'espace, la mise sur trois dimensions décuplant ses possibilités narratives. Il a généré des œuvres libres, discontinues, où l'intervention du spectateur est essentielle *(Planétarium)*, où la dissociation des images à l'intérieur d'une structure-jeu induit la dynamique corrosive de l'œuvre.

Sur un événement dramatique, la mort de Pierre Overney, plusieurs artistes firent des interventions très fortes (Merri Jolivet) mais la sculpture d'Ipoustéguy, *Mort du frère*, créa l'émotion et le trouble les plus vifs. La force du personnage, poing et sexe tendus, déconcerta les proches, montrant comment une œuvre, réaliste par le métier, pouvait atteindre les limites de l'exaspération onirique.
L'introduction d'un récit intelligible, anecdotique, mis à part les contes pervers de Foldès, de certaines toiles de Voss, de Gaïtis, de Novelli, est le fait de travaux collectifs d'Aillaud, Arroyo et Recalcati

sur *La Fin tragique de Marcel Duchamp,* ou sur Althusser, ou encore comme ceux des Malassis *(L'Affaire Gabrielle Russier)* dont il est question ailleurs dans ce catalogue. Si l'on veut procéder par antagonisme sur ce plan de la lisibilité, on pourra opposer Télémaque et Arroyo. L'un refuse la peinture politique et ne peint qu'une seule peinture engagée sur un événement qui le touche à vif et cela donne *L'Un des trente six mille marines...,* dont l'image au caractère évident est rendue complexe par les retouches d'objets, significatifs dans la panoplie de Télémaque (ceintures, slip, pantalon, lunettes, etc.), et surtout par l'encerclement des dates et de l'ombre du soldat, ce qui permettra de dire que, si cette toile est peut-être politique, elle est avant tout magique. Tout le travail d'Arroyo est au contraire communication, à travers des séries dont la plus efficace, *Miró refait,* est un renversement méthodique des signes. Arroyo a consacré une grande partie de son travail, avant le retour à la démocratie en 1975, à la lutte contre le franquisme, avec des toiles âpres, féroces, dénonciatrices, mais aussi avec des compositions énigmatiques, qui reprennent des thèmes du Musée imaginaire et dont *Toute la ville en parle,* silencieuse et nocturne évocation de la mort, est une narration complexe, une tragédie fondée, elle encore, sur l'inversion des signes et la permutation des instruments. Le passage de la peinture autobiographique chez Arroyo *(Les Robinsons)* à la réflexion sur l'histoire, puis au sarcasme politique, est un des plus typiques de l'évolution temporelle de la narration.

Un travail collectif, *La Salle rouge pour le Viêt-nam,* du Salon de la Jeune Peinture, est préparé pour 1968 mais exposé un an plus tard. La thématique commune n'aboutit pas à une fusion formelle pour donner lieu à une œuvre unique, mais à la juxtaposition de tableaux autonomes, tous très explicites et signés par les membres de la Jeune Peinture, où l'on retrouve l'équipe des Malassis (Tisserand, Fleury, Latil, Zeimert, Cueco, Parré), les peintures du groupe Panique (Zeimert, Parré, Olivier O. Olivier), et d'autres invités comme Louis Cane, Schlosser, Spadari, Baratella, et certains des « permanents » les plus actifs du Salon : Biras, Fanti, Artozoul, Buraglio. Cette salle est une sorte de point d'orgue de la Jeune Peinture qui, fondée en 1953, avait trouvé son nouveau ton sous l'impulsion, entre autres, de Michel Troche, Arroyo, Cueco, Aillaud, Biras, Tisserand, Recalcati. L'itinéraire sera pavé de mauvaises intentions : la salle verte où la couleur imposée, « irrespectueuse », permet une critique du formalisme, qui deviendra pendant quatre ans le cheval de bataille de cette formation. Années marquées par l'invitation des peintres anglais, des Allemands du groupe Spur, des artistes tchèques. Nous sommes bien là au cœur d'un enjeu « politique » puisque Michel Troche devra faire face, dans son propre journal, *Les Lettres françaises,* à la coalition de Boudaille et de Besson, et répondre à la quasi-unanimité des critiques qui n'ont pas de mots assez méprisants et injurieux pour stigmatiser, comme on l'avait dit pour « les mythologies quotidiennes », ce « nouveau stade d'avilissement de la peinture[1] ».

En 1966, les membres du comité posent dans des tenues et des postures de « riches », pour répondre à une attaque d'*Arts* qui les présentait comme des nantis, des peintres de luxe, démarche qui impliquait un passage au « rapport entre Art et Histoire ». C'est l'année de l'ouverture avec l'invitation d'artistes très « différents », de Buren à Bernar Venet. Mais nous assistons à une politisation du propos : « La menace qui se profile derrière ce formalisme généralisé est un immense rêve d'intégration, de participation à la vie de la société technique bourgeoise moderne. » C'est la dialectique des tendances et des formes qui est mise en question : « En entretenant, par la succession toujours plus rapide des modes, une atmosphère de crise permanente, la culture mime une remise en question permanente d'elle-même, qui la fait passer pour révolutionnaire en soi. »
Par la dureté de ses positions — ce qu'il faut bien appeler une épuration, en se privant de quelques uns des meilleurs artistes de sa génération — le Salon se prépare à l'explosion de mai, sans s'en douter, mais ne prend pas en compte le rassemblement que constituera l'atelier des Beaux-Arts. Car, au nombre des exclus, figurent Rancillac, Monory, Rougemont, Fromanger, Birga, qui seront parmi les animateurs de cet atelier; Biras fait inviter les artistes pop anglais qui participaient en 1965 à la Figuration narrative[2].
Parmi les éclatements qui affectèrent le Salon (Jeune expression, Mac 2000) la création, en 1978, du Salon Figuration critique par deux anciens présidents de la Jeune Peinture, Mirabelle Dors et Maurice Rapin, est symptomatique d'une gestion très ouverte en démocratie directe. Avec ses expansions à l'étranger, son catalogue très soigné, la Figuration critique a d'abord voulu « investir le choix figuratif comme l'une des voies d'accès au discours social ». Il s'agissait donc d'une défense du figuratif, mais également d'une recherche à partir des techniques, produits et matériaux nouveaux, d'une approche sur la numération, les expériences de pointe, la Computer Vision, les images de synthèse, le Video store. Les interrogations sur les situations sociopolitiques, quelquefois au premier degré, s'impliquèrent dans une critique de l'image « en tant que support fondamental de l'imaginaire et du réel ». C'est en ce sens qu'il faut entendre, dans ce Salon, le concept de Figuration critique, « aux antipodes du soutien de l'image d'un quelconque constat idéologique » (catalogue de 1992). Il a fallu insister sur cette dérive du sens, qui s'écarte de celui donné à la présente exposition, pour comprendre le contenu du très pertinent catalogue qui porte le titre de *Figuration critique* et qui est dû à Odile Plassard et à l'équipe de l'Elac en 1992. Le texte

Marisol, *LBJ,* 1967. The Museum of Modern Art, New York. Don de M. et Mme Lester Avnet, 1968.

d'introduction de Pierre Gaudibert, le commissaire de cette exposition, présentait sous le même titre onze peintres de la Figuration critique qui étaient tous des peintres de la Figuration narrative. Ainsi la jonction des deux termes, qui semblent marquer le début et la fin d'un parcours, montre qu'en fait ils sont étroitement mêlés. La « critique » étant l'une des hypothèses de la Figuration narrative, il faut suivre Gaudibert quand il écrit que « nous sommes en présence d'un courant d'expression qui restreint le champ de la Nouvelle Figuration, sans jamais former un groupe, mais un simple regroupement arbitraire de ceux qui voulaient redonner à la peinture une fonction politiquement active dans l'histoire des peuples et des nations[3] ». Et de noter l'apparition d'un mouvement qui adoptait les images massifiées en tant que documents initiaux, mais en les détournant, les déconstruisant, les subvertissant. Détournement qui visait à mettre en question la société et le monde, selon le titre d'une exposition que nous organisâmes à l'ARC, en 1967, l'année du voyage à Cuba du Salon de mai, où fut peint le *Mural* de La Havane, cette peinture festive, politique par sa situation, colimaçon divisé en portions comme un jeu de l'oie et portant autant de symboles, d'images oniriques, d'inscriptions célébrant la révolution cubaine. Cette belle unité sera brisée par le soutien apporté par Castro à l'intervention russe à Prague. Intervention non légale mais nécessité politique, dira-t-il, avec une franchise exempte de langue de bois, mais qui lui valut la réprobation de tous ceux qui avaient participé au *Mural*. L'épisode le plus éclatant fut l'occupation de l'atelier des Beaux-Arts pendant les événements de mai parce que la violence de cet acte permit aux artistes en général, mais plus particulièrement à ceux de la Jeune Peinture et à ceux de la Figuration narrative, de participer activement à l'élaboration des affiches, agents efficaces du soutien aux grévistes, mais également créations qui sont passées dans le répertoire des figures, des images de rue. L'anonymat de cette entreprise n'interdit pas de reconnaître la patte de tel ou tel artiste (Rancillac, Monory, Alley, etc.). La centaine d'affiches de mai, apportées aux étudiants pragois pendant la période heureuse du Printemps, inspira-t-elle les affiches de même type qui fleurirent sur les murs de Prague au moment de l'invasion ?

Cet art de rue a été continûment illustré par Ernest Pignon-Ernest dans ses hommages à la Commune, sa sanglante dénonciation de l'avortement, et son périple sur la peste à Naples. Par les techniques choisies, les procédés multiples, la présence impressionnante du dessin, Pignon-Ernest est peut-être le seul qui ait

◁ Ernest Pignon-Ernest, *Les gisants - La Commune*, 1971 (Centième anniversaire de la semaine sanglante : sérigraphies collées dans Paris ; ici dans l'escalier du métro Charonne).

Paul Rebeyrolle, *Homme tirant sur ses liens*, série *Les Évasions manquées*, 1979. Collection Sylvie Baltazart-Eon, prêt de l'Espace Paul Rebeyrolle, Eymoutiers. ▷

Vladimir Veličković, *Soleil noir*, 1996. Collection de l'artiste.

mouvements, des signes que l'histoire annulera et gommera, puis recréera et réinventera inlassablement.

fait descendre physiquement l'art le plus narratif dans la rue. Cette peinture d'histoire sur laquelle Jouffroy, notamment, glosera en proposant des textes sur l'« actualisme » et en organisant une exposition et un album sur « Guillotine et peinture », hommage au peintre révolutionnaire Topino-Lebrun.

S'il faut marquer la décennie de 1970 à 1980, ce sera certainement par « Douze ans d'art contemporain en France », en 1972, exposition voulue par Georges Pompidou et montée par François Mathey, François Barré, Jean Clair, Daniel Cordier, Maurice Eschapasse, Serge Lemoine et Alfred Pacquement. Elle tenta de faire la synthèse de douze ans d'art, et paya quelques maladresses d'un opprobre qu'elle ne méritait pas. Cette tentative était trop proche de 1968 et de la frustration qui suivit[4].
Le symbole de la peinture politique pourrait être la couverture du *Monde en question* de Bertini, où figurait une déchirure. Ces deux décennies sont, en effet, jalonnées de déchirures, de blessures, de violences, interdisant aux peintres les images bucoliques et apaisées que l'on a cru voir dans les reprises figuratives de Martial Raysse et les mythes de Cheval-Bertrand. Ces images, elles aussi, portaient la dureté larvée, masquée d'antique, la douceur alanguie, la sourde déflagration d'un monde qui n'en finit pas d'accoucher des structures, des

1. On remarquera d'ailleurs à partir de 1965 le parallélisme des Salons, des préfaces écrites par Gilles Aillaud et Michel Troche (qui inspireront maints textes de mai 1968) d'une part, et des manifestations parisiennes où l'on retrouvera de nombreux peintres déjà cités : « Les mythologies quotidiennes », 1964, musée d'Art moderne de la Ville de Paris; « La Figuration narrative dans l'art contemporain », 1965, galerie Creuze; « Le monde en question », 1967, ARC; « Bande dessinée et Figuration narrative », 1967, musée des Arts décoratifs. Puis en 1977, « Mythologies quotidiennes 2 », à l'ARC et en 1979, « Tendances de l'art en France », à l'ARC, à l'invitation de Suzanne Pagé.
2. L'histoire de la Jeune Peinture se poursuit sous les présidences de Tisserand, Latil, Fromanger, Morteyrol, Mirabelle Dors, Rapin, Alvaro puis, en 1980, de Concha Benedito, qui eut l'idée de demander à Francis Parent et Raymond Perrot d'écrire une histoire de la Jeune Peinture de 1950 à 1983 et de l'éditer. Ce livre incontournable est un récit vivant et très documenté auquel il faut se reporter pour aller au-delà des années cruciales 1965 à 1968, qui sont ici survolées.
3. Pour souligner l'expansion européenne de la jonction de ces deux concepts : narration et critique, on se reportera, dans le présent catalogue, pour l'Allemagne, au texte de Fabrice Hergott, et pour l'Espagne au texte de Tomás Llorens.
Les peintres italiens furent présents en nombre dans les divers Salons de la Jeune Peinture et les manifestations de la Figuration narrative, et pas seulement les Franco-Italiens vivant ou séjournant à Paris comme Adami, les Milanais Baratella, Spadari, De Filippi, Fanti, Titina Maselli, Bertini, Mondino, Cremonini, Guido Biasi, Recalcati.
Les sources d'inspiration et les comportements en Italie sont comparables à ceux que l'on observe en France; l'année 1968 sera une année de contestation et la Biennale de Venise pratiquement paralysée. L'échange entre les artistes invités ici et là, les articles, les préfaces, les catalogues sont tels que, en face du silence de l'Espagne franquiste, on assiste à l'instauration d'un dialogue continu franco-italien, auquel participent de nombreux critiques d'art et écrivains péninsulaires, parmi lesquels il faut citer Del Guercio, Solmi (pour son exposition « Il presente contestato », à Bologne en novembre 1965) et Crispolti, animateur d'importants ensembles au château d'Aquila « Alternative attuali 2 », en 1965.
Le parallélisme avec les manifestations françaises est saisissant. Une partie des artistes les plus remarquables y figurent, et en dehors de ceux déjà cités et familiers de Paris, on trouve des peintres de ce que Francis Solmi appelle « une génération en conflit » (Ferroni, Fieschi, Franco Francese, Peverelli, Guerreschi, Pozzati, Romagnoni, Mario Rosselo, Sughi, Tornabuoni, Sergio Vacchi, Vespignani). Solmi fait également une place à Jorge Camacho, à Gerardo Chavez et à Irving Petlin.
4. « Les mythologies quotidiennes 2 », en 1977, avec notamment un bon texte de Jean-Louis Pradel, traitèrent, en deux séquences d'accrochage et de préfaces, l'aspect barthésien, donc critique, des Mythologies, « langage volé qui transforme l'histoire en nature », et l'approche de Dorfles qui distinguait un courant « mythopoétique avec des facteurs mythifiants positifs ». La contestation fut incluse dans les actions de Jean Clair, qui créa chez Maeght les « Chroniques de l'art vivant », écrivit *Art en France, une nouvelle génération,* et lança au Festival d'automne de 1976, « La Nouvelle Subjectivité », acte de rupture avec une grande partie de la peinture figurative. Ceci se passait d'abord conjointement à l'action d'*Opus international,* qui avait été fondé en 1967 et qui suivait l'action de l'ARC pour mettre en avant la génération critique inscrite à l'édition de *L'Art actuel en France,* d'Anne Tronche, très ouvert aux peintres de la Figuration narrative, et enfin, à l'exposition « Tendances de l'art en France (1968-1978) » où j'exposais mes partis pris sur les interrogations d'Anne Tronche. De la guillotine de Journiac aux toiles « soviétiques » de Fanti, d'où sort une ironie mélancolique, un paquet de toiles témoignaient pour ce qu'il y avait de plus contestataire dans l'art.

Entre le *politically* correct et l'*artistically* correct, ou l'art collectif et la politique font-ils bon ménage ?

Itzhak Goldberg

À Carine Trévisan

« Les artistes d'aujourd'hui sympathisent avec ceux qui combattent spirituellement ou matériellement pour la formation d'une unité internationale entre la Vie, l'Art et la Culture. » Ils renoncent définitivement à « un individualisme en quête d'honneur » et souhaitent « paver le chemin pour une culture artistique plus profonde, basée sur la réalisation collective de la nouvelle conscience plastique[1]. »
Ce généreux programme, qui ressemble à s'y méprendre aux tracts diffusés par les Ateliers populaires des beaux-arts en Mai 68 ou à certaines déclarations des membres de la coopérative des Malassis, fut publié en 1917 dans la revue d'avant-garde *De Stijl*. L'histoire de l'art du XXe siècle est inséparable de celle des groupes et des collectifs d'artistes : De Stijl aux Pays-Bas, Bauhaus en Allemagne, UNOVIS en Russie, sont parmi les exemples les plus souvent cités.
Le travail collectif n'est pas une invention du XXe siècle. Cependant, les ateliers de la Renaissance restent, à l'image de la société qui leur est contemporaine, des structures très hiérarchisées, qui doivent essentiellement leur existence aux contraintes de la production, et les regroupements d'artistes du XIXe siècle, tels que les Nazaréens ou les préraphaélites ont souvent une dimension utopique ou passéiste, même lorsqu'ils sont, comme le mouvement Arts and Crafts, d'inspiration socialiste.
Les collectifs des années soixante se regroupent autour de programmes résolument politiques qui, à la différence des manifestes des groupes fondateurs de l'avant-garde du début du siècle, sont dénués de tout accent spiritualiste. L'artiste se considère avant tout comme un citoyen et accompagne son activité d'une réflexion sur le rapport entre la production de l'œuvre d'art et les forces productives non esthétiques. C'est entre 1965 et 1975 que la question du rapport entre art et politique s'est posée avec le plus d'acuité, prenant toute son ampleur lors des événements de Mai 1968.
À vingt ans, Tisserand, le futur fondateur des Malassis, est envoyé en Algérie. Trente ans plus tard, cet artiste, qui n'a cessé d'insister sur la dimension politique de son activité picturale, décrit cette période comme une « parenthèse sinistre » qui n'aura joué aucun rôle dans son œuvre[2]. Une déclaration exemplaire du silence qui entoure, en France, l'une des dernières grandes guerres coloniales. Ce n'est qu'à la fin des années soixante, avec la guerre du Viêtnam, le rejet du modèle américain et Mai 1968, qu'apparaîtra un art de circonstance.
La sévérité de la censure, qui contraint les partisans de l'indépendance à la clandestinité, et l'arrivée dans le champ artistique d'une nouvelle génération qui n'a pas encore fait son apprentissage politique expliquent en partie la rareté des références à l'Algérie. Proche des communistes, le groupe de la Ruche, qui a poussé le plus avant la « socialisation des pratiques esthétiques », et qui, en produisant des toiles que leur taille rend invendables, remet en question la logique du marché spéculatif de l'art[3], ne fait pas exception à la règle. Caractérisé par le retour d'un certain classicisme dans la lignée d'un Bonnard ou d'un Gromaire, le début des années soixante reste politiquement sage, même si des peintres comme Parré ou Tisserand continuent à présenter des œuvres monumentales — attitude qualifiée d'« acte désintéressé[4] » — ou si des artistes de la jeune génération reprochent à leurs aînés

un formalisme abstrait qui se détourne de la réalité sociale.
L'effondrement du marché de l'art en 1962 est à l'origine d'une transformation artistique radicale, qui aboutit au milieu de la décennie à la production des premières œuvres véritablement collectives. Faut-il penser que l'art s'émeut davantage des crises du marché que des crises politiques ? Tout se passe comme si la formule coopérative, qui alimentait déjà les rêves de Van Gogh[5], était une réponse à la menace de précarisation. De plus, la crise, qui affecte essentiellement la peinture abstraite, objet d'une spéculation démesurée, ouvre la voie à la « renaissance » d'une figuration qui, loin de tout académisme, conjugue la critique d'une avant-garde jugée trop formaliste et la contestation de l'ordre politique et social.

Janvier 1965. Aillaud, Recalcati et Arroyo exécutent en commun *Une passion dans le désert*, une série de treize tableaux de grand format illustrant une nouvelle de Balzac[6]. D'une facture lisse et impersonnelle, neutre et impeccable, cette œuvre monochrome est avant tout une provocation ironique visant à la fois l'abstraction « sage » et élégante et une figuration intimiste et « poétique ». Par son « refus des valeurs tactiles, de la sensibilité traduite par la virtuosité chromatique, la viscéralité gestuelle », elle signe « la fin d'un certain expressionnisme[7] ».
Cette production collective, où toute trace des individualités artistiques est effacée, s'attaque de front au mythe de l'artiste solitaire et génial.
L'importance accordée à la personnalité du créateur est l'un des rouages principaux de la spéculation du marché de l'art qui distingue celui-ci des autres formes de commerce. Considérer que seuls sont dignes de produire une œuvre artistique quelques individus auxquels on accorde la vertu du génie et dont on sacralise l'activité ajoute à cette production une valeur qui échappe à toute estimation mesurable. Pour paraphraser Marcuse, c'est parce que l'art est séparé du processus de la production matérielle qu'il peut être mystifié[8].

C'est à la pensée d'Althusser, à sa lecture « puriste » de Marx, que se réfèrent la plupart des artistes et des critiques contestataires lorsqu'ils affirment que toute pratique individuelle reproduit l'idéologie dominante : « La surestimation de l'activité artistique, déclare en 1972 Michel Troche, est proportionnelle à la sous-estimation des hommes dans leur travail parcellaire et à leur assujettissement social dans les rapports de production[9]. » Ainsi, toute remise en question de l'héritage postromantique court-circuite immédiatement les lois économiques du marché de l'art. Cette condamnation des mécanismes chargés d'insérer l'art dans l'univers marchand au sein d'une société capitaliste est, simultanément, une critique de l'extrême division du travail imposée par ce mode de production.
Dans ce sens, l'art collectif représente surtout un geste politique contestataire, une activité conflictuelle qui cherche à rompre avec l'ordre établi.
Dans un collectif, en effet, les artistes doivent faire abstraction, au moins partiellement, de leurs choix esthétiques respectifs, réduire les ambitions et les pratiques personnelles, élaborer une idéologie de rechange et des institutions de remplacement. Pour Aillaud, Recalcati, Arroyo et d'autres jeunes artistes, il s'agit de dénoncer à la fois le mode de production dominant et la conception selon laquelle la figuration n'est pas « moderne ». Un siècle après les grandioses funérailles de la peinture académique auxquelles nous a convié *L'Enterrement à Ornans, Vivre et laisser mourir ou La Fin tragique de Marcel Duchamp* sonne le glas de la Nouvelle École de Paris, qui s'assoupissait paisiblement entre une abstraction esthétisante et un expressionnisme assagi[10]. Cet ensemble de huit toiles met en scène le meurtre du « père » emblématique de la modernité par les trois artistes, accompagnés des représentants du Pop'Art américain et des Nouveaux Réalistes. Le choix de « l'assassinat » de Duchamp est tout sauf innocent. Ce dernier, à travers ses ready-made, symbolise mieux que tout autre la toute-puissance de l'artiste. À celui qui métamorphose par sa seule signature un objet en œuvre d'art, les jeunes artistes répondent : « Si l'on veut que l'art cesse d'être individuel, mieux vaut travailler sans signer que signer sans travailler[11]. » C'est l'occasion d'effectuer un véritable travail de groupe, en ne signant pas les travaux présentés. La critique réagit immédiatement avec une férocité fort prévisible[12]. Les commentaires contestent la validité formelle d'un tel geste en ignorant délibérément sa signification sociale. L'œuvre est taxée d'« académisme réactionnaire ». Les détracteurs de ce qu'on appelle la Nouvelle Figuration restent insensibles à l'idée qu'il s'agit d'une figuration autre, et non d'une simple régression, et la jugent non en fonction de ce qu'elle est mais en fonction de ce qu'elle n'est pas. L'action est spectaculaire, mais elle doit être située dans son contexte. Si le groupe de la Ruche avait déjà pratiqué l'art collectif, c'est au Salon de la Jeune Peinture que cette pratique devient courante. Ce sont souvent les artistes partisans de la Nouvelle Figuration et proches du groupe animé par Rebeyrolle (Cueco, Parré, Tisserand, Fleury) qui dirigent ce Salon.
Dès janvier 1965, le comité organise un « Hommage au vert ». Chacun des dix-sept membres du comité et du jury s'astreint à peindre un tableau de deux mètres sur deux en n'utilisant que la couleur verte, quel qu'en soit le sujet. Ce « monochrome figuratif et collectif » tourne en dérision à la fois l'avant-garde et la création individuelle. Annoncée par le comité comme « un hommage qui est un aimable carnage », la Salle verte fut d'une insolence critique envers la gratuité du formalisme ambiant et la glorification de l'œuvre unique. « Il est pratiquement impossible, écrit Boudaille, qui souligne, malgré lui, l'aspect novateur de cette Salle, de distinguer les productions de l'un ou de l'autre. Cet anonymat est celui d'auteurs d'étiquettes de boîtes de conserve. Il n'a rien à voir avec le mouvement de foi qui animait les artisans de nos cathédrales[13]. »
« Anonymes », figuratifs, ces peintres, qui découvrent le Pop'Art, s'inspirent en effet des « boîtes de conserve », des techniques de l'illustration et de la publicité, et composent des œuvres où le dessin est simplifié et schématisé et la couleur apposée en aplats. Toutefois, si les artistes utilisent, comme ceux du Pop'Art, un code parfaitement accessible à un public non averti, ils ne partagent pas leur fascination à peine dissimulée pour la société de la consommation. L'aspect froid et impersonnel de ces œuvres introduit une distance critique qui refuse toute adhésion au contenu de la représentation.
L'importance de la figuration dans le Salon, de ce qu'on a appelé la « vague

Jacques Duhamel, ministre des Affaires culturelles, devant *Le Grand Méchoui* de la Coopérative des Malassis, 1972.

Coopérative des Malassis, *Le Radeau de la Méduse* (détail), 1974. Grande Place, Échirolles (Grenoble).

d'objectivation », le choix des titres des expositions (« La Figuration narrative », en 1964, « Bande dessinée et Figuration narrative », en 1966, « Le monde en question », en 1967...) montrent que les prises de position politiques passent essentiellement par un art qui proclame le « retour à la réalité ».
Ce parti pris esthétique, qui rapproche le langage artistique de celui de la communication de masse, refuse l'idée, mise en valeur par Adorno, selon laquelle toute forme qui transgresse les normes esthétiques dominantes met le système en danger. « On ne démolit pas un édifice en y ajoutant de nouvelles pierres[14] », affirment Aillaud, Arroyo et Recalcati. De plus, figuratif ou abstrait, le geste plastique, surtout dans le cadre d'un art collectif, est le plus souvent moins radical par la transformation stylistique qu'il apporte que par sa remise en question du fonctionnement du marché.
Ainsi, dès 1960, se constitue à Paris le Groupe de recherche d'art visuel, (GRAV[15]), dont la production artistique ne doit rien à la figuration. Proches de l'Op'Art et de l'Art cinétique, ces artistes, qui sont à la recherche d'une peinture de la lumière et du mouvement reposant sur une approche quasi scientifique de ces processus physiques, produisent manifestes et tracts dénonçant le primat de la subjectivité artistique et l'assujettissement de l'art aux lois du marché. La réflexion menée en commun et les expériences d'art collectif développent une problématique qu'on retrouvera avec, par exemple, les Malassis. Fait significatif, le GRAV se dissout en 1968, certains de ses membres estimant que son rôle incitatif n'a plus de raison d'être. D'autres groupes et collectifs prendront le relais, dans un moment où la société commence à donner de sérieux signes de malaise.
Si la programmation de l'ARC ou du musée des Arts décoratifs s'ouvre à la nouvelle peinture, c'est le Salon de la Jeune Peinture qui fédère l'ensemble des activités artistiques contestataires.
D'abord proche du parti communiste, le comité d'organisation rassemble des artistes d'inspiration althussérienne, maoïste ou structuraliste. De ce « cocktail idéologique » surgissent de nouvelles formes d'expérimentations plastiques.
En 1967, BMPT (Buren, Mosset, Parmentier, Toroni) présente un « happening ». Réduites à leur simple matérialité (support, couleur, texture), les œuvres tendent à un « degré zéro » de la peinture. Il serait inexact de traiter BMPT comme un vrai collectif, et à plus forte raison comme une coopérative.
Cependant, le point commun entre ces artistes et le véritable travail collectif se situe dans une tentative de dépersonnalisation du geste artistique, le groupe cherchant, comme l'écrit Jean Clair, « soit à produire des œuvres collectives où le faire individuel se dissipe dans le travail collectif, soit à produire des œuvres dont la facture serait assez neutre pour pouvoir être reprise par quiconque[16] ».
Dans le tract distribué au Salon de 1967, les artistes affirment clairement leur

Atelier populaire de l'École des beaux-arts, *La chienlit c'est lui !*, 19 mai 1968. Bibliothèque Nationale de France, Paris.

position : « Puisque peindre, c'est une justification, puisque peindre sert à quelque chose, puisque peindre, c'est peindre en fonction de l'esthétique, des fleurs, des femmes, de l'érotisme, de l'environnement quotidien [...], de la guerre du Viêtnam, NOUS NE SOMMES PAS PEINTRES. » Une déclaration provocante, à une période où la guerre du Viêtnam occupe une place déterminante au Salon : en 1968, en effet, pas moins de vingt-cinq artistes sont sollicités pour exposer dans la Salle rouge pour le Viêtnam[17].

Le souci de lisibilité, le primat donné au « discours » de lutte contre l'oppression coloniale, la proximité de ces toiles avec les affiches de propagande pacifistes tendent à rendre toute approche spécifiquement esthétique non pertinente. La préface du catalogue affirme ainsi :

« Aucune préoccupation formelle, aucun souci d'unité de style n'a jamais encombré les débats. Pas davantage il ne s'est agi, en aucun cas et à aucun moment, de juger en fonction de sa "valeur esthétique", de sa "qualité plastique", le projet proposé. La guerre du peuple est le seul lien qui unit ces tableaux[18]. » On peut défendre ou critiquer cette position, éthique plus qu'esthétique, et souligner le didactisme parfois simpliste de certaines œuvres. L'important réside cependant dans « la réunion et la cohésion de l'ensemble des travaux ayant transformé non seulement de la matière picturale mais aussi de la socialité[19] ».

La Salle rouge est l'aboutissement d'une volonté de faire de l'art une pratique essentiellement politique et sociale. Les œuvres réunies voyagent à travers la France et sont exposées non seulement dans les Maisons des jeunes et de la culture, mais aussi dans des usines (Alsthom) ou sur des voies de communication (la route nationale de Bourg-en-Bresse).

Henri Cueco, *Viêtnam,* 1968. Collection de l'artiste.

Les événements de Mai 1968 offrent aux artistes l'occasion de participer aux luttes politiques aux côtés d'autres catégories sociales. Réunis temporairement dans l'Atelier populaire des beaux-arts, ceux-ci inventent des modes d'expression qui échappent au musée (affiches en sérigraphie sans signature[20]). L'art collectif aboutit ici à sa forme la plus radicale, celle d'un art de masse où le spectateur est invité à prendre une part active à la transformation sociale en même temps que s'estompent les frontières entre l'artiste et l'homme du commun. Cette rencontre sera éphémère : la coopérative des Malassis elle-même ne met pas véritablement en actes la formule selon laquelle, pour parodier Lautréamont, l'art doit être fait par tous et non par un.

Si la Figuration critique a pu apparaître à certains artistes comme l'outil le plus efficace de la contestation, le groupe Support-Surface prend comme cible, lui, la matérialité propre de l'œuvre plastique, et entreprend de déconstruire toutes les valeurs esthétiques qui légitiment le circuit artistique. Issu de la région de Nice, Support-Surface, qui reprend certaines orientations du groupe BMPT, est une sorte de contre-pouvoir à l'hégémonie parisienne.

De 1968 à 1970, la réflexion passe en revue tous les constituants physiques du tableau de chevalet — toile, cadre, châssis —, chaque artiste se donnant un champ d'étude et d'action spécifique, dans le but d'exposer ses résultats aux autres membres du groupe. S'inscrivant dans la réflexion avant-gardiste menée par Matisse, Pollock ou le minimalisme américain, l'activité picturale est ici envisagée dans sa réalité la plus élémentaire. Ouvertement matérialiste, cette pratique se réfère explicitement au marxisme-léninisme, comme en témoigne la revue du groupe, *Peinture, Cahiers théoriques.* Viallat, Dezeuze et les autres membres du groupe cherchent à démystifier l'objet artistique, en montrant le processus de sa fabrication. Les « œuvres » sont exposées hors des cadres institutionnels (manifestation dans le village de Coaraze, installations de plein air dans le Sud).

Comme le BMPT, Support-Surface fonctionne en tant que groupe dans un laps de temps extrêmement court (un peu moins de deux ans) : il est immédiatement déchiré par des querelles internes.

Cependant, sa pratique et sa réflexion, la place que lui réserve l'histoire de l'art, peuvent, malgré la disparité des démarches, être comparées à celles des Malassis. Directement issus de « Police et Culture » (1969), un « Salon de la Jeune Peinture » improvisé, les Malassis regroupent Cueco, Fleury, Latil, Parré et, pour une courte période, Zeimert. Le nom est emprunté, ironiquement, au lieu où se situe l'atelier de Tisserand, près de Bagnolet. Le statut de la coopérative, lointain souvenir de la façon dont Pissaro, inspiré par celle des boulangers de Pontoise, avait tenté de regrouper les impressionnistes, se réfère davantage au monde ouvrier qu'à celui des communautés d'artistes.

La mise en commun des locaux, du matériel et des moyens techniques, le refus de tout exhibitionnisme personnel au cours

de l'élaboration de l'œuvre artistique aboutissent à des productions qui offrent une synthèse des compétences réunies. Dans *Le Grand Méchoui* (1972), « fresque » monumentale fabriquée à partir d'un assemblage de toiles comme dans une peinture murale d'un centre commercial de Grenoble-Échirolles (1974), qui dépeint les dérives de la société de la consommation à travers une relecture du *Radeau de la Méduse* de Géricault, les Malassis jouent sur le décalage entre l'effet imposant du grand format et la banalité de la réalité montrée, produisant en quelque sorte des images « consommables » : « Nous devrions par nos images vous faire entrer dans un monde merveilleux : celui de l'ART. Mais hélas ! la côtelette d'agneau nous renvoie au prix de la viande hachée[21]... » On assiste ainsi comme à l'émergence d'une nouvelle peinture d'histoire, peinture de l'histoire délibérément ignorée par les institutions artistiques, en même temps qu'à une déstabilisation des codes de représentation par le dispositif spéculaire de la citation d'images, « images d'images » qui empruntent aux affiches, à l'image télévisuelle, aux magazines, à la bande dessinée, au cinéma, à la photographie : « Ce n'est plus la nature, le réel à voir qui est à l'origine de l'émotion esthétique, mais son image déjà photographiée, cinématographiée ou imprimée[22]. »
Étrangement, l'œuvre des Malassis, son impact au moment de sa production, ont eu peu de retentissement dans la critique. Entre l'approche « déconstructiviste » de Support-Surface et celle des Malassis, qui s'écarte résolument du chemin tracé par l'avant-garde, l'histoire de l'art a fait son choix. Si le premier groupe est abonné aux prix d'excellence décernés par la modernité, les Malassis ont le droit, dans le meilleur des cas, à un strapontin dans le panthéon artistique, mise à l'écart sanctionnée par l'indifférence ou l'ignorance dans laquelle le monde muséal tient leurs œuvres, qui ne sont jamais exposées[23].
Soupçonné de « jdanovisme », qualifié de « vulgaire » (un terme qui avait accueilli aussi bien *Les Baigneuses* de Courbet que l'*Olympia* de Manet), ce travail collectif est souvent assimilé à l'affichage de propagande politique. Or on sait combien est sévère le regard posé sur ce type de pratique artistique : on admet ici plus difficilement qu'ailleurs une production médiocre, non sophistiquée. Il est vrai que certaines des prises de position des membres des Malassis justifient cet accueil. Ainsi, quand le comité du Salon déclare en 1972 : « Le résultat doit faire apparaître des images spécifiques qui rendent l'expérience — sans préjuger de sa qualité — irremplacable[24] », il réduit dangereusement la distance entre l'image artistique et le tract.
L'enjeu est de taille, car les Malassis ne renoncent pas au statut d'artistes, et de telles déclarations, qui minorent l'importance de l'investissement esthétique, n'expliquent pas comment l'image peut échapper au circuit de la consommation rapide pour conserver son pouvoir de déstabilisation des habitudes visuelles. D'une durée de vie exceptionnelle (une dizaine d'années), ce groupe a pris des positions plastiques très différentes. Ainsi, parmi les premiers travaux réalisés en commun, *L'Affaire Gabrielle Russier* (1970) — une réaction « à chaud » à un fait social bouleversant — reste d'une qualité discutable. La volonté d'imposer une lecture relativement simpliste de l'événement confère à l'œuvre un aspect trop ouvertement didactique. Cette réaction d'indignation, qui manque de recul, est plus proche d'une « mise en image » d'un fait social que d'une véritable politisation des processus artistiques. En revanche, *L'Appartemensonge* (1971), un travail d'une ironie féroce, n'a rien à envier aux images les plus audacieuses du Pop'Art. La monumentalité, l'effet d'arrachement à l'éphémère font de cette peinture « de circonstance » comme un mausolée de la banalité ordinaire.
L'aspect de puzzle disparate caractéristique des productions des Malassis explique la difficulté de juger de la qualité de l'œuvre dans son ensemble. Ainsi dans *Le Grand Méchoui* sont juxtaposés des « allégories » critiques de la société d'une justesse qui reste encore pertinente, et des portraits de leaders politiques contemporains qui nous paraissent étrangement démodés : « À côté de simplifications naïves en vue de propagande sommaire », écrit Gaudibert à propos de ces œuvres, « souvent la puissance de l'image plastique au second degré, sa complexité, due au travail sur l'image et la forme, étaient au contraire très développées[25]. » Mais l'hétérogénéité est aussi le résultat d'un travail qui se veut réellement collectif, et qui refuse de résoudre les incohérences et les contradictions internes de cette polyphonie picturale.

Le rapprochement entre art et politique dans les années soixante est un phénomène international. Le contexte de la guerre froide, la prise de conscience de l'existence d'un « tiers-monde » font que les artistes ne peuvent rester indifférents à une dégradation du climat politique mondial. Indiscutablement, l'événement

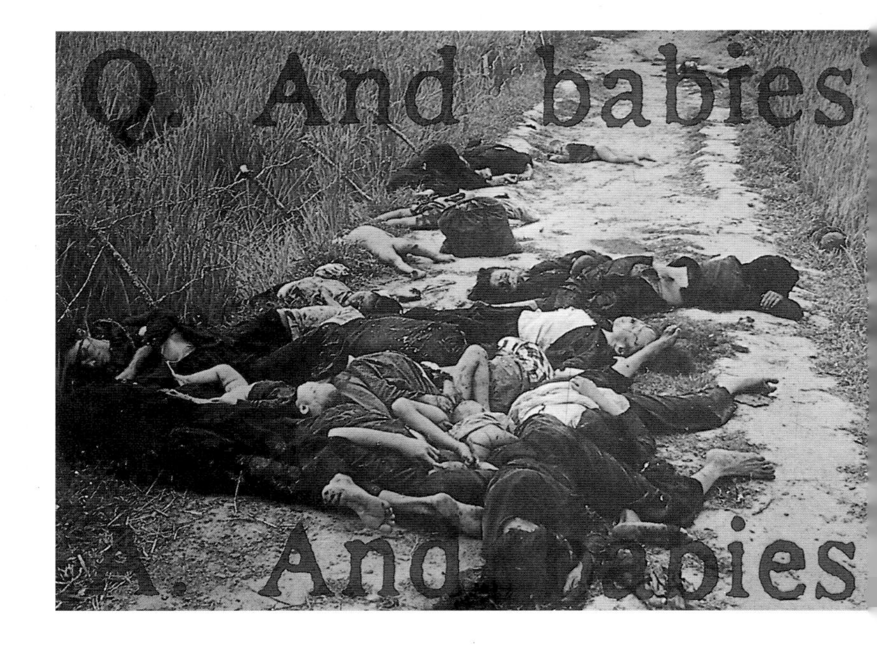

Art Workers' Coalition, *Q. And Babies ? A. And Babies.* [Question. Et les bébés ? Réponse. Et les bébés.], 1970. Collection Irving Petlin, New York.

fédérateur reste la guerre du Viêtnam, l'importance accordée en France à ce « produit politique importé » étant peut-être le fait d'une mauvaise conscience tardive face à l'absence de protestation contre la guerre d'Algérie.

Il va de soi que la communauté artistique, aux États-Unis, cherche une réaction appropriée à ce que la partie progressiste de la société américaine considère comme un crime d'État. Le symbole de cette nouvelle conscience artistique a été la *Tower for Peace* (« Tour pour la paix »), une « sculpture » de 18 mètres érigée en 1966 à Los Angeles. Exécutée par Mark Di Suvero avec des fonds versés par les artistes, ce pylône était entouré par des murs constitués de tableaux de 60 centimètres sur 60 donnés par plus de quatre cents artistes, dont Lichtenstein, Rothko, Stella et Rivers[26].

Très rapidement, les artistes se réunissent afin d'organiser différentes formes de protestation. Toutefois, on voit peu de discussions théoriques sur le style le plus propice à canaliser la contestation sociale, ou même sur le rôle politique de l'activité artistique. Les différents créateurs impliqués se considèrent avant tout comme des « activistes », dont la compétence artistique peut être utile mais non exclusive.

De façon générale, les artistes font une distinction entre leur activité professionnelle et leur engagement politique. Sol LeWitt est on ne peut plus clair quand il déclare : « L'artiste, peintre ou sculpteur, se consacre entièrement à son art; par ailleurs, il a des convictions personnelles. [En tant qu'artiste, il est] apolitique et asocial. Je ne connais, je crois, aucune peinture ou sculpture qui ait un contenu politique réellement significatif, et lorsqu'elles s'efforcent d'en avoir un, le résultat n'est pas brillant[27]. »

Quelques artistes, pourtant, refusent l'idée que leur activité créatrice puisse ignorer totalement la réalité sociale. Les plus connus restent Leon Golub et Nancy Spero. Ce « collectif à deux » — car il s'agit d'un couple — cherche à exprimer à travers ses travaux la violence massive de la société américaine.

Néanmoins, l'impossibilité d'examiner en termes esthétiques la façon dont les artistes américains traitent les thèmes sociaux reflète bien leur stratégie. Contrairement à la France, où la plupart des plasticiens jonglent entre les critères esthétiques et l'efficacité politique, les artistes américains transforment l'image artistique en une image tout court. L'œuvre devient un poster, elle quitte l'espace douillet de la galerie et se fixe sur les murs urbains. Attitude radicale, semblable à celle adoptée par les Ateliers populaires des beaux-arts, mais où des manifestations qui se renouvellent sur une longue durée remplacent l'explosion fiévreuse et exceptionnelle du mois de Mai français.

Il est probable que cette attitude à la fois plus pragmatique et plus directement combative vient combler l'absence d'organisations politiques réellement progressistes aux États-Unis. Les artistes assument en quelque sorte les fonctions qui incombent en Europe aux militants, comme en témoigne la très puissante Art Workers Coalition (AWC, « Alliance des travailleurs de l'art »), fondée en 1969. Accusé de mainmise sur le marché artistique et, à ce titre, de complicité avec un impérialisme responsable à la fois de la guerre et des conflits sociaux et ethniques qui secouent les États-Unis, le MoMA devient la cible privilégiée de l'AWC. La diversité des revendications formulées par cette organisation est à l'image de celle de ses adhérents. Les artistes issus des minorités noires ou portoricaines, des mouvements féministe ou gay, chacun luttant pour sa cause, combattent ensemble contre le militarisme et le racisme.

L'action d'éclat de l'AWC, entrée dans l'histoire avec la protestation contre la guerre du Viêtnam, reste l'affiche connue sous le titre *Q. And Babies ? A. And Babies*. Cette photographie prise par un correspondant de l'armée américaine et représentant le massacre de My Lai, qui n'a pas épargné les bébés, est mise en page par trois membres du comité de l'Alliance : Frazer, Hendricks et Petlin. Mais cette protestation, qui refuse toute esthétisation, n'échappe pas aux rouages du monde artistique. L'AWC, en effet, propose au Museum of Modern Art de collaborer à l'édition de l'affiche. À la suite de longues tractations, le musée refuse finalement de s'impliquer dans « une prise de position sur un sujet qui n'est pas directement lié à ses activités spécifiques[28] ». Ironie de l'histoire : depuis, *Q. And Babies ? A. And Babies.* est devenu une pièce maîtresse de la collection du musée.

1. *De Stijl*, Leyde, année 1, n° 1, oct. 1917, et année 2, n° 1, nov. 1918, dans Noëmi Blumenkranz, « La Création collective dans les groupes d'art moderne », *Recherches poïétiques*, « La Création collective », Paris, Clancier-Guénaud, 1981, p. 118.
2. Alain Le Blanc, « Un peintre à l'intérieur de son temps », dans *Gérard Tisserand*, L'Isle d'Espagnac, Impression Jean Ebrard, 1995, p. 6.
3. Francis Parent, Raymond Perrot, *Le Salon de la Jeune Peinture, une histoire. 1950-1983*, Montreuil, Éd. Jeune Peinture, 1983, p. 10. Je voudrais rendre hommage à cet ouvrage d'une précision exceptionnelle [N.d.A.].
4. Georges Besson, *Les Lettres françaises*, 15 janv. 1959.
5. Raymonde Moulin, « Vivre sans vendre », dans *Art et contestation*, Bruxelles, La Connaissance, 1968, p. 128.
6. Galerie Saint-Germain, Paris, janv. 1965.
7. Gérald Gassiot-Talabot, « Mythologies quotidiennes, figuration narrative, peinture politique », dans *L'Art depuis 45*, Bruxelles, La Connaissance, 1970, t. II, p. 273.
8. Herbert Marcuse, *La Dimension esthétique*, Paris, Seuil, 1979, p. 35.
9. Michel Troche, cat. d'exposition *Cueco, Parré*, musée d'Art moderne de la Ville de Paris/ARC, 19 mars-12 avr. 1970, p. 2.
10. Galerie Creuze, sept. 1965.
11. Aillaud, Arroyo, Recalcati, texte d'accompagnement pour *Vivre et laisser mourir ou la Fin tragique de Marcel Duchamp*, 1965.
12. « Quant le tableau a été exposé, raconte Gassiot-Talabot, il a provoqué une véritable explosion de fureur; des gens ont piqué des crises de nerfs en le voyant; on a lacéré les toiles; on nous a insultés, on a écrit sur le livre d'or des choses inimaginables. » Gassiot-Talabot, « Procès-verbal d'un assassinat prémédité », dans *Le Salon de la Jeune Peinture, une histoire. 1950-1983, op. cit.*, p. 46.
13. *Les Lettres françaises*, janv. 1965.
14. « Comment s'en débarrasser ou Un an plus tard », sept. 1966.
15. Horacio Garcia-Rossi, Julio le Parc, François Morellet sont parmi les membres fondateurs.
16. Jean Clair, *Art en France*, Paris, Éd. du Chêne, 1972, p. 18.
17. Les œuvres seront exposées en février 1969 à l'ARC.
18. Catalogue *Manifestation du soutien au peuple vietnamien*, ARC, janv. 1969.
19. *Le Salon de la Jeune Peinture, une histoire. 1950-1983, op. cit.*, p. 73.
20. L'illusion ne dure pas longtemps. La même année, ces affiches, qui sont devenues par la suite des objets de collectionneurs, sont exposées à New York, au MoMA, « Paris, mai 1968, Posters of Student Revolt », et au Jewish Museum, « Up Against the Wall : Protest Posters ».
21. Les Malassis, cat. d'exposition *Mythologies quotidiennes 2*, avr.-juin 1977, ARC, n. p.
22. Henri Cueco, « Des années 1960 », *L'Arène de l'art*, Paris, Galilée, 1988, p. 159.
23. L'essentiel de la production des Malassis est conservé au musée de Dole. Je remercie vivement le personnel de ce musée, et plus particulièrement M. Bulle, pour leur aide.
24. 1972, *Bulletin de la Jeune Peinture*, n° 7, reproduit dans le cat. d'exposition *72, douze ans d'art contemporain en France*, RMN, mai-sept. 1972, n. p.
25. Pierre Gaudibert, « Des années 1960 », *L'Arène de l'art, op. cit.*, p. 149.
26. Irving Sandler, *Le Triomphe de l'art américain*, t. 2, « Les années soixante », trad. Frank Straschlitz, Paris, Éd. Carré, 1990, pp. 307 *sqq*; éd. originale *The Triumph of American Painting*, « The Sixties », Icon Editions, Harper and Row, New York, Haperstone, San Francisco, London, 1989.
27. Sol LeWitt, « La Sfida des Sistema », *Metro 14*, 1968, pp. 44-45, cité par Irving Sandler dans *Le Triomphe de l'art américain, op. cit.*, p. 308.
28. *Commited to print*, MoMA, New York, janv.-avr. 1988, p. 68.

Parodies de paradis

Parodies de paradis

« Je décrirais un artiste politique comme quelqu'un dont les sujets et parfois les situations choisies reflètent des questions sociales, généralement sous la forme d'une critique ironique. »

Lucy Lippard[1]

Ann Hindry

Lorsque le jeune, brillant et télégénique John Kennedy arrive à la Maison Blanche en 1960, c'est, pour l'imaginaire collectif américain, comme l'apothéose d'une *success story,* véritablement commencée depuis la victoire de 1945. La révolution des médias bat déjà son plein depuis une décennie, et les États-Unis, couverts par un réseau de plus en plus dense de communications routières, aériennes et audiovisuelles, qui assure la distribution de produits et la diffusion d'images de plus en plus standardisées, ont acquis une homogénéité spectaculaire, eu égard à leur histoire et à leur dimension géographique. Dans la satisfaction ambiante, l'homogénéité confine vite à l'uniformité. Le pays entier se met au diapason des mêmes valeurs, des mêmes aspirations, des mêmes goûts et des mêmes peurs. La galopante offensive télévisuelle (en 1950, 9 % des familles américaines ont la télévision, en 1960, il s'agit déjà de 87 %) et la prolifération des publications périodiques orchestrent, par le dénominateur commun moyen, une glorification tous azimuts de l'*american way of life*.

C'est un pays richissime, en pleine expansion, auréolé du prestige incomparable de sauveur de la civilisation occidentale, sinon de l'humanité, qui se recentre sur sa propre identité, ses attributs particuliers, sa production spécifique, sa culture, en somme, qu'il va pouvoir revendiquer comme telle. Dans le tourbillon de consommation et le vertige de la capacité multiple, il semble qu'il soit enfin complètement en mesure d'honorer l'objectif numéro trois donné dès la déclaration d'Indépendance : le bonheur (« *the pursuit of happiness* »).

Et pourtant, la décennie soixante est également celle de tous les dangers. Sur le plan international, c'est l'échec du moratoire sur la bombe atomique et l'escalade de la course aux armements, le durcissement de la guerre froide avec la crise de Cuba et, enfin, la gangrène de l'implication militaire au Viêtnam. Sur le plan intérieur, c'est le temps de l'exacerbation des tensions interraciales, avec la poursuite de la lutte pour les droits civiques après l'abolition difficile de la ségrégation dans les écoles et les transports, et l'émergence de personnalités noires charismatiques telles que Martin Luther King, mais aussi Malcolm X, Eldridge Cleaver et Stokely Carmichael qui eux prônent la lutte armée. La trajectoire météorique d'Angela Davis, à la fois révolutionnaire, noire et femme, creusera un sillon profond dans l'imaginaire collectif, dans la mesure où elle recoupe les préoccupations d'un féminisme de plus en plus militant, dont le déploiement correspond à la commercialisation de la pilule contraceptive en 1960. À l'aube des années soixante-dix, la mythologie triomphaliste achèvera de s'épuiser dans les assassinats (M. L. King, puis Robert Kennedy en 1968), les manifestations de plus en plus nombreuses et généralisées contre la guerre au Viêtnam, et les révoltes étudiantes. Le glas d'une décennie particulière sonnera en 1970 sur le campus de Kent University, où quatre étudiants sont abattus par la police.

Dans la conjoncture du début de ces années soixante — plus complexe que ne le laisse voir la florissante industrie nouvelle du signifiant que représente la publicité de masse —, différentes voies artistiques se dessinent, très démarquées de l'expressionnisme abstrait de la décade précédente, dont l'une est résolument figurative et choisit son contexte pour sujet. Elle concerne en premier chef le Pop'Art. « Le Pop'Art est une nouvelle peinture de paysage, l'artiste répond spécifiquement à son environnement visuel », déclare l'un de ses tout premiers apôtres, Henry Geldzhaler[2].

C'est évidemment vrai et faux à la fois. Il est certain que le parti pris de représentation distanciée, froide et mécanisée remplit pleinement la fonction d'effet miroir. C'est une peinture dont la mutité, ou tout au moins l'absence de narration, exacerbe la revendication figurative. Une image d'image qui n'a, en principe, que le statut signifiant de ce qu'elle représente, mais qui est le reflet de la vie d'où elle surgit et utilise cette détermination mirifique pour livrer un « message » équivoque. Tandis que la motivation militante des œuvres d'artistes figuratifs contemporains du Pop tels que Leon Golub, Nancy Spero, Peter Saul, est souvent explicite au point, parfois, d'en anémier la puissance formelle, l'intention qui sous-tend les travaux des grands protagonistes de ce mouvement — Warhol, Rosenquist, Oldenburg ou Lichtenstein — est plus diffuse, plus polyvalente. Le débat sur leur engagement critique n'est pas clos encore aujourd'hui. L'ambivalence qui les caractérise pourrait être, brièvement, illustrée par le cas de deux artistes utilisant les bandes dessinées à grand tirage : Jess et Roy Lichtenstein. Tous deux ne font que montrer des scènes violentes fictives — Jess en accolant des planches existantes, Lichtenstein en les transposant en peinture —, mais l'on sait que Jess est un scientifique brillant qui a démissionné du projet atomique Manhattan pour des raisons de conscience. De Lichtenstein, on ne connaît que sa participation à la California Tower for Peace de 1966. Sur quoi doit-on se former une opinion ? Sur les œuvres elles-mêmes ou bien sur l'activisme, virulent à l'époque, de toute façon, qu'elles sont supposées avoir contribué à provoquer ? Quoi qu'il en soit, la figuration des années soixante, dans son ensemble, marque un glissement de la place et de la fonction historique de l'art par rapport à la société : ces œuvres, qu'elles participent d'une entreprise de démystification, de dénonciation ou d'apologie, sont également le produit et le véhicule de leur contexte culturel : elles ne sont ni en avant, ni abstraites de l'histoire des choses. Ainsi, en rendant compte au plus près — littéralement, dirait-on — de l'état des choses et des mythologies attenantes par un dispositif d'inventivité formelle proprement ahurissant, compte tenu de la tradition où il vient s'inscrire, le Pop'Art pointe, retend quelques coins du grand voile mou de la perception confusément envahie de la population moyenne, car son succès public est immédiat. En utilisant les mêmes techniques que la fabrication destinée à une production de masse, Warhol « rehausse » le phénomène de standardisation des produits et de l'imagerie générale, tout en présentant l'effet nivelant de la multiplication et de la répétition des images par les médias et les circuits de production. Rosenquist, en conservant à sa peinture les attributs de son premier métier — peintre de panneaux publicitaires —, réintroduit en quelque sorte le ver dans le fruit, lorsqu'il opère des juxtapositions incongrues de représentations fragmentaires éléphantesques, à l'image du rythme syncopé de la perception périphérique que l'individu a aussi bien des panneaux, le long des routes, que des spots télévisuels ou des unes surenchérissantes des tabloïds. Déjà, à partir du milieu des années cinquante, Bob Rauschenberg avait fait de cet éclatement visuel, dû à la production pléthorique d'images, son mode de figuration privilégié. Dans *Kite* (« Cerf-Volant »), de 1963, dont la composition puissante ne le cède en rien aux grandes peintures de bataille, l'aigle comminatoire de tous les militarismes surplombe une scène de parade parcellaire et brouillée, dominée par un énorme hélicoptère de l'armée. La fragmentation des compositions de Rauschenberg et de Rosenquist présente le même type de complexité sémantique que les images uniques de Lichtenstein ou d'Alex Katz (le superbe *Black Dress,* de 1960, par exemple), ou bien que les répétitions de Warhol. Il s'agit dans tous les cas d'une peinture comme signe. Ou, disons, d'une pratique artistique du signe, car il faut, à cette enseigne, inclure les artistes qui travaillent dans le volume, tels Claes Oldenburg ou, encore différemment, Edward Kienholz. Les installations réalistico-allégoriques de ce dernier sont d'abord articulées sur la fonction sémiotique. De la mise en scène d'objets ou de personnages quotidiens, familiers, il tire un effet de malaise qui met le spectateur en état d'alerte à la fois physique et mentale. Les *œuvres* sont parfois clairement dénonciatrices, comme *The Eleventh Hour Final,* de 1968, qui présente un intérieur américain moyen dominé par un poste de télévision encastré dans une stèle mortuaire, et dont l'écran fixe donne les pertes humaines de la semaine, ou davantage centrées sur la narration tacite d'une action interne, mais leur intention est systématiquement la perturbation du *statu quo*. Dans un monde où l'uniformisation de la communication est telle que l'on vit sur l'image immédiatement identifiable — c'est le *Global Village* que décrit Marshall McLuhan en 1964 —, l'usage de la métonymie est à son comble. Elle permet un retrait de l'artiste derrière le dispositif de représentation allusif qu'il met en place. Entre pastiche et parodie, la satire est parfois complaisante, et parfois féroce, mais fonctionne toujours dans le cadre d'un système référentiel. Effigies (leaders politiques, stars, héros de BD), symboles et objets signifiants (drapeau, télévision, dollar, Coca-Cola, chaise électrique, hélicoptère, *jets* et chars, bombe atomique) sont la matière commune d'un art figuratif collé à son époque, qui la présente sans la représenter. Les images acceptées des figures présidentielles sont retraitées par nombre d'artistes : ainsi celle de Washington par Larry Rivers (*Washington crossing the Delaware,* « Washington traversant le Delaware », 1953), puis par Lichtenstein (*George Washington*, 1962) ou Wesselman (*Still Life*, 1963) ; celle de Lincoln puis des présidents d'actualité Kennedy et Johnson par Rauschenberg et Rosenquist, bien sûr, mais aussi par Allan D'Arcangelo, ou bien encore par Marisol, dont le *LBJ* de 1967, clownesque et morbide sur son support-sarcophage, est plus explicitement contestataire, à un moment où la guerre du Viêtnam fait rage[3]. Le tout premier symbole, celui de l'État même — le drapeau —, fut, comme on le sait, d'abord adopté par Jasper Johns à des fins plus picturales que subversives. Reste que la transgression originelle de Johns, entre célébration et relativisation, fut la première d'une vaste série de manipulations : reconstruit avec de menus objets quotidiens par Oldenburg, présent comme en rappel dans nombre de *Great American Nudes* de Wesselman, en toile de fond d'une pin up chez D'Arcangelo (*American Madonna*, 1962), le drapeau affirme que le sujet, c'est l'Amérique, pour le meilleur et pour le pire. Les drapeaux brandis de *Kite,* sémantiquement détournés de leur finalité de départ — le ralliement dans la fraternelle conformité — par le traitement télescopé du cliché d'origine, le jeu des juxtaposi-

James Rosenquist, *President Election* [Élection présidentielle], 1960-1961. Mnam-Cci, Centre Georges Pompidou, Paris.

Faith Ringgold, *Flag for the Moon : Die Nigger* [Drapeau pour la lune : à mort le Nègre], 1967-1969. Collection de l'artiste.

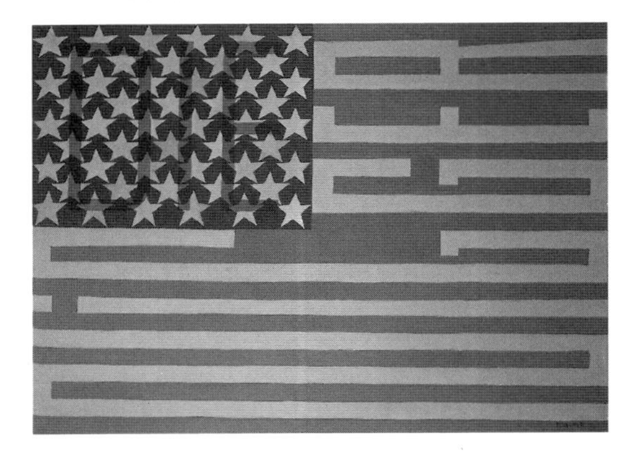

Andy Warhol, *Nine Jackies* [Neuf Jackie], 1964. The Sonnabend Collection, New York.

tions avec des signes iconiques guerriers (hélicoptère, aigle) et la composition martiale du tableau annoncent en quelque sorte les œuvres ouvertement contestataires de la fin de la décennie : ainsi le virulent *Flag for the Moon : Die Nigger* (« Drapeau pour la lune : à mort le Nègre », 1969), de Faith Ringgold, qui renvoie aux longues années de violences raciales — situation toujours inacceptable pour toute une partie de la population américaine encore évincée du rêve commun, situation explosive que le triomphe de la conquête de la Lune ne masquera qu'un moment, tant elle est tissée dans l'étoffe du pays. Ce sont les bandes et les étoiles mêmes du drapeau qui tracent ici les mots définitifs de l'éructation sanguinaire tant entendue au cours de la jeune histoire américaine et restée, *ipso facto*, toujours d'actualité au tournant des années soixante.
Malgré les avancées de la législation — la Cour suprême interdit la ségrégation dans les écoles en 1954, et le *Civil Rights Act* protège le droit de vote des citoyens noirs en 1960 —, la base populaire ne suit pas. Les troupes fédérales qui ont assuré par la force la rentrée des classes à Little Rock en 1957 doivent intervenir à nouveau en 1962 pour permettre à l'étudiant noir James Meredith d'intégrer l'université du Mississippi. Des confrontations et des émeutes surviennent un peu partout. En 1963, une marche pacifique pour les droits civiques, composée principalement de jeunes et d'étudiants, est brutalement réprimée par la police à Birmingham, dans l'Alabama. C'est à partir de clichés journalistiques de l'événement que Warhol réalise sa série des *Race Riots* (« Émeutes raciales »), où il transforme par la répétition et la coloration l'image floue et déjà banalisée en une saisissante incantation muette. La même année, Martin Luther King prononce son discours mémorable « I have a dream », un hymne retentissant à la fraternité nationale qui vient en contrepoint poignant de la facticité du « rêve américain ». Dès 1965, Malcolm X est assassiné, des émeutes sanglantes, qui confinent un moment au soulèvement général, se déclenchent à Watts, le grand quartier noir de Los Angeles, puis à Selma (dans l'Alabama encore), c'est une nouvelle répression policière contre des manifestants pacifiques, qui fait plusieurs morts. On retrouve Selma au centre de la cible dans *Alabama,* de Robert Indiana, qui choisit d'exposer l'histoire honteuse de son pays par des tableaux où la figure centrale, qui tient de l'emblème, du sigle ou du sceau, estampille en une parodie de formule administrative catégorique le lieu du délit, nommé en bas comme s'il s'agissait du cachet officiel : « Alabama ». « Comme dans l'anatomie de l'homme, chaque pays doit avoir sa partie basse... » La série implique plusieurs États du vieux Sud ex-confédéré esclavagiste, là où les heurts sont les plus fréquents et la répression souvent brutale[4].
Parallèlement aux tensions raciales, c'est l'escalade inexorable de l'engagement au Viêtnam, démarré dès 1961 sous forme d'envoi de conseillers militaires par le président Kennedy, dans la foulée du fiasco de l'invasion de Cuba. La partie de bras de fer entre les États-Unis et l'URSS se déroule désormais d'abord là-bas. La même année que le drame de Selma (1965), Lyndon Johnson décide de lancer une offensive d'envergure sur le Nord-Viêtnam, et les premières troupes régulières sont envoyées. Le tirage au sort pour la conscription, qui traumatisera une génération entière, toutes catégories confondues, est bientôt institué. C'est également l'année de la construction d'un nouvel avion de combat, le F 111, qui sera un redoutable échec et la première défaillance véritablement publique, incamouflable, de la politique d'armement américaine. Mal adapté à la guérilla, pour laquelle il était pourtant conçu, vulnérable aux armes de défense antiaériennes soviétiques utilisées par le Viêt-công, il engloutit en outre une fortune à partir d'un financement aux ramifications particulièrement troubles. Deux mythes centraux de l'image identitaire du

Robert Indiana, *Alabama*, 1965. Miami University Art Museum, don de Walter et Dawn Clark Netsch, Oxford, Ohio.

pays — l'invulnérabilité de l'armée et l'intégrité des pouvoirs publics — sont sérieusement mis à mal. James Rosenquist immortalise l'engin délictueux par un très grand polyptyque de plus de vingt mètres de long, *F 111* (1965), qui fait le tour des murs de la galerie Leo Castelli, où il est exposé pour la première fois. L'image d'avion gigantesque est tronçonnée par des bribes iconiques de vie moderne américaine, de la petite fille en papillotes à la bombe atomique. Le premier panneau en partant de la droite montre le nez de l'avion sur fond de spaghettis sauce tomate, un article alimentaire de grande consommation souvent représenté par l'artiste et qui peut tout aussi bien ne figurer que lui-même qu'évoquer des entrailles ensanglantées. L'usage ironique du potentiel polysémique de la représentation prétendument littérale se retrouve chez tous les artistes Pop. Notons, pour ce qui est de la guerre, le fameux *Lipstick (Ascending) on Caterpillar Tracks* (« Rouge à lèvres monté sur un tracteur à chenilles ») d'Oldenburg — à la fois ludique et tragique —, installé en 1969 sur le campus de l'université de Yale au plus fort de la contestation étudiante, qui devait, selon Herbert Marcuse, lequel en avait, en quelque sorte, motivé la commande par ses étudiants, contribuer à renverser l'ordre établi. L'objet gigantesque, mi-lourd, mi-gonflable, chef-d'œuvre métonymique renvoyant à la fois à la guerre et à l'agriculture nourricière avec le *caterpillar*, à la question sexuelle avec le *lipstick* à la fois féminin et phallique, à la vie et à la mort, en somme, atteignait à la dérision ultime, forcément subversive.

Lorsqu'en 1968 Martin Luther King, puis Robert Kennedy sont assassinés, le mythe d'une société opulente autostructurée s'acheminant vers sa version optimale est déjà complètement ébranlé. La première grande fissure, ressentie à tous les niveaux dans toutes les strates de la société américaine, avait été l'assassinat de John Kennedy en 1963. Non seulement la figure emblématique disparaissait, mais sa brutale mise à mort était vécue en direct par des millions d'Américains, dont le choc et la douleur étaient anesthésiés jusqu'à la nausée par une saturation audiovisuelle sans précédent. Dans *Nine Jackies* (1964), Andy Warhol reprend des photos de Jacky Kennedy prises juste avant et après l'assassinat. Ces clichés en gros plan ont habité tous les médias à une telle fréquence pendant tant de jours, qu'ils en ont perdu leur sens informatif et leur charge émotive. L'effet de contiguïté et le subtil arrangement achronologique qui perturbe la répétition réveillent le sentiment direct que la photo, avant l'inflation de sa reproduction, devait provoquer. Warhol aiguisera la sensibilité amortie et secouera la torpeur perceptuelle avec les séries de *Disasters* : suicides, accidents de voiture, bombe atomique, mais aussi chaise électrique. Le débat sur la peine capitale est effectivement engagé durant ces années soixante, ravivé dès 1960 par l'exécution de Caryl Chessman, criminel repenti devenu romancier et essayiste, apprécié des *literati* comme de l'homme moyen, qui aura attendu douze ans dans les couloirs de la mort avant d'être finalement électrocuté, à la stupéfaction quasi générale.

L'expression d'une contestation ouverte de l'état des choses reste cependant l'apanage d'une minorité d'artistes majeurs. Parmi eux, Peter Saul, qui commence une série de tableaux sur la guerre du Viêtnam en 1965, et dont le *Saigon* de 1967, par exemple, présente, sur fond de fantasmagorie violente, morbide et délibérément vulgaire, des inscriptions sous formes d'enseignes approximativement asiatiques, où l'on peut lire des messages aussi clairs que « White boys torturing & raping the people in Saigon » (« Garçons blancs torturant et violant les gens à Saïgon »). Évidemment, le mythe du bon soldat américain, le *boy*, le sauveur du monde qui fait une guerre propre et généreuse, vole ici en éclats. Il faut rappeler que la guerre du Viêtnam est la première guerre télévisée. Des films sur les exactions américaines commencent à être montrés.

Nancy Spero, également, exprimera l'effroi de la conscience réveillée aux réalités de la guerre dans des œuvres saisissantes. Reste que la plupart des artistes de l'époque ont exprimé les vicissitudes de l'image plutôt que celles de l'histoire.

« Lorsqu'il voit le monde s'effondrer autour de lui, l'artiste se demande ce qu'il peut faire. Mais en tant qu'artiste, il ne peut rien faire, sinon être artiste », écrit à ce moment-là Sol LeWitt[5]. Et il est vrai que si des mouvements contestataires ou militants comme l'AWP (Artists and Writers' Protest), l'AWC (Art Workers Coalition), le BECC (Black Emergency Cultural Coalition) ou le WAR (Women Artists in Revolution) — pour ne citer que les plus significatifs — réunissent alors des artistes de toutes dimensions, ils n'ont pas de rapport effectif avec la production artistique de l'époque telle qu'il nous est donné de l'aborder aujourd'hui[6].

L'engagement personnel d'un artiste ne préjuge pas de la représentation de cet engagement dans son art. En tout état de cause, le « Cool Art » des années soixante, tel que l'a baptisé Irving Sandler, qui mettait sous cette étiquette à la fois le Pop'Art et l'Art minimal, a sans doute contribué à ce déplacement du rapport de l'art à la vie et, ce faisant, à cette légère dislocation des systèmes donnés qui font avancer l'histoire des choses.

---

1. Lucy Lippard, « Trojan Horses : Activist Art and Power », dans *Art After Modernism, Rethinking Representation*, compilé par Brian Wallis, New York, The New Museum of Contemporary Art, 1984.
2. Cité par Sidra Stich dans son excellent catalogue d'exposition *Made in USA*, Berkeley & Los Angeles, University of California Press, 1987.
3. Voir sur le sujet le chapitre « American Icons », dans Sidra Stich, *ibid.*
4. La guerre de Sécession n'est pas si loin dans les mémoires. L'un des sujets de la série parodique picturale de Larry Rivers de 1959 est la mort du dernier ancien combattant *(The Last Civil War Veteran)*.
5. Sol LeWitt, *Metro*, n° 14, 1968, New York, pp. 44-45.
6. Voir à ce sujet Lucy Lippard, *op. cit.*, et Irving Sandler, « L'artiste, militant politique », dans *Le Triomphe de l'art américain. Les Années soixante*, trad. française, Paris, Éd. Carré, 1990.

Art et politique dans les dernières années du franquisme, un aperçu sommaire*

Tomàs Llorens

Dans le panorama du réalisme critique du début des années soixante, Estampa Popular de Valencia se distinguait, en premier lieu, par l'intention de rompre avec les présupposés qui caractérisaient ce réalisme critique : un art qui parlait de la réalité sociale, mais uniquement dans le cadre étroit d'une série de conventions reçues (de l'expressionnisme européen, de l'estampe populaire mexicaine, de la tradition réaliste espagnole, etc.). La réalité, ainsi thématisée, se reconnaissait à peine ; les paysans affamés, que l'on pouvait peut-être encore trouver dans certaines régions reculées d'Andalousie ou de Castille, constituaient une figure — un déplacement de concepts — totalement inadaptée si le but recherché était de caractériser la réalité sociale de l'ensemble de la nation espagnole du début des années soixante. Le regard plus attentif porté à cette réalité sociale, depuis Valence, révélait des structures, une histoire et une culture spécifiques, une conscience nationale frustrée dans son histoire (dans des termes décrits peu auparavant, au début des années soixante, par Joan Fuster dans son livre *Nosaltres els valencians*) et un processus de modernisation (qui venait compléter, de façon atypique, une révolution bourgeoise jamais véritablement achevée), processus qui, bien qu'à ses premiers pas à l'époque, modifiait profondément les structures sociales et culturelles du pays. Tout cela donnait des caractéristiques particulières à l'exploitation des classes ; et il fallait en tenir compte dans la formulation d'une proposition culturelle à vocation authentiquement réaliste.

Estampa Popular de Valencia se distinguait, en deuxième lieu, par la prise de conscience de l'activité artistique considérée comme *système* de signification et communication. Peut-être est-il excessif, vers 1964, de parler de *prise* de conscience pour caractériser la situation. Ce qui se développa d'abord fut la *conscience* du système de la peinture en tant que moyen de communication ; c'est seulement plus tard, dans les dernières années de la décennie, que l'on commencera à mettre l'accent sur la problématique du *rôle* de l'artiste et que l'on pourra véritablement parler de prise de conscience. Mais ces deux aspects sont, d'un point de vue logique, tellement entrelacés, qu'essayer de délimiter une frontière entre eux n'aurait pas de sens.

Paradoxalement, pourtant, la première étape du développement de cette prise de conscience concernant la peinture prit la forme de la suppression de la première personne, du « sujet parlant ». Pour l'expliquer, peut-être est-il plus facile de recourir au monde de la littérature. Tout au long des années cinquante, le secteur dominant de la culture espagnole est celui de la poésie. Ce n'est qu'à la fin de cette période que cette suprématie se voit contestée par le roman. La première impulsion vers le réalisme s'effectue dans le domaine de la poésie (lié en particulier à Celaya et à Blas de Otero), et se manifeste par l'accent mis sur la thématique sociale, l'élimination (presque complète) des métaphores et des épithètes, l'utilisation de tournures linguistiques proches de la langue parlée, etc. Dans le domaine du roman, il faut ajouter, à ces caractéristiques, la relativisation du rôle du « sujet narrateur ». Ainsi que l'explique Josep M.ª Castellet, le sujet narrateur, dans le roman du XXe siècle, cessant d'être le dieu omniprésent, témoin absolu — de *l'extérieur* — de tous les recoins, sans exception, du monde raconté, est amené à occuper un endroit précis à *l'intérieur* de ce monde ; il existe, par conséquent, certains aspects de la narration, « cachés » au narrateur, que le lecteur devra reconstruire. Cet appel à la participation du lecteur à la reconstruction du récit est, selon Castellet, ce qui différencie le naturalisme du XIXe siècle du « réalisme critique » du XXe siècle. À la fin des années cinquante, les nouveaux chemins du roman espagnol s'orientent vers le réalisme critique. Cependant, comparée au roman, la poésie (et même la poésie réaliste) reste complètement dominée, d'une manière absolue, par le sujet communiquant. On s'y exprime toujours à la première personne ; et cette observation vaut pour la peinture réaliste (y compris la peinture d'Estampa Popular).

Je me rappelle avoir discuté ces problèmes avec Castellet (ceux qui relevaient de la poésie) fin 1962 ou début 1963. Lorsque se forma Estampa Popular de Valencia, au cours de l'été 1964, la disparition du « sujet parlant » était l'un des points fondamentaux du nouveau programme. *Le concept d'expression fut remplacé par celui de communication comme nouveau paradigme de l'activité artistique*. Cela impliquait que l'on reconnaisse un caractère objectif à l'œuvre en

tant que *moyen* de communication, que l'on situe l'*effet* esthétique non pas au niveau du subjectif — comme assentiment ou *sympathie* de sentiments (réalisation de la *Einfühlung* des idéalistes allemands) entre la subjectivité du spectateur et celle de l'artiste —, mais au niveau de la société, en acceptant le caractère autonome de l'œuvre (et celui de tout phénomène culturel) à l'égard de toute exigence psychologique.
La conscience de ce caractère objectif de la peinture en tant que *système* de communication, et la problématique de ses rapports avec les autres systèmes de communication visuelle se propagèrent dans le monde artistique espagnol dès le milieu des années soixante. Dans le domaine de la théorie, cela a conduit au développement des études de sémiologie, de la théorie de la communication et de la théorie de l'information pour aborder les problèmes spécifiques à l'esthétique et à l'histoire de l'art ; dans celui de la pratique (et les « changements de sensibilité », y compris ceux liés aux « modes » artistiques), la transformation des paradigmes a commencé à s'exercer à travers l'attention nouvelle portée à la diffusion en Europe de la peinture pop américaine et anglaise.
Pourtant, contrairement à l'Italie, à l'Allemagne et à la France, l'Espagne n'a pas connu de véritable mouvement pop. Le milieu artistique de Madrid était trop fermé pour cela (il fallut attendre 1967 pour qu'apparaissent au grand jour à Madrid des manifestations éphémères, épigones de ce mouvement). À Barcelone et à Valence, la mouvance la plus proche du pop fut ce que Cirici commença à appeler, en 1963, le Nuevo Realismo (bien qu'il fût assez différent de la tendance parisienne lancée par Restany).
Les deux niveaux, théorie et pratique, se combinaient dans l'art d'Equipo Crónica, né directement d'Estampa Popular de Valencia. Dans cette œuvre, tout comme dans celle d'Equipo Realidad et d'autres artistes valenciens, le problème des rapports entre l'art et la politique constitue, de plus en plus, le thème central. D'un point de vue théorico-technique, la caractéristique la plus notable de ce courant, qui se développe en interaction de plus en plus étroite avec le mouvement parallèle dominé à Paris par Aillaud, Recalcati et Arroyo, consiste à exploiter les possibilités iconographiques de la peinture ; ce n'est pas pur hasard si, parmi les faits les plus décisifs de ses débuts, figure l'exposition « La Figuration Narrative » (suivie deux ans plus tard par « Le Monde en question » et, ensuite, par « Kunst und Politik »), organisée à Paris par Gérald Gassiot-Talabot. Par ailleurs, on peut également trouver, de manière moins systématique, dans l'œuvre de peintres tels que J. Castillo, dans certains dessins de M. Millares, etc., une certaine exploitation des possibilités iconographiques, de cette dimension dénotative — largement abandonnée par l'avant-garde du XXe siècle, à l'exception, peut-être, de certains secteurs du dadaïsme et du surréalisme — de l'image picturale, en ce qu'elle a trait à des événements ou à des personnages concrets.
À l'évidence, le statut de la peinture, comparé à celui des autres systèmes de communication visuelle, est très différent, à notre époque, de celui qu'elle a eu à d'autres moments de l'histoire, et cela se reflète directement dans ses fonctions dénotatives. L'exploitation des mécanismes iconographiques posait implicitement le problème de ce qui peut être *dit* avec la peinture, les limites qui lui sont imposées en raison de son statut culturel, des caractéristiques du rôle du peintre. Quand le souci dominant est celui des relations entre l'art et la politique, l'analyse du rôle du peintre conduit à la problématique des rapports entre la peinture et les institutions culturelles, entre la peinture et le musée, la peinture et l'avant-garde, la peinture et l'histoire de la peinture, *la peinture et le pouvoir*.
Cette problématique qui apparaît déjà explicitement dans l'œuvre d'Arroyo à partir de 1965 et dans celle d'Equipo Crónica depuis 1966-1967, culmine, chez le premier, dans la série *Winston Churchill, peintre*, et, chez les peintres d'Equipo Crónica, dans celle intitulée *El Panfleto* (« Le Pamphlet », présentée à la biennale de Paris en 1973).
Mais le mouvement qui aboutit à s'interroger sur la peinture en tant que langage est beaucoup plus large et englobe pratiquement l'ensemble de l'art espagnol jusqu'à la fin des années soixante. Il faut ajouter que la pluralité des positions et des tendances s'explique aussi par

Eduardo Arroyo, *A Moscou, Dolores Ibárruri, la Pasionaria, demande instamment mais sans succès aux Républiques Populaires de ne pas établir de relations diplomatiques avec l'Espagne*, 1970. Collection particulière.

Antoni Tàpies,
Peinture aux menottes, 1970.
Galeria Joan Prats,
Barcelone.

l'accroissement considérable du nombre de peintres de bon niveau en Espagne, un phénomène qui provient de l'expansion et de la normalisation du marché de l'art, qui était, pour ainsi dire inexistant (en ce qui concerne l'art avant-gardiste) durant les années cinquante. À partir du milieu des années soixante, non seulement le nombre de galeries est en augmentation à Madrid et à Barcelone, mais des marchands solides commencent à s'établir dans des villes telles que Valence, Séville et Bilbao. À partir de 1969, les ventes aux enchères constituent une soupape de sécurité (au moins virtuelle) qui contribue à donner de la fermeté au marché. Ce développement s'effectue sur fond d'augmentation du revenu national, de consolidation progressive et rapide de structures sociales capitalistes et d'apparition, au sein du régime, de secteurs officiels, officieux ou même indépendants, favorables (d'une façon plus ou moins discriminatoire, et plus ou moins en connaissance de cause) à l'art d'avant-garde.
En opposition, donc, avec la polarisation des attitudes (de l'avant-garde et du régime) qui caractérisait les premières décennies du franquisme, une espèce de troisième secteur « non aligné » (ou « moins aligné », ou encore, simplement, peu sensibilisé au thème des rapports entre art et politique) fait son apparition vers la fin des années soixante.
Ce secteur est également affecté, d'une manière ou d'une autre, par la problématique à laquelle il a été fait allusion, spécialement pour ce qui concerne la conscience de l'activité artistique en tant que système de signification et de communication. On peut citer comme exemple les thèses culturalistes — priorité des problèmes techniques de la peinture sur les problèmes d'« expression » — défendues par quelques membres du mouvement appelé Nueva Generación (1967) qui fut discrètement soutenu par des fonctionnaires du régime (qui offrirent la possibilité de publier, d'exposer et d'accéder à la télévision). On en trouve un autre exemple, plus évident, dans les thèses scientifiques — superposition de thèmes propres à la psychologie de la perception et de thèmes propres à l'informatique — du groupe Antes del Arte (1967-1968), qui s'appuyait sur le réduit indépendant du Centre de calcul de l'université de Madrid.

Antoni Tàpies,
Assassins : Monotip I
[Assassins : Monotype I], 1974.
Collection particulière,
Barcelone.

Antoni Tàpies,
Assassins : Monotip II
[Assassins : Monotype II], 1974.
Collection particulière,
Barcelone.

Autour de 1970, la problématique du langage de la peinture se généralise et se radicalise. Deux thèmes vont devenir le moteur et la justification théorique des nouveaux mouvements (généralement importés d'Italie et des États-Unis) qui se développent chez les artistes les plus jeunes : le thème du statut économique, social et culturel de l'*œuvre d'art*, et celui des relations entre l'art et la vie quotidienne (posé à présent avec vigueur, dans la perspective des changements

macroculturels profonds que les nouvelles structures sociales, résolument néocapitalistes et urbaines, impriment aux jeunes générations, et en particulier aux étudiants).
À la lumière de cette thématique, l'œuvre de quelques artistes qui, comme Tàpies, Saura, Millares, Guinovart ou le groupe Zaj, travaillent au sein de l'avant-garde depuis la période héroïque qui va des années quarante au début des années soixante, peut être lue sous un nouvel angle et se convertir en point de référence. L'influence de Tàpies, en particulier, semble décisive dans la cristallisation du mouvement d'Arte pobre qui voit le jour à Barcelone vers 1970, parallèlement au mouvement italien d'Arte povera.
Barcelone devient également le plus important foyer de rayonnement de diverses tendances qui proviennent, à l'origine, de New York (mais qui sont ensuite reprises et adaptées, de façon remarquablement cohérente, au milieu culturel espagnol dans les propositions du groupe de Treball), sous l'étiquette d'Art conceptuel.
Avec l'apparition, en 1975-1976 (également à Barcelone) d'un groupe de jeunes peintres qui s'appuient sur un surprenant appareil théorique (largement importé de Paris), et conçoivent leur travail dans le champ de ce qu'ils considèrent comme les problèmes fondamentaux de la forme picturale (au sens des universaux linguistiques chomskyens, ou au sens des structures essentielles du psychisme tel que l'entendent les néofreudiens actuels), nous croyons que l'ensemble des tendances qui ont fait leur apparition au cours des dernières années dans le panorama espagnol peuvent être systématisées selon qu'elles dirigent leur intentionalité critique vers l'une ou l'autre des trois dimensions fondamentales de la signification :

1. La dimension syntaxique (qui fait état des tensions entre le code formel essentiel — celui de la peinture — et le procédé — celui de peindre) dans le cas des jeunes peintres cités plus haut et qui ont, comme prédécesseurs, Teixidor, Rafols Casamada, José Guerrero et Tàpies lui-même).
2. La dimension sémantique (les tensions entre « thème » et « véhicule de signe ») dans le cas du groupe de tendances « conceptuelle », « écologique », etc.
3. La dimension pragmatique (les tensions entre les contextes, de culture élitiste et populaire, des systèmes de communication visuelle, entre le rôle du peintre, le rôle du spectateur et celui du public) dans l'œuvre d'Arroyo, d'Equipo Crónica et (d'une certaine façon, car on pourrait aussi bien l'inclure dans la classe précédente) d'Alberto Corazón.

Traduit de l'espagnol par
Geoffroy de Bondy

* Extrait de « Vanguardia y política en la dictadura franquista : los años sesenta », *España. Vanguardia artística y realidad social : 1936-1976*, Barcelone, Editorial Gustavo Gili, 1976.

Equipo Crónica, *La Visita* [La Visite], 1969. Collection Lucio Muñoz, Madrid.

Autour de la dissociation entre avant-garde et politique en Espagne dans les dernières années du franquisme

Autour de la dissociation entre avant-garde et politique en Espagne dans les dernières années du franquisme

Deux vignettes d'une vieille polémique

Tomàs Llorens

1

En 1976, j'ai participé à l'organisation d'une exposition intitulée « Spagna : Avanguarda artistica e realtà sociale » (« Espagne : avant-garde artistique et réalité sociale ») qui occupait le pavillon central des *Giardini* de Venise. Le comité organisateur était composé des artistes Antoni Tàpies, Antonio Saura, Agustin Ibarrola et Alberto Corazón, du groupe Equipo Crónica, de l'architecte Oriol Bohigas et des critiques d'art Valeriano Bozal et moi-même. L'exposition obtint un grand succès public mais fut ignorée de la critique internationale, et suscita, en Espagne, une violente polémique artistique et politique. À mon sens, la raison fondamentale de ce double refus se trouvait au cœur même de l'exposition : dans la thèse que le meilleur de l'art, dans l'Espagne de Franco, avait cherché un compromis politique, non pas tant dans la notion d'avant-garde que, par son intermédiaire et comme pour l'éviter, dans une espèce de fuite en avant qui supposait une remise en cause et, finalement, un abandon de la condition avant-gardiste.
Il est normal que la critique internationale, au milieu des années soixante-dix, se soit opposée à cette thèse. Depuis mai 1968, le climat artistique avait été dominé par les avancées des néo-avant-gardes et par le refus des valeurs politiques associées à l'art moderne depuis les années d'après-guerre et le processus de décolonisation. Dans ce contexte, s'interroger, comme nous le faisions, sur le concept d'avant-garde ne pouvait que susciter étonnement et méfiance, et ce d'autant plus si cette réflexion s'effectuait au nom d'un certain type de compromis politique auquel les jeunes des années soixante-dix associaient ce qu'ils détestaient le plus dans la génération de leurs parents.
En ce qui concerne l'Espagne, outre ces raisons, d'autres, plus liées à la conjoncture, ont joué dans le refus de « Spagna : Avanguarda artistica e realtà sociale ». Entre le moment où notre projet a été présenté au Conseil de la Biennale de Venise (août 1975) et celui de sa réalisation (juin 1976), un fait d'une importance capitale s'était produit : la mort du général Franco (novembre 1975). Le processus politique qui s'était aussitôt libéré avait imposé, avec force, la nécessité inexorable de l'oubli du passé. Cet oubli s'appliquait aussi aux intellectuels espagnols de gauche qui, jusque-là, avaient cru qu'une révolution (quand bien même ce serait une révolution pacifique, à la chilienne) mettrait fin au régime franquiste. En septembre 1975 déjà (avant même la mort de Franco), Vicente Aguilera Cerni et José Maria Moreno Galván, deux des critiques d'art les plus influents de la gauche espagnole, s'étaient adressés au président de la Biennale, Carlo Ripa di Meana, en lui proposant une exposition alternative certainement plus en accord avec le nouvel esprit de « réconciliation nationale » qui commençait à se manifester en Espagne. Contrastant avec la complexité analytique de nos arguments, et en particulier avec la thèse de la dissociation entre avant-garde artistique et compromis politique, le projet d'Aguilera Cerni et Moreno Galván s'élaborait à partir d'une idée simple : tout l'art moderne conçu en Espagne sous le franquisme était à la fois avant-gardiste et anti-franquiste ; plus précisément : il était anti-franquiste, c'est-à-dire politiquement significatif, du simple fait qu'il se revendiquait comme avant-gardiste.
La dispute autour de l'exposition « Spagna : Avanguarda artistica e realtà sociale » avait déjà eu ses prémices dans le débat artistique international des années trente. De fait, ce fut alors que, pour la première fois en Europe, on théorisa sur la dissociation entre avant-garde et engagement politique. Dans le climat turbulent d'une décennie marquée par l'hostilité pour l'art moderne de la part des dictatures émergentes, la question de la signification politique de l'art d'avant-garde s'est posée de diverses manières ; mais il y eut surtout deux polémiques paradigmatiques : celle du mouvement surréaliste (entre les partisans de Breton et ceux qui s'alignaient sur les positions de la IIIe Internationale) et celle qui s'était engagée en Allemagne (entre Adorno et les défenseurs d'un nouveau réalisme de gauche). Cependant, dans l'Espagne de la fin du franquisme, l'objet

de la polémique était assez éloigné de celui des deux précédentes. L'adhésion inconditionnelle au modèle avant-gardiste que défendaient nos contradicteurs reproduisait, de fait, l'attitude qui avait été celle de l'opposition anti-franquiste dans les années quarante et au début des années cinquante lorsqu'étaient apparues, en Espagne, les innovations de l'art moderne international. Je me souviens combien m'avait frappé, au commencement des années cinquante — je n'étais alors qu'un adolescent —, la déclaration d'un critique d'art de l'époque qui avait lancé, dans un contexte institutionnel proche du régime, un « Vive la révolution ! » aussitôt qualifiée par un adjectif mis entre parenthèses, « artistique ».
À une époque où le régime franquiste fusillait encore ses opposants les plus éminents, user du terme « révolution » pour le réduire immédiatement à une « révolution (artistique) » relevait plus de l'obscénité sophistiquée que de la puérilité.
Le parcours qui va de cette première conviction (mi-ingénue, mi-malhonnête), selon laquelle « avant-garde » et « révolution » seraient la même chose, à cette conscience critique face à l'avant-garde, qui nous semblait être le principal trait définissant la gauche artistique espagnole au moment de la fin du franquisme, était précisément l'histoire que nous proposions de raconter à la Biennale de Venise de 1976.

2

Pour les auteurs du projet « Spagna : Avanguarda artistica e realtà sociale », les « Encuentros de Pamplona » (« Rencontres de Pampelune »), en 1972, avaient déjà été un exemple de manifestation qui se rapprochait du thème de la dissociation entre avant-garde et politique. Organisé à l'initiative du privé et financé par lui, ce festival, qui fut perçu comme un des événements artistiques les plus importants dans les ultimes années du franquisme, comptait sur l'accord tacite des autorités. Le projet, très ambitieux, consistait à réunir pendant une semaine, du 26 juin au 3 juillet 1972, dans la ville de Pampelune, un nombre important d'artistes et de critiques espagnols et internationaux. Conçu dans la vague montante de l'enthousiasme néo-avant-gardiste, le programme comprenait les arts visuels, la musique, la poésie, le cinéma et les « nouveaux comportements artistiques ». Parallèlement à des concerts de John Cage et Steve Reich par exemple, il y avait des spectacles populaires en provenance de l'Inde, des projections cinématographiques de Buñuel ou du jeune Fassbinder, des journées de poésie visuelle, des « interventions » de Denis Oppenheim, d'Art and Language, de Joseph Kosuth ou de Wolf Vostell, (la renommée ascendante de Beuys n'était pas encore parvenue jusqu'en Europe du Sud), de Carl Andre, Vito Acconci, John Baldessari, Jan Dibbets, du jeune et inconnu Christian Boltanski ou de l'également jeune, mais beaucoup plus connu, Martial Raysse.
Les conflits éclatèrent au moment de l'inauguration. Dans une manifestation collective d'art basque programmée le premier jour, un tableau était présenté, dans lequel on pouvait reconnaître le général Franco. Sous la pression des mécènes privés, les organisateurs des Rencontres le retirèrent. Les artistes basques boycottèrent l'inauguration et demandèrent leur appui aux autres participants. Les Rencontres se poursuivirent en dépit de la suspension de quelques manifestations. L'opinion espagnole était divisée. Quelques-uns voulaient que se déroule normalement un programme qui procurait, à de jeunes artistes, l'occasion d'être en contact avec les tendances les plus nouvelles des avant-gardes internationales. Pour eux, la condition de l'avant-garde était une valeur intrinsèque. D'autres privilégiaient le compromis politique. Parmi eux, il y avait quelques anti-avant-gardistes déclarés. Ainsi, dans un manifeste rédigé par une assemblée d'artistes basques, l'avant-garde était associée à l'élitisme, et il y avait des affirmations, telle celle-ci : « Sous l'emprise de l'exaltation de l'élitisme, le terme "investigation" a pris un tour magique, fétichiste et mystificateur. Il est devenu, comme le terme "avant-garde", le refuge du snobisme et de l'opportunisme des ambitieux. » Cependant, l'opposition aux Rencontres n'émanait pas seulement d'attitudes aussi « populistes » que celle-ci. Pour d'autres artistes, le fait que le festival, bien qu'organisé à l'initiative du privé, ait pu être la marque politique de la dictature révélait une contradiction et ce y compris en termes politiques. Suivant ce raisonnement, un manifeste qui a circulé entre les participants argumentait sur le fait que les limites imposées par les organisateurs vidaient de sens les activités de l'avant-garde la plus critique, annulant « ce qui aurait pu, à cette occasion, faire de l'avant-garde artistique un ferment culturel innovateur. » Face aux accusations de provocation politique que les organisateurs lancèrent contre le courant critique, le manifeste faisait appel à la notion marxiste de superstructure, affirmant que « à limiter ou à éliminer le ferment de l'innovation culturelle, l'avant-garde artistique se trouve privée de son contenu le plus authentique et se transforme en une simple carcasse vide, une superstructure ornementale destinée à sa seule instrumentalisation politique (comme cela a presque toujours été le cas, dans le passé, lorsque la création artistique s'est développée à partir des exigences du mécénat) » — allusion au parrainage privé des Rencontres.

Quelques-uns des artistes et des critiques qui, trois ans plus tard, collaborèrent au projet de la Biennale de Venise, entre autres, Alberto Corazón, le groupe Equipo Crónica et moi-même, approuvèrent ce second manifeste, ce qui n'alla pas sans une déception : la dénégation de la majorité des invités étrangers. Un exemple éloquent entre tous fut le refus de John Cage qui intervint en dépit du fait que ceux qui lui avaient demandé son accord, au nom du courant critique, appartenaient à Zaj, un groupe de musiciens espagnols parmi ses disciples qui avait participé, durant la seconde moitié des années soixante, aux activités les plus radicalement avant-gardistes du panorama artistique espagnol. Je ne me souviens pas si quelqu'un déclara que le maître donnait ainsi à ses disciples une ultime leçon de radicalisme (y compris politique ?) en ne voulant pas ternir la pureté de son opposition absolue, face à une proposition aussi banale que celle d'une protestation politique pour le retrait d'un tableau (un tableau conventionnel peint, probablement, à l'huile sur toile). Mais, pour quelques-uns d'entre nous, c'était comme si on écoutait à nouveau le cri de « Vive la révolution (artistique) ! » qui nous avait tellement irrités lorsque nous étions jeunes.

Traduit de l'espagnol par
Marie-Thérèse Mazel-Roca

Miroirs, canons, igloos, zoo et autres Italies 1960-1980

Daniel Soutif

« L'art revient finalement à ses motivations internes, aux raisons constitutives de son "faire œuvre", à son lieu par excellence qui est le labyrinthe, entendu comme "travail au-dedans", comme excavation continue dans la substance de la peinture[1]. »

Ces mots d'Achille Bonito Oliva eurent en leur temps — 1979 — l'ambition de clore les deux décennies artistiques italiennes dont il sera question dans les quelques pages qui suivent.
En un sens, ils y parvinrent. Momentanément, du moins, puisque la Transavanguardia, le mouvement auquel ils donnaient son envol, connut effectivement son heure de gloire, en particulier grâce à la Biennale de Venise de 1980 (Bonito Oliva figurait au nombre de ses commissaires), où l'on vit s'étaler sur les cimaises les peintures de cette nouvelle génération d'artistes qui avaient notamment noms Chia, Clemente, Cucchi, De Maria, Paladino... La même Biennale, il est vrai, faisait à Balthus l'hommage d'une grande rétrospective. À Cassel, en 1982, la Documenta suivante confirma encore la vague en l'inscrivant dans une marée internationale de même térébenthine.
À ces consécrations institutionnelles s'ajouta d'autre part le fulgurant enthousiasme, sonnant et trébuchant, celui-là, du marché. Comme on sait, ce dernier profitera en effet de la résurgence, dans les années quatre-vingt, des formes d'art traditionnelles pour faire retour sur une scène qui, durant vingt ans, lui avait substitué, en particulier en Italie, d'autres préoccupations, souvent plus politiques ou plus idéologiques, c'est-à-dire aussi, malgré les apparences, peut-être plus artistiques.
Bonito Oliva, d'ailleurs, dans le même texte manifeste, non seulement annonçait donc l'avènement d'un nouvel art mû, disait-il, par le désir de « retrouver en lui-même le plaisir et le péril de mettre les mains à la pâte, rigoureusement, dans la matière de l'imagination », mais opposait aussi cet art hédoniste à celui des années soixante, qui aurait été marqué, au contraire, par une « connotation moralisante, y compris dans le cas de l'avant-garde ». Et de mentionner pour preuve l'Arte povera, dont la formule aurait poursuivi « dans son dessein critique une ligne de travail expressive et masochiste heureusement contredite par certaines œuvres des artistes[2] ». Bref, le critique salernitain entendait bien marquer plus qu'un simple virage, un véritable retour à un art soucieux de lui-même et des plaisirs qu'on est en droit d'en attendre, un art qu'il espérait prêt aussi à toutes les formes de nomadisme, à condition, du moins, qu'il ne sorte pas de sa propre histoire...
Malgré le choc indubitable que produisit son déferlement, la vague lancée (ou accompagnée) par Bonito Oliva ne devait pas véritablement tenir ses promesses et, vue d'aujourd'hui, il n'est pas certain, loin s'en faut, qu'elle ait réussi à faire oublier ou même seulement à relativiser ce qui l'avait précédée. Le regard réducteur que, juché sur elle, le critique portait sur l'art des années soixante et soixante-dix s'est d'ailleurs vu lui-même bien vite relativisé. Ainsi, en 1989, c'est-à-dire à peine dix ans plus tard, le grand historien d'art Giuliano Briganti offrait, à l'occasion d'une grande exposition rétrospective de l'art italien du XXe siècle à la Royal Academy de Londres, une perspective tout autre sur ces années soixante à la connotation supposée moralisante ou même masochiste par le thuriféraire de la Transavanguardia. Dans un article au titre significatif[3], Briganti écrivait en effet : « La principale caractéristique qui distingua les manifestations des années soixante et la force qui les portait (par ce terme j'entends non leur cause ou leur idéologie anti-idéologique, mais leur substance, leur qualité) furent avant tout la vitalité [...] une vitalité qui, vive comme le mercure, provocante et désenchantée, brisa toute barrière schématique. » À en croire, toujours, le grand historien du maniérisme italien, la « provocation culturelle » que cette vitalité engendra manifesta son autre caractère, une totale ouverture d'esprit, dans une série de négations qui traversèrent tous les arts, de la littérature au cinéma en passant naturellement par les arts plastiques et le théâtre, sans oublier, bien sûr, la musique : « négation du principe d'autorité, de tout dogmatisme, des schèmes idéologiques, de l'engagement politique et des moyens traditionnels d'expression ».
À considérer rétrospectivement ces deux décennies — ouvertes, il est intéressant de le signaler ici, par une impressionnante salve de chefs-d'œuvre cinématographiques, puisque 1960 fut l'année de sortie à la fois de *L'Avventura,*

d'Antonioni, de *La Dolce Vita,* de Fellini, et de *Rocco e i suoi fratelli* (« Rocco et ses frères »), de Visconti, excusez du peu... —, il est difficile en effet de ne pas y voir éclater de toutes parts les signes de cette vitalité vif-argent qui domine le souvenir de Briganti.

Tout, en effet, semble avoir changé au cours de ces complexes années soixante. Même en se limitant à ce que les Italiens appellent l'« Arte visive » et à s'en tenir, dans ce champ, aux quelques faits les plus saillants, la moisson reste considérable. Ainsi vit-on les vieux débats entre réalistes et tenants de l'informel mourir de leur belle mort pour laisser deux grandes figures individuelles occuper soudain le devant de la scène : celle d'un Fontana, certes en fin de carrière, mais subitement emblématique, et, d'autre part, celle d'un Manzoni, trop vite appelé à disparaître (il meurt en 1963), mais doté d'une inventivité telle que la trace n'en est pas encore éteinte aujourd'hui. De nouveaux mouvements firent leur apparition, comme ces groupes N ou T qui, soutenus par le grand historien d'art Giulio Carlo Argan, alimentèrent la chronique des toutes premières années soixante et pour lesquels Umberto Eco inventa l'appellation « Arte programmata ». De nombreux jeunes artistes destinés à jouer un grand rôle dans le futur, aussi bien individuellement que collectivement, firent alors leurs premières armes (au sens presque propre pour l'un d'entre eux). Ils s'appelaient notamment Pistoletto, Kounellis, Merz, Fabro, Paolini, Pascali et, en 1965, avaient tous déjà bénéficié d'au moins une exposition personnelle. Germano Celant n'avait pas encore inventé la bannière de l'Arte povera sous laquelle il les réunira à partir de 1967, mais il étudiait déjà l'histoire de l'art à Gênes auprès d'Eugenio Battisti. Tout était mis en discussion et tous les supports étaient bons pour cela. Pour un oui ou pour un non, on créait une revue : *Azimuth,* par exemple, lancée en 1959 par Manzoni et Castellani, ou encore *Marcatré,* née en 1963 à l'initiative du même Battisti, qui en résumait le programme dans une formule lapidaire : « On ne veut pas assister, mais agir[4]. » Débats et colloques sur l'avenir de l'art et de la culture, la relation de l'art et de la vie ou le rôle social de la création contribuaient également à la réflexion, qui rebondissait jusque dans la grande presse quotidienne lorsqu'elle ouvrait ses colonnes à des ténors tels qu'Argan. La thématique du congrès présidé par ce dernier à Verruchio en septembre 1963, comme celle de la série d'articles qu'il avait publiés peu auparavant dans *Il Messaggero,* illustre parfaitement ce bouillonnement d'idées et de polémiques. À Verruchio, artistes et critiques examinèrent par exemple l'« engagement idéologique dans les courants artistiques contemporains », tandis que, dans le quotidien romain, Argan s'était attaqué à la « basse politique des images » menée par les médias et par l'industrie[5].
Au-delà du domaine des arts visuels (et parfois en liaison avec eux), l'activité créative ne fut pas moins riche. Le cinéma ne s'arrêta pas à la superbe conjonction de chefs-d'œuvre qui avaient salué l'entrée dans la décennie, bien d'autres suivirent. Pour ne citer que les plus fameux, Antonioni réalisa en 1961 *La Notte* (« La Nuit »), puis en 1962 *L'Eclisse* (« L'Éclipse »), tandis que Fellini et Visconti présentaient respectivement la même année *Otto e mezzo* (« Huit et demi ») et *Il Gattopardo* (« Le Guépard »). Le théâtre vit émerger des personnalités aussi exceptionnelles que Carmelo Bene, Leo de Berardinis et, souvent tout proche des arts plastiques, Carlo Quartucci. La musique ne fut pas moins révolutionnée, puisque — tandis que Luciano Berio poursuivait avec un éblouissant brio son entreprise d'exploration du langage musical, qui devait notamment le conduire au collage, dans sa *Sinfonia,* aussi bien d'extraits de Lévi-Strauss et de Beckett que de slogans empruntés aux murs de la Sorbonne occupée en 1968 — Luigi Nono engageait délibérément son art dans la lutte militante avec des œuvres telles que sa *Fabbrica illuminata,* de 1964.
De même, la création littéraire fut alors servie par l'apogée de la carrière de trois grands écrivains — Italo Calvino,

Pino Pascali, *Lanciamissili : Uncle Tom and uncle Sam,* 1965. Collection «LA GAIA», Cuneo, Italie.

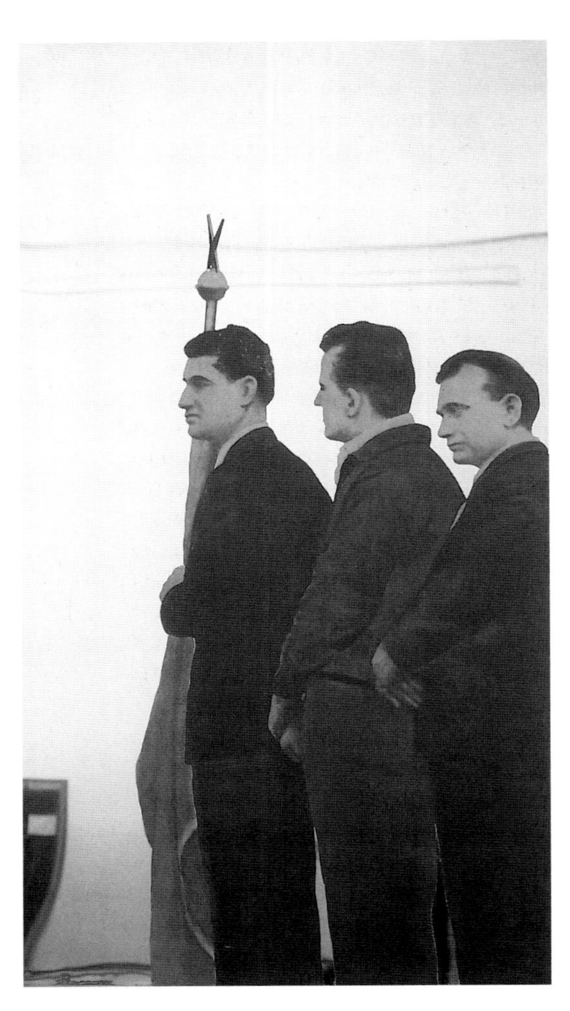

Michelangelo Pistoletto, *Comizio II* [Manifestation II], 1968. Museum Ludwig, Cologne.

Pier Paolo Pasolini et Leonardo Sciascia — qui, comme le dit Alberto Asor Rosa, reflétaient chacun « un fragment du drame italien de ces années-là » : Calvino, « la Turin intellectuelle et ouvrière », Pasolini, « la Rome désolée des faubourgs de banlieue », et Sciascia, « la Sicile dolente sous le poids de la Mafia et des intrigues politiques[6] ». On vit même se constituer d'autre part une néo-avant-garde, le célèbre Gruppo 63, d'abord à l'initiative d'écrivains et d'essayistes — Anceschi, Ballestrini, Eco, Sanguineti... — réunis lors d'un congrès à Palerme en octobre 1963, mais vite rejoints par des architectes, des musiciens et des artistes « visuels », comme le montre, par exemple, la présence de l'architecte Vittorio Gregotti parmi les collaborateurs de *Quindici,* la revue dont se dotera le groupe en 1967. La rencontre de Palerme avait en quelque sorte inauguré cette époque où, selon les mots de Walter Pedullà, « on fera de la politique avec le langage[7] ». Un an auparavant, Umberto Eco, qui, de tous les fondateurs du mouvement, devait devenir la figure la plus célèbre, avait d'ores et déjà publié un livre au titre emblématique — *Opera aperta* (« Œuvre ouverte ») — qui brassait toutes les disciplines artistiques, résumant et théorisant l'esprit d'ouverture esthétique de l'époque.

À ces bouleversements culturels résultant, d'une certaine façon, de la logique propre à la culture italienne, vinrent bientôt s'ajouter les effets rapides d'une autre sorte d'ouverture, celle de cette culture, non plus seulement sur les pays voisins, en particulier la France, mais sur les États-Unis. La présence américaine en Italie avait certes déjà entraîné, dès le milieu des années cinquante, l'acclimatation de nombreux modèles culturels venus d'outre-Atlantique. Ce processus était même déjà très avancé au milieu des années cinquante, ainsi qu'en témoigne dès 1954 la parodie de la jeunesse américanisée qui servait de ressort principal à *Un Americano a Roma,* un film interprété par Alberto Sordi. L'importation presque instantanée du rock-and-roll, couplée avec celle d'un cinéma où James Dean et Marlon Brando occupaient une place centrale, accentua encore cette transformation profonde de la culture populaire de la jeunesse au cours de la seconde moitié des années cinquante[8]. L'histoire des Biennales de Venise montre que le mouvement fut à la fois plus tardif et plus instantané dans le champ relevant de la haute culture que sont les arts plastiques. Après quelques timides apparitions préalables (Rauschenberg, par exemple, avait exposé dès 1961 dans une galerie milanaise), le nouvel art américain fit donc son entrée en fanfare sur le sol italien à l'occasion de la fameuse Biennale de 1964. Jasper Johns, Frank Stella, Jim Dine, Claes Oldenburg, John Chamberlain, Kenneth Noland, Morris Louis et Robert Rauschenberg, qui se partageaient le pavillon des États-Unis (et aussi quelques salles de leur consulat...), défrayèrent alors la chronique. La place faite à la représentation par certains de ces artistes fit même parfois momentanément renaître le souvenir des vieux débats politiques opposant les partisans du réalisme et ceux de l'abstraction. Entre enthousiasmes et diatribes de farine souvent confuse, la victoire de Rauschenberg enflamma la presse tout entière, sans parler de la levée de boucliers provoquée par Alan Solomon, le commissaire américain, qui avait tranquillement écrit dans son catalogue que « tous reconnaissent que le centre mondial des arts s'est déplacé de Paris à New York[9] ». De quoi réjouir ceux qui n'étaient pas fâchés de voir mettre un terme à une hégémonie artistique française de toute évidence épuisée, mais de quoi aussi faire bondir les nombreux adversaires de l'impérialisme américain.

Une telle effervescence généralisée répondait, on s'en doute aisément, à de profonds bouleversements de la société italienne dans son ensemble. L'explosion de 1968 devait en constituer à la fois l'acmé et le point de rupture.

On ne comprendrait en effet ni l'effervescence culturelle et artistique qui a précédé 68, et peut-être contribué à sa gestation, ni cette explosion elle-même, si on ne précisait pas l'ampleur des transformations qui, en Italie comme dans le reste de l'Europe, avaient donné au passage des années cinquante aux années soixante une sorte de valeur de seuil. Ainsi, il faut savoir que le nombre des automobiles était passé de 425 000 en 1951 à 2 449 000 en 1961, progression spectaculaire mais nettement moindre que celle qui allait suivre puisque, en 1969, 9 173 000 voitures sillonnaient les routes italiennes. Pas seulement les routes, d'ailleurs : lancé en 1959 par le premier coup de pioche du chantier de la future autoroute du soleil (Milan-Rome-Naples), un vaste programme de construction dota à cette époque la péninsule des voies de communication nécessaires à la généralisation industrielle du tourisme. La sortie de la Fiat 500, le fétiche automobile des Italiens pour les vingt années à venir, avait préfiguré ces changements spectaculaires dès 1957. L'envers de cette médaille fut, on le sait, l'urbanisation à outrance, notamment sur les côtes — préposées à l'invasion touristique estivale — mais plus encore dans la périphérie des grandes villes du Centre, et surtout du Nord, où vinrent s'entasser, attirées par le développement des industries, les foules d'immigrés venus du Sud :

entre 1951 et 1971, le nombre de ces immigrés atteignit près de quatre millions et demi, si bien que la population de villes telles que Rome ou Turin fut près de doubler. Le domaine de la communication ne fut pas moins touché que celui de la circulation physique, ainsi qu'en témoigne le fait qu'en 1963 quatre millions de foyers italiens avaient déjà l'œil rivé sur la télévision[10].
À une société paysanne s'était en somme substituée, en un rien de temps, une société nouvelle fondée à la fois sur l'industrialisation et l'urbanisation accélérée, sur l'implantation de modèles commerciaux venus d'Amérique (le premier supermarché avait ouvert ses portes à Milan en 1957 également) et sur les débuts de la communication télévisuelle généralisée. Index probablement significatif de cette substitution, la pratique religieuse hebdomadaire chuta de soixante-neuf à quarante-trois pour cent entre 1956 et 1968.
Tout n'était pas rose pour autant. L'accession soudaine du prolétariat et de la petite bourgeoisie à des biens de consommation de plus en plus nombreux n'eut pas pour effet d'abolir, comme par magie, les contradictions sociales ou politiques. Bien au contraire. À preuve le fait qu'en juillet 1960 la police n'hésitait pas à tirer sur les manifestants qui défilaient contre la tentative de constitution, par la Démocratie chrétienne, d'un gouvernement auquel auraient participé les néofascistes. Bilan : un mort à Rome, et cinq à Reggio Emilia. Il y en aura malheureusement bien d'autres au cours des deux décennies à suivre, des victimes des fascistes, comme les six personnes tuées lors de cette manifestation à Brescia en 1974, à celles des Brigades rouges, comme Aldo Moro, dont l'assassinat en 1978 marqua certainement l'un des moments les plus pesants des années dites « de plomb ».
Néanmoins, dans ce contexte de mutation généralisée des structures sociales, les intellectuels eux-mêmes vécurent alors des moments d'intense exaltation, liés notamment à l'élargissement brutal de leur horizon. Umberto Eco, par exemple, qualifie d'« inoubliables » ces années soixante : « Il y avait, se rappelle-t-il, le boom économique ; l'Italie avait émergé des souffrances engendrées par les conséquences de la guerre. Nos contacts avec le reste du monde se développaient rapidement. Nous appartenions à la génération qui avait appris à voler, le monde était à nous, merci Alitalia, et nous pensions que la culture pouvait le changer[11]. »
C'est bien à un tel changement que rêvèrent, mus par l'espoir, pour citer encore les souvenirs d'Eco, qu'« une révolution des langages de l'art pourrait transformer le monde[12] », nombre des artistes qu'on vit surgir au début des années soixante. Malgré des apparences rétrospectives trompeuses, ce souci de faire s'interpénétrer l'art et la vie pour, sinon révolutionner la seconde, du moins la libérer des formes d'aliénation les plus opprimantes, fut partagé aussi bien par les artistes que Celant allait rassembler sous l'enseigne de l'Arte povera que par ceux qui, sous celle, à l'avenir historique bien plus modeste, de l'Arte programmata, étaient soutenus par Argan. Certes, celui-ci aura certainement raison, quinze ans plus tard, d'admettre que la tentative « gestaltiste » — c'est ainsi que l'historien romain qualifiait pour sa part cet art aujourd'hui assez oublié — de changer la vie en utilisant les moyens mêmes de la rationalisation industrielle n'aura été, en réalité, qu'« une opération de centre gauche » comparable au réformisme social-démocrate de Gropius[13]. Mais cela ne change rien au fait qu'en leur temps la plupart des membres des groupes N (Biasi, Chiggio, Costa...) et T (Anceschi, Colombo...) avaient pour projet de redéfinir le rôle social de l'artiste et de retourner contre l'industrie ses propres armes. Malgré la bonne foi de ces intentions, certains, tel Emilio Vedova, avaient plus qu'anticipé les doutes rétrospectifs

Mario Merz, *Che fare ?* [Que faire ?], 1968. Musée départemental d'Art ancien et contemporain, Épinal.

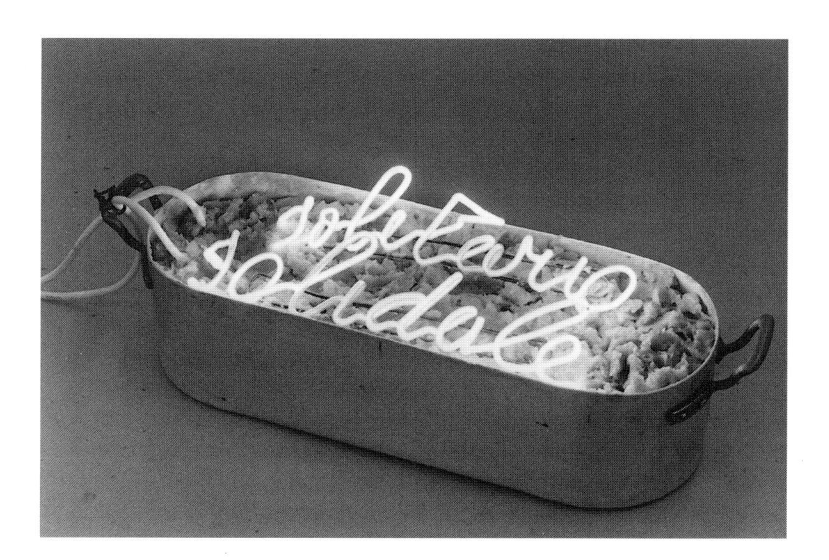

Mario Merz, *Solitario, Solidale* [Solitaire, Solidaire], 1968. Collection M. J. S.

d'Argan à leur sujet. À l'occasion du congrès de Verruchio, c'est-à-dire juste un an après la grande exposition de l'« Arte programmata » au Centre Olivetti de Milan, le peintre informel vénitien avait en effet violemment contesté toute validité à « un quelconque gestaltisme... qui ne s'appuie pas politiquement sur des bases réelles, mais qui existe seulement en fonction d'une "conception industrielle" optimiste où Olivetti est confondu avec Karl Marx[14] ».
Alors que le regard actuel les situe presque exclusivement par référence aux Pop et Minimal Art américains, les futurs « artistes pauvres » apparurent donc en réalité dans un contexte local nettement plus complexe, où les questions posées à l'art par la technologie industrielle tenaient une grande place. Le caractère particulier de ce contexte ne fut pas sans déterminer la manière très singulière — mélange d'activisme révolutionnaire et de retour à des valeurs anté-technologiques qu'exemplifiera l'*Igloo di Giap* (« L'Igloo de Giap »), de Mario Merz — avec laquelle ils allaient tenter à leur tour le mariage de l'art et de la vie.
Certes, lorsque Michelangelo Pistoletto, qui joua le rôle d'estafette avancée du futur mouvement en exposant ses premiers tableaux réfléchissants dès 1962, expliquera deux ans plus tard à Tommaso Trini les raisons qui l'avaient amené à cet abandon des moyens traditionnels de la peinture, il mettra en évidence les limites apparues, selon lui, non dans les œuvres de représentants italiens d'un art « gestaltiste » ou « programmé », mais dans celles d'un peintre américain et d'un peintre anglais (d'ailleurs tous deux antérieurs au Pop et au Minimal Art). « Quand je me suis aperçu, disait-il, que quelqu'un comme Pollock, bien qu'il tentât le transfert par l'action de la vie sur le tableau, ne parvenait pas à entrer dans l'œuvre, celle-ci continuant à lui échapper, restant autonome, et que l'introduction de la figure de l'homme dans le tableau de Bacon ne parvenait pas à donner une vision pathologique de la réalité, j'ai compris qu'il était temps de faire pénétrer au sein du tableau les règles de la réalité objective[15]. » Cela n'empêcha certainement pas ses célèbres tableaux-miroirs d'avoir pourtant aussi une certaine parenté formelle avec les surfaces, parfois non moins réfléchissantes, de certaines œuvres « programmées » ou

Luciano Fabro,
Italia da guerra
[Italie de guerre], 1981.
Collection
particulière.

« gestaltistes ». La différence tint probablement au fait qu'à leur insu ces dernières portaient aussi en elles un autre programme, celui de leur chute dans la décoration ou le design, tandis que les tableaux-miroirs de Pistoletto — comme, très vite, sa série des *Oggetti in meno* (« Objets en moins ») de 1965 — recelaient une réelle capacité à mélanger l'art et la vie. De même, lorsque Pascali exposa ses canons en bois, en 1965 également, mais à Rome, où l'on était moins sensible aux sirènes de l'industrie qu'à Milan ou à Turin, le court-circuit de l'art, de la technologie et de la politique provoqué par ces objets à la fois paradoxaux et inquiétants parut évidemment d'une radicalité non seulement saisissante, mais aussi peu susceptible de se prêter à quelque forme de récupération que ce soit, même par la plus perverse des entreprises décoratives...
Germano Celant ne se trompa donc pas lorsqu'il forgea en septembre 1967 le terme qui allait, quelques années durant, servir de liant emblématique, certes changeant — car la notion d'art pauvre ne fut jamais ni bien claire ni stable —, mais néanmoins efficace, au petit groupe informel d'artistes qui, comme Pistoletto et Pascali, choisirent, pour tenter de changer la vie à l'aide de l'art, de porter celui-ci jusqu'au bord de son point de rupture en tant qu'art. L'Art pauvre faillit bien, d'ailleurs, s'abolir lui-même dans une rupture de ce genre : une année à peine après qu'avait été forgée l'étiquette, les rencontres, aujourd'hui mythiques, d'Amalfi — significativement titrées « Arte povera + Azioni povere » — faisaient passer l'art tout près de son propre suicide, au profit de l'action pure et simple. La tentation d'une telle

résorption de l'art dans la vie, ou du moins dans une action théâtrale plus en mesure de s'insérer dans la vie commune que de simples objets, était peut-être inscrite dès l'origine du mouvement, puisque l'appellation « Arte povera » avait été calquée par Celant sur le Théâtre pauvre de Grotowski. L'influence du Living Theatre de Julian Beck, fort actif en Italie depuis sa première apparition à Milan en 1961, joua certainement un rôle non négligeable. Mais une tentation de cette nature était aussi déjà très présente depuis quelque temps chez Pistoletto, qui avait fait rouler sa *Palla* (« Balle ») dans les rues de Turin dès 1966, organisé le spectacle de sa propre fin — *La Fine di Pistoletto* — au Piper Club de la même ville en décembre 1967, et en était arrivé finalement à fonder le Zoo, une espèce de troupe mi-théâtre de rue, mi-agit-prop, au sein de laquelle, expliquait-il à l'époque, « chacun travaille librement [...] car l'action doit toujours être *free,* libre et imaginative », afin de ne pas se limiter à faire participer le public, « mais surtout de stimuler son imagination et sa liberté, de déclencher les mêmes mécanismes de libération chez les gens[16] ».

Tout, pourtant, ne fut pas si simple. De tels mécanismes se déclenchèrent sans demander l'avis des artistes et, tandis que ceux-ci s'employaient ainsi à changer la vie grâce à l'art, la vie elle-même entra toute seule dans la crise que l'on sait. Ce fut, en Italie comme ailleurs, l'explosion de 1968, laquelle ne fut pas sans conséquence sur l'art, comme purent le constater les artistes invités cette année-là à la Biennale de Venise. Leur activité fut en effet mise en cause par les plus virulents des contestataires et, si Pistoletto proposa d'ouvrir sa salle aux artistes qui voudraient s'y installer avec lui, Pascali retira ses œuvres et vit dans ce résultat une « défaite » signifiant que les artistes venaient de « perdre la liberté d'exposer où et quand ils le veulent[17] ».

La main, en réalité, venait de passer. La révolte des étudiants, puis celle des ouvriers marquaient le commencement d'une nouvelle période, qui, en Italie, allait durer plus longtemps qu'ailleurs et prendre des formes extrêmes, laissant fort peu de chance de survie à l'idée, somme toute très pacifique, que l'art puisse se substituer à la révolution. Les groupes artistiques se défirent, comme leurs espoirs utopiques; d'autres groupes prirent le relais, souvent avec d'autres armes, qui n'étaient pas de bois.

L'étiquette de l'« Art pauvre » fut mise en veilleuse et, comme le dira bien plus tard Germano Celant, « les données de la fin des années soixante ont ensuite explosé et les fragments ont pris chacun leur direction pour leur compte[18] ». Tandis que le Parti communiste italien et la Démocratie chrétienne tentaient de réaliser un impossible compromis historique, le terrorisme étendit son voile d'ombre sur la péninsule, qui se mit à ressembler à l'une des plus tragiques images que Luciano Fabro ait données d'elle : *Italia del dolore* (1975).

L'art, quant à lui, revint en effet progressivement à « ses motivations internes », qu'invoquera Bonito Oliva à la fin de la décennie pour légitimer la Transavanguardia. Mais ces « motivations internes » de l'art n'étaient en réalité plus du tout les mêmes qu'à l'aube des années soixante, ce que ni Bonito Oliva, ni la Transavanguardia n'auront su ou voulu prendre en compte. En 1970, présentant la situation italienne aux lecteurs d'une revue française, le critique Gillo Dorfles avait observé que « c'est le destin des arts plastiques en Italie d'avoir été constamment dérangés pour des raisons politiques et politico-sociales[19] ». À en juger par la place légitimement prise au cours des années quatre-vingt sur la scène internationale de l'art par des artistes qui, d'une manière ou d'une autre, s'étaient auparavant laissé déranger, le dérangement valait la peine. Car, au cours de cette période de l'histoire italienne, l'art aura peut-être échoué à changer la vie sociale, mais il se sera très profondément changé lui-même, ce qui, somme toute, pouvait bien signifier que la vie tout court ne serait plus jamais tout à fait comme avant.

1. Achille Bonito Oliva, « La Transavanguardia italiana », *Flash Art,* oct.-nov. 1979, cité d'après l'édition en volume sous le même titre (Milan, Politi, 1980, p. 44).
2. *Ibid.,* p. 45.
3. Giuliano Briganti, « Cultural Provocation : Italian Art of the Early Sixties », dans *Italian Art in the 20th Century,* Londres, Royal Academy of Arts, Munich, Prestel, 1989, p. 301.
4. Sur *Azimuth* et *Marcatré*, voir Germano Celant (éd.), *Identité italienne. L'Art en Italie depuis 1959,* Paris, Centre Georges Pompidou / Musée national d'art moderne / Florence, Centro Di, 1981, pp. 42 et 113.
5. Sur tous ces points, voir Germano Celant (éd.), *ibid.,* pp. 107-110.
6. Alberto Asor Rosa, « L'âge adulte », dans Germano Celant (éd.), *ibid.,* p. 27.
7. Walter Pedullà, *La Narrativa italiana contemporanea 1940/1960,* Milan, Newton, 1995, p. 43.
8. Cf. Francesco Donadio et Marcello Giannotti, *Teddy-boys rockettari e cyberpunk. Tipi e manie del teenager italiano dagli anni cinquanta a oggi,* Rome, Editori Riuniti, 1996, pp. 15-19.
9. Sur la Biennale de 1964, voir Pascale Budillon Puma, *La Biennale di Venezia dalla guerra alla crisi 1948-1968,* Bari, Palomar Eupalinos, 1995, pp. 121 *sqq.* (la citation de Solomon se trouve p. 142).
10. Sur tous ces points, voir Stuart Woolf, « History and Culture in the Post-war Era, 1944-1968 », dans *Italian Art in the 20th Century, op. cit.,* pp. 273-279 et également la chronologie dressée par Lisa Panzera et figurant dans Germano Celant (éd.), *The Italian Metamorphosis, 1943-1968,* New York, Guggenheim Museum / Milan, Progetti museali, 1994, pp. 683-689.
11. Umberto Eco, « You must remember this », dans Germano Celant (éd.), *The Italian Metamorphosis, 1943-1968, op. cit.,* p. XIII.
12. *Ibid.,* p. XIV.
13. Giulio Carlo Argan, *Intervista sulla fabrica dell'arte,* a cura di Tommaso Trini, Bari, Laterza, 1980, p. 78 (cité dans Pascale Budillon Puma, *op. cit.,* p. 141).
14. Cité dans Germano Celant (éd.), *Identité..., op. cit.,* p. 108.
15. Propos recueillis par Tommaso Trini, Milan, 1964, cité dans Germano Celant (éd.), *Identité..., op. cit.,* p. 81.
16. Michelangelo Pistoletto, « Far scattare nella gente meccanismi di liberazione », *Sipario,* n° 276, 1968, cité dans Germano Celant (éd.), *Identité..., op. cit.,* p. 273.
17. Sur l'attitude de Pistoletto et de Pascali, voir les textes et documents réunis dans Germano Celant (éd.), *Arte povera. Storie e protagonisti,* Milan, Electa, 1985, pp. 72-74.
18. Daniel Soutif, « Entretien avec Germano Celant », dans *Turin 1965-1987. De l'Arte povera dans les collections publiques françaises,* Chambéry, musée d'Art et d'Histoire, 1987, p. 21.
19. Gillo Dorfles, « Milan, Turin, Rome », *Opus,* n° 16, mars 1970, p. 16.

Figurer l'infigurable

Un aspect de l'art des artistes allemands nés sous le nazisme

Figurer l'infigurable Un aspect de l'art des artistes allemands nés sous le nazisme

Fabrice Hergott

Le développement de l'art en Allemagne depuis la fin de la Seconde Guerre mondiale est un phénomène qui ne peut être comparé avec celui d'aucun autre pays. Cette particularité tient à la responsabilité exclusive de l'Allemagne dans le déclenchement de la guerre et aux atrocités à grande échelle qu'elle a commises. La prise de conscience progressive de l'extraordinaire ampleur de ses crimes et de ses motivations fanatiques ont produit un sentiment de culpabilité intense mais ambigu. En 1945, les plus grandes villes d'Allemagne sont détruites par les bombardements et plusieurs millions de soldats et de civils ont été tués ; mais l'euphorie suscitée par les premières victoires militaires de Hitler est encore présente dans toutes les mémoires. Le tout constitue un sentiment contradictoire où se mêlent honte et amertume, et qui contribue largement à tirer un voile épais sur un passé brûlant que l'on espère étouffer sous l'amnésie et la passion de la reconstruction. Le pays a honte de lui-même et cache son identité, tel l'auteur d'un assassinat odieux. La plupart des artistes poursuivent des recherches picturales, comme si aucun événement historique n'avait pu modifier le développement de la peinture depuis le cubisme.

Au cours des vingt ans qui ont suivi l'après-guerre, les nécessités de la reconstruction et le partage du pays en deux États distincts relèguent au second plan la question de la responsabilité. L'opposition des blocs a permis à chaque Allemand de croire que le mal qui s'était infiltré entre 1933 et 1945 avait été éradiqué. La division du pays en deux entités, gouvernées par des idéologies opposées et s'affirmant dans cette opposition respective, est clairement comprise comme une conséquence de la défaite. Elle produit des situations artistiques distinctes qui n'ont d'abord en commun que leur peu de vigueur, par manque de collectionneurs et de moyens économiques, sans doute, mais surtout faute de confiance en soi.

Dans les années qui suivent la création de la RDA, chaque camp affirme sa différence. L'Allemagne de l'Est adopte les principes du réalisme socialiste et cherche difficilement un art qui réponde aux exigences de la nouvelle société, tandis qu'à l'Ouest, qui n'est pas encore très éloigné, on se réfère largement à l'art informel français : on adapte les œuvres de Fautrier ou des différents membres de l'école de Paris, de Soulages à Mathieu, en n'apportant que rarement des solutions formelles originales. Au cours des années soixante l'école américaine prendra la place des peintres français, mais une imitation des scènes artistiques étrangères restera jusqu'à la fin des années soixante-dix un des principes de l'art contemporain de la RFA, même si ce principe, camouflé sous une conception faussement « internationale », sera refusé par quelques artistes isolés dès le début des années soixante.

Il est vrai qu'au cours des années cinquante, dans la plus grande confidentialité, apparaît une œuvre qui se tient à une certaine distance des recherches faites à Paris. Il s'agit d'abord de celle de Joseph Beuys, qui fut gravement blessé sur le front russe et qui gardera toute sa vie un souvenir douloureux de ses années de guerre. À la fin des années quarante, il commence une carrière de sculpteur religieux, réalisant des commandes pour des églises et des cimetières catholiques. Mais, peu à peu, son œuvre devient exclusivement une évocation du désastre. Elle ne représente pas les ruines comme un spectacle extérieur mais une expérience intérieure qui lui permet de les intégrer jusque dans l'intimité chimique des matériaux, comme un élément constituant de la réalité. On en trouve les traces jusque dans les déchirures ou les taches sur le papier. Au lendemain de la Première Guerre, Kurt Schwitters avait utilisé des objets brisés en les assemblant comme les fragments mêlés de plusieurs objets séparés. Beuys montre que, non seulement tous les objets ont été brisés, mais que l'on ne peut plus espérer la moindre reconstruction. Assembler des fragments, même de sources différentes, n'a plus de sens. Il préfère proposer une méthode de reconstruction où serait suggérée une pensée plus qu'une forme.

Ses dessins sont des tentatives pour retrouver une forme à partir de la matière du papier et du crayon. Leur disposition dans l'espace est une indication pour trouver une nouvelle fonctionnalité. Dans ses sculptures, Beuys donne aux rapprochements d'objets un sens suffisamment fort pour permettre une fusion entre ces éléments *a priori* distincts, et développe ainsi une lecture métaphorique qui pénètre la matière des objets représentés. Dans sa compréhension de la sculpture, la matière devient le siège de la conscience et le lieu anti-idéaliste par excellence. Cette façon de ne pas laisser les débris se défaire, ou de soigner une fracture, est un déclencheur considérable pour son œuvre. Elle est à l'origine de toute son œuvre future, de ses sculptures et de ses actions (qu'il conçoit comme des sculptures), et ses positions constituent très tôt un encouragement pour beaucoup d'artistes. Les machines qu'il réalise à partir du milieu des années cinquante (ses agrégats et ses piles) transforment la lecture du réel. À travers elles, il atteste que les ruines, réelles et morales, non seulement n'interdisent pas l'activité artistique, mais permettent au contraire de dépasser littéralement la paralysie de la conscience.

Beuys est le seul artiste de la génération des combattants de la Seconde Guerre qui soit parvenu à faire un art personnel, issu de sa propre histoire. Une histoire qui se superpose tragiquement à celle de son pays, et qui elle-même se superpose à celle de l'humanité. Contemporain du stade où l'homme a fini par détruire massivement non seulement les objets et les matériaux mais aussi ses congénères, l'artiste ne peut plus être seulement qu'un constructeur. Il est très probable que les actions de Beuys, ses sculptures, qui permettent de mettre en évidence un aspect qui n'avait pas encore été vu, aient permis à beaucoup d'artistes de franchir un pas qui leur semblait impossible. Beuys a montré que l'on pouvait être un artiste allemand et réaliser des œuvres dans lesquelles la réalité de l'Allemagne est présente, et qu'il n'était pas nécessaire d'imiter l'école de Paris, ou le Pop'Art américain. Ses installations, ses actions, ses sculptures en ruines — mais des ruines productrices, capables virtuellement de fabriquer de la chaleur (consolante) et de l'énergie — révélaient que l'art était en mesure de surmonter une impasse.

L'œuvre de Beuys permit à toute une génération de comprendre qu'il était possible de travailler avec la culture allemande en la distinguant nettement de ce qu'en avait fait le nazisme. Pour avoir vécu la guerre à l'intérieur de son corps et de sa conscience, il s'est servi de son corps comme d'un domaine de reconstruction. Et ceci n'est que l'extension de l'idée qu'il se fait de la sculpture, qui le conduira, en 1972, à ramasser précautionneusement les déchets laissés par une manifestation communiste, pour les mettre sous vitrine avec le balai qui a servi à leur récupération. Balayer, c'est-à-dire effacer et accumuler, gestes de sculpteur, sont les deux faces d'une même action, où l'artiste met au jour un niveau de la réalité jusque-là négligé.

Au commencement des années soixante, quelques artistes concentrés à Berlin refusent de suivre l'école de Paris ou le Pop'Art. Ils passent totalement inaperçus et leurs conceptions ne s'expriment d'abord que sous la forme d'un rejet. Ce sont Georg Baselitz et Eugen Schönebeck, Markus Lüpertz et Ralph Winkler, plus connu sous le nom de Penck. Leurs toutes premières œuvres montrent la violence dirigée contre l'individu, celle du monde tournée contre un artiste Christ, ou celle d'un individu contemplant ses propres mutilations.

À partir de 1963, Baselitz (né en 1938) traite de la question de l'Allemagne en peignant ces soldats qu'il avait vu errer quelques années encore après la fin de la guerre dans les campagnes autour de Dresde. Ces anciens « héros », comme les appelait la propagande nazie, mais que la démobilisation avait réduits au rang de clochards devenus incapables de s'intégrer dans la nouvelle société, chancellent devant des paysages en ruine. Ils n'ont plus de boutons, avancent avec leurs parties génitales en évidence, avec une impudeur trahissant l'oubli des notions morales. Ces êtres perdus occupent une grande partie de la surface du tableau. En l'espace de quelques toiles, ces figures deviennent des motifs que Baselitz traite « plastiquement », en insistant sur les contours, en les modifiant, et en leur ajoutant différents accessoires, comme ces pièges où leurs jambes s'entravent, et d'autres, métaphores du sexe féminin, où ils se prennent les mains et s'immobilisent. Dans ces tableaux des années soixante, les difficultés intimes se mêlent étroitement aux difficultés sociales et montrent, pour la première fois, que le problème du passé de l'Allemagne doit aussi se résoudre à une échelle individuelle. En 1965, le tableau *Les Grands Amis* représente deux « héros », l'un féminin, l'autre masculin, marchant côte à côte devant un paysage en ruine. Ils paraissent s'entraider et sourire. Dans le fond, on distingue un de ces *Agrégats* de Joseph Beuys, en hommage au sculpteur. La peinture de Baselitz, au début des années soixante, est une négation de la puissance : têtes coupées, organes tuméfiés, ce sont des attitudes de personnages qui ne parviennent pas à se départir de la fascination léthargique pour leur sexe. Cette violence faite à soi-même (toute la peinture de Baselitz est autobiographique) recoupe la violence vécue en tant qu'Allemand. Les nazis voyaient dans la peinture moderne une atteinte à l'Allemagne ; cette atteinte est présente dans cette peinture non seulement parce qu'elle déforme les corps, mais, sans doute, plus encore parce qu'elle perturbe la perception, modifie l'ordre du regard, sans lequel on ne peut exercer de pouvoir autoritaire. L'acte le plus radical, et certainement celui par lequel Baselitz intégrera le plus fortement sa rupture avec le regard consensuel, réside dans ses peintures figuratives très réalistes, mais peintes tête en bas.

Cet art, dominé par le dénigrement de soi-même et de tout modèle, sera repris

Joseph Beuys, *Dürer, ich führe persönlich Baader + Meinhof durch die Dokumenta V* [Dürer, je fais visiter personnellement la Documenta V à Baader + Meinhof], 1972. Collection Speck, Cologne.

Eugen Schönebeck, *Majakowski,* 1965. Courtesy Silvia Menzel Art Consulting, Berlin.

en 1974 par Anselm Kiefer (né en 1945) dans une version plus distanciée, où un tableau représentant un paysage est couvert de pustules. Depuis quelques années, ses photographies retravaillées montraient l'artiste le bras levé dans un salut fasciste, dans les lieux des grandes célébrations du nazisme. Kiefer représente une nature qui a perdu son innocence, et son œuvre qui suit ses *Besetzungen* (« Occupations ») ressemble à une longue exploration des paysages. En peignant des forêts, il semble y traquer les indices de l'histoire, où les massacres des légions romaines décrits par Tacite constituent le sol d'une forêt dont les arbres portent les noms des grands poètes romantiques. Pour Kiefer, il n'existe aucun paysage ni aucun lieu construit qui soit innocent. Tous portent en eux la mémoire des événements dont ils furent le théâtre, et c'est à l'artiste de les mettre au jour.

Ce phénomène apparaît dans un contexte unique dans l'histoire de l'art européen. Ces artistes ont, pour la plupart, vécu de manière dramatique les événements de la fin de la guerre et les restrictions qui ont suivi. Pour eux, l'histoire de l'Allemagne ne peut plus s'intégrer à celle du monde, et ils ont deux solutions. La première, et la plus compréhensible, est de nier en bloc la culture allemande sur laquelle s'étaient appuyés les nazis ; la seconde est de considérer — le nazisme étant une aberration de la culture allemande — qu'il s'agit d'établir un art de réconciliation avec les cultures voisines. Ils sont cependant assez mal accueillis par leurs contemporains.

À partir de 1972, les casques de fer de Lüpertz sont aussi éloignés que possible de la glorification du passé. Le sujet réel ne réside pas dans le casque ou le trophée en gloire, mais dans l'aspect concret de ces restes qui s'intègrent mal au paysage et flottent comme un ovni. Survolant un site banal, qui est celui de l'Allemagne, ils sont figés dans un état d'immobilité qui semble retenir la pensée au-dessus du paysage. Ils constituent une évidence absurde, celle où la figuration de l'infigurable (l'évocation de la puissance militaire nazie) s'oppose à la continuité de la société de la reconstruction. La surface peinte du tableau, espace d'illusions, contredit le monde réel. Comme le ferait un rêve, la peinture permet de réunir des images, tandis que la technique de traitement expressionniste rejette à l'esthétique de la reconstruction, et que, en outre, les couleurs et les limites imprécises évoquent la saleté, le flou et l'inachèvement : autant de détails qui sont chacun autant de subversions.

En RDA, Baselitz et Penck ne peuvent s'adapter aux exigences du totalitarisme de l'Est tout en refusant les modèles esthétiques présentés à l'Ouest. Penck peint des tableaux où le monde est représenté dans ses situations de combat, d'affrontement et de dialogue. Univers peuplés de signes cherchant à communiquer entre eux, ils sont aussi un monde étroit, où la liberté personnelle semble sans cesse contrainte par des éléments actifs et menaçants. De façon plus explicite qu'aucun autre artiste de cette génération, il fait de sa peinture une sorte de théâtre où se jouent et se rejouent les grandes questions de la vie intime et sociale. À partir du milieu des années soixante-dix, il reçoit régulièrement la visite de Jörg Immendorff ; tous deux vivent alors une amitié imaginée de longue date : une collaboration entre un peintre de l'Est et son *alter ego* de l'Ouest.

Se servant lui aussi des symboles et des images métaphoriques, Immendorff, dont Joseph Beuys fut le professeur à l'école des beaux-arts de Düsseldorf, retient de lui cette façon de produire à l'intérieur d'un même acte un réseau de significations concordantes. Après avoir vu *Caffè Greco* de Guttuso en 1976, il se met à peindre des *Café Deutschland*, grands tableaux où il représente son amitié avec Penck, qui à cette date vit toujours en RDA. On les voit se saluer à travers un mur dont ils ont peint en commun l'ouverture, assis de part et d'autre d'une table qui est le châssis d'un tableau. Chaque détail, chaque personnage prend une signification qui s'inscrit dans un sens général. Le monde contemporain est un restaurant installé dans une cave, un monde ancré dans la réalité d'un repas réunissant des amis évoquant ensemble le passé et l'avenir.

Si l'œuvre figurative de Richter reprend à partir de 1962 des images « populaires » extraites de journaux et de publicités, il réutilise surtout des photographies d'archives, issues de la presse à grand tirage ou de revues spécialisées, ou des photos de famille. Le célèbre *Uncle Rudi, 1965,* où l'on reconnaît, malgré le trouble de l'image, un officier de la Wehrmacht posant, tout sourire, devant l'objectif, produit un effet encore plus tétanisant que le portrait de Hitler. Richter est l'artiste le plus âgé de cette génération, qui fait ses débuts autour de 1960. Il fait artificiellement commencer son catalogue raisonné par un large panorama d'images qui vont des portraits de famille aux photographies de presse sur la guerre du Viêtnam.

Au début des années soixante-dix, le premier, Immendorff, peint des tableaux-affiches où il met en image, d'une façon très lisible, les avantages de la solidarité entre les individus, comme le bonheur de l'activité partagée et son pouvoir de subversion sur la hiérarchie sociale. Ces projets bon enfant sont naïvement inspirés des actions des gardes rouges pendant la révolution culturelle chinoise. Penck élabore un langage des signes rigoureux qui tient lieu de voie de communication multiple, instantanée et efficace entre les individus, les groupes d'individus et leur environnement. Les visions de ces deux artistes ont leur première application dans leurs tableaux, qui sont à vrai dire le seul domaine où leurs idées et leurs projets se trouvent concrétisés. Au cours des années soixante-dix, Immendorff fait souvent le voyage à Berlin pour y retrouver Penck. Cette amitié entre peintres leur permet de mieux comprendre ce que sont devenues les deux Allemagnes et le caractère exceptionnel de la séparation du pays. Omniprésent dans l'œuvre de ces artistes, le thème de la fracture n'est pas seulement ce qui sépare les deux blocs de la guerre froide, mais aussi la société de son passé et l'individu de lui-même, la fracture étant la ligne de matérialisation d'une conscience brisée.

Cette relation difficile avec le monde n'est toujours aussi évidente que dans les tableaux de Baselitz ou d'Immendorff. En parodiant le Pop'Art, Sigmar Polke, sous une forme volontairement un peu raide, transpose les sujets de Warhol ou de Lichtenstein dans la réalité de l'Allemagne en pleine reconstruction. Il gomme l'éclat par une vision plus terne, sordide, de la réalité allemande. Des bassines en plastique destinées à recueillir les fuites d'eau tiennent lieu de « Boîtes Brillo » et les dessins d'humour extraits de magazines sont à l'opposé de la turbulence des *cartoons* américains. Polke s'appuie sur une réalité grise, qu'il désigne ironiquement par le titre qu'il donne à leur mouvement, le « Réalisme capitaliste ». En mettant au même niveau la violence la plus extrême et le visage le plus commun du quotidien, en recouvrant des photographies sérigraphiées de formes et de couleurs qui les transforment en symboles curieux et muets, il fait apparaître une qualité décorative et absurde qui se cachait sous la réalité.

La peinture est ainsi le lieu où la perspective historique est reconstruite. Elle est une machine qui permet de reprendre intimement contact avec l'histoire.
En commençant au début des années soixante à peindre des images évocatrices du passé de l'Allemagne, ces artistes procèdent à une tentative de conciliation entre leur perception de l'histoire et leur vision de la société en pleine reconstruction. Ils matérialisent les contradictions du pays et deviennent l'incarnation de sa conscience meurtrie, dont l'aspect est tantôt celui d'une tête coupée, tantôt celui d'un champ brûlé.
Dans le climat de l'après-guerre, ces artistes ont montré que la liberté individuelle n'était possible qu'à la condition de révéler ses craintes. Les images de la guerre et des ruines obsèdent cette génération. Ils peignent leurs souvenirs d'enfance qu'ils convoquent à la manière de fantômes susceptibles de vivre au milieu des êtres vivants. Ce n'est qu'en 1979, avec la rétrospective de Joseph Beuys au Guggenheim à New York, que les artistes allemands se sentiront à nouveau le droit d'être librement des artistes, un droit perdu depuis 1933.

A. R. Penck,
Der Übergang
[Le Passage], 1963.
Ludwig Forum für
Internationale Kunst,
Aix-la-Chapelle.

L'art russe non officiel des années 1960-1970

L'art russe non officiel des années 1960-1970

Olga Sviblova

« La catastrophe étatique ne concerne qu'une partie des citoyens; pour l'autre, il s'agit du triomphe d'un nouveau principe étatique. C'est pourquoi il n'y a pas de catastrophe en tant que telle [...] car le nouvel État n'a pas besoin du goût ancien[1]. »

Kazimir Malevitch

En 1919, Malevitch prédisait la catastrophe à venir de l'art russe. Mais ce qu'il ne prévoyait pas était le choix esthétique que ferait le nouvel État. Avec le slogan «La peinture pour notre État[2]», l'avant-garde russe se réservait un rôle dirigeant. Malheureusement, la machine totalitaire n'avait pas besoin de créateurs. En dépit de ses prétentions missionnaires et de sa volonté agressive de se poser en juge universel, l'avant-garde des années vingt subit le sort des autres courants et de toute la population. Au milieu des années trente, le réalisme socialiste est devenu la forme exclusive de représentation de l'utopie socialiste. À la mort de Staline, des processus de corrosion interne commencent, qui n'attaquent pas encore les fondements de cette mythologie. La léthargie qui paralyse les consciences écrasées par les répressions massives est ébranlée par l'introduction de garanties minimales d'une liberté individuelle. Cette notion libère une énorme charge d'énergie et exige de nouvelles formes pour s'exprimer.
L'affirmation du principe individuel est paradoxale, car en arrière-plan règne toujours la même idéologie collective, dont la déconstruction méthodique n'a pas encore débuté. L'individu cherche alors l'évasion dans une zone sans idéologie. Une des formes d'autoaffirmation de l'individu devient la création, en réaction contre la doctrine dominante, de son propre microcosme spirituel, fondé sur « les valeurs humaines universelles ». C'est la stratégie la plus fréquente dans l'art soviétique non officiel des années soixante.
La notion d'« art non officiel » fait son apparition après l'exposition tristement célèbre du Manège, en 1962. Lors du vernissage, Nikita Khrouchtchev exprime violemment son indignation contre le formalisme infiltré dans les rangs du réalisme socialiste. Sous Staline, un tel incident aurait pu coûter la vie à chacun des participants. Là, ils en sont quittes pour la peur, mais tout le réseau de la nouvelle culture russe naissante disparaît de la scène publique. La vie artistique se réfugie dans les sous-sols et les greniers où vivaient les artistes marginaux. Le terme « art non officiel» concerne le statut institutionnel et idéologique, et non les caractéristiques esthétiques des artistes ainsi qualifiés.

Dès cette époque, le paysage de l'underground soviétique présente une grande diversité. Sa genèse doit beaucoup à l'information sur l'art occidental qui a filtré dès que le rideau de fer s'est entrouvert.

« En 1959, j'ai découvert les travaux des peintres américains des années 30-40, lors de l'exposition américaine à Sokolniki. [...] Cela m'a beaucoup plu. Cela me libérait d'une peur que j'avais contractée dès l'Institut, à savoir que la peinture était quelque chose d'artificiel où il s'agissait de résoudre les grands problèmes de la forme et de la couleur. Au lieu de cela, j'avais sous les yeux une soif du sujet, le désir de représenter : c'était tout à fait nouveau et inattendu[3]. »

Cette peur de « ce qu'on devait faire ou ne pas faire » concerne tous les artistes de la période poststalinienne. Plusieurs, comme Ilya Kabakov, font de son éradication le sujet de leur réflexion artistique. Pour beaucoup, la libération des « obligations socialistes » face à Sa Majesté la Peinture signifie non seulement la possibilité d'une expression personnelle, mais aussi la découverte de l'attrait immédiat des objets quotidiens et banals.
En même temps que ses séries *Réchauds à pétrole* et *Allumettes,* où ces objets de cuisine sont représentés sur de grandes toiles dans le style brutal et naïf des affiches de l'époque, Mikhaïl Roguinski réalise à l'échelle réelle des murs et des portes pourvues de vrais interrupteurs, prises de courant et poignées. C'est la première manifestation articulée du Pop'Art soviétique, qui, dix ans plus tard, donnera naissance au Sots'Art après une nouvelle réflexion artistique. Mais, dès les années soixante, le Pop'Art russe manifeste un grand intérêt pour la couleur idéologique de l'environnement quotidien, symbolisé par le rouge (ainsi l'exposition de Tchernichev « Le camion rouge » dans l'appartement de Roguinski en 1962, ou les tableaux de ce dernier, *Porte rouge* et *Mur rouge,* de 1965).

Des thèmes comme « la cuisine » ou « les portes » passent au premier plan et deviennent, notamment chez Yankilevsky et Kabakov, de véritables mythes.
Un survol des ateliers d'artistes à l'époque du dégel khrouchtchevien révèle un panorama des principales tendances de l'art occidental du moment. Cette projection est réduite et déformée, même si l'éventail des styles frappe par sa diversité : on y trouve des équivalents de l'impressionnisme, de l'expressionnisme, du fauvisme, de l'abstraction, du Pop'Art, du cinétisme, du conceptualisme, du surréalisme, de la peinture néo-religieuse, des performances, etc.
Chacun de ces courants est généralement représenté par un artiste ou un petit groupe qui construit son propre microcosme avec l'énergie titanesque d'un héros de l'esprit. Le mythe personnel remplace l'enracinement traditionnel du style artistique dans l'histoire de l'art universelle. Dans l'art occidental, la diversité résulte d'une évolution naturelle. Dans l'art poststalinien, il s'agit d'un sursaut héroïque, comme il y en eut tant dans l'histoire de la Russie. L'époque est marquée par un accès de romantisme, que les artistes vivent comme une brèche ouverte vers les valeurs authentiques, en comparaison de l'environnement falsifié présenté par le réalisme socialiste, et par un engouement pour la métaphysique – on redécouvre la philosophie religieuse russe de la fin du XIXe siècle –, pour la poésie du Siècle d'argent, pour les existentialistes occidentaux. La réhabilitation non officielle ou semi-officielle de l'héritage culturel « non marxiste » est un facteur important d'affirmation de l'individu.
La conception du rôle de l'artiste comme prophète, réapparue dans les années soixante, est une tradition russe issue du XIXe siècle et qui a atteint son apogée dans l'œuvre et les théories de l'avant-garde du début du XXe siècle. Le régime stalinien avait totalement interdit l'expression des vérités d'ordre supérieur en mettant la culture au service de l'État et en imposant le contenu et la forme de toute création artistique. Désormais, ces normes esthétiques sont transgressées avec audace. L'œuvre de Yankilevsky est fondée sur les antinomies entre la transcendance et l'immanence, la prophétie et la fausse prophétie. En 1972, il crée l'objet *La Porte,* une des œuvres emblématiques du mouvement métaphysique

Oscar Rabine, *Passeport,* 1972. Fondation Dina Vierny, Paris.

de cette époque. Il s'agit d'une armoire dont les vantaux forment la porte d'entrée caractéristique d'un appartement commu-nautaire, avec sa rangée de sonnettes correspondant à chaque famille. Derrière les portes extérieures, on découvre une autre porte, recouverte d'un papier peint sale. L'artiste y a collé un bout de papier avec un dessin extrait de sa série *Mutants.* Un homme portant une chapka et un manteau misérables est « coincé » entre ces deux portes, dans l'espace réduit de cette armoire-habitation. Avec son filet à provisions contenant un paquet de vermicelle et une bouteille de vodka, il est si typique et convaincant qu'il semble réel. Pour l'artiste, cette vraisemblance évoquant un moulage est une métaphore de la mort.
Cette œuvre est l'image tragique de l'homme végétant dans un milieu envahi par l'idéologie socialiste, qui a usurpé l'espace vital de l'individu et l'a relégué dans ce placard étouffant. Comme dans *Pinocchio,* le personnage de Yankilevsky passe à travers la porte intérieure secrète de l'armoire, qui s'ouvre sur une étendue blanche infinie et sur un horizon radieux. *La Porte* pose des questions cruciales à cette époque de stagnation brejnevienne, qui préoccupent tout un cercle de peintres moscovites, dont Boulatov, Kabakov et Tchuikov, lesquels trouvent la solution en adoptant une position anti-moderniste.
Ce discours se manifeste d'abord au tournant des années soixante et soixante-dix dans les œuvres de l'école conceptualiste moscovite et dans le Sots'Art, en réaction contre le modernisme, qui s'était métamorphosé durant le dégel et avait abouti à une culture non officielle et à une culture semi-officielle (avec les œuvres de Nemoukhine, Krasnopevtsev, Yakovlev, Sooster, Plavinsky, Zverev, Sidour...).
Durant la stagnation brejnevienne, la machine d'État, autrefois toute-puissante et maintenant en déréliction, a encore des sursauts d'agressivité mais n'a plus la force d'assurer un contrôle total sur les individus. De ce fait, les opposants passent à l'attaque. Dans *Passeport* (1972), Oscar Rabine utilise comme un ready-made son propre passeport, c'est-à-dire

l'objet sacré par excellence pour tout citoyen soviétique. Ce « petit livre rouge », dont Maïakovski était si fier, est en réalité un instrument totalitaire qui enferme le citoyen, l'assignant de force à résidence, et mentionne sa nationalité et ses origines sociales, limitant ainsi sa carrière professionnelle. L'artiste y rajoute une mention qui n'existe pas dans le passeport, « lieu de décès », à côté de laquelle il inscrit : « sous les ponts ». Ce geste direct et émotionnel est très caractéristique de son tempérament révolté. C'est en effet à son initiative que se tiendra en 1974 l'exposition du terrain vague de Moscou que les autorités disperseront avec des bulldozers. Son œuvre et ses activités sociales contribuent à la politisation des artistes et à la formation de cette mentalité nouvelle baptisée « Sots'Art » (combinaison de « réalisme socialiste » et de Pop'Art), nom que Komar et Melamid inventent pour leurs propres travaux du début des années soixante-dix. Ce terme se trouve à propos et s'impose pour définir le mouvement qui, parallèlement avec le conceptualisme moscovite, détermine l'image du nouvel art russe des années soixante-dix et quatre-vingt.

Le Sots'Art est une version nationale du Pop'Art américain. Contrairement au Pop'Art, né en réaction à la domination de la culture de masse et de la publicité, le Sots'Art apparaît dans le contexte d'une pénurie de biens matériels et de surproduction idéologique généralisées. Les formes quotidiennes de cette production idéologique, notamment le réalisme socialiste, deviennent pour le Sots'Art un matériau au même titre que le ready-made pour le Pop'Art. « Sous l'influence de l'art américain, écrit Boris Groys, les peintres russes sont passés de l'européanisme à une réalité artistique et culturelle qui leur est propre[4] ».

La culture soviétique officielle n'est plus considérée comme une structure ennemie contre laquelle se bat l'artiste, tel Don Quichotte contre les moulins à vent, mais comme un système de signes au même titre que les autres. Les descriptions phénoménologiques — les toiles de Rabine représentant des baraquements de prison, par exemple — cèdent la place à une réflexion sur le système et sur son fonctionnement. Dans *Citation* (1972), Komar et Melamid reprennent le canon du slogan soviétique — fond rouge, citation, signature, qui fait autorité —, pour en faire un tableau abstrait, où les mots sont remplacés par des rectangles vides qui démontrent la vacuité du texte idéologique. L'esthétique du réalisme socialiste incarnée dans les slogans, les appels, les injonctions, est détournée de manière ironique au profit de son contraire : l'abstraction, « courant bourgeois étranger ». Ce « renversement » est intéressant par la double lecture à laquelle il se prête : on peut y voir de petits rectangles sur fond rouge, ou une grande grille rouge sur fond clair. Cette dernière suggère une lecture littéraire renvoyant à l'emprisonnement, à la contrainte, à la limitation.

МЫ РОЖДЕНЫ, ЧТОБ
СКАЗКУ СДЕЛАТЬ БЫЛЬЮ!
(КОМАР, МЕЛАМИД)

Vitali Komar et Alexandre Melamid, *Nous sommes nés pour faire du conte une réalité*, 1972. Jane Voorhees Zimmerli Art Museum, Rutgers, The State University of New Jersey, The Norton and Nancy Dodge Collection of Nonconformist Art from the Soviet Union.

Cette polysémie est liée à la nature même des procédés du Sots'Art, qui joue avec désinvolture avec la mythologie socialiste, en mêlant la farce et l'ironie. La juxtaposition de citations hétérogènes, le mélange des styles et des systèmes sémiotiques permettent de se livrer à la déconstruction et la distanciation, et, finalement, de se libérer du pouvoir de suggestion des mythes utilisés.

L'auto-identification de l'art non officiel se fait en fonction d'un effort gigantesque de réflexion sur la culture officielle, mais aussi sur l'art occidental actuel et, surtout, sur l'avant-garde russe du début du siècle. La répression avait donné à celle-ci une auréole de martyr, et, du fait du manque d'information, les noms et les œuvres étaient entourés de légendes. Néanmoins, malgré une compassion typiquement russe pour les victimes des répressions, la culture non officielle porte un regard négatif sur la pratique et surtout les théories de l'avant-garde. Si, en Occident, le conceptualisme et le minimalisme ont adapté les acquis formels du suprématisme et du constructivisme russes, en Russie c'est le contexte idéologique qui est déterminant, et, à l'époque de la stagnation brejnevienne, il est difficile d'accepter des déclarations de Malevitch comme :

> « Toute forme de monde spirituel créé doit se construire en fonction d'un seul et unique plan. Il n'y a pas de droits ou de libertés spécifiques pour l'art[5]. »

L'underground poststalinien, qui a amèrement expérimenté par lui-même la création « en fonction d'un seul et unique plan » défini par les directives du parti communiste, entame une critique de l'idéologie révolutionnaire de l'avant-garde.

Ce dialogue est devenu le thème principal de l'œuvre de Francisco Infante, artiste d'origine espagnole,qui pousse à l'absurde, dans son cycle intitulé *Reconstruction de la voûte céleste* (1965), les prétentions démiurgiques des avant-gardistes en ordonnant les astres selon des formes géométriques tirées de compositions suprématistes. En 1968, lors de sa performance *Hommage à Malevitch,* il dispose sur un champ de neige des moulages en carton d'éléments suprématistes, qu'il projette ainsi non plus dans ce « rien » blanc de l'abstraction extrême de Malevitch, mais dans l'espace réel de la nature. Si Francisco Infante fait porter ses recherches artistiques sur la nature, les artistes du Sots'Art, au contraire, travaillent sur l'environnement quotidien. Celui-ci, dans les années soixante-dix, n'a plus rien d'héroïque. Le pays continue à chanter lors des fêtes révolutionnaires des hymnes qui exhortent les ouvriers et

les soldats à l'exploit, mais le peuple en détourne les paroles dans des histoires drôles. Cette forme de folklore oral, florissante sous Brejnev, manifeste de la manière la plus éclatante l'absurdité de la construction du socialisme, qui s'est transformée de la base au sommet en un chantier interminable. Ainsi le slogan familier « Nous sommes nés pour faire du conte une réalité » est-il subitement gratifié de la signature « Komar et Melamid ». Ceci produit un effet comique, car la levée des mécanismes de défense qui refoulent de la conscience le charabia idéologique oblige à réfléchir sur l'absurdité notoire du contenu.
Dans une société figée par l'apparat, l'œuvre des artistes du Sots'Art — A. Kosolapov, P. Lebedev, B. Orlov, D. Prigov, L. Sokov —, en ressuscitant dans la culture russe le rire et la farce carnavalesque, fait l'effet d'une véritable thérapie. La mentalité des artistes du Sots'Art est assez proche de l'autre mouvement qui représente les tendances postmodernistes : le conceptualisme moscovite. Mêlant l'influence occidentale et le penchant russe pour la pitrerie, tous deux s'attachent à parler du pouvoir soviétique en utilisant le même langage que lui. En revanche, en comparaison des artistes du Sots'Art — la seconde génération de la culture soviétique non officielle —, les fondateurs du conceptualisme moscovite Ilya Kabakov et Erik Boulatov sont beaucoup plus ancrés dans les problèmes métaphysiques de l'art russe de la fin des années cinquante et du début des années soixante.
Boulatov fait du « tableau-espace[6] » l'instrument de son analyse artistique. Unique en son genre, celui-ci est une réaction à la suppression de l'espace dans les œuvres de l'avant-garde russe du début du siècle. Boulatov considère que les suprématistes ont substitué l'espace social à celui de l'art :

> « Pour la première fois, l'art a fait du social son but ultime, et le social l'a tué [...]. Un modèle imposé a défini les relations entre la société et l'art, qui essayait de s'appuyer sur le social ou d'affirmer son rôle ultime à l'intérieur du social[7]. »

L'artiste perçoit comme une évidence la nécessité pour l'art de trouver un point d'appui au-delà du monde social, car « c'est alors que ce monde social pourra être considéré et compris par l'art[8] ».
Dans *Horizon* (1971-1972), tableau qui a joué un rôle important dans le devenir de l'école conceptualiste de Moscou, Boulatov représente un groupe de personnes qui se dirige vers la mer. Habillés et dessinés « à la soviétique », dans le style des affiches de propagande, les personnages avancent vers la mer et le soleil, en accord avec la mythologie du pays des Soviets, selon laquelle d'infinies perspectives s'offrent à tous les travailleurs. Cependant, la ligne d'horizon sous-entendue par le thème et par la construction en perspective du tableau est remplacée par un ruban rouge qui n'est autre qu'une barette de décoration. Comparé avec une ligne d'horizon normale, qui ouvre l'espace vers l'infini, l'horizon rouge artificiel, chargé d'une sémantique idéologique, apparaît comme une forme suprématiste plane, évoquant Malevitch, plaquée de l'extérieur sur le tableau. Boulatov fait fusionner dans ses œuvres les mythes soviétique et avant-gardiste, démontrant ainsi leur lien généalogique et leur interchangeabilité. Le choix du thème de l'horizon pour traduire ce problème, sensible pour le nouvel art soviétique, qui se libère douloureusement de ces deux utopies, n'est pas un hasard. Enivrée par l'idée de liberté illimitée, l'avant-garde a remplacé l'espace illusoire à trois dimensions au nom du « rien » infini. Ainsi Malevitch écrit-il :

> « J'ai rompu l'anneau de l'horizon et je me suis libéré du cercle des choses, de la ligne d'horizon dans laquelle sont enfermés l'artiste et les formes de la nature. Ce maudit cercle, qui aboutit à une incessante succession de nouveautés, détourne le peintre de sa tâche de destruction[9]. »

Erik Boulatov, *Le Cosmos soviétique*, 1977. The John L. Stewart Collection, New York.

Cette «tâche de destruction» prônée par Malevitch fait écho aux paroles de la version russe de *L'Internationale :* «Nous détruirons l'ancien monde jusqu'à son fondement et ensuite nous construirons notre nouveau monde... », objectif que les Bolcheviks réalisèrent dans la pratique. La superposition de la forme suprématiste de Malevitch avec la barette de l'Ordre de Lénine — la plus haute distiction de l'époque stalinienne — représente la concrétisation des idées «abstraites» de l'avant-garde révolutionnaire. Dans l'*Horizon* de Boulatov, comme dans ses autres tableaux construits selon le même principe, consistant à plaquer des citations idéologiques (un portrait de

Lénine dans *Rue Krassikov* (1977), un slogan dans *Gloire au PCUS* (1975), par exemple) sur un tableau illusoirement tridimensionnel, cet espace social plan ne détruit pas la profondeur, l'étendue immanente du tableau lui-même, et laisse « une possibilité de mouvement à travers la surface vers la profondeur et vers le spectateur[10]. »
La structure de cette conscience du quotidien et les procédés de sa représentation dans l'art deviennent le thème central de l'œuvre d'Ilya Kabakov.

« Nous avions un monde artistique complètement idéalisé. Mais la vie que nous observions autour de nous était à l'opposé de ce qui était montré dans les expositions pompeuses. Naturellement, le problème se posait pour l'artiste de savoir quelle position adopter : ou bien ignorer [...] cette vie réelle, exister dans ce monde de représentations artistiques fantastiques, mais qu'on lui présentait comme idéales et justes, ou bien essayer d'exprimer [...] cette existence frappée d'impuissance dans laquelle tout le monde était englouti[11]. »

À la fin des années soixante, Kabakov remet en question le tableau traditionnel et crée une série d'œuvres qui jette le doute sur les prétentions de l'art à détenir une certaine vérité absolue. L'une de ces œuvres (1970-1971) devient un thème de discussion entre Kabakov et Kuper. Elle est en deux parties. À droite sont représentés quatre objets ordinaires : une canne, un portemanteau, une locomotive d'enfant et un clou. À gauche figurent les opinions que les gens peuvent énoncer à propos de ces objets.

« Les gens qui s'expriment sont des plus ordinaires ; certes, on trouve parfois parmi eux des intellectuels et d'autres sujets pas très équilibrés. Mon but était de montrer que chacun des quinze spectateurs voit sa version à lui ; il ne voit pas tant l'objet que ses propres peurs et psychoses ; il ne parle pas des objets, mais de lui-même[12]. »

L'œuvre est réalisée dans le style des panneaux de propagande qui proliféraient sur les murs des administrations, des gares et des autres lieux publics de l'ex-URSS. La couleur grise, triste et morne, associée à une écriture parfaite d'employé de bureau modèle, marque le début de l'« esthétique du syndic d'immeuble » de Kabakov.
En introduisant des personnages qui commentent le tableau à l'intérieur même de celui-ci, et en insérant ainsi des accents familiers dans les relations texte/contexte, Kabakov se lance dans une réflexion méthodique sur le fonctionnement de l'œuvre d'art dans la culture. Ce problème, qui concerne l'art contemporain en général, a sa propre spécificité en Russie, pays de culture littéraire, où le verbe a toujours primé sur l'image, y compris dans la période soviétique, règne de la phraséologie idéologique.
Le mouvement de « perte des idéaux» apparu dans la société soviétique des années soixante-dix anéantit les significations des textes idéologiques. L'« usure » du contenu sémantique et émotionnel est compensée par une surproduction qui, grâce à l'absurde, exclut finalement tout message.
Toute l'œuvre de Kabakov utilise un matériau local, soviétique. Néanmoins, elle renvoie à la fois à la situation artistique russe et au contexte international de l'art contemporain.
Dans sa série *Albums* (1970-1980), le cycle *Les Dix Personnages* raconte l'histoire d'individus tous poursuivis par une idée fixe, et se termine par un vide, une page blanche, qui symbolise la mort des personnages. Leurs drames se déploient sur fond d'interminables commentaires philosophiques, religieux, quotidiens, qui les privent de sens. Ainsi Kabakov démystifie-t-il l'espace blanc de la page vide, le « rien » infini et sacralisé du suprématisme qui a hypnotisé l'art russe des années soixante-dix, fixé sur la métaphysique.

« Derrière le rien absolu du suprématisme, on découvre un abîme encore plus profond, une infinie diversité d'interprétations possibles[13]. »

Pour Kabakov, la victoire, obtenue si douloureusement, sur le mythe de l'avant-garde a été possible grâce à la création d'un nouveau genre : l'*Album*. Ayant inséré le verbe dans le tissu même de l'œuvre d'art, le peintre lui assure une résonance totalement autonome en prenant un appui sur la littérature classique russe et sur les expériences « absurdistes » des poètes Obérioutes. La polyphonie des *Albums* se renforce grâce à l'introduction d'un paramètre de temps, lié à une forme spécifique de démonstration :

« Il se produisait quelque chose qui ressemblait à un théâtre intérieur : l'auteur posait ses *Albums* sur un pupitre et les feuilletait lentement devant une dizaine de spectateurs, montrant les dessins et lisant les textes à voix haute[14]. »

Les installations des années quatre-vingt et quatre-vingt-dix reprendront les principes développés par Kabakov dans ses *Albums*. Ceux-ci eurent une influence considérable sur la génération qui fit son entrée sur la scène artistique moscovite au milieu des années soixante-dix, avec des groupes comme Actions collectives (Monastirky, Alekseev, Kizevalter, Panitkov), Le Nid (Rochal, Donskoï, Skersis), Les Amanites tue-mouche (Gundlakh, les frères Mironenko, Zvezdotchetov, Kamensky), dont l'activité essentielle était axée sur des performances qui développaient de façon originale les idées du Sots'Art et du conceptualisme moscovite. Ces groupes témoignent de l'apparition d'une nouvelle génération qui assure une succession à l'art russe non officiel : vers la fin des années soixante-dix, celle-ci possède déjà son intégrité et sa logique propre de développement.

Traduit du russe par
Catherine Terrier et Marina Lewisch

---

1. Kazimir Malevitch, « Aux novateurs du monde entier », cité dans *A-YA, Unofficial Russian Art Review,* n° 3, Paris, New York, Moscou, p. 49.
2. *Ibid.*, p. 48.
3. Mikhaïl Roguinski, *A-YA*, *ibid.*, pp. 20-21.
4. Boris Groys, « Moskva i New York : plenniki sverhderjav », dans *Utopia i Obmen,* Moscou, 1993, p. 280.
5. Kazimir Malevitch, *The Question of Imitative Art. Essays on Art,* vol. 1, p. 174, cité par Boris Groys dans *Utopia i Obmen, op. cit.*, p. 22.
6. Erik Boulatov, *Le tableau est mort, vive le tableau !*, 1996.
7. Erik Boulatov, « Malevitch's relationship of space », *A-YA, op. cit.*, n° 5, 1983, p. 29.
8. *Id.*, p. 30.
9. Cité par Boris Groys dans *Utopia i Obmen, op. cit.*, p. 77.
10. Erik Boulatov, « Malevitch's relationship of space », *op. cit.*, p. 31.
11. Ilya Kabakov, extrait d'une interview accordée à Olga Sviblova dans son film *Carré noir,* 1988.
12. Ilya Kabakov, Yuri Kuper, *52 Entretiens dans une cuisine communautaire,* Marseille, Ateliers municipaux d'artistes, 1992.
13. Boris Groys, *Utopie i Obmen, op. cit.*, p. 79.
14. Ilya Kabakov, Yuri Kuper, *52 Entretiens dans une cuisine communautaire, op. cit.*, 1992.

Une esquisse de l'Europe de l'Est 1960-1970

László Beke

Les années soixante et soixante-dix représentent l'époque héroïque de l'art en Europe centrale et orientale. Le concept même d'avant-garde prend naissance avec la redécouverte du constructivisme russo-soviétique et la prise en compte des courants occidentaux contemporains. Aux plans historique, politique, social, idéologique, cette période est celle de la « consolidation » consécutive aux troubles, soulèvements, révolutions survenus dans les années cinquante en Allemagne de l'Est, en Pologne et en Hongrie, des conflits incessants avec Moscou, des réformes, du printemps de Prague de 1968 (et de la répression qui s'ensuivit), puis de l'apparition des « dictatures douces ». En art, les années soixante sont celles d'une confrontation avec le néoconstructivisme, l'Op Art, le Pop'Art, le happening, et les années soixante-dix celles d'une avancée significative du conceptualisme et des différents types d'adaptation de celui-ci aux situations données, comme le Mail Art, l'art de l'objet et l'action ponctuelle — autant de genres ou de techniques artistiques rendant possible l'expression de la liberté face à un régime totalitaire. On assiste donc, au sein de l'avant-garde internationale, à la recherche de l'identité nationale (ou plutôt régionale, dirait-on aujourd'hui). Cette période s'achève à la fin des années soixante-dix, avec l'individualisation des ambitions de l'avant-garde radicale, puis la « mort de l'avant-garde » et les avancées du post-modernisme (trans-avant-garde, néo-expressionnisme, etc.).

Comment reconstituer la conscience historique des artistes dans une situation si complexe et si riche en changements ? Il est bien connu que les artistes réagissent toujours — directement ou par des voies contournées — aux événements politiques de leur propre époque, et il n'est pas rare non plus qu'ils servent de légitimation historique au pouvoir en place (au même titre que les artistes officiels, « de cour »). Toutefois, nous nous pencherons sur les différentes modalités des réactions de rejet, que celles-ci se greffent sur des événements passés, présents ou futurs, dans lesquels l'artiste perçoit le fonctionnement de l'histoire. Nous n'examinerons pas seulement (ou pas simplement) l'exemple du Protest Art en Europe centrale et orientale, mais aussi la sensibilité historique des artistes. De même que dans la Hongrie de la deuxième moitié du XIXe siècle les peintres d'histoire évoquaient les combats contre les Turcs aux XVIe et XVIIe siècles en pensant à l'oppression autrichienne qu'ils subissaient eux-mêmes, de même le jeune Béla Kondor fit-il revivre dans sa série d'eaux-fortes de 1956 György Dózsa, le chef de la grande jacquerie de 1514, et il fut impossible au spectateur contemporain de ne pas penser au soulèvement contre l'oppression soviétique.

Y eut-il dans les années soixante et soixante-dix un art pareillement « équivoque » dans son utilisation de l'histoire ? Assurément, en particulier dans la littérature et le cinéma, où, pour rester dans le domaine hongrois, Miklós Jancsó, avec son film *Szegénylegények* (intitulé « Les Sans-Espoir » en français), développait un sujet du XIXe siècle pour parler du « ma », c'est-à-dire du temps présent ; où *Sipoló macskakő* — littéralement « Le pavé qui siffle » — de Gyula Gazdag évoquait les jeunes révolutionnaires hongrois de mars 1848 (mais, en même temps, les événements de Mai 68 à Paris) ; où Gábor Bódy et Dezső Magyar, avec *Agitátorok* (« Les Agitateurs »), s'efforçaient de restituer les événements de la république des Conseils de 1919 pour évoquer à travers eux le rôle des intellectuels et des artistes. Dans les autres pays, ce type d'œuvres à contenu historique ne fut peut-être pas aussi populaire qu'en Hongrie. Mais en Pologne, par exemple, plusieurs films d'Andrzej Wajda renvoyaient à l'histoire polonaise, le « théâtre de la mort » de Tadeusz Kantor se référait ouvertement à certains précédents artistiques en Pologne et, plus tard, *Wielopole, Wielopole,* à travers le village natal de l'artiste, aux premières décennies du XXe siècle. L'un des protagonistes de la nouvelle vague cinématographique tchèque, Jiří Menzel, évoque sur le mode grotesque dans les *Trains étroitement surveillés* certains épisodes de la Résistance pendant la Seconde Guerre mondiale. On trouve aussi dans les années soixante des artistes qui réussissent à créer des monuments d'esprit progressiste. Je pense à Jozef Jankovič et à son monument commémorant le soulèvement populaire de Baňská Bistrica. Il fut d'ailleurs démoli par les autorités quelques années plus tard (ce qui ne fut pas le cas en revanche des œuvres non figuratives du Croate Dušan Dzamonja dédiées aux partisans). Dans l'iconographie du groupe Laibach de Ljubljana, on voit apparaître le « rétro », le pathos patriotique.

On distingue clairement aujourd'hui le mouvement de l'histoire durant ces deux décennies, mais, à l'époque, il n'était pas si facile à identifier. Il s'avérait plus aisé de sonder les limites assignées à l'expression artistique et de tenter de les franchir (« Sois interdit ! » prônait un artiste de Budapest, Tamás Szentjóby au début des années soixante-dix). À l'exemple de ce qui se passait pour les anciens critères de l'art réaliste socialiste, la liste des tabous, ainsi que la nature de la censure changeaient selon les pays et les congrès du parti. En Hongrie, où l'art abstrait et l'art non-figuratif passèrent longtemps pour subversifs, apparurent au début des années soixante-dix, « grâce » à György Aczél, le numéro deux du Parti socialiste ouvrier hongrois, les fameux « trois T », à savoir les trois verbes commençant par la lettre T, *támogatni* (« soutenir »), *tűrni* (« tolérer ») et *tiltani* (« interdire »). Ici, ce n'est pas véritablement le cercle des « interdits » (rébellion contre le régime, prise de position ouverte en faveur de la révolution de 1956 ou contre la présence des troupes soviétiques) qui nous intéresse, mais le maniement autoritaire de la catégorie des « tolérés ». La grande majorité des artistes, en effet — selon le jugement des offices de niveau intermédiaire — pouvaient être considérés comme « tolérés » et, en tant que tels, ne pouvaient pas exposer. Les Républiques baltes de l'Union soviétique (Estonie, Lituanie, Lettonie) jouissaient en revanche d'une liberté relative en matière d'expression artistique à l'intérieur de la « mère-patrie ». C'est ainsi qu'un art non-figuratif de haut niveau put s'y développer (ce qui poussa les artistes les plus sensibles aux problèmes sociaux à rechercher des moyens d'expression d'autant plus « directs »). En Pologne, il n'y avait pas de censure. La Roumanie, même pendant la terrible dictature de Ceausescu, sut se tenir à distance de l'influence soviétique : elle ne prit pas part à l'invasion de la Tchécoslovaquie en 1968 et quitta même le pacte de Varsovie. Quant à la Yougoslavie, elle dut sa situation privilégiée aux mouvements de partisans et au président Tito, et put ainsi rester à l'écart des troupes soviétiques d'occupation.

La politique culturelle de chaque pays reposant sur des bases toujours différentes, la sensibilité historique des artistes et leur approche critique de la société différaient également. En Pologne, mis à part le soulèvement de Poznań, on ne rencontre pas de sérieuse résistance politique avant l'époque du putsch militaire de Jaruzelski, de la « loi martiale », c'est-à-dire du syndicat illégal Solidarność. Il faut voir une manifestation caractéristique de la conscience historique des artistes dans le fait qu'à côté de Kantor une autre personnalité du théâtre, Józef Szajna, présente en 1970 à la Biennale de Venise un « environnement » imposant évoquant Auschwitz. La vision du monde de Wladyslaw Hasior, qui se servit de rebuts, de chutes de textiles et de ses propres œuvres pour composer des objets « rituels » rappelant des bannières, s'apparente à certains égards à celle de Szajna. Dans les happenings et les performances de Jerzy Bereś, on se trouvait confronté aux symboles et aux accessoires d'un monde tribal primitif, mais les moyens d'existence rudimentaires renvoyaient toujours au temps présent. Jan Świdziński, en se référant au Conceptual Art de Joseph Kosuth, mit au point au début des années soixante-dix sa théorie du Contextual Art, qui, en dépit même de son appareil logique sophistiqué d'apparence quelque peu ésotérique, se fonde sur le principe selon lequel c'est le contexte social qui fait d'une œuvre une œuvre d'art. Józef Robakowski, l'une des figures dominantes de l'école de cinéma d'avant-garde de Lódź, va plus loin encore, lorsqu'il introduit furtivement dans ses films d'orientation analytique une expérimentation politique : il enregistre sur bande vidéo l'enterrement de Brejnev et, en la faisant repasser à grande vitesse, met entre guillemets toute une époque. En ce qui concerne la situation en Pologne, j'estime que la manifestation internationale « I am » (1978) de la galerie Remont à Varsovie, premier festival de performances dans l'espace est-européen, symbolise en quelque sorte la fin d'une époque : par la variété des personnalités qui y participèrent, elle peut déjà être considérée comme un prélude au postmodernisme.

L'art slovaque connaît son âge d'or à la fin des années soixante, et cet essor — en dépit des « regrettables événements » de 1968 — est encore perceptible durant la première moitié de la décennie suivante. Ce qui fait la spécificité de cette évolution, c'est que la question de l'identité nationale resurgit à tout moment — et ceci sur le mode avant-gardiste. Pendant que l'artiste slovaque recherche sa propre identité parmi ses collègues tchèques et hongrois, sa référence occidentale est la France. Cela est dû en premier lieu à Alex Mlynarčik, qui inventa aux alentours de 1965 avec Stano Filko le « happsoc » (une sorte de mélange de happening et de préoccupations sociales), puis organisa, en collaboration avec le Nouveau Réalisme français, des fêtes populaires, un « festival de la neige » et, en hommage à Edgar Degas, un concours hippique. À la fin des années soixante, l'intérêt de Filko se tourne de plus en plus vers le cosmos, une préoccupation qu'il partage avec Miroslav Laky, Jan Zavarsky, Rudolf Sikora, et même (eu égard à ses projets utopiques) avec Jozef Jankovič. Mais ce qui me paraît le plus spécifiquement slovaque, c'est que cet intérêt pour le cosmos va parfois de pair avec les vues les plus « rustiques » et les plus terre à terre. Le peintre Vlado Popovič s'intéresse aux travaux des « coopératives de production agricole » de l'époque et participe à des campagnes pour le ramassage des pommes de terre et des betteraves, tandis que Juraj Meliš (l'équivalent slovaque du Polonais Bereś) adopte l'attitude d'un paysan et fabrique de faux objets d'art populaire en bois peint ainsi que des « environnements » de foire faits de pièces et de morceaux. L'un de ses motifs les plus caractéristiques est une cible, avec silhouette humaine, bien sûr, d'une sauvagerie grotesque (dans la deuxième moitié des années soixante-dix, on voit aussi apparaître en Hongrie un « artiste agricole », Imre Bukta).

Au début des années soixante-dix, pendant quelques étés consécutifs, un artiste hongrois, György Galántai, permit à des collègues d'organiser des expositions et des manifestations publiques dans son atelier, une chapelle désaffectée. C'est là que se déroula la rencontre des avant-gardistes slovaques et hongrois, qui fut une sorte de « réparation privée » de l'invasion militaire officielle. Les participants hongrois et slovaques, venus nombreux, reconstituèrent une photo publiée par une revue d'art anglaise : la lutte à la corde — le jeu innocent auquel se livraient à l'ombre d'un tank, quelque part en Tchécoslovaquie en 1968, les soldats d'occupation (les « expositions de chapelle » façon Galántai furent interdites dès le troisième été après intervention de la police).

Dans l'État fédéré de Tchécoslovaquie, c'est assurément Milan Knížák qui exerça le rôle dirigeant parmi les artistes politisés de l'avant-garde. On peut même affirmer à son sujet qu'il annonça d'une certaine façon le printemps de Prague de 1968 — sans même parler de la révolution de velours. Il entra très tôt en relation

Marina Abramović, *Rythme 10*, 1973. Photographie de la performance. Fondation Marina Abramović, Amsterdam.

Marina Abramović, *Rythme 5*, 1974. Photographie de la performance. Fondation Marina Abramović, Amsterdam.

Jiří Kolář, *Týdeník 68* [Hebdomadaire 68], page 35 c, 1968. Kunsthalle Nürnberg.

avec le mouvement international du happening et de Fluxus, notamment avec Wolf Vostell et Allan Kaprow. Il fonda le groupe Aktual, et réalisa dès les années soixante d'innombrables actions « l'art = la vie » qui lui valurent d'aller plusieurs fois en prison. Il conçut des bâtiments, des meubles, des instruments de musique alternatifs, des vêtements et des bijoux (une décennie avant les punks), composa de la musique, écrivit des poèmes et des chansons (notamment en hommage à Lénine). Parmi ses peintures sur anatomies, le bandage rouge peint sur sa bouche exprimait de la façon la plus éloquente la situation de l'artiste d'Europe centrale et orientale dans la société. Il revivifia l'une des traditions les plus originales du modernisme tchèque : le cubisme. Il organisa des jeux de plein air, des manifestations, des « cérémonies » et des jeux de rues. Il fallait par exemple sourire à toutes les filles qu'on croisait — le gagnant était celui à qui l'on souriait en retour le plus longtemps. Ou bien il fallait qu'à un moment donné le plus grand nombre possible de passants se rendent sur la place Wenceslas de Prague, et le plus grand nombre d'entre eux en vêtements verts. Ces actions spontanées ne procèdent-elles pas du même esprit que celles des années quatre-vingt, où des milliers de gens allument des bougies ou font cliqueter les clés de leur maison ? À la fin des années soixante-dix, Knížák note, à propos d'une étude portant sur lui : « L'ascèse dans la solitude est une épreuve, une préparation à l'ascèse effective, utilisable dans la pratique[1]. » L'ascèse est aussi l'idée maîtresse, bien qu'il ne s'agisse pas du tout chez lui du même concept que chez Knížák, du deuxième performer important, Petr Štembera. Les actions de Štembera et ses œuvres Body Art sont moins spectaculaires que celles de Knížák. Il est tout aussi modeste, mène une vie retirée, et dès le début de son activité artistique travaille dans une bibliothèque. À la fin des années soixante, il adresse régulièrement des bulletins météorologiques à des artistes étrangers. Il envoie des reproductions d'œuvres d'art à ses collègues pour qu'ils créent des tableaux de genre qui s'en inspirent. Il passe toute une nuit dans un arbre. Il se donne le fouet en évoquant les camps de la mort. Il accomplit des rituels liés à son propre corps : il se coupe des mèches de cheveux, des morceaux d'ongle, les mélange à son urine, et boit le tout. Il se situe presque en tous points à l'opposé des formes d'actions sociales de Knížák, mais représente pourtant un type authentique d'artiste d'Europe centrale et orientale. Dans les années quatre-vingt, il se tourne vers les arts martiaux orientaux et renonce à toute activité artistique de type « occidental ».

Pour ce qui est de la Hongrie, nous devons commencer notre compte-rendu par un paradoxe méthodologique : les années soixante débutent en 1956 avec un événement à valeur symbolique, le déboulonnage de la statue de Staline à Budapest. Une action à demi spontanée — une collecte d'argent avec pancarte et boîte exposée dans la rue — sera baptisée plus tard « argent sans escorte » et déclarée « premier happening » par l'un de ses inspirateurs, Miklós Erdély. Le traumatisme né de la répression de l'insurrection de 1956 s'avère difficile à traiter ; de nombreux artistes quittent le pays et deviennent dissidents (Endre Bálint, en se servant essentiellement de coupures de *Paris Match*, réalise à Paris sa série de photomontages que l'on peut qualifier de « politique à chaud »). Erdély reste et devient l'un des artistes les plus engagés de l'époque dans la lutte sociale. À partir de 1966, il participe à des happenings et des actions, manifeste la même polyvalence que le Tchèque Knížák, et s'intéresse tout particulièrement à la situation ambiguë des Juifs sous la dictature de Kádár (son ami Sándor Altorjai aborde la même question dans son tableau intitulé *Que je m'abîme dans les hauteurs,* avec un photomontage de portraits d'Erdély, et qui fut plusieurs fois interdit d'exposition jusqu'en 1989). Son œuvre conceptuelle *Action de solidarité*, aux alentours de 1970, montre que, si l'on propage une nouvelle selon le principe de la boule de neige, il faut trente-six relais pour que la population de la planète soit informée. Une autre œuvre de lui de la même époque affiche le titre suivant : *Deux personnes qui eurent une influence décisive sur mon destin*. Il s'agit de deux photos, celle de sa femme et celle de János Kádár, le premier secrétaire du Parti socialiste ouvrier hongrois (compte tenu de leur contexte inhabituel, la publication à l'étranger de ces deux photos posa de sérieux problèmes aux autorités judiciaires).

C'est à la lumière des mouvements étudiants et pour les droits civiques des années soixante qu'on peut comprendre le mieux l'œuvre, très proche de Fluxus, de celui qui a introduit le happening en Hongrie, Tamás Szentjóby. Sur le modèle du « nouveau mécanisme économique » — processus de réforme qui était en panne à la fin des années soixante —, il met au point un « nouveau mécanisme artistique ». À l'occasion de l'entrée des troupes à Prague, il crée un objet, la *Radio de Prague*, qui consiste en une brique soufrée entourée de bandes (rappel des briques enveloppées dans du papier que les passants pressaient contre leurs oreilles à Prague, à la place des radios à transistors confisquées par les troupes d'occupation). Il organise un *sit-in* de rue, la bouche bâillonnée, devant un hôtel de Budapest, en hommage à Eldridge Cleaver, qui milite pour les droits civiques ; la police arrive quelques minutes après la fin de l'action. Angela Davis lui inspire une autre action : il tente de lire à voix haute un texte, mais sa partenaire lui ferme la bouche, le ligote, l'en empêche par tous les moyens possibles.

C'est au tournant des années soixante et soixante-dix que se situe le moment historique où les intérêts des avant-gardes artistique et politique se rencontrent : la seconde puise, elle aussi, son inspiration dans les mouvements pour les droits civiques et est subjuguée par l'efficacité tactique des œuvres artistiques. Ceux qui, autour de Szentjóby, « pensent autrement », Miklós Haraszty, György Konrád et leurs amis, deviendront plus tard les dirigeants des « démocrates libres » (libéraux) dans le nouveau régime. C'est à ce groupe qu'il faut rattacher Tibor Hajas, qui n'était encore que poète à la fin des années soixante, où il fut condamné pour agitation, et qui devint plus tard, avant de mourir prématurément en 1980, le pionnier hongrois le plus radical de la performance.

Cette génération d'artistes hongrois a élaboré un arsenal varié pour lutter par la voie de l'ironie contre le régime en place. Sándor Pinczehelyi et Gábor Attalai se sont servis des emblèmes communistes pour créer des œuvres Body Art à double sens. Dóra Maurer, en marchant sur un papier blanc tout autour de sa chambre, a participé à un « défilé privé » du 1er Mai. István Haraszty, avec ses machines cinétiques pleines d'humour, a modélisé l'ascension et la chute des fonctionnaires du parti. Endre Tót a fabriqué avec une application de maniaque des zéros qu'il brandissait dans les défilés en guise de slogans politiques. Gyula Pauer, en utilisant avec ironie le principe du montage, a transformé une statue de Marx en une statue de Lénine. László Lakner a prétendu se découvrir lui-même sur des photos de groupes de soldats soviétiques, *Do svidania* (« Au revoir »), une œuvre à laquelle fait joliment écho après le changement de régime l'affiche *Tovarichtchi konets* (« Camarades, c'est la fin ! ») d'István Orosz, saluant le départ des Russes. C'est à cette génération qu'appartient l'écrivain, poète et « actionniste » Gergely Molnár, qui fonde avec László Najmányi l'ensemble punk Spions, puis, dans l'émigration cette fois, propose au gouvernement communiste ses services dans le domaine de l'espionnage. Tamás Szentjóby quitte également le pays et s'installe à Genève en 1976. En 1977, il émet des propositions radicales en matière de ready-made dans l'école libre de Joseph Beuys, la FIU, à Cassel.

Dans l'art d'avant-garde roumain, la politisation et la conscience historique ne deviennent réellement dignes d'intérêt qu'à la mort du dictateur, c'est-à-dire avec la révolution des médias de 1989. La situation est comparable dans l'autre pays relativement autonome par rapport à l'Union soviétique, à savoir l'ancienne Yougoslavie, où les questions politiques ne prennent le devant de la scène qu'avec la guerre. Les groupes d'artistes, qui pouvaient représenter différentes ethnies, mettaient souvent en avant leurs particularismes et, à travers l'Italie ou l'Autriche, se sentaient appartenir plutôt à l'Occident qu'à l'Europe centrale et orientale, cette dernière appartenance étant purement et simplement qualifiée de « ghetto » par Davor Matičević, le théoricien croate récemment disparu.

Dans les années soixante, Zagreb était d'abord connu pour son art naïf traditionnel, le groupe largement informel Gorgona puis les expositions internationales « Nouvelles tendances ». Les œuvres des artistes croates les plus importants de cette dernière école, Vjenceslav Richter, Ivan Picelj, Miroslav Sutej, Aleksandar Srnec, compte tenu du caractère systématique et rationnel de leur démarche créatrice, s'avérèrent des travaux d'utilité publique (places dans les cités, bâtiments), ou encore ouvrirent la voie aux nouvelles technologies et à la planification informatisée. Tout ceci, bien sûr, ne témoigne pas d'une « prise en compte de l'histoire » mais plutôt d'une prise de conscience des possibilités offertes par l'histoire. La nouvelle génération, qui se regroupe autour de la galerie du Centre des étudiants (Braco Dimitrijević, avec ses nouveaux héros, les passants anonymes, Gorki Žuvela, Sanja Iveković, Dalibor Martinis, Boris Bučan), va se donner pour

Wladyslaw Hasior, *Sztandar pracy* [Bannière du Travail], 1975. Muzeum Sztuki, Lódź. Achat à l'artiste, 1979.

tâche aux environs de 1970 de développer un art directement en prise sur la vie de la société. Les films de Tomislav Gotovac et ses actions de rue à Zagreb relèvent d'une théorie anarchisante et provocatrice. Goran Trbuljak et, surtout, Ida Biard, avec leur expérience de la Galerie des locataires (qui deviendra en France la French Window), ont opéré un amalgame intéressant du conceptualisme, de l'art à préoccupations sociologiques, et de la sphère privée (la Galerie des locataires fait exécuter, par exemple, quelques projets de Daniel Buren à Budapest).

Il existe également à Belgrade, dans les années soixante-dix, une galerie du Centre des étudiants, qui organise des expositions et des festivals, et publie en outre une revue. C'est le premier lieu, parmi tous les pays d'Europe centrale et orientale, que Joseph Beuys choisit de visiter. C'est là que Marina Abramović (rejointe plus tard par Ulay) commença à travailler, et mena à bien son action politique la plus mémorable, où on la vit se coucher au milieu d'une étoile à cinq branches en flammes. Selon les témoins, la fumée lui fit perdre conscience. Au regard de son héroïsme, l'autre performer de Belgrade, Raša Todošijević, s'est créé un milieu volontairement ironique (« Was ist Kunst, Marinela Kozel ? », lit-on sur une photo où l'on voit l'empreinte d'une main couverte de peinture sur un visage de jeune femme). Le OHO de Ljubljana, le Bosch + Bosch de Novi Sad et d'autres groupes conceptualistes, puis, à la fin de la décennie, le Laibach, autrement dit le Neue Slowenische Kunst, complètent la carte de l'art « yougoslave ».

En 1970, Goran Dordević, lança de Belgrade un appel à une grève internationale des artistes, qui correspondit de façon significative — avec des écarts de temps plus ou moins grands — aux diverses propositions de grève des artistes Gyula Konkoly, Tamás Szentjóby, Géza Perneczky (ou encore l'auteur de ces lignes).

En Bulgarie, l'avant-garde n'est guère plus politisée. Il existe cependant un artiste d'origine bulgare de renommée mondiale qui « prend en compte » l'histoire. C'est Christo Javacheff, qui réalisa la plus grande partie de son œuvre en Occident, mais dont l'œuvre maîtresse possède une dimension historique impossible à minimiser. Il parvint en effet, après de longues années d'un travail opiniâtre, à emballer ce Reichstag que l'on avait accusé son ancien compatriote, le communiste Dimitrov, d'avoir incendié avant la guerre.

L'emballage du Reichstag apparaît déjà comme une prise en compte de l'histoire après la chute du mur de Berlin. Il en est de même de la mise au rancart des monuments dédiés au régime antérieur — en Hongrie, sur le mode ironique et didactique, de leur réimplantation dans un parc de la statuaire —, ou des nouvelles sépultures offertes aux victimes du totalitarisme et pourvues désormais de signes empreints de sincérité et de valeur artistique (le monument élevé à la mémoire des martyrs de la révolution de 1956, au cimetière de la rue Kozma à Budapest, est l'œuvre de György Jovánovics).

Traduit du hongrois par
Nicolas Cazelles

---

1. Cité par Jindřich Chalupecký dans *Milan Knížák : Unvollständige Dokumentation – Some Documentary 1961-1979,* Berlin, Edition Ars Viva, p. 60.

Quelques signes au détour des années soixante

Marc Bormand

Dans le retour au réel qui marque profondément la scène artistique occidentale de la fin des années cinquante, succédant à une abstraction triomphante, il est peut-être possible de déterminer trois voies.
Une qui, par exemple chez les Nouveaux Réalistes, par l'usage de l'objet quotidien ou du déchet, s'approprierait la vie quotidienne, quitte parfois à élargir ce quotidien à l'événement, ce que réalise Christo, à Paris en 1962, en élevant un mur de bidons en référence à la construction du mur de Berlin. Une deuxième direction serait concrétisée par l'introduction massive d'images photographiques, reportées sur toile, ainsi Andy Warhol ou Robert Rauschenberg exploitant, sous la forme traditionnelle de la peinture d'histoire, le vivier infini des images d'événements diffusées auprès du grand public par les magazines, puis par la télévision.
Le troisième mode d'appréhension de la réalité serait contenu dans ce puissant intérêt pour les images codées, un réel déjà retranscrit sous forme de signes, et ce dans une décennie qui donne à l'analyse du monde, sous forme de système de signes, en particulier sur le plan théorique et conceptuel, une place majeure.
Dans ce cadre, deux degrés de référence au réel et à son histoire peuvent cependant être distingués : d'une part, des emblèmes purement symboliques, drapeaux et signes politiques, symboles d'un État, d'un parti, d'une valeur; d'autre part, une image très particulière, la carte géographique qui, sans représenter un réel concret, se construit à partir d'une réalité extérieure, l'image du monde, que celui-ci soit le globe dans sa totalité ou une petite partie de son espace.

Le drapeau, symbole politique par excellence, se trouve inclus, à partir du milieu des années cinquante, parmi les signes régulièrement utilisés par les artistes pour exprimer opinion ou sentiment sur des situations politiques ou sociales[1]. Le signe/emblème de la nation jouit en effet d'une position particulière au sein du corps civique, statut bien marqué aux États-Unis par une série de lois le protégeant de toute profanation ou de toute atteinte blessante ou choquante.
La présence du drapeau dans des compositions historiques est loin d'être une nouveauté, et l'étoffe tricolore glorieusement brandie dans *La Liberté guidant le peuple* de Delacroix, ou les drapeaux suspendus par Monet dans la *Rue pavoisée* (1878) ne sont que quelques-unes des multiples bannières qui parsèment les scènes d'histoire, particulièrement au XIXe siècle.
Mais la nouveauté réside dans l'usage du signe coupé de son contexte, valable en soi, pour soi, auto-référent. Ce retour sur soi du signe est particulièrement fort, et quasiment fondateur sur ce plan, chez l'artiste qui personnifie ce renouveau du drapeau, Jasper Johns, en 1955. Au même titre que la cible, l'alphabet ou les chiffres, Johns décline l'image isolée de la bannière américaine, peinte ensuite successivement sur fond blanc, sur fond orange, totalement argentée ou sous forme de trois emblèmes superposés...
En dépit de, ou grâce au climat politique et moral de revalorisation du sentiment patriotique présent aux USA à cette période, le signe de Johns n'est pas ressenti par son auteur comme une image politique. Affirmant son intérêt pour des sujets qui l'autorisent à se concentrer sur l'objet à peindre, Johns indique que l'image du drapeau lui est apparue dans un rêve. Il donne une explication très pragmatique à son choix : « Utiliser le dessin du drapeau américain m'a évité d'avoir à le dessiner moi-même[2]. »
Chez Andy Warhol, l'usage du symbole politique revêt une valeur similaire. Parallèlement au travail de Johns, l'exemplarité du signe choisi, ainsi la faucille et le marteau ou le dollar ($), par sa banalité même, ne prend son sens que par la répétition sur la ou les toiles; exemplarité et répétition ne sont ici que deux facettes du même processus qui, par le transfert du signe sur le tableau, gomme la qualité sociale du sujet au profit de sa valeur esthétique.
Dans le monde socialiste, l'omniprésence de l'imagerie politique dans la vie quotidienne lui donne une force et une place incontournable. Ainsi, chez Erik Boulatov, artiste qui se donne pour objectif de travailler sur la relation entre le réel et la « réalité sociale », le travail sur l'imagerie politique prend une valeur fondamentale. Pour saisir cette réalité, la mise à distance est nécessaire. Celle-ci est obtenue en jouant sur l'interaction entre « l'objet familier », ici signe politique, déplacé sur le tableau, et un « espace réel », à la fois

celui du tableau et celui du spectateur, marqué par le flottement du symbole dans le ciel/espace de notre existence[3]. Cette implication du signe politique dans sa liaison au corps social se retrouve dans la mise en question des limites physiques du corps humain par rapport à un espace chargé de signification dans certaines performances de Marina Abramović[4]. Dans *Rythme 5,* réalisé au Centre des étudiants à Belgrade en 1974, l'artiste se livre à un véritable rituel. Après avoir confectionné au sol une grande étoile de bois et de sciure arrosée d'essence, Marina Abramović y met le feu, se coupe des mèches de cheveux et des ongles, puis les jette sur les pointes de l'étoile avant de s'installer en son centre. Le rituel personnel vient ici remplacer les rites collectifs de la Yougoslavie socialiste, tel le défilé du 1er Mai ou celui du 25 Mai, date anniversaire du maréchal Tito : journées où des chorégraphies très structurées matérialisaient le corps social collectif, placé sous l'égide de l'étoile rouge. Dans ce rituel public auquel se soumet l'artiste, son corps est confronté aux flammes issues de l'étoile, et réellement mis en danger, l'être se dissolvant visuellement au cœur du symbole politique.
Cette absence de lien direct avec la réalité contemporaine, revendiquée par Johns autour de 1960, se transforme en 1969, quand la galerie Castelli édite une estampe intitulée *Moratorium.* Version en vert, orange et noir du drapeau des États-Unis, elle fut vendue à l'occasion du premier *Moratorium Day*, le 15 octobre 1969, journée où se déroulèrent une série de manifestations contre la guerre du Viêtnam, qui était devenue la grande affaire de cette fin de décennie.
De signe « ready-made », le drapeau devient le support d'une iconographie supplémentaire, superposée, où, par un jeu de substitution et de transfert, une imagerie politique vient détourner le sens original du signe. Au début des années soixante, les travaux de l'artiste italien Franco Angeli soulignent le système de relations qui peut se créer entre drapeau et signe politique. Superposant à un drapeau français croix, *svastika*, et étoiles et croissants islamiques dans son tableau *Napoleone,* il instaure un jeu de contrastes et d'antagonismes directs, dont le caractère immédiat est visuellement atténué par la présence d'un voile qui institue une distance entre le spectateur et la combinaison symbolique. Mais une distance qui ne masque pas le référent, ici la situation politique à la fin de la guerre d'Algérie.
Un peu plus tard dans la décennie, de nombreuses estampes reprennent la figure du drapeau des États-Unis, en détournant certaines de ses composantes. En 1966, c'est George Maciunas qui transforme les étoiles en têtes de mort et tibias croisés, les lignes étant remplacées par un texte comparant l'intervention au Viêtnam aux grands massacres de l'histoire humaine. En 1970, l'atelier des étudiants de Berkeley, l'université contestataire de Californie, introduit bombardiers et fusils en lieu et place des emblèmes traditionnels.
Parallèlement, le drapeau américain servit tout particulièrement d'indice ou de contre-indice à la situation des Noirs nord-américains et à leur révolte[5]. Il est d'ailleurs significatif que l'une des versions des « Émeutes raciales » d'Andy Warhol reprenne les trois couleurs du drapeau. Plus expressif encore apparaît le travail exécuté par David Hammons dans *Injustice Case* en 1970, où l'image d'un homme ligoté à une chaise masque presque complètement la surface du drapeau des États-Unis qui sert de fond à la composition, rappel du traitement infligé au leader des Panthères noires Bobby Seale, au procès des « sept » de Chicago :

> « Je ne sais pas si c'est la peau noire face aux couleurs éclatantes ou l'ironie du drapeau tenu par un peuple opprimé. J'utilise le drapeau pour montrer le contraste entre le Rêve américain et le Cauchemar américain[6]. »

Cet intérêt pour le drapeau des États-Unis est lié au caractère quasiment sacré attribué à l'emblème national, la profanation ou l'usage inconsidéré du drapeau étant passible des tribunaux. Une longue bataille juridique s'est ainsi développée à l'occasion de l'exposition de Marc Morrel à la Stephen Radich Gallery en 1966, incluant une douzaine d'œuvres diverses, intégrant le drapeau américain : ainsi, une grosse araignée dont le corps était composé de longues pattes molles vaguement anthropomorphes et d'une boule recouverte du drapeau sous une tête casquée ; ou une grande forme molle suspendue au plafond par une corde, rappel du corps de soldats décédés, rapatriés aux États-Unis. Le galeriste fit l'objet d'une condamnation, confirmée en appel, malgré le recours à des témoins qui, comme Hilton Kramer, critique au *New York Times,* défendirent l'œuvre en la plaçant légitimement dans la lignée du Protest Art, genre reconnu de l'art moderne[7].
L'intégration du drapeau dans une mise en scène à l'échelle d'une galerie n'est sans doute pas étrangère à l'impact politique produit par de telles installations. Ce déploiement spatial se retrouve dans une grande installation de Vito Acconci, *Instant House,* où un appareillage complexe donne au drapeau l'espace de la pièce ainsi qu'une mobilité ludique. Par un système de poulies actionnées par un spectateur, quatre panneaux posés au sol recouvert du drapeau américain se relèvent pour former un petit habitacle quadrangulaire tapissé de drapeaux soviétiques.
Le déplacement des signes, leur opposition renforcent la puissance des symboles : « Le véhicule prend la fonction d'"image", l'espace, plutôt que d'être une image, est "embarrassé" par l'imposition d'un ornement ou d'un symbole ou, plus précisément, par l'annonce de l'ornement — presque comme une fanfare —, alors la symbolisation peut se produire[8] », et un contenu radical s'imposer à la forme institutionnelle.

Image créée conceptuellement, la carte géographique[9] permet à l'artiste de travailler à partir d'un système de signes : d'une part, signe abstrait, créant une image non pas *mimétique,* mais *analogique,* « le produit d'une abstraction, qui adapte la réalité aux schémas esthétiques et intellectuels d'une époque et d'une société à la gamme de procédés graphiques en usage[10] » ; d'autre part, espace arbitraire et non objectif, institutionnel.

> « Produit par la violence de la guerre, il est politique, et institué par un État, donc institutionnel. Au premier abord, il semble homogène ; en effet, il sert d'instrument aux puissances qui font table rase de ce qui leur résiste et de ce qui les menace, en bref, des différences [...]. Cette homogénéité instrumentale fait illusion et la description empirique de l'espace la consacre, acceptant l'instrumental comme tel[11]. »

L'un des aspects de cette homogénéisation est produite par le *géométrique,* qui

permet une réduction simple de l'espace naturel et de tout espace social à l'espace euclidien, isotope.
Ce que le philosophe décrit comme travail idéologique de réduction, le géographe le décrit très concrètement, en présentant la carte :

« Une carte n'est pas un simple instrument impersonnel de référence et de repérage. C'est l'ouvrage d'un cartographe, c'est le message complexe qu'un auteur propose à ses lecteurs. À ceux-ci d'en faire une lecture clairvoyante et lucide[12]. »

De manière parfois plus critique :

« Non seulement le mensonge est facile avec les cartes, mais il est même essentiel. Pour pouvoir reproduire de manière significative, sur une feuille de papier plane, ou sur un écran vidéo, les relations complexes d'un monde en trois dimensions, une carte doit déformer la réalité[13]. »

Le mensonge est particulièrement fréquent et répertorié, dans les usages politiques ou militaires de la cartographie, autour des questions touchant aux revendications territoriales, ou aux enjeux stratégiques.

Même si elle demeure par ses éléments constitutifs un artefact, une reconstitution, la carte bénéficie pour le public d'une « *présomption de réalité* », qui lui donne un statut de vérité :

« Elle véhicule une image du monde, un savoir sur le monde socialement constitués, validés par un consensus et une tradition, l'usage répandu, le statut institutionnel de ses producteurs [...], la carte est comme indissociable d'un contexte politique[14]. »

L'œuvre de Boetti marque bien cet usage politique de la carte, dans une longue série de mappemondes brodées, réalisées à partir d'un dessin initial, *Planisfero politico* (« Planisphère politique », 1969) : vision globale du monde, mettant cependant l'accent sur le morcellement politique de la planète grâce à l'équation réalisée entre drapeau, symbole national et territoire ; et évolutive, la carte se transformant en fonction des modifications de frontières et des changements de drapeau. Dans cet esprit, la dernière carte réalisée en 1992-1993, après la chute du mur de Berlin, illustre la fragmentation de la vaste étendue rouge de l'URSS en un ensemble de pays indépendants. Cette forme de cartographie, où l'artiste revendique une absence totale de choix — «le monde est fait comme il est et je ne l'ai pas dessiné, les drapeaux sont ce qu'ils sont et je ne les ai pas dessinés[15] » —, pourrait bien signifier l'essence même d'une carte politique immédiatement sensible.
La distance créée par la surimpression des drapeaux ne doit pas faire oublier que le code cartographique est arbitraire non seulement dans son contenu symbolique, mais également dans son mode de projection. Celui utilisé par Boetti, la projection de Mercator, déforme, comme toute projection, le réel : l'Europe est placée au centre du monde (méridien de Greenwich), la masse de l'URSS, d'un rouge vif, est encore accentuée par la forte exagération dont bénéficient les régions septentrionales, effet compensé et redoublé par le gain spatial parallèle dont profite l'Amérique du Nord. Le caractère sériel du travail de Boetti accentue encore l'impact du géopolitique et la symbolique abstraite dans l'œuvre.
Ce caractère abstrait, schématique, apparaît encore accentué par le processus de soustraction auquel se livre Boetti dans la mise en série d'un ensemble de territoires « provisoires », *12 Forme dal giugno '67* (« 12 Formes depuis juin 1967 »). Sur des feuilles de cuivre sont reportés les contours de douze territoires en guerre ou occupés, tels qu'ils ont été présentés dans le quotidien turinois *La Stampa*, de 1967 à 1971. À partir du Sinaï et du Golan, on voit se succéder le Viêtnam, le Biafra, l'Irlande du Nord..., jusqu'au Pakistan en mars 1971, longue suite de guerres et de conflits, de lieux du malheur. Toute référence descriptive autre que temporelle — la date de l'édition — a disparu. Le texte, celui inscrit sur la carte ou celui l'entourant, capital dans la compréhension des formes, est effacé. La forme, figée pour une journée dans le quotidien, demeure le seul indice des conflits, conflits qui, par leurs successions, deviennent une composante de l'histoire du monde et de l'écoulement du temps. Au caractère transitoire de ces formes s'opposent la netteté de leur contour, l'aspect abstrait de la mise en pages,

Alighiero Boetti, *One Hotel Kabul Afghanistan*, 1972. Fonds national d'art contemporain, ministère de la Culture, Paris.

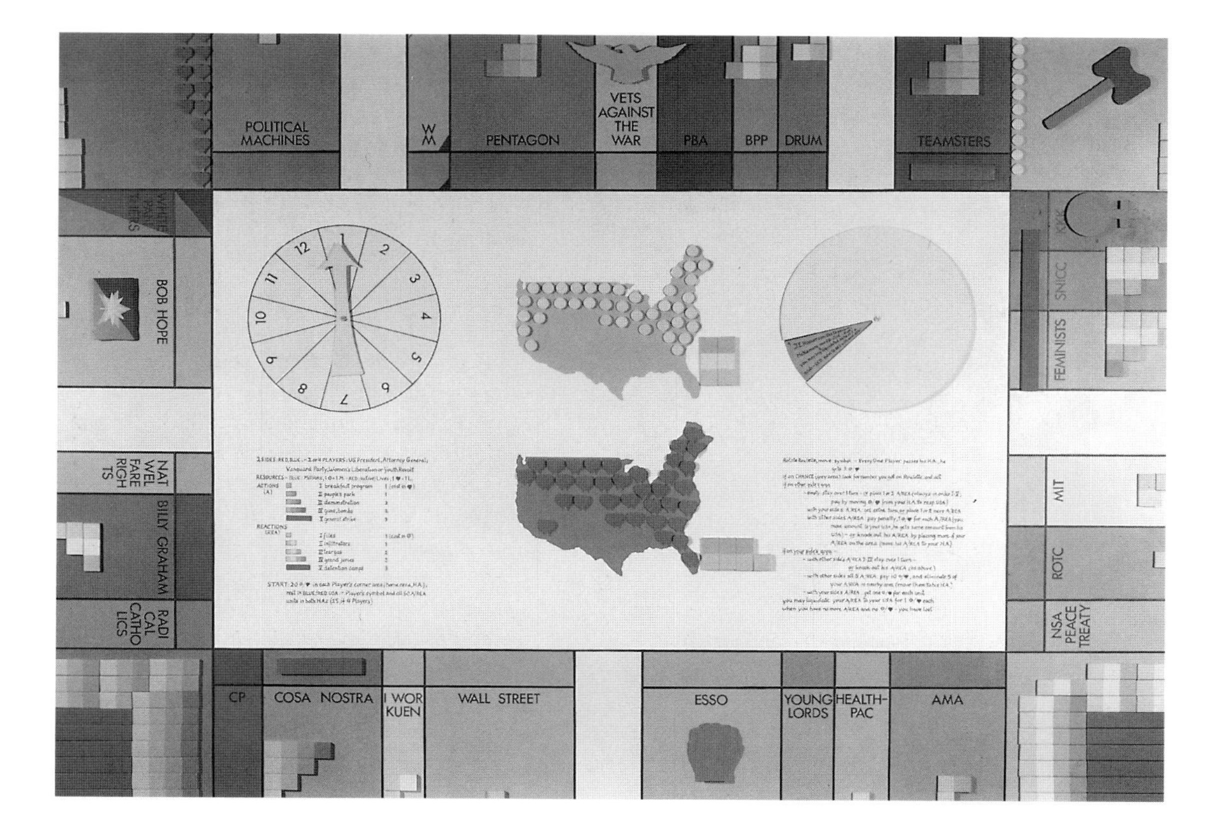

Öyvind Fahlström, *US Monopoly (large)* [Grand Monopoly des États-Unis], 1971. Mnam-Cci Centre Georges Pompidou, Paris. Donation Daniel Cordier (1989).

l'objectivité d'un fait marqué par sa datation dans le courant de l'Histoire. Dans un style complétement différent, Fahlström crée une cartographie où espace du lieu et image du lieu se croisent, se complètent, se superposent. Dans sa grande *Carte du monde* (1972), il déploie, dans ce style unifié qui lui permet de « recréer la réalité », une profusion d'événements, de statistiques, de dates qui, selon un code coloré, présentent une image du monde. Cette géopolitique, Fahlström la transpose, au sein de l'univers cartographique, en utilisant les schémas graphiques de la bande dessinée. Code fréquemment utilisé par les artistes liés au Pop'Art ou à la Figuration narrative[16], son intégration à un plan cartographique s'explique facilement par l'analogie entre les deux traitements schématiques. Mike Kelley rappelle bien comment ce style est particulièrement approprié au projet politique de l'artiste :

« La seule véritable image politique doit être celle qui n'est pas naturelle, celle qui met en question les tableaux archétypaux et conventionnels de la réalité. Ce "non-naturalisme" n'a pas besoin de s'échapper du domaine pictural, comme l'art abstrait, il peut être une dissection du pictural [...] La dissection du naturel est la politique de Fahlström[17]. »

Questions politiques, économiques, sociales prolifèrent alors de telle sorte que la forme d'un pays n'est plus fonction de son apparence physique traditionnelle, mais de la surface nécessaire à l'inscription de ces questions dans un espace plan. Ce point de vue politique sur le monde, cette subjectivité des formes topographiques est poussée à l'extrême par l'artiste quand il donne au monde l'apparence et l'esprit d'un jeu de Monopoly : l'apparence, car chaque pays occupe une case, les grandes puissances une case plus grande bien entendu ; l'esprit, qui met en cause « le commerce national, la politique mondiale, la gauche et la droite aux USA, en Indochine, la CIA, les forces de libération du tiers-monde, le jeu du capitalisme : une présentation simplifiée mais précise du commerce des plus-values, destinées à l'augmentation du capital[18] ».
La rationalisation de l'espace est ainsi poussée à l'extrême à travers ce parcours qui s'apparente à une grille, forme nominative souvent utilisée dans l'art du XXe siècle, système qui permet de privilégier les informations économiques et politiques sur le contenu physique. Limitée à un espace géopolitique déterminé, la carte peut servir de support à la relation d'un événement précis et circonstanciel. L'interprétation faite par Kitaj de la situation cubaine au début des années soixante, dans son tableau *Reconstitution* (1960), est dans ce sens particulièrement éclairante. Au début de la décennie, l'artiste exécute une série de peintures d'histoire selon les règles proches de l'allégorie classique (par exemple *Dismantling The Red Tent* (« Démanteler la tente rouge »), à propos de l'assassinat de Kennedy, ou *Kennst du das Land ?* (« Connais-tu le pays ? »), sur la guerre d'Espagne, toutes œuvres empreintes d'un certain « romantisme politique ». Dans ce tableau, Cuba est représentée comme une bactérie, forme oblongue agrémentée de petites flagelles, face à l'ensemble du continent américain qui est aspiré par un *vacuum-cleaner*. En 1961, l'artiste explique que l'œuvre est formée de « diagrammes de zones climatiques et du Paradis terrestre », assimilation possible de Cuba à une nouvelle utopie politique[19].
Quelques années plus tard, c'est la simple forme d'un pays, le sien, qui permet à l'artiste tchécoslovaque Julius Koller d'affirmer une position politique par la seule mise en évidence de l'identité géographique de son pays qui vient de

connaître l'intervention des troupes du pacte de Varsovie en août 1968. La singularité, immédiatement perceptible par un large public, de la forme cartographique d'un pays, donne à son apparence visuelle une charge symbolique et une force politique qui n'échappent pas au spécialiste du regard qu'est l'artiste. Dans certains cas, cette exemplarité sert de support à une forme répétitive, le mode répétitif accentuant et critiquant en même temps la valeur du modèle. Mais cette forme immédiatement perceptible, si elle possède une clarté et une lisibilité première, ne détient qu'un contenu symbolique limité. Or, depuis son origine, la carte est connue « pour la complexité des niveaux de représentations et pour la juxtaposition de codes figuratifs qui se trouvent d'ordinaire isolés[20] », utilisant un tracé linéaire commun et reconnaissable. De la même manière que Jasper Johns décline l'image simple de la bannière étoilée, Luciano Fabro, à partir de 1968, travaille sur une série d'œuvres basées sur la forme géographique de l'Italie, la « botte ». Les matériaux les plus divers vont ainsi tenir lieu de signes symboliques ou pictographiques, des scènes et des images qui parsèment les cartes géographiques du Moyen Âge ou de la Renaissance, recréant la tradition de la carte support d'images. Ainsi se multiplie un pays singulier, chargé de significations diverses, particulières, antagonistes parfois et surtout *ironiques,* avec un sens en premier lieu lié au matériau :

« Mes *Italies* sont liées par un fil très ténu à l'iconographie ; également parce que l'image de l'Italie est une image induite, une image graphique. C'est la raison du choix de la réfraction de la forme tendant à l'infini. L'Italie est une image pour celui qui la reconnaît, pour celui qui de quelque façon s'y sent lié, et en partie elle a à voir avec le symbole qui en est une réduction morale : à la réduction de la forme comme des idées. Mais, pour moi, la forme demeure passage de la matière. La forme est comme une pause au sein de la transformation. Pour être plus précis, au sein de cette négation idéologique et symbolique, je les ai toujours accompagnées par des titres plus moqueurs que conceptuels[21]. »

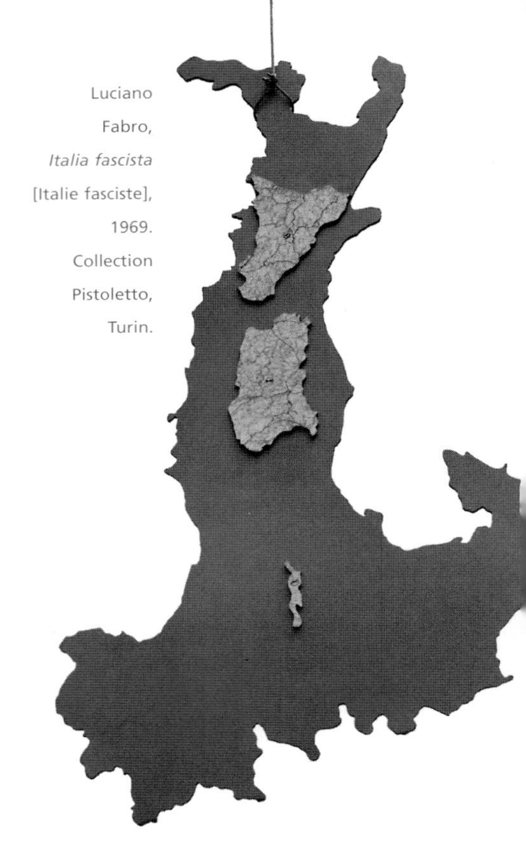

Luciano Fabro, *Italia fascista* [Italie fasciste], 1969. Collection Pistoletto, Turin.

Julius Koller, *Ceskoslovensko* [Tchécoslovaquie], 1968. Collection Julius Koller.

De ce retrait face à une interprétation idéologique ou politique, on peut retenir le souhait d'un artiste de ne pas voir s'effacer la richesse d'un travail d'élaboration formel, présent dans ses œuvres, au profit d'une interprétation mécaniste. Mais la sérialité de ces travaux, telle qu'elle a pu apparaître, par exemple, dans l'habitat *Coreografia* (« Chorégraphie ») en 1975 à la galerie Stein à Turin, permet justement d'affiner l'interprétation. Carte après carte, une image du pays se construit par approximations successives, forme reconnaissable et, en même temps, jamais arrêtée par un contour souvent brisé (*Cosa Nostra,* 1971), inversé (*Italia fascista,* 1969), lacéré *(Italia del dolore,* 1975).

Enfin, la relation de la carte au monde peut s'inscrire dans un monde imaginaire. En effet, la carte est l'un des lieux privilégiés d'inscription de l'utopie. Louis Marin rappelle comment Utopie, l'île créée et décrite par Thomas More, s'insère dans une géographie, une écriture de la Terre. Espace où se compose un système imaginaire, mais cohérent de villes disposées hiérarchiquement, permettant à partir d'une *topographie* d'appréhender un *espace politique* et une *dynamique économique*. Ainsi se dessine, à partir de « l'intentionnalité du dispositif cartographique », « ce que l'on pourrait appeler la maturité d'une organisation capitaliste du monde[22] ». Cette conception est immédiatement traduite en images, dans la description des frontispices des éditions de 1516 et 1518 de l'ouvrage, mais accompagnée de noms inclus sur la carte, faisant que « l'Utopie (l'île, la carte) est seulement une représentation, une *Ekphrasis* discursive, une fiction des choses par les mots[23] ». Cette recréation d'un monde imaginaire se traduit soit par

la création de cartes fictives, qui jalonnent l'histoire de la cartographie depuis son origine, mais intéressent peu les artistes des années soixante, soit par la prise en compte de la sphère en tant que modèle géographique d'un monde où toutes les inscriptions restent possibles et imaginables.
Ce sens de l'utopie peut se retrouver dans l'appréhension de la totalité donnée par la sphère terrestre, topos de la représentation symbolique. Chez Michelangelo Pistoletto, cette globalisation du monde prend un sens particulier dans *Mappamondo,* œuvre appartenant à la série des *Oggetti in meno* (« Objets en moins »), où, comme le rappelle l'artiste, « chaque objet constitue la soustraction de l'une des composantes des réalités possibles[24] ».
Composée de journaux, la sphère, de par sa constitution même, crée une accumulation concrète et un agrégat d'événements qui transparaissent de façon aléatoire et symbolique sur la surface du globe. La sphère est roulée en 1967 à travers les rues de Turin, entre trois galeries. Puis elle est placée symboliquement à l'entrée de la galerie Sperone, dont elle bloque littéralement l'accès, présence matérielle, massive et tangible de l'Histoire.
L'année suivante, dans le cadre de l'exposition « Arte povera + Azioni povera » à l'arsenal d'Amalfi, l'œuvre est placée, incarcérée, dans une sphère/prison/méridien formée de fil de fer, enfermement symbolique de l'Histoire.

1. Sur ce sujet, voir, par exemple, Alain Mousseigne, *Le Drapeau,* cat. d'exposition, Saint-Tropez, musée de l'Annonciade, juil.-sept. 1977.
2. Cité par Richard Francis, *Jasper Johns,* New York, Abbeville Press, 1984, p. 10.
3. Voir, par exemple, le texte d'Erik Boulatov, « L'espace du tableau », dans *Erik Boulatov,* cat. d'exposition (Centre Georges Pompidou, Musée national d'art moderne), Paris, Éditions du Centre Pompidou, 1988, pp. 83-84.
4. Sur les performances de Marina Abramović, voir Bojana Pejic, « Being-in-the-body. On the Spiritual in Marina Abramović's Art », dans *Marina Abramović,* Stuttgart, éditions Cantz, 1993, pp. 25-38.
5. Voir *supra,* sur Faith Ringgold, l'article d'Ann Hindry, « Parodies de Paradis ».
6. David Hammons, cité par Albert Boime dans « Waring the red flag and reconstituting old glory », *Smithsonian Studies in American Art,* printemps 1990, vol. 4, n° 2, p. 21.
7. Sur les différents arguments cités, cf. Carl R. Baldwin, « Art and the Law : the flag in court again », *Art in America,* mai-juin 1974, pp. 50-54.
8. Vito Acconci, *Cover,* II, n° 1, 1980, pp. 22-25, cité dans *The Tate Gallery 1982-1984, Illustrated Catalogue of Acquisitions,* Londres, The Tate Gallery Publications, 1986, p. 359.
9. Deux synthèses récentes font le point sur l'usage de la cartographie par les artistes contemporains : d'une part Robert Storr, « The map room : a visitor guide », dans *Mapping,* cat. d'exposition, New York, The Museum of Modern Art, 1994, pp. 5-23, et Marie-Ange Brayer, « Mesures d'une fiction picturale : la carte de géographie », *Exposé,* 1995, n° 2, pp. 6-23.
10. Christian Jacob, *L'Empire des cartes. Approche théorique de la cartographie à travers l'histoire,* Paris, Albin Michel, 1992, p. 43.
11. Henri Lefebvre, *La Production de l'espace,* Paris, Éditions Anthropos, 1974, 3e éd., 1986, p. 328.
12. Rémi Caron, « Les choix du cartographe », dans *Cartes et Figures de la Terre,* cat. d'exposition (Centre Georges Pompidou, Centre de Création Industrielle), Centre Georges Pompidou CCI, Paris, 1980, p. 9.
13. Mark Monmonier, *Comment faire mentir les cartes ou du mauvais usage de la géographie,* Paris, Flammarion, 1993, p. 23 (éd. angl. 1991, Chicago, Chicago University Press).
14. Christian Jacob, *op. cit.,* p. 351.
15. Alighiero Boetti, cité dans Alberto Boatto, *Alighiero e Boetti,* Ravenne, Agenzia editorial Essegi, 1984, p. 22.
16. Voir, par exemple, le catalogue de l'exposition *Bande dessinée et Figuration narrative,* Paris, musée des Arts décoratifs, 1967, et en particulier le texte de Gérald Gassiot-Talabot, « La Figuration narrative », pp. 229-251.
17. Mike Kelley, « Myth Science », dans *Öyvind Fahlström, Die installationen. The Installations,* cat. d'exposition (Gesellschaft für Aktuelle Kunst e.v., Brême, 1996 ; Kölnischer Kunstverein, Cologne, 1996), éditions Cantz p. 23.
18. Öyvind Fahlström, « Les jeux de Monopoly », *Opus International,* n° 29-30, déc. 1971, p. 64.
19. David Mellor, *The Sixties Art Scene in London,* cat. d'exposition, Londres, Barbican Art Gallery, 1993, p. 38.
20. Christian Jacob, *op. cit.,* p. 141.
21. Luciano Fabro, « Vademecum », dans *Luciano Fabro,* cat. d'exposition, Fondation Joan Miró, Barcelone, 1990, p. 31.
22. Louis Marin, « Le cadre de la représentation et quelques-unes de ses figures », dans *De la représentation,* Paris, Gallimard/Le Seuil, 1994, p. 354.
23. Louis Marin, « La ville dans sa carte et son portrait. Proposition de recherche », *ibid.,* pp. 204-205.
24. « Les travaux que je fais ne veulent pas être des constructions ou des fabrications de nouvelles idées, comme ils ne veulent pas être des objets qui me représentent [...]. Je ne les considère pas comme des objets en plus, mais comme des objets en moins dans le sens où ils apportent une expérience perceptive définitivement extérieure. » Michelangelo Pistoletto, *« Oggetti in meno »,* dans *Michelangelo Pistoletto,* Galleria La Bertesca, Gênes, déc. 1966.

Michelangelo Pistoletto, *Mappamondo* [Mappemonde], 1966-1968. Collection Lia Rumma, Naples.

Jeux funèbres L'imagerie des médias dans l'art d'avant-garde 1962-1982

David Alan Mellor

L'adoption de l'imagerie photomécanique et électronique par des artistes du début des années soixante a rendu possible un nouveau genre de peinture d'histoire. Depuis 1962, en Europe aussi bien qu'aux États-Unis, le fragment médiatique allusif — et illusoire — est arrivé au premier plan de la représentation picturale. Triomphe de la rationalisation du visuel contemporain, il est devenu quelque chose de paradoxalement troublant et a été le présage d'une tragédie internationale, au moment où les promesses des sociétés évoluées, libérales et technocratiques se sont heurtées à de violentes tensions internes pendant la décennie des années soixante. Contrairement à l'optimisme factographique qui, dans les années vingt, avait brièvement entouré l'écriture historique propre à Rodtchenko, il y eut peu d'élan utopique dans l'utilisation analogue de la photographie dans l'art de Vostell, Warhol, Hamilton et Richter. À l'inverse, leur jeu d'appropriation de l'imagerie médiatique s'est attaqué à tous les efforts tragiques des participants à ces jeux funèbres.

Une stratégie d'effaçage pictural

Pour Wolf Vostell, le statut de la photographie journalistique était clairement établi comme la base positiviste et factuelle d'une forme de peinture imprégnée par les traces authentiques de l'histoire « confrontées aux faits du XXe siècle grâce à l'intégration de photographies authentiques. [...] Ce qui m'intéresse c'est de placer dans mes tableaux le document authentique, la photo telle qu'elle est diffusée par les médias[1]. » Cet ennoblissement du mode non-fictif, au début des années soixante, fut également accompli par Truman Capote en littérature et par Andy Warhol en peinture : comme l'a remarqué John Yau,

> « Rien n'est fabriqué, tout est esthétisé. Les faits bruts ont été changés en spectacle. Lecteurs et téléspectateurs sont placés dans l'espace privilégié de l'après[2]. »

C'est aussi Vostell qui théorisa en profondeur une certaine forme de résistance à un monde d'implacables faits[3], en se servant du concept de dé-collage comme un moyen de perturber et d'effacer les agencements d'un monde civique oppressif. Un tel effaçage pouvait se révéler par la lacération de surfaces, mais surtout, dans son travail postérieur à 1961, par l'utilisation et la citation d'images accompagnées de peinture ou de couleurs imprimées, de façon à parer la menace manifeste dans le média photographique par un ensemble d'attitudes apotropaïques de défense. Une telle tactique n'était certes pas l'apanage de Vostell — elle apparaissait aussi chez Rauschenberg et Warhol : « En répétant des images atroces [...], Warhol en oblitère la durée[4]. » Nous avons affaire ici à l'ontologie critique d'une purification atmosphérique (comme chez Vostell) ou à la multiplication fétichiste d'une imagerie promotionnelle, qui sert à la fois à réitérer les traces symptomatiques du signe médiatique et à effacer une présence terrifiante.

Dans l'univers de la guerre froide, les armes nucléaires jouaient le rôle de signifiant ultime. Warhol démultiplia et juxtaposa la photographie d'une explosion lors d'un essai nucléaire ; une telle répétition donnait corps à un crépuscule eschatologique, et le neutralisait. La série *Crisis* de Robert Morris tenta de même, par la peinture et le dessin, d'oblitérer les alertes opiniâtres et implacables d'une page de tabloïd où figurait l'éventualité d'une destruction nucléaire :

> « Les dessins — des pages grises et délavées provenant de trois tabloïds new-yorkais et portant des gros titres alarmants et incendiaires — créaient des juxtapositions ironiques entre les surfaces artistiquement voilées d'une part et le langage criard et manipulateur, menaçant, d'autre part[5]. »

Étant donné l'engagement contemporain de Morris dans la possibilité d'un combat, sous la forme d'un théâtre politique symbolique[6], au moyen de ses performances contemporaines, l'expression « surfaces artistiquement voilées » signifie quelque chose de contrarié, de refoulé, de découragé, le contournement et le nivellement angoissé d'un objet de peur.

Mort et deuil

La mort — figurée par le genre *noir* — fonctionne comme un motif refoulé de la culture de consommation telle qu'elle est re-représentée par Warhol :

« Warhol en vint à produire ses toiles les plus puissantes en dramatisant la vacuité de l'icône du consommateur : c'est-à-dire des événements dans lesquels l'image produite en série, en tant que véhicule de désirs, était exposée dans son inadéquation à la réalité de la souffrance et de la mort[7]. »

Thomas Crow observe que l'absence et la terreur — caractéristiques de l'esthétique noire vernaculaire — sont opérationnelles dans cette situation ; elles transforment les sérigraphies de Warhol en une véritable *peinture noire*[8] et réalisent de mauvais augures au sein du réalisme capitaliste. Les revenants des portraits de célébrités exécutés par Warhol sont comme le père de Hamlet, ils soulèvent les souvenirs du meurtre, de la perte et de la culpabilité. Dans son étude « Memory, History, Legacy » (« Mémoire, histoire, héritage »), Nancy Wood a identifié le *punctum* barthésien comme un moment de transcendance provenant de la stase arrêtée et mélancolique de l'image commémorative[9]. L'index accusateur du président Kennedy dans *Buffalo II*, de Rauschenberg, peut-il être un tel *punctum* ? « Dans cette lecture, les pouvoirs affectifs et mémoriaux de l'image sont inséparables[10]. » Chez Vostell, les « effaçages », sous la forme de pulvérisations ponctuant la toile (souvent produites par des peintures aérosol sur une base d'émulsion photographique), correspondent à un certain choc, à une certaine interruption de la sphère médiatique, contre laquelle on ne peut lutter, comme le souvenir traumatique de certains événements historiques — l'insurrection de Berlin en juin 1953, les suites de la construction du mur de Berlin en août 1961, mais avant tout le récit mythique de Jackie et John Kennedy dans la Lincoln, à Dallas le 22 novembre 1963. Ces événements peuvent-ils être aussi des signaux pour des actes picturaux de deuil ? Ainsi la perlaboration (chez Rauschenberg dans *Retroactive* et *Buffalo II*) de la mort du président comme un objet paternel ou fraternel aimé et perdu — alors que dans le cas de Warhol, le défunt président apparaît grotesque à travers un décadrage ingrat et un dédoublement abrupt du visage dans *That was the Week* (« Cette semaine-là ») en 1964 ; ou encore en un portrait documentaire — changeant, psychédélique —, sur l'un des premiers téléviseurs couleurs dans *Flash*, en 1968. Le travail de deuil — *Trauerarbeit* —, tel qu'il a d'abord été décrit par Freud dans *Deuil et Mélancolie* (1917), était conçu comme une connexion de ces impressions traumatiques et de ces pressions allant vers la fragmentation et ses sombres terreurs. Les peintures que fit Gerhard Richter de la mort et de la politique dans la série *18 octobre 1977* (1988) ont été analysées dans cette perspective du « travail de deuil » et de la fonction de la mémoire historique[11], en cela qu'il dessinait à partir de pièces à conviction photographiques de caractère étatique et civique et de photographies médiatiques, autour de la mort scandaleuse des chefs du gang Baader-Meinhof.

Le « flatbed » de l'histoire en fragments

Les implications des transcriptions picturales brouillées de photographies de

◁ Robert Morris, *Crisis (*New York Post, *Monday, October 22, 1962)* [Crise (*New York Post*, lundi 22 octobre 1962)], 1962. Collection R. Morris.

△ Wolf Vostell, *Betonplatte* [Dalle de béton], 1961. Collection Merkert, Berlin.

presse — telle la paraphrase réalisée en 1971 par Malcolm Morley de la photo de Larry Burrow *At a First Aid Center, Vietnam* (« Dans un centre de premier secours, Viêtnam ») parue dans *Life* — se réduisent à l'inachèvement et à l'énigme poussés au point de perte universelle, dans la mesure où la peinture tend vers le *flou* photographique. L'image de Morley/Burrows représente deux fantassins américains blessés qui semblent se saluer dans une mer de boue originelle — l'un, bras tendus, est apparemment sur le point de secourir ou d'embrasser comme un frère perdu son compagnon allongé. Mais ils sont disparates, séparés, plongés par la guerre dans l'isolement. Ils sont imparfaitement alignés, et Morley a dénoué le happy end de ce récit trompeur par le déplacement et le desserrement systématique des microstructures de ses marques picturales. L'alignement imparfait de ses grilles transposant les photographies d'origine sur la toile

Mimmo Rotella,
Vietnam, 1964.
Collection particulière,
Paris.

appelle une catastrophe topologique. À travers la désorganisation des données visuelles figées provenant de la photo de presse, qui explorait déjà un moment ou un contenu d'attitudes et de postures erronées et mal lisibles, la répétition d'un motif catastrophique déchire, dans les toiles de Morley des années soixante-dix, la continuité sans faille de l'espace et du temps. Par un retournement allégorique, la scène de mutilation au Vietnam, deux fois recodée, perturbe toute représentation doxicale : elle rend vulgaire et suspend tout projet vériste, et le fait onduler dans une hallucination grotesque[12]. En 1968, Leo Steinberg a très clairement reconnu[13] le procédé de Rauschenberg consistant à assembler des images culturelles disparates comme un type d'impression — de la surface du tableau considérée comme un *flatbed*. Craig Owens a repris cette idée dans son article de 1980 « On the Museum's Ruins[14] » (« Sur les ruines des musées ») :

> « Le flatbed est une surface qui peut recevoir un éventail large et hétérogène d'images et d'artefacts culturels qui ne sont pas compatibles avec le champ pictural des prémodernes comme des modernes [...] L'hétérogénéité absolue qui est la limite de la photographie [...] se répand à la surface de chaque œuvre de Rauschenberg. »

Autour des années 1962-1963, avec Vostell et Warhol, les aspects des fondements physiques de la peinture ont évolué : dans le cas de Warhol, vers la sérigraphie sur toile, et dans le cas de Vostell, vers la peinture sur toile préparée à l'aide d'émulsions photographiques. Ces technologies de reproduction les replaçaient tous deux dans un plan imaginaire, celui de la reproduction mécanique et sérielle : la « reproduction devint la peinture[15] ».

La seconde vie des iconographies de la souveraineté et l'annexion de la photographie d'information

Buffalo II, de Robert Rauschenberg, combine le prestige du moderne absolu avec de très anciens souvenirs culturels d'une autorité et d'un pouvoir mythiques, qui demeurent immanents dans les représentations transitoires générées par l'information. La figure majeure de Kennedy et sa contenance sévère quoique transcendante reprend les codes corporels qui évoquent le discours majestueux du dirigeant politique héroïque et du chef martial de la statuaire romaine — la pose *ad locutio* —, une pose que l'on peut contempler entre toutes dans le *Prima Porta Augustus* du Vatican. De même que ce portrait est soutenu par des *putti* et un dauphin élevant Auguste à une parenté quasi divine avec Vénus, le Kennedy de Rauschenberg est assisté, dans *Buffalo* (1964), par l'aigle, version métamorphique de Jupiter (tout en étant une incarnation héraldique des États-Unis) : des associations du divin et du semi-divin. De façon similaire, Robert Hamilton a décrit l'origine de sa peinture, *The Citizen* (« Le Citoyen »), en relatant ce qu'il devait à un autre genre iconographique qui prend sa source dans la diffusion télévisuelle d'un film fragmentaire réalisé en prison sur des prisonniers de l'IRA. Dans le regard clandestin, en Super 8, sur deux « terroristes » dans leur cellule s'étaient sédimentés, d'après Hamilton, les attributs du Christ aux outrages :

> « Les Britanniques voient souvent ouvertement l'IRA comme un ramassis de voyous et de hooligans et cette vision ne correspond pas à la matérialisation du martyre chrétien si profondément enregistré sur film [...] Les symboles de l'agonie du Christ résidaient ici non seulement dans le crucifix autour du cou des prisonniers [...], mais aussi dans la souffrance auto-infligée qui a marqué la chrétienté depuis les premiers temps[16]. »

Le décryptage que fit Hamilton de cet ascétique scénario christologique trouve un parallèle avec l'incarnation et la désincarnation du *translatto imperii* des États-Unis mêmes.
Rauschenberg répondait par des œuvres commémoratives sérielles, brouillées, élégiaques, à la tragédie télévisuelle instantanée du meurtre de Kennedy — ce trauma de l'image qui a échoué à percer Warhol dans sa légendaire absence d'émotions. D'un autre côté, Hamilton s'est plus récemment attaqué à une tragédie historique autrement durable, celle du nord de l'Irlande, dans un triptyque monumental dépeignant des acteurs sociaux gigantesques rassemblés par les médias. À *The Citizen,* il a rajouté un protestant paradant, triomphant : *The Subject* (« Le Sujet ») — au sens d'énonciateur de sa version de l'Histoire par des marques territoriales rituelles, et aussi de défenseur de ses coreligionnaires en tant que « sujets loyaux de Sa Majesté ». La source de Hamilton était une photographie de presse d'un homme d'âge moyen portant les insignes somptueux de l'ordre d'Orange, pendant la commémoration annuelle de la victoire militaire sur les catholiques en 1689 : une blessure

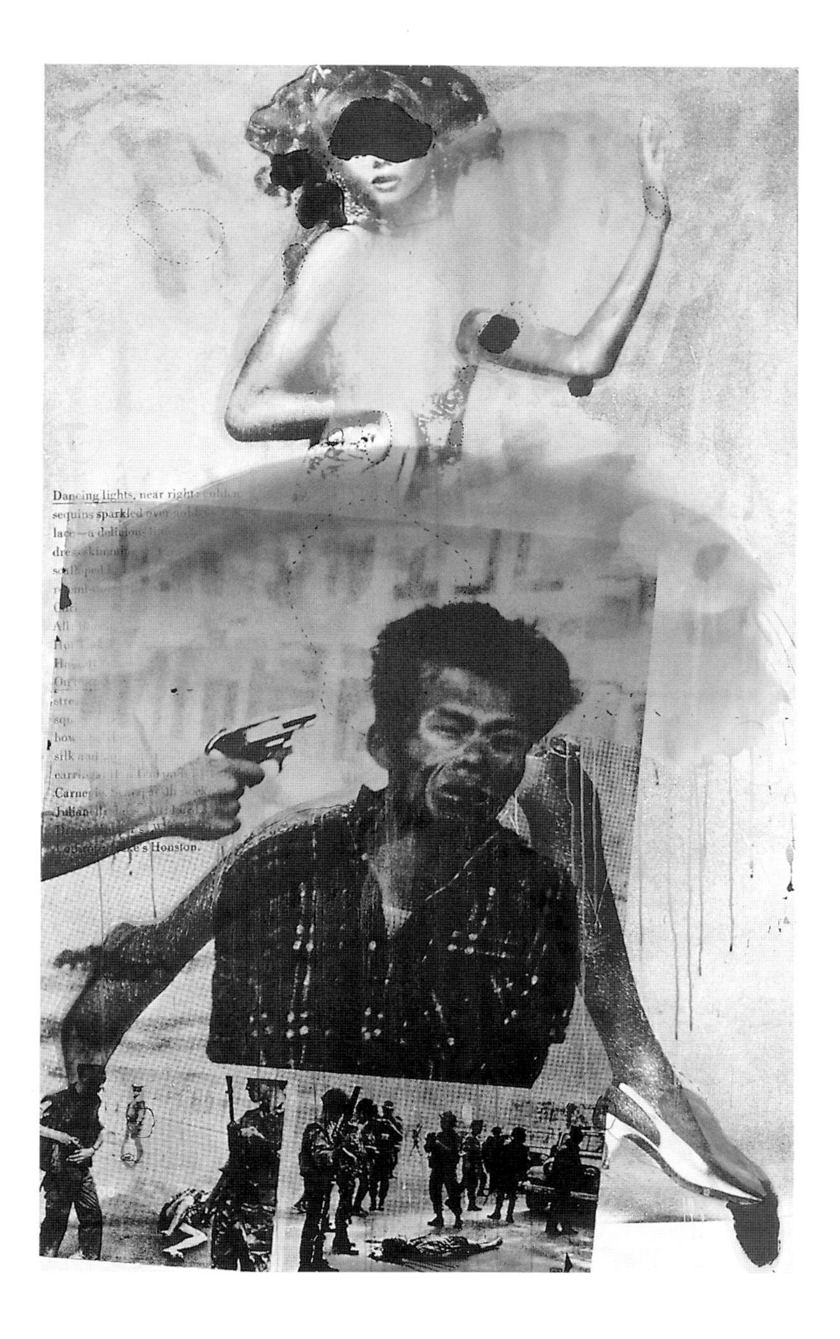

Wolf Vostell, *Miss America*, 1968. Museum Ludwig, Cologne.

temporelle brutale pour la population autochtone, chaque année rejouée, et un symbole de fierté pour la majorité protestante. Placée à côté des sombres résonances de l'histoire présentes dans *The Citizen,* l'identité de *The Subject* semble risiblement héroïcomique dans son incarnation du personnage du « petit-homme » : mimant, dans la peinture de Hamilton, la suffisance « post-Grande Guerre » des conservateurs anglais, avec leur maintien et leur chapeau melon. *The Subject* avance orthopédiquement dans un magma de *flou* photographique gris, un fatras misérable de balayages électroniques divergents et d'émulsions photographiques, qui pourrait avec circonspection être interprété comme les lueurs que projettent les voitures blindées des forces de sécurité britanniques : *The Subject,* d'ascendance politique et économique contestée, marche joyeusement vers l'accident et l'écrasement sous les roues de sa cause militaire. En 1993, Hamilton compléta la troisième partie de son triptyque de personnifications de l'histoire contemporaine irlandaise avec *The State* (« L'État »). La photographie de guerre du vingtième siècle a révélé un guerrier sans gloire et vulnérable aux technologies militaires de grande portée. Le « squaddie » (deuxième classe) de Hamilton — incarnation de la violence étatique légitime —, rectifié à la peinture émail, en taille réelle et camouflé en photographie réaliste, tient de ces contingences et de ces craintes. Mais il est aussi un fantassin transhistorique qui s'avance au milieu des fantasmes dissimulés dans le *flou;* dans ce cas précis, le paysage vert et bleu (à la mise au point incertaine) du mythe et du récit celtique. Pris ensemble, les trois éléments du triptyque forment une épopée conçue au sein même des langages visuels de l'information médiatique.

Le peintre et le spectacle télévisuel

L'invasion par la télévision de la culture visuelle moderniste d'avant-garde dans les années cinquante fut marquée par la condamnation de son image de Moloch, dans les photoreportages aliénés de Robert Frank et de Lee Friedlander. La menace perçue d'un effacement des frontières entre l'espace domestique et l'espace politique se caractérisait par des actes d'agression défensive contre le vecteur lui-même, le poste de télévision. Les actions de Wolf Vostell contre les récepteurs télé s'intensifièrent, depuis les distorsions de l'image projetée (dès 1959) dans son *TV Dé-coll/age* à Cologne, jusqu'aux postes incendiés et fusillés aux États-Unis et en Allemagne en mai et septembre 1963[17] dans de violents rituels de destruction. La réaction phobique d'une culture profondément moderniste à l'égard de la télévision n'explique que partiellement de tels « meurtres » de l'objet, son annihilation physique, en particulier dans les mains de Vostell.
Pour Hamilton, Rauschenberg et Warhol, la scène de leur rencontre décisive avec l'histoire est située à un niveau fantasmatique, avec les artistes en consommateurs attentifs : des téléspectateurs qui sont pris dans l'empire du spectacle médiatique et qui insistent cependant sur leur autonomie en tant que stratèges du sens, alors même qu'ils créent des hommages à ce spectacle devenu complètement électronique. La nuit de l'élection présidentielle des États-Unis en novembre 1960, Rauschenberg réalisa un dessin élaboré, « composé d'images diverses de la campagne de Kennedy ». Comme une preuve manifeste des interactions entre le Pop'Art et les événements

contemporains, Rauschenberg s'arrangea pour que le dessin fût envoyé à Kennedy, car il lui semblait que ce dessin « faisait partie de la campagne électorale[18] ». Mais cette offrande — élément du rituel d'hommage de Rauschenberg, frêle témoignage qui ne pouvait manifestement perdurer, comme un fragment manuel et délicat errant dans les réseaux des mass-médias — fut perdue, elle est parvenue ou non à Kennedy. Il y a dans le geste de Rauschenberg cette remise en circulation de ses expériences recodées en tant que consommateur politique devant la télévision, le fantasme utopique d'une réconciliation avec un large public perdu : Vostell destinait son *TV Dé-coll/age* de 1959 à « un million de spectateurs[19] ». Le désir de l'artiste de pénétrer dans les circuits d'échange d'images au sein d'une communauté de mass-média pourrait passer pour un feed-back exemplaire, comme dans le cas de *The Citizen,* de Richard Hamilton, en 1983. Cette peinture, qui dérivait de plans agrandis de la télédiffusion d'un film sur des prisonniers républicains irlandais tourné clandestinement, se fraya un chemin, par le moyen de reproductions de presse, jusqu'au mur de la cellule de l'un des prisonniers en question, où elle fut épinglée, apparaissant ainsi dans un documentaire ultérieur[20]. « Les choses paraissaient s'être refermées en un cercle complet », commenta Hamilton[21]. Par la volonté de l'un des prisonniers, *The Citizen,* de Hamilton, s'en est retourné d'où il venait, pour se loger dans une image réflexive de *mise en abyme* au sein d'un espace représenté — mais réel —, chargé de tension politique, un don qui avait trouvé sa destination, une incorporation sacrificielle.

Jamais plus de héros ?

La disparition, à la fin des années soixante, de cette époque brève de héros masculins non européens et politiquement radicaux, très médiatisés, est manifeste dans l'œuvre de Joe Tilson. Ses montages de portraits de Malcolm X, Martin Luther King et Che Guevara en martyrs mettaient au premier plan les photographies masquées de leur visage, juxtaposées avec des reliques et des images renvoyant à leur mort violente. Contrairement à l'élégie bouleversée de Rauschenberg pour Kennedy, qui rassemblait des signes errants et dissociés — compteurs de vitesse, photographies d'astres —, les martyrs de Tilson sont accompagnés de méditations sur les instruments et les scènes de leur passion : l'attirail contingent du martyre médiatique — les rails d'acier fonctionnalistes et la balustrade du Memphis Hotel où le Dr King fut tué par un tireur isolé — divise stéréométriquement la scène de sa mort, dans la sérigraphie d'une photographie de journal. Ces grilles et ces divisions architecturales « trouvées » répondent à des reproductions simplifiées de design profondément moderniste de balcons et de mobilier des années vingt, qui s'étirent comme un chœur en haut de *Page 10, Martin Luther King* de Tilson (1969). Mais ce fonctionnalisme est contrebalancé par l'impression massive d'une paume qui occupe la partie inférieure du tableau, une paume marquée d'une croix, cible charnue et site d'une prophétie chiromancienne. Une identité et une subjectivité fatidiques s'élèvent pour submerger les événements publics et politiques. De la même façon, dans son installation *Heuschrecken* (« Sauterelles »), en 1969-1970, Vostell opposa la chair du corps privé et l'espace intime de l'éros (représenté par deux femmes nues faisant l'amour) au drame urbain d'un char du pacte de Varsovie assailli par des étudiants à Prague en août 1968. Vingt moniteurs télé sont alignés sur le sol, raccordant ces deux royaumes séparés par une frise qui démultiplie le portrait unique d'un spectateur de l'assistance.

Ce spectateur, absorbé également par les vastes photographies, se regarde narcissiquement comme faisant partie intégrante de ce spectacle du subjectif et des comptes rendus de la lutte politique : voyeur de ces deux mondes et de sa propre situation délicate en tant que témoin des événements compulsifs, un peep-show réfléchi de l'histoire ; le consommateur ancré en tant que participant, représenté à l'intérieur même de la scénographie d'une œuvre saturée de médias.

Traduit de l'anglais par
Joris Lacoste

Joe Tilson, *Page 18, Muhammad Speaks,* 1969-1970. Collection de l'artiste.

1. Wolf Vostell, Vostell. *Pour mémoire. Tableaux et dessins, 1954-1982,* Musée de Calais, 1982, p. 17.
2. John Yau, *In the Realm of Appearences,* Hopewell, N. J., Ecco Press, 1993, p. 118.
3. *Cf.* Wolf Vostell, « La conscience du De-Coll/age/1966 », *Vostell Environnements/Happenings 1958-1974,* ARC 2, Musée d'Art moderne de la Ville de Paris, Paris, 1974, réimpression, p. 236.
4. John Yau, *op. cit.,* p. 76.
5. Maurice Berger, *Labyrinths : Robert Morris, Minimalism and the 1960s,* New York, Harper Row, 1989, p. 114.
6. *Ibid.,* p. 115.
7. Thomas Crow, *The Rise of the Sixties,* Londres, George Weidenfeld, 1996, p. 86.
8. *Ibid.,* p. 87.
9. Nancy Wood, *i-d nationale,* Édimbourg, Portfolio Gallery, p. 11.
10. *Ibid.*
11. Stefan Germer, « Ungebetene Erinnerung », *Gerhard Richter 18 Oktober 1977,* Krefeld Museum Haus Esters, 1989, p. 52.
12. Michael Compton, dans son introduction à *Malcolm Morley/Paintings 1965-82,* Whitechapel Art Gallery, Londres, 1983, pp. 8-16, discute la notion de « changement » [shift] chez Morley par rapport au concept formaliste russe de sdvig.
13. Leo Steinberg, « Other Criteria », *Other Criteria. Confrontations with Twentieth-Century Art,* New York, Oxford University Press, 1972, pp. 55-91.
14. Craig Owens, *The Anti-Aesthetic,* édité par H. Foster, Seattle, Bay Press, 1983, pp.43-56, p. 44.
15. John Yau, *op. cit.,* p. 6.
16. Rita Donagh et Richard Hamilton, *A Cellular Maze,* The Orchard Gallery, Derry, 1993, n.p.
17. *Cf.* Steward Home, *The Assault on Culture,* 1988, p. 57.
18. Christin J. Mamiya, *Pop Art and Consumer Culture,* University of Texas, Austin, 1992, p. 78.
19. Wolf Vostell, *Vostell/Pour mémoire/Tableaux et dessins, 1954-1982, op. cit.,* p. 58.
20. *Cf.* Stephen Snoddy, « "Yes" and... No », *Richard Hamilton,* Londres, Tate Gallery, 1992, pp. 49-58.
21. *Ibid.*

Souvenirs de tentatives de démocratisation du marché de l'art

René Block

Dix ans après que Marcel Duchamp eut proclamé (en 1915) œuvre d'art son premier ready-made, la *Roue de bicyclette*, Man Ray réalise une de ses œuvres les plus célèbres : l'*Objet indestructible.* Les deux artistes utilisent des pièces de série manufacturées. Duchamp monte la roue et la fourche avant d'une bicyclette sur un simple tabouret. Man Ray fixe la photographie d'un œil sur le balancier d'un métronome. Duchamp et Man Ray ajoutent ainsi une nouvelle option au domaine de l'esthétique et dotent la technique artistique d'un outil original : l'objet que l'on peut reproduire à l'infini. Leurs créations seront elles-mêmes fabriquées en série de « multiples », quelques décennies plus tard (en 1964).

L'histoire des multiples est étroitement liée à celle de l'objet. À l'origine, les artistes qui mènent une réflexion sociologique — dont ceux du Bauhaus et les dadaïstes — s'emparent des techniques nouvelles. Quand la Seconde Guerre mondiale éclate, elle interrompt toute évolution, et ce n'est qu'en 1958, avec la fondation des éditions MAT (Multiplication d'art transformable) par Daniel Spoerri, que les idées anciennes reçoivent un nouvel élan.

La Collection 58 réunit Agam, Albers, Bury, Duchamp, Gerstner, Mack, Man Ray, Munari, Roth, Soto, Tinguely et Vasarely. Tous les objets sont reproduits dans un tirage à cent exemplaires et disposés comme les gènes d'un phénotype variable : d'une idée de base, surgissent, chaque fois, cent variations.
Quelques années après, en 1962, George Maciunas fonde Fluxus Edition, dans le but de fabriquer des œuvres d'art à un prix abordable et en quantité illimitée. Naissent les nombreuses petites boîtes de Watts, Brecht, Ono, Maciunas, Hendricks, Vautier, entre autres. C'est sur la même idée que, en 1967, à Remscheid, Wolfgang Feelisch fonde le Vice Versand ; lui va encore plus loin et vend tous ses produits au prix unique de huit marks, celui d'un livre de poche. Quelques objets du Vice Versand connaissent un succès inattendu : ainsi, *Intuition*, de Beuys, est-il vendu la première année à plus de huit mille exemplaires.
Grâce à l'infinité des moyens de fabrication apparus avec le développement industriel, la réalisation d'objets manufacturés a constitué une part importante de la production artistique. En 1954, dans son essai *Towards the Democratisation of Art* (« Vers la démocratisation de l'art »), qui préconise la multiplication des œuvres d'art par des procédés mécaniques, Victor Vasarely exprime l'aspiration des artistes à la démocratisation et à la socialisation du marché de l'art :

> « Hier, la création d'une œuvre d'art dépendait de la qualité des matériaux utilisés, de la perfection de la technique et du travail artisanal. Aujourd'hui, nous sommes conscients des possibilités de création renouvelée, de multiplication et d'extension. Exactement comme le savoir-faire de l'artisan, le mythe de l'artiste d'autrefois disparaît et l'œuvre multipliable triomphe enfin grâce à la machine. Nous n'avons pas à avoir peur des nouveaux outils que nous a donnés la technique. Nous pouvons enfin vivre dans notre époque. Pour satisfaire la demande massive qui nous parvient du monde entier, il faut une large diffusion. »

Dès 1936, Walter Benjamin avait analysé les nouveaux défis auxquels l'artiste était confronté, comme le film et la photographie. Son essai *Das Kunstwerk im Zeitalter seiner technischen Reproduzierbarkeit* (« L'Œuvre d'art à l'époque de sa reproduction mécanisée ») arrive à la conclusion que l'utilisation de techniques nouvelles entraîne une perte de l'aura de l'œuvre d'art : le témoignage unique d'un acte de création artistique semble annihilé par sa reproduction en de multiples exemplaires manufacturés. À la place d'une œuvre naît une idée. L'artiste troque le rôle social du « génie » contre celui de l'inventeur, le rôle du « créateur » génial contre celui du penseur. Ce qui nous fait revenir à Duchamp et à ses ready-made inventés au début du siècle.

« Les ready-made montraient une voie pour sortir du monnayable. Cette réduction de l'œuvre d'art à sa valeur marchande ne date pas d'hier. Dans l'art et dans l'art seul, l'œuvre originale vendue obtient une sorte d'aura. Mais avec mes ready-made, une réplique y parvient tout aussi bien. »

Ainsi s'exprime Duchamp vis-à-vis de Calvin Tomkins, un demi-siècle plus tard, en 1965, à un moment où un nombre croissant d'artistes se rallient à ses objectifs : dépersonnaliser l'art, le dématérialiser et le soustraire aux jugements esthétiques habituels fondés sur le « beau » et le « laid ».
Dans le catalogue de l'exposition *Das Jahrhundert des Multiple* (« Le Siècle du multiple »), qui se tient à Hambourg en 1994, Stefan Germer examine en profondeur la position de Duchamp par rapport à l'évolution de l'art, pour conclure :

« La disparition de l'œuvre originale et de la conception de l'artiste comme individu créatif a entraîné celle de l'idée d'œuvre artistique. En quoi peut bien consister l'œuvre d'un artiste qui attribuerait certes de la valeur à l'acte de choisir, mais pas aux objets choisis ? Comment une œuvre peut-elle se former quand l'original a disparu ? La réponse de Duchamp est d'une logique et d'une simplicité surprenantes : par la reproduction. Il était conscient qu'une œuvre est toujours une fiction qui, rétrospectivement, par le choix de ce que l'on voit, produit un tout cohérent. »

À l'aide de reproductions, Duchamp fait évoluer son travail et ses idées sur l'art et fournit aussi la preuve qu'une œuvre se constitue par la multiplication. En 1934, il fabrique sa *Boîte verte* à trois cents exemplaires.
Les théories de Duchamp sont reprises et appliquées par des artistes que l'on peut classer dans le mouvement Fluxus des années soixante. Pour beaucoup d'entre eux, ce n'est pas l'œuvre qui compte, mais son caractère événementiel exclusivement *(event).*
« Vous participez en continuant cette chose, ce principe, autrement vous n'êtes qu'un voyeur », écrivait Addi Koepcke sur beaucoup de ses objets et de ses tableaux, qu'il ne veut envisager que comme une incitation. Il appelle sa *Boîte verte* (1972, cent cinquante exemplaires) « *Continue...* ». Robert Filliou procède de même dans sa série *Joint Work With...* créée avec des artistes amis ou un public de hasard. L'objectif principal est de libérer la créativité du spectateur.
George Maciunas passe pour l'instigateur principal de Fluxus, il fonde un centre du mouvement à New York et essaie pendant quelques années de coordonner et de diriger ses activités.
Il comprend Fluxus comme une œuvre collective. Ce n'est pas l'individualité du créateur qui est déterminante, mais le caractère le plus anonyme possible de son œuvre. On demande désormais à l'artiste d'être un pourvoyeur d'idées. Cette conversion se fait par Fluxus — c'est-à-dire Maciunas — qui détient le copyright et pourvoit à la fabrication et à la vente. Ainsi naissent les nombreuses boîtes, cartouches et coffres qui portent tous un label conçu par Maciunas. Prévus pour être réalisés en séries illimitées et à bas prix de revient, la plupart des produits Fluxus fabriqués à la demande ne sont cependant vendus qu'en très petit nombre.
Les théories socialistes de Maciunas — proche de mouvements russes postrévolutionnaires — pour liquider le marché de l'art restent dans le domaine de l'utopie. Il manque de capitaux, d'expérience et aussi de relations pour bâtir un système alternatif de vente des œuvres d'art. Ses thèses sont vouées à l'échec parce que, même si ce n'est pas la cause essentielle, les artistes ne les ont pas soutenues.

À New York, à la même époque, des multiples d'une nouvelle forme apparaissent, et sous de tout autres auspices. Cette fois, ce n'est pas contre mais avec le marché de l'art, que la production et la vente d'objets du Pop'Art se développent. Ce ne sont pas des idéologies socialistes, mais capitalistes qui motivent l'œuvre prolifique d'Andy Warhol. La matérialisation de l'excédent du système capitaliste, sous la forme d'une pléthore de marchandises, est reprise par la création artistique dans la production industrielle de séries, de sérigraphies, de copies en offset et d'objets en trois dimensions. L'on cite souvent Andy Warhol : « Cent *Monna Lisa,* c'est mieux qu'une seule. »
En 1964 apparaissent les *Brillo Boxes (Soap Pads)*, les *Campbell's Boxes (Tomato Juice)* et les *Kellog's Boxes (Corn Flakes)* d'Andy Warhol. Cependant, s'il ne conçoit pas ces objets du quotidien comme des ready-made, Andy Warhol les produit à nouveau. L'apparence, le phénotype des empaquetages l'intéressent, et il les reproduit grandeur nature sur des cubes de bois. À cette époque, aux États-Unis, sont créées les premières entreprises spécialisées dans la production de multiples : Tanglewood Press, Multiples Inc. ou Gemini GEL. Certaines d'entre elles ont suffisamment de capitaux pour réaliser industriellement des expériences coûteuses. Mentionnons par exemple le *Tea Bag* (1966) et le *Profile Airflow* (1969) de Claes Oldenburg.

Joseph Beuys, allant plus loin encore qu'Andy Warhol, utilisera la distribution massive de *Messages.* En 1968, il confectionne son premier multiple « classique », *Evervess II 1,* qui se situe encore manifestement dans le contexte de Fluxus. Dans la conception de l'artiste, il n'est achevé que lorsque l'une des deux bouteilles d'eau est entièrement bue et la capsule envoyée le plus loin possible. Ces directives sont imprimées sur le couvercle du coffret qui sert d'empaquetage.
Souvent, chez Beuys, les multiples naissent en relation avec des « actions ».
Il en va ainsi des travaux d'importance majeure *Silberbesen und Besen ohne Haare* (« Balais d'argent et balais sans poils »), qui sont à envisager en relation directe avec l'action *Ausfegen* (« Balayer », 1er mai 1972, Karl-Marx Platz,

Marcel Duchamp, *Roue de bicyclette.* Original 1913 perdu, réédition Schwarz 1964. Mnam-Cci, Centre Georges Pompidou, Paris.

Joseph Beuys, *Evervess II 1*, 1968. Édition Block, Berlin. Collection Block, Berlin.

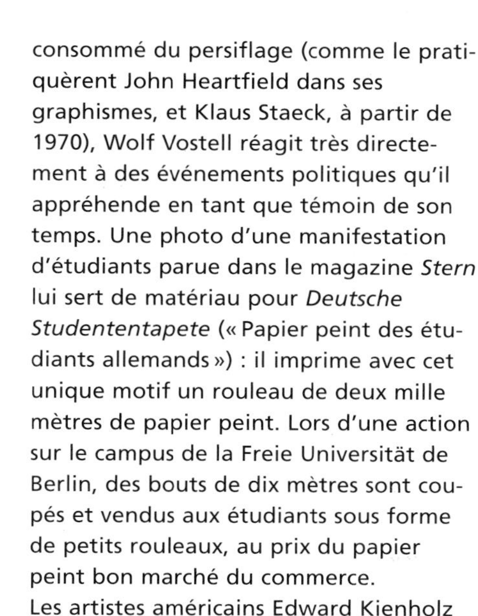

Berlin-Ouest). Pour cette dernière, Beuys recourt à deux de ses étudiants, un Asiatique et un Africain, qui mettent les déchets qu'il ramasse dans des sacs de plastique — lesquels portent le slogan : « C'est ainsi que la dictature du parti peut être vaincue » et sont également fabriqués sous forme de multiples (à mille exemplaires).
Dans un entretien avec Jörg Schellmann et Bernd Klüser au sujet de ses multiples, Beuys déclare :

> « L'art n'est pas là pour que l'on arrive vite à la connaissance, mais pour que l'on élabore des connaissances approfondies sur le vécu. Il faut qu'il se passe davantage que des choses logiques. »

Beuys s'intéresse moins à la manière de fabriquer qu'au nombre des copies. Au sujet de la caisse en bois *Intuition* (plus de douze mille exemplaires entre 1968 et 1986), il déclare :

> « J'attache de l'importance à ce que la prochaine édition qui sera de dix mille ou de vingt mille exemplaires puisse être largement réalisée en usine. »

Beuys voit ses multiples comme un véhicule de propagation pour des messages esthétiques aussi bien que politiques. Comme nul autre artiste, il sait les placer de façon stratégique et les conçoit dans leur ensemble comme un message politique. « Si vous avez tous mes multiples, vous m'avez en entier. »

À Paris comme à Berlin, au milieu des années soixante, conjointement aux désordres étudiants, les artistes accordent une importance particulière à la déclaration directe. La multiplication devient un moyen d'autant plus approprié de diffusion. K. P. Brehmer travaille déjà depuis la fin des années cinquante à des rééditions massives d'images médiatisées. Sa *Korrektur der deutschen Nationalfarben nach der Verteilung der Vermögensverhältnisse* (« Correction des couleurs nationales de l'Allemagne d'après la répartition des fortunes »), éditée en 1970 comme supplément au périodique *Capital,* est tirée à 225 000 exemplaires « originaux », avant de flotter comme un véritable drapeau à l'entrée du bâtiment central d'exposition de la Documenta à Cassel, en 1972.
À côté de H. P. Alvermann, dont les objets dévoilent la réalité grâce à un art consommé du persiflage (comme le pratiquèrent John Heartfield dans ses graphismes, et Klaus Staeck, à partir de 1970), Wolf Vostell réagit très directement à des événements politiques qu'il appréhende en tant que témoin de son temps. Une photo d'une manifestation d'étudiants parue dans le magazine *Stern* lui sert de matériau pour *Deutsche Studententapete* (« Papier peint des étudiants allemands ») : il imprime avec cet unique motif un rouleau de deux mille mètres de papier peint. Lors d'une action sur le campus de la Freie Universität de Berlin, des bouts de dix mètres sont coupés et vendus aux étudiants sous forme de petits rouleaux, au prix du papier peint bon marché du commerce.
Les artistes américains Edward Kienholz et Allan Kaprow jouent un rôle à part avec leurs happenings et leurs environnements, qui suscitent en Europe une admiration enthousiaste et rencontrent un succès durable. Aux USA, en revanche, ils sont ignorés par le marché de l'art à cause de leur contenu politique. Seul Gemini, à Los Angeles, édite des multiples d'Edward Kienholz. Créée en 1970, l'œuvre d'Allan Kaprow *Sweet Wall*, où la chute du mur de Berlin est prédite et démontrée par les moyens de l'art, est éditée à Berlin en tant que livre d'artiste.

Wolf Vostell, *Deutsche Studententapete* [Papier peint des étudiants allemands], 1967. Édition Block, Berlin.

◁ Allan Kaprow,
Sweet Wall [Doux Mur],
action, Berlin, 9 novembre 1970.
Collection Block,
Berlin.

Cildo Meireles, *Projeto Coca-Cola (Inserções en circuitos ideólogicos)* [Projet Coca-Cola (Insertions en circuits idéologiques)], 1970. Collection de l'artiste.

La production et la vente de multiples

Au milieu de l'euphorie engendrée par la lente démocratisation de la production artistique naît l'idée de « foire de l'art ». En 1966, dix-sept galeries se regroupent à Cologne dans le Verein progressiver deutscher Galerien (« Association des galeries allemandes progressistes ») dans l'objectif de créer un marché du nouvel art allemand. En 1967, la première Foire de l'art se tient à Cologne et obtient un succès insoupçonné auprès d'un public à prédominance jeune, qui veut s'informer et acheter des œuvres à portée de sa bourse. Cette Foire de l'art de Cologne est reprise et copiée quelques années après par plusieurs villes étrangères.
Il était normal que les galeries et les artistes s'alignent sur les grands rendez-vous du marché de l'art pour la réalisation de nouveaux multiples, et il s'ensuivit très rapidement et logiquement l'idée de créer un marché spécifique aux multiples.
La première — la Fachmesse für multiplizierte Kunst (« Foire pour l'art multiplié ») — a lieu en 1962 à Berlin. Y figure l'objet de Richard Hamilton *The Critic Laughs* (« Le critique rit »), que les éditions MAT-Éditeurs et les artistes Karl Gerstner et Daniel Spoerri déclarent être le *multiple par excellence**. La longue histoire de cette foire mettra en lumière les limites de la quête du profit face à la vision d'un Vasarely.

« Le produit, l'empaquetage et les conseils d'utilisation forment un cycle dans l'industrie des biens de consommation. D'après mon expérience et ma pratique de l'art, il n'y a rien qui indique que ce même cycle ne se rapporte pas à la catégorie des objets que nous appelons objets d'art. »

C'est ainsi que Richard Hamilton justifie sa pensée, défendable, certes, mais qui fut lourde de conséquences. Car si l'idée de mettre à contribution la production industrielle est fondée, celle-ci ne peut aucunement servir à la fabrication d'œuvres uniques, et rarement à celle de multiples. L'utilisation de machines industrielles conçues pour une production massive n'est pas rentable pour des tirages moyens (jusqu'à cinq cents exemplaires). Cependant le problème majeur n'est pas la production, mais la vente. Pour rentabiliser l'opération, il est nécessaire de fabriquer en grand nombre. Pour écouler tout le stock, il faut une distribution à l'échelle mondiale et des acheteurs potentiels de ces produits (d'art).
L'autre difficulté provient du fait que collectionneurs et directeurs de musée privilégient l'unicité dans la création. Il est plus facile (et plus rentable) de produire (de façon artisanale) un multiple en petite quantité et de le vendre « cher » plutôt que de le produire en grande quantité sans pouvoir le vendre, même à un prix minime — ce qui entraînerait des coûts élevés de stockage.

Aujourd'hui, les musées ne sont pas aménagés pour rassembler des multiples. Les livres, les disques et les bandes vidéo sont conservés dans les bibliothèques d'art ; et, pour les estampes, il y a des collections graphiques. Mais personne ne prend la responsabilité de l'objet fabriqué en série. Pourtant, l'évolution du mouvement artistique de ces dernières années est intéressante à plus d'un titre. Dans des courants comme le Nouveau Réalisme, l'Art cinétique, le Pop'Art, le Happening, Fluxus, le Minimal Art, le Concept Art, certaines des idées essentielles des artistes n'ont pu se concrétiser que par la multiplication. Dans le catalogue de la première foire spécialisée dans l'art multiplié, en 1972, à Berlin, j'ai écrit, dans une forme quelque peu polémique :

« Il est déjà trop tard pour beaucoup d'objets (que l'on considère Duchamp et beaucoup de multiples essentiels qui ont été dès le début fabriqués à trop peu d'exemplaires), mais les musées ne devraient-ils pas commencer à montrer de façon systématique et avec une précision scientifique le développement de l'art moderne dans la forme de multiples d'originaux ? Pourquoi l'avantage essentiel de l'art multiplié n'est-il pas reconnu par les fonctionnaires des musées, à savoir que chaque musée pourrait donner un aperçu presque synthétique des courants actuels de l'art, même dans une petite aile adjacente ?

[...] On associe fréquemment aux multiples la "démocratisation" du marché de l'art, et il faudrait mentionner en premier lieu la participation par l'achat (comme avec la Foire du livre). Cette acquisition d'art présuppose des prix bas et une grande production. Dans de telles conditions, le processus de démocratisation esthétique pourrait commencer, là même où commencerait le processus politique : dans les écoles. À côté des bibliothèques, l'on pourrait aménager des artothèques et, dans ces écoles, les élèves pourraient emprunter des multiples et des graphiques. Grâce à de petites expositions, ils auraient l'occasion de suivre l'évolution de l'art moderne et d'y participer. Bien sûr leur seraient exposées les récentes évolutions dans le domaine de l'art et dans celui de la recherche scientifique. Une telle artothèque pourrait être montée avec un petit budget. La fréquentation des œuvres d'art peut se faire naturellement, comme celle des livres. »

Beaucoup de choses se sont passées depuis 1972. Aujourd'hui, le multiple, en tant qu'objet à trois dimensions reproduit à de nombreux exemplaires, compte, dans l'art contemporain, parmi les secteurs en pleine expansion. Les nouvelles générations d'artistes, tels John Armleder, Barbara Bloom, Maria Eichhorn, Sylvie Fleury, Katharina Fritsch, Rebecca Horn, Jeff Koons, Haïm Steinbach, Rosemarie Trockel, Meyer Vaisman ou Peter Zimmermann, se servent naturellement de toutes les techniques et moyens de multiplication : fabrication manufacturée et industrielle d'objets (livres d'art, disques ou vidéos d'art). Pour certains d'entre eux, le choix d'une production en quantité illimitée est un élément fondateur de leur concept de création.

Le processus de démocratisation avance, et, du reste, il ne va pas à l'encontre du marché de l'art, quoi qu'en dise Maciunas, mais dans le sens de ce marché, tel que le pratiquaient Warhol et Beuys. Il s'ensuit logiquement que les multiples « classiques » comme ceux de Duchamp ou de Beuys sont vendus à plus de cent mille dollars pièce à des ventes aux enchères. Hans Haacke parle avec ironie de cette situation et, en 1986, avec le multiple *Broken R. M...*, il mentionne et détruit le ready-made de Duchamp *In Advance of the Broken Arm*. La pelle à neige est par terre, un morceau de manche avec la poignée pend devant un mur et jette son ombre à côté d'une plaque de rue bleue comme il en existe en France, et dont Duchamp fait usage. Seulement, comme chez Duchamp, le panneau indicateur ne donne pas le nom d'une rue, mais fournit une information. Chez Haacke, c'est la suivante : « ART & ARGENT À TOUS LES ÉTAGES ». Haacke a même fait de cette critique des multiples une édition, la plus réduite possible, de trois exemplaires.

Hans Haacke,
Broken R. M..., 1986-1987.
Galerie John Weber,
New York.

« Inventer est divin, multiplier est humain », disait Man Ray dans la première moitié de ce siècle. Depuis lors, l'histoire des multiples s'est accomplie. L'histoire des mutiples est l'histoire de l'émancipation par rapport à l'idée de l'objet unique, la libération de l'aura qui accompagne l'acte de création « sacré » de l'artiste, telle qu'elle s'est développée depuis le début de ce siècle.

Le multiple reflète davantage que toute autre forme d'art les transformations sociales et politiques du monde dans ce siècle : les difficultés dues à la démocratisation.

Traduit de l'allemand par
Marc Payen

---

* En français dans le texte [N.d.T.].

Le souci
du contexte*

Le souci du contexte*

« Puisque peindre c'est représenter l'extérieur (ou l'interpréter, ou se l'approprier, ou le contester, ou le présenter). »

« Puisque peindre c'est peindre en fonction de l'esthétisme, des fleurs, des femmes, de l'érotisme, de l'environnement quotidien, de l'art, de dada, de la psychanalyse, de la guerre du Viêt-Nam[6]. »

Christian Besson

En relisant les textes et déclarations d'artistes aussi différents que Marcel Broodthaers, Daniel Buren, Victor Burgin, Dan Graham, Hans Haacke, Joseph Kosuth, Lawrence Weiner et quelques autres, ou émanant de groupes comme Art & Language, Supports-Surfaces, le Collectif d'art sociologique, on peut reconstruire *a posteriori* la discussion implicite qui, autour de 1968, court sur le contexte de l'art. L'examen attentif des discours produits de 1966 à 1972 — pour fixer une limite précise à cet inventaire non exhaustif[1] — montre que les mots « contexte », « cadre », « limites », « référence », « champ », « système » y reviennent comme des leitmotive. Les questions en jeu sont celles de la conception élargie ou non du « champ » de l'art, de sa coextensivité ou non avec la vie, de la clôture ou non de la représentation et de celle de l'art, du caractère absolu de cette clôture ou de son possible franchissement, de son déplacement ou de son absence déclarée ou projetée, de la nature du « contexte » — tenu pour une catégorie textuelle (construite dans le texte et par lui), ou incliné davantage vers le réel, voire absorbé dans cette instance. À travers cette discussion les artistes concernés ont tenté de reformuler les rapports de l'art et du réel. Le caractère théorique de leur réponse face à l'histoire ne doit pas en effacer l'importance, respectivement à d'autres qui, à la même époque, paraissent plus directement engagées. [...]

BMPT

C'est une banalité de rappeler que le structuralisme s'appuie sur une conception de l'histoire non linéaire, tout entée sur la synchronie au détriment de la diachronie[2]. Renversant la « différence ontologique » chère à Heidegger, ses héritiers des années soixante feront diversement de la répétition un horizon ontologique. « La mort est à l'aube, écrit Jacques Derrida en 1967, parce que tout a commencé par la répétition[3]. »

« Nous ne savons donc plus si ce qui s'est toujours présenté comme re-présentation, comme "supplément", "signe", "écriture", "trace", n'est pas, en un sens nécessairement mais nouvellement anhistorique, plus "vieux" que la présence et que le système de la vérité, plus vieux que l'"histoire". [...] si la force de répétition du présent vivant qui se re-présente dans un supplément [...] n'est pas plus "ancien" que l'"originaire"[4]. »

Gilles Deleuze, dans l'avant-propos de sa thèse[5], publiée fin 1968, reconnaît traiter un sujet « manifestement dans l'air du temps ». S'il évoque des exemples pris dans le domaine des arts visuels (Warhol, entre autres), il ne dit mot d'Ad Reinhardt, ni des manifestations de Buren, Mosset, Parmentier et Toroni. Pourtant, avec sa thèse d'une « répétition qui sauve », opposant à une mauvaise une bonne répétition, il semble partager avec eux, et au même moment, l'intuition d'une stratégie nouvelle faisant fond sur la répétition.
Le tract « Puisque peindre c'est... », diffusé par Buren, Mosset, Parmentier et Toroni, comme invitation à leur première manifestation, le 3 janvier 1967, dans le cadre du Salon de la Jeune Peinture, se terminait par un provocateur « nous ne sommes pas peintres » ; parmi les séries de raisons invoquées pour ne pas l'être, deux méritent d'être citées pour ce qui nous occupe :

Les artistes avaient dans leur collimateur non seulement toute forme d'innovation stylistique, figurative ou abstraite, mais aussi l'art des Nouveaux Réalistes (dont Pierre Restany avait écrit qu'ils ne représentaient pas mais présentaient le réel), et de ceux qu'Alain Jouffroy avaient nommés les « objecteurs » (en donnant à ce terme une charge contestataire) ; ils tiraient également à bout portant sur leurs propres hôtes, les animateurs du Salon qui défendaient, pour beaucoup, une peinture figurative engagée. Dès son premier bulletin d'information, ce Salon avait affiché une ligne politique entendant se situer « au seul plan qui nous intéresse, celui des rapports entre l'art et l'histoire[7] ». Avec BMPT s'affirme au contraire, à l'opposé de tous les traitements critiques de l'imagerie ambiante, et pour la première fois dans l'art, une attitude politique qui ne donnait pour ainsi dire ni dans l'innovation formelle ni dans le contenu et qui, loin de se contenter d'un engagement tout extérieur, mettait en branle des moyens purement plastiques. Dans toutes leurs manifestations, en insistant laconiquement sur ce qui est « à voir », les artistes semblaient reprendre le mot d'ordre de Stella : « Tout ce qui est à voir est ce que vous voyez[8]. » Les présupposés étaient cependant forts différents. Les premiers observateurs ont surtout rapproché la neutralité des formes utilisées du « degré zéro » popularisé par Roland Barthes. De fait, répétition, littéralité et refus du commentaire, conçus comme stratégie, allaient, *a contrario* de l'« *Art as Art* » reinhardtien, *a contrario* de la silencieuse tautologie wittgensteinienne et de tout mysticisme minimaliste, permettre de poser différemment la question du contexte de l'œuvre, et du champ de l'art.

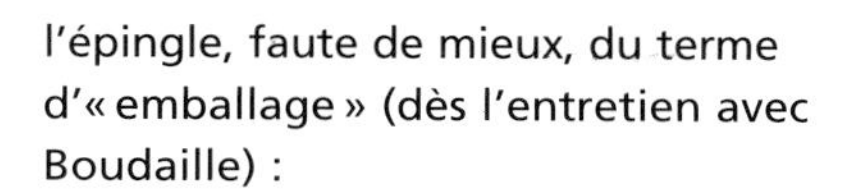

Si le laconique « sont présentés des papiers rayés… » de *Mise en garde,* qui reprend le « il faut y voir… » des manifestations de groupe, entend couper la peinture de toute référence, dénier la structure de renvoi du signe plastique, c'est donc par stratégie, et pour mieux déporter la question. Dans un entretien de décembre 1967 avec Georges Boudaille[9], Daniel Buren conteste le droit à l'artiste de « donner à voir », y percevant un pouvoir exercé sur le spectateur, « une œuvre de dictature » :

« Que l'art soit figuratif, abstrait, cinétique ou en un "isme" quelconque, il y a le même propos chez tous les artistes : qui est volonté d'expression, de communication. Il y a écran, fenêtre, rêve, distraction, spectacle. Il y a surtout *mépris des autres.* »

Il assimile tout l'art, de Lascaux au readymade en passant par *La Joconde,* à une « mise hors du contexte » :

« Un objet sorti de son contexte, transformé ou non, n'a plus la même signification ; il s'entoure automatiquement et immédiatement de littérature[10]. »

Le diagnostic est général, et la potion proposée a tout d'une médecine :

« Peindre, aujourd'hui, de la façon dont nous le constatons relève d'une maladie. »

« Le regardeur qui a le sentiment de la "joie de vivre" en voyant *Le Déjeuner sur l'herbe* de Manet plutôt qu'en pique-niquant [...] est un dangereux maniaque[11]. »

Il s'agit de rendre le spectateur « adulte » selon une méthode — alliant désémantisation, anonymat de la facture et répétition — qui n'est pas loin du fameux silence du psychanalyste :

« Alors la *communication artistique est coupée,* n'existe plus. La chose présentée n'a plus aucune fonction ni esthétique, ni morale, ni commerciale, ni consommable, elle n'est que là irréductiblement pour rien. L'observateur se retrouve *seul avec lui-même, confronté à lui-même* devant une chose anonyme qui ne lui donne pas de solution. L'art n'est plus là. Il s'agit *d'autre chose.* »

En juin 1969, Buren répétera que « l'intérêt de [sa] proposition ne vient pas du fait qu'elle est montrée hors de la galerie ou du musée mais parce qu'elle est hors de l'art[12] ». L'opposition tranchée de l'art au reste du monde semble induire un ailleurs qui serait sa pure et simple absorption dans le monde, la vie, le politique. La tâche qui va être accomplie par Buren à travers ses œuvres, et formulée dans ses textes, va justement consister à préciser la notion de « contexte », là où de nombreux artistes se sont contentés de poser l'égalité utopique entre l'art et la vie. Pour l'heure, il vise ce hors-lieu dépourvu de contexte qu'est l'art, et l'épingle, faute de mieux, du terme d'« emballage » (dès l'entretien avec Boudaille) :

« Je tiens à dire qu'en plus de cette "fameuse chose" donnée à voir il y a la façon de la présenter. J'appellerai ça *l'emballage.* Cela va du local dans lequel les toiles sont présentées, à la manifestation qui prend le public à partie, jusqu'à l'interview que nous sommes en train de faire. »

En octobre 1969, dans sa première version de *Mise en garde*[13], il s'avise que son travail soulève un « problème nouveau », celui du « point de vue ». Toutes les œuvres sont tributaires d'un « point de vue unique », « cadre », « carcan », « contenant » qui leur sert d'abri, qu'elle acceptent passivement. Il s'agit non seulement de « révéler le lieu », mais aussi, en répétant la proposition « en des "contextes" différents, visibles de points de vue différents », de mettre en question la proposition elle-même.
Dans ce même texte, il tire des leçons de sa propre insistance dans la répétition, qu'il estime pouvoir examiner avec un premier recul. Dans l'après 1968, l'entreprise continue d'affirmer sa dimension politique. « Toute production, toute œuvre d'art est sociale, a une signification politique. » L'hésitation dans l'usage des termes démontre que les réponses apportées se donnent avant tout sur le plan de ce qu'il nomme alors « pratique théorique », en se référant à Louis Althusser, dont le *Pour Marx* est disponible depuis 1965. C'est à cet auteur qu'il emprunte la distinction entre évolution et rupture historique :

« [Une] rupture complète avec l'art tel qu'on le connaît, tel qu'on l'envisage, tel qu'on le pratique, est devenue possible[14]. [...] »

« L'artiste par rapport à l'art veut que celui-ci évolue. Par rapport à l'art l'artiste est réformiste, il n'est pas révolutionnaire[15]. »

Il fait également sienne l'idée que l'infrastructure demeurant identique, la superstructure n'offre que l'illusion du changement. Althusser lui-même ne définissait-il pas, dans une conférence de février 1968[16], l'histoire close de la philosophie, comme « histoire du déplacement de la répétition indéfinie d'une trace nulle » ?

Daniel Buren, *Peinture,* 1967. Mnam-Cci, Centre Georges Pompidou, Paris.

La formule, directement tirée de Derrida, fait aussi penser à l'entreprise de BMPT de façon troublante. [...]

Au début de 1970, Buren ajoute certaines précisions à son texte *Mise en garde*[17]. Les considérations sur l'anonymat formel de la proposition sont l'occasion d'en justifier la présentation éventuelle ailleurs que dans le cadre du musée ou de la galerie. Il faut dire qu'après une série d'envois postaux (à partir de décembre 1967) et avec ses premiers collages sauvages dans la rue (Paris, avril 1968), il s'était engagé dans la voie de la multiplication des lieux, des circonstances et des dispositifs d'apparition de son travail, voie dont il n'a jamais dévié, constituant ce faisant, jusqu'à ce jour, un corpus considérable. En commentant sa pratique en extérieur, Buren attaque la « mise hors du contexte » illusoire que constitue à ses yeux le Land Art, et vise entre autres nommément Michael Heizer, Denis Oppenheim et Robert Smithson, dont le travail « naturaliste » échoue immanquablement « dans le musée, la galerie, la revue d'art... qu'il s'agissait soi-disant de fuir ».

« [Ils] croient et voudraient faire croire qu'ils ne font plus de peinture de chevalet et sortent du système. Dans leur cas plus que jamais, le "tableau" dans toute son horreur métaphysique/anecdotique/illusionniste fait un retour glorieux et le "système" en perdition reprend courage et se fait une nouvelle jeunesse. »

Les toiles ou les papiers « divisés en bandes égales et verticales » jouent au contraire des changements de significations induits par « le lieu ou le point de vue où cette proposition impersonnelle est vue », par l'appartenance sociale du regardeur. Ce qui compte est le questionnement qui ne peut se faire qu'en restant « dans un schéma social et culturel très précis ». À « l'illusion de briser les barrières culturelles », à cette « fuite » « rétrograde », « romantique » hors de la galerie et du musée — «on n'échappe pas à la culture avec un jeu de mots » — Buren oppose donc le « questionnement fondamental » d'un « produit » qui, placé en extérieur, puisse être à la fois « sans intérêt aucun pour le badaud » et « intéressant [...] pour le "spécialiste" de l'art ».

« Cette grande parenthèse [conclut-il] pour faire comprendre la différence entre un travail à l'extérieur du cadre habituel et notre proposition. En ce sens la proposition qui nous importe n'a pas de cadre habituel. »

Il faut bien constater que, tout en dénonçant la clôture du jeu interne à l'art, dans les limites de laquelle se jouent les illusoires révolutions artistiques, les « contestations de la superstructure », Buren situe son entreprise en dehors. [...]

Au terme de ce bref examen, on comprend donc comment, dans *Limites critiques,* en 1971, Daniel Buren pourra induire, croquis à l'appui, un certain dépassement de la détermination restreinte du « champ » ou du « contexte » — que ce soit celle de Greenberg et de ses héritiers ou celle des analystes du langage —, au profit d'une prise en compte des données idéologiques et culturelles, les traits concentriques qui englobent jusqu'aux positions (auto-) déclarées hors champ explicitant la « reconstitution des limites ».

Supports-Surfaces

[...] En dépit de sa conception du champ pictural (en parfaite adéquation avec celle de Schapiro), Supports-Surfaces va s'affronter un temps au problème du contexte. L'été 1969 eut lieu à Coaraze, dans l'arrière-pays niçois, une manifestation en plein air qui comportait des travaux de Daniel Dezeuze, Bernard Pagès, Patrick Saytour et Claude Viallat. À propos de cette manifestation, Daniel Dezeuze rappellera les critiques adressées au Land Art (telles qu'elles ont été citées plus haut) :

« En effet, les "lieux culturels" continuent à exercer leur contrôle actif dans la mesure où ils s'assurent de la diffusion du témoignage photographique ou filmé des interventions de l'artiste dans des lieux isolés, vierges de tout commerce humain (le désert), ou banals de trop de commerce humain (la rue). Aussi, la "transgression culturelle" ne peut être ici qu'illusoire [...][18]. »

La récupération est certes due à « l'impuissance de la pratique picturale à opérer sur des réalités économiques et sociales », mais il est cependant vain selon Dezeuze de la dramatiser.

« La problématique du "contexte culturel" fait jouer un pseudo-radicalisme à de faux radicaux [...]. »

Car en définitive il faut envisager la peinture comme « une activité *ayant un niveau spécifique* ». Dezeuze sauve donc l'art des effets du contexte au nom du pouvoir de résistance qu'il possède en tant qu'activité ayant lieu « dans l'ordre du savoir », conformément à ce qu'avait avancé Marcelin Pleynet dans *Peinture et réalité,* texte de 1969. Dans *Semeiotikè,* livre paru la même année, Julia Kristeva attribue un pouvoir identique aux « pratiques signifiantes » :

« Faisant éclater la surface de la langue, le texte est l'"objet"qui permettra de briser la mécanique conceptuelle qui met en place une linéarité historique, et de lire une *histoire stratifiée* : à temporalité coupée, récursive, dialectique, irréductible à un sens unique mais faite de *pratiques signifiantes* dont la série plurielle reste sans origine ni fin. Une autre histoire se profilera ainsi, qui sous-tend l'histoire linéaire [...][19]. »

Bref, si l'on s'en tient à la déconstruction du spéculaire, il n'y a pas lieu de poser isolément le problème du contexte culturel.
Certains membres de Supports-Surfaces continueront cependant à tester des contextes « autres ». Ainsi durant l'été 1970.

« L'expérience consistait à :

1° Déposer systématiquement notre travail dans un nombre de lieux théoriquement limité, afin d'analyser les effets de l'environnement sur les pièces présentées.

2° Placer ce travail au milieu d'un public dont la présence ne dépendait pas de notre venue, non averti de nos intentions, et qui restait libre de percevoir ou d'ignorer notre démarche[20]. »

Pour Patrick Saytour, auteur des lignes qui précèdent, l'ignorance d'une partie du public paraît donc en quelque sorte programmée. Le thème du public qui reste libre de son ignorance éventuelle est le même que chez Buren. L'opposition entre les tenants d'une « pratique spécifique » (incluse dans le champ de la connaissance) et ceux qui y sont extérieurs rappelle celle faite par Buren entre le badaud et le spécialiste. Supports-Surfaces, cependant, ne fera pas fond sur cette dialectique. Dès février 1970, Daniel Dezeuze semble douter de l'intérêt de poursuivre ce genre d'entreprise :

« Je pense que notre peinture est aussi peu à sa place dans une galerie qu'en plein air. Si l'espace nous intéresse actuellement comme moyen de libération, systématiser le procédé et concevoir notre peinture en fonction de l'extérieur — comme d'autres concevaient la leur pour la galerie — serait une erreur de parcours.
Pour qu'elle garde son autonomie par rapport à l'environnement, il faut, à la limite, qu'elle ne soit chez elle nulle part[21]. »

La dialectique du public et du non public, pour employer le jargon de l'action culturelle, n'a en effet guère d'intérêt, une fois posée une autonomie de la pratique signifiante telle qu'elle soit indifférente au lieu. Les expositions en plein air ne se justifient à la limite qu'en vertu d'un questionnement qui demeure intrinsèque. La problématique du contexte n'a, pour Supports-Surfaces, qu'une incidence latérale. Pour ce mouvement, le champ questionnable et questionné demeure, par excellence, le champ pictural. [...]

Art & Language

Dans le numéro 2 de la revue *Art-Language,* Michael Thompson avance sans rire que « l'art conceptuel, en détachant l'art de l'objet d'art, se détache de la bourgeoisie, brise l'alignement de l'art sur la structure sociale présente », que cet art « attente au pouvoir au plus haut niveau[22] ». Cette pensée un peu naïve, selon laquelle l'art « dématérialisé » échapperait au marché, traîne un peu partout à propos de l'art conceptuel, dans la critique de l'époque, et sous la plume de certains artistes. L'éditorialiste du premier numéro de la revue, en mai

Art & Language, *Ils donnent leur sang donnez votre travail,* 1977. Collection particulière.

1969, envisage « une aire périphérique » entre les catégories « artiste » et « théoricien de l'art[23] ». Il renverse la hiérarchie entre la théorie et l'art, estimant que « la catégorie "art-théorie" est une catégorie que la catégorie "art" pourrait développer pour la comprendre ». Au-delà de la légitimation superficielle de la dématérialisation, était donc en jeu le même pouvoir de non-récupération que Julia Kristeva attribuait aux pratiques signifiantes, Marcelin Pleynet à l'art en tant qu'objet de connaissance, ou Daniel Buren à la pratique théorique. Dans leur fameux texte *La Dématérialisation de l'art*[24], publié au début de 1968, Lucy Lippard et John Chandler, qui notent que « l'atelier de l'artiste se transforme en bureau », adoptent l'idée d'une accélération de l'évolution historique et de la venue d'une ère « scientifique, postesthétique ». Sur ce point, les œuvres d'un Bernar Venet, qui, à partir de 1966, prirent pour contenu des informations scientifiques, donnaient la température de la fascination diffuse de l'art pour les formes monologiques du discours.
En faisant retour sur elle-même pour analyser son propre statut en tant qu'art, l'« Introduction » d'*Art-Language* se présente comme une démonstration de la méthode :

« Cet éditorial peut-il être estimé comme une œuvre d'art à l'intérieur du cadre *(framework)* établi des conventions de l'art visuel ? »

Dans la question de la reconnaissance, l'éditorialiste distingue la voie du readymade, consistant à mettre un « objet étranger aux caractéristiques visuelles attendues à l'intérieur du cadre du milieu de l'art », de celle que Terry Atkinson et David Bainbridge ont mise en œuvre dans *Air conditioning* et dans *Air Show,* œuvres de 1967.
Leur texte de réflexion sur ces deux œuvres, paru la même année, s'intitule *Frameworks*[25]. Les deux auteurs y considèrent que le « contexte visuel », faisant appel à des critères de reconnaissance et d'identification traditionnels, est somme toute secondaire. Ainsi la délimitation de la colonne d'air par un parallélépipède matérialisé :

« De toute façon, les questions de délimitation sont principalement d'ordre externe et de nature pratique. »

Ils prennent argument de théories descriptives de la matière pour montrer que la mention d'une entité ne correspond pas forcément à une représentation. Le concept utilisé pour cette même œuvre, « l'usage d'une déclaration en tant que technique pour faire de l'art », entraîne donc que la seule mention d'une chose suffit « pour qu'elle soit prise en compte ». [...]

« Un cadre (de travail) n'est pas une invitation à poser des questions externes. »

Quand, par exemple, Mel Ramsden examine (dans le numéro 2 de la revue) le champ opératoire des concepts artistiques qu'il décrit comme « un réseau dans lequel les galeries, les conventions sociales, la critique d'art doivent tous être pris en compte[26] », l'approche du champ de l'art reste analytique — les données contextuelles étant tenues pour des variables qui prennent leur sens en fonc-

tion de la « position syntagmatique » qu'elles occupent dans la proposition artistique.
L'entreprise d'Art & Language participe de fait du double courant de la philosophie du langage ordinaire (initiée par le Wittgenstein des jeux de langage), et de la pragmatique (qui se développe à partir des travaux de P. F. Strawson et J. L. Austin). La notion d'« usage du langage », lue dans les *Investigations* de Wittgenstein, fut cependant adoptée non sans être mêlée à l'idée de « l'art en tant que pratique », qui venait, elle, du marxisme (Bainbridge était membre du parti communiste[27]).
Art & Language s'est « institué centre de production collective en mai 1968[28] ». Le groupe, qui se conçoit comme une « communauté de conversation », constituera entre autres un « Index », présenté à la Documenta de Cassel en 1972[29]. Cet Index reprend l'idée du *Card File* de Robert Morris (1962) en la vidant de toute connotation existentialiste, et se présente comme un outil évolutif de repérage interne des sujets abordés par le groupe. Il fournit :

« 1. des moyens d'information et de procédure de recherche documentaire pour le spectateur, et 2. les moyens d'une réflexion interne et consciente à la communauté d'Art-Language. »

Si la référence porte bien sur une donnée sociale, « la conversation des uns avec les autres », elle n'en est pas moins constituée de données internes. C'est peu dire que le groupe véhicule une synthèse inusitée entre deux conceptions du contexte artistique et socio-historique ; l'une, centripète, linguistique, héritée de l'empirisme logique et l'autre, plus centrifuge, plus sociologique, concevant le groupe artistique comme une communauté de travail et l'art comme une production matérialiste. C'est que « travail », qui a des accents très marxisants, rime aussi avec « investigation analytique », au sens de Wittgenstein. Quand le groupe déclare à Catherine Millet que « le langage est un moyen de conserver [le] travail dans un contexte d'investigation et de questionnement[30] », il fait sienne une triple adéquation, celle entre le travail, au sens matérialiste et marxiste du terme, l'investigation analytique du langage et le contexte de l'art. [...]

Victor Burgin

[...] Contre la tendance *software* de l'art conceptuel, Burgin fait porter l'accent sur le présent de l'acte de perception, qu'il compare à l'acte de fabrication matérielle — y voyant pareillement un « comportement » (au nom d'une conception qu'il emprunte à la psychologie béhavioriste), une expérience physique qui ne se limite pas au contexte de l'art, comme il le dit dans un entretien de 1972 avec Anne Seymour :

« Toute cette notion de "contexte artistique" me semble totalement mythique. [...] Je suis moins concerné par le mythe du développement évolutif et historique de l'art que par le fait de regarder avec les instruments de l'art à l'intérieur du contexte social en son entier, ou si vous préférez à l'intérieur du contexte des autres mythes.[31] »

Autrement dit, Burgin, tout en utilisant des formes réflexives de l'art conceptuel, vise un contexte extérieur à l'art proprement dit.
Attaqué par Michael Baldwin dans le numéro qui précédait, Burgin précisera sa position dans la livraison de l'été 1972 d'*Art-Language*. Il perçoit dans les entreprises logicistes et analytiques le dernier avatar de l'art pour l'art.

« Un aspect important de ce que l'on peut appeler "le problème de la légitimation" dans l'art est celui de l'usage de l'art. »

La position logique tourne à l'« ésotérisme » et il y a « divorce entre le problème de la légitimation et la question de l'usage ». La notion conventionnelle de réalité dans la société est bien « produite par le langage », comme les linguistes l'ont montré ; mais l'art est concerné par le langage des signes qui établissent « une médiation avec le monde physique ». Il ne relève pas d'une démarche « analytique et descriptive (celui de la linguistique scientifique), mais synthétique et normative ».

« Il a plus à voir avec les phénomènes de connotation que de dénotation. »

Les facteurs « extérieurs à l'art », tout spécialement les facteurs « sociaux » doivent donc être pris en considération. On doit aller au-delà de ce que l'art contient en tant qu'art.
Performative/Narrative, de 1971, fait directement référence au concept central de la théorie des actes de langage élaborée en 1962 par Austin[32]. Intéressé aussi bien par les phénomènes de connotation que par la performativité du langage, Burgin dès lors orientera ses recherches autour des relations du texte et de l'image, de leur impact, de leur puissance idéologique. Les médias et la publicité lui fourniront en quelque sorte le champ privilégié auquel il entend s'affronter à l'aide de l'outil artistique, le champ qu'il s'attachera à déconstruire à sa façon.
On retrouve, en 1976, comme un écho de son opposition à Art & Language dans un texte du groupe en question qui s'en prend violemment au « mal français », et tient la sémiologie (sont englobées sous ce terme les productions de Lévi-Strauss, Barthes, Althusser et Foucault) pour une nouvelle forme de petite vérole. [...]

Marcel Broodthaers

Broodthaers dépassa le seul jeu de la mise en abyme du signe plastique et du langage, auquel Magritte l'avait initié, et se montra d'emblée sensible aux conditions sociale et historiques de son apparition. Le concept de « vision du monde » avancé par Lucien Goldmann (*Pour une sociologie du roman,* 1964), dont il suivit le séminaire, supposait une analogie de structure entre le monde créé par l'écrivain et son contexte : « la réalité sociale au sein de laquelle elle a été produite ». Mais, surtout, les considérations de cet auteur sur la noblesse de robe au XVIIe siècle, dans son étude sur la vision janséniste (*Le Dieu caché,* 1959), décrivait une situation paradoxale — celle d'un groupe contestant l'État monarchique dont il dépendait pourtant économiquement — qui n'était pas sans rappeler à Broodthaers celle de l'art contemporain.
Il lut également Roland Barthes, dont les analyses des messages connotés le raffermirent sans doute dans son sentiment pessimiste quant à la maîtrise finale de la signification de ses propres œuvres.
Broodthaers formula le projet du « Musée d'art moderne, Département des aigles », qui vit le jour à Bruxelles en septembre

1968 — une idée, dira-t-il plus tard, « née de mai 1968 ». Des éléments manipulés à l'ordinaire dans une manifestation, il ne retenait que les plus secondaires : caisses, étiquettes, cartes postales, etc.
Constatant que l'art ne valait que par les instances mineures de la consécration muséographique, il entendait, par l'introduction d'un facteur d'entropie, en révéler l'impasse ; il pensait sans doute que la logique du pire était la meilleure des stratégies. C'est le sens qu'il donnait à l'inversion de la formule de Joseph Kosuth « *Art as Idea as Idea* », transformée par lui en « art comme production comme production »,

« L'on retrouve peut-être dans la tactique choisie pour engager la manœuvre sur le terrain, une forme authentique de remise en question de l'art, de sa circulation, etc. Ce qui, indistinctement à tous les points de vue, justifie la continuité et l'expansion de la production. Reste l'art comme production comme production[33]. »

N'avait-il pas fait imprimer sur le carton de sa première exposition un ironique « Moi aussi, je me suis demandé si je ne pourrais pas vendre quelque chose et réussir dans la vie » ? Pour lui, remarque Benjamin Buchloh, « l'art ne pouvait maintenir et retrouver sa fonction de révélateur que s'il était capable de reconnaître pleinement le degré de son état d'aliénation, en faisant de son état de réification l'objet même de son discours[34] ».
En fermant son *Musée d'Art moderne*, en octobre 1972, Broodthaers indiquait de façon auto-ironique la force du vecteur entropique :

« Fondé en 1968 à Bruxelles sous la pression des vues politiques du moment, ce musée ferme ses portes à Documenta. Il sera passé d'une forme héroïque et solitaire à une forme voisine de la consécration [...].
Il est donc logique qu'à présent il se fige dans l'ennui[35]. »

Poursuivant cette analyse de l'obsolescence artistique, de ce qu'il nomme la « réification », il écrira en 1975 :

« Je ne crois pas qu'il soit possible de définir l'art sérieusement autrement qu'à la lumière d'un facteur constant – nommément la transformation de l'art en marchandise[36]. »

Au contraire de Smithson pour qui l'entropie trahissait l'appartenance foncière de l'œuvre au contexte naturel, ce facteur provient donc pour Broodthaers d'un insurmontable contexte économique et social. [...]

Hans Haacke

[...] Il est curieux de constater que c'est pareillement une « situation climatique » qui sert de point de départ aux considérations d'Art & Language sur le contexte et à Hans Haacke, qui passe ainsi des systèmes clos aux systèmes en plein air, aux « systèmes ouverts, en temps réel ». Il reconnaît à ce sujet sa dette à l'égard du fondateur de la théorie générale des systèmes, Ludwig von Bertalanffy, dont l'œuvre fut publiée à New York en 1968. Jack Burnham rapporte des lettres de l'artiste, du début de 1968, qui montrent combien cependant il était envahi de doutes à l'égard de l'art, y compris de l'art cinético-environnemental engagé :

« Absolument rien en vérité ne peut être changé par quelque peinture, sculpture ou *Happening* que vous puissiez produire au niveau qui compte, le niveau politique.[...] L'art est totalement inapte en tant qu'outil politique. [...] Tout à coup ça m'emmerde. Je suis aussi en train de me demander pourquoi diable je travaille dans ce champ[37]. »

Il finit par donner un autre contenu que celui de phénomène physique à la notion de système en temps réel. Pour deux expositions de groupe, en 1969 et 1970, ce « temps réel » devint celui de l'information mondiale, transmise aux visiteurs par télétype. La sociologie, l'économie, lui fournirent parallèlement la forme de l'enquête documentaire, qu'il conduisit par la suite méticuleusement, avec un raffinement inquisitorial. Le glissement de l'investigation sur les systèmes à celui sur le contexte de l'art se fit sans révision conceptuelle autre que le changement de contenu. En 1971 les deux artistes censurés au musée Guggenheim, dans des circonstances différentes, seront Haacke et Buren. Les deux affaires portaient sur le contexte du musée dont les artistes avaient testé les limites.
Hans Haacke n'est certes pas le premier à avoir donné au terme « système » un contenu social. On le rencontre par exemple, on l'a vu, sous la plume de Buren. « Système » désigne le tout de la société, chez maints protagonistes de la scène politique et culturelle autour de 68 — l'enquête lexicologique qui fixerait précisément les dates de cette mode fait défaut —, jusqu'à ne plus posséder qu'un pouvoir descriptif, aussi vague que sa connotation est péjorative. *A contrario*, Haacke conserve toujours au terme un contenu précis, même s'il n'exclut pas que le système de l'art décrit prenne

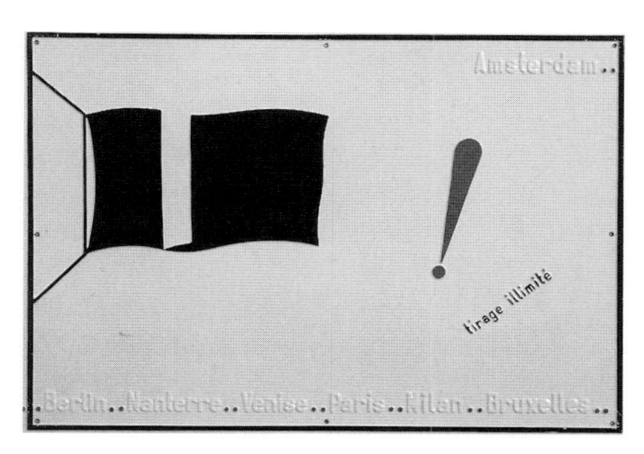

Marcel Broodthaers,
Le Drapeau noir, Tirage illimité, 1968.
Collection particulière, Bruxelles.

place dans le tout social. Le contenu restreint est plutôt pour lui celui de l'industrie culturelle (il renvoie, au passage, aux analyses de Hans Magnus Enzensberger).
Il rencontrera les analyses de Howard Becker, que l'on connaît surtout depuis la publication de son *Art Worlds* en 1982.
Or, dès 1975, ce sociologue créditait Hans Haacke d'une théorie implicite du monde de l'art[38] :

« La théorie décrit à la fois l'organisation du monde de l'art contemporain et le processus par lequel il se maintient. [...] [C'est] comme un monde organisé autour d'un conflit endémique entre d'une part les intérêts de ceux qui produisent l'art et le large public qui les soutient idéologiquement, et d'autre part ceux du très petit groupe de gens riches et de politiciens qui fournissent la masse d'argent nécessaire pour soutenir le système. Agissant par l'intermédiaire

> « [...] de fonctionnaires institutionnels, comme les directeurs de musée, ceux qui contrôlent le système le font de façon diverse afin de contrôler l'*output* des artistes et de diminuer et transformer le contenu politique de leur travail. »

Becker attribue donc à Haacke la description du monde de l'art comme un système relativement clos, où le problème politique se traduit par celui du contrôle de l'*output* — la théorie générale des systèmes fournissant de toute évidence le modèle, encore en 1975, date où les premiers travaux cinétiques de l'artiste semblent bien loin. Becker, de plus, essaie de tracer la ligne de démarcation entre la sociologie de l'art et celle, implicite, de Haacke. Il la voit dans la façon dont l'artiste provoque des réactions, perturbe donc le système de l'intérieur (le « temps réel » évoqué plus haut). Le titre *Framing and being framed,* adopté par Haacke pour la publication de ses travaux en 1975, traduit bien cette idée de réponse, d'interrelation, de retournement de la situation, qui anime son œuvre. [...]

La discussion implicite sur le « contexte *de* l'art » se ramifie donc en exploitant toutes les ambiguïtés d'une expression qui peut aller jusqu'à se transformer en « art du contexte » par inversion du génétif. Plutôt que de renvoyer le contexte à une insurmontable altérité, la possibilité d'en faire le « propre » de l'art est explorée. Les métaphores du cadre et du champ trahissent l'enracinement de la discussion dans une tradition artistique, et même, au-delà, marquent le sentiment d'une sorte de donnée anthropologique de la notion, dont un Meyer Schapiro a fourni somme toute la clé, avec son analyse du champ pictural, et ses aperçus sur les origines culturelles du fond lisse préparé et délimité. Il est vrai que *Framework* rencontré chez certains protagonistes, avec son ambivalence entre le cadre et le travail, permettait de se maintenir à égale distance du monde de l'art et du champ social. [...]

La tonalité générale du discours à l'intérieur même de la scène artistique est engagée, souvent marxisante. La plupart des artistes dont les propos viennent d'être évoqués n'ont sans doute pas été insensibles à ce contexte historique. Pour mesurer toute la portée de leurs tentatives, il faut se rappeler le discours ambiant sur *L'Abolition de l'art*[39], auquel on l'a vu du reste certains des artistes dont il a été question ne sont pas demeurés insensibles. Edgar Morin constatant peu après la fin des événements de 1968 le caractère problématique de la poursuite du mouvement notait :

> « Cette prodigieuse vitalité ne s'est pas encore tarie, fin mai. Mais on voit déjà apparaître les signes de la dégénérescence [...] les peintres, acteurs, metteurs en scène, écrivains et étudiants portés aux arts et lettres, refont sous forme encore plus caricaturale et rapide le cycle bien connu qui va à la recherche d'un art prolétarien, aboutit à quelques dogmes intimidants, soit sur l'art au service de la révolution, soit sur la révolution au service de l'art, soit sur l'art-révolution, soit sur la révolution-art...[40] »

La tentation est en effet toujours présente de résoudre le problème du contexte, comme par un coup de baguette magique, en déclarant de façon performative la subordination totale du champ artistique au champ socio-historique, ou en annonçant sa disparition prochaine. Il faudrait citer ici toutes les déclaration sur « l'abolition de l'art ».

Il faudrait longuement examiner le geste qui consiste, tout en effaçant la distinction d'un champ propre, à en exporter corrélativement les traits, les comportements, les vertus, sous la bannière de la créativité. Il faudrait dire à cet égard toute l'originalité et l'importance respective du discours situationniste, plus ancien mais combien influent en 68, et de celui de Joseph Beuys qui marquera davantage les années soixante-dix (selon une aire sans doute plus limitée — malgré qu'il en ait — au milieu de l'art).
Il faut bien constater que la plupart des œuvres évoquées plus haut ne se soumettent pas à de telles valences centrifuges, et ce n'est certainement pas d'elles que l'on peut attendre un quelconque contenu cognitif précis du contexte socio-historique dans lequel elles s'inscrivent. Autrement dit, ce n'est pas dans la transitivité de leur discours à l'égard de la réalité que réside leur originalité. [...]

Ces artistes pour leur part n'ont pas peu contribué à la compréhension des liens de l'histoire avec le réel. En manipulant des données contextuelles au même titre que les données textuelles, voire en reléguant celles-ci au second plan, en faisant de celles-ci l'objet d'une élaboration à l'intérieur même du champ artistique,

Jaguar, une race à part

Jaguar, une race à part. La nouvelle génération de Jaguar Executive est née. Et elle a ouvert la porte vers un nouveau monde... un monde dans lequel, à cause de sa sophistication et de sa classe pure, seulement un nombre restreint de personnes entreront.
C'est un monde qui a été créé pour le dirigeant et non pour les masses. Pour ceux qui ont réussi et qui se distinguent du grand nombre. Pour ceux dont le succès exige, et mérite, une qualité de vie qui repose sur le luxe, l'élégance, la perfection.

Véhicules Leyland.
Rien ne peut nous arrêter maintenant.

(slogan publicitaire Leyland)

60
79

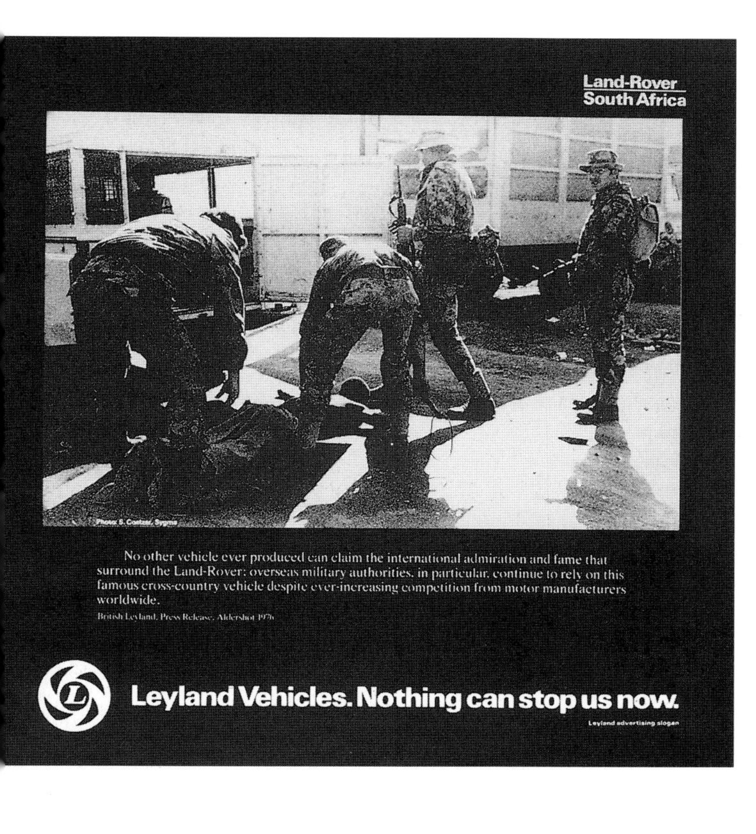
Land-Rover
South Africa
Photo: S. Coetzer, Sygma
No other vehicle ever produced can claim the international admiration and fame that surround the Land-Rover: overseas military authorities, in particular, continue to rely on this famous cross-country vehicle despite ever-increasing competition from motor manufacturers worldwide.
British Leyland, Press Release, Aldershot 1976
Leyland Vehicles. Nothing can stop us now.
Leyland advertising slogan

Land Rover,
Afrique du sud

Aucun autre véhicule jamais construit ne peut susciter l'admiration et la célébrité internationale qui entoure la Land Rover; les autorités militaires à l'étranger, en particulier, continuent à faire confiance à ce célèbre véhicule tout-terrain en dépit de la compétition, toujours grandissante, des constructeurs de voitures du monde entier.

Véhicules Leyland.
Rien ne peut nous arrêter maintenant.

(slogan publicitaire Leyland)

Hans Haacke,
A Breed Apart
[Une race à part],
deux panneaux
(sur sept), 1978.
Tate Gallery, Londres.
Offert par The Patrons
of New Art through
the Friends
of the Tate Gallery, 1988.

ils démontraient implicitement, à leur façon, combien le réel pouvait être l'objet d'une mise en scène, « non pas vraie mais vraisemblable » — pour reprendre les termes de Roland Barthes qui, vers la fin de 1968, à propos des « événements de mai », s'interrogeait sur l'« écriture de l'événement[41] ».

Les mots « contexte », « cadre », « limites », « référence », « champ », « système », dont le leitmotiv se fait entendre autour de 1968, trahissent un singulier souci. Comme si l'art, de façon quelque peu apotropaïque, entendait conjurer son autre. Comme si ces mots figuraient autant de fantômes de l'histoire. On ne saurait cependant les réduire à ce seul statut d'ombres. Ils participent positivement de l'élaboration de formes d'art acceptant la manipulation de paramètres contextuels, de formes qui supposent qu'on puisse désormais articuler le contexte à l'intérieur même de la proposition artistique. Ils manifestent la contribution de certains artistes à l'élaboration de modèles théoriques du contexte, avec les moyens propres de l'art, ou plutôt de l'intérieur de son champ. Le discours déclarant l'instance du réel présente dans l'art — qui fait retour ces dernières années — ne saurait être entendu sans être rapproché de cette discussion sur le contexte. De cette discussion, il demeure en grande partie le débiteur.

---

* N.D.É. : Par sa longueur comme par le contenu de certains développements, cette étude excédait le cadre du présent catalogue. Les coupes opérées par nous, en accord avec l'auteur, sont signalées entre crochets. Le texte intégral paraîtra ultérieurement ailleurs.

1. La méthode adoptée ici, en limitant l'analyse aux énoncés discursifs produits dans cette période, n'a de plus pas permis d'intégrer certains artistes. Je pense en particulier à Michael Asher. Pour Daniel Buren, le matériel était si nombreux que je me suis arrêté en 1971.
2. Les échos du débat sur cette catégorie sont nombreux : du colloque de Cerisy de 1959, *Genèse et structure* (publié en 1965), au numéro spécial de la revue des *Annales,* en 1971.
3. Jacques Derrida, *L'Écriture et la Différence,* Paris, Le Seuil, 1967, p. 435.
4. Jacques Derrida, *La Voix et le Phénomène,* Paris, PUF, 1967, p. 116.
5. Gilles Deleuze, *Différence et Répétition,* Paris, PUF, 1968.
6. Les textes de Daniel Buren sont tirés de l'édition de Jean-Marc Poinsot : Daniel Buren, *Les Écrits (1965-1990),* Bordeaux, Capc, musée d'Art contemporain, 1991.
7. *Bulletin d'information du Salon de la Jeune Peinture,* n° 1, Paris, juin 1965.
8. Dans l'entretien radiodiffusé de Bruce Glarner avec Stella et Judd, chaîne WPAI-FM, février 1964. Cet entretien sera publié dans *Art News,* sept. 1966, puis inclu en 1968 dans l'anthologie de Gregory Battcock sur l'Art minimal.
9. Publié dans *Les Lettres françaises,* Paris, 13 mars 1968.
10. L'idée que « ce qui finalement fait la différence [...], c'est une certaine théorie de l'art », que l'art requiert « une atmosphère de théorie artistique, une connaissance de l'histoire de l'art : un monde de l'art » se trouve chez Arthur Danto (« The Artworld », *The Journal of Philosophy,* LXI) dès 1964.
11. Entretien avec André Parinaud, *Galerie des arts,* n° 50, Paris, févr. 1968.
12. Entretien avec Gérald Gassiot-Talabot, *Opus international,* n° 12, Paris, juin 1969.
13. Dans catalogue *Konzeption/Conception,* Leverkussen, Städtischen Museum, oct. 1969.
14. *Ibid.*
15. « Faut-il enseigner l'art ? », *Galerie des Arts,* n° 57, oct. 1968. Ce sera encore le leitmotiv du début de *Il pleut, il neige, il peint,* et de *Non nova sed nove,* publiés en 1970.
16. Lénine et la philosophie, conférence prononcée devant la Société française de philosophie, et qui s'ouvrait par ces mots : « Mon discours ne sera pas philosophique ».
17. « Mise en garde n° 3 », dans *VH 101,* n° 1, Paris, printemps 1970.
18. *Dezeuze, Pagès, Saytour, Valensi, Viallat,* cat. d'exposition, Paris, Foyer international d'accueil de la Ville de Paris, mars 1970.
19. Julia Kristeva, *Semeiotikè – Recherches pour une sémanalyse,* Paris, Le Seuil, 1969, p. 13.
20. Patrick Saytour, « L'expérience consistait à [...] », dans *Été 70 – Dezeuze Pages, Saytour, Valensi, Viallat,* plaquette compte rendu, s. l. n. d. [mai 1971].
21. Daniel Dezeuze, lettre à Claude Viallat du 10 févr. 1970, citée par Jean-Marc Poinsot, *Supports-Surfaces,* Paris, 1983.
22. Cf. « Conceptual Art : Category & Action », *Art-Language,* vol. I, n° 2, Chiping Norton (Oxon.), mai 1969, p. 82.
23. Cf. « Introduction », dans *Art-Language,* vol. I, n° 1, Leamington Spa (Warwickshire), mai 1969.
24. Dans *Art International,* vol XII, n° 2, févr. 1968.
25. *Frameworks – Air Conditioning,* Coventry, Art & Language Press, 1967.
26. Mel Ramsden, « Notes on Genealogies », *Art-Language,* vol. I, n° 2, *op. cit.,* p. 88.
27. Cf. Charles Harrison & Fred Orton, *A Provisional History of Art & Language,* Paris, édit. Éric Fabre, 1982.
28. Cf. Paul Wood, « Art & Language : la lutte avec l'ange », dans catalogue *Art & Language,* Paris, galerie nationale du Jeu de Paume, 1993.
29. Cf. Art-Language, « Mapping and filing » et « The Index » (cat. de l'exposition « The New Art », Londres, Arts Council of Great Britain, 1972, pp. 14-19).
30. Entretien réalisé en août 1971, publié dans *Chroniques de l'Art vivant,* n° 25, nov. 1971.
31. Victor Burgin, entretien avec Anne Seymour, dans cat. d'exposition *The New Art,* Londres, Arts Council of Great Britain, 1972, pp. 74-78.
32. John Langshaw Austin, *How to do Things with Words,* Oxford University Press, 1962.
33. Marcel Broodthaers, entretien avec Irmeline Lebeer, dans *Marcel Broodthaers – du 27-9-1974 au 3-11-1974,* cat. d'exposition, Bruxelles, Société des expositions du Palais des Beaux-Arts, 1974.
34. Benjamin H. D. Buchloh, « Formalisme et historicité », dans *Formalisme et historicité – Autoritarisme et régression,* trad. française de Claude Gintz, Paris, Territoires, p. 28.
35. Texte publié à l'occasion de la fermeture du musée d'Art moderne, 1972.
36. Marcel Broodthaers, « To be a straight thinker or not to be – To be blind », *Marcel Broodthaers,* cat. d'exposition, Oxford, Museum of Modern Art, 1975.
37. Cf. Jacques Burnham, « Steps in the Formulation of Real-Time Political Art », dans Hans Haacke, *Framing and being framed,* Halifax, New York, The Press of the Novia College of Art and Design/New York University Press, 1975.
38. Cf. Howard S. Becker, « Social Science and the Work of Hans Haacke », dans Hans Haacke, *op. cit.,* p. 148 *sq.* : « Haacke's Theory of the Art World ».
39. Titre d'un pamphlet publié en 1968 par Alain Jouffroy.
40. « La commune étudiante », dans Edgar Morin, Claude Lefort, Jean-Marc Coudray, *Mai 1968 : La Brèche – Premières réflexions sur les événements,* Paris, Fayard, 1968, pp. 29-30.
41. Roland Barthes, « L'Écriture de l'événement », *Communication,* n° 12, Paris, 1968.

Parcours

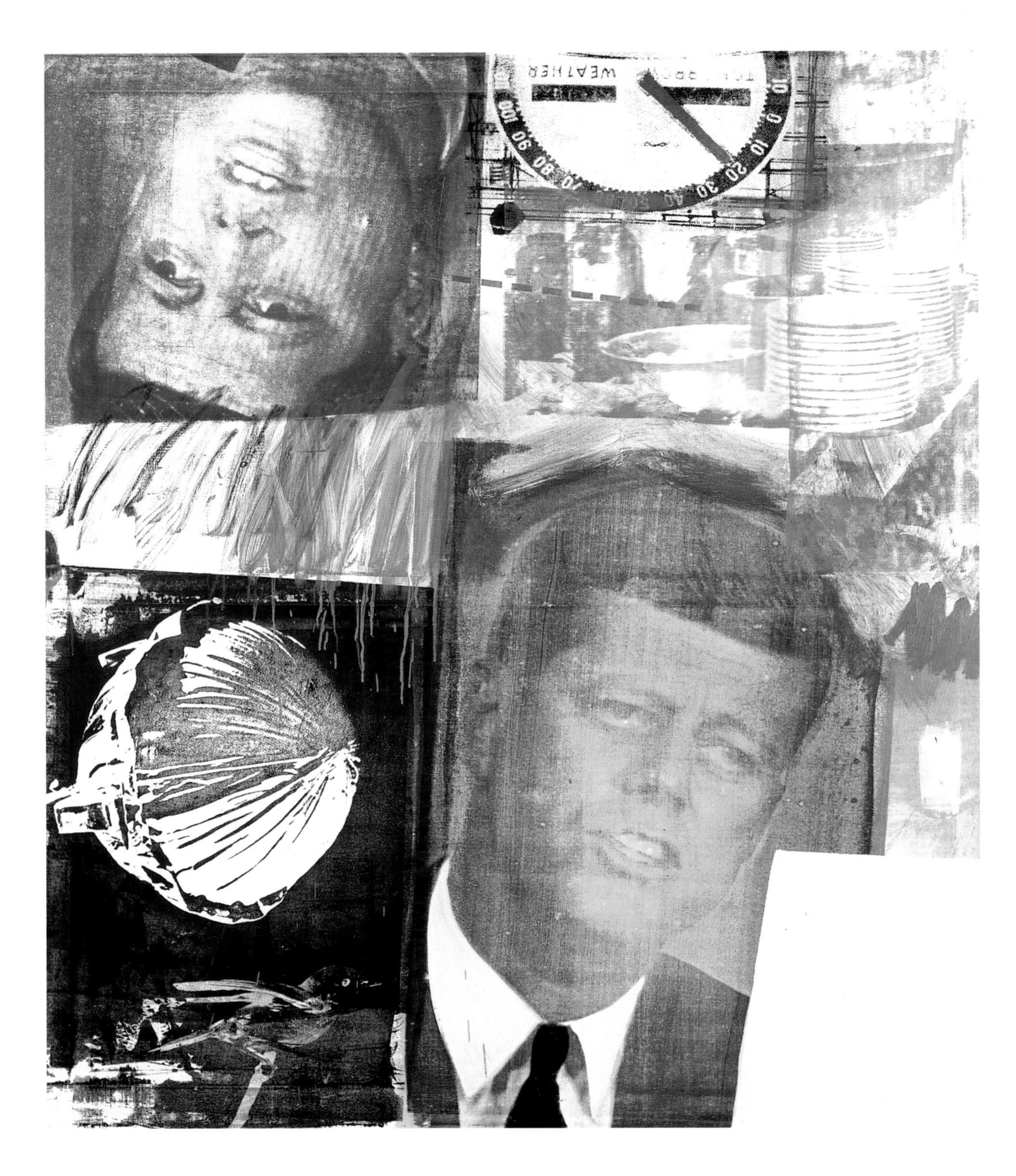

Robert Rauschenberg,
Sans titre, 1964.
Collection
de la famille Kardon.

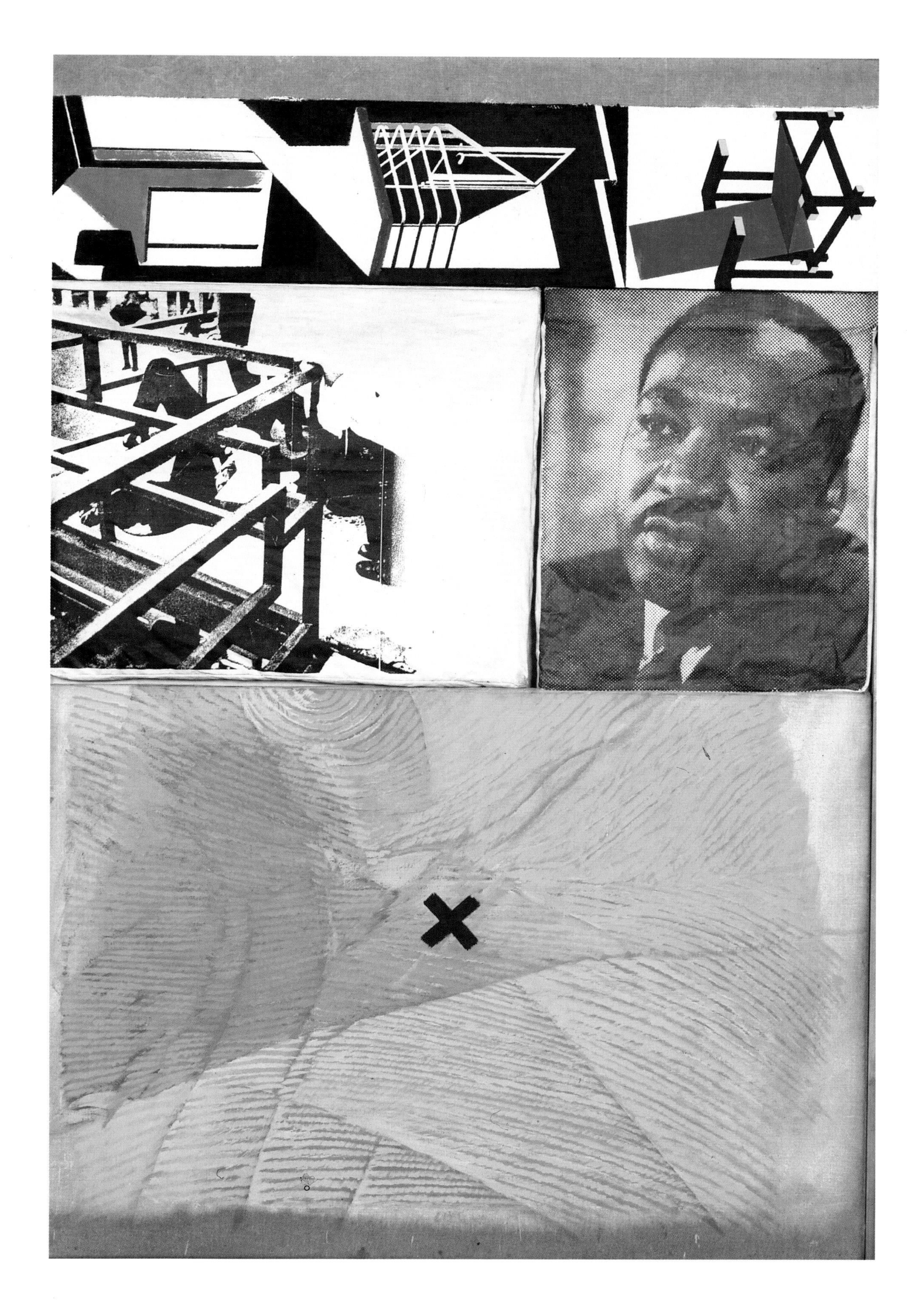

Joe Tilson,

Page 10, Martin Luther King, 1969. Collection de l'artiste.

Wolf Vostell,
Match III, 1962.
Collection
David Vostell.

Otto Muehl,
Ulbricht, 1967.
Sammlung
Friedrichshof.

Otto Muehl,
*Konrad
Adenauer*, 1967.
Sammlung
Friedrichshof.

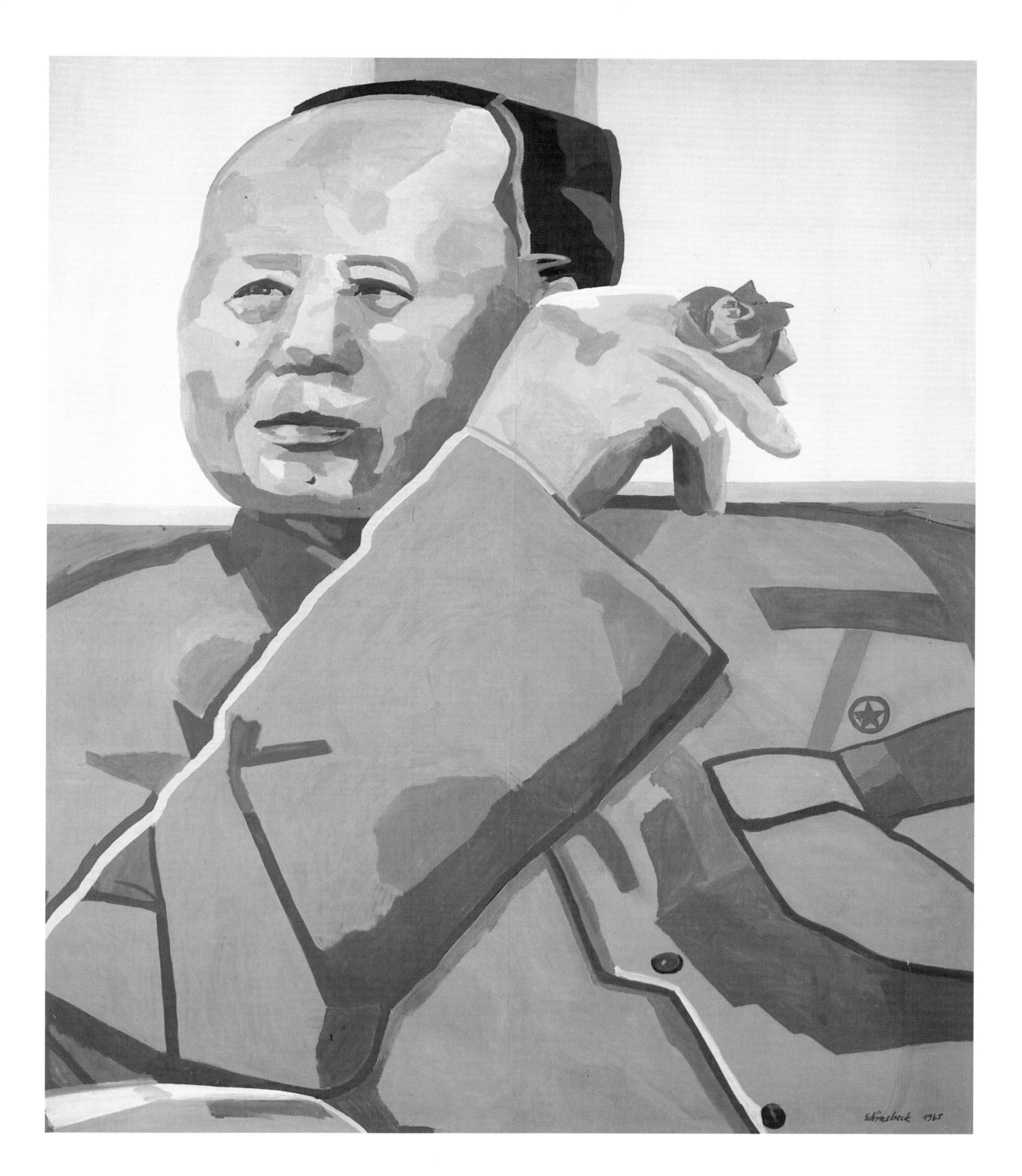

Eugen Schönebeck,

Mao Tse-Tung, 1965.
Courtesy Silvia Menzel
Art Consulting,
Berlin.

Larry Rivers,

The Last
Civil War Veteran
[Le Dernier Vétéran de la guerre de Sécession], 1959.
The Museum of Modern Art, New York, Fonds Blanchette Rockefeller, 1962.

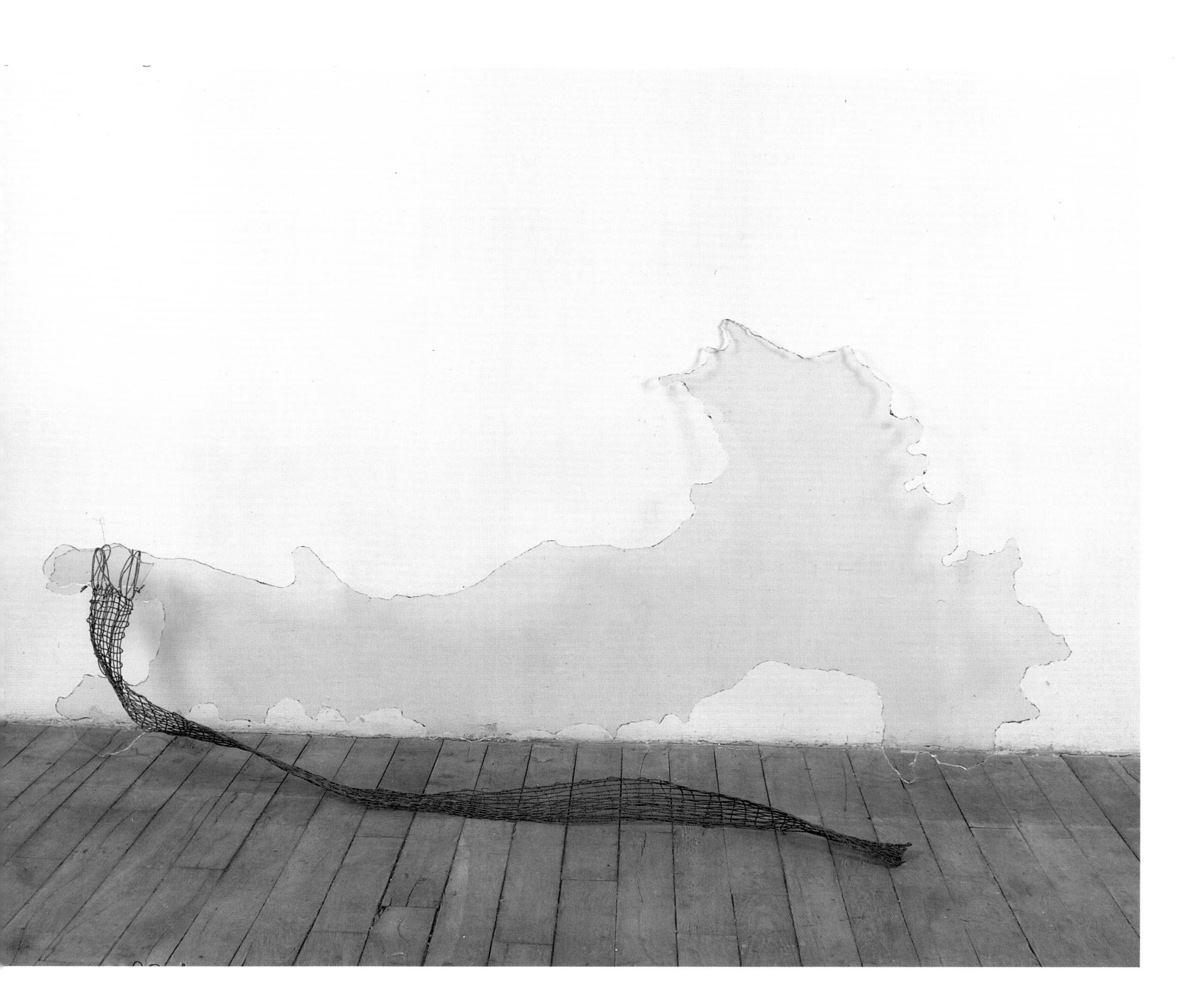

uciano Fabro,
Cosa Nostra, 1971.
Collection M. J. S.

Alighiero Boetti,

12 forme dal giugno '67 [12 Formes à partir de juin 1967], 1967-1971. Collection Paolo et Alida Giuli.

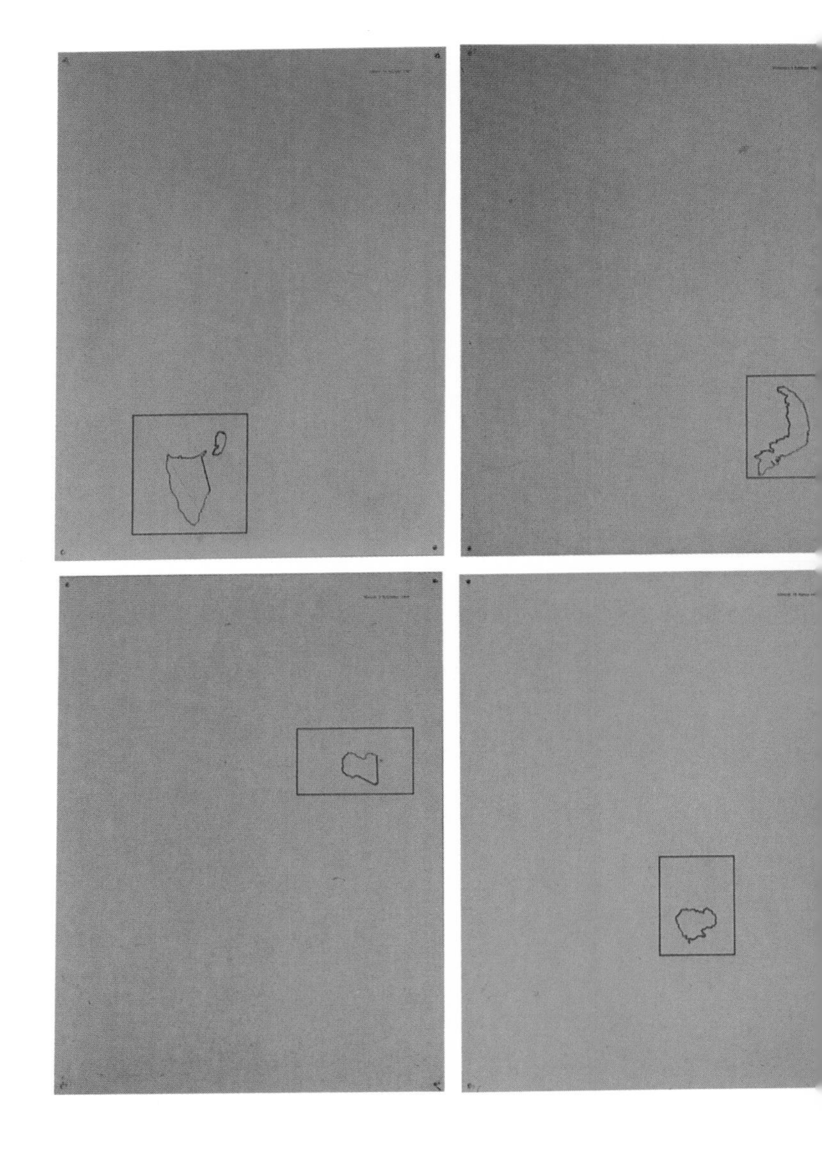

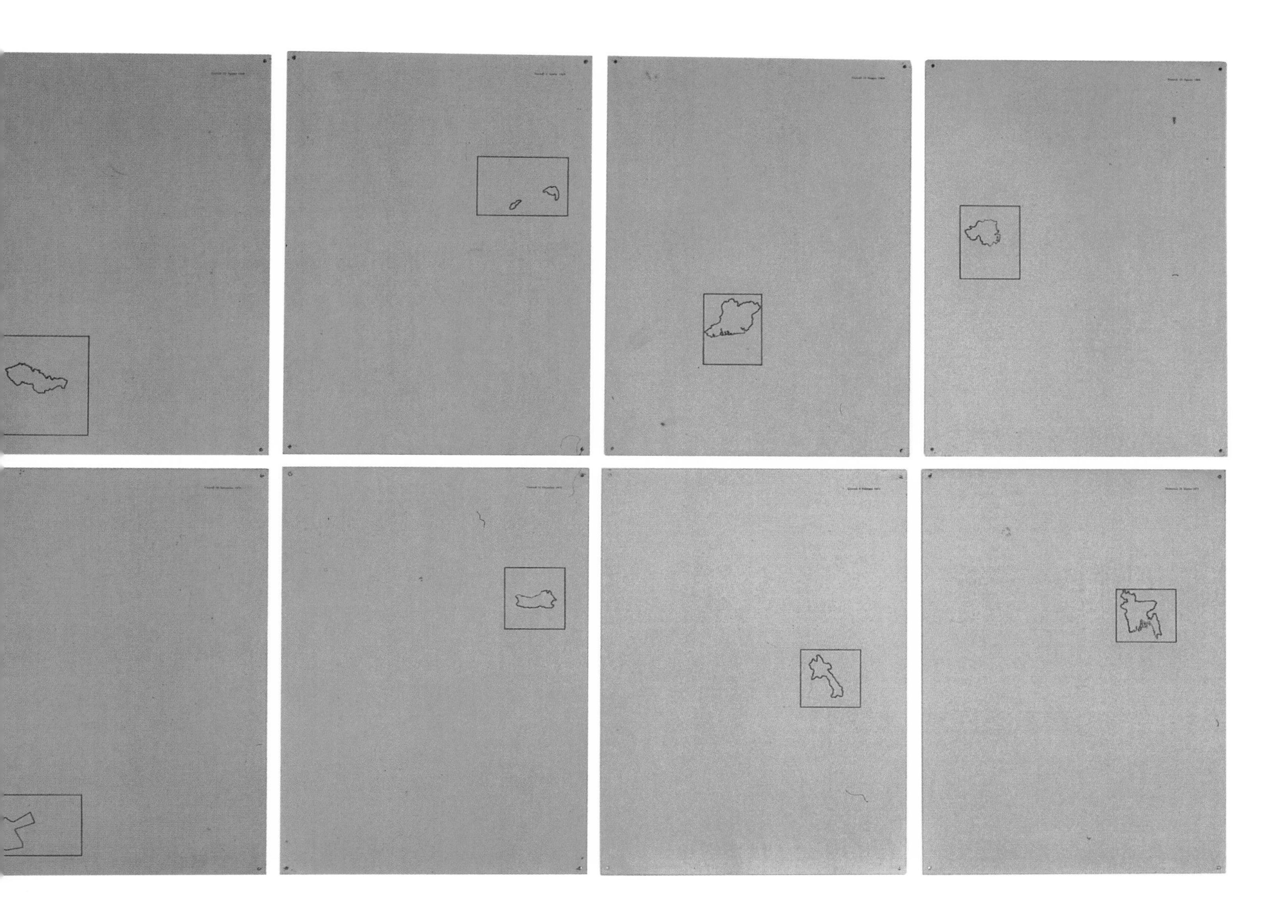

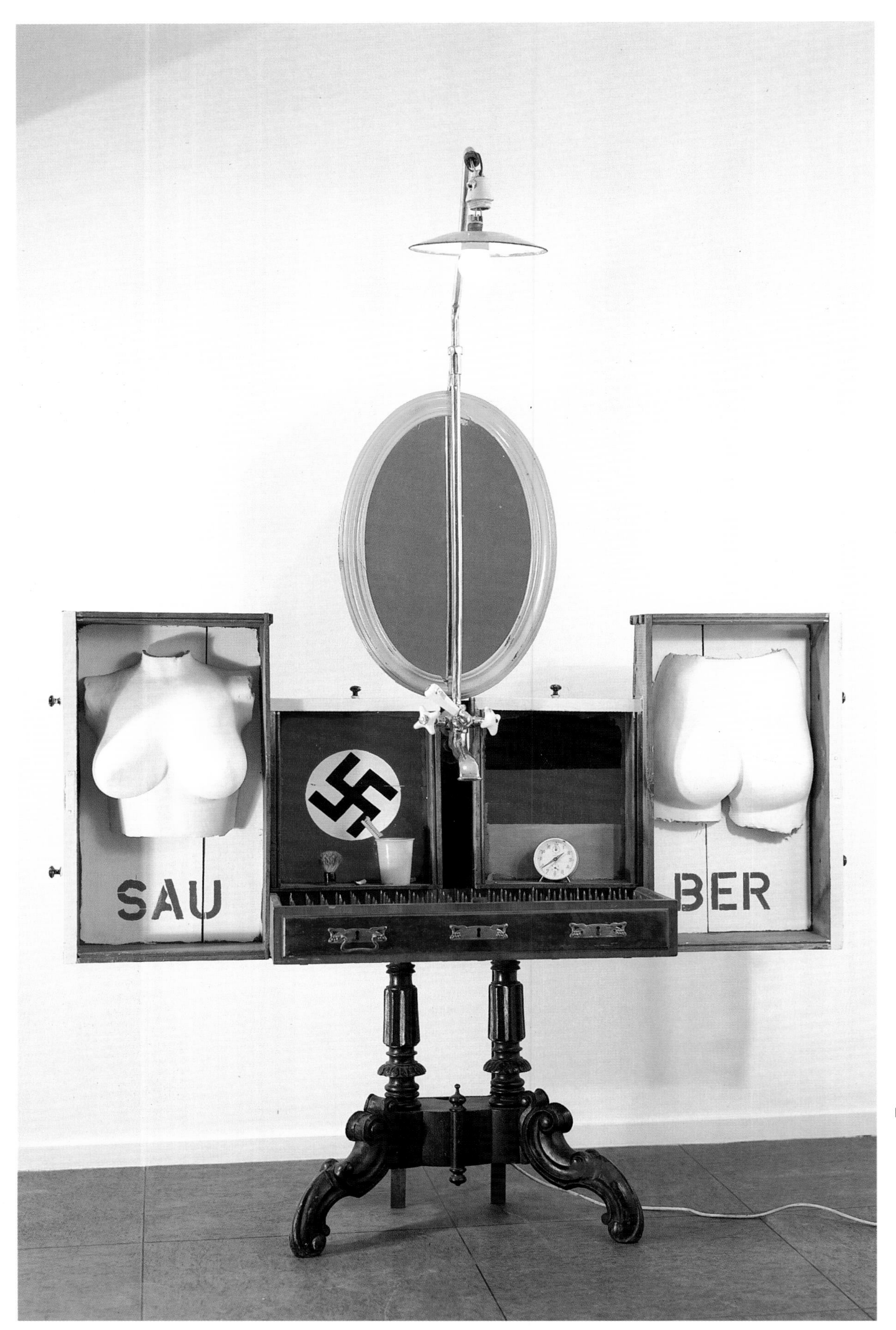

Hans Peter
Alvermann,

Sauber - Illustration zu einem Song von Wolf Biermann, der von einem netten, fetten Vater handelt [Propre - Illustration d'une chanson de Wolf Biermann, qui raconte l'histoire d'un père joufflu et gentil], 1966. Ludwig Forum für Internationale Kunst, Aix-La-Chapelle.

ranco Angeli,

Napoleone
[Napoléon], 1963.
Collection
particulière.

1789
A LA FRANCAISE

Hervé Télémaque,
One of the 36000 marines..., 1965. Kunstverein, Braunschweig, Allemagne.

Bernard Rancillac,

Enfin silhouette affinée jusqu'à la taille, 1966.
Musée de Grenoble.

Gilles Aillaud,

Vietnam -
La Bataille du riz, 1968.
Collection particulière, courtesy
Galerie de France, Paris.

K.P.
INNOCENT VIRGIN
WHITE BOYS
TORTURING
AND RAPING
THE PEOPLE
OF SAIGON

Peter Saul,

Saïgon, 1967.
Whitney Museum
of American Art,
New York.
Acquisition grâce
aux fonds des amis
du Whitney Museum
of American Art.

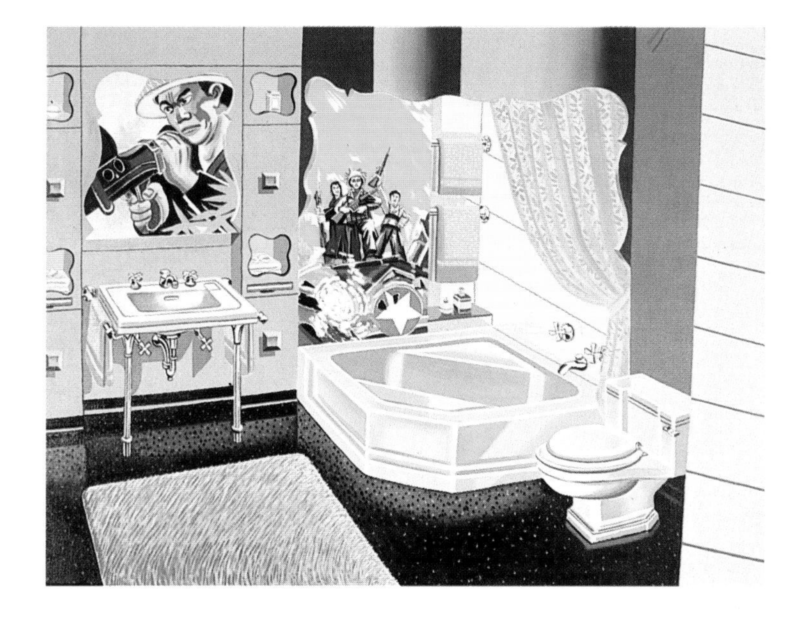

Erró,

American
Intérieur n°3, 1967.
Collection particulière.

At a first-aid center, during Operation Prairie, a wounded GI reaches out toward a stricken comrade.
40

Malcolm Morley,

At a first Aid Center in Vietnam [Au poste de premier secours au Viêtnam], 1971.
The Eli and Edythe L. Broad Collection, Los Angeles.

MORLEY 71

Robert Rauschenberg,

Kite [Cerf-Volant], 1963.
The Sonnabend
Collection, New York.

Andy Warhol,

Atomic Bomb
[Bombe atomique], 1965.
Collection particulière.

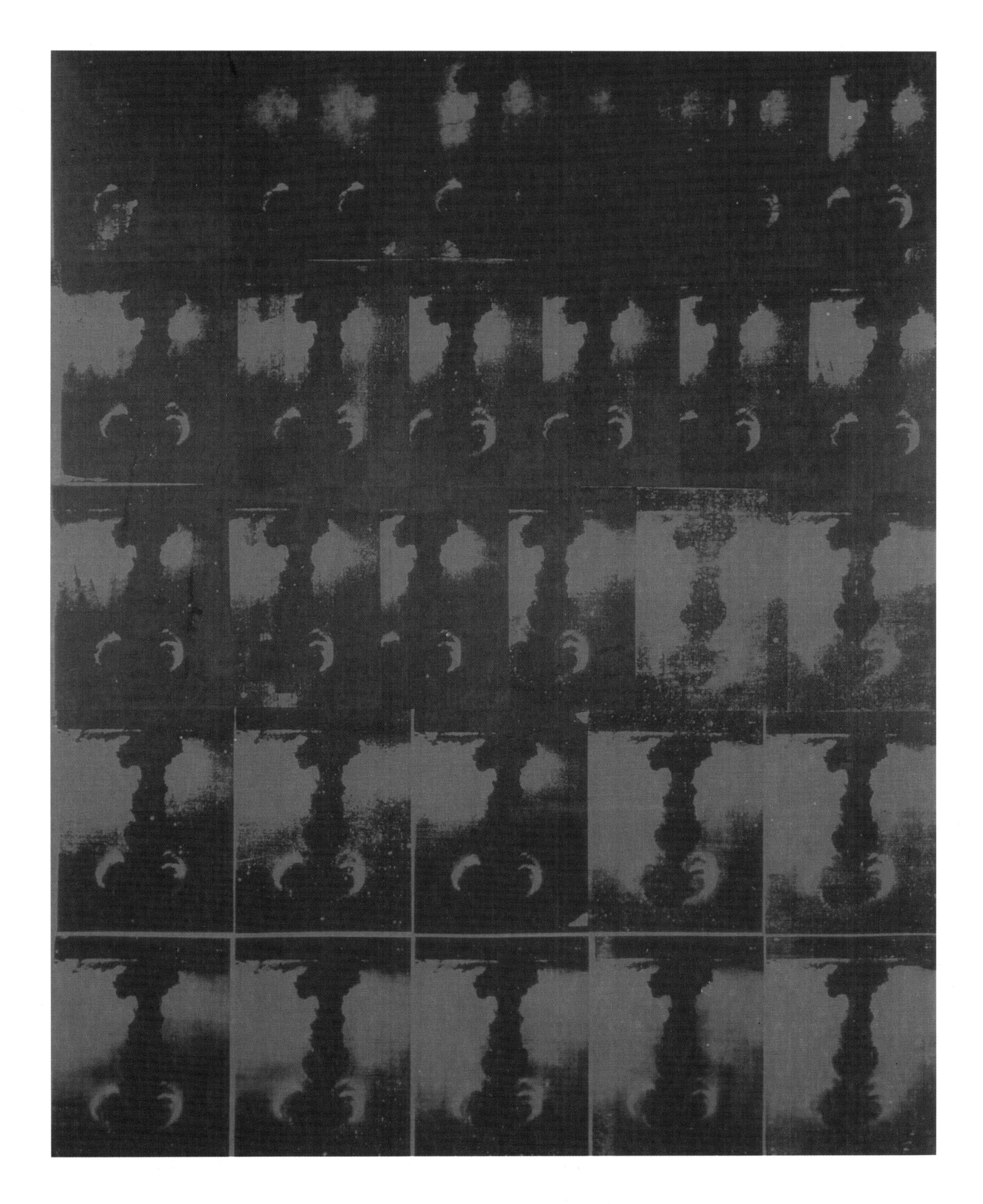

Richard Hamilton,

The Citizen
[Le Citoyen], 1981-1983.
Tate Gallery, Londres.
Acquisition, 1985.

ichard Hamilton,
The State
[L'État], 1993.
Tate Gallery, Londres.
Acquisition, 1993.

ichard Hamilton,
The Subject
[Le Sujet], 1988-1990.
Tate Gallery, Londres.
Acquisition, 1993.

Wolf **Vostell,**

Heuschrecken
[Sauterelles], 1969-1970.
Museum Moderner Kunst Stiftung Ludwig,
Vienne.

77
PRAHA
32
brave, action. Tanks

Robert Indiana,

French Atomic Bomb [La Bombe atomique française], 1959-1960. The Museum of Modern Art, New York, Don de Arne Ekstrom, 1964.

Joseph Beuys,

Ausfegen, 1 Mai 1972, Berlin (Ost), Karl-Marx-Platz [Balayer, 1er Mai 1972, Berlin (Ouest), place Karl-Marx], 1972. Collection Block, Berlin.

Mario Merz,

Igloo di Giap
(« Se il nemico
si concentra... »)
[L'Igloo de Giap
(« Si l'ennemi
se concentre,
il perd du terrain,
s'il se disperse,
il perd de la force »],
1968.
Mnam-Cci,
Centre Georges
Pompidou,
Paris.

Michelangelo Pistoletto,

Bandiera rossa
(Comizio I)
[Drapeau rouge
(Manifestation I)], 1966.
Collection
particulière.
Courtesy Claudius
Ochsner-Fine
Arts, Zürich.

Antoni Tàpies,

Companys, 1974.
Collection particulière,
Barcelone.

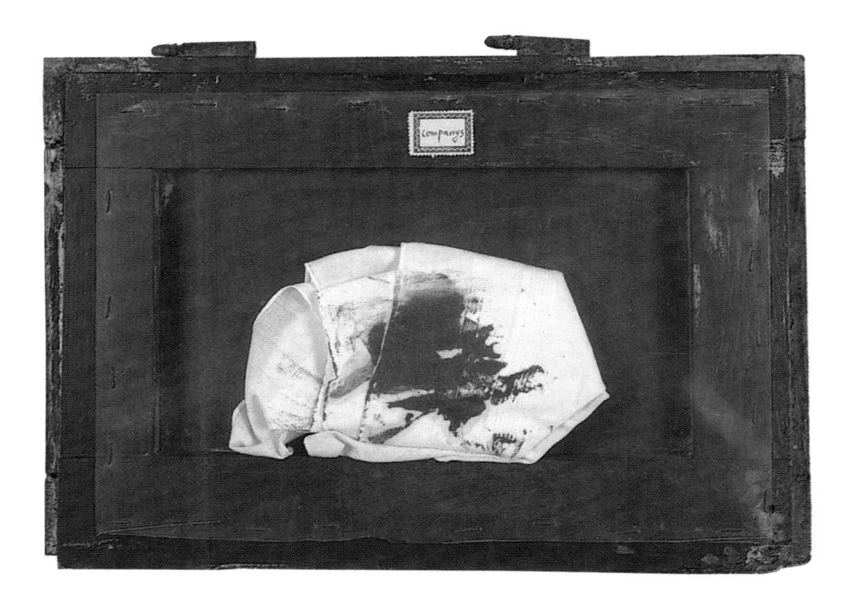

Luis Camnitzer,

Leftovers
[Les Restes], 1970.
Yeshiva University Museum,
New York.

LEFTOVER
LEFTOVER CLXXXVIII
LEFTOVER XXI
LEFTOVER LXXI
LEFTOVER CIX
LEFTOVER CXCIII
LEFTOVER CLIX
LEFTOVER V
LEFTOVER VII
LEFTOVER IX
LEFTOVER CXLIII
LEFTOVER X
LEFTOVER CLXIII
LEFTOVER CVI
LEFTOVER LXXXVIII
LEFTOVER CLXVIII
LEFTOVER XCIII
LEFTOVER XXIV
LEFTOVER XIV
LEFTOVER LXXIII
LEFTOVER CLXXXIX
LEFTOVER II
LEFTOVER XXIX
LEFTOVER I
LEFTOVER XLVI
LEFTOVER LXI
LEFTOVER XCI
LEFTOVER XX
LEFTOVER CLII
LEFTOVER CXLVIII
LEFTOVER CLI
LEFTOVER LXIII

STILL IN THE DARK
In order for workers to see politics and society
in a different way to that projected by the dominant ideology,
the way fostered and broadcast by the dominant class and institutions
of this society, they have to negotiate a way through existing
ideological structures. These provide ready-made and well trodden
thoughtways. For example, thanks to them it appears 'natural' that
'militants' will be 'mindless' because 'moderate' trade unionism
is inherently 'rational'
and 'militancy'
inherently
'irrational'.
And this because
'the national interest'
ought to stand above that of 'class'.
Class, in terms of the dominant
ideology often being, for good measure,
an 'outdated concept'. It is such clusters
of theories and values which characteristically
inform the popular media. Although they may not
be entirely successful in directing activity towards
the maintenance of the existing order. For those who wish
to challenge it they represent a conceptual miasma
of enervating density.

LIFE DEMANDS A LITTLE GIVE AND TAKE. YOU GIVE. WE'LL TAKE.
Evening is the softest time of day. As the sun descends the butterfly bright
colours which flourish at high noon give way to the moth shades. The tones
are pale, delicate. These are the classic Mayfair colours. White, naturally,
takes pride of place, but evening white lightly touched with silver
or sometimes gold. Mayfair colours are almond pinks and green,
dove greys and blue with the occasional appearance of what can only
be described as peach. But what a peach – a delicious soft
peaches-and-cream peach. Jewellery is kept to a minimum,
just simple pearls and diamonds. Not necessarily real,
it is the non-colour that is important.
The look is essentially luxurious,
very much for the pampered lady
dressed for a romantic
evening with every element
pale and perfect.
UNDERGROUND

Victor Burgin,
UK 76, 1976.
Deux panneaux
(d'une série de onz
Courtesy Galerie
Liliane et Michel
Durand-Dessert.

nrad Atkinson,
Northern Ireland 1968 - May Day, 1975
[Irlande du Nord 1968 - 1er Mai, 1975], 1975, (détails).
Ronald Feldman Fine Arts, New York.

Eduardo Arroyo,

Sama de langreo (Asturies) septiembre 1963. La femme du mineur Perez Martinez, Constantina, dite Tina, est rasée par la police, 1970.
Collection Eduardo Arroyo.

Equipo Realidad,

Erase una vez
[Il était une fois],
1965-1966.
Galeria Punto,
Valence, Espagne.

Vitali Komar
Alexandre Melamid,

Biography of our Contemporary [Biographie de notre contemporain], 1972-1973 (détails). Collection Robert & Maryse Boxer, Londres.

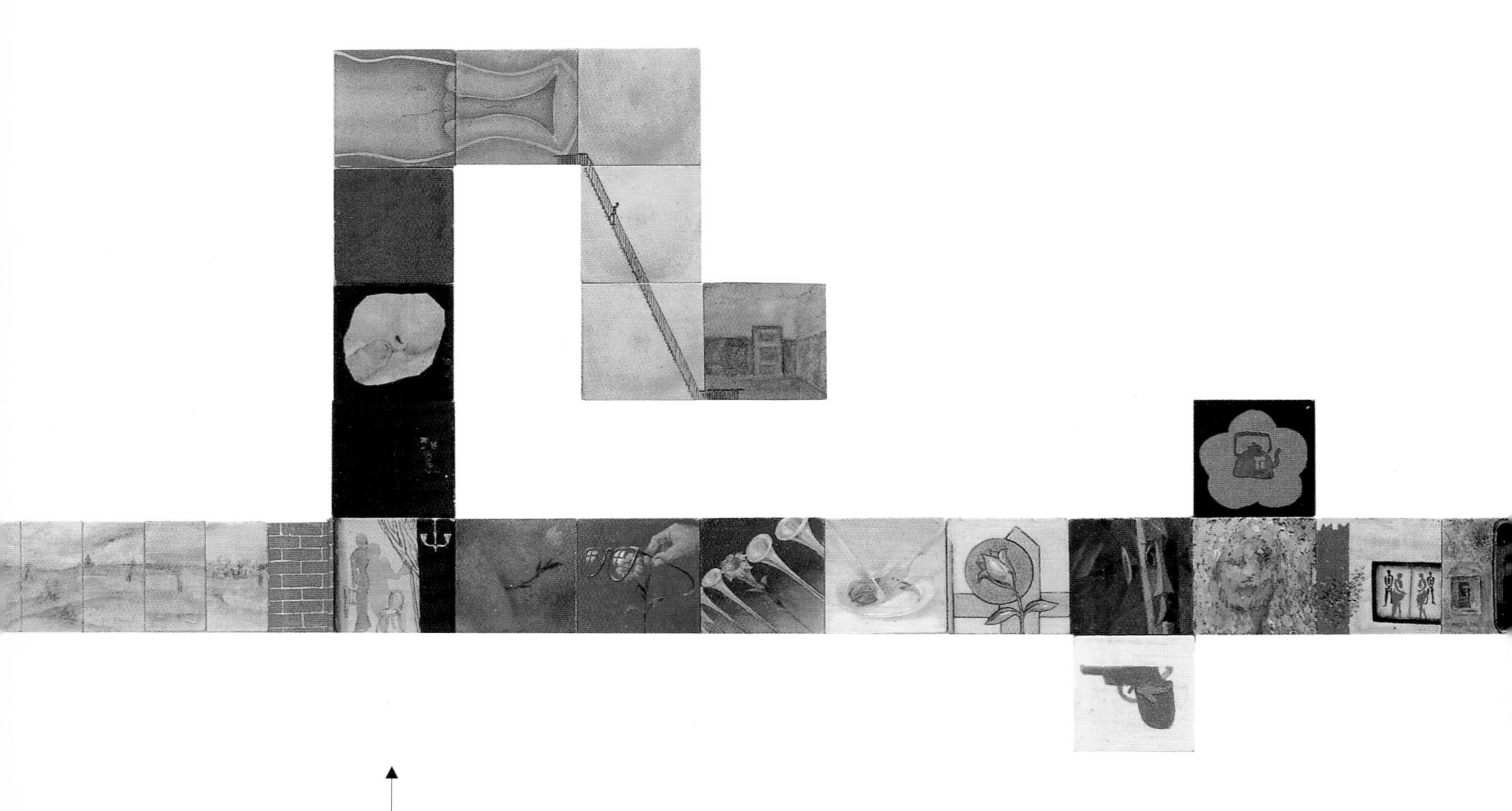

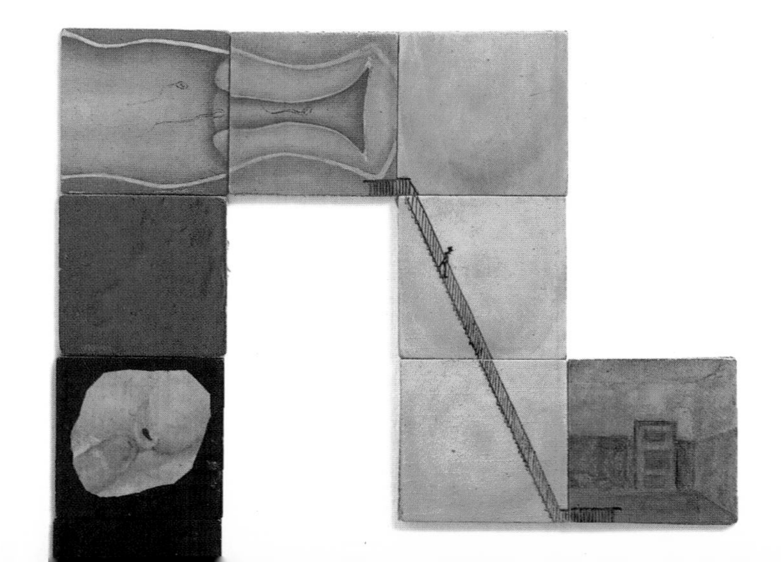

Jörg **Immendorff,**

Café-Deutschland III, 1978.
Collection particulière.

nselm Kiefer,

Varus, 1976.
Stedelijk Van Abbemuseum
Eindhoven, Pays-Bas.

Ilya Kabakov,

La Chambre de luxe, 1981.
Collection particulière,
Paris.

Erik Boulatov,

Rue Krassikov, 1977.
Jane Voorhees
Zimmerli Art Museum, Rutgers,
The State University
of New Jersey, The Norton
and Nancy Dodge Collection
of Nonconformist Art from
the Soviet Union.

Art & Language,

Portrait of V. I. Lenin in July 1917
disguised by wig and working man's clothes
in the style of Jackson Pollock (2)
[Portrait de V. I. Lénine en juillet 1917
déguisé avec une perruque et des vêtements d'ouvrier
dans le style de Jackson Pollock (2)], 1980.
Collection Éric Decelle, Bruxelles.
Courtesy Mamco, Genève.

Katharina Sieverding,
X/1977, 1977.
Courtesy Katharina
Sieverding.

60 79

Chronologie

1960

Allemagne

Au cours des années soixante, la galerie Rudolf Springer sert d'intermédiaire entre les artistes de la RDA, tels Claus ou Penck, et la scène artistique en RFA. Gerhard Richter, nommé professeur à l'École des beaux-arts de Dresde, quitte la RDA. Les manifestes de SPUR sont confisqués par le ministère de la Justice, accusés de « diffusion de textes impudiques, de manifestations blasphématoires et d'insultes à la religion ». Des peines de prison sont infligées à Prem, Zimmer et Sturm. La deuxième conférence internationale sur l'art se tient les 28 et 29 décembre, à Francfort, sur le thème « Art, Science ou Propagande ? Fonction de la critique d'art », à l'initiative de la rédaction du journal *Das Kunstwerk*.

Autriche

Conçu à partir de 1959 par Hermann Nitsch, le Theater des Orgien Mysterien [Théâtre des Orgies-Mystères] voit sa première réalisation le 18 novembre, au musée des Techniques de Vienne, transposition picturale du rituel de base de son théâtre des idées.

Brésil

Le 21 avril, inauguration de Brasília, nouvelle capitale du pays. La ville est l'œuvre des architectes Lúcio Costa et Oscar Niemeyer.

Campagne électorale de John F. Kennedy, New York, 1960. Photo © Cornell Capa, Magnum Photos.

États-Unis

Le sénateur démocrate John F. Kennedy est élu président le 8 novembre, événement qui fait le sujet du grand tableau de James Rosenquist, *Presidential Election*. Edward Kienholz exécute, en référence au célèbre tableau de Ben Shahn, *The Passion of Sacco and Vanzetti* (1931-1932), un assemblage, *The Psycho-Vendetta Case,* prenant parti, autour du cas de Caryl Chessman, contre la peine de mort.

France

De nombreux pays issus des anciennes colonies françaises d'Afrique noire accèdent à l'indépendance.
Le 24 janvier, à Alger, début de la « semaine des barricades ».
Le 24 février, un « réseau de soutien » au FLN constitué par des Français métropolitains est découvert. Son chef, Francis Jeanson, en fuite, fait paraître en juin, aux Éditions de Minuit, *Notre guerre*, livre qui sera saisi le 29 juin. Un procès est intenté à l'éditeur pour « provocation à la désobéissance ». Du 5 septembre au 1er octobre se tient le procès des membres du « réseau Jeanson ». Jean-Paul Sartre écrit, le 20 septembre, une lettre lue par Roland Dumas, qui lance l'expression « porteurs de valise ». Jeanson est condamné par contumace.
Le numéro 1 de la revue *Tel Quel* paraît le 26 mars. La revue plaide pour une littérature « dégagée », qui se consacre au travail sur la langue plutôt qu'à l'engagement dans le monde.
Après une première manifestation collective intitulée « Anti-Procès », le 19 avril, à la galerie des Quatre Saisons, Jean-Jacques Lebel organise avec Alain Jouffroy, du 29 avril au 5 mai, une exposition du même nom à la galerie Cordier, avec, entre autres, Brauner, César, Dado, Ferro [Erró], Hundertwasser, Lam, Matta, Michaux, Paz, Mandiargues... Le texte fondateur, reproduit sur l'affiche, se clôt sur cette affirmation : « Tout créateur est, jusqu'à nouvel ordre, un insoumis. »
Le 17 mai, Debord, Jorn, Constant, Wyckaert, Gallizio et le groupe SPUR signent le « Manifeste de l'Internationale situationniste », proposant « une organisation autonome des producteurs de la nouvelle culture, indépendante des organisations politiques et

Khrouchtchev aux Nations unies à New York en 1960. Photo © Sergio Larrain, Magnum Photos.

syndicales qui existent en ce moment ». Sous le titre « La fin de l'économie et la réalisation de l'art », un extrait de la brochure d'Asger Jorn, *Critique de la politique économique – Suivi de la Lutte finale*, est publié à Paris dans le numéro 4 (juin) de l'*Internationale situationniste*.
En décembre, le numéro 5 de l'*Internationale situationniste* rend officielles l'exclusion de Gallizio et la démission forcée de Constant.
Le 6 septembre, *Le Monde* annonce que 121 écrivains et artistes ont signé une déclaration sur le « droit à l'insoumission dans la guerre d'Algérie », parue dans le numéro 4 (sept.-oct.) de *Vérité Liberté*. Le numéro est saisi.
Le 7 octobre, 185 intellectuels français condamnent, dans *Le Figaro,* « les apologistes de la désertion et de l'insoumission », défendant l'armée française et l'intégrité du territoire national.
En décembre sort *Le Petit Soldat,* un film de Jean-Luc Godard sur l'Algérie et la torture.

Grande-Bretagne

De nombreuses marches pour le désarmement nucléaire ont lieu avec la participation d'artistes comme David Hockney ou Richard Hamilton.
Le 10 mars, Gustav Metzger, artiste allemand émigré en Angleterre en 1939, déçu par les résultats de sa peinture, publie son « Manifeste d'Art Auto-Destructif Art Machine – Art Auto-Constructif » : « L'Homme dans Regent Street est auto-destructeur. Les fusées, les armes nucléaires sont auto-destructrices. » Un autre texte, daté du 23 juin, précise : « L'art auto-destructif et l'art auto-créatif visent à l'intégration de l'art avec les progrès de la science et de la technologie [...]
L'art auto-destructif constitue une attaque des valeurs capitalistes et une démarche pour l'abolition du nucléaire. »

Italie

Les organisateurs de l'exposition « Anti-Procès », à Paris, avec en plus S. Rusconi, présentent à Venise, du 18 juin au 8 juillet, « Anti-Procès 2 », à la Galleria Il Canale, avec Baj, Brauner, Crippa, Dado, Dova, Ferro [Erro], Hérold, Lam, Lebel, Matta, Michaux, Oppenheim, Peverelli, Tancredi, Tinguely... L'affiche de l'exposition proclame : « Nous ne souhaitons rien moins, par cette exposition ANTI-PROCÈS, qu'accélérer le mouvement qui doit déclencher, simultanément dans le monde, une rupture avec l'art officiel. »
Le 13 octobre a lieu, à Milan, un débat public sur le thème « Le manifeste des 121 et la civilisation occidentale », auquel participent Baj, Jouffroy, Lebel, Schwarz...

Japon

La deuxième exposition du Salon Yomiuri (Salon des Indépendants japonais) a lieu en mars au musée de la Ville de Tokyo. Le mot « Han-Geijutsu » [Anti-Art] est alors créé pour désigner certaines tendances de la modernité, comme le groupe des Neo Dada Organizers, fondé en mars, dont la première exposition a lieu en avril, avec la collaboration de Tomio Miki et de Tetsumi Kudo. Ses membres, parmi lesquels Ushio Shinohara, Masunobu Yoshimura, Katsuhiko Akasegawa, Shosaku Kazakura

et Shusaku Arakawa, font appel aux nouveaux médias pour présenter des action paintings ou des happenings destinés à créer un champ culturel total.
Leur démarche suit le désenchantement d'une jeune génération face à la signature du traité de sécurité nippo-américain, provoquant dès juin de violentes manifestations étudiantes.

Mexique

Lors d'un voyage officiel du président López Mateos, à Caracas, Siqueiros critique la politique sociale du gouvernement mexicain, et publie un pamphlet intitulé « Histoire d'un piège : ma réponse ». Accusé de fomenter le désordre social, il est condamné à huit ans de prison. Malgré le soutien de nombreux intellectuels de tous pays (Pablo Neruda, Rafael Alberti...), il ne sera libéré qu'en 1964.

Pays-Bas

Après sa rupture avec Guy Debord, Constant se consacre exclusivement à ses projets pour la *New Babylon,* qu'il traite à partir de maquettes ou de peintures de villes-labyrinthes reflétant sa nouvelle conception utopique de l'espace de « la vie ludique des masses ».

Pologne

À Elblag, création de la galerie El par Gérard Kwiatkowski ; c'est la première galerie expérimentale apparue en dehors des institutions officielles. Suivront : Od Nowa à Poznan (1964), puis la galerie Wspolczesna à Varsovie (1965), la galerie Foksal à Varsovie (1966), la galerie Pod Mona Lisa à Wroclaw (1967).

URSS

Des « galeries d'art officielles » destinées à la vente d'objets artisanaux ou de décoration apparaissent à Moscou, tandis que, de 1960 à 1962, des expositions individuelles sont organisées dans l'hôtel particulier de Chaliapine et dans des appartements privés de la capitale, soutenant l'apparition d'un art « non officiel ».
À l'initiative d'Alexandre Glezer, poète et journaliste, création du club Droujba [Amitié] qui va devenir un foyer d'organisation d'expositions non officielles.

1961

Allemagne

RDA

Dans la nuit du 12 au 13 août commence la construction du mur de Berlin par le gouvernement de la RDA, destiné à isoler de la RFA la population de la zone orientale de la République.
Georg Baselitz et Eugen Schönebeck proclament sur une affiche de leur exposition à la galerie Michael Werner et Benjamin Katz, à Berlin, la première version du « Pandämonium I », manifeste du « réalisme pathétique ».
À Cologne, en septembre, Vostell envoie, sous forme de partitions, des invitations à aller visiter des ruines de guerre (« murs et décollages ») dans 26 lieux de la ville : c'est la « Démonstration réaliste permanente », baptisée *Cityrama*.

Belgique

Après l'assassinat de Patrice Lumumba au Congo, au cours des troubles militaires qui suivent l'indépendance de la colonie belge (1960), le sculpteur Roel d'Haese crée la statue *À Lumumba*.

Construction du mur de Berlin, 13 août 1961. Photo © Keystone.

Cuba

En janvier, Chris Marker vient tourner son film *Cuba si,* pour « communiquer, sinon l'expérience, au moins le frémissement, le rythme d'une révolution qui sera peut-être tenue un jour pour le "moment décisif" de tout un pan de l'histoire contemporaine ». Le film est interdit par le ministre de l'Intérieur français.
Les 16 et 17 avril, des exilés cubains soutenus par la CIA débarquent dans la baie des Cochons et sont repoussés le 20.

France

De nombreux attentats de l'OAS se succèdent en métropole toute l'année, tandis que les manifestations organisées par le FLN en Algérie provoquent de sanglants affrontements.
Le putsch des généraux des 21 et 22 avril provoque une série d'inculpations au cours du mois de juin. Les 17 et 18 octobre, 20 000 Algériens manifestent à Paris contre l'instauration du couvre-feu : 12 000 personnes sont arrêtées, et 250 autres sont tuées. Maurice Papon, préfet de police, conclut : « La police a fait ce qu'elle devait faire. »
La violence algérienne marque la vie artistique parisienne. En avril, Robert Lapoujade présente, à la galerie Pierre Domec, l'exposition consacrée à la guerre d'Algérie et à Hiroshima, dont le catalogue est préfacé par Jean-Paul Sartre dans un texte intitulé : « Le peintre sans privilège ».
En juin, à la galerie J., l'exposition de Raymond Hains et de Jacques Villeglé, « La France déchirée », rassemble leurs décollages d'affiches politiques de 1950 à 1961, sur le thème des « déchirures » politiques causées en France par les conflits politiques.

Grande-Bretagne

Le 3 juillet, Gustav Metzger donne une performance autodestructrice à l'IUAC (International Union of Architects Conference), à la South Bank de Londres : des lambeaux de tissu en nylon sont attaqués par de l'acide chlorhydrique, exemple de ce qu'il appelle l'« Acid Action Painting » qui associe tissus ou structures avec des produits chimiques corrosifs, en une métaphore de la menace nucléaire sur le corps humain.

Israël

Le 11 avril, à Jérusalem, début du procès d'Adolf Eichmann, un des principaux responsables de l'extermination des Juifs pendant la Seconde Guerre mondiale. Il est exécuté le 31 mai 1962.

Italie

Organisée par A. Jouffroy et J. J. Lebel, à la galerie Brera à Milan (5-30 juin), l'exposition « Anti-Procès 3 » précise les positions de leurs auteurs et des artistes participant dans le catalogue : « L'Anti-Procès est la revendication "naïve" de la liberté totale pour chaque homme, et l'affirmation d'une volonté de dépassement intégral, où l'artiste cesse d'être victime des clichés révolutionnaires comme des puissances réactionnaires. » À l'occasion de l'exposition, un « grand tableau antifasciste collectif » est réalisé par Baj, Crippa, Dova, Ferro [Erro], Lebel et Recalcati, comportant le titre du manifeste des 121, les mots de « Constantine » et de « Sétif ».
Il sera saisi par la préfecture de Milan, et les organisateurs de l'exposition seront poursuivis pour « attentat à la religion et à l'État ». Le tableau ne sera restitué par la police italienne qu'en 1988 et donné en 1993 par les artistes au musée de Marseille.

Anonyme, *Nous poursuivons leur combat,* 1962. Affiche éditée par le PCF après la répression de la manifestation anti-OAS et les huit morts du métro Charonne. Photo © musée d'Histoire contemporaine-BDIC, Paris.

1962

Suède

Le 5 août, la 5e conférence de l'Internationale situationniste, réunie à Göteborg, décide un nouveau cours pour l'organisation en niant toute possibilité pour l'art de contribuer à la transformation de la société. Asger Jorn a démissionné de l'Internationale situationniste en avril.

URSS

Les autorités renforcent les mesures de répression visant les éléments « antisociaux ».
Elie Belioutine, qui figure parmi les principaux leaders du mouvement non conformiste, réalise la peinture *Lénine dans un cercueil de glace*, où le dirigeant est porté par Staline et des membres du Politburo. Les expositions provocatrices qu'il organise par l'intermédiaire du Studio Belioutine avec le Groupe des artistes amateurs depuis le milieu des années 50 se multiplient à partir de janvier.
En juin, le Studio est présenté à Varsovie, puis il fait l'objet d'une croisière-exposition sur la Volga.
Considérée comme non conforme aux critères officiels du réalisme, l'exposition des peintres du « style sévère » (Popkov, Andronov, Nikonov...) dans les locaux de l'Union des artistes de Moscou fait scandale. Leur section est dissoute. Alexandre Glezer organise une exposition du sculpteur Ernst Neizvestny, au club Droujba, qui provoque l'indignation des fonctionnaires du Département de la culture de Moscou.
Le 31 octobre, le corps de Staline est enlevé du mausolée de la place Rouge, et, le 10 novembre, Stalingrad devient Volgograd.

Viêtnam (Sud)

À la suite de la reprise de la guérilla antigouvernementale, le président Kennedy décide, le 16 décembre, de porter à 15000 hommes le contingent militaire d'aide au gouvernement anticommuniste de Ngo Dinh Diem. C'est le début de l'engrenage américain au Viêtnam.

Yougoslavie

Du 3 août au 14 septembre se tient, à Zagreb, à la galerie d'art contemporain, l'exposition « Nouvelles Tendances » regroupant les Français du Groupe de recherche en arts visuels (GRAV), les Allemands du groupe Zéro et les Italiens Manzoni, Castellani, Dorazio...
C'est la première grande confrontation entre artistes d'avant-garde européens et artistes yougoslaves depuis 1945.

Portraits géants de Gagarine, premier cosmonaute, installés à Moscou pour les fêtes du 1er mai 1961. Photo © Marc Riboud, Magnum Photos.

Allemagne

RDA

La Ve Exposition d'art allemand a lieu à Dresde : une grande partie des travaux envoyés sont nés de « la commande sociale »; les œuvres sont essentiellement figuratives, la peinture de genre étant souvent utilisée pour des représentations de la vie quotidienne socialiste.

RFA

En février, le Conseil central de l'Internationale situationniste décide l'expulsion du groupe SPUR.
À Hambourg, fondation du groupe Zebra, par les étudiants Dieter Asmus, Peter Nagel, Nikolaus Störtenberger, Dietmar Ullrich, de la Kunsthochschule [École supérieure des arts], qui refusent la peinture informelle et formulent un « réalisme figuratif » en se tournant vers le photoréalisme.
Du 1er au 22 septembre a lieu, au Städtisches Museum de Wiesbaden, l'une des premières manifestations Fluxus. Intitulée « Fluxus Internationale Festspiele neuester Musik », elle est organisée par Maciunas, Paik et Vostell.
L'exposition « Entartete Kunst – Bildersturm vor 25 Jahren » [Art dégénéré – iconoclasme d'il y a 25 ans], organisée du 25 octobre au 16 décembre, à la Haus der Kunst de Munich, rappelle, d'Archipenko à Schrimpf, l'exposition « Entartete Kunst » de 1937.

Autriche

Pour protester contre la situation conservatrice de l'art contemporain telle qu'elle apparaît dans les Wiener Festwochen, Frohner, Muehl et Nitsch s'emmurent du 4 au 6 juin. Considérée comme la première manifestation collective des actionnistes viennois, cette action donne lieu au manifeste « Die Blutorgel » [L'Orgue sanglant].

Cuba

Le 23 octobre, Kennedy demande publiquement, sous forme d'ultimatum, à Khrouchtchev de faire faire demi-tour à des cargos soviétiques transportant des fusées nucléaires; le 25, les navires russes rebroussent chemin. C'est la « crise des fusées ». Robert Morris recouvre de peinture les pages des journaux new-yorkais traitant de cet événement (série *Crisis*).

États-Unis

Le 10 juillet, premier d'une longue série, le satellite expérimental de communication *Telstar* émet les premiers signaux de télévision des États-Unis vers l'Europe.
Le refus du gouverneur du Mississippi d'admettre un étudiant noir, James Meredith, à l'université d'Oxford, provoque le 30 septembre de sanglantes émeutes.
Le Congress of Racial Equality (CORE) commence ses premières expositions et ventes annuelles de peintures et sculptures offertes par des artistes.

France

Des négociations préparent l'accession à l'indépendance de l'Algérie. La signature des accords d'Évian, le 18 mars, s'accompagne de l'intensification des attentats OAS en métropole et en Algérie.
Le 8 février se tient une manifestation anti-OAS à Paris qui donne lieu à de violentes réactions de la police : il y a 8 morts au métro Charonne, et une centaine de blessés. Le 14 avril, Georges Pompidou est nommé Premier ministre.
Le 8 février, *Les Lettres françaises* publient en première page le portrait par Picasso de Djamila Boupacha, militante FLN torturée.
André Masson, dont le fils Diego, membre du réseau Jeanson, a été arrêté, expose en mars, à la galerie Louise Leiris, une suite sur les prisons. Au Salon de mai, Robert Lapoujade expose *Métro Charonne*. Le 31 mai, la toile de Cremonini, *Torture 1961*, est reproduite dans *Les Lettres françaises*.

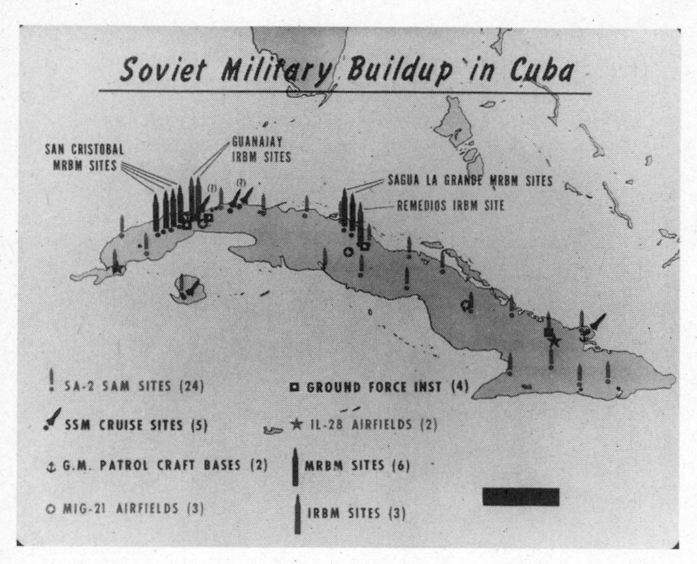

Affaire des fusées, Cuba, octobre 1962. Plan américain des sites de missiles soviétiques. Photo © Keystone.

Du 15 juin au 15 juillet, Niki de Saint-Phalle expose, à la galerie Rive Droite, une sculpture intitulée *Autel OAS,* ou *Œuvre d'art sacrée,* tandis que le contexte de l'époque invite à une autre lecture.
Le 27 juin, Christo réalise *Le Rideau de fer,* réponse à la construction du mur de Berlin : l'artiste ferme pendant trois heures la rue Visconti par un mur de 240 barils de pétrole, sur 3,80 m de hauteur, à l'occasion de son exposition à la galerie J.
La revue d'obédience communiste *Clarté* (n° 42) fait un procès idéologique à Pierre Soulages parce que ses tableaux ne sont ni figuratifs, ni assez « engagés ». Au contraire, l'exposition « Une Nouvelle Figuration II » (févr., galerie Mathias Fels) présentée par M. Ragon, à laquelle participent Baj, Christoforou, Hultberg, Lindström, Messagier, Petlin, Rebeyrolle, s'inscrit dans les impératifs de clarté de l'engagement social.

Grande-Bretagne

Le 20 octobre, au moment de la crise des missiles à Cuba, s'ouvre l'exposition « Image in Revolt » de Derek Boshier, Eduardo Paolozzi et Frank Bowling à la Grabowski Gallery. Paolozzi expose *The World Divides into Facts.*
À l'occasion de l'exposition personnelle de Kitaj, à la Marlborough Gallery, en février, le critique John Russel le traite de « peintre polémique » : les œuvres présentées parlent des rêves brisés de la gauche au XXe siècle – révolte spartakiste, guerre civile espagnole...

Italie

Le 11 octobre s'ouvre la première session du concile Vatican II qui évoque la place de l'Église dans le monde moderne.

Pologne

Le 3 février, fermeture à Varsovie du club Krzywe Kolo, centre de discussions d'intellectuels et d'artistes. C'est l'annonce de la fin de la période de dégel culturel ouverte vers 1955.

Tchécoslovaquie

À Prague, la première « action-protest » de Knizak, *Magasin dans la ville,* se déroule en bas de chez lui, dans la rue Novy Svet, juste sous les fenêtres du président de la République.

URSS

L'isolement des artistes est rompu par le développement d'expositions « non conformistes » dans les cinémas (organisées par Zlotnikov), dans les maisons de la culture, dans les instituts de recherches (organisées par A. Glezer et son club Droujba). Des groupes artistiques se constituent, comme le groupe d'art cinétique Dvijenie [Mouvement] fondé à l'initiative de L. Nussberg, dont le manifeste est publié dans *Studio International.* Présentées sous forme de happenings, leurs œuvres célèbrent un regain d'intérêt pour l'« action », forme d'expression qui n'avait plus été expérimentée en Russie depuis le futurisme russe. Neizvestny invite des artistes du Studio Belioutine à exécuter une peinture murale monumentale à l'Institut de physique atomique.
Fin octobre, le journal *Novy Mir* commence la publication de la nouvelle d'Alexandre Soljenitsyne « Une journée d'Ivan Denissovitch ».
En novembre, l'Union moscovite des artistes soviétiques présente, dans la Salle du Manège, une grande exposition anniversaire : « Trente ans d'art moscovite ». La majorité des œuvres exposées répond aux critères du réalisme socialiste. On y présente également des œuvres d'artistes modérés des années 30-40 (Falk, Tyshler, Chterenberg, Drevine). Le premier étage, présentant les œuvres du Studio Belioutine (Sooster, Yankilevsky, Sobolev, Neizvestny), est fermé au public après la visite de Khrouchtchev, jugeant ces œuvres provocatrices et « antisoviétiques ». Cet événement marque la scission entre « l'art officiel » et « l'art non officiel », et un durcissement de la censure.

Viêtnam

Le 4 janvier, le gouvernement américain annonce une aide économique accrue au gouvernement de Saïgon. L'assistance militaire américaine se renforce et la guérilla communiste se développe.

Nikita Khrouchtchev à l'exposition « Trente ans d'art moscovite », Salle du Manège, 1er décembre 1962. Photo © Wostok Press.

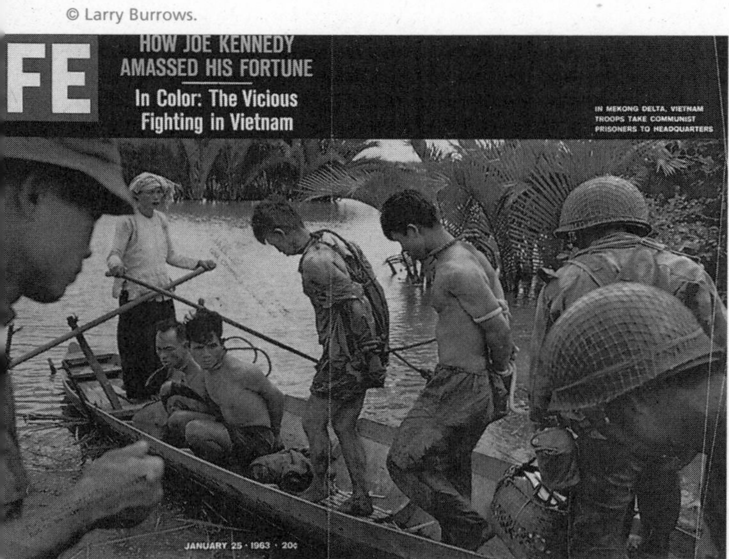

Life, 25 janvier 1963. Communistes prisonniers des troupes vietnamiennes, dans le delta du Mékong. Photo © Larry Burrows.

1963

Allemagne

RDA

M. Lüpertz quitte la RDA pour Berlin-Ouest où il commence sa peinture « dithyrambique » et publie le « Dithyrambisches Manifest ».
À partir de 1963, A. R. Penck réalise ses *Systembilder,* réduction de formes permettant d'analyser les principes humains et sociaux.

RFA

À Düsseldorf, Beuys organise les 2 et 3 février, à la Staatliche Kunstakademie, le deuxième « Festum Fluxorum, Fluxus » sous le titre « Musik und Antimusik, das instrumentale Theater ».
Sigmar Polke et Gerhard Richter, récemment émigrés de RDA, organisent, le 11 mai, une exposition « Demonstrative Ausstellung » à Düsseldorf (Ladenlokal Kaiserstrasse) : « Nous montrons pour la première fois en Allemagne des images pour lesquelles des expressions telles que Pop'Art, Junk Culture, réalisme impérialiste ou réaliste, nouvelle figuration, naturalisme, German Pop et autres sont caractéristiques. »

Démonstration pour le Réalisme capitaliste, Düsseldorf, 11 octobre 1963. Photo © G. Richter/Graphik des Kapitalistischen Realismus.

Le 11 octobre, Richter, Kuttner, Polke et Lueg, avec la participation de Beuys, organisent une manifestation « pour le Réalisme capitaliste », sous le titre « Leben mit Pop » [Vivre avec le Pop], dans la maison d'ameublement Berger à Düsseldorf. Par analogie avec le réalisme socialiste, et interprétant ironiquement le Pop'Art (son intégration de la vie quotidienne et de la consommation dans l'art), ils s'exposent eux-mêmes sur des piédestaux au milieu du mobilier petit-bourgeois, montrent des statues de papier mâché de grandeur nature de J. F. Kennedy et du galeriste Alfred Schmela dans l'ascenseur.
À Berlin, le 9 novembre, neuf jours après l'ouverture de l'exposition consacrée à Baselitz, à la galerie Werner et Katz, la mise sous séquestre de deux tableaux, *Der nackte Mann* [L'Homme nu] et *Die grosse Nacht im Eimer* [La Grande Nuit dans le seau], provoque un scandale.

Autriche

Le 28 juin, les actionnistes viennois organisent la « Fest des psycho-physischen Naturalismus » [Fête du naturalisme psychophysique] destinée à en finir avec la production culturelle et artistique des années soixante. L'action est interrompue par la police.

Espagne

L'exposition « El Arte y La Paz » a lieu à Barcelone (4-15 févr.), au musée d'Art contemporain, avec notamment Cuixart, Fabel, Girona, Guinovart, Llorens Artigas, Miró, Picasso, Puig, Casamada, Tàpies et Tharrats.
Après les grandes grèves déclenchées par les mineurs d'Asturies et la répression qui s'ensuivit, 102 intellectuels adressent, le 30 septembre, une lettre au ministre de l'Information Manuel Fraga Iribarne.
Josep Guinovart réalise les décors de *Bodas de sangre*, pièce de Federico García Lorca, mise en scène par Cavalcanti.
Le 20 mars, exécution du dirigeant communiste Julian Grimau. En son hommage, Matta peindra, en 1964-1965, une immense composition de 9 mètres de long, *Les Puissances du désordre*.

États-Unis

Les incidents raciaux se multiplient dans le Sud, et spécialement dans l'Alabama où le pasteur Martin Luther King est arrêté pour avoir participé à une manifestation antiségrégationniste. Warhol exécute une série d'œuvres à partir d'une photographie parue le 17 mai dans *Life,* montrant un affrontement entre la police et des manifestants.
Le 28 août, lors de la marche de 200 000 Noirs sur Washington, Martin Luther King prononce un discours commençant par : « J'ai fait ce rêve qu'un jour, sur les collines rouges de Géorgie, les fils d'anciens colons et les fils de leurs anciens maîtres pourront s'asseoir ensemble à la table de la fraternité. »

THE DOGS' ATTACK IS
NEGROES' REWARD

Andy Warhol, projet pour *Race Riot,* 1963. The Andy Warhol Museum, Pittsburgh. Photo © The Archives of The Andy Warhol Museum, Pittsburgh ; Founding Collection, Contribution The Andy Warhol Foundation for the Visual Arts, Inc.

Après l'assassinat du président John Fitzgerald Kennedy, le 22 novembre, à Dallas, Warhol commence sa série de portraits de Jackie Kennedy. May Stevens présente son tableau *Freedom Rider* accompagné d'un texte de Martin Luther King.

France

À la IIIe Biennale de Paris, *Les Quatre Dictateurs,* d'Arroyo est censurée. L'œuvre montre quatre bustes sans visage, peints à la manière des panneaux forains d'un jeu de massacre, se détachant sur les couleurs nationales de chaque protagoniste et laissant deviner l'identité de Salazar, Franco, Mussolini et Hitler. À la suite de la protestation diplomatique du gouvernement espagnol, l'œuvre est recouverte de contreplaqué afin de masquer les couleurs nationales.

Grande-Bretagne

L'artiste pop Pauline Boty réalise *Cuba si,* juxtaposition de cartes du monde, d'anachronismes, de fragments décoratifs amérindiens et hispaniques placés autour des différents protagonistes de l'identité cubaine.

Italie

À partir de l'affichage de propagande réalisé à l'occasion de la visite de Kennedy en Italie au cours de son voyage en Europe (23 juin-3 juil.), Rotella réalise plusieurs œuvres dont *Hommage au Président.* Après la mort de Kennedy, il crée une nouvelle œuvre : *L'Assassinat de Kennedy*.
Après le décès de Jean XXIII, le 3 juin, représenté par Rotella dans *Les Funérailles de Jean XXIII,* le cardinal Montini est élu par le conclave sous le nom de Paul VI.
Le 24 mars, à Bologne, à l'occasion de la préparation de la rétrospective « Sebastian Matta », présentée en mai-juin au Museo Civico, a lieu une table ronde sur le thème « Art et révolution » à laquelle participent les critiques Arcangeli, Argan et De Micheli, les artistes Guttuso et Matta, et le maire de Bologne Zangheri.
Le 6 juin s'ouvre une exposition de Franco Angeli à Rome (Galleria La Tartaruga), où l'on peut voir *Napoleone, Cimetière américain* et *Cimetière de partisans*.
Le 28 septembre, le XIIe Congrès international des artistes, critiques et historiens d'art s'ouvre à Verrucchio. Présidé par Argan, il se consacre, entre autres thèmes, à « Critiques et Artistes :

Art et liberté. L'engagement idéologique dans les courants artistiques contemporains ». Le congrès donne également une place importante aux thématiques de la nouvelle « théorie gestaltique ». Cette orientation provoque une lettre de dissociation du congrès de 24 artistes (Accardi, Afro, Angeli, Consagra, Music, Novelli, Perilli, Rotella, Schifano, Turcato...) qui protestent contre ce nouveau formalisme. Vedova participe au congrès pour s'opposer vivement aux thèses qui y sont soutenues. Invité à Berlin, il travaille à partir de la fin de l'année dans l'ex-atelier d'Arno Breker et y réalise la série des *Plurimi* de l'*Absurder Berliner Tagebuch '64*, pour la Documenta III (Cassel, juin 1964), mais n'obtient pas la permission de les porter dans les rues de Berlin, ni d'en laisser un sur le Kurfürstendam.

Japon

Après la XVe exposition du Salon Yomiuri, Jiro Takamatsu, Genpei Akasegawa et Natsuyuki Nakanishi créent le High Red Center. Avec Tatsu Izumi, ils réalisent bientôt de nombreuses manifestations, auxquelles se mêlent des participants occasionnels. Leurs premières expositions montrent notamment des faux billets de 1 000 yens d'Akasegawa, œuvre qui provoque son arrestation.

VIETNAM:
Another Monk Gives
Himself to Flames

Life, 6 septembre 1963. Un bonze s'immole par le feu au Viêtnam. Photo © DR.

Pologne

À l'initiative de Janusz Bogucki, se déroule, durant l'été, le 1er Plener Koszalinski, lieu de rencontre annuelle qui sera investi par les artistes d'avant-garde.

Tchécoslovaquie

Knizak réalise diverses actions à Prague : *Séance* a lieu dans la rue Novy Svet; *Démonstration d'objets*, dans les jardins de la ville. *Joaillerie – Extrait* des *choses quotidiennes* propose une exposition libre de Kaprow.

URSS

En janvier et mars ont lieu les IIe et IIIe rencontres du parti et du gouvernement autour de la création artistique. Kropivnitzky, âgé de 70 ans, exclu de l'Union des artistes pour « formalisme » parce qu'il peint des tableaux abstraits, répond par un article : « Qu'est-ce que le Groupe de Liazonovo ? » Plavinsky réalise ses premiers travaux de la série du réalisme magique, incorporant à ses compositions des extraits des Évangiles et du Nouveau Testament.

Viêtnam

Au Sud, un conflit se développe entre les bouddhistes et le gouvernement de Diem. Le 11 juin, un bonze s'immole par le feu à Saïgon.
Le martyre des moines bouleverse l'opinion publique internationale et précipite la chute du régime Diem, provoquée par un coup d'État militaire le 1er novembre.

1964

Algérie

Du 5 juillet au 15 août a lieu, à Alger, l'exposition « L'art et la révolution algérienne », réunissant les créateurs internationaux qui avaient soutenu les indépendantistes, dont Arroyo, Cremonini, Feraud, Ferro [Erro], Lurçat, Lam, Lapoujade, Lebel, Masson, Matta, Millares, Parre, Sine, Taslitzky, Viseux. Une partie des œuvres exposées constituera une importante donation destinée à jeter les bases du musée d'Art moderne d'Alger.

Allemagne

RDA

Au Ve Congrès du VBK-DDR, en mars, artistes et historiens d'art attaquent le postulat officiel du VBK. Günter Feist (historien) s'oppose au principe selon lequel les moyens stylistiques seraient « indifférents » et leur origine « aucunement un critère ».
Le sculpteur Fritz Cremer critique la politique d'art du SED et exige l'abolition du réalisme socialiste.
Dans un discours, le peintre Bernard Heisig met en garde les fonctionnaires culturels contre la stagnation. La direction du congrès attaque massivement les trois orateurs sortis du rang. Après ce congrès, Heisig perd sa fonction de recteur de l'École supérieure de Leipzig. Au cours d'une deuxième « Bitterfelder Kulturkonferenz» (24-25 avr.), les objectifs définis par le SED, à la première conférence, sont annulés. Walter Ulbricht, dans un discours, relativise la portée du réalisme socialiste : « Pour nous, le Réalisme socialiste [...] n'est pas un dogme [...] La méthode réaliste est née historiquement et elle continue à se développer. »

RFA

Le numéro de mars de la revue *Das Kunstwerk* publie un texte de Götz intitulé « La politique artistique de l'Allemagne fédérale – une misère », où il s'en prend à la politique d'exposition déficiente des organismes publics. Le texte, connu sous le nom de « Manifeste de Düsseldorf », est signé par de nombreux artistes (Peter Brüning, Rupprecht Geiger, Heinz Mack, Otto Piene...).
Fondation, le 16 juin, de la Selbsthilfegalerie [Galerie de l'autogestion] dans le quartier Schöneberg à Berlin. Ses membres (Lüpertz, Hödicke, Baehr, Diehl, Petrick, Sorge, Wintersberger) se disent « réalistes critiques » et ont un programme « critique de gauche » contre l'art l'informel. Le groupe s'élargira en 1972, au moment de sa fusion avec le groupe Aspekt de Berlin-Est (B. von Anrim, J. Waller...).
Des troubles surviennent au cours de la manifestation « Fluxus » du Festival der neuen Kunst à l'Université technique d'Aachen, le 20 juillet (date anniversaire de l'attentat contre Hitler).
Le 16 septembre, la galerie Block ouvre à Berlin avec une exposition intitulée « Neodada, Pop, Decollage, Kapitalistischer Realismus » (avec Brehmer, Hödicke, Polke, Richter, Vostell).

Brésil

Le 1er avril, un coup d'État renverse le président João Goulart. Le général Castelo Branco est élu président de la République.
Ferreira Gullar publie *Cultura posta em questao* [La Culture remise en question].
Le livre, écrit en 1963, avait été confisqué durant un an par la police fédérale, premier geste de censure après le coup d'État militaire de cette même année.

Espagne

Création d'une branche Estampa Popular à Valence (avec Jose Maria Gorris, J. Marí, Martí Quinto, Rafael Solbes, Manolo Valdés, Anzo et Toledo).
Modest Cuixart montre son exposition « Homenage de Bertolt Brecht » à la galerie René Metrás de Barcelone.

États-Unis

Le 14 octobre, Martin Luther King reçoit le prix Nobel de la paix.

À New York, Henry Flynt crée, avec Maciunas, Action Against Imperialistic Culture (AAIC).
Au Judson Hall, dans le cadre du New York Avant-Garde Festival, Kaprow présente *Originale* de Stockhausen avec Olga Adorno, Ginsberg, Higgins, Klüver, Moorman, Paik. Cette œuvre sert de support, le 8 septembre, à une controverse menée par Ben, Flynt ou Maciunas, qui reprochent à Stockhausen son « impérialisme culturel ».

Après son refus du prix Nobel (22 octobre), Jean-Paul Sartre anime, à Paris, le débat « Que peut la littérature ? ». Photo © Keystone.

France

À la galerie Sonnabend à Paris, en janvier et février, Andy Warhol expose une série de tableaux réalisés durant l'été 1963 sur le thème de la mort et des catastrophes, dont *Blue Electric Chair* qui se réfère au débat sur la peine de mort aux États-Unis.
L'exposition « Mythologies quotidiennes I », organisée par P. Foldès, G. Gassiot-Talabot, F. Mathey, F. Wehrlin, au musée d'Art moderne de la ville de Paris (juil.-oct.), réunit des peintres de tendance narrative, parmi lesquels Arnal, Arroyo, Berni, Brusse, Cremonini, Dado, Fahlström, Foldès, Golub, Klasen, Monory, Pistoletto, Rancillac, Raynaud, Raysse, Recalcati, Saint-Phalle, Saul, Télémaque, Voss...
Pour Gassiot-Talabot : « Le monde où nous vivons, que l'on nous a fait, et que nous continuons de faire, suscite la nausée et le sarcasme beaucoup plus que l'adhésion. »
Le prix Nobel de littérature est décerné le 22 octobre à Jean-Paul Sartre, qui le refuse.
Le 19 décembre, pour le transfert des cendres de Jean Moulin au Panthéon, André Malraux prononce un discours sur la Résistance et ses héros.

Grande-Bretagne

L'Université de Chicago commande à Henry Moore *Nuclear Energy*, monument à la première fission contrôlée de l'atome par Fermi. L'œuvre est installée en 1967.

Italie

La XXXIIe Biennale de Venise (20 juin-18 oct.) consacre le triomphe du Pop'Art américain : Rauschenberg reçoit le Grand Prix international de peinture.
Certaines œuvres sont censurées : *Tu quoque Bruti, Fili mi !*, de Baj (où la présence d'un personnage à l'écharpe bleue est considérée comme offensante envers les officiers de la Marine italienne), mais aussi des œuvres de Vacchi, Guerreschi et Cremonini. Du Gruppo 70, né en 1963 du regroupement des avant-gardes florentines, se détache une minorité qui constitue un nouveau Gruppo 70. Dans ce milieu naît la « poesia visiva », ou « poésie technologique », qui récupère les langages technologiques de la communication de masse, en souhaitant que cette révolution stylistique coïncide avec une nouvelle notion d'engagement social. Pignotti et Miccini, « poeti visivi », organisent le colloque « Arte e Tecnologia » à Florence, du 27 au 29 juin.

Japon

Les membres du High Red Center réalisent « Tsushin eisei wa nanimono ni tsukawareteiruka » [Qui donc utilise les satellites de communication ?], remise en cause des moyens d'information. L'activité concrète du High Red Center prendra fin avec le Shutoken Seiso Seiri Sokushin Undo [Mouvement pour promouvoir le nettoyage et la remise en ordre de la capitale et de ses environs], offrant un regard critique sur la question urbaine au moment où les Jeux olympiques focalisent l'attention sur Tokyo.

Jordanie

En avril, premier congrès national palestinien à Jérusalem. Création de l'Organisation de libération de la Palestine (OLP).

15e anniversaire de la RDA, Berlin-Est, 1964. Photo © René Burri/Magnum Photos.

Pologne

Le monument commémoratif du camp de concentration de Treblinka, constitué de 17 000 blocs de granit autour d'un obélisque central, est érigé par l'architecte Franciszek Duszenko et le sculpteur Adam Haupt.
Le 14 mars, 34 écrivains et savants signent une lettre de protestation contre la politique culturelle de l'État. Le 14 novembre, Jacek Kuron et Karol Modzelewski sont arrêtés pour avoir rédigé un texte mettant en cause la politique du parti communiste.

Tchécoslovaquie

Le manifeste « Aktuel » de Knizak, Mach, Svecova, Trtilet et Wittmann met en cause le rôle de l'art et de l'artiste dans la société. Des manifestations sont organisées (une démonstration collective, acoustique et visuelle du manifeste, suivie d'une démonstration personnelle de Knizak).

URSS

Le 14 octobre, Nikita Khrouchtchev, destitué, est remplacé par Leonid Brejnev, nommé premier secrétaire du parti, et par Alekseï Kossyguine à la tête du gouvernement.
Le 13 mars, l'écrivain J. Brodsky est condamné à cinq ans d'exil pour « parasitisme ». Le Studio Belioutine, désormais groupe « non officiel », expose à Abramtsevo (7-20 nov.). Yakovlev est présenté à l'Institut de biophysique en mai ; le groupe Dvijenie au club Dzerjinsky, en décembre.
Rabine quitte Liazonovo et emménage dans un appartement qui deviendra le point de rencontre des artistes de l'école de Liazonovo.

Allemagne

RDA

De jeunes artistes, dont Penck, exposent à la maison Pouchkine à Dresde ; l'exposition est fermée prématurément par les autorités. Le XIe congrès du Comité central du SED (15-18 déc.) convient, entre autres, de l'assouplissement de la politique culturelle.

RFA

Du 27 septembre au 13 novembre, la galerie Block organise l'exposition « Hommage à Berlin » (avec Beuys, Brehmer, Hödicke, Lueg, Polke, Richter, Stämpfli, Vostell). Les expositions de la galerie Block marquent l'engagement social du milieu artistique berlinois.

Autriche

Première grande action (elle dure dix heures) du Theater des Orgien Mysterien [Théâtre des Orgies-Mystères] d'Hermann Nitsch.

Belgique

Hugo Heyrman, Yoshio Nakarijima et Panamarenko réalisent, à Anvers, Ostende et Bruxelles, une série de happenings (liés à des situations politiques et sociales), régulièrement interrompus par la police. Le 9 juillet, *Happening d'une ville occupée* se déroule place Verte, à Anvers.

Brésil

Hélio Oiticica présente au musée d'Art moderne de Rio de Janeiro « Opiniao 65 » ; ses invités de l'école de samba Mangueira sont expulsés du musée. L'artiste présente alors dans les jardins les étendards et les tentes de son *Parangolé,* dont certaines pièces se présentent sous forme de capes portant des inscriptions relatives à une situation sociale, comme « L'adversité nous fait vivre » (1964).

Espagne

Le groupe Equipo Realidad (avec les artistes Cardell et Ballester) se constitue, et expose pour la première fois à la galerie Belarte de Barcelone. Il rejoindra par la suite le groupe Estampa Popular. La commission chargée de la Culture au Collège d'architectes de Catalogne et des Baléares organise à Barcelone, en juin, « Cronica de la realidad », une exposition rassemblant pour la première fois des peintres contemporains espagnols dont l'œuvre à contenu social comporte des dérivés stylistiques du Pop'Art. On y trouve Artigau, Cardona Torrandell et Carlos Mensa, mais également Equipo Crónica (Solbes, Toledo et Valdés), dont l'exposition itinérante « España libre – Esposizione d'Art Spagnola Contemporanea » (Italie, 1964) était présentée à Barcelone.

États-Unis

L'immense peinture *F-111* (1965) de James Rosenquist (26 mètres de long), représentant un avion militaire américain, est exposée à la Leo Castelli Gallery de New York. Peu après la manifestation (17 avr.) à Washington contre la guerre du Viêtnam, le groupe Artists and Writers Protest Against the War in Vietnam achète le 27 juin une page entière du *New York Times,* intitulée *End Your Silence,* qui dénonce cette guerre, et l'intervention américaine en République dominicaine.
L'apparition des premières caméras vidéo portables change la pratique de l'art vidéo.
Les Levine réalise un reportage sur les clochards du Bowery (*Bum,* 1965, n. b., 50 min) sous la forme d'interviews. Nam June Paik, lui aussi, se sert d'une caméra vidéo portable lorsqu'il filme la visite du pape Paul VI.
Au moment où le gouvernement fédéral envoie des inspecteurs dans les États du Sud afin de faire inscrire les Noirs sur les listes électorales, Robert Indiana commence sa *Confederacy Serie,* groupe de tableaux condamnant le racisme de cette région.

À l'occasion de sa première rétrospective, Larry Rivers expose son grand tableau *L'Histoire de la Révolution russe de Marx à Maïakovski* au Jewish Museum de New York.

France

Fondé en 1949, à l'initiative de Rebeyrolle et d'artistes de la Ruche, le Salon de la Jeune Peinture se transforme à l'occasion de sa XVIe édition, qui se tient en janvier au musée d'Art moderne de la ville de Paris, avec l'entrée de Cueco, Arroyo et Michel Troche au comité directeur.
Dans la « Salle verte », dix-sept artistes du comité et du jury du salon peignent chacun un tableau vert, présenté anonymement.
Le premier numéro du *Bulletin de la Jeune Peinture* (un seul feuillet) paraît en juin.
La peinture y est vue comme un instrument de lutte idéologique dans le champ culturel. L'éditorial du *Bulletin* précise la ligne politique du prochain Salon de la Jeune Peinture : la participation de peintres chinois, cubains, algériens ou soviétiques doit déplacer le débat d'un plan purement esthétique au « seul plan qui nous intéresse, celui des rapports entre l'art et l'histoire ».
Lors de l'exposition « La Figuration narrative dans l'art contemporain », organisée à Paris par Gérald Gassiot-Talabot (galerie Creuze, 1er-29 oct.), Aillaud, Arroyo et Recalcati créent un scandale en exposant une œuvre collective *Vivre et laisser mourir ou la Fin tragique de Marcel Duchamp.*
Le 19 décembre, de Gaulle est réélu président de la République, face à François Mitterrand.

Indonésie

Le 30 septembre, l'échec d'un coup d'État militaire « progressiste » provoque une sanglante répression (500 000 morts) contre le Parti communiste indonésien.

Italie

À l'occasion du XXe anniversaire de la Résistance, est organisée, à Bologne (26 avr.-30 mai, Museo Civico), puis à Turin (8 juin-18 juil., Galleria Civica d'Arte Moderna), l'exposition « Arte e resistenza in Europa ».
Des artistes de la Nouvelle Figuration internationale, aux positions idéologiques affirmées, sont rassemblés dans l'exposition « Il presente contestato » à Bologne (31 oct.-28 nov., Museo Civico). Parmi les Italiens, on trouve Cremonini, Fieschi, Francese, Guerreschi, Pozzati, Recalcati, Romagnoni, Vacchi, Vespignani.

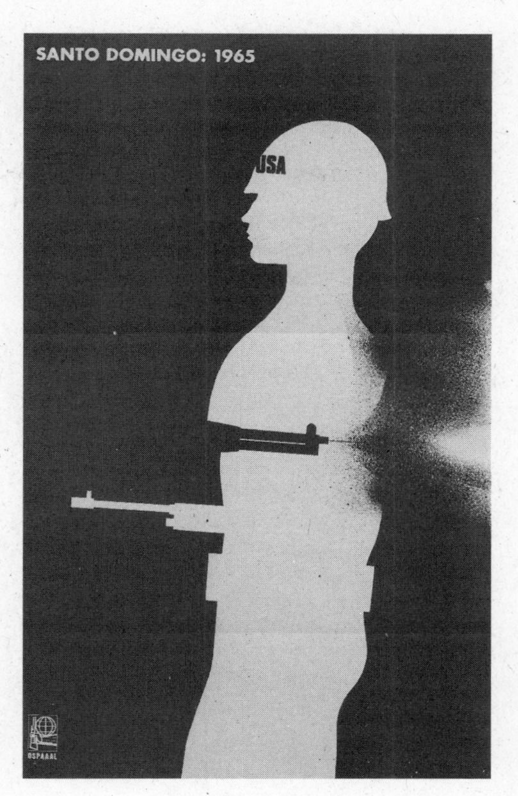

Alfredo Rostgaard, *Santo Domingo* [Saint-Domingue], 1965. Affiche éditée par l'OSPAAL. Stedelijk Museum, Amsterdam. Photo © Stedelijk Museum, Amsterdam.

Japon

Première manifestation en avril de la Shimin bunka dantai rengo, dite « Vehiren » (ou « Beheiren »), collectif de lutte pour la paix au Viêtnam jouant un rôle majeur dans la mobilisation contre l'intervention américaine.
Chozaburo Inoue présente à l'exposition « Jiyu bijutsu » [L'art libre] une peinture à l'huile intitulée *Viêtnam.*

Pologne

En mai, à Varsovie, Tadeusz Kantor réalise dans le salon de la Société des amis des beaux-arts (TPSP) un happening intitulé *Cricotage,* le premier réalisé en Pologne.

République dominicaine

Le 28 avril, après le coup d'État organisé par des officiers « progressistes » (qui réclament le retour du gouvernement légal de Juan Bosch renversé en 1963), l'armée américaine intervient pour empêcher le retour de Juan Bosch.

Tchécoslovaquie

Présentation à la galerie Spala (Prague) de l'exposition « Mythologies quotidiennes » [voir France, 1964]. Dans la même période, création de galeries d'art contemporain, où exposent des artistes comme Kolar, Kolibal, Simotova, Malich..., interdites auparavant.

URSS

À Leningrad, fondation du groupe non conformiste Saint-Pétersbourg qui développe les principes du « synthétisme métaphysique » élaborés par M. Chemiakine et V. Ivanov. Les galeries occidentales commencent à s'intéresser aux œuvres des peintres non conformistes : le Studio Belioutine est présenté à Paris (galerie Lambert); les artistes Rabine et Neizvestny à Londres (Grosvenor Gallery), lequel est également présenté à Vienne (galerie ZB).
Komar et Melamid réalisent leur première œuvre commune, intitulée *Composition avec des médailles russes.*
Le livre de Soljenitsyne, *Le Premier Cercle,* est saisi.

1966

Allemagne

RFA

À Fulda, en janvier, Immendorff, élève de Beuys, présente, avec Chris Reinecke, une exposition au titre politiquement implicite : « Deutsch, deutsch, deutsch » (galerie Fulda).
Il réalise ensuite pour l'ouverture de son exposition « Vietnam, Vietnam » (23 avr.-15 juin, galerie Aachen, Aix-la-Chapelle) la *Blumenmachtaktion : Blumen für Vietnam* [Action fleurs : fleurs pour le Viêtnam] dans l'esprit du mouvement hippie.
Au printemps, les deux groupes SPUR et WIR fusionnent sous le nom de Geflecht (Munich), avec, parmi ses membres, Matthäus Bachmayer et Helmut Rieger.
Klaus Staeck réalise ses premières affiches politiques.
Le 1er décembre se constitue la grande coalition entre CDU et SPD qui annihile pratiquement l'opposition parlementaire.

Révolution culturelle en Chine : les médecins et infirmières d'un hôpital chantent les louanges du « Grand Mao », 1966. Photo © Keystone.

Autriche

Le 6 mars, les élections des membres du Parlement donnent la majorité absolue au Parti populaire autrichien qui constitue désormais seul le gouvernement.
La situation politique devient menaçante pour les actionnistes viennois, qui soupçonnent le parti populaire et sa majorité absolue de vouloir installer un régime de réaction cléricale.
Brus et Muehl réalisent ensemble les actions *Vietnamparty* et *Totalaktion* combinant les *Materialaktionen* de Muehl avec les *Automutilations* de Brus, et fondent l'Institut für Direkte Kunst [Institut pour l'art direct], qui participe au symposium international « Destruction in Art » à Londres. Ils élaborent un projet de fusion entre les Wiener Aktionisten et le Wiener Gruppe, afin de mettre en place un mouvement artistico-politique extraparlementaire capable d'attaquer la société. Le projet aboutit, à la fin de l'année, à la création du parti politique extraparlementaire ZOCK, qui se fait connaître en mettant en scène des happenings collectifs dans des lieux publics à Vienne, et à la parution du manifeste « ZOCK ».
Publication de *Secession Grossgörschen 35,* programme critique de gauche des « réalistes critiques berlinois » (Ulrich Baehr, Peter Sorge...).

Chine

La Révolution culturelle est lancée le 18 avril. L'épuration à l'Université, à l'Académie des sciences et dans l'armée commence en juin. Au cours du 11e plénum du VIIIe Comité central (1er-12 août) est adoptée la « Décision en seize points », considérée comme la charte de la Révolution culturelle.
Le *Petit Livre rouge* des citations de Mao Zedong devient le bréviaire du mouvement.
Le 23 novembre, les gardes rouges attaquent publiquement le président de la République, Liu Shaoqi, et le secrétaire du parti, Deng Xiaoping.
En décembre paraissent les directives de Mao invitant les gardes rouges à porter la Révolution culturelle dans les usines. La Révolution culturelle (1966-1976) s'appuie en effet sur la jeunesse, organisée en gardes rouges qui s'en prennent aux anciennes idéologies, cultures, coutumes et habitudes du passé grâce auxquelles les classes exploitantes ont corrompu la masse. Durant les trois premières années, les universités et les écoles secondaires sont fermées. Les artistes sont soumis à une sévère critique idéologique, et quantité d'œuvres sont détruites. Une nouvelle génération d'artistes pratique le style du « romantisme révolutionnaire », une peinture « rouge, brillante, glorieuse, haute, grande, complète ». L'art traditionnel chinois est condamné.

Cuba

La Conférence tricontinentale (réunissant plus de cinq cents délégués de gouvernements ou de mouvements révolutionnaires d'Afrique, d'Asie et d'Amérique latine) se tient du 3 au 15 janvier à La Havane.
Wifredo Lam peint *El Tercer mundo* [Le Tiers-Monde], pour le palais de la Présidence.

Espagne

Du 9 au 11 mars, une soixantaine d'intellectuels et près de 400 étudiants participent à une réunion clandestine dans le couvent des Capucins de Sarrià à Barcelone (Caputxinada), au cours de laquelle est constitué le premier syndicat démocratique des étudiants de l'université de Barcelone. Le troisième jour, la police, violant le concordat, pénètre dans le couvent et procède à l'arrestation de nombreux étudiants et de personnalités, dont Tàpies, Espriu, Barral, Rubio, Garcia Calvo. Ils sont emprisonnés quelques jours et condamnés à de très fortes amendes, payées grâce aux dons d'artistes et d'écrivains du monde entier. Tàpies réalise une toile intitulée *Souvenir de la Caputxinada*.
Le 22 novembre, le général Franco présente aux Cortes la réforme de l'État préparant une monarchie autoritaire.

États-Unis

Tandis que Stockely Carmichael lance le Black Power, et que les Black Panthers s'organisent à Oakland, à New York s'ouvre l'exposition « The Art of the American Negro » au Harlem Cultural Council.
L'engagement politique de la communauté artistique se confirme. En février, 100 artistes du Los Angeles Artists' Protest Committee louent un terrain vague entre Hollywood et Los Angeles pour organiser une exposition d'art et ériger la *Peace Tower* [Tour de la paix], à l'initiative d'Irving Petlin. Cette construction en acier entièrement abstraite est dessinée par Mark di Suvero. Mesurant 18 mètres de haut, des panneaux, sur lesquels on peut lire « Stop the War in Vietnam », sont fixés à la tour, ainsi qu'une mosaïque de plus de 400 tableaux de mêmes dimensions réalisés par des artistes du monde entier.
Michelangelo Pistoletto expose en avril, à Minneapolis, au Walker Art Center, *No all'aumento del tram, Vietnam, Comizio* (1965), des images politiques sur plaques en acier inoxydable.
Au cours de l'année, fondation de la National Organization of Women (NOW). Nancy Spero crée *War Series* (1966-1970) en référence à la guerre du Viêtnam.
En décembre, Stephen Radich, de la Stephen Radich Art Gallery de New York, expose les œuvres de Mark Morell, *Flag Constructions,* composées de figures, dont certaines ont l'aspect de cadavres emballés dans des drapeaux américains. L'été suivant, Radich est condamné pour profanation du drapeau.

Grande-Bretagne

En août, dans un happening *Still and Chew,* John Latham invite des artistes tels que Barry Flanagan et des journalistes à mâcher certaines pages du livre de Clement Greenberg *Art and Culture*. Le produit ainsi obtenu est mis à décanter avec de l'acide dans une bouteille, laquelle est rendue à la place du livre à la bibliothèque de St Martin's en mai 1967. Latham est renvoyé de son poste d'enseignant.
Le DIAS (Destruction in Art Symposium), organisé par Gustav Metzger, se tient à Londres du 9 au 11 septembre. Il se fonde sur un diagnostic apocalyptique sur la culture et la politique contemporaines, et rassemble des artistes, écrivains, psychologues,

Édification de l'*Artist's Protest Tower* [ou *Peace Tower*], Los Angeles, 1966. Photo © Charles Brittin, *Art in America*, nov.-déc. 1971.

sociologues et autres scientifiques autour de l'idée de destruction dans l'art. Y participent, entre autres, Brus, Muehl, Nitsch, Latham, Hansen, Lebel, Flanagan, Weibel, Ono, Toche, Ortiz.

Italie

Dans une exposition personnelle à la Galleria Sperone de Turin (janv.-févr.), Pino Pascali présente pour la première fois un ensemble de fausses armes fabriquées avec des matériaux hétéroclites (1965), parmi lesquelles une fausse fusée, *Grande missile, Colomba della Pace*.

Tchécoslovaquie

En juin, congrès de l'AICA à Prague qui donne lieu à de nombreuses manifestations d'art contemporain à Prague, Brno et Bratislava. En octobre, un festival Fluxus a lieu à Prague (avec Higgins, Knowles, Berner, Ben Vautier...).

URSS

À l'issue de leur procès (10-14 févr.), les écrivains Andreï Siniavski et Youli Daniel sont condamnés à sept et cinq ans de réclusion criminelle pour avoir publié leurs œuvres à l'étranger, ce qui provoque de violentes réactions en URSS et à l'étranger.

Saïgon, mai 1968. Photo © Philip Jones Griffiths, Magnum Photos.

Viêtnam

En mars ont lieu les premiers raids aériens américains contre la guérilla communiste viêt-cong puis, en novembre, contre le Viêtnam-du-Nord. L'intervention américaine devient massive l'année suivante.

1967

Allemagne

RFA

L'exposition « Nouveau Réalisme », qui se tient à la Haus am Waldsee, à Berlin, du 6 au 19 janvier, avec, entre autres, Baehr, Berger, Diehl, Dorhege, Köthe, Krüll, Lausen, Lueg, Petrick, Polke, Richter, Sorge, Wintersberger, voit la naissance du concept de « Réalistes berlinois ».
Le 5 juin, une conférence à l'université de Hanovre révèle la confrontation entre Habermas (avertissement contre un « fascisme de gauche ») et le leader gauchiste Rudi Dutschke (résistance active), et prépare la rupture du mouvement des étudiants avec l'École de Francfort. Le 22 juin, en réponse à la grande coalition de l'opposition extraparlementaire (APO), Beuys fonde le Deutsche Studentenpartei (DSP) [parti allemand des étudiants] avec Stüttgen et Bazon Brock, à l'Académie de Düsseldorf.
Ce « méta-parti » ou « antiparti » se veut un lieu de réflexion sur les structures sociopolitiques et sur un concept élargi de l'art, s'appuyant sur le Erziehungspartei [parti éducatif].
La 20e exposition de la galerie Block de Berlin est un « Hommage à Lidice » (22 oct.-17 nov.), commémorant la destruction du village tchèque de Lidice le 10 juin 1942 par les SS, après l'attentat contre Reinhard Heydrich. Après l'exposition, les œuvres sont données au bourg martyr.

Autriche

Otto Muehl crée une série de portraits (sérigraphies) de personnalités politiques, considérées comme autant de détournements d'images médiatiques.

Bolivie

Le 8 octobre, Che Guevara est tué par l'armée bolivienne à la Higuera. Son cadavre est photographié pour prouver la réalité de son décès.

Brésil

Au musée d'Art moderne de Rio de Janeiro, à l'occasion de l'exposition « Nova Objetividade Brasileira » [Nouvelle Objectivité brésilienne], Hélio Oiticica publie le manifeste « Tropicalia ». Ce mouvement qui s'étend à toutes les activités artistiques, aussi bien dans la musique avec Caetano Veloso et Gilberto Gil que dans le cinéma, revendique et valorise les racines polyculturelles du Brésil.

Chine

En janvier, les affrontements sont ouverts entre partisans et adversaires de Mao Zedong, notamment à Shanghai. Le 12 février, l'armée intervient en faveur de la Révolution culturelle. En octobre, le ministère de la Culture, l'Association des artistes et le Département central de la propagande sont détruits. Leurs fonctions sont assumées par un groupe de culture sous la direction de Jiang Qing.

Cuba

Sur une proposition de Wifredo Lam, le gouvernement cubain invite une trentaine d'artistes européens (dont Adami, Aillaud, Arroyo, César, Erro, Hiquily, Kowalski, Monory, Rancillac, Rebeyrolle, Recalcati) à venir travailler à Cuba. Les œuvres réalisées à cette occasion sont exposées au musée d'Art moderne de La Havane. Erro peint *La Baie des Cochons* [voir 1961].

Présentation du cadavre de Che Guevara, tué le 8 octobre 1967 par l'armée bolivienne. Photo © UPI/Bettmann.

En juillet, pour l'anniversaire de la révolution, peintres, mais aussi intellectuels européens et cubains (dont d'anciens révolutionnaires de la Sierra Maestra) réalisent *Cuba Colectiva/El Gran Mural*, grande peinture murale en forme de spirale divisée en espaces tirés au sort entre les participants. Lam peint la partie centrale. Un espace est réservé à Fidel Castro, en l'hommage de qui la peinture est réalisée. 200 000 personnes visitent l'exposition.

Espagne

Après des manifestations non autorisées dans les grandes villes du pays, la faculté de Madrid est fermée le 30 novembre pendant cinq jours.

Asger Jorn invité à Cuba pour la réalisation de *Cuba Colectiva/El Gran Mural*, 1967. Photo © in *Jorn à Cuba*, éditions d'art Pozzo Fratelli, avec leur aimable autorisation.

À l'occasion de la sortie du livre de Joan Fuster, *Combustible per a Faller,* Equipo Realidad exécute des panneaux décoratifs, portraits allégoriques de l'écrivain, pour la librairie Tres, Quatre de Valence.

États-Unis

En janvier, un groupe d'artistes, critiques et écrivains (Sonnenberg, Helman, Golub, Baranik, Stevens, Petlin, Ashton, Apteker, Kozloff et Rose) écrivent à différents artistes pour leur proposer de réaliser un happening multimédia en signe de protestation contre la guerre du Viêtnam. Ce sera, du 29 janvier au 5 février, la « Angry Arts Week » avec plus de 100 performances et événements organisés à New York. Parmi eux, *The Collage of Indignation,* manifestation organisée par les critiques Dore Ashton et Max Kozloff, est une œuvre collective (3 m x 7 m) réalisée durant cinq jours par plus de 150 artistes, présentée au Loeb Students' Center de l'université de New York. Des « Angry Arts Week » seront organisées à Boston et à Philadelphie. Les références à la guerre peuvent être moins directes : Claes Oldenburg installe dans Central Park, le 1er octobre, une « sculpture invisible » derrière le Metropolitan Museum, creusant un trou de la taille d'une tombe pour le reboucher ensuite. Plus généralement, le regard critique de l'artiste sur l'histoire actuelle donne lieu à des constats, comme l'exposition « Protest and Hope » au New School for Social Research à New York, à laquelle participent Rauschenberg, Indiana, Segal avec *Execution Wall,* et Warhol avec *Race Riot.* La technique des murals est réinvestie par les communautés ethniques. Ainsi, à New York, un groupe d'artistes noirs décide de s'attaquer au délabrement de Harlem en réalisant des peintures murales dans un style qui soit le leur, une peinture abstraite noire américaine, d'où la création des Smokehouse Associates (avec William T. Williams, Melvin Edwards, etc.). L'Organization of Black American Culture (OBAC) aide et stimule la naissance du *Wall of Respect,* dans le quartier sud de Chicago, montage de personnages représentatifs de l'histoire de cette communauté. En l'espace d'un an et demi, un grand nombre de murs sont créés sur ce modèle dans les quartiers noirs, influençant les communautés hispaniques et de l'Amérique blanche. Les expositions se multiplient et prennent en compte l'existence d'un art noir américain. En septembre, le Brooklyn Museum inaugure sa galerie communautaire avec une exposition d'art contemporain noir américain. Au même moment, Peter Saul exécute *Saigon,* peinture satirique sur l'engagement américain au Viêtnam.

BLACK POWER
WHITE POWER

Tomi Ungerer,
Black Power White Power
[Pouvoir noir, pouvoir blanc],
1968. Affiche.
Musée d'Histoire
contemporaine-BDIC, Paris.
Photo © Musée d'Histoire
contemporaine-BDIC, Paris.

France

Un certain nombre d'organisations se mettent en place qui soutiendront l'émergence d'un art engagé, en particulier de la Figuration narrative. *Opus international,* première revue d'art contemporain tournée vers les mouvements des années soixante en France, est fondée avec, au sein de son comité de rédaction, des critiques comme G. Gassiot-Talabot, A. Jouffroy. Le comité du XVIIIe Salon de la Jeune Peinture, qui se tient en janvier au musée d'Art moderne de la ville de Paris, propose l'action « Viêtnam, un dessin pour leur combat », demandant aux peintres de déposer au secrétariat du Salon une œuvre vendue au profit du peuple vietnamien.
En juillet se tient, à l'ARC (Animation, Recherche, Confrontation ; département créé par Pierre Gaudibert, au musée d'Art moderne de la ville de Paris, pour promouvoir l'art contemporain), l'exposition « Le Monde en question ou 26 peintres de contestation » (juin-août), organisée par G. Gassiot-Talabot. Y participent Arroyo, Bertini, Cremonini, Golub, Kudo, Matta, Millares, Petlin, Rancillac, Recalcati, Sarkis, Equipo Crónica...
Calder, César, Matta, Masson, Rebeyrolle, Soulages, Soto, Vasarely, parmi d'autres, participent à « L'art pour la paix au Viêtnam » (galerie Creuze, 24 juin-14 juil.). Rancillac montre « L'année 66 » (galerie Blumenthal-Mommaton, juil.), avec des œuvres comme *Les gardes rouges défilent, Ben Barka présent-absent.*
En mars, *Le Petit Livre rouge,* de Mao Zedong est traduit en français ; en août, *La Chinoise,* de Godard apparaît comme l'un des premiers films de la vague maoïste chez les jeunes intellectuels. Selon Godard, « 50 ans après la révolution d'octobre, le cinéma américain règne sur le cinéma mondial [...], nous devons aussi créer deux ou trois Viêtnam [c'est-à-dire] créer des cinémas nationaux, libres, frères, camarades, amis ».
En octobre, Pierre Guyotat donne une vision tragique et lyrique de la guerre d'Algérie dans *Tombeau pour 500 000 soldats;* en novembre, Guy Debord fait paraître *La Société du spectacle,* où il définit la société contemporaine comme celle de la marchandise, du règne de l'apparence.

Grande-Bretagne

John et Barbara Latham, Jeffrey Shaw et Barry Flanagan, rejoints par David Hall et Stuart Brisley créent, le 25 mai, l'APG (The Artist Placement Group), destiné à trouver des stages pour les artistes dans des institutions gouvernementales ou industrielles, afin de promouvoir un « art technologique » et de former l'artiste à un rôle actif de modification de la société. Des artistes suivront effectivement des stages au cours des années 70 (Stuart Brisley, Ian Breakwell, John Latham, David Topp).

Grèce

Le 21 avril, un coup d'État militaire renverse le gouvernement grec. Le « régime des colonels » se maintient jusqu'en 1974. De nombreux intellectuels et artistes s'exilent.

Israël

Du 5 au 10 juin, la guerre des Six Jours permet à l'armée israélienne victorieuse d'occuper le Sinaï, Gaza et la Cisjordanie (avec Jérusalem-Est) et les hauteurs du Golan.

Italie

Reprenant le terme « arte povera » (emprunté aux conceptions théâtrales de Grotowski), employé pour la première fois comme titre d'une exposition (« Arte povera e Im Spazio », 27 sept.-20 octobre, Gênes, Galleria La Bertesca), Germano Celant publie, dans *Flash Art* (n° 5, nov.-déc.), le texte « Arte povera. Appunti per una guerriglia », où il soutient l'action décalée de cet art par rapport au système : « Après avoir été exploité, l'artiste devient un guérillero : il veut choisir le lieu du combat et pouvoir se déplacer pour surprendre et frapper. »

Japon

En juin, Genpei Akasegawa est condamné à trois mois de travaux forcés avec sursis pour avoir créé une série de faux billets de 1 000 yens ; le Comité pour la défense de Genpei Akasegawa organise en réponse l'exposition « Hyogen no fujiyu » [Les contraintes de l'expression artistique], en août, à la galerie Muramatsu de Tokyo. En même temps la galerie Nihon de Tokyo présente l'exposition « Senso » [La guerre], deuxième de la série organisée par Ichiro Haryu, avec, entre autres, Kikuji Yamashita, Mokuma Kikuhata montrant des œuvres d'artistes pacifistes.
Ichiro Nakagawa, photographe, organise au grand magasin Seibu, à Tokyo, une exposition des photos prises pendant son voyage aux États-Unis d'œuvres confisquées par les forces d'occupation américaines en 1951, dont les peintures de Tsuguharu Fujita, Kenichi Nakamura, Saburo Miyamoto, Genichiro Inokuma.

URSS

Le 22 janvier, Alexandre Glezer organise une exposition au club Droujba avec les œuvres de 12 artistes, dont le groupe de Liazonovo, Vetchtomov, Zverev et Plavinsky. L'exposition, présentée par la presse soviétique comme une « diversion politique », est fermée par le KGB, et le directeur du club est licencié. Le parti décrète que, désormais, toute exposition organisée dans la capitale devra être approuvée par l'Union des artistes. Plusieurs diplomates et journalistes étrangers sont témoins de l'événement. Ils jouent un rôle essentiel à Moscou : public fidèle des expositions d'appartements, ils sont les premiers à acquérir des œuvres de cette période, et à soutenir l'art non officiel.
En octobre, le groupe Dvijenie, après avoir exposé plusieurs fois, officiellement au cours de l'année, réussit à être invité à montrer ses œuvres à l'occasion des fêtes du cinquantenaire de la Révolution russe. C'est une importante reconnaissance officielle pour le groupe.

Allemagne

RDA

Première action « Lidl » d'Immendorff, à Bonn, le 31 janvier, *Das Lidlstück* est une visualisation du proverbe « Klotz am Bein » [bloc au pied] : l'artiste traîne à son pied un bloc en bois recouvert de noir, de rouge et d'or, couleurs du drapeau allemand, et portant l'inscription « Lidl », devant le Bundeshaus de Bonn. La police confisque le bloc pour « injure au drapeau allemand ». Cette action est la première d'une série d'interventions directement reliées à l'actualité politique et sociale de l'Allemagne, caractéristiques du groupe Lidl de Düsseldorf, dont la salle d'information « Lidlraum » est installée le 3 mars à Düsseldorf. La Lidl Akademie ouvre le 15 novembre à l'Académie d'art de Karlsruhe.
À Berlin, le 27 mars, se tient l'exposition « Politische Bilder » [Tableaux politiques] à la Ben-Wargin-Galerie. Un colloque s'ouvre, le 15 mai, à Düsseldorf, sur le thème « Kunst und Politik ». Au même moment, Albrecht D. commence à Stuttgart ses actions à contenu politique : *Biafra-Environments* puis, en mai, *Vietnam-Israel Environment,* qui sera montrée par Vostell au Kombinat I, à Cologne. L'inauguration de la Documenta IV à Cassel (26 juin-6 oct.) est perturbée par une action « Lidl » : *Ich mache die Documenta frei* [Je libère la Documenta]. Autre événement de l'exposition, la mise en place par Bazon Brock de sa « Besucherschule » [École des visiteurs] destinée à faciliter la réception des œuvres d'art par le public.
Beuys fait l'objet, le 24 novembre, d'un vote de censure de la part de ses collègues de l'Académie des beaux-arts de Düsseldorf. Ils critiquent son soutien au mouvement étudiant, et son attitude générale.
La convergence s'établit entre mouvements étudiants, artistiques et politiques : les artistes socialistes engagés créent, à Berlin-Ouest, le groupe Rote Nelke à l'automne, tandis que, le 10 décembre, paraît le manifeste de Wolf Vostell : « Sur la dénomination du Parti allemand des étudiants en zone Fluxus ouest ».

Autriche

Lors d'une manifestation de l'association d'étudiants socialistes, Kunst und Revolution [Art et Révolution], dans le Neues Institutsgebäude de l'université de Vienne, les actionnistes réalisent, le 7 juin, un happening provocateur : insulte à Robert Kennedy, assassiné quelques jours auparavant, dégradation de symboles de l'État, exhibition d'onanisme, se concluant par la flagellation publique d'un masochiste. Le scandale est national : trois membres du groupe sont arrêtés par la justice, et l'actionnisme viennois est dissous.

Belgique

Un mouvement baptisé « La Contestation » regroupe deux cents artistes, représentant les deux communautés linguistiques, qui occupent le palais des Beaux-Arts de Bruxelles le 28 mai.
Le caractère symbolique de cette occupation souligne le rejet de l'organisation de diffusion culturelle : dans un document, les circuits de diffusion, de commercialisation et l'enseignement sont violemment critiqués.
Marcel Broodthaers, qui participe à l'occupation, crée une plaque intitulée *Le Drapeau noir,* référence aux événements de 68. Il ouvre ensuite chez lui, rue de la Pépinière à Bruxelles, le 27 septembre, le « Musée d'art moderne, Département des aigles », première manifestation de son musée itinérant, dont il dira qu'il joue le rôle tantôt d'« une parodie politique des manifestations artistiques », tantôt d'« une parodie artistique des événements politiques ».
Le 8 décembre, une conférence au palais des Beaux-Arts de Bruxelles intitulée « Autour de la contestation » réunit Broodthaers, Restany et Dypréau.
Constituée à la suite des événements de mai, le VAGA (Vrije Aktie Groep Antwerpen) [Groupe d'action libre d'Anvers] se donne pour objectif, après une réunion au musée des Beaux-Arts d'Anvers sur le thème « Pas de musée populaire des Beaux-Arts sans une vraie démocratie », de transformer la place Henri-Conscience en aire de jeux pour enfants. À partir du 6 juillet, une série de happenings s'y déroule.

Brésil

Le 1er avril, des affrontements armés entre la police et les étudiants ont lieu dans plusieurs villes. Deux tableaux de Siron Franco, *O Fim de Todos* [La Fin de tous] et *Morte aos Primogênitos* [Mort aux aînés], évoquant la répression qui s'ensuit, sont confisqués par la police, qui ferme aussi la 2e Biennale nationale des arts plastiques à Salvador. Le premier « Mês de Arte Publica » [Mois d'art public] se tient alors sur l'esplanade du Flamengo, à Rio de Janeiro. Ce genre d'exposition, une des formes de la résistance au régime militaire, se multiplie au cours des années suivantes. Avec d'autres artistes, Oiticica provoque l'intervention de la police à l'occasion de la présentation d'une manifestation à Ipanema, comprenant une banderole où est inscrit : « Sois un bandit, sois un héros. »

Cuba

Le Salon de mai est suivi de la création d'un congrès culturel à La Havane (du 4-11 janv.), réunissant des intellectuels de tous les pays pour discuter des problèmes culturels des pays sous-développés. Parmi les représentants : Segui, Matta, Leiris, Sartre, Robbe-Grillet, Pauvert, Axelos, Naville, Enzensberger, Penrose, Read, Corneille, Saura, Messer, et un très fort contingent de représentants africains et asiatiques.

États-Unis

Après l'assassinat de Martin Luther King le 4 avril à Memphis, dans une centaine de villes les émeutes noires reprennent avec une violence redoublée faisant de nombreuses victimes.
Faith Ringgold manifeste en compagnie du sculpteur Tom Lloyd contre le MoMA afin d'obtenir une aile, nommée Martin Luther King, dédiée à l'art noir américain. En août, à Chicago, une manifestation contre la convention démocrate est violemment réprimée.
En signe de protestation, Claes Oldenburg, suivi par une cinquantaine d'artistes, décide de boycotter les musées et galeries de Chicago jusqu'à la fin du mandat du maire de la ville, Richard J. Dailey. Le boycott est provisoirement suspendu en octobre pour permettre la tenue du Mayor Dailey Show, à la Richard Feigen Gallery, qui présente 50 œuvres protestant contre les brutalités policières. Oldenburg expose une sculpture de bouche d'incendie, *Fire Plug Souvenir;* Barnett Newman, *Lace Curtain for Mayor Dailey;* et James Rosenquist, *Mayor Dailey*.
Afin de soutenir et de financer la marche de protestation contre la guerre au Viêtnam, prévue à Washington le 21 octobre, les groupes Artists and Writers Protest Against the War in Vietnam et Angry Arts Against the War in Vietnam organisent à New York, à la Paula Cooper Gallery (23-31 oct.), une exposition au bénéfice du Student Mobilization Committee to End of the War in Vietnam («Les 14 artistes représentés sont contre la guerre du Viêtnam. Ils témoignent de leur engagement [...] en donnant des œuvres majeures réalisées dans leur style actuel »). Les artistes sont en effet presque tous minimalistes : Andre, Baer, Barry, Bollinger, Flavin, Huot, Insley, Judd, Lee, LeWitt qui réalise à cette occasion son premier dessin mural, Mangold, Murray, Ohlson et Ryman. Seules les œuvres de John Giorno (poète), de Hans Haacke, de Lucy Lippard et du New York Graphic Workshop contiennent des allusions politiques directes.
La même année, Edward Kienholz réalise deux grandes installations directement liées à la guerre du Viêtnam, *The Eleventh Hour Final* et *The Portable War Memorial,* parodie du monument commémoratif de la bataille d'Iwo-Jima. Le 5 novembre, Richard Nixon est élu à la présidence des États-Unis.

Raul Martinez, *Cuba,* 1969. Affiche. Stedelijk Museum, Amsterdam. Photo © Stedelijk Museum, Amsterdam.

France

En préparation d'un Salon de la Jeune Peinture (qui n'aura jamais lieu en raison des événements de Mai), 25 artistes travaillent à une « Salle rouge pour le Viêtnam » sur le thème de

Atelier populaire de l'École des beaux-arts, séchage des affiches, Paris, mai 1968. Photo © Philippe Vermès.

« la lutte victorieuse du peuple vietnamien ». La Salle sera finalement montrée en mai à Belfort dans l'usine Alsthom, à Bourg-en-Bresse, devant les usines Berliet, dans les rues à Besançon, puis, en 1969, dans différents lieux, dont le musée d'Art moderne de la ville de Paris.
Le 2 mai, le doyen suspend les cours à la faculté des lettres de Nanterre. Le 3 mai, la police fait évacuer la cour de la Sorbonne occupée par des groupes d'extrême gauche et provoque ainsi la première manifestation étudiante. Dès le 6, 30 000 étudiants défilent dans Paris. Les écoles d'art, aussitôt après les universités, sont touchées : le 7, Louis Cane organise un atelier populaire aux Arts décoratifs ; le 8, la grève éclate à l'École des beaux-arts. La nuit du 10 mai, le Quartier latin est le théâtre d'émeutes. Le 11, une vingtaine de jeunes artistes, pour la plupart exposants de la Première Biennale internationale du graphisme au musée d'Art moderne, se rendent dans un atelier de lithographie pour imprimer les premières affiches révolutionnaires. Tirées à 50 exemplaires, elles sont vendues dès le 12 mai, au profit des étudiants en lutte. Le 13, lors de la grève générale décidée par les syndicats, des défilés rassemblent à Paris et en province des centaines de milliers de personnes. Les étudiants occupent la Sorbonne et, le lendemain, l'École des beaux-arts. Parmi les premiers occupants des ateliers, se retrouvent certains des membres les plus actifs de la Jeune Peinture : Aillaud, Arroyo, Buraglio, Fromanger, Jolivet, Le Parc, Rancillac, Rougemont, Tisserand, Zeimert... L'occupation de l'Odéon le 15 mai, qui coïncide avec l'extension de la grève à tous les secteurs (usines, trafic aérien, RATP, SNCF, presse), symbolise surtout le début de la contestation gagnant tout le secteur culturel. Le 16 mai, à l'entrée des ateliers de l'École des beaux-arts, rebaptisés « Atelier populaire », est placardée l'affiche : « Atelier populaire oui, Atelier bourgeois non. Travailler dans l'Atelier populaire, c'est soutenir concrètement le grand mouvement des travailleurs en grève qui occupent leurs usines contre le gouvernement gaulliste anti-populaire. » Le 19, l'Atelier populaire lance un « appel pour un comité d'action des artistes » en précisant les fonctions des plasticiens : « Agissez. Moins de théorie, plus de pratique. » Le lendemain, la première affiche réalisée est celle de Bernard Dufour à partir d'un poème de Michel Butor. L'artiste sera suivi par Bona et André Pieyre de Mandiargues, Alechinsky, Cremonini, Hélion, Matta, Ségui... Le même jour, l'assemblée générale permanente des artistes, critiques d'art et galeristes obtient la fermeture de plusieurs musées parisiens. Une résolution demande à tous les marchands de tableaux contemporains de se joindre au mouvement révolutionnaire. Les directeurs de 24 galeries signent un texte où ils proclament leur « solidarité pleine et entière avec les artistes dont le propos a toujours été la contestation ». Ainsi sont tirées, souvent en couleur, des œuvres d'Alechinsky, Bellegarde, Cremonini, Degottex, Hélion, Ipousteguy, Jorn, Matta, Pichette, Rebeyrolle, Ségui, Velickovic, etc., soit, à la fin du mois, une trentaine d'affiches, au prix unique de 10 F. Nombre de ces artistes réalisent, au cours du mois de mai, des œuvres où ils rendent compte des « événements » ; ainsi Matta, ou Hélion qui peint en hommage aux étudiants un grand triptyque, *Choses vues en mai* (1969).
L'art se déplace dans les usines, où les artistes rejoignent les ouvriers en grève. Godard achète des appareils vidéo portables qu'il met à la disposition des ouvriers de Renault et de Rhodiaceta afin qu'ils filment leur propre occupation d'usine. Les expositions fleurissent : outre la « Salle rouge pour le Viêtnam », un festival est organisé à Châtillon-sous-Bagneux, dans l'usine Nord-Aviation en grève, où Matta transfère tous les tableaux de son exposition du musée d'Art moderne de la ville de Paris. Des artistes étrangers comme Le Parc et Demarco, membres de l'Atelier populaire de l'École des beaux-arts de Paris, sont arrêtés et expulsés.
Par solidarité, Messagier refuse la rétrospective de son œuvre, prévue pour l'été au musée de Grenoble, tant que la mesure d'expulsion ne sera pas annulée. Daniel Pommereulle et Olivier Mosset rédigent un « Appel à la violence » qui sera publié dans le numéro 7 d'*Opus international*.
Au début du mois de juin, l'activité reprend peu à peu dans les entreprises. Le 12, le gouvernement interdit les manifestations, fait évacuer l'Odéon le 14, la Sorbonne le 16, et l'École des beaux-arts le 27. Fromanger se réfugie au local du PSU, où il réalise, avec quelques militants, la dernière affiche : « La police s'affiche aux Beaux-Arts, les Beaux-Arts s'affichent dans la rue. » Les 87 affiches réalisées aux ateliers pendant les événements de mai-juin sont reproduites en juillet dans la brochure *L'Atelier populaire par lui-même*, conçue pour populariser ce travail et susciter d'autres ateliers populaires dans toute la France. Le 12 octobre, Fromanger expose, devant l'église d'Alésia à Paris, la série de sculptures intitulée *Souffles*, sur les socles desquelles sont inscrits les noms d'usines occupées : *Souffle de Flins, Souffle de Sochaux*, etc. La manifestation est filmée par Godard, mais la police interpelle les artistes, le réalisateur et les photographes, avant de briser les sculptures.
Mai 68 conduit certains artistes à réorienter leur pratique, comme Buraglio qui arrête toute activité pour « s'établir » dans une imprimerie ; il ne reprendra la peinture qu'en 1974.

Grande-Bretagne

Le groupe Art and Language est créé en mai à Coventry, un an avant la parution de la revue homonyme, par Terry Atkinson, David Bainbridge, Michael Baldwin et Harold Hurrel. Ils se donnent pour but d'aborder l'art comme un langage. Se fondant sur la philosophie analytique, sur Wittgenstein et sur la théorie marxiste, le groupe adopte une attitude critique, y compris vis-à-vis de l'engagement généralisé des milieux artistiques à gauche.

Italie

Occupation de la Galleria d'Arte Moderna de Milan, de la Triennale de Milan, de l'Academia di Belle Arti de Venise.
En mai, à Rome, Nanni Balestrini crée, dans une exposition collective « Il teatro delle mostre » organisée par Plinio de Marchis (6-31 mai, Galleria La Tartaruga), l'œuvre *Muri della Sorbona*. De Paris, il communique par téléphone les phrases écrites sur les murs de la Sorbonne, qui sont transcrites sur les murs de la pièce.
La réforme de l'organisation de la XXXIVe Biennale de Venise (22 juin-20 sept.) est réclamée par les étudiants des Beaux-Arts en grève. La direction de la Biennale met alors en place, le jour de l'inauguration, un dispositif policier considérable, contre lequel une grande partie des exposants italiens s'insurge, en prenant la décision de fermer le pavillon central. Par solidarité, les Suédois ferment aussi leurs salles ainsi que les Français (à l'exception d'Arman). Au cours de l'été, toutes les salles rouvriront, sauf celles de Novelli et de Mattioli.
Les deux tendances plastiquement engagées en Italie sont alors représentées ailleurs. Dans « Alternative attuali 3 » qui présente les dernières tendances de l'art (juil.-sept., L'Aquila, Castello Spagnolo), Enrico Crispolti réserve une section à la Figuration critique avec, entre autres, Arroyo, Erro, Genovés, Guerreschi, Rancillac, Spadari.
Du 4 au 6 octobre, dans « Arte Povera – Azioni povere » (Amalfi, Arsenali dell'Antica Repubblica), Germano Celant montre *Italia* (1968) de Fabro, la première d'une série d'œuvres dédiées à la carte de l'Italie, réalisées en différents matériaux, dont *Italia fascista* (1969), *Cosa Nostra* (1971), *Italia da guerra* (1981), ainsi que *Mappamondo* (1966-1968) de Pistoletto. Il expose aussi *Sit-in* (1968) de Merz, qui réalise la même année d'autres œuvres à contenu politique, comme *Igloo de Giap, Solitario Solidale* et *Che fare ?*

Mexique

Apparu en juillet, le mouvement étudiant de contestation dans la capitale et les grandes villes de province réagit à la crise sociale, au chômage et aux incarcérations préventives des membres de l'opposition avant l'ouverture des Jeux olympiques de Mexico. Pendant les événements, les élèves et les professeurs des écoles d'art s'organisent en brigades et réalisent affiches et tracts collés dans de nombreux lieux publics. Le mouvement sera stoppé le 3 octobre avec le « massacre de Tlatelolco » perpétré par les militaires contre une manifestation.

Pologne

Suite au retrait par le gouvernement de la pièce de théâtre *Dziady* [Les Mendiants] de Mickiewicz en février, vague d'agitation en mars dans les universités et les milieux intellectuels.

Tchécoslovaquie

Dans la nuit du 20 au 21 août, les troupes du pacte de Varsovie envahissent la Tchécoslovaquie mettant fin au Printemps de Prague, tentative de réforme du communisme par A. Dubcek, premier secrétaire du Comité central du Parti communiste tchécoslovaque depuis le 5 janvier. Le nouveau président Husak mène une politique de « normalisation ». Les intellectuels « compromis » lors du Printemps de Prague sont contraints d'exercer des métiers subalternes. Jiri Kolar, qui vient d'être révélé par la Documenta IV de Cassel, illustre la situation politique tchécoslovaque sous la forme de planches de collages : *L'Hebdomadaire 1968*; il rend compte de la mort de l'artiste J. Balcar le 28 août.

URSS

En janvier, procès des écrivains Guinzbourg et Galanskov condamnés à sept ans de déportation pour avoir défendu Siniavski et Daniel dans les publications clandestines. L'étau du régime sur les intellectuels dissidents se resserre. Un plénum du Comité central du parti communiste (9-10 avr.) décide de « mener une lutte offensive contre toute tentative subreptice, dans les domaines de la littérature et des arts plastiques [...] contre tout point de vue s'écartant de l'idéologie de la société soviétique ». Le même mois paraît le premier numéro de la *Chronique des événements courants* en samizdat.

Viêtnam

Le 16 mars, l'armée américaine massacre la population du village de Song-My. L'événement bouleverse l'Amérique. Le responsable du massacre est jugé aux États-Unis.

Anonyme, *Budme Pevni !* [Soyons fermes !], Prague, août 1968. Affiche. Musée d'histoire contemporaine, BDIC, Paris. Photo © Adam Rzepka, Centre Georges Pompidou.

De jeunes Tchèques s'apprêtent à placer le drapeau national sur l'émetteur de Radio Prague pour protester contre l'invasion des troupes soviétiques, 21 août 1968. Photo © Josef Koudelka/ Magnum Photos.

1969

Allemagne

RFA

Le groupe Rote Nelke organise l'exposition « Les Artistes vietnamiens prennent position face à la guerre du Viêtnam » à Berlin et dans plusieurs villes d'Allemagne. Le 31 janvier, Immendorff commence à construire une maison « Lidl » en papier carton à même le mur du Bundeshaus de Bonn, mini-académie qui est confisquée et détruite à la suite de son arrestation.
Du 31 décembre au 8 janvier ont lieu les dernières représentations du Living Theatre en Allemagne, qui se dissout ensuite en plusieurs cellules, destinées à effectuer un travail social et économique dans différents pays. K. P. Brehmer réalise différentes actions dans la rue et dans des institutions, notamment *Farbtest « Nationalfarben »* [Test de couleur des « couleurs nationales »] entre 1969 et 1972 à Berlin, Hambourg, Bochum, Stuttgart, où des passants doivent choisir entre les couleurs allemandes noire, rouge et or. Dans une série d'actions, les *Occupations*, Anselm Kiefer se rend dans des lieux occupés par les nazis en Europe, où il s'installe, le bras levé, dans une répétition symbolique et cathartique de l'horreur, jusqu'à ce qu'il provoque des réactions.
Le 21 octobre, Willy Brandt devient chancelier.

Autriche

Brus s'enfuit à Berlin et crée, avec les écrivains Rühm et Wiener provenant du Wiener Gruppe, le « gouvernement autrichien en exil », dont l'organe de presse est la revue *Die Schastrommel*. Les artistes conceptuels Peter Weibel et Valie Export lancent une *Kriegskunst-Feldzug* [Expédition contre l'art de guerre] en Allemagne, à Essen, et en Suisse.

Brésil

Au musée d'Art moderne de Rio de Janeiro, une exposition réunissant des œuvres des artistes sélectionnés pour représenter le Brésil à la VIe Biennale de Paris est interdite, et les artistes sont poursuivis par la justice. L'Association brésilienne des critiques d'art présidée par Mario Pedrosa proteste énergiquement, et organise le boycott international de la Xe Biennale de São Paulo pour s'opposer à la répression policière.

Espagne

À la galerie Grises de Bilbao, le groupe Equipo Crónica expose des tableaux de la série *Guernica*, qui replace l'image de la toile de Picasso dans un contexte contemporain.

États-Unis

Suite au retrait par le sculpteur Takis de son œuvre présentée à l'exposition « The Machine seen at the end of the Mechanical Age » au MoMA, fondation, le 4 avril, de la Art Workers Coalition (AWC). Cette coalition (regroupant Andre, Battock, Doughterty, Farman, Haacke, Kosuth, Lee, Lippard, Lloyd, Lye, Perrault, Takis, Tsai…) a pour but de représenter les intérêts des artistes, notamment auprès des musées, dans leurs politiques d'expositions ou d'acquisitions. La protestation contre la politique du MoMA est un thème fédérateur et le pivot du groupe des artistes de couleur, qui réclament l'ouverture d'une section « noire » dans le musée. Durant l'automne, l'AWC, en collaboration avec l'Artists and Writers Protest Against the War in Vietnam, organise une manifestation contre la guerre du Viêtnam sur la 6e Avenue à New York : les manifestants défilent en portant des *body bags* [sacs funéraires destinés aux GI's tués], des *casualty statistic* [l'état des pertes], et des bannières portant les noms des victimes américaines et vietnamiennes.
Pour le Moratorium Day (15 oct.) contre la guerre du Viêtnam,

auquel participent plusieurs millions d'Américains, la coalition obtient la fermeture du Whitney Museum, du Museum of Modern Art, du Jewish Museum et de nombreuses galeries. C'est dans le sillage de cette protestation que deux membres de l'AWC, Jean Toche et Jon Hendricks, créent le Guerilla Art Action Group (GAAG), qui se différencie de la coalition par la violence de ses actions. Jusqu'en 1976, le groupe réalisera 52 actions spectaculaires, apparentées aux happenings et au théâtre, souvent organisées dans des lieux non artistiques.
Le 31 octobre, Jon Hendricks et Jean Toche, au nom du GAAG et de l'AWC, décrochent le *Carré blanc sur fond blanc,* de Malevitch exposé au MoMA pour le remplacer par un manifeste demandant que le musée vende pour un million de dollars d'œuvres d'art pour les distribuer aux pauvres, et qu'il « décentralise sa structure de pouvoir et la mette aux mains de la communauté ». Le groupe mène aussi campagne contre l'engagement américain au Viêtnam, affirmant qu'« il n'est plus possible de justifier les plaisirs de l'art quand nous sommes impliqués dans un génocide », en présentant devant *Guernica* les photographies d'enfants massacrés. L'AWC réalise également l'affiche anonyme, *Q. And Babies ? A. And Babies.,* dénonçant le massacre de My Lai, qui est distribuée dans le monde entier grâce au réseau privé des artistes membres.

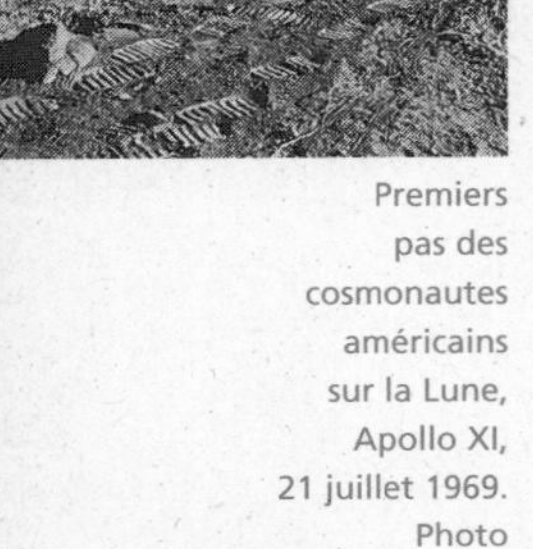

Premiers pas des cosmonautes américains sur la Lune, Apollo XI, 21 juillet 1969. Photo © DITE/NASA.

Les actions de l'AWC favorisent l'émergence de sous-groupes actifs. À l'occasion de l'inauguration de l'exposition « Harlem on My Mind : the Cultural Capital of Black America, 1900-1968 » au Metropolitan Museum of Art, les artistes Benny Andrews, Henri Ghent et Ed Taylor créent la Black Emergency Cultural Coalition (BECC) destinée à lutter contre la discrimination raciale dans les institutions culturelles. Entre 1969 et 1975, le Whitney Museum of American Art organise une douzaine d'expositions monographiques d'artistes afro-américains dans sa petite galerie du premier étage, et le Museo del Barrio, réservé aux artistes portoricains, ouvre ses portes.
Le WAR (Women Artists in Revolution) est créé à l'occasion du vernissage de l'exposition annuelle du Whitney, qui ne comprend que 8 femmes sur 143 hommes, soit 15 %. À partir de ce constat, un groupe d'artistes (Sara Aporta, Dolorés Holmes, Jacqueline Skiles, Juliette Gordon, Silvia Goldsmith et Jan McDevit) se donne pour mission d'augmenter le nombre d'œuvres de femmes exposées dans les musées.
L'artiste californienne Martha Rosler commence sa série de photomontages *Bringing the War Home : House Beautiful,* juxtaposant des images tirées de revues de mode et de décoration aux photographies de presse sur la guerre du Viêtnam.
Le 21 juillet, Neil Armstrong est le premier homme à marcher sur la Lune. Cet événement inspire à Faith Ringgold *Flag for the Moon, Die Nigger*, qui oppose la pauvreté des Noirs des ghettos aux dépenses du programme spatial américain.
Le 15 mai, au cours d'affrontements entre étudiants et garde nationale à Berkeley, un étudiant est tué. C'est le moment où Claes Oldenburg érige sa sculpture monumentale *Lipstick Monument,* près de la Beineke Library de l'université de Yale, créée pour servir de podium aux étudiants manifestants.
En août, la Woodstock Music and Art Fair à Bethel (État de New York) consacre l'utopie du mouvement hippie.

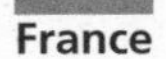

France

Le 27 avril, le général de Gaulle soumet à référendum son projet de réforme du Sénat et des régions. Le non l'emporte. Le 28, il annonce qu'il met fin à ses fonctions de président de la République. Le 15 juin, Georges Pompidou est élu président de la République.
À l'ARC (musée d'Art moderne de la ville de Paris), présentation de la « Salle rouge pour le Viêtnam » (17 janv.-23 févr.). Y participent : Aillaud, Arroyo, Baratella, Bodek, Biras, Buraglio, Cane, Cueco, Darnaud, Dubigeon, Fanti, Fleury, Leroy, Olivier, Parré, Perraro, Rieti, Schlosser, Spadari, Tisserand,

John Lennon et Yoko Ono, « War is over! if you want it », 1969. Affiche. Collection Steve Davidson, Amsterdam. Photo © DR.

Manifestation de l'Art Workers' Coalition et du Guerilla Art Action Group contre l'intervention américaine au Viêtnam devant *Guernica*, au MoMA. Photo © Jan Van Raay.

Vilmart, Zeimert. La préface du catalogue précise : « La guerre du peuple est le seul lien qui unit ces tableaux. »
En février, à l'ARC, Dewasne évoque la révolution chinoise avec 36 panneaux composant *La Longue Marche* (250 mètres de long). À Paris (galerie André Weill), Arroyo présente « Miró refait ou les Malheurs de la coexistence », parodies politiques des œuvres de Miró.
À Nice, lors de la pose de la première pierre du musée Chagall, le 4 février, le peintre Pinoncelli, armé d'une poire à lavement, asperge de peinture rouge le ministre de la Culture A. Malraux, qui asperge à son tour le peintre.
En mai, l'éditorial du 4e *Bulletin du Salon de la Jeune Peinture* annonce la suppression du jury pour le XXe Salon consacré au thème « Police et Culture ». La réalisation de l'exposition, des œuvres, de l'accrochage sera un travail collectif. Pour la première fois, un Salon se déclare ouvertement « marxiste » et aux côtés de la classe ouvrière.
Il ouvre en juin. Baratella, De Filippi, Gobbi, Mariani et Spadari réalisent l'environnement *Repressione all'Italiana*. Aillaud, Arroyo, Biras, Fanti et Riéti présentent *La Datcha,* avec une note qui critique la passivité des philosophes (Foucault, Lévi-Strauss, etc.) pendant les événements de Mai 1968. Tisserand, Latil, Parré et Hans, Roméro et Rutault présentent *Peinture sur la question des petits paysans,* racontant le destin d'un paysan contraint au chômage et s'engageant dans la gendarmerie. Cueco, Marinette Cueco, Fleury, Naccache, Schnée, Schlosser et un groupe d'étudiants réalisent *Livre d'école – Livre de classe !* Les membres du Salon participent aux manifestations contre la 6e Biennale de Paris au palais Galliera : affichages, bombages de slogans et déambulation d'artistes déguisés en généraux sud-américains, et accrochage d'un calicot sur lequel tous les visiteurs peuvent lire : « Biennale de Paris = Biennale de pourris ». Les éléments les plus radicaux du Salon (Buraglio, Birga, Bodek, Bouvier...) organisent au même moment une première Biennale internationale Art et Révolution à la Cité universitaire.

Irlande du Nord

Au cours des mois d'août et de septembre, des bagarres entre catholiques et protestants tournent à l'émeute à Belfast et à Londonderry. Le 16 décembre, Bernadette Devlin, députée catholique d'Irlande du Nord, est arrêtée.

Italie

En décembre, une série d'attentats sanglants et anonymes à Milan et à Rome secouent l'Italie. Les organisations clandestines d'extrême droite sont soupçonnées.

Japon

L'année est marquée par les désordres précédant la reconduction du traité de sécurité nippo-américain, et la préparation de l'Exposition universelle d'Osaka de 1970. Les artistes désireux d'y participer sont généralement les tenants d'environnements intégrant la technologie moderne ; le clivage se creuse avec ceux qui s'y opposent, proches du mouvement étudiant et des néo-dada, qui n'y voient qu'un symbole de l'enfermement de la culture. En juin, le Banpaku Hakai Kyoto-Ha [Front commun pour la destruction de l'Exposition universelle] fait, pendant trente secondes, une manifestation nudiste sur un toit, dans la « zone libérée » de l'université de Kyoto où les étudiants du Zenkyoren [Front uni] ont dressé des barricades. En juillet, différents artistes ayant participé à cette manifestation sont arrêtés.

Suisse

L'exposition « When Attitudes Become Form », organisée à la Kunsthalle de Berne par Harald Szeemann (22 mars-27 avr.), fait le constat des nouvelles réalisations des artistes contemporains, censées entraîner de nouveaux processus d'interactivité entre l'artiste et la société. L'exposition provoque un scandale local et national, qui contraint Szeemann à démissionner.

Tchécoslovaquie

Le 16 janvier, l'étudiant Jan Palach s'immole par le feu sur la place Wenceslas de Prague, en protestation contre l'occupation soviétique du pays. Il devient un symbole et un martyr de l'opposition démocratique en Tchécoslovaquie. En avril, Alexandre Dubcek, symbole du Printemps de Prague, est remplacé à la tête du parti communiste. C'est la « normalisation ». Toute opposition est interdite. Dernière exposition du groupe Trasa, salle Manes, à Prague. Quelques-uns de ses membres, à l'image d'E. Kmentova, prennent part au Salon de mai à Paris.

URSS

Le gouvernement durcit son attitude à l'égard de l'art non conformiste. En mars, une exposition de peinture à l'Institut d'économie mondiale et des relations internationales montrant des œuvres de Rabine, Plavinsky, Svechnikov, Nemoukhine, Kropivnitsky, est fermée quarante-cinq minutes après son ouverture. L'exposition Vladimir Yakovlev qu'avait tenté d'organiser Alexandre Glezer est immédiatement fermée, et le directeur de la bibliothèque dans laquelle elle a lieu est congédié. Soljenitsyne est exclu de l'Union des écrivains.

1970

Allemagne

RDA

Penck commence une série d'œuvres autour de l'idée de « Standart » : critique du conformisme et rupture avec le système officiel en RDA.

RFA

Le 19 janvier, les membres du groupe Lidl perturbent la répétition générale de la pièce de Peter Weiss, *Trotski en exil*, au Schauspielhaus de Düsseldorf. À l'occasion de l'exposition « Jetzt Künste in Deutschland heute », Immendorff et Göldenborg collent, dans la nuit du 27 janvier, des affiches de publicité pour le Büro Olympia, sur les murs de la Kunsthalle de Cologne ; ils sont arrêtés. Le Bureau est une nouvelle cellule qui se consacre au sport, s'attaquant à la commercialisation et aux subventions motivées politiquement du sport de haut niveau. Deux grandes expositions analysent les rapports entre art et politique. À Berlin, en février, est organisée l'exposition « Funktionen bildender Kunst in unserer Gesellschaft », qui, à partir d'un point de vue néomarxiste, analyse les fonctions possibles d'opposition de l'art dans une société capitaliste. Du 31 mai au 18 juin a lieu l'exposition « Kunst und Politik » [Art et Politique], à la Badischer Kunstverein de Karlsruhe, conçue par Georg Bussmann qui cherche à faire le point sur les relations entre art, politique et société à travers les œuvres de 33 artistes (Alvermann, Arroyo, Beuys, Bayrle, Brehmer, Caniaris, Goettl, Grützke, Guttuso, Kienholz, Kitaj, Monory, Paeffgen, Rancillac, Staeck, Télémaque, Tilson, Vostell...).
Du 24 avril au 31 mai, le Kunst und Museumverein de Wuppertal présente une exposition anthologique des objets d'Alvermann de 1959 à 1966, dont le *Sauber*, illustrant une chanson du chanteur engagé est-allemand Wolf Biermann. Peu avant les élections régionales du Landtag de Nordrhein-Westfalen, Beuys fonde le 2 mars, à Düsseldorf, l'Organisation der Nichtwähler für direkte Demokratie durch Volksabstimmung [Organisation des abstentionnistes pour la démocratie directe par référendum]. Cette organisation appelle à un boycott des élections et attaque les partis établis, accusés de défendre les intérêts économiques des tenants de la productivité. En 1971, des groupes similaires s'établiront à Düsseldorf, Cassel, au lac de Constance près de Lindau, à Hambourg et en Hollande.
Au cours de l'été, G. Brus réalise *Zerreissprobe* [Épreuve de résistance], son action d'automutilation la plus extrême, qui met ainsi un point final aux années placées sous le signe de l'actionnisme. À Cologne, H. Szeemann fait le point dans l'exposition « Geschichte des Happenings » (Kunstverein, 6 nov. 1969-6 janv. 1970) sur les performances des années soixante, avec Ben, Brecht, Filliou, Higgins, Kaprow, Kudo, Lebel, Paik, Vostell, les actionnistes, etc. L'exposition est émaillée de multiples incidents : retrait d'une vache gravide figurant dans un environnement de Vostell, fermeture de stands d'artistes en signe de protestation, scandale provoqué par les actions de Muehl et de Nitsch... L'exposition dégénère en pugilat.

Autriche

Le 1er mars, le Parti socialiste autrichien (SPÖ) remporte les élections.
Pour la première fois, les Wiener Festwochen (mai-juin) prennent en compte l'« underground » autrichien, avec le programme « Arène 70 ».

Brésil

En avril, lors de l'inauguration du palais des Arts à Belo Horizonte, Cildo Meireles réalise une action *Tiradentes : Totem – monument au prisonnier politique*, en hommage à Tiradentes (un héros de l'indépendance du XVIIe siècle, torturé par les Portugais), pendant laquelle dix poulets vivants sont attachés à un mât de 2,5 mètres de hauteur avant d'être aspergés d'essence et brûlés.

Cambodge

Une offensive sud-vietnamienne est lancée au Cambodge avec l'aide des Américains le 29 avril. Le 9 octobre, la république du Cambodge est proclamée à Phnom-Penh.

Chili

L'élection de Salvador Allende à la présidence de la République, le 24 octobre, donne le signal de l'essor du mouvement « brigadiste », qui regroupera bientôt environ 40 000 personnes, utilisant les murs de tout le pays comme alternative au contrôle des mass media, réalisant des murals sur les thèmes de l'unité populaire : alphabétisation, réforme agraire, solidarité avec le Viêtnam... Deux jours après l'élection apparaît le premier mural dans les rues de Santiago réalisé par la Brigada Ramona Parra, suivie par l'apparition de deux nouvelles brigades Inti Peredo et Elmo Catalan. En septembre, Roberto Matta séjourne au Chili et réalise les croquis préparatoires d'un mural qui sera réalisé par les brigades dans le quartier de la Granja à Santiago.
En mai, l'exposition « America, no invoco tu nombre en vano », organisée au musée d'Art contemporain, présente des œuvres en rapport avec la réalité sociale.
À la fin de l'année, à Santiago, naissance du groupe Avanzada, association informelle qui réunit des artistes chiliens engagés politiquement avec, entre autres, Eugenio Dittborn, Gonzalo Diaz.

Espagne

Le 3 décembre s'ouvre à Burgos le procès de seize nationalistes basques antifranquistes, provoquant de nombreuses protestations. Les 13 et

Portraits des six condamnés à mort du procès de Burgos, Espagne, 1970. Photo © EFE/Sipa Press.

14 décembre, environ 300 personnes (dont Tàpies et Miró) s'enferment au monastère de Montserrat, près de Barcelone, en signe de protestation contre l'ouverture du procès. Le 28, six accusés sont condamnés à mort : peine commuée par Franco, le 31 décembre, en trente années de réclusion.

États-Unis

Les membres du Women Artists in Revolution (WAR) organisent leur première exposition féministe « Mod Donn », au Public Theatre on Lafayette Street, tandis que Faith Ringgold et sa fille Michele Wallace fondent le Women Students And Artists for Black Art Liberation (WSABAL) qui réalise la convergence avec le mouvement noir.
Celui-ci est désormais reconnu dans le domaine artistique, avec, par exemple, l'exposition « Dimensions of Black Art », organisée au La Jolla Museum qui voyagera à travers les campus des collèges de la côte californienne, ou l'exposition « Afro-American Artists : Boston and New York », organisée au printemps par le Museum of the National Center of Afro-American Artists et le Museum of Fine Arts de Boston. L'organisation des autres communautés se poursuit, avec, notamment, la création du Basement Workshop à Chinatown (New York), centre d'art pour la communauté d'origine asiatique. Répondant à ce développement, un mouvement communautaire de la vidéo se répand aux États-Unis et au Canada, qui tente d'offrir une alternative à la production télévisée. Ainsi sont fondés, à San Francisco, le groupe Video Free America par Arthur Ginsberg et Skip Sweeney, et, à New York, le groupe People's Video Theater par Judy Fiedler, Elliot Glass, Howard Gudstadt, Ben Levine, Ken Marsh, Elaine Milosh, qui travaille avec des minorités ethniques et les groupes radicaux qui en sont issus.
Le 9 mai, une manifestation de protestation contre l'intervention américaine au Viêtnam rassemble 100 000 personnes à Washington. Le 18 mai, lors d'une réunion organisée par Robert Morris au Loeb Student Center de l'université de New York, près de 1 500 personnes du monde de l'art réagissent à l'annonce des morts du campus universitaire de Kent State, à l'invasion américaine du Cambodge et aux violences racistes dans le Mississippi. Une résolution crée un « gouvernement culturel » d'urgence résolu à couper toute forme de collaboration avec le gouvernement fédéral américain. Le 23 mai, le New York Art Strike Against War, Racism, Fascism, Sexism, and Repression (qui comprend l'AWC) organise sa grève, qui se concrétise par la fermeture durant une journée entière des musées et des galeries new-yorkaises, un sit-in de plus de 500 artistes sur les marches du Metropolitan Museum et le retrait d'une majeure partie de la représentation américaine à la Biennale de Venise. Une Biennale in Exile est cependant organisée en juin par le New York Art Strike à la School of Visual Arts de New York.
Reprenant le titre de l'exposition « Flag Show » qui avait eu lieu en 1966 à la Stephen Radich Art Gallery à New York, l'Independent Artists Flag Show Committee sponsorise l'installation intitulée *The People's Flag Show,* organisée au Judson Memorial Church le 9 novembre. Parmi les œuvres qui répondent à la question « Artistes, travailleurs, étudiants, peuples du tiers-monde... que veut dire le drapeau pour vous ? », on trouve Jasper Johns avec son affiche *Moratorium,* et Carl Andre avec une œuvre faite de timbres reproduisant le drapeau américain. L'exposition est fermée un jour avant sa clôture prévue le 13 novembre, à la demande du procureur. Les « Judson Three » : Faith Ringgold, Jon Hendricks et Jean Toche, accusés de profanation du drapeau américain, sont arrêtés et condamnés en mai 1971.
Point culminant de la série d'actions organisées par les mouvements féministes, les trois organisations féministes, le WAR, le WSABAL et le Ad Hoc Women's Art Group, manifestent le 11 décembre à l'occasion du vernissage du Whitney Sculpture Annual, pour demander la participation des artistes noires américaines Betye Saar et Barbara Chase-Riboud à la biennale du Whitney Museum.

France

Du 24 février au 15 mars, l'ARC présente l'exposition de l'artiste grec Vlassis Caniaris, qui a quitté la Grèce après le coup d'État militaire d'avril 1967. En réponse à une phrase de Papadopoulos : « La Grèce est malade. Nous l'avons mise dans le plâtre. Elle restera plâtrée jusqu'à ce qu'elle guérisse », Caniaris piège dans des papiers et tissus empesés de plâtre des corps ensanglantés, des fils de fer barbelés, des membres amputés... Deux peintres militants, Cueco et Parré, exposent à l'ARC (19 mars-12 avr.). Cueco montre notamment la série *Les Hommes rouges,* et décline tous les thèmes de la violence.
En mai, à Montpellier, au cours de l'exposition « 100 artistes dans la ville », Rabascall présente son *Hommage aux Black Panthers,* pendant que Fromanger montre à l'ARC (12 mai-juin) sa série *Le Rouge* : 20 sérigraphies sur lesquelles des drapeaux de pays capitalistes et des documents photographiques sur la vie des ouvriers, des paysans et des étudiants sont recouverts de couleur rouge.
Le 4 juin, à Nice, sur la Promenade des Anglais, Pinoncelli part pour son happening-voyage *Nice-Pékin en bicyclette*, destiné à apporter un message de paix (le texte de Martin Luther King *I Have a dream*) à Mao Zedong.
Le 16 juillet, lors du vernissage de l'exposition « L'Art vivant aux États-Unis », Dore Ashton lit dans le jardin de la Fondation Maeght, à Saint-Paul-de-Vence, la déclaration de 38 artistes américains dénonçant les crimes commis par le gouvernement des États-Unis, qui est ensuite distribuée au public ; ce geste étant la condition exigée par les artistes pour participer à l'exposition.
En octobre, dans l'exposition « Coexistences » à la galerie Maeght, Rebeyrolle pose le problème politique de la coexistence pacifique en peignant notamment des corps écrasés par les deux blocs. Le 20 octobre, l'exposition « Aspects du racisme », organisée par Poinsot, Rabascall et Rutault, s'ouvre à Paris, rue de Thorigny. Montrée à Brive le 1er mars 1971, au foyer culturel, elle sera prématurément fermée le 9. La toile de l'artiste Baratella sera saisie et condamnée à la destruction avant appel, pour pornographie.
Créée sous l'initiative de Tisserand, la Coopérative des Malassis, qui fonctionne comme une coopérative agricole (tous les artistes, Cueco, Fleury, Latil, Parré, Tisserand, Zeimert, se retrouvent le matin pour décider du programme quotidien), réalise *L'Envers du billet,* album d'images en tirage sérigraphique multiple d'un billet de banque. Ils dévoilent les liens du pouvoir et de l'argent, ses effets pervers sur les comportements individuels ainsi que les relations qu'il entretient avec la violence et la mort.
En novembre, à l'occasion des états généraux de la Femme organisés à Paris par le magazine *Elle,* le Mouvement de libération de la femme (MLF) manifeste au nom de la défense des droits des femmes (avortement libre, égalité avec les hommes...).
Du 3 au 25 novembre se tient dans les sous-sols du pavillon Baltard, aux Halles désaffectées, le XXIe Salon de la Jeune Peinture, intitulé « Police et Culture II ». La Coopérative des Malassis y expose *Qui tue ?, L'Envers du billet* et *Les Monumensonges*. Des révolutionnaires du monde entier sont présents par des textes dans le catalogue, ou pendant l'exposition par des documents, des tracts, des photographies et une série de films. Ils le sont aussi « physiquement » : B. Devlin avec les membres de l'IRA, le bureau parisien des Black Panthers, une délégation palestinienne du Fatah, des Sud-Américains... Une série de séances de films intitulée « La peinture qui bouge », organisée par Fromanger et Latil, se déroule chaque soir : des films de Chris Marker, de Joris Ivens ou de Godard, *Le Rouge* de Fromanger, des films sur l'Irlande *(Mise Eire),* l'Amérique latine *(Cordoba 69),* le Laos, la Palestine...

Grande-Bretagne

Ouverture à Londres de nouveaux lieux alternatifs : Air and Space, Art Net, Acme Housing and Gallery et Artists for Democracy, ouverts aux minorités et aux mouvements extrémistes.

Life, 4 septembre 1970. « Une scène classique de la violence irlandaise ». Photo © Larry Doherty.

Hongrie

L'exposition collective thématique « Mouvement », ouverte en avril à la Galerie moderne Janus Pannonius Muzeum de Pécs, est aussitôt fermée par les autorités ; les œuvres exposées sont néanmoins achetées par le musée et constituent le fonds de sa collection actuelle.
En octobre, l'exposition « Les nouveaux travaux », à Mucsarnok et à Budapest, montre pour la première fois, après vingt ans d'interruption, des œuvres d'artistes progressistes.
En décembre, l'exposition collective « Exposition R » voit la participation à Budapest de presque tous les artistes progressistes de la ville. Des artistes émigrent cependant à l'Ouest : Krisztian Troyen en Suisse, Gyula Konkoly à Paris, Géza Perneczky à Cologne.

Irlande du Nord

Le 28 juin, Bernadette Devlin, députée catholique, est incarcérée. Les émeutes reprennent à Belfast.

Italie

Dans son exposition personnelle « Due o tre cose che so di politica », à la galerie Schwarz de Milan (3-31 mars), Spadari présente son travail sur l'image politique et d'actualité ; Mario De Micheli fait le point sur l'engagement des artistes italiens dans « Arte contro 1945-1970. Dal realismo alla contestazione », en avril-mai, à la Galleria Comunale d'Arte Contemporanea d'Arezzo, avec, entre autres, Angeli, Attardi, Baj, Baratella, Calabria, Cremonini, Fieschi, Guerreschi, Guttuso, Levi, Recalcati, Sassu, Spadari, Treccani, Vespignani.

Japon

Au cours du printemps, une fraction du mouvement étudiant se radicalise. Quelques centaines de militants d'extrême gauche passent à la clandestinité et proclament la lutte armée.
En juin, le traité de sécurité américano-japonais est renouvelé.

Pologne

Le 14 décembre, des émeutes ouvrières contre l'augmentation des prix ont lieu à Gdansk, Gdynia et Szczecin, entraînant une sanglante répression de l'armée et de la milice.

URSS

En février, A. Glezer est expulsé de l'Union des écrivains. Les activités du Studio Belioutine au sein de l'Union des artistes sont interdites. Par contre, le groupe Dvijenie bénéficiant de reconnaissance officielle est exposé à l'étranger (New York, Londres, Yokohama).
Le 8 octobre, le prix Nobel de littérature est décerné à Soljenitsyne.

Viêtnam

En février, les bombardements américains atteignent le Laos. En décembre, Hanoï subit les attaques aériennes massives de l'aviation américaine.

Irish Violence

For the extremist mobs of Northern Ireland —who usually wind up fighting the authorities whenever they attempt to fight each other—it has been another violent summer. The only difference is that last year's authorities—local constables—have been replaced by English soldiers like the ones shown here on William Street in Londonderry. In this picture a classic street-fighting situation has developed. Angry Catholics from the Bogside section have attacked soldiers on the fringes of the area, and the soldiers are moving to contain them. A few rioters gather behind barrels in an empty lot where a betting shop was burned down in last year's riots. But some soldiers outflanked them and soon had the area cleared.

Allemagne

RDA

Erich Honecker, le nouveau chef de l'État, proclame « l'ampleur et la diversité des possibilités formelles » comme programme de la politique culturelle.

RFA

Le 10 février, après les protestations et les débats autour de la Foire de Cologne d'octobre 1970, Beuys, Heerich et Staeck rédigent un manifeste contre l'exclusivité des foires de Cologne et de Berlin, et pour la création d'une foire de producteurs libres organisée par les artistes. Le travail de Beuys devient plus explicitement politique. Le 1er juin, il fonde l'Organisation für direkte Demokratie durch Volksabstimmung [Organisation pour la démocratie directe par référendum] avec l'intention de créer un mouvement international unissant des idées politiques et artistiques novatrices. Lors du vernissage de sa première exposition en Italie, le 13 novembre (Naples, Modern Art Agency), pour laquelle il réalise l'affiche *La rivoluzione siamo noi* [La révolution c'est nous], il prononce la conférence-action « Socialisme libre démocratique », suivie d'un débat avec le public. Le 14 décembre, il réalise l'action *Surmontez enfin la dictature des partis* : il balaie une forêt à Düsseldorf en signe de protestation contre le déboisage.

Chili

Guillermo Nuñez, un des artistes brigadistes, organise, au musée d'Art contemporain de Santiago, l'exposition « El Arte Brigadista ».

Espagne

Le 7 novembre a lieu la première réunion, dans l'église San Agustí de Barcelone, de l'Assemblea de Catalunya, regroupant partis et associations qui, pendant les dernières années du franquisme, jouèrent un rôle important dans la lutte contre la dictature ; en souvenir, Tàpies peint *7 novembre*. En novembre, le Collège des architectes de Barcelone sert de lieu d'exposition à la série *Policià y cultura* du groupe Equipo Crónica.

États-Unis

La campagne ouverte le 24 avril par les pacifistes se clôt par une marche sur le Capitole le 5 mai : 7000 personnes sont arrêtées.

Joseph Beuys *La rivoluzione siamo noi* [La révolution c'est nous], 1971. Affiche éditée par Modern Art Agency, Naples. Collection Johannes Stüttgen.

À l'University Art Museum de Berkeley, Terry Fox détruit au lance-flammes des massifs de plantes dans son action *Defoliation,* afin de protester contre la guerre du Viêtnam.
Pour son exposition au musée Guggenheim de New York, Hans Haacke comptait présenter *Shapolsky,* une œuvre sur la propriété foncière à Manhattan. Thomas Messer, directeur du musée, annule l'exposition prétextant que Haacke traite de « situations sociales spécifiques » à résonance politique, ne méritant pas d'être considérées comme de l'art.
Du 17 mars au 10 avril, à la Sidney Janis Gallery de New York, Fahlström expose une série de *Monopoly,* assemblages transposant les règles et la forme

du jeu de société aux questions politiques, stratégiques et économiques.
Les centres d'exposition des communautés continuent à se multiplier (le Store Front Museum, voué à l'art, à l'histoire, et à la culture afro-américaine, à Jamaica, près de New York; le Raza Graphic Center, centre d'art graphique et atelier d'affiches latino et chicano, à San Francisco).
La critique d'art féministe prend naissance avec, en janvier, la parution de l'article « Why Have There Been No Great Women Artists? » de Linda Nochlin dans *Art News* et, en septembre, de l'article de Lucy Lippard dans *Art in America* (n° 5), « Sexual Politics : Art Style », qui montre la prédominance des femmes dans les nouveaux médias (photo, film, vidéo) ou pratiques d'art (Fluxus, happening...). L'outil vidéo trouve son « petit livre rouge » avec l'ouvrage publié par Michael Shamberg et le collectif Raindance (Frank Gillette, Beryl Korot, Paul Ryan et Ira Schneider), *Guerilla Television,* anticipant un changement radical des structures sociales grâce à cet outil de communication.

France

Le 19 janvier, une partie des artistes de la Jeune Peinture monte une exposition-vente de solidarité avec les mineurs de Fouquières, « Secours Rouge Peintres-Sculpteurs », dans l'atelier de Rougemont.
Le 4 avril, 343 femmes signent un manifeste publié par *Le Nouvel Observateur,* déclarant avoir avorté et réclamant l'avortement libre. Parmi les cosignataires : de Beauvoir, Deneuve, Duras, Desanti, Halimi, Mnouchkine, Moreau, Vlady, Varda... En mai paraît *Le Torchon brûle,* premier numéro, supplément « menstruel » de *L'Idiot international,* qui fait campagne pour l'avortement libre et gratuit.
Gina Pane réalise des œuvres liées à la guerre du Viêtnam, comme l'installation *Le Riz,* en juin, à la galerie Rive Droite.
En hommage aux victimes de la répression versaillaise de 1871 et à toutes les victimes de la police, Ernest Pignon-Ernest « tapisse » en mai-juin l'entrée du métro Charonne, les escaliers du Sacré-Cœur, les abords du Père-Lachaise... avec plusieurs centaines d'images du même homme assassiné, à terre.
En juin, au Centre culturel américain et au palais Galliera, Michel Journiac présente, en opposition à la peine de mort, son action *Piège pour une exécution capitale*. Manessier réalise une toile sur *Le Procès de Burgos,* qu'il compare au procès de Jésus et aux luttes contemporaines débouchant sur une transformation du monde.
Rutault expose, à la galerie Bama, des cartes météorologiques détournées en information politique, comme *Météorologie du Viêtnam*.
Amorcé en mai par la démission de Viallat, l'éclatement du groupe Support/Surface se poursuit, confirmé par les orientations de la revue *Peinture – Cahiers théoriques,* dont le premier numéro paraît en juin (comité de rédaction constitué par Bioulès, Cane, Devade et Dezeuze).
La VIIe Biennale de Paris (Parc Floral, 24 sept.-1er nov.) consacre la fin du groupe, tandis que Pagès, Dolla, Valensi, Viallat, qui figurent au catalogue, ne prennent pas part à l'exposition, le groupe lui-même choisira de n'être présent qu'à travers la mention, « Support/Surface ; Peinture – Cahiers théoriques », suivie des noms des six artistes : Arnal, Bioulès, Cane, Devade, Dezeuze, Pincemin.
Du 14 septembre au 14 octobre, l'exposition « Intox » (maison de la culture de Grenoble) montre, sous l'impulsion de Clément et Rutault, des œuvres des Malassis, Fromanger, Gerz, Hains, Kitaj, Pignon-Ernest, Schlosser, Velickovic, Zeimert...
Pendant le vernissage de son exposition, le 30 septembre, au musée d'Art moderne de la ville de Paris, Mathelin se voit signifier, par la préfecture, l'ordre de décrocher deux toiles, *L'Arc de Triomphe-cuisinière* et *L'Élysée-gruyère,* considérées comme attentatoires, l'une au chef de l'État, l'autre au Soldat inconnu. Bien que le décrochage soit désavoué par le ministère des Affaires culturelles, Mathelin décroche l'ensemble de son exposition, provoquant la suspension par solidarité de celles de Guttuso, de Dedicova et de Cramer présentées à l'ARC, et de Rancillac au CNAC, qui ne réouvriront les salles qu'en retournant symboliquement quelques toiles, tandis qu'Aillaud décroche, ferme son exposition et rédige un texte publié dans différents journaux. Cette censure, ainsi que la destruction des pavillons des Halles, lieux d'exposition défendus notamment par la « bataille » des Halles du 13 juillet, mais aussi plus généralement « l'impossibilité du droit d'exposition de s'exercer et de trouver des lieux où exposer [...] l'absence totale de participation des artistes aux décisions sur les activités artistiques en France ; [...] l'exposition de l'École de Paris, patronnée par le président de la République », provoquent la création du FAP (Front des artistes plasticiens) dont la première assemblée générale a lieu le 28 octobre.
Le 18 novembre s'ouvre, à la galerie Sonnabend, l'exposition de Sarkis : « Le Troisième Reich des origines à la chute ». Elle montre huit coffres-forts renfermant 20 heures de bandes magnétiques sur lesquelles Sarkis a cité tous les noms se trouvant dans un livre de 1 500 pages racontant l'histoire du nazisme.

Hongrie

En février, l'exposition personnelle d'Istvan Haraszty, à la Ganz Mavag Kulturhaus, est interdite.
En mars a lieu l'intervention publique « Liberté pour Angela Davis », avec la participation de Jeno Balasko, Sandor Juhasz, Tamas Szentjoby, Miklos Erdely.

Italie

Création du Centro di Arte pubblica popolare de Fiano Romano, laboratoire animé par de Conciliis (qui, en mars 1970, a rencontré Siqueiros à Mexico) et Falciano, destiné à réaliser des peintures murales politiques d'inspiration mexicaine.
Boetti termine *12 forme dal giugno '67* (1967-1971), utilisant les silhouettes de « territoires occupés » (Tchécoslovaquie, Cambodge, Laos, Palestine, Viêtnam...) publiées dans la première page du quotidien *La Stampa* de Turin. Après son voyage en Afghanistan, il commence sa série des *Mappe,* cartes du monde brodées par les femmes du pays, où les différents territoires nationaux sont recouverts par leurs drapeaux respectifs.
Le 2 avril, Fabio Mauri réalise l'action *Che cosa è il Fascismo* (Rome, Accademia Drammatica Silvio D'Amico, Stabilimenti Safa/Palatino), sa première œuvre explicitement idéologique : mise en scène d'une fête d'école en 1939 à l'occasion de la visite d'un général allemand à Rome. L'action sera présentée à la Biennale de Venise de 1974.

Jean Genet visitant un camp de réfugiés palestiniens près d'Amman, Jordanie, 1971. Photo © Bruno Barbey, Magnum Photos.

Mexique

Aboutissement de toute son œuvre et synthèse de son travail de muraliste, Siqueiros réalise pour le polyforum culturel de Mexico une gigantesque fresque qui retrace *La Marche de l'humanité en Amérique latine*.

URSS

Les années 70 marquent les débuts de l'émigration des intellectuels russes à l'étranger ; parmi les peintres, Chemiakine en 1971, Nejdanov en 1972, Khoudiakov et Bakhtchanian en 1974, Masterkova en 1975, etc.

Yougoslavie

En avril, exposition « At the Moment », dans un immeuble à Zagreb. L'exposition associe des artistes yougoslaves d'avant-garde, dont Braco Dimitrijevic, à des artistes « conceptuels » venus de l'Europe de l'Est et des États-Unis : Beuys, Buren, Dibbets, Flanagan, Kounellis, Le Witt, Weiner, etc. En mai, Dimitrijevic présente à Zagreb son œuvre *Les Passants,* portraits géants d'inconnus photographiés dans la rue, exposés en façade d'immeuble, évoquant les portraits des dirigeants exposés dans les pays socialistes.

Allemagne

RDA

Le groupe Aspekt [réalisme critique] organise à Berlin-Est l'exposition « Prinzip Realismus », qui voyage ensuite en Europe jusqu'en 1974.

RFA

Le 28 janvier est ratifié le décret contre les radicaux qui a, entre autres conséquences, des interdictions professionnelles pour motifs idéologiques dans la Fonction publique.
Klaus Staeck réagit à la campagne électorale du CDU par une action d'affichage réalisée dans la nuit du 12 au 13 avril, à Heidelberg, pour les élections du parlement fédéral, puis pour les élections régionales du Landstag de Bade-Wurtemberg, intitulée *Die Reichen müssen noch reicher werden. Deshalb CDU* [Les riches doivent devenir encore plus riches. Pour cela, la CDU].
La diffusion de ses affiches est interdite et Staeck est poursuivi par la justice.
Le 1er mai, place Karl-Marx à Berlin-Ouest, Beuys nettoie les déchets d'une manifestation de gauche, afin de les « dépoussiérer » de toute fonction idéologique, déchets qui sont conservés dans une vitrine *(Ausfegen)*. Pendant la Documenta (30 juin-8 oct.), il tient le Büro für direkte Demokratie durch Volksabstimmung [Bureau pour la démocratie directe par référendum] et discute avec des visiteurs de l'exposition sur les moyens de dépasser le système des partis politiques. Dans cette Documenta 5, titrée « Befragung der Realität – Bildwelten heute » [Interrogation de la réalité – Langage visuel d'aujourd'hui], où Harald Szeemann confronte différents types de réalités et d'images, le langage politique coexiste avec des images publicitaires, fictionnelles, politiques, architecturales, triviales, réalistes... Beuys y présente une œuvre consacrée au groupe Baader-Meinhof, *Dürer, ich führe persönlich Baader + Meinhof durch die Dokumenta V 1972*, et Immendorff une série de tableaux à sujet politique. Pour la première fois, une section entière est consacrée à la vidéo et au film.
Pour avoir occupé le secrétariat de l'université, le 10 octobre, en signe de protestation contre le numerus clausus, Beuys est renvoyé le lendemain, sans préavis, de l'Académie des beaux-arts.
Felix Droese et Jürgen Kramer fondent à Düsseldorf le groupe Ruhrkampf dont les membres créent un atelier au sein duquel les étudiants doivent apprendre à « soutenir la classe ouvrière avec un langage artistique révolutionnaire ».
Le 5 septembre, aux Jeux olympiques de Munich, un commando de l'organisation palestinienne Septembre noir s'empare d'athlètes israéliens. Après une journée de négociations, un affrontement avec la police provoque 18 morts.

Chili

Inauguration du musée de la Solidarité dont la collection est constituée par 438 œuvres données par des artistes du monde entier en signe de soutien envers le processus révolutionnaire.
Les brigades réalisent à Santiago une fresque de 1 kilomètre de long et de 7 mètres de haut, sur le mur bordant le fleuve Mapocho, où 200 participants retracent l'histoire de 50 ans de la classe ouvrière chilienne.

Cuba

L'Institut d'art latino-américain de l'Université du Chili et de la Casa de las Americas de La Havane organise une rencontre latino-américaine sur le thème « Analyse de la fonction du travail collectif dans l'art contemporain ».
Le Taller 4 Rojo (Colombie) y présente une série de sérigraphies intitulée *Agression de l'impérialisme*, sur la guerre du Viêtnam.

Joseph Beuys, *Demokratie ist lustig* [La démocratie est drôle], 1972. Carte postale (photographie du renvoi de Joseph Beuys de l'Académie des beaux-arts de Düsseldorf. Photo © Éditions Staeck, Heidelberg.

États-Unis

Le 17 juin commence l'« affaire du Watergate » qui implique Richard Nixon dans un scandale d'espionnage politique.
L'Artists and Writers Protest Against The War in Vietnam et l'Artists Poster Committee éditent l'affiche *Four More Years ?* en référence à la campagne électorale de Nixon.
De nombreuses galeries féministes sont créées dans divers lieux : galerie coopérative des femmes artistes AIR (Artists in Residence), Atlantic Gallery et Women's Interart Gallery à New York, Artemesia à Chicago, Hera à Wakefield (Rhode Island) et Muse à Philadelphie. En avril paraît le premier numéro de la revue *The Feminist Art Journal* (FAJ) qui sera publié jusqu'en 1978.
Les Levine réalise une série de vidéos sur l'actualité politique et sociale, comme *The Troubles : An Artist's Document of Ulster,* vidéo couleur de 55 min sur la guerre civile en Irlande, ou *Outside The Republican Convention,* un reportage couleur de 25 min sur les passages censurés par la télévision du la convention républicaine à Miami. Les centres de vidéo communautaires se multiplient : le Downtown Community Television Center est fondé par Jon Alpert et Keiko Tsuno dans les quartiers de Chinatown et du Lower East Side à New York, pour promouvoir la réalisation de vidéos documentaires par les habitants de ces quartiers. Le collectif Tp Value Television (TVTV) est fondé à Los Angeles par les groupes Raindance et Ant Farm, avec l'objectif de produire un reportage alternatif sur les conventions démocratiques et républicaines à Miami. Le 30 décembre, Richard Nixon annonce l'arrêt des bombardements sur le Nord-Viêtnam.

France

Roman Cieslewicz expose au musée des Arts décoratifs (19 févr.-17 avr.) un album consacré à la vie du Che.
En mars, 200 000 personnes assistent aux obsèques de Pierre Overney, militant maoïste tué le 25 février par un vigile à Renault-Billancourt, lors d'une distribution de tracts. Une délégation composée de membres du comité Pierre Overney, du Front des artistes plasticiens et de la Jeune Peinture s'oppose au vernissage de l'exposition « Rouge vert jaune bleu » de Jean-Pierre Raynaud au musée des Arts décoratifs : les « objets esthétiques » de Raynaud ont été usinés par la régie Renault « sous la protection des milices armées, à l'heure où ces mêmes milices patronales ont assassiné l'ouvrier Pierre Overney » ; en outre, les responsables du musée, Eugène Claudius-Petit et François Mathey, sont respectivement rapporteur de la loi anticasseurs et organisateur de l'exposition «60-72».
Réalisée à la demande du président Georges Pompidou, l'exposition «60-72, douze ans d'art contemporain en France » (mai-sept.) aux Galeries nationales du Grand Palais montre 72 artistes représentant les différentes tendances novatrices de l'art contemporain en France. Un certain nombre d'artistes invités refusent de participer à l'exposition : Adami, Aillaud, Arroyo, Buren, Mosset, Toroni, Dubuffet, Filliou, Le Parc, Raysse, Sarkis, le groupe Support/Surface...
Le 16 mai, jour du vernissage, environ 250 manifestants déroulent devant l'entrée une banderole portant le nom des artistes ayant refusé d'exposer, et une autre où l'on peut lire : « Non à l'Exposition Pompidou ».
La police charge. La Coopérative des Malassis décroche et emporte

Andy Warhol, *Vote McGovern*, 1972. Affiche. The Museum of Modern Art, New York. Don de Philip Johnson. Photo © The Museum of Modern Art, New York.

les cinquante panneaux composant *Le Grand Méchoui ou 12 ans d'histoire en France,* fresque de 65 mètres de long, pour y substituer un reportage photographique de la charge policière. Villeglé, Dufrêne, Étienne-Martin et Alechinsky retirent leurs œuvres, Kermarrec retourne ses toiles, Spoerri entrepose des fromages dans sa salle pour suggérer les différentes « puanteurs » dont, selon lui, cette exposition a eu à pâtir.
Réduit au groupe de *Peinture – Cahiers théoriques,* Support/Surface affiche des positions maoïstes de plus en plus nettes. Le contenu de la revue se partage entre un travail d'analyse critique de l'histoire de l'art (fondé sur le marxisme et la

Les Malassis décrochent leur toile *Le Grand Méchoui* lors de l'exposition « 60-72, douze ans d'art contemporain en France », Grand Palais, Paris, 1972. Photo © André Morain.

psychanalyse) et l'expression de luttes plus circonstancielles, principalement les querelles suscitées par l'« Exposition Pompidou ».
Le 27 juin, un accord est signé entre le parti socialiste et le Parti communiste français pour un « programme commun de gouvernement ». C'est le début de l'« union de la gauche ».
Catherine Millet lance en décembre le projet *Art Press,* dont le premier numéro paraît en janvier 1973.

Irlande du Nord

Le 30 janvier, les affrontements entre les catholiques et l'armée britannique font 13 morts.
L'armée républicaine irlandaise (IRA) organise des représailles contre les Britanniques sous forme d'attentats.

Italie

Le 17 mai devait avoir lieu, au Palazzo Reale de Milan, le vernissage de l'exposition de Baj consacrée à l'œuvre *I funerali dell'anarchico Pinelli* (1972), anarchiste défenestré du bureau du commissaire Luigi Calabresi, lors d'un interrogatoire.
L'assassinat du commissaire Calabresi, ce jour, provoque la fermeture définitive de l'exposition et la saisie du catalogue.
Le catalogue de l'exposition de Spadari « La rosa e il leone. Venti opere di Giangiacomo Spadari sull'assassinio di Rosa Luxembourg e Leone Trotsky » (Galerie Schwarz, Milan, 9 nov.-9 déc.) publie un débat sur le thème « Arte e impegno politico » entre Del Guercio, Guttuso, Schwarz, Spadari, Tadini, Trini, Zorzoli.
À Bologne, l'exposition « Tra rivolta e rivoluzione – immagine e progetto » (Museo Civico, Palazzo d'Accursio, Palazzo dei Notai, Galleria Galvani, nov. 1972-janv. 1973) présente des œuvres récentes à caractère politique ou contestataire d'artistes italiens, européens et américains.

URSS

Vladimir Boukovski est condamné à sept ans d'internement pour avoir dénoncé dans un livre publié en Occident les méthodes d'internement psychiatrique. En décembre 1976, il sera expulsé d'URSS en échange de la libération du dirigeant communiste chilien Luis Corvalan.
En juillet, l'historien A. Amalrik est également envoyé en camp pour diffamation à l'égard de l'URSS.
Invention du terme « Sots'Art » par Komar et Melamid, qui caractérise tout un courant d'art non officiel prenant comme sujet le quotidien socialiste et en particulier les signes de la propagande officielle. Les deux artistes exposent au café L'Oiseau bleu, à Moscou. Leurs premières œuvres « Sots » sont des portraits de leurs femmes dans le style de l'affiche politique soviétique. Ils réalisent également *Biographie de notre contemporain,* jeu de damiers peint qui évoque le parcours social d'un jeune Soviétique.
Le 19 octobre, première étape de l'exposition anthologique de Guttuso, qui circulera entre 1972 et 1973 en Europe orientale. Guttuso reçoit alors le prix Lénine pour la paix et l'amitié entre les peuples.

Allemagne

Le 18 septembre, la RFA et la RDA entrent à l'ONU.

RDA

Du 30 septembre au 3 octobre se tient, à Erfurt, une table ronde réunissant des historiens d'art d'URSS et de RDA sur les « problèmes théoriques du réalisme socialiste ».

RFA

Du 31 mars au 13 mai, au Kunstverein de Hanovre, l'exposition de Helmut R. Leppien et Christos M. Joachimides « Kunst im politischen Kampf. Aufforderung – Anspruch – Wirklichkeit » [L'Art dans la lutte politique. Appel – exigence – réalité] avec, entre autres, Albrecht D., Beuys, Brehmer, Haacke, Hacker, Neuenhausen, Staeck, Vostell, suscite des débats dès la conférence de presse : les gauchistes estimant que l'exposition n'est pas suffisamment politique, la droite que le Kunstverein est « dénaturé » par ce « non-art ». L'une des œuvres de Klaus Staeck est l'objet d'une polémique lancée par un membre CSU du parlement.
À partir du 15 décembre se tient, à Francfort, à la fête de solidarité avec le Viêtnam, l'exposition « 70 images politiques » organisée par le groupe Ruhrkampf.
Création du groupe réaliste Schule der neuen Prächtigkeit à Berlin autour de Manfred Bluth, Johannes Grützke, dont l'exposition « Kunst als Waffe » [L'art comme arme] se tient à Düsseldorf. Au même moment, le congrès professionnel du parti DKP se déroule sur le thème « Réalisme – Partialité ».

Chili

Le 11 septembre, un coup d'État militaire installe une junte sous la présidence du général Augusto Pinochet, qui annonce le « suicide » du président Salvador Allende et suspend toutes les institutions démocratiques.
Le 25 septembre, l'enterrement du poète Pablo Neruda constitue l'un des premiers actes de résistance morale au coup d'État. Une répression s'ensuit.
Le 11 novembre, les militaires envahissent le musée de la Solidarité, qui se recréera en exil sous le nom de Musée international Salvador Allende.

États-Unis

Le 19 janvier, au New York Cultural Center, s'ouvre « Women Choose Women », la première exposition exclusivement féminine dans une institution culturelle américaine, organisée par Women in the Arts. Le 27 sont inaugurés, à Los Angeles, le Women's Building, centre pour l'art et la culture féminine, ainsi que le Los Angeles Council of Women Artists, le Feminist Studio Workshop, et le Center for Feminist Art Historical Studies.
Le 20 octobre, un groupe d'artistes latino-américains et américains protestent contre le coup d'État militaire au Chili et la répression de la junte militaire sur les arts en reproduisant une peinture murale révolutionnaire chilienne : *Chilean Mural.*

France

Les conflits se poursuivent dans les usines : grève chez Renault à Billancourt (mars-avr.), grève débouchant sur l'autogestion de l'usine Lip à Besançon (juin-sept.).
Les 25 et 26 août, à l'initiative des « Paysans travailleurs », 50 000 à 60 000 personnes se rassemblent au Larzac pour manifester contre l'extension d'un camp militaire.
Le premier numéro de la revue *Rebelote,* éditée par Gilles Aillaud, paraît en février. Dans la continuité du *Bulletin de la Jeune Peinture,* cette publication se donne pour programme : « Comment, sur le terrain qui lui est propre, l'exercice d'un métier artistique peut-il intervenir avec le plus d'efficacité dans la lutte contre la société bourgeoise ? »
À l'occasion de l'exposition « Avant-garde russe Moscou 73 » (galerie Dina Vierny, Paris, mai-juin) sont exposées des œuvres de Kabakov, Yankilevsky, Maxime et Rabine (dont *Passeport*).

Le groupe Equipo Crónica expose à Saint-Étienne et à Rennes des œuvres de la série *El Cartel* qui reprennent des fragments d'affiches de la guerre civile espagnole.
Erró commence sa série des *Tableaux chinois,* où il raconte, à travers une soixantaine de toiles, la longue saga de Mao Zedong à la conquête du monde capitaliste. Manessier réalise *Le 11 septembre 1973,* en hommage à Salvador Allende.
Le 2 septembre, à l'occasion de l'inauguration du monument d'Émile Gilioli à la mémoire de la Résistance sur le plateau des Glières, en Haute-Savoie, André Malraux prononce un éloge de la Résistance.

Hongrie

Le 26 août, la chapelle de Balatonboglar, un des plus importants espaces pour les expositions de l'art avant-garde en Hongrie, est fermée par la police militaire.

Israël

Du 6 au 25 octobre, l'Égypte et la Syrie lancent des attaques contre Israël, aboutissant au déclenchement de la guerre du Kippour qui marque le début de la crise pétrolière.

Italie

En septembre, à la suite du coup d'État au Chili, le secrétaire général du PCI, Enrico Berlinguer, propose de réaliser un « compromis historique » avec la démocratie chrétienne.
Un exposition itinérante de solidarité à la cause chilienne est organisée par les mairies de Bologne (5-21 oct., Museo Civico), de Ravenne (30 oct.-nov., Pinacoteca Comunale, Loggetta Lombardesca) et de Livourne (déc., Centro Storico). À Milan s'ouvre, également en octobre, un cycle d'expositions itinérantes sur le même thème, qui se prolongera jusqu'à l'exposition récapitulative de mai 1977 à la Rotonda di via Besana, à Milan.
Du Gruppo di Coordinamento fondé à Rome par Benvenuti, Catalano et Falasca en 1972, est issu, en janvier, l'Ufficio Consigli per Azioni qui devient en février Uffici per l'Immaginazione Preventiva. Ils organisent des interventions esthétiques hors des structures habituelles en substituant à la logique commerciale celle de l'anarcho-syndicalisme. Les responsables des sept premiers « bureaux » sont Benvenuti, Catalano, Croce, Falasca, Loriot, un « clandestin » (C. Romeo) et Mauri. Diacono sera ensuite responsable d'un « bureau » à New York. Par l'intermédiaire de cette organisation, des artistes italiens et étrangers enverront par la poste des centaines de messages politiques. Le groupe organise aussi des interventions dans l'espace urbain, comme *N. d. R.,* entre 1974 et 1979 : l'affichage de grandes images sur un espace publicitaire à Rome (avec Benvenuti, Brecht, Catalano, Cintoli, Falasca, Filliou, Pisani, Soskis...), et la publication de textes.

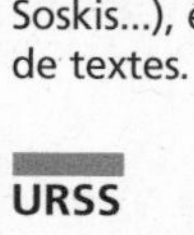

URSS

Komar et Melamid réalisent leur première installation *Raï* [Paradis], montrée dans un appartement privé jusqu'en 1975.
Bakhtchanian réalise les livres manuscrits, *Mouches en quantités* et *Rêve de L. I. Brejnev,* et Kabakov, six petits albums.
L'Archipel du Goulag, de Soljenitsyne est publié à Paris en décembre (en russe, puis en français l'année suivante).
À Moscou, procès de Piotr Yakir et de Victor Krassine pour leur publication, *Chronique des événements courants,* circulant sous le manteau en samizdat.

Viêtnam

Signature le 27 janvier des « accords de Paris » entre les États-Unis, les gouvernements du Viêtnam-du-Sud et du Viêtnam-du-Nord, et les dirigeants du GRP. Le cessez-le-feu est proclamé et les militaires américains sont évacués fin mars.

Dernière photo du président Allende peu avant sa mort, pendant le coup d'État du 11 septembre 1973 à Santiago du Chili. Photo © Keystone.

Autodafé de livres, Santiago du Chili, septembre 1973. Photo © David Burnett, Contact Press Images.

Allemagne

RDA

Les 28 et 30 mai se tient le VIIe congrès de l'Union des artistes plasticiens (VBK-DDR) à Karl-Marx-Stadt, qui confirme la réorientation du postulat officiel vers « l'ampleur et la diversité des possibilités formelles ».
En mai-juin a lieu l'exposition « Das Bildnis der Arbeiterklasse in der Kunst der DDR » [L'image de la classe ouvrière dans l'art en RDA] à Karl-Marx-Stadt.

RFA

Le 7 mai, le chancelier Willy Brandt démissionne après l'arrestation de son collaborateur Gunter Guillaume pour espionnage au profit de l'Est. Il est remplacé par Helmut Schmidt.
En février, à Düsseldorf, Beuys et l'écrivain Heinrich Böll fondent la Freie Internationale Universität (FIU), l'Université internationale libre pour la créativité et la recherche interdisciplinaire, pour la construction d'une nouvelle société. Dans diverses interviews et lectures, Beuys explique sa conception de la société comme « œuvre d'art » et comme « sculpture sociale ». En septembre s'ouvre, au Kunstverein de Hambourg, l'exposition « Engagierte Kunst in der Bundesrepublik seit 1945 » [L'art engagé en République fédérale depuis 1945], sous la direction de Uwe M. Scheede qui donne une large place au groupe Rote Nelke de Berlin-Ouest et au cercle de Wuppertal, Grafik der Arbeitwelt.

Colombie

À la fin de l'année, lors de l'exposition « Art et politique » au musée d'Art moderne de Bogota, Fernando Botero présente *La Famille présidentielle* (1967) ;

Carlos Granada, *Fusilamento et Violencia;* le groupe Taller 4 Rojo réalise des gravures sur la répression, en collaboration avec la revue *Alternativa,* fondée par Gabriel García Márquez.

Espagne

L'exécution, le 2 mars, de l'étudiant anarchiste Salvador Puich Antich provoque des incidents dans les universités. Dans son exposition individuelle à la galerie Maeght à Paris, en juin, Tàpies expose pour la première fois la série de monotypes *Assassins*, inspirés par la situation politique espagnole durant les dernières années de la dictature de Franco et par l'exécution de Salvador Puig Antich, auquel il consacre un tableau. D'autres œuvres sur le même thème sont réalisées par Manessier *(Pour la mère d'un condamné à mort),* Miró *(L'Espoir du condamné à mort),* Motherwell *(The Spanish Death).*

États-Unis

L'affaire du Watergate entraîne la démission du président Nixon le 8 août. Gerald Ford devient président. La vidéo de Les Levine, *Watergate Au Revoir,* décrit l'ascension et la chute du président. La vidéo devient le médium privilégié de la critique de l'actualité : le problème des vétérans est évoqué au cours du procès fictif *Peur et dévastation dans le chemin de la conjuration,* de Mel Kisler. Dans *Identity,* Anthony Ramos aborde le problème de l'intégration des Noirs aux USA, tandis que la situation des femmes est décrite par Nancy Kitchell dans *Exorcism,* qui développe un canevas des « rôles sociaux possibles et impossibles » de la femme, ou par Martha Rosler dans *A Budding Gourmet* et *Semiotic of The Kitchen,* qui évoquent l'oppression de la femme par l'homme, par le biais de la vie quotidienne. Nancy Spero donne une nouvelle dimension à l'art féministe avec sa série d'œuvres réalisées après la lecture d'une lettre d'information d'Amnesty International : *Torture of Women*.

France

Georges Pompidou meurt le 2 avril. Le 19 mai, Valéry Giscard d'Estaing est élu président de la République. En signe de soutien au candidat de la gauche, les Malassis réalisent un grand calicot représentant le visage de

Manifestation de femmes pour le droit à l'avortement, Paris. Photo © Guy Le Querrec, Magnum Photos.

François Mitterrand sur lequel se superpose une mosaïque de manifestations.
Parmi les mesures du nouveau gouvernement : abaissement de l'âge de la majorité à 18 ans et vote de la loi Veil sur l'interruption volontaire de grossesse.
Fisher, Forest et Thénot fondent le Collectif d'art sociologique et publient leur manifeste dans le journal *Le Monde*.
Warhol expose au musée Galliera sa série de portraits de Mao, commencée en 1972 d'après le frontispice du *Petit Livre rouge*.
Gasiorowski réalise sa série *La Guerre*.
L'exposition « Paysages barrés » (janv.-févr., galerie Rencontres) réagit, selon Pierre Gaudibert qui rédige la préface du catalogue, contre une certaine peinture de paysage qui apparaît comme « synonyme d'un plaisir de peindre qui voulait oublier la réalité historique en s'enfonçant dans les délices de la peinture-peinture ». Y participent : Biasi, Buri, Cueco, Fanti, Monory, Naccache, Recalcati, Rieti, Tirouflet, Theimer, Zeimert.
Equipo Crónica expose à l'ARC (juin-août) *Procès de travail 1964-1974.*
En septembre-octobre, exposition Sarkis à la galerie Sonnabend. Il présente *Gun Metal,* des pochettes de disques de discours fascistes ou nazis, oblitérés avec de la peinture grise, ainsi qu'un disque reproduisant le son obtenu au cours de la destruction des disques originaux avec du papier de verre.

Grande-Bretagne

Victor Burgin réalise *Lei-Feng,* une série de neuf photographies publicitaires sous lesquelles figure le même texte : une parabole extraite d'une bande dessinée maoïste.
Au cours de la version anglaise de l'exposition « Art into Society – Society into Art » (ICA, 30 oct.-24 nov.), Beuys donne un séminaire de quatre semaines, performance pédagogique comprenant une série de dialogues et d'actions.

Grèce

Le 24 juillet, le gouvernement des « colonels » démissionne, conséquence de la crise chypriote. La démocratie est rétablie.

Italie

Fernando De Filippi réalise *Compagni operai andiamo all'ultima decisiva battaglia,* performance au cours de laquelle il transcrit sur un mur le début d'un manuscrit éponyme de Lénine.
En septembre, en signe de soutien à la sortie du nouveau quotidien *Bandiera rossa,* Piero Gilardi expose à la Galleria Plura de Milan et affirme dans le dépliant « le rôle que chaque intellectuel progressiste doit assumer à côté de la classe sociale révolutionnaire, en partageant ses objectifs et en soutenant ses luttes ».
La Biennale de Venise (5 oct.-17 nov.), sous-titrée « La Biennale pour une culture démocratique et antifasciste », est centrée sur la solidarité avec le Chili : le premier jour a lieu, au Palazzo Ducale, « Testimonianze contro il fascismo » avec l'intervention d'artistes, d'intellectuels et de politiques, et la participation de la veuve d'Allende.
Du 6 au 15 octobre, les peintres chiliens de la Brigada Salvador Allende réalisent en plein air, avec la participation de Matta, des « œuvres murales » sur le thème de la résistance chilienne.
Au même moment, une exposition à Lecco (Villa Manzoni, 13 oct.-24 nov.) rassemble une centaine d'artistes sur le thème « "... que bien resiste !" L'idea della resistenza nell'arte contemporanea europea ».

Mexique

Différents groupes de plasticiens (dont Germinal, Suma, TAI, Mira, Proceso Pentagono, No grupo, Tepito Arte Aca...) développent un travail de tendance sociale ou politique et se situent en dehors du marché de l'art et des institutions. Ils réalisent des œuvres dans des lieux publics, des œuvres de dénonciation, organisent des ateliers de création populaire, des conférences et colloques...

Portugal

L'armée, menée par de jeunes officiers progressistes du mouvement des Forces armées, renverse le gouvernement Caetano le 25 avril. Dès le 26, la junte militaire, présidée par le général Spínola, lance la « révolution des Œillets » : les prisonniers politiques sont libérés, la censure abolie.

URSS

Les menaces à l'égard des non-conformistes se multiplient. Soljenitsyne, condamné pour avoir publié *L'Archipel du Goulag* et privé de sa nationalité, est expulsé d'URSS et, le 13 février, il est accueilli en Allemagne par l'écrivain Heinrich Böll.
Les participants du spectacle pictural de Komar et Melamid dans l'appartement de Melamid sont dispersés par le KGB. Dans l'appartement de Youlikov,

Lors de l'exposition d'artistes russes non officiels à Beliaïevo, les forces de sécurité soviétiques dispersent la foule des artistes et des spectateurs, Moscou, 15 septembre 1974. Photo © Associated Press.

ils interprètent un hymne de leur composition, ayant pour paroles le texte inscrit sur leurs passeports.
Le 15 septembre a lieu le vernissage d'une exposition organisée par des peintres non conformistes sur un terrain vague, dans la banlieue moscovite de Beliaïevo (parmi les 25 participants : Bordatchev, Boroukh, Guelovine, Fedorov-Rochal, Komar, Masterkova, Melamid, Nemoukhine, Rabine). Des bulldozers et des véhicules d'arrosage dispersent l'exposition, détruisant par le feu des tableaux, tandis que plusieurs artistes sont arrêtés. L'événement, commenté dans la presse du monde entier, devient un symbole : « L'exposition des Bulldozers ». Le Conseil de Moscou réagit immédiatement. Le 29 septembre, il permet aux artistes d'organiser une exposition dans une autre banlieue de Moscou, au parc d'Izmaïlovo. Intitulée « Seconde exposition de tableaux en plein air », elle rassemble plus de 70 artistes montrant environ 250 tableaux. Cet événement permet aux artistes d'obtenir l'autorisation d'exposer dans des galeries officielles de Moscou et de Leningrad. Un certain nombre d'entre eux refusent néanmoins de participer à l'exposition du palais de la Culture de Leningrad (22-26 déc.) qui regroupe 53 exposants et 206 tableaux. Cependant certains peintres non conformistes ayant participé à l'exposition d'Izmaïlovo sont menacés d'internement psychiatrique, d'autres sont envoyés dans l'Altaï pour faire leur service militaire. Alexandre Glezer, détenu et menacé par le KGB, est incité à émigrer.

Paris-Match,
5 avril 1975. Couverture.
Photo © DR.

Allemagne

RFA
Le 27 février, Peter Lorenz, dirigeant CDU de Berlin-Ouest, est enlevé par un commando d'extrême gauche qui obtient la libération de six détenus liés à la Fraction armée rouge.
De 1975 à 1977, E. et N. Kienholz réalisent une série d'œuvres à Berlin, les *Volksempfängers,* à partir de postes de radio des années 30 diffusant de la musique wagnérienne.

Cambodge

Le 17 avril, Phnom-Penh tombe aux mains des Khmers rouges. Les civils évacuent la ville le lendemain. Soutenu par la Chine, le régime khmer rouge vise à éliminer tous les symboles du monde occidental et déclenche une répression qui tourne au génocide : au moins deux millions de morts.

Chine

En janvier, la IVe Assemblée nationale populaire, réunie à Pékin, adopte une nouvelle Constitution, rétablit Deng Xiaoping dans ses fonctions et approuve le programme des « Quatre Modernisations » présenté par Zhou Enlai.

Espagne

Franco meurt le 20 novembre.
Le 22 novembre, Juan Carlos prête serment devant les Cortes. Le 25, il annonce la libération d'une partie des prisonniers politiques. Après vingt ans d'exil en France, Arroyo rentre en Espagne.

États-Unis

Création du forum de discussion et de protestation marxiste à New York : Artists Meeting for Cultural Change, avec Rudolf Baranik, Carl Andre, Benny Andrews, Hans Haacke, Lucy Lippard, Irving Peltin, May Stevens. Le groupe d'affichistes politiques, Wilfred Owen Brigade, est formé à San Francisco, prenant plus tard le nom de San Francisco Poster Brigade.
Le groupe Movimento Artistico Chicano (MARCH) est fondé à Chicago. Il promeut l'art des Mexicains et d'autres groupes indigènes d'Amérique du Nord et du Sud par des expositions, des événements littéraires et des affiches.

Finlande

Le 30 juillet, signature des accords d'Helsinki qui garantissent les frontières et la liberté de circulation des idées et des personnes en Europe. Cette dernière clause sera un point d'appui pour les mouvements de dissidents en Europe de l'Est.

France

Dans son exposition (galerie Iolas, 30 janv.-26 févr.), Fahlström présente plusieurs œuvres engagées : *Mappemonde,* sur les problèmes du tiers-monde ; *Chili I* et *Chili II,* sur les derniers mois du régime d'Allende et le coup d'État. Ernest Pignon-Ernest installe 800 sérigraphies pour la libéralisation de l'avortement dans les rues de Tours, Nice, Paris et Avignon ; il avait auparavant montré dans les rues d'Avignon *Immigrés,* 400 sérigraphies rendant compte de la condition des travailleurs immigrés en France. Le problème de l'immigration réunit le Collectif antifasciste [fondé par des membres de la Jeune Peinture à partir de plusieurs collectifs existants : le FAP (Rédélé, Lavigne), les Latino-Américains (Le Parc, Netto), DDP (Derivery, Dupré, Perrot) et le MLAC (Colin, Vignes)]. Leur première réalisation, en mars, est une affiche sur l'assassinat en prison d'un jeune Algérien Laïd Moussa, un instituteur faisant ses études en France, accusé d'un meurtre puis acquitté. Lors du défilé du 1er Mai, le Collectif antifasciste promène une banderole collective *Viêtnam, Cambodge : Victoire !*
Au même moment Jochen Gerz présente, à l'ARC, « Exit/Le Projet de Dachau 1972 » qui met en parallèle les structures muséales et celles du camp de Dachau.
L'ARC présente dans « Images du peuple chinois » une sélection de tableaux réalistes peints en Chine populaire.
Au XXVIe Salon de la Jeune Peinture, le Collectif femmes en lutte présente, d'une part, une enquête sociologique sur l'image stéréotypée de la femme véhiculée par les médias et, d'autre part, une installation à partir de torchons et de sacs-poubelles dénonçant la condition féminine.

« Victory to the IRA », 1975. Affiche. Musée d'Histoire contemporaine-BDIC, Paris. Photo © Jean-Hugues Berrou/ Musée d'Histoire contemporaine-BDIC, Paris.

Grande-Bretagne

Kitaj peint *If Not, Not* : composition panoramique qui illustre l'entrée du camp de Birkenau-Auschwitz, significative de son intérêt, au milieu des années 1970, pour la question de l'Holocauste.
À la demande du Conseil irlandais des syndicats et du Conseil artistique d'Irlande, Conrad Atkinson réalise *Northern Ireland 1968 – May Day 1975,* basée sur une enquête auprès de personnes directement impliquées dans le conflit.

Italie

L'année de la sortie de son film *Salo ou les Cent Vingt Journées de Sodome,* réflexion ultime sur l'Italie et le fascisme, Pasolini est assassiné.
La première des expositions sur le thème de l'art de la Résistance est consacrée à la Yougoslavie (Milan, 5-20 avr., Castello Sforzesco), avec, parmi les artistes, Detoni, Hegedusic, Prica, Murtic, Ostoja, Tiljak, Radaus, Mirko, Venturini, Kristl.
L'exposition « L'arte come autocoscienza contro il fascismo di ieri e di oggi », présentée à Brescia, à partir du 27 mai, à l'occasion du premier anniversaire de l'attentat de la piazza della Loggia, est montrée à partir du 4 août à la Galleria d'Arte

Moderna de Bologne, à l'occasion du premier anniversaire de l'attentat de l'Italicus. Un débat international sur la résistance artistique au fascisme se tient à Venise (15-17 oct.), avec des artistes argentins, brésiliens, chiliens, français, hollandais, italiens, uruguayens. À fin du débat se constitue le Fronte antifascista internationale dell'arte, dont les premières réalisations concrètes sont le soutien au « boycott international lancé par les dockers contre les navires de Franco et de Pinochet », et une œuvre collective à la Casa del Portugale.
En décembre s'ouvre, à Pavie, au Civici Musei-Castello Visconteo, l'exposition rétrospective, « Per la Spagna », des œuvres graphiques de Vedova dédiées à l'Espagne de 1942 à 1975.

Fresque murale réalisée lors de la révolution des Œillets au Portugal, 1975. Photo © Sebastiao Salgado, Magnum Photos.

Liban

Le 13 avril, les passagers palestiniens d'un autocar sont assassinés par les phalangistes chrétiens. C'est le début de la guerre civile libanaise.

Pologne

En septembre, à Varsovie, à l'initiative de vingt critiques d'art, a lieu l'exposition « Les Critiques d'art proposent », avec, entre autres, Abakamowicz, Beksinski, Dlubak, Dunikowski, Hasior, Jarema, Kantor, Opalka, Rosenstien, Starowieyski, Strzeminski, Wroblewski...
Le même mois, à l'occasion du Congrès international des critiques d'art, se tient, au musée national de Cracovie, l'exposition « Voir et concevoir » à laquelle participent Brzozowski, Fijalkowski, Kantor, Marczynski, Nowosielski, Pawlowski, Winiarski.

Portugal

Tout au long de l'année, de violents affrontements entre diverses tendances révolutionnaires ou modérées secouent le pays. Le 25 novembre, les fractions les plus révolutionnaires de l'armée sont mises hors de combat.

URSS

Le 14 février, des artistes de Leningrad, Moscou, Tbilissi, Vladimir et Pskov adressent une lettre ouverte au ministre de la Culture, dans laquelle ils exigent d'organiser une exposition totalement libre. Cette lettre étant restée sans réponse, les artistes non conformistes de plusieurs villes organisent simultanément à Moscou, en mars et en avril, sept expositions d'appartements. Du 18 au 22 février s'ouvre une exposition d'art alternatif, à Moscou, au VDNKh [Parc d'exposition des réalisations de l'économie nationale], dans le pavillon de l'Apiculture, avec la participation de 50 peintres. Du 20 au 30 septembre, une nouvelle exposition autorisée a lieu au VDNKh (pavillon de la Maison de la Culture) avec 145 artistes.
Kabakov termine sa série *Les Dix Personnages,* confrontation métaphysique du public avec le mode de vie de monsieur Tout-le-monde. Orlov réalise ses premières sculptures de bois « totems », parodiant les mythes soviétiques.
Création du groupe Actions collectives. Alekseïev, Kiselvalter, Monastyrsky et Panitkov invitent à leurs performances ésotériques des poètes, des peintres et des amis moscovites en qualité de spectateurs et de participants.
Le 9 octobre, Andreï Sakharov, dissident, reçoit le prix Nobel de la paix pour sa défense des droits de l'homme et des libertés.

Viêtnam

Le 30 avril, la prise de Saïgon (rebaptisée Hô Chi Minh-Ville) par les forces viêt-công du gouvernement révolutionnaire provisoire (GRP) marque la réunification du Viêtnam et la fin de la guerre.

Afrique du Sud

Commencées le 16 juin à Soweto, pour protester contrer l'obligation de l'afrikaans dans l'enseignement, des émeutes raciales sanglantes s'étendent à de nombreuses villes noires.

Allemagne

RDA

Le 16 novembre, 150 intellectuels est-allemands (parmi lesquels Sarah Kirsch, Christa Wolf, Heiner Müller) protestent contre l'expulsion de l'auteur-compositeur Wolf Biermann et la déchéance de sa citoyenneté en envoyant une lettre au chef de l'État, E. Honecker. En conséquence, certains sont exclus de l'Union des écrivains, et interdits de publication.
En juin s'ouvre, à Dresde, l'exposition internationale « Die Arbeiterklasse im Spiegel der Kunst » [La classe ouvrière dans le miroir de l'art].

RFA

Le 9 mai, Ulrike Meinhof, l'une des quatre accusés du procès de Stuttgart intenté aux dirigeants du mouvement terroriste de la Fraction armée rouge (RAF), se suicide en prison. Beuys est alors candidat de l'AUD [Société d'action des Allemands indépendants] pour les élections parlementaires.
Impressionné par le tableau *Caffè Greco,* de Guttuso, et par sa rencontre avec A. R. Penck, Immendorff commence sa série de peintures *Café Deutschland,* dont le sujet est une discothèque transformée en lieu de discussion idéologique.

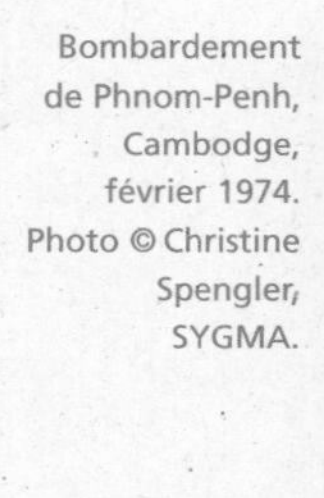

Bombardement de Phnom-Penh, Cambodge, février 1974. Photo © Christine Spengler, SYGMA.

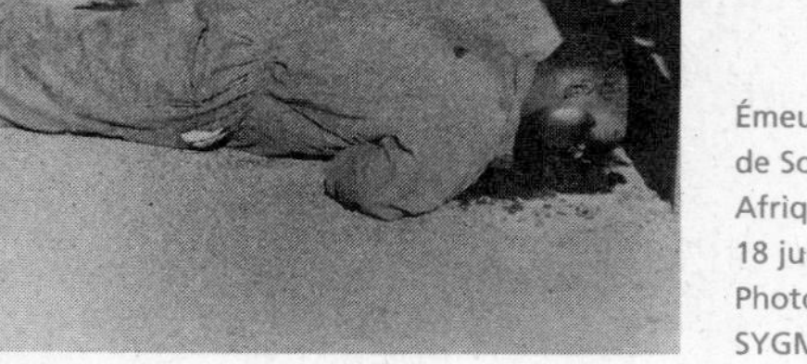

Émeutes de Soweto, Afrique du Sud, 18 juin 1976. Photo © Coetzer, SYGMA.

Argentine

Un coup d'État militaire, dirigé par le général Videla, renverse, le 24 mars, la présidente Isabel Perón.

Chine

Le 5 avril, de violentes manifestations ont lieu place Tianan men en mémoire de Zhou Enlai (mort le 8 janvier) et contre le totalitarisme de la « Bande des Quatre » : c'est le mouvement du Cinq Avril. Les manifestations sont réprimées par la police et les miliciens. Deng Xiaoping est destitué le 7 avril et remplacé par Hua Guofeng comme Premier ministre. Mao Zedong meurt le 9 septembre ; le 9 octobre, le gouvernement, sous l'autorité de Hua Guofeng, arrête la « Bande des Quatre » pour complot.
Meishu [Beaux-Arts] est publié de nouveau le 25 mars. Les premiers numéros sont consacrés au succès de la Révolution culturelle par la reproduction d'œuvres et à la critique de la menace que Deng Xiaoping représente. Dans les années 1977 et 1978, la plupart des artistes dominants continuent à utiliser le style hyperbolique de la Révolution culturelle, substituant seulement quelques nouveaux leaders politiques, des figures historiques et des héros révolutionnaires.

Espagne

Entre le 5 et le 8 juin, pour la première fois depuis 1923, le Parti socialiste ouvrier espagnol (PSOE) peut tenir son XXVIIe congrès en Espagne, à Madrid.
Pendant l'été, dans un climat extrêmement polémique dans toute l'Espagne, est inaugurée à Venise l'exposition « Espagne, avant-garde artistique et réalité sociale, 1936-1976 » sur un projet de Tomàs Llorens, qui sera présentée en décembre à la Fondation Miró de Barcelone.
En septembre, la Fondation Miró organise l'exposition « Les droits humains, l'amnistie et l'art ».

Anonyme, *Bild-Terroristen ?*, 1976. Affiche. Musée d'Histoire contemporaine-BDIC, Paris. Photo © Musée d'Histoire contemporaine-BDIC, Paris.

États-Unis

Réagissant contre la faible représentation des femmes dans deux expositions majeures, « Drawing Now » au Museum of Modern Art (5 femmes sur 46) et « Twentieth-Century American Drawing : 3 Avant-Garde Generations » au Guggenheim Museum (une femme sur 29, Georgia O'Keeffe), les artistes de divers groupes féministes forment le MoMA and Guggenheim Ad Hoc Protest Committee.
Le 20 février, ce groupe annonce l'organisation de manifestations, revendiquant 50 % de représentation féminine lors des prochaines expositions. Le 3 juin, le groupe organise une contre-exposition intitulée « Drawing Now : 10 Artists », composée de 9 femmes et d'un homme, au SoHo Center for Visual Artist.
À Los Angeles, est créé le Social and Public Arts Resource Center (SPARC), un centre d'art multiculturel qui produit, expose, distribue et préserve des œuvres d'art public.
Judy Baca y commence le *Great Wall of Los Angeles,* un mural sur l'histoire multiculturelle de la ville.
Jimmy Carter, candidat du parti démocrate, est élu le 2 novembre président des États-Unis.

France

Formation du Collectif art femmes autour d'Aline Dallier et de Françoise Eliet.
À l'occasion du XXVIIe Salon de la Jeune Peinture, au musée du Luxembourg, en mai, le Collectif antifasciste propose de rebaptiser le Centre Georges Pompidou en Centre La Commune ou Centre Pierre Overney.
En juin, la Fédération du parti socialiste organise, gare de la Bastille, l'exposition « 1936-1976 : luttes, création artistique, créativité populaire » avec, entre autres, Fougeron, Gruber, Léger, Masson, Miró.

Grande-Bretagne

Art and Language réalise sa série de photographies retravaillées, *Above Us The Waves, A Fascist Index,* montage associant des commentaires politiques sur des photographies de guerre. Un numéro de *Studio International* (mars-avr.) est entièrement consacré au thème du propos social de l'art. Les artistes et écrivains (Burn, Brooks, Ramsden, Smith, Charlesworth, Baldwin...) soutiennent avec insistance que « faire de l'art ne peut être séparé du contexte social et que l'artiste ne peut échapper à sa responsabilité sociale ».

Italie

Le critique et historien de l'art Giulio Carlo Argan, membre du parti de la gauche indépendante (Partito della Sinistra Indipendente), est élu maire de Rome. Il démissionnera en 1979.
De 1975 jusqu'à 1978, a lieu l'exposition itinérante « Con Alberti per la Spagna », consacrée au poète espagnol Rafael Alberti, avec des « compositions albertiennes » d'Adami, Genovés, Guerreschi, Guinovart, Miró, Mompó, Pozzati, Saura, Scanavino, Tàpies, Vedova, Vespignani.
Au sein de la Biennale de Venise (18 juil.-10 oct.) consacrée à l'« ambiente », on trouve, dans le pavillon italien, la section « L'ambiente come sociale » organisée par Crispolti et De Grada qui réunit des interventions esthétiques et culturelles (sous forme de vidéos et de publications) ayant trait au contexte social. L'une des sections propose des informations sur le « Collettivo autonomo di pittori di Porta Ticinese » et le « Laboratorio di Comunicazione Militante » récemment créé à Milan. Une documentation sur les graffitis politiques à Rome est également proposée. Au Giardini di Castello est présentée l'exposition « Spagna, Avanguardia artistica e realtà sociale : 1936-'76 » sur les rapports entre l'avant-garde artistique et le contexte socio-économique de la guerre civile à nos jours.
Un cycle d'expositions personnelles sur le thème « Arte e politica » se succèdent à Florence (Galleria Schema) au cours de l'hiver (avec Agnetti, Art and Language, Isgrò, Mauri, Patella, Zorio, Staeck, Stezaker, Tatafiore...).

Pologne

À partir du 25 juin, des émeutes ouvrières ont lieu dans les villes industrielles de Radom et d'Ursus. En septembre, un comité de défense des ouvriers regroupant de nombreux intellectuels est créé (KOR).

URSS

En janvier, Alexandre Glezer fonde son musée d'Art russe en exil à Montgeron, près de Paris, tandis que la première exposition de Komar et Melamid à New York (galerie Feldman) obtient un vif succès.
Nussberg et Chelkovski émigrent.
En 1976-1979, presque chaque exposition organisée par le Comité de Moscou donne lieu

Affiche contre la « Bande des Quatre » [Jiang Qing, veuve de Mao ; Wang Hongwen, vice-président du Parti ; Zhang Chunqiao, vice-premier ministre ; Yao Wenyuan, membre du bureau politique], Chine, octobre 1976. Photo © Dado, GAMMA.

à des escarmouches. Beaucoup d'artistes ne peuvent encore accéder à une quelconque Union, ni participer à des expositions dans des galeries officielles. En février, les artistes de Leningrad sont informés que, désormais, toute organisation d'exposition devra faire l'objet d'une demande auprès de l'Union des artistes. La première association d'artistes « non conformistes » est organisée au sein de l'Union des artistes de Moscou (MOSKH). Une salle d'exposition leur est attribuée. Une première exposition, organisée par Nemoukhine, leur est consacrée sous le titre de « 7 artistes ».
Les expositions d'appartements continuent avec Alexeev, Bruni, Lebedev, le groupe Gnezdo, Kizevalter, Komar et Melamid.

1977

Allemagne

RDA

L'exposition « Wege des Kampfes » [Chemins du combat] est organisée en commun par les Écoles des beaux-arts de la RDA et de l'URSS à Berlin, en novembre-décembre.

RFA

La condamnation du « noyau dur » de la RAF (Andreas Baader, Gudrun Ensslin et Jan-Carl Raspe) provoque un durcissement du terrorisme. Le 5 septembre, Hans Martin Schleyer, président du patronat ouest-allemand, est enlevé. Le 18 octobre, mort suspecte de Baader, d'Ensslin et de Raspe dans leurs cellules (l'enquête conclut au suicide).
Des artistes de la RDA participent pour la première fois à la Documenta VI de Cassel (24 juin-2 oct) : Heisig, Mattheuer, Sitte, Tübke, Cremer, ce qui entraîne le retrait par Baselitz de ses œuvres.
Beuys installe de nouveau le bureau d'information de l'Université internationale libre (FIU), lieu de conférences, de débats et de rencontres entre les membres de la FIU des pays divers (Italie, Irlande, États-Unis, Allemagne) et le public.
Sa *Honigpumpe am Arbeitsplatz* [Pompe à miel sur le lieu de travail] installée au cœur même du Fridericianum, batiment principal de la Documenta, relie le FIU avec le lieu de l'art.
Le Kunstverein de Bonn présente la première exposition personnelle dans une institution allemande de Anselm Kiefer, qui, depuis 1971, exploite dans sa peinture des thèmes de l'histoire allemande, des origines (*Varus,* 1976) jusqu'à la période nazie (*Unternehmen « Seelöwe »* [Opération « Lion de mer »], 1975). Parmi les gigantesques panneaux photographiques que réalise Katharina Sieverding depuis 1975, on trouve *X*, 1977 *(The Reality Has Been Very Different)*, traitant du déclin de la position nationale de Puerto Rico et de l'émigration.

Chine

En mai, *Meishu* [Beaux-Arts] présente Käthe Kollwitz, l'artiste allemande admirée par Lu Xun et qui aura beaucoup d'influence sur les membres du groupe Les Étoiles [voir 1979].
En commémoration de l'intervention de Mao Zedong au Forum de Yenan sur l'art et la littérature, une sélection de 764 œuvres depuis 1942 sont exposées au palais des Beaux-Arts (23 mai-3 juin).
En juillet, le 3e plénum du Xe Comité central réintègre Deng Xiaoping dans ses fonctions.
Au mois d'août, 500 œuvres sont exposées pour la célébration du 50e anniversaire de l'Armée de la libération du peuple.

Égypte/Israël

Du 19 au 21 novembre a lieu la rencontre de Jérusalem où le président égyptien Sadate est accueilli par le chef du gouvernement israélien, Menahem Begin. La visite est condamnée par les autres pays arabes.

Espagne

Le 15 juin se tiennent les premières élections libres en Espagne, qui donnent la victoire au parti de centre droit d'Adolfo Suarez. Le Parti communiste espagnol, légalisé le 9 avril, participe aux élections. Le 29 septembre, la région de Catalogne retrouve son autonomie perdue en 1938.

France

Le 31 janvier, inauguration du Centre Georges Pompidou selon un projet approuvé le 29 octobre 1970 par le président Georges Pompidou : « Je voudrais passionnément que Paris possède un Centre culturel qui soit à la fois un musée et un centre de création, où les arts plastiques voisineraient avec la musique, le cinéma, les livres, la recherche audiovisuelle… »
Un deuxième volet des « Mythologies quotidiennes » est organisé à l'ARC du 28 avril au 5 juin, tandis qu'au Centre Pompidou sont montrées, en mai, « L'imagerie politique » et, en juin, « Guillotine et peinture, Topino-Lebrun et ses amis », organisée par Alain Jouffroy (parmi les artistes : Chambas, Dufour, Erro, Fromanger, Monory, Ipoustéguy, Recalcati, Velickovic).
En septembre, à la Biennale des Jeunes de Paris, une section « America Latina no Official » montre quatre groupes de travail collectif mexicains engagés politiquement (Proceso Pentagone, Suma, Taller de Investigacion Plastica, Tetraedro) qui ont tenu à se présenter en marge des sélections officielles, dont ils dénoncent la volonté politique de présenter au public français une image de cette partie du monde éludant les problèmes liés aux dictatures.

Inauguration du Centre Georges Pompidou, 31 janvier 1977, Paris. Photo © DR.

Grande-Bretagne

En janvier a lieu, à l'ICA de Londres, l'exposition « Non-Official Art of Soviet Union ».
Art and Language réalise *Ils donnent leur sang, donnez votre travail*, une affiche vichyste retravaillée qui souligne les rhétoriques communes à la gauche et à la droite (l'image est empruntée à une affiche du Soviétique Deïneka). C'est également par détournement d'image et juxtaposition d'un texte hétérogène que Victor Burgin réalise la série *US 77*.
La corruption et les forces politiques et sociales destructrices qui dominent le monde motivent le titre de la série de Gilbert and George *Dirty Words* qui comprend des œuvres telles que *Red Morning, Communism* ou *Smash the Reds*. Ils y expriment leur soutien au gouvernement de Thatcher.

Italie

Le 25 janvier, le président de la Biennale de Venise, Ripa di Meana, communique dans une interview son projet de présenter la dissidence culturelle en Europe de l'Est et en URSS. Le 5 février, les *Izvestia* l'accusent de s'opposer à la collaboration Est-Ouest et de miner les accords d'Helsinki. Le 2 mars, l'ambassadeur d'Union soviétique à Rome, Rijov, parlant au nom de tous les pays du pacte de Varsovie, demande formellement au gouvernement italien d'annuler le programme de la Biennale de la dissidence. Celle-ci a lieu malgré tout entre le 15 novembre et le 15 décembre avec les écrivains J. Daniel, C. Feito, C. Castoriadis, A. London, W. Bierman, A. Moravia, J. Brodsky…
Au Palasport a lieu l'exposition « La nuova arte sovietica : una prospettiva non ufficiale » avec des artistes non conformistes. En réaction, l'année suivante, l'URSS, la Pologne, la Hongrie et la Tchécoslovaquie ne participent

In Mourning and in Rage, performance des artistes Suzanne Lacy et Leslie Labowitz contre le viol, Los Angeles, décembre 1977. Photo © Susan Mogul.

pas à la Biennale (elles n'y reviendront qu'en 1980 et l'URSS en 1982). Seule la Roumanie est représentée.

Japon

Prévue en mars, une exposition des peintures de guerre restituées par les États-Unis en 1970 est annulée afin d'éviter les controverses. Certaines d'entre elles seront cependant exposées en juillet dans la salle des collections permanentes du musée national d'Art moderne de Tokyo.

Pologne

À travers le parcours d'un travailleur de choc de la période stalinienne, Andrzej Wajda retrace, dans *L'Homme de marbre,* un chapitre de l'histoire de son pays, depuis l'après-guerre jusqu'aux émeutes des chantiers navals de Gdansk en 1970.

Tchécoslovaquie

Le 1er janvier, 240 intellectuels et hommes politiques tchèques, dont l'écrivain Vaclav Havel et le philosophe Jan Patocka, signent la Charte 77 demandant à l'État tchécoslovaque de respecter les droits de l'homme. Jiri Kolar, le seul artiste à la signer, dissuade les autres de l'imiter, afin de ne pas attirer sur eux l'attention de la Sécurité d'État. Les intellectuels signataires sont systématiquement pourchassés par les autorités.

URSS

Le 16 juin, Leonid Brejnev est élu chef de l'État par le Soviet suprême. Boulatov le représente devant une forêt de drapeaux rouges, dans une œuvre démarquée du réalisme socialiste. Un groupe de peintres de Moscou et de Leningrad organise, dans un appartement de Leningrad, une exposition de solidarité avec les peintres non conformistes exposés en janvier à l'ICA de Londres. Les peintres moscovites sont empêchés de quitter la ville, et le lieu de l'exposition à Leningrad est encerclé par la milice.
Les performances du groupe Actions collectives se multiplient. Komar et Melamid réalisent l'action *Le Temple,* dans l'appartement de Rochal, puis émigrent en Israël, avant de partir aux États-Unis, tandis que Tselkov émigre à Paris.

Allemagne

RFA

Le 25 août, Droese, Immendorff et Kunc présentent, en solidarité avec la Charte 77, l'exposition « URSS 1968-1978 » à la galerie Arno Kohnen, à Düsseldorf. L'exposition « Revolution und Realismus : Revolutionare Kunst in Deutschland 1917 bis 1933 » a lieu à l'Altes Museum de Berlin (nov. 1978-févr. 1979).
Le 23 décembre, Beuys publie le « Aufruf zur Alternative » [Appel à l'alternative], texte décisif pour une politique alternative, dans la *Frankfurter Rundschau.* Il propose une « troisième voie », soutient l'initiative personnelle et l'unité dans la diversité, en s'appuyant sur le travail préparatoire réalisé par l'Université libre internationale (FIU). Cette page de journal sera collée sur son œuvre *Grond* (1980).

Chine

La Chine s'ouvre à l'Ouest favorisant une multiplication de traductions de textes sur la philosophie, l'esthétique et l'histoire de l'art occidental.
L'Académie des beaux-arts de Zhejiang fonde la revue artistique *Guowai Meishu Ziliao* [Documents artistiques étrangers], qui deviendra, en 1980, *Meishu Yicong* [Traductions sur l'art] et qui constitue un des canaux principaux d'informations artistiques sur l'Occident.
Simultanément, les classiques de la philosophie et de la religion de la Chine ancienne, longtemps interdits, sont dorénavant disponibles.
En février se tient, à Shanghai, l'Exposition des 12 artistes de Shanghai (Kong Boji, Cheng Junde, Shen Tianwan...), première exposition depuis 1949 d'artistes chinois « modernes » dont les œuvres témoignent des influences de l'impressionnisme, du post-impressionnime et de l'expressionnisme.
En mars-avril, le palais des Beaux-Arts montre « La peinture des paysages ruraux de la France du XIXe siècle », un ensemble de 80 œuvres de 60 artistes.
Le 27 novembre, des milliers de Chinois manifestent à Pékin en criant « Liberté et démocratie » et acclament le nom de Deng Xiaoping : c'est le début du Printemps de Pékin, qui durera jusqu'en mars 1979. Le slogan de Deng Xiaoping, « La pratique est le seul critère de vérification de la vérité », est appliqué désormais par tous les intellectuels avec enthousiame. Sur le « Mur de la Démocratie » à Pékin, plusieurs journaux, poèmes et caricatures non censurés sont exposés durant quelques mois. Hua Guofeng demande que désormais les œuvres de propagande et toutes les œuvres artistiques et littéraires fassent plutôt l'éloge du peuple (paysans, ouvriers et soldats) que celui des individus. C'est la fin de la déification des leaders politiques qui avait servi de principe à l'art officiel chinois pendant des décennies.

Espagne

Le 3 décembre, présentation au Centro Dramatico national de Madrid de la pièce de Rafael Alberti, *Noche de guerra en el Museo del Prado,* de 1956, avec un décor et des figurines exécutés d'après des dessins d'Equipo Crónica.

États-Unis

Création à New York de Collaborative Projects, Inc. (Colab), un groupe d'artistes voulant traiter de questions politiques et sociales à travers des médiums expérimentaux.

Grande-Bretagne

En avril-mai, deux expositions simultanées traitent de sujets sociopolitiques dans des institutions publiques.
La première « Art for Whom ? » est organisée par l'Arts Council à la Serpentine Gallery, avec, entre autres, Conrad Atkinson qui montre *Abestos (The Lungs of Capitalism),* des objets d'amiante enveloppés dans du plastique, en référence aux industriels utilisant ce produit dangereux, Peter Dunn, Lorraine Leeson, les écoles d'Islington, le projet d'environnement, l'atelier Public Art et Stephen Willats.
La seconde « Art for Society » a lieu à la Whitechapel Art Gallery. Certains critiques y voient la preuve de l'émergence d'un art anglais socialiste, la plupart des artistes adhérant au parti travailliste, d'autres étant communistes ou alliés avec les petits partis révolutionnaires.
À Oxford, dans une exposition personnelle (18 nov.-24 déc.), Hans Haacke dénonce dans *A Breed Apart* l'utilisation de véhicules produits par British Leyland dans la répression des manifestations en Afrique du Sud. L'œuvre est sponsorisée par le mouvement britannique contre l'apartheid.

Aldo Moro prisonnier des Brigades rouges, 1978. Photo © Volpe, SIPA Press.

Iran

Les manifestations des 7-9 janvier dans la ville sainte de Qom en faveur de l'ayatollah Khomeiny dégénèrent en émeutes contre le pouvoir. Le 8 septembre, à Téhéran, des centaines de milliers de manifestants défient le chah. Les heurts avec l'armée sont d'une extrême violence. Le 6 octobre, l'ayatollah Khomeiny est expulsé d'Irak et s'installe en France.

Égypte/Israël

5-17 septembre : signature des accords de Camp David aux États-Unis. L'Égypte et Israël prévoient un traité de paix (signé le 26 mars 1979 à Washington).
Le 27 octobre, le prix Nobel de la paix est attribué à Anouar al-Sadate et à Menahem Begin.

Italie

Le 16 mars, Aldo Moro, président de la Démocratie chrétienne, est enlevé par les Brigades rouges.

Son corps sera découvert à Rome le 9 mai. Un certain nombre de quotidiens publient un appel contre le terrorisme signé par un groupe d'intellectuels de différents horizons politiques et culturels.
À la mort de Jean-Paul Ier (28 sept.), Karol Wojtyla, de nationalité polonaise, est élu pape sous le nom de Jean-Paul II le 16 octobre.

Mexique

Création du Frente de Grupos Trabajadores de la Cultura qui tend à centraliser et à structurer les actions des différents groupes d'artistes mexicains. Le groupe a pour but de devenir un organisme de « contre-culture ». Ses membres réalisent des banderoles, tracts, affiches, participent à des organisations ouvrières, à des manifestations populaires, organisent des mouvements de solidarité avec le Nicaragua, l'Argentine, le Chili...

Nicaragua

Le 10 janvier, l'assassinat de Pedro Joaquín Chamorro, principal dirigeant de l'opposition, marque le début de la guerre civile contre le pouvoir du général Somoza.

Susan Meiselas, *Nicaragua, symboles pour le FSLN*. Photo © Susan Meiselas, Magnum Photos.

URSS

Procès, condamnations, exils forcés, déchéance de citoyenneté pleuvent sur la communauté intellectuelle soviétique.
Le 21 septembre, l'écrivain Alexandre Zinoviev est déchu de sa citoyenneté. Rabine, qui avait accepté une invitation en France, est déchu de sa citoyenneté et s'installe à Paris. Accusé de « pornographie », Syssoev est lourdement condamné.
Certaines performances ont cependant encore lieu : le 29 septembre, Skersis, Rochal et Donskoy réalisent *Course à pied vers Jérusalem,* allusion à l'émigration en Israël de l'intelligentsia moscovite.
Le groupe Actions collectives réalise plusieurs performances, et le groupe Moukhomory [Amanites tue-mouches] est fondé, qui lutte pour un « art démocratique » intégré à la vie quotidienne.
Il utilise les modes d'expression les plus divers (manifestes, proclamations, pièces de théâtre, livres manuscrits, performances).

Viêtnam

Le 11 novembre, la découverte en Malaisie du bateau *Haï-Hong* avec, à son bord, 2500 Vietnamiens, révèle le drame des « boat people » qui fuient leur pays.

Susan Meiselas, *Nicaragua*. Photo © Susan Meiselas, Magnum Photos.

1979

Afghanistan

Le 27 décembre, l'armée soviétique installe à Kaboul un gouvernement pro-soviétique. L'occupation soviétique se prolongera jusqu'en 1989.

Allemagne

RDA

En octobre, l'URSS annonce le retrait de 20000 hommes et de 1000 chars de la RDA. Réalisée à l'occasion du 30e anniversaire de la fondation de la RDA, l'exposition « Weggefährten – Zeitgenossen » [Compagnons de route – Contemporains] à Berlin retrace une histoire de l'art de la RDA avec des artistes ignorés et réprouvés de leur temps.

RFA

Le vote du Bundestag sur l'imprescriptibilité des assassinats (3 juil.) permettra de continuer à poursuivre les criminels nazis.
En mai-octobre, Beuys est le candidat des Grünen (parti écologiste allemand) au Parlement européen.
Le 13 juillet s'ouvre, au Kunstverein de Hambourg, l'exposition « Eremit ? Forscher ? Sozialarbeiter ? » [Ermite ? Chercheur ? Travailleur social ?] avec Acconci, Appelt, Boltanski, Messager, Rosenbach, Ulrichs, Gerz, Kosuth, Le Gac, Buthe, Fischer, Haacke, Lang, Poggi, Staeck, Wittenborn...

Chine

En janvier, les relations diplomatiques sino-américaines sont rétablies. Le Printemps de Pékin se poursuit : Jiang Feng est réhabilité et occupe la direction de l'Académie centrale des beaux-arts à Pékin ainsi que la présidence de l'Association des artistes chinois. En même temps, les artistes accusés d'être de droite au moment de la Révolution culturelle retrouvent un poste de haut niveau, comme Yuan Yunsheng. La revue *Meishu* publie pour la première fois les œuvres artistiques et littéraires inspirées par le mouvement de Tianan men, ainsi que la peinture dite « écorchée », tendance artistique dominante des années 1979-1980.
En février, au moment du conflit sino-vietnamien, se tient la première exposition non officielle à Pékin ; intitulée « Nouveau Printemps », elle rassemble des paysages et des natures mortes de Liu Haisu, Wu Guangzhong, Chang Ding, Jing Shanyi...
Jiang Feng, dans la préface du catalogue, présente ses propositions : encourager l'organisation des expositions non officielles, la liberté pour les artistes de fonder des associations, d'organiser des expositions et de vendre des œuvres. Le 29 mars, les autorités interdisent partiellement les manifestations publiques de contestation politique et critiquent l'« ultra-démocratisme individualiste ». C'est la fin du Printemps de Pékin.
Le 26 septembre s'ouvre, à Pékin, dans un parc situé à l'est du palais des Beaux-Arts, l'exposition du groupe Xing Xing [les Étoiles] qui doit durer jusqu'au 12 décembre. Le groupe est composé d'artistes amateurs (non officiels) : Ma Desheng, Wang Keping, Huang Rui, Li Shuang, Yan Li, Ai Weiwei... Mais le 29 septembre, l'exposition est fermée par les autorités. Le 1er octobre, au nom du respect de la Constitution, les membres des Étoiles organisent une marche de protestation suivie d'un discours devant le Mur de la Démocratie. Avec le soutien de Jiang Feng, les Étoiles exposent à Pékin (parc Beihai, 23 nov.-2 déc.) 163 œuvres de 23 artistes non officiels.
En décembre le mouvement démocratique est réprimé. Wei Jingsheng, son dirigeant, est mis sous les verrous ; le Mur de la Démocratie est interdit.

États-Unis

Le Group Material créé en 1979 par Douglas Ashford, Julie Ault, Mundy McLaughlin et Tim Rollins à New York se consacre à

Exposition organisée par le groupe d'artistes dissidents chinois Les Étoiles, Pékin, 1979. Photo © Wang Keping.

60
79

l'activisme culturel en organisant des expositions d'art social et politique dans des lieux publics. La National Union of Hospital and Health Care Employees crée Bread and Roses, qui publie des livres, affiches et cartes postales, et organise des expositions telles que « The Working American » en 1979 ; « Images of Labor » en 1981 ; « Social Concern and Urban Realism » et « Disarming Images : Art for Nuclear Disarmement » en 1983.
Afin de protester contre l'exposition « Nigger Drawings » à l'Artists' Space à New York, une coalition d'urgence Action Against Racism in the Arts (AAR) se crée, qui organise des expositions et étudie les inégalités concernant l'attribution des subventions dans le domaine des arts.
Jenny Holzer réalise ses premières affiches *Truisms,* des sentences laconiques collées sur les fenêtres de Fashion Moda, dans le South Bronx, à New York.
En janvier, John Ahearn réalise ses premiers moulages à partir de modèles vivants, des habitants du quartier pauvre du Bronx, à New York. Cinquante de ses moulages sont exposés à la galerie collective Fashion Moda, sous le titre *South Bronx Hall of Fame* [Le Couloir de la renommée de South Bronx].
Dennis Adams présente à New York *Patricia Hearst – A through Z.* L'œuvre est composée de 170 portraits de différentes époques de la vie de Patricia Hearst, fille de milliardaire devenue terroriste et exemple vivant de la crise de la conscience américaine des années 70.

France

L'exposition « Paris-Moscou » au Centre Georges Pompidou (31 mai-5 nov.) donne une large place aux œuvres engagées des trente premières années du siècle en Russie, et soulève débats et polémiques.

Grande-Bretagne

Le 3 mai, les conservateurs retrouvent le pouvoir, avec un nouveau Premier ministre, Margaret Thatcher.

Iran

Des affrontements sanglants entre l'armée et les manifestants se succèdent, préparant le départ du chah (16 janv.), le retour triomphal à Téhéran de l'imam Khomeiny (1er févr.), après 15 ans d'exil, et la victoire de la révolution islamique.

Italie

L'exposition « La pratica politica, Il sistema dell'arte e il tessuto sociale » (17 févr.-18 mars, Modène, Galleria Civica) développe les propositions de la rédaction de la revue *Artwork* de Milan. En juillet, un colloque se tient sur le même thème à Parme ; en septembre, en conclusion du cycle d'expositions à la Galleria di Porta Ticinese, de Milan, un séminaire « Poetico/Politico » est organisé par la galerie, l'Assessorat à la Culture de la province de Pavie et la Kunsthalle de Rome.

Manifestation de femmes en faveur de l'ayatollah Khomeiny, Téhéran, 4 février 1979. Photo © Marc Riboud, Magnum Photos.

Nicaragua

Après 18 mois de guerre civile, le Front sandiniste de libération nationale s'empare du pouvoir à Managua, le 20 juillet, tandis que le général Somoza quitte le pays.

URSS

À Moscou, rue Malaï Grouzinskaïa, l'exposition « La couleur, la forme, l'espace » montre des œuvres de Kabakov, Infante, Plavinsky, Steinberg...

Le groupe Moukhomory réalise les performances *Les Fouilles, Fusillade, La Vie dans le métro.* À la suite de la parution en novembre, à Paris, du premier numéro de la revue d'art contemporain soviétique *A-Ya,* dirigée par Chelkovski, les principaux rédacteurs sont convoqués par le KGB, plusieurs perquisitions ont lieu chez le rédacteur de Moscou.

1980
1996

Berlin 1989,
la chute du mur.

L'artiste comme ethnographe, ou la « fin de l'Histoire » signifie-t-elle le retour à l'anthropologie ?

Hal Foster

L'un des événements les plus importants de l'histoire des relations entre art et politique est *L'Auteur comme producteur,* de Walter Benjamin, qui apparut pour la première fois sous la forme d'une conférence donnée à l'Institut pour l'étude du fascisme, en avril 1934, à Paris[1]. Sous l'influence du théâtre épique de Brecht et des expériences factographiques d'écrivains soviétiques tels que Sergueï Trétiakov, Benjamin appelait alors l'artiste de gauche à « prendre le parti du prolétariat ». À Paris, en 1934, cet appel n'était pas révolutionnaire. En revanche, son approche l'était. Benjamin exhortait en effet l'artiste « avancé » à intervenir, comme l'ouvrier révolutionnaire, sur les moyens de la production artistique, à transformer la « technique » des médias traditionnels et l'« appareil » de la culture bourgeoise. Il ne suffisait pas qu'il manifeste une « tendance » juste, car c'était se situer « à côté du prolétariat ». « Et de quelle place s'agit-il ?, demandait Benjamin dans des lignes qui gardent toute leur efficacité. De celle d'un bienfaiteur, d'un mécène idéologique. D'une place impossible. » Pour Benjamin, la solidarité avec les travailleurs devait se manifester dans la production matérielle même, et non simplement par le choix d'un thème artistique ou par une attitude politique.

Un simple regard sur ce texte suffit pour voir que les deux couples d'antagonismes qui infectent encore la réception artistique des années 1980-1990 — la qualité esthétique contre la pertinence politique, la forme contre le contenu — étaient, dès 1934, « sempiternels et stériles ». Au début des années quatre-vingt, un certain nombre d'artistes et de critiques sont revenus à *L'Auteur comme producteur* pour tenter d'élucider les versions contemporaines de ces antithèses (par exemple, la théorie contre l'activisme). De même que Benjamin avait réagi à l'esthétisation de la culture sous le fascisme, de même ces artistes et ces critiques réagissaient-ils au contrôle du capitalisme sur la culture et à la privatisation de la société sous les gouvernements conservateurs de tout l'Occident, et cela au moment même où les transformations en question rendaient une telle intervention plus difficile. Effectivement, lorsque cette intervention n'était pas limitée aux seules institutions artistiques, elle élaborait des stratégies relevant davantage du situationnisme que du productivisme[2].

Je ne veux pas dire par là que de telles actions symboliques aient été sans conséquences. Beaucoup, au contraire, furent efficaces, en particulier dans la deuxième moitié des années quatre-vingt, tournant autour de sujets tels que la politique des États-Unis à l'égard de l'Amérique latine, la crise du sida, le droit à l'avortement, l'*apartheid* (je pense aux projets de nombreux artistes présentés dans cette exposition : Luis Camnitzer, Hans Haacke, Gilles Peress, Adrian Piper, Martha Rosler, Allan Sekula...). Mais ce qui m'occupe ici, c'est l'avènement d'un nouveau paradigme dans cet art de gauche, un paradigme qui s'inspire dans sa structure du vieux modèle de l'« auteur comme producteur » : *l'artiste comme ethnographe.*

Dans ce nouveau paradigme, l'*objet* premier de contestation reste l'institution artistique bourgeoise et capitaliste (le musée, l'académie, le marché et les médias), ses définitions exclusives de l'art et de l'artiste, de l'identité et de la communauté. Mais le *sujet* premier qui lui est associé a changé : c'est désormais l'Autre, culturel et/ou ethnique, dont l'artiste engagé se fait le plus souvent le champion. Le passage d'un sujet défini en termes de *rapports économiques* à un sujet défini en termes d'*identité culturelle* est significatif, et j'y reviendrai plus tard. Pour lors, il faut montrer les parallèles entre ces deux paradigmes, car certaines thèses de l'ancien modèle du producteur sont conservées dans le nouveau modèle de l'ethnographe. Premièrement, on retrouve la thèse suivante : le lieu de la transformation artistique est le même que celui de la transformation politique; ce sont même les avant-gardes politiques qui situent les avant-gardes artistiques, voire, dans certaines conditions, se substituent à elles. (C'est là un mythe fondamental dans toutes les analyses de gauche de l'art moderne : elles font de David le symbole de la Révolution française, de Courbet le symbole de la Commune de Paris, de Rodchenko le symbole de la Révolution russe, de Picasso le symbole de la guerre civile espagnole, etc.[3]) Deuxièmement, ce lieu est toujours ailleurs, dans le champ de l'Autre (dans le modèle du producteur, c'est l'Autre social, le prolétariat exploité; dans le paradigme de l'ethnographe, c'est l'Autre culturel, le néocolonisé, le subalterne ou le représentant d'une sous-culture opprimée). De plus, cet ailleurs, cet extérieur, est le point d'Archimède qui vient transformer, au moins subvertir, la culture dominante (voilà un autre mythe fondamental que l'on examinera plus particulièrement par la suite). Enfin, troisièmement, l'idée que, si l'artiste invoqué n'est pas perçu comme socialement et/ou culturellement autre, il n'a qu'un accès limité à cette altérité transformatrice, et que si, en revanche, il est perçu comme Autre, il y a automatiquement accès (c'est cette politique identitaire que l'on peut voir à l'œuvre aujourd'hui spécialement dans la culture nord-américaine). Si on les combine, ces trois séries peuvent nous amener à un autre point de convergence avec la théorie benjaminienne de l'« auteur comme producteur », et qui n'était peut-être pas recherché : le danger, pour l'artiste comme ethnographe, d'un « mécénat idéologique ».

Un marxiste orthodoxe pourrait contester le paradigme de l'ethnographe en art parce qu'il remplace la problématique de la lutte des classes et de l'exploitation capitaliste par celle de l'oppression colonialiste et raciale ou, plus simplement, parce qu'il remplace le social par le culturel ou l'anthropologique. Un poststructuraliste orthodoxe pourrait contester ce paradigme pour la raison inverse : parce qu'il n'élimine pas assez radicalement la problématique du producteur, c'est-à-dire parce qu'il tend à préserver sa structure politique — à retenir l'idée d'un *sujet* de l'histoire, à définir cette position en termes de *vérité* et à situer cette vérité en termes d'*altérité.* De ce point de vue poststructuraliste, il manque au paradigme de l'ethnographe, de même qu'au modèle du producteur, un retour critique sur son *affirmation réaliste :* l'Autre, ici postcolonial, là prolétarien, serait en quelque sorte réellement, véritablement — et non simplement idéologiquement, du fait de son oppression sociale —, l'auteur d'une transformation politique et/ou d'une production matérielle[4]. Par ailleurs, cette affirmation réaliste se combine fréquemment avec une *fiction primitiviste :* l'Autre, généralement de couleur, aurait un accès privilégié à des processus psychiques et sociaux primitifs, dont l'individu blanc serait, d'une façon ou d'une autre, exclu — cette fiction joue le même rôle fondamental pour les modernismes primitivistes que l'affirmation réaliste pour les modernismes productivistes[5]. Il est clair que, dans certains contextes, ces deux mythes sont pertinents, nécessaires même : l'affirmation réaliste pour proclamer la vérité d'une position politique ou la réalité d'une oppression sociale, la fiction primitiviste pour mettre en cause des conventions sexuelles ou esthétiques répressives. Il faut toutefois mettre en question la codification systématique de la différence apparente en identité manifeste et de l'altérité en extériorité.

On peut trouver dans l'art contemporain deux précédents importants au paradigme de l'ethnographe, où la fiction primitiviste est particulièrement vivante : le surréalisme dissident, avec Georges Bataille et Michel Leiris, à la fin des années vingt et au début des années trente, et le mouvement de la *négritude,* avec Léopold Senghor et Aimé Césaire, à la fin des années quarante et au début des années cinquante. De façons différentes, les deux mouvements reliaient le potentiel transgressif de l'inconscient et l'altérité radicale de l'Autre culturel. Et pourtant, malgré la valeur déconstructrice, à cette époque, de ce parallèle, celui-ci finit par gêner les deux mouvements. Si le surréalisme dissident a exploré l'altérité culturelle, ce fut pour se complaire en partie dans un rituel de recherche de l'autre en soi-même *(self-othering).* (On peut citer l'exemple classique de *L'Afrique fantôme,* l'auto-ethnographie à laquelle Leiris s'est livré lors de la mission Dakar-Djibouti de 1931.) De même, si le mouvement de la négritude a procédé, de son côté, à une réévaluation de l'altérité culturelle, ce fut pour être finalement handicapé en partie par cette seconde nature, par ses stéréotypes sur l'essence de la négritude, de la sensibilité, de l'Africain contre l'Européen, etc. (Ces thèmes, plus présents chez Senghor que chez Césaire, ont été articulés pour la première fois par Frantz Fanon.)

Dans l'art quasi-anthropologique actuel, l'association primitiviste de l'inconscient et de l'Autre suit rarement ces modèles anciens. Le mythe est parfois repris pour lui-même chez certains artistes, comme Adrian Piper, Renée Green ou Fred Wilson, par exemple. Chez d'autres, la fiction primitiviste est absorbée dans l'affirmation réaliste, si bien que c'est désormais l'Autre que l'on tient être *dans le vrai**. Et cette version primitiviste de l'affirmation réaliste, cette localisation de la vérité politique projetée dans un Autre ou dans un Ailleurs a des conséquences problématiques, sans parler du lien codé systématique entre identité et altérité signalé plus haut. Cet Ailleurs n'est Autre dans aucun des sens ordinaires du mot : nous ne vivons plus dans une situation de premier, de second ou de tiers-monde. De plus, cette localisation de la politique dans l'ailleurs, dans l'Autre, dans l'opposition transcendantale, peut nous détourner d'une politique de l'« ici et maintenant », de la contestation immanente.

Il est clair que la distanciation de soi reste cruciale pour beaucoup de pratiques critiques en art, en anthropologie ou en politique. On peut même dire, en restant prudent, que, dans des conjonctures comme le surréalisme, le recours à l'anthropologie comme autoanalyse (chez Leiris) ou comme critique sociale (chez Bataille) peut apparaître comme une transgression culturelle et éventuellement revêtir une signification politique. Mais il est tout aussi clair que cet usage n'est pas sans danger. Car, aujourd'hui comme alors, un tel *self-othering* peut basculer dans une autoabsorption dans laquelle le projet d'« autofaçonnement ethnographique » se transforme en une entreprise d'autorestauration narcissique[6]. Assurément, cette réflexivité peut venir déranger les théories conventionnelles de la place du sujet, mais elle peut également encourager une mise en scène de ce dérangement : une mode de la confession traumatique dans les discours théoriques, qui n'est parfois qu'un retour de la critique sentimentale, ou une mode des comptes rendus pseudo-ethnographiques en art, qui ne sont parfois que des catalogues de voyages déguisés du marché mondial de l'art. Qui, dans le monde universitaire ou artistique, n'a jamais assisté à ces témoignages du nouvel intellectuel empathique ou à ces *flâneries** du nouvel artiste nomade ?

L'art et la théorie à l'âge des études anthropologiques

Qu'est-il advenu ici ? Quels malentendus entre l'art, l'anthropologie et les autres types de discours ? On peut apercevoir, au cours des vingt dernières années au moins, un théâtre virtuel de projections et de réflexions. D'abord, au sein de l'anthropologie, certains critiques ont développé une sorte de complexe d'artiste (l'enthousiasme de James Clifford pour les collages multiculturels du surréalisme ethnographique en est un exemple marquant aux États-Unis[7]). Dans ce complexe, l'artiste devient un parangon de la réflexivité formelle, un lecteur autoconscient de la culture comprise comme texte. Mais est-ce vraiment l'artiste qui est le modèle ici ? Ce personnage n'est-il pas plutôt une projection du moi idéal de l'anthropologue : l'anthropologue comme collagiste, comme sémiologue, comme avant-gardiste[8] ? En d'autres termes, ce complexe d'artiste ne serait-il pas en fait une auto-idéalisation, où l'anthropologue renaît en interprète artistique du texte culturel ? Il est rare que cette projection s'arrête là dans la nouvelle anthropologie ou, aussi bien, dans l'étude des cultures ou le nouvel historicisme. Souvent, elle s'étend à l'objet de ces études : l'Autre culturel, également reconstruit pour réfléchir une image idéale de l'anthropologue, du critique ou de l'historien. Assurément, ce phénomène de projection n'est pas nouveau en anthropologie : certains auteurs classiques de cette discipline ont présenté des cultures entières comme des artistes collectifs, ou encore les ont lues comme des schémas esthétiques de pratiques symboliques *(Échantillons de civilisations* de Ruth Benedict, 1934, en est un exemple parmi tant d'autres). Mais, au moins, l'anthropologie ancienne faisait de telles projections ouvertement; la nouvelle anthropologie continue, mais en portant sur ces mêmes projections un jugement critique, voire déconstructeur. Bien entendu, la nouvelle anthropologie n'a plus la même conception de la culture. Elle la voit comme un texte, ce qui veut dire que sa projection vers d'autres cultures est autant textualiste qu'esthétisante. Ce modèle textuel est censé mettre en question l'« autorité ethnographique » à travers les « paradigmes discursifs du dialogue et de la polyphonie »[9]. Dès 1972, Pierre Bourdieu, dans *Esquisse d'une théorie de la pratique,* contestait cependant la version structuraliste de ce modèle textuel, parce qu'elle réduisait « toutes les relations sociales à des relations de communication ou, plus précisément, à des opérations de décodage » et que, par là même, elle rendait le lecteur ethnographique non pas moins, mais plus assuré[10]. Or, cette idéologie du texte, ce recodage des pratiques culturelles comme discours, persiste dans la nouvelle anthropologie, de même que dans l'art quasi-anthropologique, comme elle persiste dans l'étude des cultures et dans le nouvel historicisme, en dépit des ambitions contextualistes qui semblent animer ces disciplines.

Récemment, l'ancien complexe d'artiste des anthropologues s'est inversé : de nombreux artistes et critiques contemporains sont rongés par un nouveau complexe d'ethnographe. Si les anthropologues voulaient interpréter les cultures à l'aide du modèle textuel, ces artistes et ces critiques aspirent à la vie de l'enquêteur de terrain, dans laquelle théorie et pratique semblent réconciliées. Ils s'inspirent souvent indirectement des principes fondamentaux de la tradition de l'observateur-participant en anthropologie, et, cependant, ces emprunts témoignent uniquement de la nouvelle orientation ethnographique de la critique et de l'art contemporains. Mais quel est donc le *moteur* de cette nouvelle orientation ?
Il existe assurément de fréquentes interventions de l'Autre culturel dans l'art contemporain, pour la plupart primitivistes, étroitement liées à la politique de l'altérité : par exemple dans le surréalisme, où l'Autre est expressément figuré en termes d'Inconscient; dans l'art brut de Jean Dubuffet, où l'Autre représente un salvateur recours contre la civilisation; dans l'impressionnisme abstrait, où l'Autre est présenté comme le modèle originel de tous les artistes; et sous des aspects divers dans l'art des années soixante et soixante-dix (les allusions à l'art préhistorique dans certains *earthworks,* le monde artistique présenté comme un lieu d'anthropologie dans un certain art conceptuel anti-institutionnel, l'invention de sites archéologiques et de civilisations anthropologiques par Anne et Patrick Poirier, et bien d'autres exemples...). Qu'est-ce qui distingue alors l'orientation actuelle, mise à part une certaine prise de conscience des méthodes ethnographiques ? Premièrement, l'anthropologie est appréciée comme science de l'*altérité.* À cet égard, elle est, avec la psychanalyse, le langage commun d'un bon nombre de pratiques artistiques et de discours critiques. Deuxièmement, l'anthropologie est la discipline qui prend pour objet la *culture;* or c'est vers ce champ de références étendu que théorie et pratique postmodernes se sont depuis longtemps déployées. Troisièmement, l'anthropologie est considérée comme *contextuelle,* ce qui répond à une exigence souvent automatique, que les artistes et critiques contemporains partagent avec les autres intervenants, dont un grand nombre aspirent à l'enquête de terrain sur le quotidien. Quatrièmement, l'anthropologie est censée jouer un rôle d'arbitre *interdisciplinaire* — encore une valeur souvent routinière de la critique et de l'art contemporains. Enfin, cinquièmement, l'*autocritique* récente de l'anthropologie la rend attrayante, car elle est la promesse d'une réflexivité de l'ethnographe au « centre », qui préserverait un romantisme de l'Autre aux marges. Toutes ces raisons expliquent que des enquêtes anthropologiques tortueuses et des critiques psychanalytiques singulières prennent un statut d'avant-garde : c'est de ce côté-là que la lame critique est ressentie comme la plus incisive.
Mais on peut expliquer l'orientation ethnographique de la critique et de l'art contemporains par un autre facteur, qui a trait au double héritage de l'anthropologie. Dans *Au cœur des sociétés* (1980), Marshall Sahlins avance l'idée que cette discipline est depuis longtemps divisée en deux discours épistémologiques : le premier met l'accent sur la logique symbolique, où le social se lit essentiellement en termes de système d'échanges; le second privilégie la raison pratique, où le social se lit essentiellement en termes de culture matérielle[11]. Sous cet angle, l'anthropologie est *déjà* soumise aux deux modèles contradictoires qui gouvernent la critique et l'art contemporains : d'un côté, l'ancienne idéologie du texte, l'orientation linguistique des années soixante, qui reconstruisait le social en ordre symbolique et/ou en système culturel et qui annonçait la « disparition de l'homme », la « mort de l'auteur », etc.; de l'autre, la quête récente du référent, l'intérêt nouveau pour le contexte et l'identité, qui tourne le dos aux anciens paradigmes du texte et aux anciennes critiques du sujet. *En se tournant vers ce discours anthropologique éclaté, critiques et artistes peuvent résoudre les contradictions de ces modèles de façon magique : ils peuvent revêtir à la fois les apparences du sémiologue culturaliste et celles de l'enquêteur contextualiste, à la fois développer et condamner la théorie critique, à la fois relativiser et recentrer le sujet.* Ainsi, la nouvelle orientation ethnographique est une évolution quasiment nécessaire dans la situation actuelle d'ambivalences artistico-théoriques et d'impasses culturo-politiques : quand il s'agit de choisir, l'anthropologie est aujourd'hui le discours du compromis.

Une fois encore, le complexe d'ethnographe touche de nombreux critiques, en particulier au sein de l'étude des cultures ou du nouvel historicisme, qui jouent le rôle de l'ethnographe sous une forme généralement déguisée (l'ethnographe culturaliste déguisé en amateur parmi d'autres de la culture populaire, l'ethnographe historiciste déguisé en archiviste en chef des histoires perdues). D'abord, certains anthropologues ont adapté les méthodes textuelles de la critique littéraire pour reformuler la culture comme texte, puis certains critiques ont adapté les méthodes ethnographiques pour reformuler les textes comme cultures. Et ces chassés-croisés sont responsables d'une grande partie des travaux interdisciplinaires de ces dernières années. Mais, dans ce théâtre de projections et de réflexions, deux problèmes se posent. Le premier est d'ordre méthodologique : si l'orientation textuelle comme l'orientation ethnographique dépendent en fait d'un discours unique, comment les travaux réalisés pourraient-ils être véritablement interdisciplinaires ? Le second est d'ordre éthique : si l'on admire chez l'Autre le caractère ludique de ses représentations, sa subversion des genres, etc., n'y a-t-il pas là une projection de l'anthropologue, de l'artiste, du critique ou de l'historien ? Il arrive souvent, en de telles occasions, qu'une pratique idéale soit projetée dans le champ de l'Autre, auquel on demande alors de la refléter, comme si cette pratique reflétée était non seulement authentiquement indigène, mais également politiquement innovante. L'application à l'art et à la théorie de méthodes ethnographiques anciennes ou nouvelles a été très éclairante. Mais elle a également porté de larges ombres dans le champ de l'Autre, et dans son nom même. C'est là le contraire même d'une critique de l'autorité ethnographique, c'est même le contraire de la *méthode* ethnographique, du moins telles que je les comprends. Et cette « place impossible », comme l'appelait Benjamin il y a longtemps, est désormais occupée par un grand nombre d'anthropologues, d'artistes, de critiques et d'historiens.

Le positionnement de l'art contemporain

L'orientation ethnographique de l'art procède également des développements apparus dans la généalogie minimaliste de l'art au cours des trente dernières années, environ. On peut voir ces développements comme une série d'enquêtes : d'abord sur les constituants matériels du médium artistique, puis sur les conditions spatiales de la perception, enfin sur les bases corporelles de cette perception — une évolution inscrite dans l'art minimaliste des années soixante, puis qui s'illustre au début des années soixante-dix à travers l'art conceptuel, les performances, le Body Art et l'art *in situ (site-specific)*. Parallèlement, une description purement spatiale de l'institution artistique (l'atelier, la galerie, le musée, etc.) devenait insuffisante, car celle-ci consistait également en un réseau discursif de diverses pratiques et institutions, de subjectivités et communautés autres. De même, une détermination purement phénoménologique du spectateur de l'art n'était plus suffisante. Il était aussi un sujet social défini dans des langages divers et marqué de multiples différences (sociales, ethniques, sexuelles...). Cet éclatement des définitions restrictives de l'art et de l'artiste, de l'identité et de la communauté, fut évidemment le résultat d'un certain nombre d'autres pressions. Certains mouvements sociaux (les droits civiques, les divers féminismes, la politique particulariste, le multiculturalisme) furent déterminants, tout comme diverses évolutions théoriques (la convergence du féminisme, de la psychanalyse et de la théorie cinématographique ; le développement de l'étude des cultures en Grande-Bretagne ; l'application des théories d'Althusser, Lacan et Foucault ; le développement d'un discours postcolonial par Edward Said, Gayatri Spivak, Homi Bhabha, entre autres ; etc.). Ce qu'il est important de noter ici, c'est que, par ces voies, l'art est entré dans le champ étendu de la culture que l'anthropologie est censée contrôler.

On peut également voir dans ces évolutions une série de transformations dans le *positionnement* de l'art : de la surface du médium à l'espace du musée, des cadres institutionnels aux réseaux discursifs, au point que, pour de nombreux artistes, le désir ou la maladie, le sida ou les sans-abri sont devenus des lieux possibles de l'art. En même temps que cette figure du positionnement est apparue l'analogie « cartographique ». Au cours des trente dernières années, la pratique cartographique en art s'est tournée d'abord vers le sociologique, puis vers l'anthropologique, au point que la cartographie d'une institution ou d'une communauté donnée est aujourd'hui une forme fondamentale de l'art *in situ*.

Si la cartographie sociologique n'est qu'implicite dans une grande partie de l'art conceptuel, elle est explicite dans une bonne partie de la critique des institutions, en particulier dans l'œuvre de Hans Haacke, depuis les têtes et les profils de visiteurs de galeries et de musées ou la dénonciation des magnats de l'immobilier new-yorkais (1969-1973), en passant par les arbres généalogiques de collectionneurs de chefs-d'œuvre, par exemple du *Bouquet d'asperges* de Manet (1974) ou des petites *Poseuses* de Seurat (1975), jusqu'aux enquêtes sur les arrangements politico-économiques entre les musées, les gouvernements et les collectivités locales. Dans une œuvre de ce genre, les autorités sociales sont âprement contestées, mais non l'autorité sociologique, celle de l'artiste comme cartographe.

Le reproche est moins fondé pour des œuvres qui prennent pour principal sujet l'autorité conférée par les modes de représentation documentaires. Dans une vidéo comme *Vital Statistics of a Citizen, Simply Obtained* (1976) ou dans un photo-texte comme *The Bowery in Two Inadequate Descriptive Systems* (1974-1975), Martha Rosler démonte l'apparente objectivité des statistiques médicales sur le corps féminin et des descriptions sociologiques de l'alcoolique démuni. Plus récemment, elle a élargi cet usage critique des modes documentaires à des problèmes géopolitiques — problèmes qui sont depuis longtemps au cœur de l'œuvre d'Allan Sekula. En particulier, dans une série de trois textes photographiques, Sekula établit des relations entre les frontières allemandes et la politique de la guerre froide *(Sketch for a Geography Lesson,*

1983*)*, entre une industrie minière et une institution financière *(Canadian Notes,* 1986*)*, entre l'espace maritime et l'économie mondiale *(Fish Story,* 1995*)*. Par ces « géographies imaginaires et matérielles du monde capitaliste avancé », il répond à la demande complexe d'une « cartographie savante » de notre nouvel ordre mondial. Et, pourtant, avec ses changements de perspective entre le récit et l'image, Sekula, tout comme n'importe quel nouvel anthropologue, est conscient de l'*hybris* potentiel d'un tel projet ethnographique. Or, une telle réflexivité est sans doute essentielle, car, selon la mise en garde de Bourdieu, une cartographie ethnographique est prédisposée à une opposition cartésienne qui conduit l'observateur à objectiver et à abstraire la culture qu'il étudie[12]. Ainsi, il se peut qu'une telle cartographie confirme plus qu'elle ne conteste l'autorité du cartographe sur le champ étudié, limitant par là même l'échange attendu d'une enquête dialogique. C'est un premier problème. Un autre est que ces cartographies ethnographiques sont souvent des ouvrages de commande. De même que l'art d'appropriation des années quatre-vingt est devenu un genre esthétique, voire un spectacle médiatique, de même les nouvelles réalisations de l'art *in situ* s'apparentent-elles souvent à des événements muséographiques dans lesquels l'institution *importe* la critique, soit comme démonstration de tolérance, soit dans un but d'immunisation (contre une critique prise en charge par l'institution, à l'intérieur de l'institution). Il peut évidemment être nécessaire à ces cartographies ethnographiques de se trouver à l'intérieur du musée, surtout si elles visent à une déconstruction : de même que l'art d'appropriation, pour s'en prendre au monde des médias, devait s'y intégrer, de même les travaux *in situ* récents doivent-ils opérer à l'intérieur du musée pour le cartographier à nouveau ou pour redessiner son public.

Voilà quelques-uns des dangers de l'art *in situ*, *à l'intérieur* de l'institution, mais d'autres dangers surgissent lorsque ces travaux sont financés *à l'extérieur* de l'institution, souvent en collaboration avec des instances locales. Considérons l'exemple du « Projet Unité », une commande d'une quarantaine d'installations pour l'Unité d'habitation de Firminy (été 1993). Le paradigme quasi-anthropologique se manifesta ici à deux niveaux : d'abord, indirectement, en ce que cet habitat conçu par Le Corbusier, aujourd'hui dégradé, fut traité comme un site ethnographique à part entière (cette architecture moderne serait-elle devenue à ce point exotique ?). Ensuite, directement, en ce que la communauté installée, largement immigrée, fut offerte aux artistes comme matière à un engagement ethnographique. Un projet, en particulier, révèle les pièges d'un tel arrangement. L'équipe néoconceptuelle Clegg et Guttman demanda aux habitants de l'Unité d'apporter des cassettes pour une discothèque. Ces cassettes furent ensuite enregistrées, compilées, puis exposées, selon les appartements et les étages, comme une représentation globale de l'immeuble. Les habitants, trompés par cette collaboration, leur avaient confié leurs substituts culturels, pour les voir finalement transformés en exposition anthropologique. Et, manifestement, les artistes ne mirent pas en cause l'autorité ethnographique, en vérité la condescendance sociale, qu'impliquait cette auto-représentation assistée.
C'est un exemple typique du scénario quasi-anthropologique : on respecte peu les principes de l'observateur-participant ethnographique, sans parler de les critiquer, et l'engagement effectif de la communauté est limité. C'est presque naturellement que le projet de collaboration se dévoie en autofaçonnement, que le projet de décentrage de l'artiste comme autorité culturelle se transforme en une reconstruction néo-primitiviste de l'Autre. Bien entendu, les choses ne se passent pas toujours ainsi : bien des artistes ont profité de telles occasions pour collaborer avec des communautés de façon innovante, pour retrouver des morceaux d'histoire oubliés qui, avec leur situation particulière, sont plus accessibles à certains qu'à d'autres. Sur le plan symbolique, ces nouveaux travaux *in situ* peuvent réinvestir des espaces culturels désertés et proposer des contre-mémoires historiques. Cependant, une fois encore, *ce rôle de quasi-anthropologue dévolu à l'artiste peut tout aussi bien conduire à asseoir l'autorité ethnographique qu'à la contester, à échapper à la critique institutionnelle aussi souvent qu'à la renforcer.*

À Firminy, le modèle ethnographique avait servi à animer un site ancien, mais il peut également servir pour un site récent. On croit souvent que le local et le quotidien sont un frein au développement économique ; en réalité, ils peuvent aussi bien l'attirer. En effet, le développement économique peut chercher à s'appuyer sur le local et le quotidien, précisément quand il érode ces mêmes qualités et les prive, en fait, de site. Dans ce cas-là, les travaux *in situ* peuvent être mobilisés pour restaurer la spécificité de ces non-espaces, c'est-à-dire pour leur redonner leur statut de lieux authentiques et non abstraits sur le plan historique et/ou culturel. Morts en tant que culture, le local et le quotidien peuvent être ressuscités en tant que simulacre, devenir un « thème » pour parc d'attractions ou une « histoire » pour centre commercial, et l'entreprise *in situ* peut finir absorbée par cette zombification du local et du quotidien, par cette version

Disney de l'*in situ*. Plusieurs indices nous montrent que, d'ores et déjà, cette situation est bien réelle. Des valeurs proscrites par l'art postmoderniste, comme l'authenticité, l'originalité ou la singularité, font leur retour pour caractériser des lieux que des artistes sont chargés de définir ou d'embellir. Il n'y a rien à dire contre ce retour *per se.* Le problème, c'est que les commanditaires peuvent considérer ces propriétés simplement comme des valeurs situées à développer.

Les institutions artistiques peuvent également utiliser la recherche *in situ* dans un but de développement économique, de rayonnement social ou de tourisme artistique. Et à une époque comme la nôtre, où la culture devient une affaire privée, on pense qu'il est nécessaire, et même naturel, qu'il en soit ainsi. La désignation annuelle d'une « capitale culturelle européenne » est un exemple de ce soutien ambigu. À Anvers, capitale de la culture en 1993, on a à nouveau commandé plusieurs œuvres *in situ*. Les artistes choisis eurent tendance à explorer des histoires perdues plutôt qu'à engager des communautés existantes, en accord avec la devise de l'exposition : « prendre une situation normale et la retraduire en lectures multiples et imbriquées des conditions passées et présentes ». Empruntée à Gordon Matta-Clark, un pionnier de l'art *in situ*, cette devise combine les métaphores de la cartographie d'un lieu et celles du *détournement* situationniste (défini autrefois par Guy Debord comme la « réutilisation d'éléments artistiques préexistants dans un nouvel ensemble[13] »). Et pourtant, malgré leur caractère spectaculaire, ces projets *in situ* furent eux aussi transformés en sites touristiques, et le détournement situationniste céda la place à une entreprise de promotion politico-culturelle. Ainsi, l'institution peut reléguer à l'arrière-plan les œuvres qu'elle est censée mettre en vedette : c'est elle qui devient le spectacle, qui récolte le capital culturel, et c'est le conservateur-metteur en scène qui devient la star[14].

Mémoire disciplinaire et distance critique

Je voudrais, pour conclure, insister sur deux points : le premier a trait au positionnement de l'art contemporain, le second au rôle de la réflexivité dans l'art contemporain. J'ai évoqué plus haut le fait que de nombreux artistes traitent aujourd'hui le désir ou la maladie comme des lieux possibles de l'art. Ils travaillent alors *horizontalement,* c'est-à-dire dans un mouvement synchronique d'un problème social à un autre, d'un débat politique à un autre, plus qu'ils ne travaillent *verticalement,* c'est-à-dire dans un engagement diachronique vis-à-vis des formes historiques d'un genre ou d'un médium donné. On peut souligner ici quelques-uns des effets de cette expansion horizontale. Premièrement, ce choix d'un mode de travail horizontal s'accorde avec l'orientation ethnographique de l'art et de la critique. En pratique, l'artiste ou le critique choisit un lieu, entre dans sa culture et apprend son langage, conçoit un projet et prépare sa présentation pour se tourner ensuite vers le lieu suivant, où le même cycle est répété. Deuxièmement, ce choix répond à une logique spatiale : non seulement on cartographie un lieu, mais on conçoit un projet en termes de points à traiter, de cadres, etc. (Ce qui pourrait indiquer une préférence globale accordée à l'espace contre le temps dans les discours postmodernes.) Troisièmement, à mesure que les artistes préfèrent des lignes de travail horizontales, les lignes verticales — le sens de l'historicité en art, de la « responsabilité de la forme » (Roland Barthes) — se brouillent.

En travaillant horizontalement, l'artiste ou le critique doit non seulement connaître la structure de chaque culture d'assez près pour pouvoir en faire la carte, mais également connaître chaque histoire d'assez près pour pouvoir en faire le récit. Ainsi, par exemple, un artiste ou un critique qui souhaite travailler sur le sida doit avoir une connaissance claire non seulement de l'*ampleur* discursive des représentations du sida, mais également de la *profondeur* historique de ces représentations. Coordonner ainsi les deux axes de plusieurs discours de cette sorte représente une tâche écrasante. Et c'est là qu'il faut se souvenir de la méfiance de la tradition face à ce mode de travail horizontal qui, en accentuant de nouveaux liens discursifs, peut venir brouiller les anciennes mémoires de discipline.

Dans un second temps, je voudrais parler de la réflexivité dans l'art contemporain. Dans ce texte, j'ai insisté sur le fait que la réflexivité est nécessaire pour se prémunir contre une identification excessive avec l'Autre (à travers l'implication personnelle, l'autodistanciation, etc.), qui pourrait compromettre cette altérité. Paradoxalement, ainsi que Benjamin le laissait entendre en 1934, cette identification excessive peut avoir pour effet d'aliéner l'Autre davantage encore si elle ne tient pas compte de la distanciation que la représentation implique déjà. Face à ces dangers — trop, ou trop peu de distance —, j'ai pris le parti des travaux qui essayaient d'encadrer l'encadreur de la même manière qu'il encadre l'Autre. Cependant, une telle pratique de l'encadrement réflexif n'est pas la panacée, car elle peut à nouveau conduire à un certain hermétisme, voire à un narcissisme où l'Autre est relégué au second plan et le moi mis en valeur. Elle peut également mener au refus d'un quelconque engagement de l'Autre. *Et quelle garantie apporte donc la distance critique aujourd'hui ?* Cette notion serait-elle devenue quelque chose de mythique, d'*a*-critique, un rituel de pureté à elle seule ? Une telle distance est-elle encore souhaitable, si elle est possible ? Peut-être que non, mais une identification excessive et réductrice avec l'Autre n'est pas plus souhaitable. Et une désolidarisation d'avec l'Autre est encore bien pire : elle peut être criminelle. C'est pourtant dans cette impasse que s'enlisent actuellement, du moins aux États-Unis, les politiques culturelles de droite comme de gauche. Dans une plus large mesure, la gauche s'identifie, de façon excessive, avec l'Autre comme victime, ce qui l'enferme dans une hiérarchie de la douleur qui implique que les victimes ne puissent pas mal agir. Dans une large mesure encore, la droite se désolidarise d'avec l'Autre, qu'elle condamne comme victime, et exploite cette désolidarisation pour construire une solidarité politique qui s'appuie sur des peurs et des haines fantasmatiques. En face de cette impasse, la distance critique n'est peut-être pas une si mauvaise idée, après tout...

Traduit de l'anglais par
Marine Planche

* En français dans le texte [NdT].

1. Walter Benjamin, *Essais sur Brecht,* Paris, Maspero, 1969, pp. 107-128. Je devrais dire immédiatement ce qui va de soi : mes principaux points de référence sont les débats qui agitent l'art contemporain et l'Université aux États-Unis.

2. *L'Auteur comme producteur* est apparu dans une conjoncture prémoderne exceptionnelle combinant innovation artistique, révolution socialiste et révolution technologique. Mais Benjamin est arrivé trop tard : dès 1932, Staline avait dénoncé la culture d'avant-garde (en particulier le productivisme) — une ironie qui doit infléchir toute lecture de *L'Auteur comme producteur.* Aujourd'hui, cette triangulaire de l'ère prémoderne a fait long feu : il n'y a pas eu de révolution socialiste au sens où on l'entend traditionnellement, la révolution technologique n'a fait qu'éloigner davantage les critiques et les artistes du mode de production dominant, au point que seules les stratégies productivistes sont à peu près adaptées.
On peut retrouver des vestiges du productivisme dans l'art et les discours théoriques d'après 1945, d'abord sous l'apparence du producteur prolétarien adoptée par certains sculpteurs, de David Smith à Richard Serra, puis dans les divers concepts de production élaborés par l'art « post-atelier » et par la théorie textuelle (en particulier avec le groupe Tel Quel en France) à la fin des années soixante et au début des années soixante-dix. En même temps, cependant, se sont élevées des critiques du productivisme, principalement celles de Jean Baudrillard, affirmant que les moyens de représentation étaient devenus aussi importants que les moyens de production. Ainsi, les pratiques d'intervention culturelle (le média, le lieu, l'approche, etc.) ont connu une orientation situationniste, suivie aujourd'hui, et c'est ce que je veux suggérer ici, par une orientation ethnographique.

3. Dire que c'est un mythe, ce n'est pas dire que ce n'est *jamais* vrai, c'est contester le fait que ce soit *toujours* vrai. Il ne s'agit pas non plus de disqualifier cette façon de penser. Ce que je veux dire, c'est qu'elle oriente notre vision d'une façon qui nous cache des articulations différentes du politique et de l'artistique. En un sens, à une tendance à substituer la politique à l'art a succédé une tendance à substituer la théorie à la politique.

4. Barthes, par exemple, qui allait devenir le critique majeur de l'affirmation réaliste, écrivait en 1957 : « Il y a donc un langage qui n'est pas mythique, c'est le langage de l'homme producteur : partout où l'homme parle pour transformer le réel et non plus pour le conserver en image, partout où il lie son langage à la fabrication des choses, le métalangage est renvoyé à un langage-objet, le mythe est impossible. Voilà pourquoi le langage proprement révolutionnaire ne peut être un langage mythique. » Roland Barthes, *Mythologies,* Paris, Points Seuil, 1957, p. 234. Barthes était alors encore l'adepte d'un marxisme brechtien.

5. La fiction primitiviste peut également se manifester dans les modernismes productivistes, du moins dans la mesure où le prolétariat y était souvent vu comme primitif dans ce sens-là, à la fois négativement (les masses comme horde primale) et positivement (le prolétariat comme groupe tribal).

6. James Clifford développe la notion d'*ethnographic self-fashioning* (« auto-construction ethnographique ») dans *Malaise dans la culture* (ENSB, 1996) (*The Predicament of Culture,* Cambridge, Harvard University Press), une notion largement inspirée du *Renaissance Self-Fashioning* de Stephen Greenblatt (Chicago, University of Chicago Press, 1980). On voit bien là les points de convergence entre la nouvelle anthropologie et le nouvel historicisme (voir également la note suivante).

7. Dans *Malaise dans la culture,* Clifford étend cette notion : « Est-ce que tout ethnographe n'est pas, d'une certaine manière, un surréaliste, réinventant et brouillant les cartes de la réalité ? » Certains se sont interrogés sur les influences réciproques de l'art et de l'anthropologie dans le milieu surréaliste. Voir Jean Jamin : « L'Ethnographie, mode d'inemploi. De quelques rapports de l'ethnologie avec le malaise dans la civilisation », *Le Mal et la Douleur,* J. Hainard et R. Kaehr (éd.), Neuchâtel, Musée d'ethnographie, 1986 ; et Denis Hollier, « La Valeur d'usage de l'impossible », *Octobre,* n° 60, printemps 1992.

8. Ce complexe d'artiste n'est pas spécifique à la nouvelle anthropologie. On peut également le voir à l'œuvre dans l'analyse rhétorique du discours historique inaugurée dans les années soixante. « Il n'y a pas eu dans notre siècle, écrit Hayden White dans *The Burden of History* (1966), d'efforts significatifs vers une historiographie surréaliste, impressionniste ou existentialiste (sinon par les romanciers et les poètes eux-mêmes), malgré la valeur artistique tant vantée des historiens des temps modernes. » (*Tropics of Discourse,* Baltimore, The Johns-Hopkins University Press, 1978, p. 43.) *Bali Interprétation d'une culture* (Clifford Geerts, Gallimard, Paris, 1983, traduction partielle de *The Interpretation of Culture, Selected Essays,* New York, Basic Books, 1973) est l'une des premières références précoces dans la textualisation de l'anthropologie.

9. Clifford écrit : « L'anthropologie interprétative, en concevant les cultures comme des assemblages de textes, a, de façon significative, contribué à défamiliariser l'autorité ethnographique. » *(Malaise..., op. cit.)*

10. Pierre Bourdieu, *Esquisse d'une théorie de la pratique,* Droz, 1972, p. 155. On peut reconnaître que les « paradigmes discursifs » de la nouvelle anthropologie ont changé de nature — non plus structuralistes, mais poststructuralistes, non plus déchiffreurs, mais dialogiques. Pourtant, une orchestration bakhtinienne des voix de l'information n'écarte pas vraiment l'autorité ethnographique (mais cette autorité est-elle toujours nécessairement nuisible ?).

11. Marshall Sahlins, *Au cœur des sociétés, raison utilitaire et raison culturelle,* Paris, Gallimard, 1980, trad. de Sylvie Fairzang (*Culture and Practical Reason,* Chicago, University of Chicago Press, 1976). Cette critique fut écrite aux beaux jours du poststructuralisme. Sahlins, alors proche de Baudrillard, privilégiait la logique symbolique inspirée de la linguistique contre la raison pratique issue du marxisme. « S'il n'y a pas de logique matérielle en dehors de l'intérêt pratique, écrit Sahlins, l'intérêt pratique des hommes dans la production est constitué symboliquement. » (p. 257)

12. Pierre Bourdieu, *op. cit.,* p. 156.

13. Guy Debord, « Le Détournement comme négation et prélude », *Internationale situationniste,* n° 3, décembre 1959.

14. Schématiquement, si les années soixante-dix furent l'âge du théoricien et les années quatre-vingt l'âge du marchand, les années quatre-vingt-dix sont peut-être l'âge du conservateur itinérant, qui réunit en des lieux particuliers des artistes nomades. Ici encore, il ne s'agit pas d'un opportunisme individuel, mais de la conséquence de pressions économiques et politiques.
Avec l'effondrement du marché financier en 1987 et les controverses qui ont suivi dans l'art contemporain (Robert Mapplethorpe, les performances « obscènes », Andres Serrano...), les soutiens publics et privés ont baissé aux États Unis. En même temps, des fonds furent redistribués vers des institutions situées hors des principales capitales artistiques, qui néanmoins importèrent souvent leurs artistes des grandes métropoles. De même, les fonds restaient relativement abondants dans les institutions d'Europe de l'Ouest, qui attirèrent aussi ces artistes. Le résultat fut l'avènement de l'artiste en tant que travailleur ethnographique migrant.

Art et politique en Afrique Des réalités dérangeantes

Ery Camara

Lorsque je me penche sur la relation qui existe en Afrique entre la politique et l'art, une série de doutes m'assaille. Plus que des réponses, j'exposerai dans cet article quelques-unes des conditions dans lesquelles sont abordés les arts contemporains sur ce continent vaste et hétérogène.
La carence en organismes et institutions consacrés à la divulgation des résultats des activités artistiques au niveau national, régional ou continental ne facilite pas la tâche. D'une part, le manque ou l'absence totale de communication entre les États africains au sujet des mouvements artistiques qui émergent dans leurs régions respectives empêche l'information de se propager comme il convient. Dans la majorité des pays, les politiques culturelles mises en œuvre n'ont pas pu catalyser l'espace qu'occupaient et qu'occupent actuellement les activités artistiques afin de renforcer l'intégrité sociale. De même, elles ne sont pas parvenues à créer des infrastructures modernes destinées à la promotion des arts plastiques. Qui plus est, l'omission, dans les programmes universitaires, de cours traitant de l'histoire de l'art et de la conservation du patrimoine culturel a une incidence sur la sensibilité des jeunes générations, qui n'ont aucune idée de la façon dont les activités artistiques s'intègrent dans la vie sociale. Il est fréquent d'entendre des étudiants de haut niveau s'interroger : « L'art, mais pour quoi faire ? »
Il est déplorable qu'après les indépendances, si peu de chercheurs africains soient les auteurs d'une bibliographie des arts plastiques africains, anciens ou contemporains. La qualité et la richesse de cette œuvre sont indispensables à la consolidation de nos identités et à l'éducation de nos sens. Pour nombre d'entre nous qui nous intéressons au développement des arts en Afrique, le retard, le manque d'archives et même la situation économique sont un frein à l'aboutissement d'une étude exhaustive sur ce sujet.

Les rares publications qui font allusion à l'art contemporain, ainsi que les expositions qui réunissent des artistes africains, se situent presque toujours en dehors du continent. Les scènes choisies pour présenter l'art africain sont l'Amérique du Nord et l'Europe, et non pas le milieu où celui-ci a été créé. Dans toute la partie subsaharienne de l'Afrique, un musée ou une galerie d'art contemporain relèvent de l'exception. Seuls subsistent, rénovés ou non, les musées hérités de la colonisation ou de la néocolonisation. Très peu d'Africains sont informés sur le développement des arts plastiques dans leur propre pays.
Dans ce contexte, il est important d'observer le déploiement des récentes biennales qui se sont parfois substituées aux salons. Pour les organisateurs, ces manifestations permettent de nouer de nouveaux contacts et de trouver de nouveaux marchés pour les artistes (ce dont je ne nie pas l'importance), mais la seule priorité des artistes est-elle de vendre ? Et hors de leurs frontières, de surcroît ? Je n'en suis pas convaincu. Nous déplorons le fait d'être livrés sous l'étiquette de l'exotisme au marché international de l'art. Pour certains organisateurs, tout s'envisage en termes de marketing. D'ailleurs, lors de la biennale « Graphollies » d'Abidjan, ceux-ci ont posé la question : « Pour qui l'artiste africain crée-t-il ? » D'aucuns s'étonnent des tracas que nous causons à nombre de fonctionnaires qui ne savent pas traiter la question du patrimoine.

La période historique 1980-1995 correspond à un désenchantement de la part des artistes, fréquemment confrontés à des manipulations politiques et à des déceptions qui font avorter la majorité des projets artistiques. Dans ces conditions, l'art et la politique sont en relation d'adversité. Les fonctionnaires chargés de la politique culturelle organisent dans la mesure de leurs possibilités ce qu'ils croient être convenable pour l'art : mais de quel art parlons-nous ? Nombre d'entre eux, avec un goût des plus douteux, utilisent l'art comme instrument politique ou comme élément de décoration de salles, de bureaux, d'ambassades et de lieux publics. Devant le refus de nombreuses autorités de renouer le dialogue avec les artistes afin de comprendre les réalités que ceux-ci mettent en évidence, le patrimoine se détériore inexorablement et les sensibilités suffoquent.

Toutefois, il convient de signaler que ces obstacles n'empêchent pas les artistes de créer et de manifester leurs anticonformismes ou leurs sympathies dans les divers contextes africains. Les artistes se reconnaissent comme étant des agents actifs du peuple. Une fois ces pressions internes mentionnées, il est nécessaire de se demander : « Que font les artistes pour s'ouvrir des voies et chercher des occasions de participer au débat culturel ? » L'urbanisation progressive a fait émerger des créateurs là où, jusqu'à présent, on ne s'y attendait pas. Leur originalité a rompu avec les modèles imposés antérieurement, et leurs œuvres sont venues enrichir les techniques et les thèmes, offrant ainsi de larges possibilités aux générations futures. Selon ces artistes, certains phénomènes sociaux doivent être relatés et faire l'objet de critiques. Ainsi, par exemple, l'insalubrité engendrée par le manque d'hygiène et l'inefficacité des services publics concernant le nettoyage des villes ont provoqué des mouvements urbains d'artistes, qui se sont ajoutés à la dénonciation des négligences et de la corruption de nombreux fonctionnaires. Des problèmes tels que les erreurs et les abus politiques, l'apartheid, le racisme et l'épidémie du sida ont été interprétés par de nombreux artistes africains. Peintres, sculpteurs, photographes et graphistes ont abordé de façon critique ces thèmes, ainsi que beaucoup d'autres questions visant à une meilleure cohabitation, sans se livrer à des pamphlets ou sombrer dans la démagogie. Dans les très rares cas où émerge dans les milieux africains une prise de position de la critique concernant les arts plastiques de ce genre, c'est pour signaler des mouvements comme, par exemple, le Set Setal à Dakar, le laboratoire Agit-Art, de la même ville, ainsi qu'un certain courant de la peinture zaïroise qui domine cette tendance. Il est évident que, dans de nombreuses autres régions d'Afrique, l'art ne peut pas ne pas faire allusion aux problèmes sociaux. Il va sans dire que ce n'est pas sa fonction principale. Mais il n'est pas trop tard pour s'avouer les difficultés : comment se tenir informé si l'information ne circule pas ? Quel sera le sort réservé à ces œuvres ? La majorité de la clientèle des

Atelier d'Issa Samb, du laboratoire Agit-Art, Dakar, Sénégal.

Atelier d'Issa Samb, du laboratoire Agit-Art, Dakar, Sénégal.

artistes vient de l'étranger et repart avec ses acquisitions. Les œuvres issues de ces tendances sont souvent exclues des expositions organisées par le gouvernement, et leurs auteurs peuvent s'estimer heureux quand ils ne sont pas poursuivis, emprisonnés ou interdits dans d'autres expositions. Si bien que les rares manifestations artistiques qui restent gravées dans la mémoire collective parviennent à susciter l'intérêt, l'espoir que la vitalité de cet art ne soit pas jugulée par les pressions auxquelles je fais allusion.

Je ne me risquerai pas à réduire ou à généraliser l'importance de ce thème, et c'est pourquoi j'insiste sur le fait qu'il est nécessaire de créer des espaces dans lesquels les populations puissent se familiariser de façon sensible avec les multiples manifestations des arts contemporains africains. Les déplacements occasionnés par la colonisation et la balkanisation continuent d'avoir des répercussions sur les crises d'identité dont souffrent nombre d'Africains.

Un autre phénomène reste très présent dans la problématique artistique : la persistance de nombreux Occidentaux à nier l'authenticité des artistes exploitant les technologies, voire les courants artistiques de l'Occident. Cette attitude vise à imposer un stéréotype enfermant dans un cadre statique ce qui, selon eux, doit être africain. Les critères qu'ils dictent pour cataloguer les artistes excluent ceux-ci de la contemporanéité. L'absence d'artistes africains dans des expositions comme celle qui nous occupe est due en partie à l'ignorance et au manque d'information sur leurs activités, sans oublier une certaine politique d'exclusion en vigueur. L'organisation des biennales et les expositions itinérant au niveau international font connaître les œuvres et leurs auteurs ; mais il faut que ces initiatives soient également une plateforme pour la critique et la documentation de ce qui constitue l'histoire de nos arts. Dans le cas contraire, sans pour autant disposer de système de références, chacun se précipite pour répertorier ses préférences et les utiliser comme lettres de créance. Marginaliser ceux qui ne sont pas conformes avec cette situation ou éviter les confrontations et les débats sont des pratiques qui ne résolvent pas les conflits : bien au contraire, elles les provoquent.
Tenter de coopter, pour en faire des bureaucrates, ceux qui parviennent à signaler les causes de la crise est une tactique qui a mutilé beaucoup de talents. Face à l'histoire, les artistes poursuivent sans relâche leurs recherches pour répondre à un besoin de création. Les politiques culturelles doivent favoriser l'échange des expériences et de l'information afin que les Africains se connaissent entre eux.

Ce millénaire touche à sa fin, et les artistes continuent de prouver qu'il est inutile de vouloir ignorer ou occulter les expressions de liberté. La réalité exige de nous une profonde réflexion sur la conservation et la promotion de notre patrimoine au profit de nos communautés et du reste du monde. Il est indiscutable que les artistes africains contemporains sont conscients des problèmes qui se posent autour d'eux, et ils sont nombreux à s'être impliqués dans la recherche de solutions depuis leurs domaines d'activité, avec leurs propres techniques.
La situation exige que soient menées des recherches concernant l'influence des arts sur le public africain et les moyens mis en œuvre par les institutions en faveur d'une meilleure et plus importante participation. L'intégration des arts dans la société africaine actuelle doit tenir compte des changements intervenus, afin d'éviter que les créations artistiques soient considérées comme un phénomène destiné au tourisme ou à la décoration, comme c'est le cas avec l'artisanat et l'art d'aéroport et d'hôtel. La collaboration des artistes, des intellectuels, des fonctionnaires et de l'ensemble de la société est indispensable pour que le patrimoine artistique trouve sa place dans des espaces consacrés à l'éducation, à la délectation et à la récréation de nos sens.

Traduit de l'espagnol par
Carole Belahrach

Le Musée dynamique de Dakar converti en Cour suprême de justice : au premier plan, un sans-abri a construit son habitat avec des matériaux de récupération incluant le drapeau sénégalais.

La longue guerre : une longue histoire

La longue guerre : une longue histoire

Declan McGonagle

J'emploie dans le titre de ce texte une expression, la « longue guerre », qui fut utilisée par le mouvement républicain irlandais pour décrire le processus global dans lequel ses membres ont été impliqués depuis 1970. Mais cette expression se réfère également à une « guerre » bien plus longue, menée pendant des siècles et opposant une lecture anglaise et une lecture irlandaise de l'Irlande et des Irlandais. Les réalités d'aujourd'hui doivent par conséquent être observées, analysées et comprises à l'intérieur d'un plus large contexte : processus sociaux, politiques et culturels.
En examinant ici les circonstances spécifiques et les conditions des vingt-cinq dernières années, je dois raconter une longue histoire. Il est dès lors essentiel d'adopter une vue d'ensemble car aucune culture, et en Irlande moins qu'ailleurs, n'est le produit de ses seules circonstances immédiates.

Sur deux murals de Derry, en Irlande du Nord, sont formulés deux mythes fondateurs existant dans ce pays et qui, s'ils évoquent une réalité politique actuelle, n'en sont pas moins essentiellement culturels. De tels mythes fondateurs sont importants car ils se rattachent à une division extrêmement profonde existant au-delà de celle qui sépare protestants et catholiques en Irlande du Nord. Ils sont le signe d'une ligne de faille qui sépare le colonisateur et le colonisé, le pouvoir et l'absence de pouvoir, ce qui est perçu comme rationnel et l'irrationnel, à l'intérieur du contexte irlandais mais aussi ailleurs. Cela n'aurait donc aucun sens de présenter l'activité des arts plastiques en Irlande du Nord et même dans toute l'Irlande, activité qui implique des idées et des images traitant du pouvoir et de la signification politiques, sans considérer la fracture centrale, verticale, qui transcende les trop évidentes divisions horizontales entre classes sociales.
Ces murals de Derry représentent d'une part le langage de revendication des dépossédés, et d'autre part le langage de ceux qui conservent pouvoir et privilèges. L'écriteau « Vous entrez maintenant dans le Derry libre », placé à l'entrée du quartier catholique du Bogside, est typique du langage de revendication de la communauté nationaliste et fait écho à des hymnes similaires, comme *Our Day Will Come* (« Notre jour viendra ») ou encore *We Shall Overcome* (« Nous vaincrons »), tandis que la formule de la communauté loyaliste, écrite sur un mur à l'entrée du quartier protestant au centre de la ville, repose sur une mentalité historique d'assiégés et insiste sur la rétention du pouvoir. *This We Will Maintain* (« De ceci nous ne céderons rien »), *No Surrender* (« On ne se rend pas ») et *Not an Inch* (« Pas un pouce ») sont d'autres hymnes typiques de cette communauté. Ces formules sont les projections familières de la position et du pouvoir dans la société que chaque communauté perçoit et se donne par rapport à l'autre. Cette division semble religieuse à un certain niveau, sur un autre elle paraît politique, mais le niveau le plus fondamental est en fait culturel. J'emploie ici le mot de culture pour signifier ce que les gens font et produisent afin d'établir et de décrire leurs identités.

La ligne de faille verticale se rapporte au pouvoir, à sa possession et à son articulation, dans l'État d'Irlande du Nord au cours du passé et du présent, mais aussi dans l'Irlande tout entière et dans ses relations avec l'Angleterre dans le contexte des allégeances culturelles et politiques et des territoires établis en Europe depuis la fin du XVIIe siècle. Je prétends que les impulsions dont naquirent des formes politiques, culturelles et territoriales à partir de cette époque dérivaient en fait d'un moment historique bien plus ancien, lorsque la Renaissance marqua une transformation dans la pensée humaine à travers la redécouverte et la célébration de l'humanisme classique qui éleva l'homme (mais non tous les hommes) à une situation de prééminence. Cela représente le passage des prémodernes aux modernes. Les modernes et le modernisme signifient ici une certaine mentalité qui consiste à croire que les événements adviennent sous l'effet des actions de l'homme, tandis que le prémodernisme renvoie à un état d'esprit qui considère l'événement comme résultant d'une action de la nature, et à l'intérieur de laquelle le genre humain doit fonctionner. Je ne me réfère pas seulement à une chronologie culturelle linéaire, puisque je crois que prémodernes et modernes coexistent, et particulièrement en Irlande.
C'est seulement aujourd'hui, à la fin du XXe siècle, dans le contexte de l'extension des débats sur l'altérité et d'une certaine fragmentation des matrices traditionnelles de valeurs et de possession du pouvoir en Europe, qu'il est devenu possible d'établir une lecture des circonstances immédiates des conflits en Irlande du Nord en de tels termes sismiques. Je prétends également qu'il est non seulement possible, mais surtout nécessaire, de dresser, en ce qui concerne les artistes, une lecture des pratiques et des ressources dans des termes équivalents en tant qu'ils sont conditionnés par des forces équivalentes. Cela signifie que les références vernaculaires aux « Troubles »

évoquent simplement les difficultés locales d'un tribalisme primitif comme si, de façon unique en Europe, les Irlandais avaient une déficience génétique qui les empêchait d'accéder à l'harmonie et à la stabilité. C'est en fait une contrevérité partisane qui sert à occulter les structures élémentaires du pouvoir. Le terme de « Troubles » et la réflexion laissent le processus central et historique responsable, avec toute son insuffisance et sa faillite morale — sans jamais vraiment l'aborder. La marginalisation du contexte irlandais et de ses conflits justifie un *statu quo* qui permet de se démettre de sa responsabilité à traiter le problème. Nous trouvons à la place l'excuse selon laquelle un arbitre est nécessaire plutôt qu'une analyse historique de long terme. Au cours de ces vingt-cinq dernières années, il est apparu de plus en plus clairement que la politique était inapte à s'attaquer au problème fondamental et qu'un autre processus était nécessaire.

S'il est vrai que ces questions ont atteint une assise à partir de laquelle une nouvelle interprétation et une nouvelle analyse peuvent être construites, cela est dû à un lexique de l'identité qui a été mis en place par une pratique plus culturelle que politique. C'est particulièrement vrai de la littérature, de la poésie et du théâtre, mais ce n'est que récemment vérifié dans le domaine des arts plastiques. C'est un truisme de dire que les arts plastiques en Irlande sont historiquement en deuxième position derrière la littérature, et cette situation est expliquée tant bien que mal en prétendant que les Irlandais ne sont pas un peuple de plasticiens.

Cependant, si la culture irlandaise des arts plastiques fut définie comme inadéquate, c'est parce que, à l'instar de nombreux autres contextes coloniaux, elle a imité son parent colonial à l'époque où se formulait le projet moderniste. On n'a jamais complètement reconnu la période où le patrimoine artistique propre à l'Irlande fut détruit en raison de son association avec le catholicisme. Résultat direct de cette oppression : l'identité culturelle des Irlandais s'est refoulée dans le langage. Elle fut portée dans la tête des gens et s'est exprimée dans la poésie et en particulier dans la chanson qui a produit une tradition orale qui devait jouer un rôle prépondérant dans la survie de la culture. Cette tradition orale s'est transformée en tradition littéraire à la fin du XVIIIe et au cours du XIXe siècle. Il n'était possible de conserver la propriété d'une identité culturelle que si elle était réduite à un langage immatériel, plus qu'à un langage matériel. Par conséquent, la littérature fut capable d'énoncer ou de soulever des problèmes autour d'une identité collective, ce que les arts plastiques étaient incapables de faire. L'art plastique, particulièrement au début du siècle, au moment où l'indépendance politique avait été obtenue par vingt-six des trente-deux comtés, ne pouvait qu'imiter le langage et la dynamique qui se développaient ailleurs, et notamment à Paris.

Si tant est que l'idée du modernisme du début du siècle fut présente en Irlande, elle était articulée par des artistes qui semblaient accepter une situation marginale dans le monde et travailler dans ce contexte, et dont la façon de voir leurs propres références dépendait de la proximité ou de la distance par rapport à ce qu'ils considéraient comme étant le centre. Dans l'esprit de beaucoup à cette époque, le centre de l'activité ne pouvait pas et ne pourrait de toute évidence jamais se situer dans un contexte tel que l'Irlande, qui était un environnement géographiquement marginal, économiquement faible, socialement traditionaliste/conservateur, et politiquement problématique. Cela bien que l'Irlande eût un héritage plastique riche et ancien, ainsi qu'une culture populaire que des artistes modernistes fervents ressentirent comme un fardeau et qu'ils tentèrent de nier dans leur pratique. De même que pour d'autres aspects de cette société, ils vivaient dans cette sorte de refus qui appelle le développement d'une double vision. Généralement parlant, les deux parties de l'Irlande furent figées politiquement, économiquement, socialement et culturellement dans ce refus, des années trente aux années soixante.

Il fallut attendre le milieu des années soixante pour qu'une tentative d'industrialisation et de modernisation soit lancée, avec un large développement urbain et industriel dans ce qui était essentiellement, du point de vue social et religieux, un mode de vie rural. C'est aussi au milieu des années soixante, avant le Mouvement pour les droits civils lancé en 1968 et les Troubles tels que nous les avons abordés dans ce cycle particulier commencé en 1969-1970, que les Premiers ministres de l'Irlande du Nord et du Sud se rencontrèrent pour la première fois avec une volonté délibérée de se mesurer à la question de la division politique. Cet événement fut important car il permit la prise de conscience publique de la division, qui jusqu'alors était restée cachée. À cette époque, beaucoup de gens en étaient venus à tenir pour inévitable le degré de stagnation existant. Cette rencontre créa une image forte, si ce n'est problématique, qui, comme nombre d'autres auparavant et depuis, dans une société où les signes, les signaux, les symboles et les images véhiculent une puissance énorme, fut lue par chaque communauté de deux façons totalement différentes. Cette dualité, cette double vision, doit être comprise comme un élément d'une importance critique pour l'environnement global dans lequel les plasticiens travaillent et ont travaillé au cours des vingt-cinq dernières années. Il y a une possibilité toujours présente de deux lectures, deux possessions de la même histoire ou du territoire psychologique qui, en fin de compte, peut-être, devra être défendu. Mais on devrait se souvenir qu'il n'existe aucun endroit du champ qui soit neutre ou innocent, et à partir duquel d'autres observations objectives pourraient être faites par des tiers. Tout tiers fait partie de la même matrice de signification à travers laquelle passe cette activité politique et culturelle, comme des puits tirant leur eau de la même source. Ce qui, par le drame de la violence politique, fut créé dans le Nord a été la compréhension que rien ni personne n'était innocent — et le langage moins que tout.

James Joyce avait déjà exploré cette idée jusqu'au point où, en traitant de son propre milieu, il a atteint le fondement de la signification humaine. Son point de départ était la suffocation sociale du nouvel État d'Irlande du Sud au tout début du siècle, plus que la suffocation politique de l'État d'Irlande du Nord. Ses circonstances et ses besoins particuliers, y compris l'exil, l'amenèrent à comprendre que le langage n'est pas un médium transparent, un innocent véhicule de sens, mais est en lui-même la clé du sujet. Dans le contexte du Nord, et c'est le résultat direct des Troubles depuis 1969, il n'a été possible à aucun artiste digne de ce nom de revendiquer une telle innocence. Cette absence d'innocence, bien sûr, ne signifie pas que l'art doit se métamorphoser en propagande, mais elle a amené les artistes, dans les cas les plus intéressants, à explorer des significations à nos expériences qui ne reposent pas sur le drame de la violence à la surface de la réalité. Ceux qui se sont concentrés sur ce pouvoir de séduction du drame n'ont généralement produit que des œuvres superficielles qui sont désormais oubliées. Ceux qui avaient une pratique digne d'intérêt, et ils sont peu, comprirent qu'il leur fallait exploiter plus profondément ces questions, et les explorer sur un niveau plus fondamental.

La lecture purement religieuse des Troubles permit ainsi à ces profonds courants constitutifs d'être mal compris ou tout à fait ignorés. Ce sont pourtant ces courants de signification qui relient ce contexte marginal et ces événements à une dynamique européenne plus large. Ce n'est pas une coïncidence si ce sont ces artistes, et particulièrement ceux d'Irlande du Nord, qui, ayant résolu d'explorer ces profonds courants, sont maintenant invités à participer et à contribuer à une conversation culturelle à grande échelle dans le monde entier. Paradoxalement, les problèmes mêmes qui marginalisaient autrefois ce contexte — la question d'une identité instable et notre insécurité dans le monde — ont désormais fait de la pratique culturelle irlandaise un thème central dans beaucoup des débats qui sont tenus en Europe à propos du langage, de l'identité et du territoire. Ce n'est pas une consolation de voir que le contexte de l'Irlande du Nord a été dépassé par la tragédie bosniaque comme point d'émergence de ces questions. Nous sommes à un moment de déchirure où se constitue une nouvelle Europe — géographiquement en bordure du continent, et psychologiquement en bordure du terrain où la confiance dans les définitions existantes est sérieusement mise à l'épreuve. Nous, en Irlande, nous tenons sur la ligne de faille. Elle est notre habitat et notre sujet. Elle se devait d'être aussi l'habitat et le sujet de l'Orchard Gallery. La rupture entre les prémodernes et les modernes fut établie au cours des siècles en Europe continentale mais ne fut jamais vraiment résolue en Irlande, ni jamais réellement fondée. Du fait que ces problèmes politiques ne furent jamais abordés en terme de valeur ou d'identité culturelle, ils ont continuellement refait surface génération après génération jusqu'à aujourd'hui. Cela constitue la toile de fond des artistes et de leurs ressources artistiques.
La constitution au cours des siècles d'une condition moderniste à la place d'une condition prémoderne fut emmenée au-delà de la Renaissance par la Réforme et à travers les Lumières jusqu'au capitalisme industriel des XIXe et XXe siècles — qui exacerba l'individualisme et une idée du progrès qui n'était en fait qu'une croyance religieuse déguisée en pensée séculaire.

Rita Donagh,
Car Bomb
[Voiture piégée], 1973.
Collection de
l'artiste.

Cela a nourri l'idée que l'histoire mondiale était menée par l'esprit européen, au vertueux nom duquel les aventures impériales et coloniales furent lancées à une échelle globale. La situation prémoderniste de l'Irlande, cependant, ne fut jamais complètement résolue ou renégociée, ni par la raison ni par la force. C'est la raison pour laquelle les Troubles, au moment où ils débutèrent à la fin des années soixante, furent perçus par le monde extérieur comme un simple anachronisme, bien plus que comme un avant-goût des possibles à venir dans une Europe plus fragmentée qu'unie.

C'est délibérément que je décris le contexte de Derry en ces termes généraux, afin d'expliciter le développement de l'Orchard Gallery que je dirigeai à Derry à partir de 1978. Des courants culturels, qui étaient et demeurent bien plus importants que les courants politiques, étaient visibles et se répandirent dans Derry à travers la vie de l'Orchard. Les mécanismes qui contrôlent et articulent le pouvoir étaient présents dans les rues de façon visible, dans le contexte de l'activité quotidienne d'un État armé et d'un peuple armé. Dans le cas de situations plus stables, de telles forces sont généralement enterrées et opèrent, du moins si elles le peuvent, de façon clandestine. En tant que conservateur, j'ai dû, avec l'aide d'artistes de Derry, gouverner et surmonter la question de la signification, et c'est parce que l'Orchard Gallery avait entrepris d'opérer sur ce niveau qu'elle est devenue visible et lisible à un niveau international. Je crois que ce qui était en train d'être exploré dans la localité précise de Derry pendant cette période

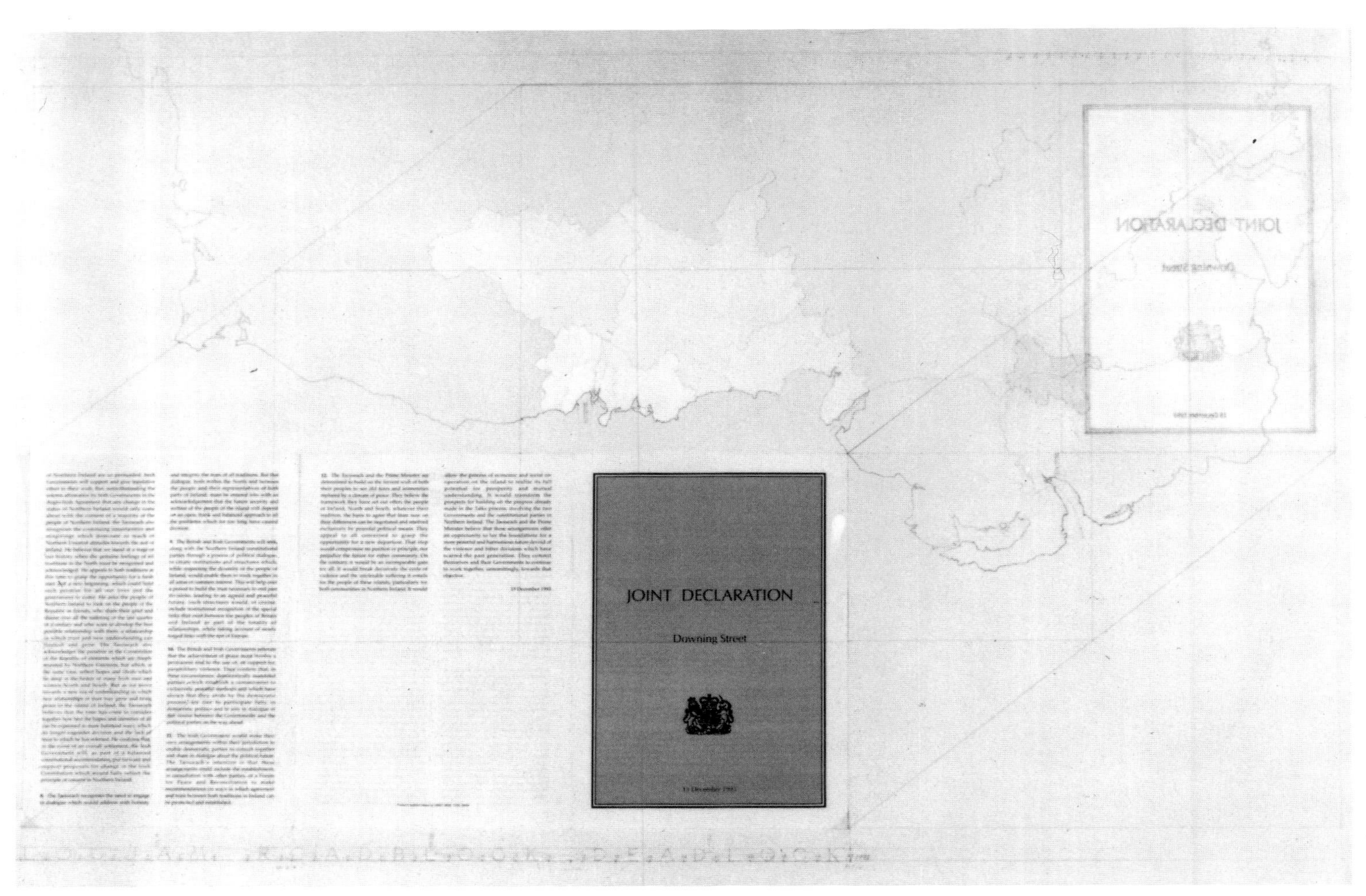

Rita Donagh,
HMSO M200 12/93 29254, 1995.
Collection de l'artiste.

n'était pas seulement les larges questions que j'ai retracées ci-dessus, mais l'idée particulière d'un schisme originel ou d'une ligne de faille. Comme les strates rocheuses à la surface d'une falaise, c'est seulement aux bordures du continent que l'on peut voir et lire la ligne de faille qui sous-tend en fait tout le continent. Derry, en tant que lieu, existait dans cette ligne de faille. Il eût été absurde que l'Orchard Gallery essaie d'utiliser la culture des arts plastiques comme un antidote plutôt que comme une exploration de cette réalité. Dans un contexte où deux réalités coexistaient, je crois que Derry incarne en définitive le problème de deux lectures occupant le même terrain. Cette ambivalence traverse également l'œuvre de Willie Doherty, un artiste qui vit et travaille dans la ville.

Il y a deux noms pour la ville, Derry et Londonderry. Le nom de London fut rajouté quand une cité intérieure fortifiée, dessinée dans une grille régulière de rues entourées par des murs imposants (toujours intacts), fut construite sous la décision des Guilds de la City de Londres par l'intermédiaire de leurs agents dans le nord-ouest de l'Irlande — une organisation appelée The Honourable, The Irish Society. Encore aujourd'hui, le maire de la City de Londres doit être membre de The Honourable, The Irish Society, tant est ancré le lien historique, depuis la périphérie jusqu'au centre du pouvoir. Le rôle de The Honourable, The Irish Society était de superviser l'« implantation » des protestants écossais en Ulster (neuf comtés à l'origine).
En compensation des droits de la terre appartenant aux familles originaires d'Irlande, les Guilds de la City de Londres payèrent pour la construction de la ville fortifiée sur le large estuaire d'une rivière dont les Anglais redoutaient qu'elle puisse servir aux ennemis européens. C'est un peu comme si l'Irlande à cette époque était le Cuba de l'Angleterre. Cette relation stratégique se poursuivit directement jusqu'à la fin des années soixante, et c'est pourquoi, au moment où les troupes britanniques arrivèrent à Derry en 1969, elles s'employèrent d'abord à protéger les bases de l'OTAN qui couvraient l'Atlantique Nord à l'intérieur et autour de la ville de Derry, plutôt qu'à séparer les différentes communautés en lutte.
De même que cette ville a deux noms, elle a aussi deux cathédrales, deux quotidiens — un nationaliste et un loyaliste —, et deux communautés à présent divisées par le fleuve. La métaphore basique du pouvoir à l'intérieur des murs de la ville et de l'absence de pouvoir à l'extérieur est demeurée plus ou moins intacte jusqu'à ce jour. Le symbolisme de l'ordre et de la civilisation à l'intérieur et du désordre et du « nativisme » [le droit des familles originaires d'Irlande, N.d.T.] à l'extérieur se vérifie dans les marches d'Orange qui se déroulent chaque année

et qui représentent pour la communauté protestante les signes d'un pouvoir persistant, signes d'une importance cruciale pour eux.
La ville de Derry symbolise, pour la communauté protestante d'Irlande du Nord dans son ensemble, la survivance du protestantisme irlandais, ses citoyens ayant résisté au long siège mené par James II avec des soldats irlandais et français en 1690, après que la ville s'était déclarée pour Guillaume d'Orange. Le territoire, au sens politique et littéral, que Derry occupe à présent, fut en fait dessiné comme l'élément d'un jeu de pouvoir beaucoup plus large prenant place en Europe à la fin du XVIIe siècle. De nombreux types de pouvoir existant en Europe continentale ont aussi leurs origines dans les activités et les mentalités de cette époque. À Derry en particulier, le passé est présent. Ce qui ailleurs est étiqueté postmoderne (c'est-à-dire avec des lectures multiples et une coexistence des contraires) a toujours été présent en Irlande et en particulier à Derry. Les modernes et les prémodernes ont coexisté, créant ainsi une troisième réalité. L'Orchard Gallery, d'abord instinctivement et plus tard consciemment, explora et essaya de construire et de soutenir cette troisième réalité.

Il y a dans la culture irlandaise la métaphore de la cinquième province. L'Irlande compte quatre provinces géographiques et la cinquième est un espace imaginaire ou culturel qui peut être occupé par des positions et des points de vue divers et opposés. C'est cette cinquième province ou troisième réalité à laquelle s'intéresse la pratique culturelle en Irlande et que l'Orchard a essayé d'occuper en reliant l'international et le local, l'artiste et le non-artiste, le politique et le culturel.
Je crois aussi que ce dualisme et ces ambiguïtés entre un endroit particulier et tout autre endroit sont également présents dans le travail de Willie Doherty. Ils le sont dans ses premières photographies en noir et blanc avec texte, dans ses installations audiovisuelles où l'image et le texte (le langage) se mêlent et se séparent au niveau du sens, dans ses photographies récentes où le sens est divisé entre l'image et la lecture que nous en faisons, ainsi que dans ses œuvres vidéo qui déconstruisent les modes standard de l'imagerie vidéo dans un lieu particulier qui pourrait tout aussi bien être n'importe quel lieu. Cela donne l'impression d'un sens qui se détache, ce qui n'est possible dans l'œuvre d'un artiste qu'à partir du moment où il a compris que le sens est déjà détaché et libre, et qu'il ne peut de façon autoritaire être rattaché à aucun modèle original.
En partant du général, les problèmes macro qui forment l'arrière-plan de l'activité du conservateur ou de l'artiste, jusqu'au particulier, l'Orchard Gallery ou Willie Doherty à Derry, j'essaie de rassembler la signification des courants fondamentaux qui nourrissent une constellation d'articulations spécifiques qui soit acceptent soit rejettent ces courants profondément ancrés. Ce que le travail fait à

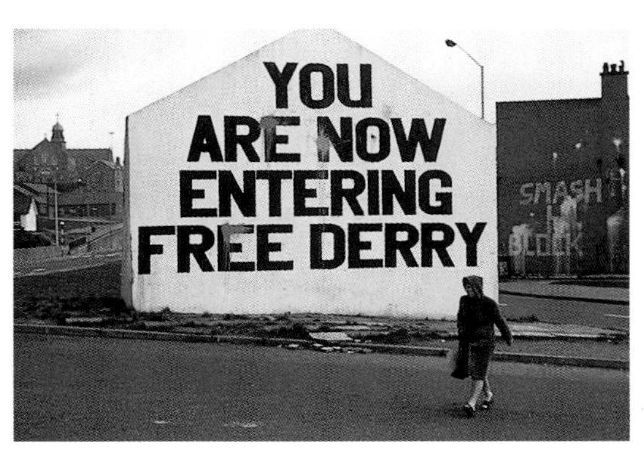

Willie Doherty, *Bogside, Derry,* 1984. Irish Museum of Modern Art, Dublin.

l'Orchard Gallery a inscrit dans un monde plus large au cours d'une certaine période suggère que les courants avec lesquels le musée était en relation étaient les mêmes qui traversaient et informaient les autres points de la matrice où ce processus était également présent. Je décrirais ce processus comme une tentative d'occuper la matrice d'une manière différente, plutôt que de simplement errer à l'intérieur en la programmant au moyen des médias, de la célébrité ou de la géographie. La matrice est le réseau de classification qui normalement situe et maintient les positions dans l'espace culturel qui, en Irlande, n'a jamais été complètement formé sur le mode moderniste.

Mon propos est ici de dépasser une histoire linéaire de l'Orchard Gallery et de son environnement, de raconter une histoire plus longue en mettant au jour les mouvements de signification qui traversent son identité.
L'Irlande n'est pas aujourd'hui le seul endroit où le projet moderniste se délite. Sans avoir une idée de la longue histoire à travers laquelle on peut, comme à travers une lentille optique, considérer et évaluer l'activité culturelle du présent, il n'est pas même envisageable de comprendre ces vingt-cinq dernières années, en Irlande ou ailleurs.

Traduction de
Joris Lacoste

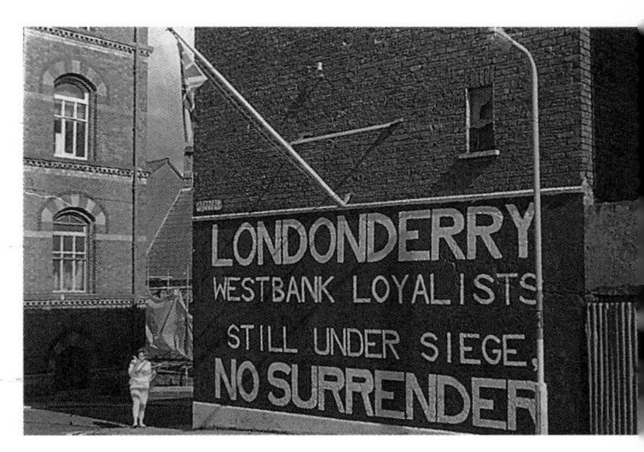

Willie Doherty, *Fountain Street, Derry,* 1984. Irish Museum of Modern Art, Dublin.

Être ici et maintenant : l'image de l'histoire

« L'histoire est l'objet d'une construction dont le lieu n'est pas le temps homogène et vide, mais qui forme celui qui est plein d'"à-présent" [*Jetztzeit*]. »

Walter Benjamin, *Thèses sur la philosophie de l'histoire*[1]

John Miller

Ce qui constitue précisément le sens d'une vision de l'histoire, dans l'art contemporain, dépend non seulement des artistes considérés, mais aussi de la conception que l'on se fait de l'histoire. Si le schéma de la forme et du contenu (dans lequel la forme, tel un récipient, renferme le contenu) échoue en tant qu'analyse matérialiste de l'œuvre d'art, de même l'historicisme traditionnel échoue-t-il en tant que modèle révolutionnaire. L'interaction des forces de l'histoire donne une configuration intrinsèque aux fonctions sociales et cognitives d'une œuvre d'art; les exigences du présent déterminent inévitablement toute compréhension de l'histoire.

Progrès ou révolution ?

Walter Benjamin a clairement fait la distinction entre l'historicisme, « qui pose l'image "éternelle" du passé », et le matérialisme historique, qui « fait de ce passé une expérience unique en son genre[2] ». Tandis que ce dernier conteste la prétention de l'historiographie à rapporter « ce qui s'est effectivement passé », le premier traite le passé comme une constante soutenant l'idéologie du progrès. Par rapport aux axiomes modernistes, le postmodernisme en est venu à représenter un rejet du progrès. Bien qu'il puisse exister une tentative de récupération de cette notion (« la fin de l'idéologie » ou « la fin de l'histoire ») par les néoconservateurs, la rétrogradation du progrès dans le postmodernisme apparaît tôt dans la critique benjaminienne de la théorie sociale-démocrate :

« Tel que l'imaginait la cervelle des sociaux-démocrates, le progrès était, primo, un progrès de l'humanité même (non simplement de ses aptitudes et de ses connaissances). Il était, secundo, un progrès illimité (correspondant au caractère infiniment perfectible de l'humanité). Tertio, on le tenait pour essentiellement continu (pour automatique et suivant une ligne droite ou une spirale). [...] L'idée d'un progrès de l'espèce humaine à travers l'histoire est inséparable de celle de sa marche à travers un temps homogène et vide. La critique qui vise l'idée d'une telle marche est le fondement nécessaire de celle qui s'attaque à l'idée de progrès en général[3]. »

Si, à cet égard, Benjamin a inauguré la critique postmoderne du progrès, Charles Baudelaire avait, de la même façon, été à l'origine de la critique d'art moderne. Les idées clés de l'essai fondamental de Baudelaire, « Le peintre de la vie moderne », se retrouvent, sous-jacentes, tout au long de l'œuvre de Benjamin. Cet essai étudie, entre autres, la mode en tant que discours artistique et historique capable d'incarner le sentiment unique, moral et esthétique, de son époque. « En opposition avec la théorie [académique] du beau unique et absolu », Baudelaire propose « une théorie rationnelle et historique » selon laquelle le « beau est toujours [...] d'une composition double » : a) « un élément éternel, invariable, dont la quantité est excessivement difficile à déterminer » et b) « un élément relatif, circonstanciel, qui sera [...], tour à tour ou tout ensemble, l'époque, la mode, la morale, la passion[4] ». Quant à la définition du beau, Baudelaire cite la maxime de Stendhal : « Le Beau n'est que la promesse du bonheur[5]. » Ces idées ont à l'évidence marqué la vision messianique de l'histoire selon Benjamin. À travers Baudelaire, Benjamin a pu considérer la mode comme un moyen, même limité, de rompre la continuité de l'historicisme[6], et le désir de bonheur comme le moteur de la logique du matérialisme historique :

« [La] réflexion [...] conduit à penser que notre image du bonheur est marquée tout entière par le temps où nous a maintenant relégués le cours de notre propre existence. [...] [Notre] image du bonheur est inséparable de celle de la délivrance. Il en va de même de l'image du passé que l'Histoire fait sienne. Le passé apporte avec lui un index temporel qui le renvoie à la délivrance[7]. »

Henri Lefebvre a formulé un sentiment analogue, en opposition avec l'obsession de la production chez les marxistes orthodoxes : « Les statistiques économiques ne répondent pas à la question : "Qu'est-ce que le socialisme ?" Les hommes ne se battent pas et ne meurent pas *pour* des tonnes d'acier ni pour des tanks ou des bombes atomiques. Ils aspirent au bonheur et non à produire[8]. » Par conséquent, l'image, l'image du beau (pas seulement la belle image), peut être interprétée de manière à jouer un rôle clé dans le processus de l'histoire — mais quelle sorte d'image serait-ce ? Pas celle d'une utopie futuriste, d'un bonheur différé ou sublimé, mais celle du présent actualisé : « Saisissez le temps ! » Une telle exigence oblige ce qui est théoriquement familier à révéler ses artifices et, ce faisant, à dévoiler son caractère surdéterminé. Benjamin a décrit cet instant comme un moment où la « pensée se fixe tout à coup dans une constellation saturée de tensions », où un tel arrêt « communique [à cette constellation] un choc qui la cristallise en monade[9] ».

En accord avec sa préférence pour les œuvres mineures plutôt que pour les chefs-d'œuvre reconnus, Baudelaire postulait que les thèmes propres à l'artiste moderne devaient être non pas les figures héroïques et les grands événements du présent ou du passé (cela, c'était bon pour l'Académie), mais plutôt tout ce qu'il y avait d'éphémère, de fugace et de contingent dans la vie contemporaine. La vie moderne, en d'autres termes, c'était la vie quotidienne. Pour Baudelaire, notamment, le retour aux costumes et aux motifs de la Renaissance était une marque de paresse artistique. La tâche de l'artiste consistait plutôt à distiller la beauté particulière que la vie humaine déverse au hasard dans son époque ; sur cette base seulement, l'art moderne pourrait prendre place aux côtés de l'art antique. Selon Baudelaire, l'image idéalisée d'une société n'a qu'une piètre valeur historique, comparée à la représentation des gens saisis dans le quotidien de leur travail ou de leurs loisirs, tels que les illustraient dans les journaux Constantin Guys ou Honoré Daumier. La création de ce genre d'images avait mis en évidence des implications sur le plan technique et professionnel : l'artiste ne pouvait plus être « attaché à sa palette comme le serf à la glèbe », mais il lui fallait au contraire devenir « un flâneur, un homme du monde ». La foule, pour l'artiste baudelairien, était un « immense réservoir d'électricité » et l'artiste, en retour, était un « miroir aussi immense que cette foule ; [...] un kaléidoscope doué de conscience[10] ». Ces métaphores évoquent bien évidemment *L'Homme à la caméra,* de Dziga Vertov. Pour Baudelaire, l'instrument de choix était la lithographie ; pour Benjamin, c'était le film. En conséquence, les moyens techniques de la représentation et la nature de ce qui doit être représenté semblent se définir mutuellement. De ce point de vue, ce qui, en fin de compte, entre en jeu dans la représentation de l'histoire, dans l'art moderne et contemporain, diffère à tous égards de ce que c'était au XIXe siècle.

C'est pourquoi l'art contemporain, lorsqu'il interpelle l'histoire pour la critiquer, se focalise sur les moments apparemment ordinaires ou triviaux de la vie quotidienne dans leur immédiateté — pas sur la peinture d'événements héroïques ou de situations de crise. Il a recours à un ensemble particulier de procédés et de moyens techniques pour tenter d'effectuer une rupture dans le continuum historique normatif : photographie, film, publicité, propagande, allégorie, collage, montage, appropriation et *détournement**. Il essaie de rendre l'immédiat plus immédiat — pour paraphraser le président Eisenhower — *qu'il ne l'a jamais été auparavant.* Cette approche a eu des antécédents, parmi lesquels Dada, le surréalisme, le situationnisme, les mouvements psychédélique et punk. Si les œuvres d'art spécifiques créées dans cet esprit ne se hissent pas à la hauteur des exigences apocalyptiques qu'on en attend, elles offrent du moins une « meilleure plaisanterie » que celle de l'idéologie dominante[11]. Elles ont le mérite de perturber la « grâce » que Michael Fried attribuait au présent.

Production et objectivation du quotidien

> « La conscience de faire éclater le continu de l'histoire est propre aux classes révolutionnaires dans l'instant de leur action. »
>
> Walter Benjamin[12]

Il n'est pas étonnant que la définition exacte de la vie quotidienne ait été depuis longtemps le sujet de la lutte des classes — et que les artistes aient joué un rôle particulier dans cette lutte. Parce que tout, apparemment, peut être connu, notamment grâce au développement des technologies de l'information et de la communication, l'idéologie dominante tend à représenter la vie quotidienne comme quelque chose qui est toujours déjà connu. Elle affirme le présupposé identitaire de la connaissance de soi : ce qui est le plus intime et le plus familier est implicitement ce qui est le mieux compris. Cette notion entraîne cependant aussi une notion contraire, à savoir que, à l'état latent dans le quotidien lui-même, ce qui est le plus significatif échappe à la représentation officielle. Comme le dit Henri Lefebvre :

> « Le plus extraordinaire, c'est aussi le plus quotidien ; le plus étrange, c'est souvent le plus banal, et la notion de "mythique", aujourd'hui, transcrit illusoirement cette constatation. Dégagé de son contexte, c'est-à-dire de ses interprétations, et de ce qui l'aggrave mais aussi le rend supportable — présenté dans sa banalité, c'est-à-dire dans ce qui le fait banal, étouffant, accablant —, le banal devient l'extraordinaire, et l'habituel devient "mythique"[13]. »

Lefebvre a, en outre, fait la distinction entre la logique sublimatoire de la culture traditionnelle et le projet de révélation du contenu immédiat de la vie quotidienne. Toutefois, il a aussi fait remarquer que même le concept fondamental de vie quotidienne demeure obscur. Où le situer ? Dans l'expérience privée ou collective ? Dans l'aliénation ou la mobilisation des masses ? Dans le travail ou les loisirs ? Dans l'expérience consciente ou inconsciente ? En termes lacaniens, le différentiel à l'intérieur des relations sociales — la relation de quelqu'un avec « l'autre » — est appelé l'ordre symbolique. Slavoj Zizek a discuté de façon explicite le lien entre cette conception et la conception benjaminienne de l'histoire : « Le processus d'historicisation implique un lieu vide, un noyau non historique autour duquel s'articule le réseau symbolique. En d'autres termes, l'*histoire* humaine diffère de l'*évolution* animale précisément par sa référence à ce lieu *non historique,* lieu qui ne peut être symbolisé, bien qu'il soit rétroactivement produit par la symbolisation elle-même[14]. » Par conséquent, une connaissance empirique de la vie quotidienne demeure à bien des égards une proposition paradoxale.

Après la publication par Freud de la *Psychopathologie de la vie quotidienne,* en 1901, s'est ouverte la perspective de saisir une « pré-histoire » latente à l'intérieur de chaque moment de veille — ou de rêve. À travers l'analyse des « parapraxis » telles que les lapsus, les oublis de noms et les actes maladroits, Freud a élaboré un cadre nouveau dans lequel ce qui auparavant était un matériel sans intérêt offrait maintenant des révélations inattendues. De plus, il considérait l'inconscient — la structure à laquelle se référaient ces révélations — comme une structure située hors du temps; la fonction première de la conscience était non pas d'enregistrer les *stimuli,* mais de les dissimuler. De la même façon, la caméra s'est montrée capable d'objectiver des mouvements et des postures transitoires, des formes et des détails invisibles autrement à l'œil nu. Dans la mesure où ces deux méthodes offraient l'une et l'autre des possibilités nouvelles de disséquer et de comprendre le matériel expérimental d'un instant déterminé, elles promettaient, en effet, d'arrêter le flux du temps[15]

Histoire, identité et vie quotidienne

« [...] "le quotidien", de par son caractère diffus et inexprimable, semble effacer les différences, à peu près comme le font les notions modernes, originaires d'Europe, de public et de masses. »

Michael Taussig, « Tactility and Distraction »[16]

« I dig everyday people. »

Sly Stone

Il y a dans le *Jetztzeit* de Benjamin un appel à la solidarité populaire, qui vient d'une époque où l'antisémitisme avait complètement érodé les fondements moraux de la société allemande. À l'évidence, le national-socialisme a utilisé l'image du Juif en tant qu'« autre » fantasmatique pour étayer l'identité naissante d'une Allemagne État-nation, et pour projeter cette identité loin dans le futur, sous la forme du Reich millénaire. L'hypothèse implicite de Benjamin est que, dans la culture de masse, le quotidien réalisé rachète les aspirations populaires des opprimés; sa vision de l'histoire n'est pas celle des vainqueurs, mais plutôt celle des vaincus, ceux dont les désirs sont gommés par l'historiographie bourgeoise. L'ironie veut que ce genre de pensée, dans la mesure où elle met en avant des histoires particulières au lieu d'une histoire universelle, a également joué un rôle dans la désagrégation d'un objectif commun, qui a porté tort au mouvement politique nord-américain multiculturel et identitaire. Geno Rodriguez a souligné le danger qu'il y a à laisser de côté l'ancien idéal d'intégration sociale : « Le génie du droit est d'avoir persuadé nombre d'Américains qu'il est dans leur intérêt de s'isoler dans un processus d'autodifférenciation : un apartheid culturel[17]. » Dans l'art américain récent, le concept selon lequel l'identité est historiquement variable se perd souvent, notamment lorsque l'investissement dans une identité donnée tourne au fondamentalisme, c'est-à-dire veut devenir la mesure de toutes choses, de toutes les autres questions sociales. À l'évidence, la négociation du quotidien exige une perspective hétérogène, et c'est à travers la vie quotidienne que les masses acquièrent leur caractère de masses. En d'autres termes, la vie quotidienne est la base du multiculturalisme; dans la culture de masse, l'hétérogénéité aboutit à une culture dont le fondement même est la différence. C'est pourquoi les critiques les plus pénétrantes du point de vue historique apparaissent dans l'œuvre d'artistes qui réussissent à mettre en avant les « histoires des vaincus », tout en s'adressant à une large partie du public. Parmi eux figurent plusieurs des artistes présentés à l'exposition.

Les *date lines* asynchrones de Felix Gonzalez-Torres procèdent à l'évidence de ce paradigme du matérialisme historique. Son projet de panneau d'affichage, sans titre, qui célèbre le vingtième anniversaire des affrontements au bar gay de Stonewall Inn, n'en est qu'un exemple :

Martha Rosler, *Tron,* série *Bringing The War Home : House Beautiful,* 1969-1972. Courtesy Jay Gorney Modern Art.

People with AIDS Coalition 1985 Police Harassment 1969 Oscar Wilde 1895 Supreme Court 1986 Harvey Milk 1977 March on Washington 1987 Stonewall Rebellion 1969. Même si cette énumération évoque l'histoire du mouvement pour la défense des droits des homosexuels, elle ne se présente pas comme telle. Son effet de fragmentation implique plutôt que toute histoire de ce genre est arbitraire, infinie et, en fin de compte, doit être « réalisée » dans le présent. À cet égard, le rôle du spectateur devient sans équivoque actif.

Directement influencé par « Le peintre de la vie moderne », Jeff Wall fait des photos montées sur caissons lumineux, qui se rapprochent de la photographie, du cinéma, de la propagande et de la peinture réaliste, sans s'installer confortablement dans aucune de ces catégories. Les paysages de Wall représentent presque toujours un *terrain vague** — ni une ville ni un pays —, des étendues de terre désagrégées, hétérogènes, qui ne sont pas clairement identifiables. Certaines de ses photos montrent des affrontements sociaux quasi naturalistes, mais qui presque tous comportent un élément de mascarade, si bien que le spectateur ne sait pas si les personnages représentés jouent un rôle ou s'ils sont, en fait, devenus ce rôle. *Dead Troops Talk* (1991-1992) est une photo murale impressionnante qui, assez curieusement, est presque entièrement beige. Elle représente une scène d'après bataille lors de l'invasion soviétique en Afghanistan, mais l'image apparaît plus comme un « docudrame » que comme un document digne de foi. Disséminés sur une colline pleine de boue, certains soldats semblent morts, d'autres vivants, d'autres encore reprennent vie. Au milieu de ce carnage, un soldat tire par les cheveux la tête d'un adversaire blessé. Son camarade s'accroupit en face de lui, tenant — quoi ? un tampon de gaze ? un rongeur mort ? — devant son visage. Cette terreur absurde souligne le caractère banal et quotidien de la guerre telle qu'elle apparaît à la télévision : une image d'une image. La réalité est un tampon d'ouate au pays de la technologie.

Les photocollages de Martha Rosler recréés numériquement mettent en scène l'idée de « ramener la guerre chez soi » *(Bringing the War Back Home)*, d'une façon qui rappelle l'œuvre célèbre de Richard Hamilton, *Qu'est-ce qui rend le foyer contemporain si différent, si attrayant ?* Dans ces photocollages, des scènes de bataille de la guerre du Viêtnam se télescopent avec des intérieurs de maisons de vacances bourgeoises. Le montage révèle comment ces deux images apparemment sans rapport sont liées : la « normalité » de l'*American way of life* est construite sur l'impérialisme. La collision se révèle connexion. Cette série entamée par Rosler se veut non seulement une prise de position contre la guerre, mais aussi une critique de l'inadéquation de la plupart des slogans contre la guerre. Ces images véhiculent ce que Greil Marcus a décrit comme un « thème situationniste récurrent : l'idée des "vacances" comme une sorte de boucle de l'aliénation et de la domination, un symbole des fausses promesses de la vie moderne ». Ou, comme le disent les Sex Pistols, des « vacances à bon marché dans la misère des autres[18] ». Ce que Rosler présente en définitive dans ces montages, ce sont des définitions idéologiques de l'espace : « chez soi » et « à l'étranger », « familier » et « exotique », « soi » et « autre ». Aussi bien le fonctionnement ordinaire des mass media que le travail de Lefebvre nous renseignent sur cette tactique :

> « [Lefebvre] a inventé l'espace en tant que concept social. Il a entièrement repensé la spatialité comme construction humaine, et a compris qu'il y avait plusieurs niveaux de complexité : l'espace physique, et l'espace abstrait. Il [...] transforme la critique marxienne de l'utilisation de la terre, le concept de location de la terre[19]. »

Visiblement inspiré par l'imagination surréaliste et par les interventions situationnistes dans les lieux publics, Krysztof Wodiczko est célèbre pour ses projections de nuit sur des bâtiments urbains, qu'il appelle des « séances psychanalytiques publiques ». Ces projections ré-animent la sublimité muette des monuments en évoquant, grâce à l'allégorie et au montage, les éléments de répression sur lesquels ils ont été érigés : « Il n'est aucun document de culture qui ne soit aussi document de barbarie[20]. » À cet égard, c'est le statut de l'architecture comme signe et illusion qui est mis en avant. En même temps, cette démarche n'est pas dénuée de fantaisie, et la ville devient un terrain de jeu potentiel. Le *Vehicle-Podium* de Wodiczko appartient à un second ensemble d'œuvres dans lesquelles l'architecture ou le fragment d'architecture s'anime littéralement. Ici, le fragment en question est un dispositif rhétorique actualisé : un podium. Fonctionnalité paradoxale. En le mettant sur roues et en l'équipant d'un moteur, on le transforme en un système de sonorisation, tout en sapant la « monumentalité » symbolique de l'orateur. L'étrangeté de cette machine réside dans la manière dont elle contredit le fait qu'on s'attend normalement à voir quelqu'un voyager assis. En même temps, elle fait penser au char romain, sur lequel le conducteur se tient debout. Cette allusion classique évoque aussi la maxime romaine : « Toute gloire est éphémère », par laquelle Rome rappelait à ses généraux victorieux leur propre mortalité. Ici, l'abîme entre la conception antique de l'histoire et sa version moderne ne saurait être plus différent : irrécupérable est, en effet, toute image du passé qui menace de disparaître avec chaque instant présent qui, en elle, ne s'est pas reconnu visé[21].

Krzysztof Wodiczko, *Vehicle-Podium*, 1973-1979. (Reconstitution, 1992.) Collection Fundacio Antoni Tàpies, Barcelone.

Les *Vanilla Nightmares* (1986-1987) d'Adrian Piper étudient la relation entre les médias d'information et le racisme institutionnel, notamment l'apartheid en Afrique du Sud. Ces œuvres sont des dessins au fusain exécutés directement sur les pages du *New York Times*, qui est considéré par beaucoup d'Américains comme le journal national « de référence ». En même temps, cette prétention à l'impartialité et à l'objectivité (« Toutes les informations dignes d'être imprimées ») fait du *New York Times* un instrument de contrôle idéologique d'autant plus insidieux. Dans le *Vanilla Nightmares # 18*, Piper a surimposé un océan de visages et de têtes de Noirs sur une publicité en pleine page de l'American Express. Ces personnages ont l'air de regarder le spectateur droit dans les yeux. Ceux qui sont au premier plan appuient leurs mains contre la page comme s'il s'agissait d'une plaque de verre ou de l'invisible « quatrième mur » du théâtre traditionnel. L'artiste a laissé quelques phrases de la page d'annonce apparaître sous le dessin : le slogan de l'American Express (« Être membre a ses privilèges »), ainsi que plusieurs des privilèges énumérés (« le privilège de savoir que vous serez traité avec respect même si vous êtes un étranger dans un pays inconnu [...] que vous ne serez jamais traité par personne comme un numéro »).

Mais ces privilèges que l'American Express promet de garantir ne sont-ils pas des droits humains fondamentaux ? Et la capacité qu'a l'American Express de faire respecter ces privilèges ne découle-t-elle pas d'une pression économique, fondée, bien trop souvent, sur l'exploitation des Africains et des Afro-Américains ? Piper laisse entendre ici que l'apartheid n'est pas un problème simple, mais touche l'ensemble du système. Au cours des années 1980, certains organismes financiers parmi les plus importants, comme la Citibank, ont conservé en Afrique du Sud d'énormes investissements, qui ont contribué à soutenir le régime de l'apartheid, tandis que le niveau de vie de l'Amérique (blanche) se maintenait en partie grâce à cette colonisation économique. Dans le *Vanilla Nightmares # 18,* Piper a choisi de dessiner sur une publicité plutôt que sur les « informations » proprement dites; pourtant, les intérêts économiques qui insèrent de la publicité ne se contentent pas de façonner les événements de l'actualité, ils déterminent aussi la conception et la présentation du compte rendu de ces événements. Ce n'est pas la première fois que Piper s'attaque à ces connexions : elle avait déjà, dans un projet antérieur, *Mythic Being,* voulu créer une identité fictionnelle en mettant une série de publicités dans divers journaux. Là réside le lien entre mythe et familiarisation décrit par Lefebvre.

L'une des raisons pour laquelle le matérialisme historique n'« avance » jamais, c'est qu'il doit sans cesse interroger ses prémisses. Malgré l'étendue du champ de l'activité artistique questionnée par le *Jetztzeit* de Benjamin, formuler une image de l'histoire demeure une proposition toujours paradoxale. Le risque implicite est de réifier cette histoire. C'est pourquoi l'intervention de la critique dans l'art visuel peut continuer à exploiter la fragmentation et l'interruption de l'image pendant encore quelque temps.

Enfin, il faudrait considérer un problème central du matérialisme historique : est-ce que la compréhension marxiste de l'histoire exclut absolument sa représentation graphique ? Ou bien : de quelle façon peut-on relier une représentation graphique amplifiée à l'application de la méthode marxiste ? Le premier pas [...] sera de transférer à l'histoire le principe du montage[22].

Traduit de l'anglais par
Claire Mulkai

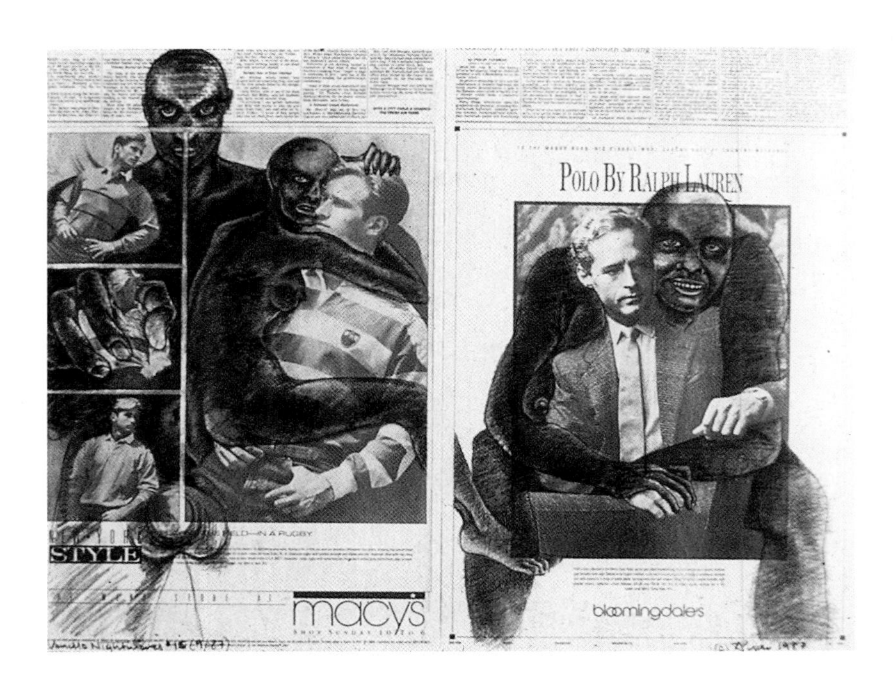

◁ Adrian Piper, *Vanilla Nightmares # 15,* 1987. Collection particulière.

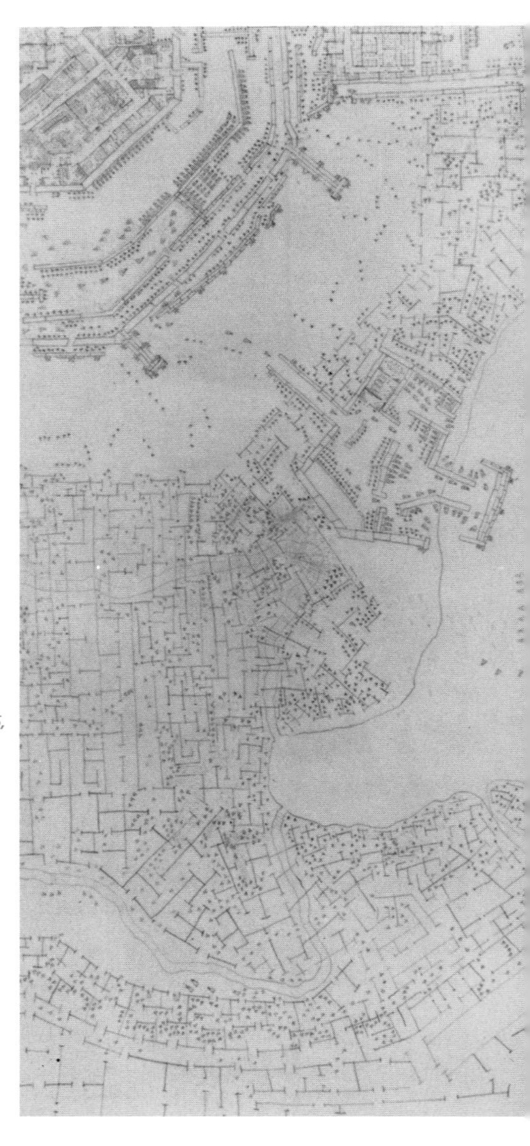

* En français dans le texte [N.d.T.].

1. Walter Benjamin, *Essais 2, 1935-1940,* trad. française Maurice de Gandillac, Paris, Denoël/Gonthier, « Bibliothèque Médiations », 1983, p. 204.
2. *Ibid.*, p. 205.
3. *Ibid.*, p. 203.
4. Charles Baudelaire, « Le peintre de la vie moderne », I, « Le beau, la mode et le bonheur », dans *Écrits esthétiques,* Union générale d'éditions, 10/18, 1986, p. 362.
5. *Ibid.*, p. 363.
6. « C'est en parcourant la brousse de l'autrefois que la mode flaire le fumet de l'actuel. Elle est le saut du tigre dans le passé. Ce saut ne peut s'effectuer que dans une arène où commande la classe dirigeante. » *Ibid.*, p. 204. Benjamin a aussi défini la mode comme l'éternelle récurrence du nouveau, donc une insistance permanente sur l'instantanéité.
7. Walter Benjamin, *op. cit.*, pp. 195-196.
8. Henri Lefebvre, *Critique de la vie quotidienne,* Paris, L'Arche Éditeur, 1968, p. 57.
9. Walter Benjamin, *op. cit.*, p. 205.
10. Charles Baudelaire, *op. cit.,* III, « L'artiste, homme du monde, homme des foules et enfant », pp. 366-370.
11. Greil Marcus cite la déclaration d'Eisenhower et décrit le mouvement punk comme un pied de nez à l'idéologie dominante, dans son livre *Lipstick Traces : a Secret History of the Twentieth Century,* Cambridge, Harvard University Press, 1989.
12. Walter Benjamin, *op. cit.,* p. 204.
13. Henri Lefebvre, *op. cit.*, pp. 20-21.
14. Slavoj Zizek, « You only die twice », dans *The Sublime Object of Ideology,* Londres, Éditions Verso, 1992, p. 135.
15. Walter Benjamin, « L'œuvre d'art à l'époque de sa reproduction mécanisée » (1936), dans *Écrits français,* Paris, NRF, Gallimard, 1991.
16. Michael Taussig, « Tactility and Distraction », dans *The Nervous System,* Routledge, New York et Londres.
17. Geno Rodriguez, « Multiculturalism : a dilemma of equality », *Acme Journal,* vol. 1, n° 3, p. 92.
18. Greil Marcus, *op. cit.*, pp. 14, 21.
19. Martha Rosler, interviewée par Marjorie Welish, « Word into image », *Bomb,* printemps 1994.
20. Walter Benjamin, *op. cit.*, p. 199.
21. *Ibid.*, p. 197.
22. Walter Benjamin, *Paris, capitale du XIXe siècle. Le livre des passages,* Paris, Les Éditions du Cerf, 1989.

Kim Jones, *War Drawing* [Dessin de guerre], 1993-1995. Collection Kim Jones.

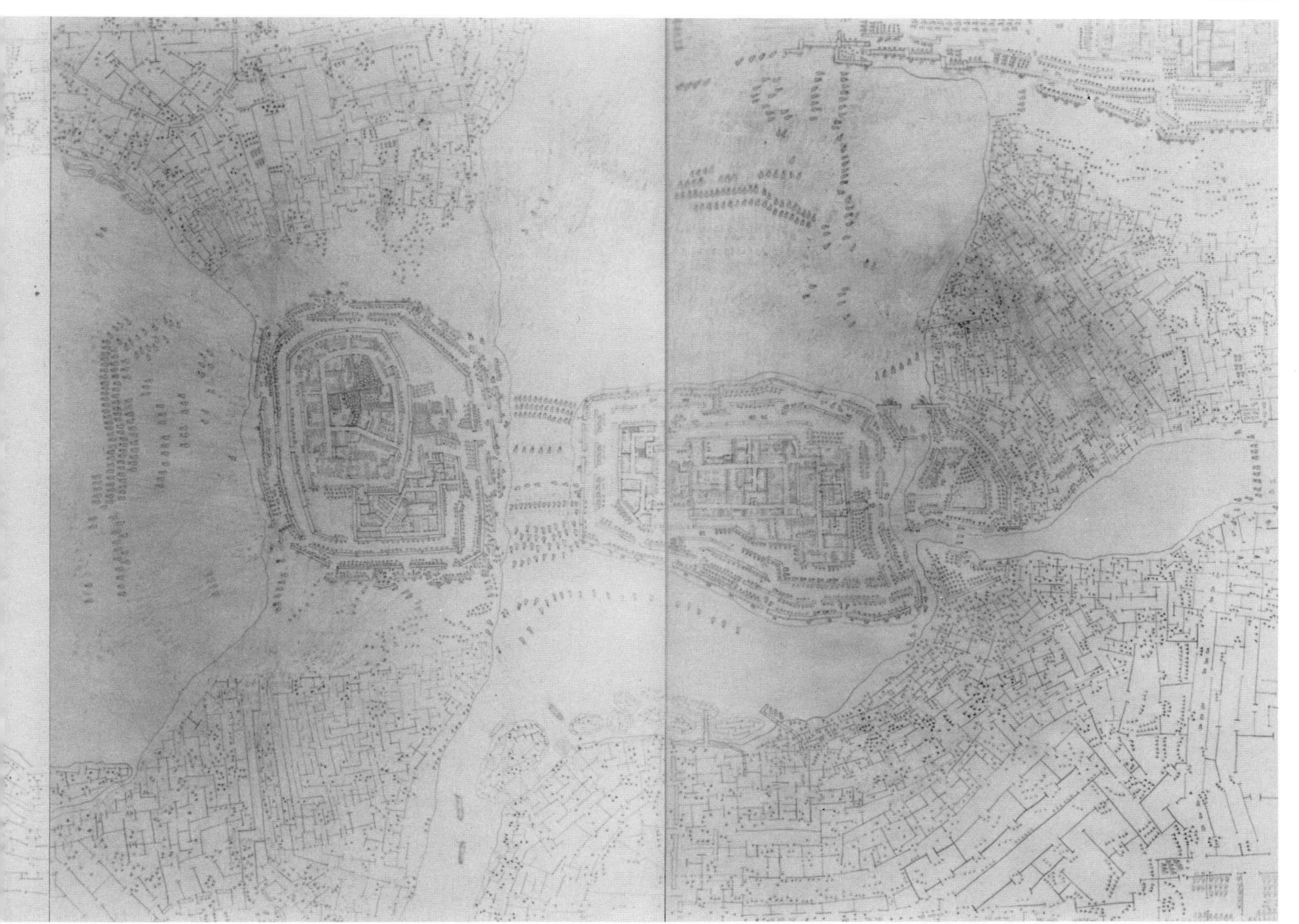

Transformation d'une géographie en motif moiré

Transformation d'une géographie en motif moiré

Luis Camnitzer

Parler d'artistes « face à l'histoire » suggère qu'art et histoire sont normalement séparés et occupent des champs qui s'excluent mutuellement. Cela implique que l'artiste ne participe pas aux luttes de pouvoir qui font l'histoire, mais joue des rôles passifs : ceux de témoin, de mémorialiste ou de moraliste. Une œuvre d'art est ainsi perçue non en tant qu'acte historique mais seulement comme « contenant » d'informations historiques. Dans le cas de l'Amérique latine, cette polarité art/histoire présente des risques, car elle tend à masquer un des aspects les plus originaux de l'art latino-américain : l'intrication complexe de l'activité artistique et de la vie sociale, du faire artistique et du faire historique, du formalisme et de l'art militant. Alors que la pensée moderniste européenne peut être identifiée à la poésie de Mallarmé, il faudrait plutôt, pour trouver un modèle latino-américain, se tourner vers le travail de Simón Rodríguez[1]. Il y a chez ces deux auteurs une rupture formelle de la linéarité de l'écriture. Mallarmé était intéressé par la structure musicale potentielle des mots et par leur relation à l'espace. Il tenta de capter la part d'intangible que contient le processus artistique, ainsi que les aspirations de celui-ci au sublime. Simón Rodríguez, au contraire, ne s'intéressait pas à l'art : ce qui l'obsédait était de transmettre sa pensée aussi clairement que possible. Il cassa la linéarité du texte soixante-dix ans avant Mallarmé, son but étant de mieux représenter le flot de ses idées, essentiellement consacrées à la pédagogie et à la politique. De son point de vue, l'art était une méthode visant à exprimer les idées avec plus de précision, et à les rendre ainsi utilisables dans le monde réel, où les problèmes doivent trouver leur solution. « Sans la peinture, écrivit-il, il n'y a pas de mémoire ; il n'y a que des idées dispersées ou empilées[2]. »

Grâce aux processus de colonisation et à la croyance, répandue parmi les nations naissantes, selon laquelle la modernité était une condition de l'indépendance, le nom de Mallarmé est plus connu en Amérique latine que celui de Rodríguez. Ce dernier représente néanmoins une attitude fondatrice qui, même quand elle n'est pas explicite, est latente dans la plupart des expressions culturelles de l'Amérique latine. Ceci est en partie dû au rôle social de l'artiste.

Les conditions économiques, en Amérique latine, encouragent les interconnexions entre l'art et les autres activités. Les marchés locaux étant traditionnellement non-viables du point de vue économique, la création artistique a tendu à être une activité à temps partiel, axée sur un dialogue avec le grand public plutôt que sur la production d'œuvres destinées à être vendues à l'élite des consommateurs, qui préfèrent des produits plus formalistes. Quelqu'un remarqua un jour que, tandis qu'en Amérique latine un artiste qui se retire pendant cinq ans du circuit des expositions est considéré comme prenant un temps de repos, à New York une telle absence serait interprétée comme définitive. Le dialogue peut être interrompu et repris. Dans un contexte commercial, cela constitue un retrait du marché, et ce vide est rapidement comblé par quelqu'un d'autre. C'est ce rôle dialectique des artistes latino-américains qui apporte à leur travail un degré supérieur de porosité par rapport à la vie quotidienne.

Dans les années soixante et au début des années soixante-dix, deux forces convergèrent pour intensifier l'interpénétration de l'art et de la politique. D'un côté, la dématérialisation intervenue dans les arts laissa la porte ouverte à la politisation de l'art au-delà de l'usage traditionnel du contenu. En même temps, la prolifération des mouvements de guérilla sur la scène politique créa de nouvelles opportunités pour des formes d'action politique non strictement limitées à la stratégie militaire ou à la violence politique. Sur le plan de l'art, Tucumán Arde, un collectif d'artistes argentins, tenta en 1968 d'obtenir un impact politique radical avec un projet de contre-information, assisté par les syndicats. Une énorme installation, réalisée avec l'aide d'une équipe interdisciplinaire, dépeignit la misère et l'exploitation qui régnaient à Tucumán, une province utilisée par la dictature comme vitrine de sa politique économique. Simultanément, sur le plan politique, en Uruguay, le Mouvement de libération nationale (MLN), plus connu sous le nom de « Tupamaros », mit au point des actions de guérilla qui possédaient un pouvoir esthétique, au-delà de toute considération d'efficacité militaire[3].

On peut dire que le rôle emblématique de l'artiste, en Amérique latine, n'est pas tant celui d'un mémorialiste, d'un concepteur ou d'un chaman que celui d'un prédicateur/provocateur, et ceci s'est particulièrement vérifié au moment où la

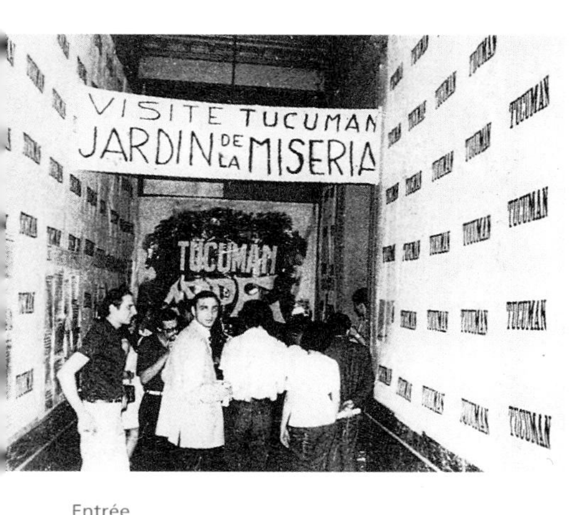

Entrée de l'exposition « Tucuman Arde » [Le Tucuman flambe], 1968.

quête révolutionnaire d'une identité latino-américaine singulière a culminé. Il faut reconnaître, dans le même temps, que l'« Amérique latine » n'est pas une entité homogène mais un concept utopique qui n'a jamais été atteint, quelle qu'ait été l'idéologie appliquée, de Simón Bolívar à Che Guevara ou de James Monroe à John F. Kennedy. L'Amérique latine réelle est une multiplicité de forces, de valeurs et d'orientations où il y a place pour le NAFTA et les courants dominants aussi bien que pour l'indépendance et la révolution. De plus, le mirage de l'homogénéité peut être et a souvent été déchiré par les divers États-nations (ou leurs sous-groupes culturels), qui défendaient des intérêts différents et revendiquaient des identités et des histoires distinctes. Inévitablement, les thèmes de prédication des artistes et les buts de leur provocation reflétaient quelques-uns de ces changements.

La confrontation politique et le défi révolutionnaire perdirent de leur importance pendant les années soixante-dix, tandis que l'art commençait à se rematérialiser. Si l'on regarde en arrière, 1970 apparaît comme une année symbolique, avec deux événements qui illustrent ce processus. Sur le plan politique, Francisco Juliao, leader vénéré des ligues de paysans brésiliens du Nord-Est, rejeta la stratégie insurrectionnelle et critiqua les mouvements estudiantins de 1968 ; il préconisa plutôt la création par les partis progressistes d'un large front politique utilisant des stratégies centrées sur la réintégration du processus électoral[4]. Sur le plan artistique, l'exposition « Information » présentée au Museum of Modern Art de New York valida involontairement l'art subversif latino-américain, en le rendant acceptable au sein de la culture dominante, et désamorça son militantisme. Une baisse de la ferveur militante s'ensuivit et le terrain se trouva préparé pour un point de vue différent. Le problème de l'identité devint une affaire plus locale, moins liée à la quête révolutionnaire et plus intéressée par la recherche de racines. Bien que demeurant toujours dans un cadre politique de référence, cette évolution explique l'utilisation généralisée des artisanats régionaux dans l'art qui devait caractériser les années quatre-vingt.

Pendant ce temps, quelques exemples d'un art de résistance surgirent, par poches — à la fois parmi l'élite et dans les couches populaires —, au Mexique, au Chili et en Argentine. Connus au Mexique sous le nom de « Los Grupos », plusieurs collectifs nés dans les années soixante-dix tentèrent de fusionner en 1978 dans un « Front mexicain des travailleurs culturels ». Au Chili, à la fin des années soixante-dix et au début des années quatre-vingt, le Grupo CADA essaya d'utiliser l'art comme un outil contre les inégalités économiques et sociales créées par le régime de Pinochet, tandis que les collectifs artisanaux Arpilleras[5] s'efforçaient d'apporter un soutien financier aux familles des prisonniers politiques et de leur donner un moyen de s'exprimer. En 1983, trois artistes argentins (Julio Flores, Guillermo Kexel et Rodolfo Agueberry) remplirent les rues de Buenos Aires de silhouettes portant les noms des parents « disparus » des « mères de la Playa de Mayo[6] ». Connue sous le nom de « El Siluetazo », cette manifestation se renouvela pendant les années qui suivirent. Au Mexique, l'apparition, à la fin des années quatre-vingt, de Superbarrio, un ancien lutteur et marchand ambulant, constitua une action politique esthétisée du même ordre. Après avoir surpris les réflexions d'une locataire expulsée qui en appelait à Superman pour la sauver des méchants, cet individu endossa un masque et un costume brodé des initiales *SB* et, avec le concours d'amis semblablement parés, intervint sur les lieux d'expulsion et lors des procès pour défendre les

Superbarrio luttant contre les expulsions.

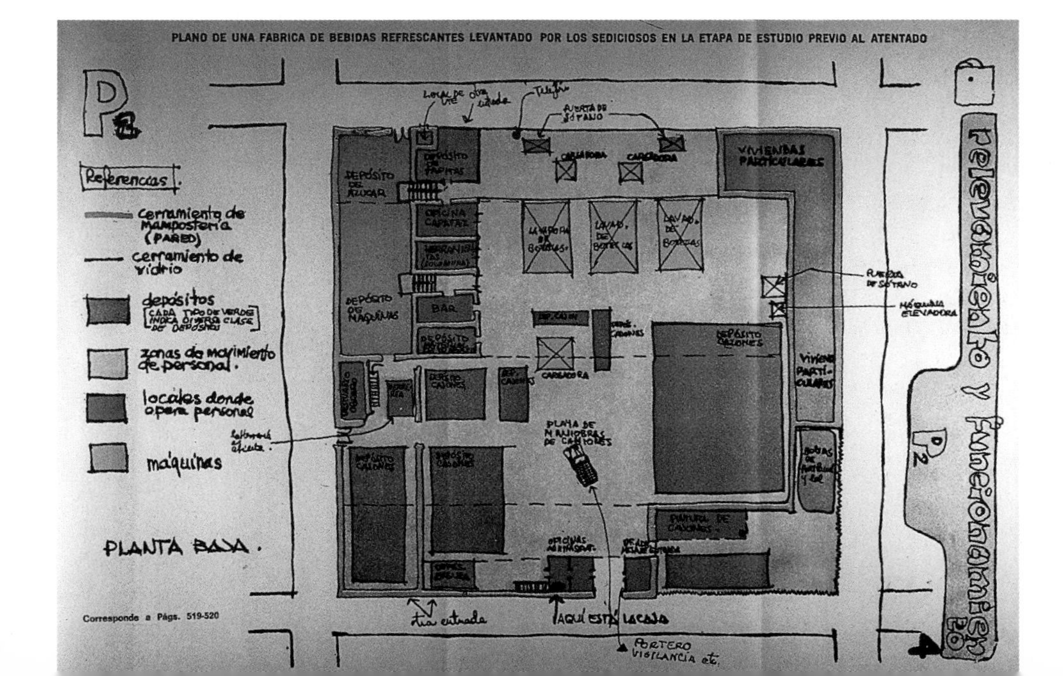

Plan d'une fabrique de boissons établi par le Mouvement de libération nationale (Tupamaros) en vue d'un attentat.

droits des locataires. Superbarrio empêcha ainsi 1 500 expulsions en cinq ans.

Pendant les années quatre-vingt, Cuba parut être l'endroit où l'art était le plus étroitement imbriqué avec la société. Une nouvelle génération d'artistes, éduqués entièrement sous la révolution, qui recevaient des subventions et subissaient relativement peu de restrictions, commença à développer un art nouveau, indépendant du didactisme des années soixante-dix, sensible aux problèmes formalistes et prêt à s'approprier certains éléments du répertoire international pour les adapter à la réalité cubaine. Le résultat constitua un mélange de formalisme et de langage vernaculaire, de poésie et d'humour, de politique et d'identité, dans lequel les disciplines artistiques traditionnelles étaient délaissées et où l'on s'essayait au format de l'installation. La troisième vague de ce groupe, sur la fin des années quatre-vingt, chercha à revitaliser les principes révolutionnaires, provoquant (non sans ironie) une nouvelle salve de censure. Le cas cubain est intéressant car il est le seul exemple, en Amérique latine, d'une activité artistique politisée dans laquelle l'intention est d'améliorer et d'affiner la structure politique plutôt que de la détruire et de la remplacer.

Jusqu'aux années quatre-vingt, les définitions de l'« Amérique latine » ont toujours présupposé un référent territorial précis. Ceci ne fonctionne plus aujourd'hui, car des migrations de toutes sortes et en tous sens ont à présent créé une diaspora, constituée non seulement des Chicanos et des Nuyoricans des États-Unis, mais aussi de « poches » latino-américaines implantées sur chaque continent. L'utopie latino-américaine, comme la plupart des autres en périphérie, a par conséquent pris la forme d'un tissu. Ce dernier recouvre l'autre tissu, celui qui a été créé par le centre « métastasé ». Les limites géographiquement définies ont perdu de leur signification, et une attitude régionaliste plane maintenant au-dessus ou en dessous du voile de plus en plus étendu de l'internationalisme. Cette superposition crée de nouveaux systèmes culturels qui, comme des motifs moirés, constituent des ensembles virtuels de points lisibles depuis n'importe quelle position, à tous les niveaux. Cette transformation d'une géographie en un motif moiré rend les principes traditionnels de l'identité plus fragiles que jamais et pose de nouvelles questions sur les directions à prendre dans l'engagement politique de l'art.

Jusqu'à aujourd'hui, les diverses expressions de l'art politisé en Amérique latine ont toutes présupposé des concepts fondés géographiquement, en fonction desquels elles se sont définies. Avec la disparition croissante des juridictions géographiques, l'observation du pouvoir et la confrontation avec celui-ci encourent le danger de ne plus être au point. De nouveaux outils et concepts seront nécessaires, non pour conserver une réserve de contenu politique, mais pour aiguiser la capacité à conserver une lecture réellement politique de l'œuvre d'art et de son rôle, pour les producteurs comme pour les consommateurs, de telle manière que nous puissions rester dans l'histoire plutôt que d'avoir à lui faire face.

Traduit de l'anglais par
Joris Lacoste

---

1. Simón Rodríguez (1771-1854), professeur et penseur vénézuélien, est surtout connu pour avoir été le professeur de Simón Bolívar.
2. *Tratado sobre las luces y las virtudes sociales* (1840), Caracas, Ediciones des Congreso de la República, 1988, vol. II, p. 155.
3. Voir Luis Camnitzer, « Art and politics : the aestetics of resistance », *NACLA,* vol. XXVIII, n° 2, sept.-oct. 1994.
4. « Carta abierta a los jóvenes revolucianarios brasileños » (« Lettre ouverte aux étudiants révolutionnaires brésiliens »), 15 juin 1970, *Marcha,* 17 juil. 1970, Montevideo, pp. 16-17.
5. Les *arpilleras* – «toiles d'emballage » en espagnol – étaient des bouts de tissu découpés dans des sacs de farine, sur lesquels des scènes picturales chaque jour différentes étaient réalisées par application et broderie. Ce travail, qui prospéra en tant que mouvement entre 1973 et 1984, était distribué dans le monde entier par des organisations ecclésiastiques.
6. Les Madres de la Playa de Mayo («Les mères de la place de Mai ») est un mouvement d'origine populaire, qui généra son propre langage esthétique. Le mouchoir blanc porté au cours de leurs tours de garde par les mères des « disparus » est devenu l'un des symboles visuels les plus puissants en Argentine.

Simples documents ?

Art, photojournalisme, guerre

De 1980 à aujourd'hui

80
96

Val Williams

L'artiste américaine Martha Rosler écrit en 1993 :

> « La guerre attire les artistes en raison de son absolutisme. La guerre est cataclysmique, elle satisfait ceux qui se délectent de visions sadiques de l'apocalypse et de la promesse d'une destruction totale [...]. Quel artiste ne rêve pas de totalisation ? La guerre attire les artistes et les démocrates de cabinet, ceux qui aiment les cérémonies et ceux qui les détestent, préférant la bestialité. Théoriser la vitesse et la politique est plus attrayant que de réfléchir sur les processus sociaux ou sur le déclin des utopies, et permet de prévenir les analyses de ceux qui refusent l'étiquette humaniste. La guerre attire parce qu'elle nivelle l'élément humain et substitue à une signification individuelle l'élégance formelle de mouvements de troupes ou la chorégraphie de mobilisations technologiques. Elle n'existe que comme abstraction et comme représentation, car elle est éprouvée comme une série de lieux, d'événements chaotiques, de misère et de mort[1]. »

Depuis plus d'une décennie, un nombre significatif d'artistes ont utilisé la photographie à la fois pour subvertir et pour réinventer le documentaire de guerre. Dans ses séries sur l'Irlande du Nord (de 1973 à 1983), Rita Donagh s'est servie de photographies de journaux pour développer une parabole de la guerre civile ; des scènes de rue ordinaires, en passant du papier journal à l'œuvre d'art, acquièrent un statut plus imposant du fait de leur nouveau contexte. Pour la plupart de ceux qui se considèrent comme les « vrais » narrateurs des zones en guerre — reporters photographes, journalistes, équipes de cinéma ou de télévision —, ce procédé peut être ressenti comme une insulte. Pour ceux qui font profession de fournir des documents sur la guerre, la notion d'authenticité est primordiale et vigoureusement défendue. Elle est à la base d'un débat permanent entre l'artiste et le reporter. Être présent physiquement sur les lieux en temps de guerre est perçu comme la condition déterminante de l'authenticité. Cette conception de l'authenticité est cependant de plus en plus discutable à l'heure où le débat sur l'image dans les médias se complique toujours plus.

Au cours des années quatre-vingt et quatre-vingt-dix, l'artiste française Sophie Ristelhueber a réalisé trois séries d'œuvres qui constituent un important point de départ pour quiconque tente de se mesurer à un tel débat. Dans *Beyrouth Photographies* (1984), une étude des immeubles de la capitale libanaise détruits par la guerre, dans *Fait* (1992), un document graphique sur le désert koweïtien après la guerre du Golfe, et dans *Every One* (1994), une série importante et impressionnante de photos de plaies largement suturées, elle a recouru souvent à l'iconographie de la cicatrice, des marques sur les surfaces, de l'anarchie de la destruction. Bon nombre de ses réalisations (rassemblées dans des livres d'art de petite taille ou exposées en galerie) ont contribué à définir un nouveau canon de la « photographie de guerre », loin des images d'action chaotiques de reporters comme Don McCullin et Philip Jones Griffiths, dont les reportages de guerre, depuis les années soixante et soixante-dix, font référence dans l'histoire du photojournalisme. Sans nul doute présente dans la zone de guerre, Ristelhueber l'était, en tant qu'artiste, de façon profondément ambivalente. Ses photos se prêtent toujours à l'interprétation, elles n'imposent pas les accessoires d'un photojournalisme complice de l'industrie des médias, ou les idées toutes faites sur le danger encouru et sur l'héroïsme. L'œuvre de Ristelhueber n'appelle aucun ennoblissement. La beauté de ses photographies (et des sites choisis) est sans équivoque, et son public est manifestement au fait des débats sur la représentation et le pouvoir de l'image. Comme nombre d'artistes dont il sera question ici, elle est captivée par la puissance de la fable et consciente du pouvoir de séduction de la narration. Dans ses montages photographiques sur le Viêtnam, *Bringing the War Home : House Beautiful*, créés en 1969-1972 et recréés en 1990, Martha Rosler anticipe la plupart des travaux du milieu des années quatre-vingt. Comme la plupart des artistes qui nous intéressent, Rosler a pris les nouveaux médias comme un point de

Jeff Wall,
Dead Troops Talk...
[Conversation des troupes mortes : vue après une embuscade d'une patrouille de l'Armée rouge près de Moqor, Afghanistan, 1986], 1992.
Collection Mr. and Mrs. David N. Pincus, Wynewood, Pennsylvanie, États-Unis.

départ incontournable pour réaliser une série où sont juxtaposées des maisons américaines idéales et des photographies de presse de bombardements et de carnages au Viêtnam. On peut dire que son message est moins ouvert à l'interprétation que celui de Ristelhueber. Le choix des juxtapositions — l'image paisible d'un porche avec du mobilier de jardin donnant sur un village dévasté, un escadron de GI's américains envahissant une cuisine de banlieue immaculée — met en évidence le parti pris implicite de la satire. Dans les années quatre-vingt et quatre-vingt-dix, la satire sera admise dans les œuvres d'autres artistes et chez Rosler elle-même. Le rejet du nationalisme et de l'impérialisme est implicite, particulièrement à l'endroit du public attentif à cet art. Durant les deux décennies qui séparent *Bringing the War Home : House Beautiful,* de Rosler, et *Every One,* de Ristelhueber, le débat va porter non seulement sur la multiplicité des significations inhérentes à l'image photographique, mais aussi sur les fonctions de la société.

Les photographies de guerre créent une mémoire collective des événements passés et illustrent de nombreux récits. Elles sont conservées (ainsi les nombreuses archives sur l'Holocauste) comme témoignages visuels pour les générations futures. Malgré leur instantanéité, elles sont livrées à l'arbitraire : la situation du ou de la photographe, sa sélectivité — quoi photographier, quoi ignorer —, sa nationalité, ses opinions politiques. Partant, la « simple » photographie de guerre apparaît aussi complexe et ambivalente que l'œuvre d'art postmoderne la

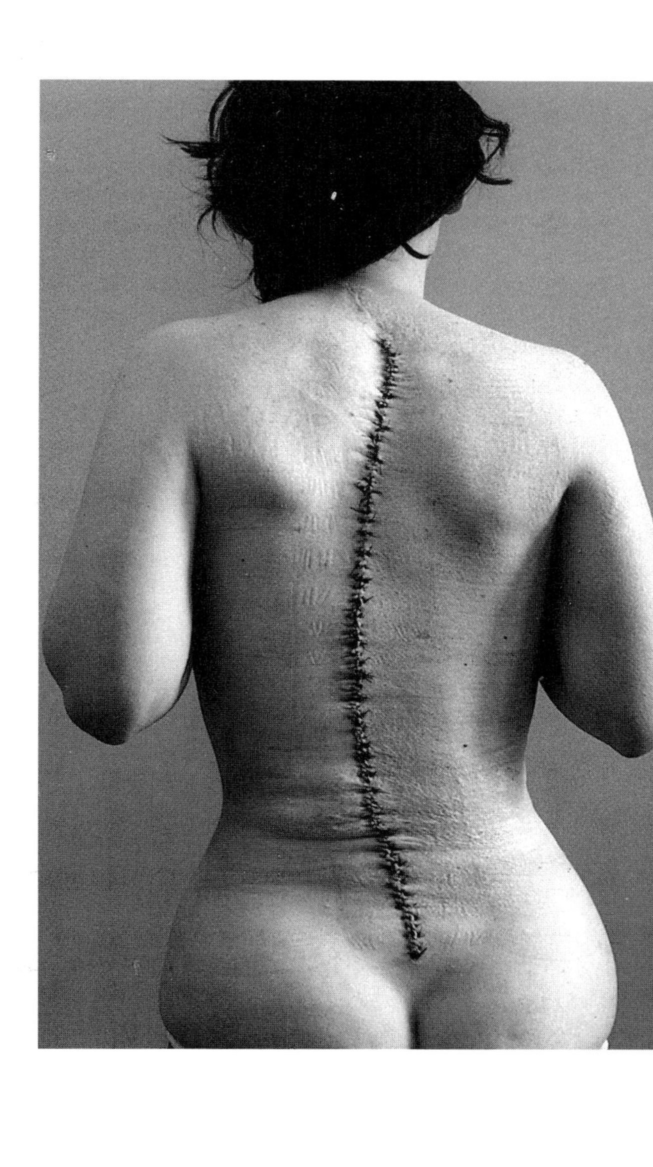

Sophie Ristelhueber, *Every One*, 1994. Victoria and Albert Museum, Londres.

Martha Rosler, *Playboy (On View)*, de la série *Bringing the War Home : in Vietnam*, 1969-1972. Courtesy of Jay Gorney Modern Art, New York.

plus sophistiquée. Aussi faut-il cesser de comparer photographies d'information et œuvres d'art, et récuser le principe selon lequel les premières visent à véhiculer l'actualité tandis que les secondes ne pourraient que l'interpréter. Considérer simplement que, face à une masse d'images visuelles qui toutes appellent l'attention, on ne peut que réagir selon sa propre mémoire, ses traditions, ses opinions politiques, son âge, et son sexe.

À partir du milieu des années quatre-vingt, l'importance des œuvres qui touchent aux problèmes de la guerre et de la photographie tient au fait qu'elles sont nées en dehors de tout *a priori*. Elles sou-

Gilles Peress, doubles pages du livre *Le Silence*, édité par Scalo Verlag, Zurich, 1995.

lèvent des questions théoriques qui portent le débat sur la photographie de guerre bien au-delà des discussions actuelles fastidieuses sur l'éthique, la censure éditoriale, et autres thèmes du même genre. Le consensus admet que toute photographie, qu'elle émane des médias ou du studio de l'artiste, est une histoire personnelle, avec des données connues et un public identifié.

L'artiste canadien Jeff Wall a souligné de façon complexe les contradictions entre la photographie artistique et le photojournalisme. Interrogé par Arielle Pellenc en 1995, il expose sa vision :

« Un des problèmes que j'ai vis-à-vis de mes images est que, puisqu'elles sont composées, puisqu'elles sont ce que j'appelle "cinématographiques", on peut avoir l'impression que la composition contient tout, qu'elles n'ont pas le "dehors" qu'a la photographie en général. Dans l'esthétique de la photographie artistique inspirée par le photojournalisme, l'image est clairement le fragment d'un ensemble plus vaste qui ne peut pas être perçu directement. D'une certaine manière, le fragment rend cet ensemble visible ou compréhensible, parfois à travers une typologie complexe d'objets, de gestes, d'humeurs, etc. Mais il y a un "dehors" à l'image, et ce dehors pèse sur l'image, exigeant d'être signifié. Le reste du monde demeure invisible et néanmoins présent, réclamant d'être exprimé ou représenté dans ou par un fragment de lui-même. Avec le cinéma ou la composition, nous avons l'illusion que l'image est complète en elle-même, qu'elle est un microcosme symbolique qui ne dépeint pas le monde de façon photographique. »

Il poursuit plus loin :

« La photographie journalistique s'est développée en insistant sur la nature fragmentaire de l'image, et a ainsi un sujet de réflexion sur les conditions particulières récentes créées par l'apparition de la photo. Ce genre de photographie a accentué et même exagéré le sens de ce "dehors", de par son insistance sur elle-même en tant que fragment[2]. »

Dans *Dead Troops Talk*, en 1991-1992, Wall a reconstitué une scène de bataille du conflit afghan datant de 1986. On peut dire qu'il est allé plus loin que Ristelhueber et Rosler dans sa tentative de nous impressionner non seulement par la nature fictive de la photographie, mais aussi par l'importance du spectateur qui se déplace anonymement dans ce que Wall lui-même pourrait appeler « le monde invisible ». *Dead Troops Talk* est une pièce de théâtre représentée comme une parodie de documentaire. Il s'agit à la fois d'une reconstitution et d'une remise en question d'un genre bien connu de la photographie de guerre, apparu au cours du siècle passé dans les zones de conflits. L'œuvre est l'expression du poids considérable des témoignages visuels qui se combinent pour former une partie de l'historiographie de la guerre. Comprise dans une seule photographie, elle est en elle-même une mémoire collective qui se joue des diverses conceptions de l'authenticité. *Dead Troops Talk* possède une littéralité très particulière : on voit immédiatement de quoi il est question, tous les codes et signes adéquats étant en place. L'espace laissé à l'ambivalence et à la fiction par Sophie Ristelhueber ou Rita Donagh semble avoir été jugé superflu. En échappant aux « réalités » de la photographie de guerre, Wall a construit un code alternatif de l'authenticité, tout aussi rigoureux. Souvent exposé et critiqué, il est très demandé, car non seulement il répond à un besoin collectif de représentation des scènes de guerre, mais il satisfait aussi un désir, souvent dissimulé ou nié par le monde de l'art, pour des œuvres fortes, dures, tranchantes, qui ne puissent être taxées de veulerie.

Ce qui précède nous amène finalement au reporter photographe français Gilles Peress. Membre de longue date de l'agence Magnum, Peress est l'un des rares photographes de guerre qui ait mené le reportage au-delà des confins des médias, jusqu'au monde de l'art.

Le Silence, publié en 1995[3], est un recueil de photographies réalisées en 1994, principalement dans l'ancienne colonie belge du Rwanda. En apparence, *Le Silence* a beaucoup de similitudes avec la petite publication de Sophie Ristelhueber, *Fait,* depuis la tranche noire (qui lui donne davantage l'aspect d'une boîte que d'un livre) jusqu'aux photos en doubles pages, qui s'étirent sur les petits fonds. Peress s'est défait du formalisme et a évité toutes les conventions d'un recueil de photographies moderniste — grandes pages, espaces blancs, photographies imprimées au centre de la page. Même le texte situant l'œuvre dans son contexte est absent. Le marché du photojournalisme à sensation déclinant, le public étant moins enclin à consommer chaque jour sa ration médiatique de guerre et de famine (et les photographes de guerre s'étant peut-être lassés du débat éthique), le photojournalisme, s'il veut survivre et continuer à imposer le respect, doit se trouver un autre espace, une autre forme de présentation.

Il y a une certaine ironie à constater que le public de l'art est perçu aujourd'hui par les photojournalistes comme plus « disponible » à l'égard du photojournalisme que le chef du service photographie ou que les lecteurs d'un magazine. Ou que les photographies de Peress — issues du photojournalisme et pourvues, à leur place, de tous les symboles visuels habituels : mutilés, cadavres, famine, désespoir — peuvent fonctionner en tant qu'« œuvres d'art » avec autant de succès que celles de Ristelhueber, de Donagh, de Wall et de Rosler. Si la photographie de guerre « réelle » peut ressembler de très près à l'art, qu'a-t-on besoin de l'art ? Dans son approche esthétique et intellectuelle, Peress, avec *Le Silence*, a évité ce que Martha Rosler appellerait la « trace d'humanisme » tout en gardant l'attitude habituelle du reporter photographe — observateur pétri d'angoisse, militant, et révélateur de la culpabilité collective.
Il est significatif que de jeunes reporters photographes (tel l'Allemand Wolfgang Bellwinkel) utilisent aujourd'hui des « programmes artistiques » dans les essais critiques des magazines. Publiées dans un article récent du *Suddeutsche Zeitung,* les photographies de Bellwinkel, prises dans différentes zones de conflit en Europe dans les années quatre-vingt-dix, pourraient figurer aussi bien sur les murs d'une galerie que dans une publication à large diffusion.

En conclusion, on peut se demander si certains artistes, comme Jeff Wall et Gilles Peress, n'ont pas défini un humanisme différent, plus adapté à notre monde de fin de siècle que celui véhiculé par les photographies des années soixante-dix de Don McCullin et de Philip Jones Griffiths (dont l'ouvrage, *Viêtnam Inc.,* en 1971, fut considéré comme étant à l'avant-garde de la photographie de guerre). Tout en offrant un moyen d'analyse, la structure théorique qui permet la lecture de ces œuvres agit comme un frein émotionnel ; tout peut être regardé avec ironie, même (et surtout, peut-être) la notion d'angoisse. Dans une culture postmoderne, tout est possible.

Traduit de l'anglais par
Joris Lacoste

1. Martha Rosler, « News and Views of War », *Krieg,* Graz, Camera Austria International, 1993.
2. *Jeff Wall,* Londres, Phaidon Press Limited, Coll. Contemporary Artists Series, 1996 (avec des textes de Thierry de Duve, Arielle Pelenc, Boris Groys, Blaise Pascal et Franz Kafka), 1996.
3. Gilles Peress, *Le Silence,* Zurich, Scalo Verlag, 1995.

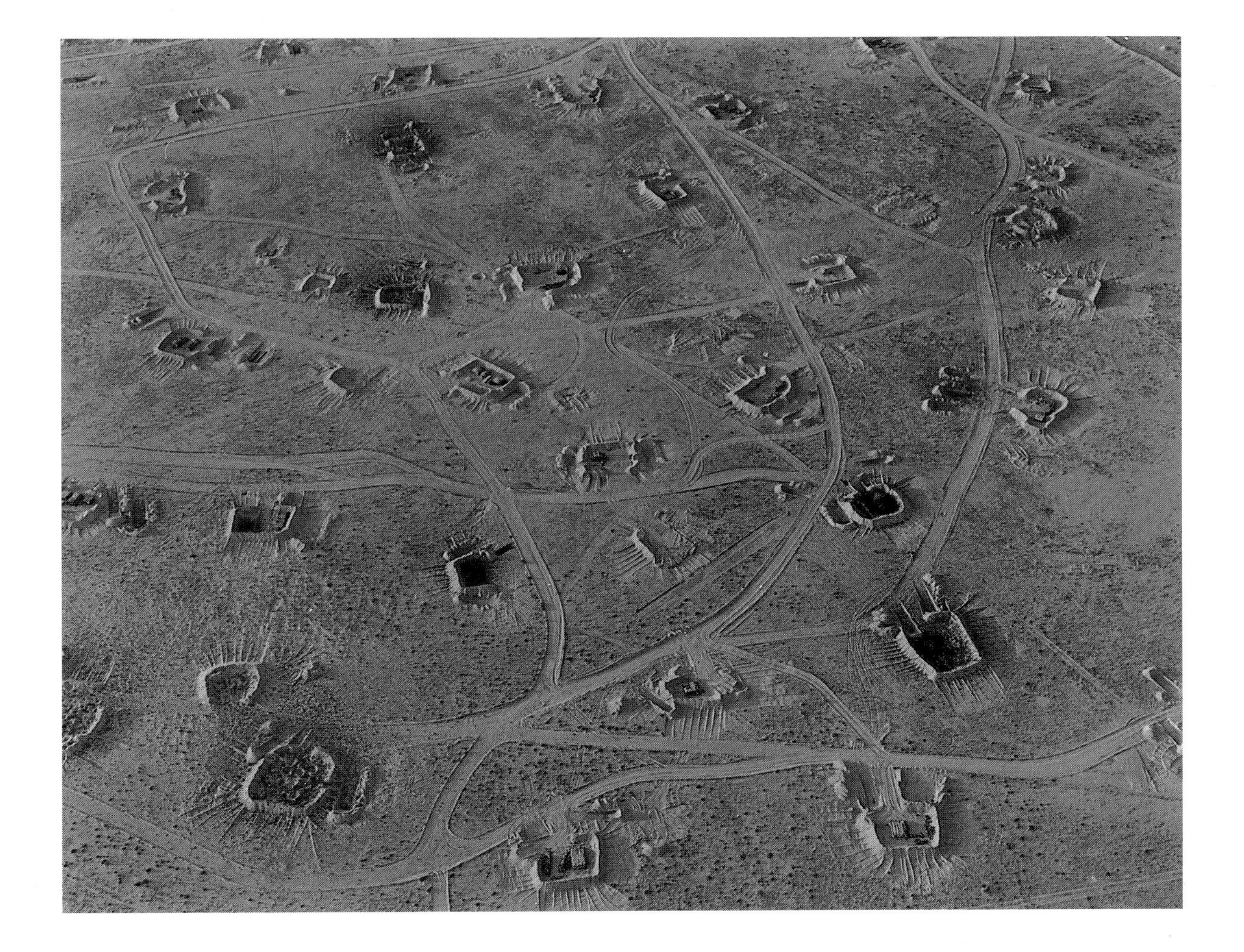

Sophie Ristelhueber, *Fait*, 1992. Courtesy Galerie Arlogos, Nantes.

Passions pour l'histoire L'art russe 1980-1995

Viktor Misiano

Vitali Komar-Alexandre Melamid, Ilya Kabakov : « amor fati » de l'intellectuel soviétique

Dans la société soviétique, l'histoire bénéficiait d'un statut exceptionnel : le passé devait légitimer le présent et prouver qu'il n'y avait pas d'autre alternative. Le futur avait un statut non moins important : les plans quinquennaux imposaient une perspective concrète, et la capacité de « prévision scientifique » du savoir officiel définissait les valeurs. Le perdant était le présent : le moindre fait de l'actualité était examiné à travers ses antécédents et considéré comme un échelon du devenir d'une perspective.

C'est cette structure temporelle qu'assimila dès l'enfance la génération des « hommes soviétiques » — phénomène historico-sociologique inscrit dans un cadre chronologique précis. L'« homme soviétique », dans ses archétypes les plus aboutis, était le produit de l'apogée de la civilisation soviétique ; il naquit et reçut sa formation à une période où s'était déjà effacée la mémoire de l'alternative présoviétique, et où la chute du système n'avait pas encore fait connaître la possibilité d'une alternative extra ou postsoviétique. En fait, il s'agit d'une génération, née dans les années trente et ayant terminé sa formation au moment de la première déstalinisation, à la fin des années cinquante.

Vitali Komar et Alexandre Melamid appelèrent leur œuvre-manifeste *Une fois, quand j'étais enfant, j'ai vu Staline* (1981-1982) : le principe sur lequel elle se fonde est l'identification directe avec le système de savoir soviétique (métaphoriquement, avec Staline !). L'art, même s'il prétend à l'alternativité, n'a d'autre langage que celui de la peinture officielle.

L'expérience personnelle, même s'il s'agit d'une expérience enfantine secrète, n'a d'autre contexte que celui du pouvoir idéologisé. La dimension du discours y est exclusivement rétrospective — dans sa forme (la peinture de chevalet académique) comme dans son objet (le récit d'un passé personnel et légendaire). En outre, l'histoire a pour seul horizon l'histoire soviétique, et l'événementialité historique est déterminée par des individus : les acteurs de la vie soviétique.

Chez Komar et Melamid, le plan de la légende, de l'histoire et de la chronique et celui de l'expérience et du sentiment personnels se séparent et s'entrelacent. L'histoire des héros soviétiques, incarnée dans les formes de l'académisme officiel, est, bien entendu, un objet de déconstruction ; l'ironie est ici la voie qui permet de prendre du recul par rapport à l'historisme soviétique, elle est une stratégie de salut personnel. Cependant, c'est dans le droit au sentiment et à l'expérience personnelle que se manifeste le plus clairement l'autonomie personnelle. Ultime paradoxe, l'objet de souffrance, chez Komar et Melamid, réside dans ces mêmes attributs de l'historisme soviétique. En d'autres termes, *Une fois, quand j'étais enfant, j'ai vu Staline* n'est pas seulement un pastiche : c'est aussi une confession. On peut, ainsi, définir comme *amor fati* la philosophie de l'intelligentsia soviétique, qui cherchait sa propre libération dans l'ironie et dans la sphère privée, et qui avouait son attachement inébranlable au mode de vie soviétique, son admiration pour sa puissance et sa perfection. Attachement et admiration, parce que, tout simplement, elle n'en n'avait pas d'autre à sa disposition. En d'autres termes, s'agissant de Komar et Melamid, nous avons affaire à deux intellectuels soviétiques qui ont eu le courage d'avouer que la seule manière d'obtenir sans heurts leur propre liberté était de reconnaître leur enracinement profond dans les circonstances historiques qui entouraient leur vie.

Ilya Kabakov incarne une autre vision de la vie soviétique, qui ne comporte ni plan privé et subjectif, ni plan légendaire. Pour lui, le mode de vie soviétique réside dans les structures épiquement immémoriales et tectoniquement immuables du quotidien. Le plan légendaire ne représente qu'un décorum idéologique transitoire et peu significatif, intéressant uniquement dans la mesure où, à travers lui, transparaît une iconographie métahistorique. Le plan privé et subjectif ne possède pas d'intensivité digne d'attention particulière, il se perd dans l'Épos collectif. C'est pourquoi, dans l'œuvre de Kabakov intitulée *Contrôlée* (1983), par exemple, on ne trouve aucune représentation simulative d'un souvenir personnel : il s'agit simplement de la reproduction d'un tableau caractéristique de la peinture soviétique des années trente — d'ailleurs, pas même du tableau, mais de sa reproduction dans une publication à grand tirage. Dans

Konstantin Zvezdochetov, *Le Lit de Salomé*, installation présentée à Aperto, Biennale de Venise, 1990. Collection Piero Garini, Florence.

cette œuvre, Kabakov incarne le modèle épique du peintre qui raconte non ses propres histoires, mais celles, intemporelles, d'un certain « corps collectif ». Ici, le principe personnel ne constitue pas la voie du salut individuel. L'histoire n'a de façon générale aucune dimension personnelle : le destin propre de l'individu s'inscrit dans le règlement préétabli qui régit le quotidien (comme dans *Planning de sortie des poubelles,* 1980) ; en même temps, on entrevoit à travers n'importe quel fait du présent les racines du méta-historique (ainsi, *Contrôlée* révèle ses liens avec l'iconographie de l'ancienne Russie, voire avec les icônes byzantines). Le salut n'existe que dans la fuite hors du temps et de l'histoire. D'où l'apologie kabakovienne de la « fuite », de la « disparition », de l'« envol » — dans le vide blanc, dans le néant mystique. Autrement dit, Kabakov réalise l'expérience du Soviétique moyen qui, plongé dans un quotidien permanent, trouve sa voie dans un spiritualisme visionnaire et dans les exercices métaphysiques.

Konstantin Zvezdochetov, Andreï Filippov : le « carnaval historique »

La nouvelle génération d'artistes apparue au début des années quatre-vingt dispose d'horizons phénoménologiques incomparablement plus larges. Son expérience se trouve alourdie par la prise de conscience de l'existence d'une alternative — aussi bien dans l'actuel, qui lui parvient à travers les trous du Rideau de fer, que dans le passé, qui pénètre à travers les failles du savoir idéologique. La civilisation soviétique est ici ressentie comme un phénomène concret de caractère temporel, comme un cas particulier de l'expérience de l'histoire universelle. L'identité soviétique n'est déjà plus un fardeau, une destinée. L'identité même relève désormais d'une construction individuelle originale, dont le matériau est l'histoire. À cette époque, l'histoire devient une sphère autonome, libre de tout référent idéologique et politique. Le savoir historique — savoir en tant que tel, pure érudition — est alors perçu comme un réservoir vivant d'expérience, une source intarissable de sens, c'est-à-dire comme un espace exempt du « lit de Procuste » de la méthodologie progressiste. L'histoire comme donnée, comme archive, acquiert donc la valeur spirituelle la plus élevée : le musée devient pratiquement une cathédrale et le savoir historique une religion. L'objectif de fuite hors du temps apparaît comme erroné, le salut étant, évidemment, dans l'histoire. Cependant, la dimension historique prend en outre une signification sociale et politique. La vie sociale étant statique et sclérosée et présentant un déficit d'action, la mémoire historique tire par conséquent sa valeur du fait qu'elle constitue un réservoir inépuisable d'événementialité. Dès lors, on se met à identifier la réalisation de soi dans l'histoire avec des pratiques relevant de la manipulation, avec une création mythologique n'obéissant à aucune règle méthodologique stricte. Sanctionnée par les autorités intellectuelles (les héritiers de Mikhaïl Bakhtine, les contemporains de Leonid Batkine, de Mikhaïl Bibler, etc.), l'idée de dialogue culturel donne une large place aux liens historico-culturels et, par là, offre en même temps une perspective libératrice. Tout fait historique pas même nécessairement alternatif par rapport à la doctrine officielle, mais simplement différent, non pris en compte par elle, est considéré comme un acte de libre-pensée. C'est ainsi que s'effectue insidieusement une érosion du savoir idéologique et que s'accomplit de façon muette une révolution sémiotique — raison pour laquelle l'intelligentsia moscovite de la fin des années soixante-dix et du début des années quatre-vingt se rend aux cours des historiens et culturologues connus comme à des manifestations politiques. « Moscou, troisième Rome », telle est la formule emblématique des poétiques personnelles d'Andreï Filippov et de Konstantin Zvezdochetov. Cette formule remonte au XVe siècle : ayant réalisé l'unification du pays et créé un État unique, les tsars russes déclarèrent que Moscou était le nouveau centre universel du monde chrétien, après la première Rome (celle de l'Empire romain) et la seconde (celle de Constantinople). L'idée de « Moscou, troisième Rome » est importante non en tant qu'emblème des prétentions impérialistes universalistes de l'État russe, mais en tant que métaphore de l'ouverture et du caractère omnivore de la culture nationale. La culture russe est considérée par ces artistes comme une zone de transit culturel frontalier entre l'Est et l'Ouest, entre les innovations européennes et un archaïsme perpétuel, entre la « coupole de Brunelleschi », la pagode chinoise et la yourte du nomade. L'expression n'est donc pas condamnée à la fermeture sur un système linguistique (antérieur à l'académisme soviétique) : l'objectif est la jonction des langages, la création d'une somme éclectique de toutes les formes possibles de langages, leur jonction dans une synthèse méta-historique. Le présent est ici privé de perspective temporelle — l'avenir est réduit, mais le présent et le passé se rejoignent dans un dialogue plein de vitalité et kaléidoscopique. Autrement dit, la poétique du « carnaval historique » est créée par cette génération d'érudits qui étudient l'histoire sous les portraits de Che Guevara, en écoutant les Rolling Stones.

« Exercices esthétiques » : historiosophie de l'optimisme politique

L'exposition « Exercices esthétiques », qui, après une longue préparation, ouvre ses portes à une date tout à fait symbolique, le 10 septembre 1991 — c'est-à-dire quelques jours après l'écrasement de la tentative de coup d'État revanchiste —, devient le manifeste du nouvel historisme, déjà postsoviétique. Le programme véhiculé par la conception historiosophique sur laquelle elle repose apparaît déjà dans le choix d'un domaine du XVIIIe siècle, le palais de Kuskovo — fresques de Tiepolo, parc à l'italienne, orangerie, pavillons divers, etc. —, comme scène d'un travail collectif. Les jeunes artistes de la nouvelle époque postsoviétique — le groupe AES (T. Arsamassov, L. Evsovitch, E. Sviatski), Andreï Bezukladnikov, le groupe BOLI (F. Bogdanov, G. Lititchevski), Dmitri Gutov, Konstantin Zvezdochetov, Larissa Zvezdochetov, Aïdan Salakhov, Gor Tchakhal, notamment — expriment ainsi leur aspiration à sortir des caves de l'underground et à entrer dans l'espace de l'histoire ; ils expriment leur désir de revenir dans un contexte naturel pour l'art russe — celui de la culture européenne et de son héritage —, et leur aspiration à travailler, après avoir dépassé le culte underground de l'Art pauvre, sur une grande échelle et de façon spectaculaire, en reproduisant à nouveau de manière constructive la « beauté » parmi la « beauté ».

Les transformations politiques, la nouvelle conception idéologique de l'époque Gorbatchev et de la première période postperestroïka ne pouvaient pas ne pas influer sur le contexte artistique. La doctrine historiosophique soviétique — et la poétique alternative de l'*amor fati* fondée sur celle-ci — a perdu sa *raison d'être** : avec la disparition de l'idéologie soviétique a disparu également l'objet de la déconstruction. La poétique du « carnaval historique » peut, semble-t-il, fêter son triomphe, puisque les conceptions œcuméniques gorbatcheviennes de « notre maison l'Europe » et du « retour dans la famille civilisée des peuples » sont en fait créées par ces mêmes gens qui, auparavant, prônaient dans les colloques scientifiques l'idée de « dialogue culturel ». Cependant, la mise en œuvre de cette tradition prend à cette époque un caractère quelque peu différent : de conjecturalement abstraite, elle devient pragmatiquement concrète, et de spéculativement intellectuelle, elle devient constructivement créative.

La « beauté » apparaît comme le concept artistique central de cette période. La pratique artistique de ces années ne se réduit pas à une stylisation de caractère postmoderniste, même si elle a avec cette dernière des points communs évidents. La renaissance du « beau » — de cette catégorie de l'esthétique classique — cache une signification assez radicale : il s'agit d'une polémique consciente avec le passé underground. En se redonnant le droit au « beau », l'art renoue le lien naturel avec la tradition esthétique — naturel dans le sens où l'appartenance à la culture n'est plus le fait d'un effort volontaire et risqué (politiquement), mais quelque chose d'absolument légitime et organique. L'art relève à nouveau de la culture et uniquement d'elle : les connotations politiques et sociales inévitables que véhiculait auparavant toute expression purement artistique sont désormais complètement réduites. L'appel à l'héritage est en outre loin de représenter un passéisme nostalgique. Ayant trouvé son autonomie sur les plans du langage et du contexte, l'art n'en veut pas moins partager avec la société les efforts constructifs que celle-ci déploie pour réformer et rénover la vie ; et il partage totalement avec l'idéologie de la société le fait, quelque peu paradoxal, que la rénovation prend les formes de la rétrospection et de la restauration.

Les principaux idéologues de cette période prônent des réformes politiques non pas au nom d'un nouveau projet idéologique — l'idée même de projet innovatif est frappée de tabou —, mais au nom d'un retour aux sources.

Le passé est privé du caractère concret de l'événement et d'une authentique multidimensionnalité : l'histoire est en premier lieu investie par les exemples des « siècles d'or et d'argent » dans l'histoire russe (par le XVIIIe siècle des Lumières ou les périodes libérales de la fin du XIXe et du début du XXe). Au présent est imposée la tâche de reconstruire les périodes idéales du passé (très idéalisées, bien entendu), qui sont proposées comme modèles normatifs d'un avenir meilleur (personne ne se souvient à ce moment que les représentants des Lumières avaient été envoyés en exil en Sibérie et que les russes libéraux vivaient à l'époque des pogromes).

L'histoire reste ainsi un mythe, mais avec une valence axiologique inversée — mythe autrefois négatif, elle prend désormais un sens positif. En d'autres termes, ceux qui se sont réunis sous les voûtes du palais de Kuskovo venaient des barricades de la Maison blanche.

Vladimir Kuprianov : le mythe du réel

Vladimir Kuprianov est le premier artiste postidéologique dans l'art russe actuel. Son matériau est la photographie, et c'est légitime — car celle-ci n'est autre qu'une technique de documentation du réel. Il réduit consciemment et délibérément les possibilités expressives du langage photographique (raccourcis, cadrage, tonalisation de l'image, etc.) à leur plus simple expression. Son langage est lapidaire et simple : il vise à une identification maximale de l'image et de l'objet. Ainsi son œuvre, réalisée dans une situation de vide postidéologique, est-elle orientée vers la réhabilitation d'une catégorie archaïque : la catégorie du réel. Kuprianov ne peut partager le culte du « beau ». À ses yeux, le pathos créatif utopique des tenants de la renaissance du « beau » a dégénéré en quelque chose d'extrêmement pragmatique : le kitsch nouveau-russe (les boutiques et les villas des nouveaux riches). Tout appel aux valeurs des archives culturelles s'est révélé également impossible : leur

Larissa Zvezdochetov, *Récolte de la rosée du matin*, 1991. Collection de l'artiste. Musée du palais Kuskovo, Moscou

signification a volé en éclats en même temps que le doctrinarisme idéologique de l'époque soviétique. L'expérience individuelle s'est retrouvée confrontée au chaos de la vie.
Le triomphe du réel suppose que l'expression soit totalement privée de rétrospection : elle ne peut se référer qu'au présent, elle se limite entièrement à une constatation du fait. Et, aujourd'hui, on n'a nul besoin d'une quelconque méthodologie de « prévision scientifique » pour comprendre que l'avenir s'identifiera au présent. Cependant, ce « présent permanent » est susceptible de prendre une dimension de valeur. Pour la première fois, de sous le boisseau de l'idéologie et de la mythification filtre en lui la vie originelle de l'homme. Exactement de la même manière, l'expression artistique, sortant des limites des horizons de la culture, est en premier lieu un acte humain, c'est-à-dire un acte éthique. Enfin, dans la mesure où, désormais, l'art se plonge dans la contemplation de la vie, il devient aussi une contemplation de la mort.
Ceci est évident non seulement dans la thématique et les motifs de ses photographies, où sont souvent reconstitués des enterrements et des repas funéraires, où sont utilisés des matériaux provenant d'albums de photos de famille, où les personnages regardent le spectateur de front. La mort, on le sait, est la substance même de la photographie. La positivité de la mort : c'est la découverte essentielle qui nous est venue avec la fin de l'histoire, et le seul fondement de l'éthique postsoviétique.
D'ailleurs, la contemplation de la vie chez Kuprianov ne suppose pas l'acceptation du chaos et des éléments naturels. C'est en cela que réside la signification positive de la mort, qui permet de percevoir l'harmonie et l'ordre cachés dans la vie. Celle-ci est structurée par des cycles immuables, par la logique du rythme organique quotidien, par des rituels ancestraux. La fin de l'histoire n'a donc pas viré, chez Kuprianov, au triomphe de la dimension personnelle : la personne, comme auparavant, est dissoute dans le non-personnel. La mort n'est pas un fait relevant de l'expérience individuelle mais, avant tout, un phénomène universel, qui dissout le particulier dans le général. En conséquence, la fin de l'histoire, qui a fait émerger le rythme primitif de la vie, ne signifie pas la fin de la narration : le rituel ne peut être recréé que dans les formes du récit. Aussi Kuprianov recourt-il, malgré toute la réductivité linguistique de ses photographies, à des procédés constructifs obsédants. Il utilise les formes de la séquence et du cycle, il construit des compositions d'installations raffinées, il introduit dans son œuvre le plan verbal et les réminiscences bibliques. À travers l'idée du réel transparaît ainsi l'idée de « communauté », de « terrain », de « peuple ». On peut se souvenir aussi que le statut de narrateur objectif, de narrateur épique de la vie, n'est autre que le rôle originel du peintre en Russie. Autrement dit, en la personne de Kuprianov, nous avons affaire à un artiste qui utilise pour la première fois le droit à la « russéité », devenue, avec la fin de l'« internationalisme soviétique », l'unique identité possible. On notera au passage que cette idée est à la base de la nouvelle idéologie officielle postsoviétique.

Anatoli Osmolovski, *Les léopards envahissent la cathédrale,* action, 1992. Galerie Ridzina, Moscou.

Anatoli Osmolovski : la privatisation de l'histoire

En mars 1992, dans la galerie moscovite Ridzina, le jeune artiste Anatoli Osmolovski réalise une action, *Les léopards envahissent la cathédrale*. À la fin de celle-ci, l'entrée de la galerie est fermée par une grille, et, à l'intérieur, la salle est occupée par trois léopards vivants. Sur les murs sont accrochés les portraits des trois fondateurs de l'avant-garde historique — Maïakovski, Breton et Marinetti —, ainsi que trois drapeaux : un rouge, symbole du communisme, un noir, symbole de l'anarchie, et leur synthèse, un drapeau noir et rouge. En même temps, ce geste d'appel direct à la tradition révolutionnaire et avant-gardiste célèbre une rupture radicale avec toute la tradition de l'art moscovite des trois générations précédentes. Après une période de dépassement et de déconstruction de l'idéologie, celle-ci affirme à nouveau ses droits. La restauration de l'avant-garde révolutionnaire est considérée comme une action épistémologiquement légitime : le capitalisme étant restauré, sa critique accusatrice devient aussi nécessaire. Qui plus est, il s'agit non d'idéologie — les dogmes officiels de l'époque soviétique sont rejetés sans discussion —, mais de stratégie révolutionnaire dirigée contre le pouvoir. Le présent trouve ainsi sa justification dans le culte du combat et se range dans le devenir linéaire du temps : le passé trouve son sens dans les traditions révolutionnaires, et l'avenir dans la

Oleg Kulik
et Alexandre Brener,
Le Chien fou ou le Dernier Tabou gardé par un cerbère solitaire,
action, 1995.
Centre d'art contemporain,
Moscou.

victoire. L'histoire n'est pas considérée en tant qu'archive, en tant que donnée ayant une valeur en soi. Le rapport à l'histoire est instrumental — n'est précieux en elle que ce qui sanctionne l'action dans le présent. Dans la position que prend Osmolovski, il n'y a pas de place pour l'ironie — la révolution est une affaire sérieuse —, ni pour l'appel aux racines nationales : la révolution est internationale, tout comme est internationale l'exploitation. Ainsi renaît l'idée d'Histoire universelle.
Une nouvelle révolutionnarité présuppose une nouvelle collectivité, puisque la révolution est l'œuvre des masses. Osmolovski rêve de créer mouvements, groupements et groupes de création. Il fonde les groupes Eti, Le Propagateur révolutionnaire, Nezesudik. Mais ils se séparent. La société postsoviétique est déterminée par le vecteur de l'individualisation, elle refuse ce qui relève du collectif et du groupe. Osmolovski cherche une alliance avec la politique réelle ; mais, aujourd'hui, la politique est définie par la privatisation, et non par la révolution. L'espace de la politique est structuré par la relation à la réforme — aux méthodes de sa mise en œuvre. Or, le réformisme (*a fortiori* néocapitaliste) ne se définit pas en termes de méthodes de révolution. Et, en même temps, la résistance à la réforme — la revanche soviétique — ne peut s'allier avec l'apologiste moscovite de l'« Anti-Œdipe ». On peut reconnaître l'anarchisme romantique d'Osmolovski dans l'état d'esprit des *lumpen,* strate très nombreuse dans la Russie postsoviétique. Cependant, la place est ici occupée par Jirinovski, qui sait proposer à ces gens non une doctrine de combat révolutionnaire, mais ce qu'ils attendent et désirent, dans une langue qui leur est propre. Ainsi l'avant-gardisme révolutionnaire se révèle-t-il actuellement aussi inadéquat que les tentatives d'imposer le libéralisme anglo-saxon à une société qui le rejette. L'engagement de la nouvelle révolutionnarité est donc un engagement frustré.
Ceci implique que la poétique propre de l'artiste se referme sur elle-même, que l'existence perd tout lien avec le présent. L'œuvre se résume à un doctrinarisme qui fonctionne pour lui-même, et moins son lien avec le contexte est apparent, plus elle puise son énergie dans l'obsession. Suspendu dans le vide, le doctrinarisme révolutionnaire modèle librement l'histoire selon son propre intérêt, et apparaît comme un autre exemple de privatisation — celle du passé. L'idée d'Histoire universelle, frustrée par l'évidence de sa relativité, devient le fait d'une mythologie personnelle. L'individu, frustré dans son élan vers l'unité avec l'Autre, se renferme dans le rôle du solitaire héroïque. Autrement dit, en la personne d'Osmolovski, nous avons affaire au drame d'une conscience qui a perdu ses liens naturels avec l'héritage et avec le contexte.

Alexandre Brener : les convulsions du présent

« Je veux parler la langue des émotions » : tel est le programme d'Alexandre Brener, l'un des acteurs les plus symptomatiques de l'actualité artistique postsoviétique. « La langue des émotions » sous-entend le désir d'être parfaitement en adéquation avec le contexte actuel — contexte non structuré, convulsif, enragé, et qui, par définition, ne donne pas prise aux procédures discursives, analytiques. « La langue des émotions » émerge dans une situation de crise des institutions, les anciennes s'étant désintégrées et n'ayant pas été remplacées ; l'émotion est précisément la langue la plus efficiente lorsque la communication se fait non avec le public (ce produit institutionnel), mais avec ce qui l'a supplanté : la foule.
Puisque le réel s'est cabré et s'est mis à tournoyer dans un maelström infernal, il n'y a pas en lui de place pour les archives, la narration, le doctrinarisme. On ne peut *connaître* l'histoire. On doit *vivre* l'histoire, en agissant ici et maintenant. « La langue des émotions » est plus en adéquation avec une époque qui n'a pas de projet d'avenir et, par conséquent, pas de projet rétrospectif du passé.
Le réel ne se laissant pas décrire, on ne peut que le provoquer. La production d'artefacts n'a donc aucun sens : les actions dans les rues, sur les places, dans les lieux publics, sont la seule forme d'expression adéquate. Les actions ne se définissent pas par une stratégie articulée, leur déroulement n'est en aucune façon motivé par l'autodéveloppement d'un quelconque programme. Les actions sont situatives, comme est situatif le devenir même de la vie. Ainsi, pendant l'hiver 1995, en pleine guerre tchétchène, Brener, habillé en boxeur — short, maillot de corps, gants de boxe — apparut sur la place Rouge en criant : « Eltsine ! Ne te cache pas ! Sors ! »
Les émotions et l'expression forment une unité quasi indissociable ; entre elles, il n'y a et ne peut y avoir rien d'intermédiaire, puisque toutes les procédures discursives se sont écroulées. L'émotion se nourrit exclusivement d'un sentiment de catastrophisme général de la réalité et d'une soif romantique d'amour universel. L'éthique se définit par la force de la souffrance, par des sentiments extrêmes — passion, amour, haine, colère. Le corps constitue donc le lieu essentiel où se concentre l'activité — il est à la fois sujet et objet de l'expression. C'est par le corps que l'on doit payer pour le droit à l'expression, puisque la parole publique ne peut se justifier que par sa sincérité abso-

lue. Et le seul critère, ici, est le fait d'être prêt à la souffrance — une souffrance à valeur démonstrative, incontestable. S'enfoncer une pancarte dans le corps avec une agrafeuse est le minimum de ce que Brener est prêt à payer pour une preuve incontestable : sur la pancarte est inscrite la vérité. Mais si l'expression se paie par la souffrance, sa sincérité autorise les gestes extrêmes. Le faux-semblant, premier suppostat de la spontanéité, est sévèrement puni, jusqu'au règlement de comptes personnel. C'est ainsi que Brener interrompit le poète Evgueni Evtouchenko — institué par le pouvoir « opposant officiel » de la période brejnevienne — alors qu'il faisait une lecture publique de son œuvre, aux cris de : « Silence ! ma mère veut dormir ! » La sincérité enflammée s'oppose à la « collectivité » : elle ne croit pas aux mythes de la « communauté » et du « peuple ». De quel peuple peut-il s'agir après des décennies de terreur ? Comment peut-on croire à la « communauté » quand la « collectivité » n'est plus qu'une foule démoralisée ? L'union ne peut être que situative et éphémère, comme est situative et éphémère la réalité. La solitude de Brener est exempte de frustration — elle est non pas un triste résumé, mais la condition première de l'œuvre. Pour cette raison, la haine absolue peut, chez lui, s'inverser en amour absolu, en acceptation du fait qu'il faut payer pour la médiocrité de l'Autre. Il a ainsi distribué dans la cathédrale orthodoxe Elokhovski, à Moscou, des tracts où il se déclarait prêt à libérer la Russie de son fardeau, à prendre sur lui, Alexandre Brener, toute sa médiocrité et ses crimes. Autrement dit, Brener est le poète maudit de la catastrophe russe actuelle.

Oleg Kulik :
le combat contre la réalité

Aujourd'hui, le problème essentiel de l'art en Russie est qu'il doit être simplement de l'art. La vie soviétique d'autrefois, statique et sclérosée, avait fait de l'art une sphère événementielle privilégiée. La réalité suivait impitoyablement la logique du plan quinquennal : la culture était, de fait, la seule zone de production d'excédents. Mais l'actualité postsoviétique s'est aujourd'hui révélée plus imprévisible, plus dynamique et spectaculaire que n'importe quel artefact, et l'art a été rejeté en marge de la société. Qui plus est, dans la situation actuelle de crise des institutions et d'absence de marché, il est privé de fonction. Il se retrouve confronté au problème de sa légitimité.
Oleg Kulik tente de trouver dans le krach des institutions des significations positives : l'institutionnalité contraignait l'artiste et le rejetait dans une position de réserve. Le fait que le public ait été réduit à l'état de foule ouvre l'espace pour une nouvelle communicativité, ouverte, universelle. Un nouveau langage, non pas chargé de réminiscences historiques, mais simple et accessible, est indispensable. Ce n'est pas seulement l'histoire qui est réduite : en même temps que la fin des institutions se produit une évolution de l'*homo sapiens*. La communication devient bestiale. Kulik est un peintre-animal, un peintre-chien. Avec la foule, il est impossible de parler une langue articulée et narrative, on ne peut parler avec elle que la langue du show et du choc. Et plus les foules moscovites se nourrissent des passions de l'inflation et de la privatisation, plus elles sont criminelles et cruelles, plus les shows kulikoviens se rapprochent du théâtre de la cruauté. Nu, à quatre pattes dans la neige et la boue, il attaque la foule en grondant et en mordant. La volonté de communiquer fait de Kulik un pragmatique : il ne croit pas à l'amour ou à la haine absolus, il donne au spectateur ce qu'il attend, il lui renvoie son propre exemple.

Dmitri Gutov
(en collaboration
avec Konstantin Bokhorov),
Opération en Crimée,
installation présentée à
Moscou, 1994.

Ce qui est important, également, c'est que Kulik n'est pas un simple animal : il est un animal politique. Car, dans la mesure où le contexte culturel disparaît en même temps que les institutions, le seul contexte qui demeure est la politique : c'est là, précisément, que s'enracine le nerf de la réalité postsoviétique. Si la société vit du pillage de ce qui constituait autrefois les « biens du peuple », on en revient toujours au pouvoir, puisque c'est lui qui distribue la propriété. C'est pourquoi l'art de Kulik devient un fait politique. Il crée le Parti des animaux, dont il se bombarde président, et donne

à ses actions la forme d'un show préélectoral. Il est sûr de son succès : la langue du discours, celle des mots humains est tellement discréditée par le mensonge et la « magouille » politique que lui, Kulik, en grondant et en rugissant, obtiendra la victoire.
Cependant, l'espace de la politique est occupé par les médias : si le marché de l'art est existant en Russie, le marché des médias, en revanche, a bel et bien émergé, et son pouvoir est riche de perspectives. Conséquence : c'est le marché des médias qui constitue l'espace de l'art. Dans cet espace, Kulik a des rivaux — les Eltsine et les Jirinovski —, et ses actions, pour avoir accès à l'écran, doivent recouvrir les informations inflationnistes, les attentats, les nouvelles de la guerre en Tchétchénie. Ainsi la langue du choc et du show se voit-elle dotée d'une nouvelle justification. Autrement dit, Oleg Kulik est la pop-star d'une époque de transition.

Dmitri Gutov :

la dialectique du bon sens

Pour Dmitri Gutov, le combat contre la réalité est une stratégie condamnée. Celui qui court après la vie ne fait que se laisser traîner, accroché à sa queue. Il est vain de cultiver l'excentricité quand tu es sûr de perdre devant Jirinovski ; il ne sert à rien de cultiver la poétique du monstrueux quand tu sais que tu ne feras pas mieux que Eltsine dans le spectaculaire de la fusillade du Parlement ; il est impossible d'être plus bestial que le quotidien en Tchétchénie. Inutile d'intérioriser la catastrophe, car tu perds inévitablement la distance éthique : tu en absorbes la charge destructive. Une fois pris dans l'engrenage de l'escalade de la destructivité, tu te trouves inévitablement au bord de l'autodestruction.
Gutov tire d'autres desseins du drame de la réalité, de son chaos vital : la catastrophe efface les nuances et le sophisme relativiste, la catastrophe génère un besoin de vérité absolue. Il ne veut pas s'identifier à la réalité dans son entropie et son chaos, le but qu'il se donne est de faire un effort de réflexion pour transformer le chaos, pour supprimer l'entropie et avoir une vision critique relativement claire. La perte de légitimité évidente de l'art est pour lui la confirmation que tout le projet artistique du XXe siècle est actuellement arrivé à épuisement. Réexaminant l'expérience du siècle, il tente de rétablir le lien rompu avec la pensée européenne classique. Il veut revenir aux Lumières « sans la dialectique », et à la dialectique « sans la négativité ». Dans la tradition intellectuelle de notre siècle, il réhabilite l'importance de Gramsci et de Lukács, et, en Russie, celle de la tradition marxiste, de l'héritage de l'esthétologue Mikhaïl Lifchitz, indomptable critique du modernisme européen.
Gutov refuse ainsi toute forme de démonstration publique du genre bohème. Il crée l'institut Mikhaïl Lifchitz, laboratoire intellectuel et club de discussion où sont expérimentées des recherches interdisciplinaires collectives, où travaillent un large cercle de personnes, des députés du Parlement aux philosophes et aux sociologues. Il donne à sa pratique artistique un caractère décoratif ; elle est seulement prétexte à faire la propagande des idées, à faire la démonstration du résultat des recherches. Et plus ceci se fait de manière simple, concrète, accessible à tous, plus l'artiste est proche du but qu'il s'est fixé. Moins il y a d'art, plus il y a de raisons de rester artiste.
L'objectif de réhabilitation de la tradition marxiste est un acte au moins aussi radical — et peut-être plus — que l'exhibitionnisme de Brener et de Kulik. Les scandales ont pour conséquence d'attirer sur soi l'attention des médias, mais, de son côté, la réhabilitation du marxisme a pour conséquence que l'on se retrouve en butte à l'incompréhension et à l'ostrascisme généralisés. Cependant, dans ses objectifs, Gutov est loin de tout sectarisme ou isolationnisme. Pour lui, la valeur de la tradition marxiste réside aussi dans le fait qu'elle est en réalité l'unique école de pensée européenne à s'être maintenue en Russie pendant un siècle. Et elle n'a qu'une alternative : l'expérience purement existentielle du goulag. C'est pourquoi aujourd'hui, pour un intellectuel russe, la voie du dialogue européen passe par la réinterprétation de l'expérience soviétique. Dans le cas contraire, ou il devient un plagiaire superficiel des modes européennes, ou il sort complètement des limites du discursif : autrement dit, il devient un chien. Cette volonté si évidente dans la société postsoviétique de tirer le rideau sur l'expérience passée (surtout soviétique) ne fait que réitérer la volonté de fractures, de bouleversements radicaux et l'habitude de se précipiter dans la nouveauté, inhérentes à l'histoire russe.
Le seul moyen de sortir de cette maudite succession de cycles est d'accepter l'héritage, de se résigner à le prendre comme un fait vivant de l'actualité. Le passé, le présent, le futur se rejoignent dans les efforts de volonté de l'individu, dans une réalisation consciente de soi. La dialectique est sanctionnée non seulement par Marx, Hegel et Platon, mais tout simplement par le bon sens. Et ce n'est pas la peine de se souvenir de Kant et de construire une doctrine pour avouer que « la vérité est concrète ». En d'autres termes, face à une nouvelle fracture dans la marche naturelle de l'histoire, Gutov propose à nouveau de revenir à la stratégie de l'*amor fati*. Le cercle se ferme. La boucle est bouclée, à la seule différence que, cette fois-ci, l'*amor fati* figure non comme philosophie de la condamnation, mais comme philosophie de l'action.

Traduit du russe par
Marina Lewisch

* En français dans le texte [N.d.T.].

Rencontre avec l'histoire : stratégies de dissonance dans les années quatre-vingt et quatre-vingt-dix

Rencontre avec l'histoire : stratégies de dissonance dans les années quatre-vingt et quatre-vingt-dix

Griselda Pollock

La troisième partie de l'installation *Interim* de Mary Kelly, exposée en 1990 au New Museum of Contemporary Art de New York, est intitulée *Historia*[1]. Quatre larges structures d'acier s'ouvrent comme de grands livres dans la salle d'archives d'un quotidien où l'on pourrait rechercher les comptes rendus des principaux événements politiques du siècle. Un cliché unique passe sur chacun des volumes, en négatif, comme si le sujet historique ne pouvait se fixer dans les photographies de presse mais se déplaçait le long des pages de l'histoire. L'image capte l'attention comme celle d'un film, mais au ralenti, plan par plan. En surimpression, une grille évoquant des barreaux de prison recouvre imparfaitement la séquence fugitive.

La photographie, intitulée *Arrestation d'une suffragette, Londres 1905,* représente une femme de petite taille, portant des lunettes et vêtue d'une robe bourgeoise, nu-tête et ébouriffée, qu'empoignent deux policiers anglais. Elle symbolise la réaction brutale de l'État britannique face aux revendications militantes des femmes qui réclamaient une identité civique. Ce petit document, si éphémère qu'il ne peut exister qu'à travers une copie mécanique, illustre à la fois l'entrée en force des femmes dans l'histoire moderne et l'incompréhension à laquelle elles se sont heurtées. Deux questions différentes sont soulevées par *Historia* : la nature de la rencontre des femmes avec l'histoire de notre siècle et le lien entre le signifié « femme » et ce qui est représenté comme l'histoire. *Historia* présente sur la page en vis-à-vis de l'image errante des colonnes de textes, souvenirs de femmes appartenant aux générations militantes depuis 1968. Chacun d'eux débute par ces mots : « En 1968, j'avais...» et témoigne de la puissance fédératrice du mouvement féministe à travers le temps. Les auteurs des textes rassemblés ici vont de femmes qui, adultes en 1968, étaient engagées politiquement à travers les manifestations contre la guerre du Viêtnam ou dans les mouvements pour les droits civiques jusqu'à celles qui, nées autour de cette date symbolique, sont arrivées à maturité avec un héritage complexe : politique de la sexualité, activisme contre le sida, postcolonialisme, engagement entre psychanalyse et féminisme. Chaque témoignage est assorti de fictions nées de l'observation et nourries de préoccupations psychanalytiques, ce qui confère à son contenu un caractère à la fois manifeste et latent.

Mary Kelly,
Historia, section III,
Part III of Interim, 1990.
The Mackenzie Art Gallery,
Regina, Saskatchewan,
Canada.

The Arrest of a Suffragette
[Arrestation d'une suffragette], 1905.
DR.

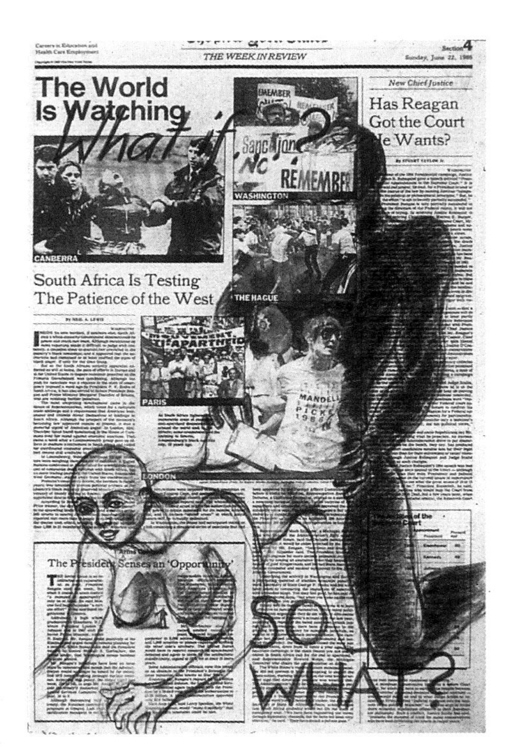

Adrian Piper,
Vanilla Nightmare # 1.
Courtesy John Weber
Gallery, New York.

Adrian Piper,
Vanilla Nightmare # 7.
Courtesy John Weber
Gallery, New York.

Historia, de Mary Kelly, incarne la démocratisation radicale par laquelle une « image » ou une création artistique peuvent devenir le lieu éclectique de systèmes de signes concurrentiels, aussi puissants les uns que les autres, à l'intérieur d'une culture post-hiérarchique : le postmodernisme. En utilisant un format paradoxalement minimaliste, quoique toujours monumental et sculptural, sur des surfaces reflétant les techniques modernes d'imprimerie ainsi que le médium photographique, l'artiste crée une tension en imprimant une signification à la fois sur le conscient et sur l'inconscient du sujet et de la société.

La femme assassinée, violée, maltraitée, affligée, a été utilisée de nombreuses fois dans la peinture historique pour signifier la violence politique : il suffit de penser aux énormes machines de Delacroix, *Les Massacres de Scio* ou *L'Entrée des croisés à Constantinople,* en passant par les angoissants *Malheurs de la ville d'Orléans,* de Degas, jusqu'au *Guernica,* de Picasso. Le corps brutalisé de la femme est le lieu allégorique des violences historiques, de la même manière que la femme incarne l'espoir politique, de *La Liberté guidant le peuple,* de Delacroix, à *L'Espérance,* de Puvis de Chavannes. *Interim* évite le danger de la représentation iconique de la féminité, sauf dans cette partie. En choisissant, pour illustrer sa rencontre avec l'histoire, une femme d'âge moyen, en tenue de ville, intellectuelle, militante, Kelly inverse ces tropes pour envisager la femme comme sujet de l'histoire, et non comme son allégorie. En tant que figure allégorique, la femme n'est pas un sujet. En tant que femme, elle est évincée de la scène de l'action historique, de la conscience et de la mémoire. Touchant à la fois à la conscience historique et à l'inconscient des femmes depuis 1968, *Interim* remet en cause les figures dominantes — et limitées — de la féminité, afin d'envisager comment lutter pour la représentation des rencontres des femmes avec l'histoire dans la dernière partie de ce siècle. L'œuvre de Kelly n'est pourtant pas fondée sur la peinture. Et il est même difficile d'imaginer comment cela serait possible[2]. Du point de vue de l'esthétique, ce travail consomme des fiançailles prolongées entre la représentation poussée à l'extrême et l'héritage de l'art conceptuel, qui a systématiquement remis en cause la place, le statut et les privilèges de la peinture comme genre majeur. Le modernisme est né au milieu du XIXe siècle avec les parodies de l'histoire de la peinture de Courbet ou avec l'« extermination du sujet » chez Manet dans des œuvres telles que *L'Exécution de Maximilien*[3]. Mais les modernistes, à travers Picasso et Pollock, ne virent jamais d'autre lieu, pour un art ambitieux et d'avant-garde, que la peinture. La peinture était la seule pratique susceptible de s'attaquer à l'histoire, c'est-à-dire d'opérer une transformation moderniste de l'héritage de la peinture d'histoire. Nous touchons à l'essentiel. C'est à travers le *steeping of painting in its own cause*[4] (la « macération de la peinture dans sa propre cause ») que sa capacité à signifier l'histoire fut sacrifiée à la recherche de l'identité de la matière propre de la peinture. Une rupture radicale survint dans les années soixante, qui, pour la première fois dans l'histoire du modernisme, redéfinissait de façon spectaculaire la peinture. L'exploration du happening, de la performance, du body art, le développement de systèmes et du process art, l'investigation de nouveaux moyens technologiques, l'élaboration de formes hybrides telles que les installations et les œuvres scripto-visuelles,

10 DER STANDARD WIEN MITTWOCH, 9. NOVEMBER 1994

Gemeinsam wider den Eindruck der Absurdität

Der Kanzler drängt auf eine Lösung im Ärzte-Arbeitszeit-Streit

[illegible]

„Zweifrontenkrieg"

[illegible]

Wo Elektrobastler „alles" finden

Spezialtrafo oder „elektrischer Gartenschlauch": „Elektro Heitler" hat 's

[illegible]

AUFGESTÖBERT

[illegible]

Nachtarbeit der Ärzte in NÖ soll nicht gratis sein

[illegible]

STADTNACHRICHTEN

„Mobil-Preis" an Ö3 und Gendarm

[illegible]

Gedenken „Plötzlicher Kindestod"

[illegible]

Kirche und „globale Solidarität"

[illegible]

Warnung vor Trinkwassergefahr

[illegible]

Baum-Kampf in der Josefstadt – der Radwegbau muß warten

[illegible]

Wo bekannte Menschen tafeln

[illegible]

SERVICE UND HILFE

[illegible]

NANCY SPERO woman/war/victimage/resistance Oktober 1994 bis März 1995.
Eine Ausstellung im Rahmen des Kuratorenprogramms von Stella Rollig, beauftragt vom Bundesminister für Unterricht und Kunst.
Ein Projekt des museum in progress in Kooperation mit der Tageszeitung DER STANDARD.

Nancy Spero, *Woman / War / Victimage / Resistance*, octobre 1994-mars 1995. Reproduction sur page du journal *Der Standard*, Vienne.

constituèrent une nouvelle donne, à laquelle les attitudes étranges de Duchamp au début du siècle étaient, rétrospectivement, un précédent. Dans les années soixante-dix, la radicalité, c'était, en quintessence, de l'anti-peinture. Des artistes américains, tels que Adrian Piper et Martha Rosler, au cours des années soixante et soixante-dix, cherchèrent à rendre compte de l'histoire dramatique de leur temps et se tournèrent également vers les techniques du montage et du ready-made. Au cours des années soixante-dix et quatre-vingt, il ne s'est guère trouvé d'artistes ambitieuses qui aient considéré la peinture comme un moyen d'intervention radicale. Dans une perspective critique, les femmes ayant une conscience politico-historique aiguë ne pouvaient avoir recours à la peinture. Nancy Spero, par exemple, hissa la peinture au-delà des thèses expressionnistes du grand modernisme américain avec ses toiles noires, au début des années soixante, pour finalement abandonner ce projet au profit d'un voyage pleinement libérateur à travers la métaphore de la page blanche et du signe inventé, dans *Codex Artaud* (1970-1971), et ses œuvres monumentales imprimées sur rouleau et enluminées, quelque vingt ans plus tard. Cette logique historique, qui conduisit le radicalisme artistique dans la rue, vers la vidéo, vers des formes diversifiées de la culture populaire, permit de rétablir une pratique radicale de la peinture. En 1989, l'artiste afro-américaine Lorna Simpson exposa une grande œuvre photographique, intitulée *Guarded Conditions,* dont les dimensions et l'effet qu'elle produisait étaient comparables à ceux de la peinture de grand format. Cette œuvre est composée d'une photographie en pied d'une femme afro-américaine simplement vêtue d'une chemise, répétée six fois. Chaque photographie est divisée en trois parties. La femme est vue de dos. On ne peut donc voir son visage et la reconnaître. Cette œuvre peut être tenue pour l'exemple type d'un mouvement artistique né à la fin des années quatre-vingt et qui utilise la négation comme un moyen de creuser la représentation d'une façon que j'appellerais « dissonance stratégique ». Elle affirme une différence par rapport aux représentations convenues du corps de la femme noire à la fois dans la culture « noble » et dans la culture populaire. Le sens s'inscrit tout à fait dans une stratégie de la négation, par la résistance, sur un plan formel, rhétorique, poétique, à un « corps de significations » rendues si naturelles qu'elles en sont devenues invisibles. Une telle dissonance pouvait-elle s'exprimer par la peinture ?

Lubaina Himid, née à Zanzibar en 1954 et résidant aujourd'hui en Grande-Bretagne, apparut sur la scène artistique anglaise au début des années quatre-vingt. Le point culminant de son œuvre était une installation sophistiquée composée de découpages finement sculptés et peints, et intitulée *A Fashionable Marriage* (« Un mariage à la mode », 1986). Himid reprit une série de peintures de Hogarth dans lesquelles des figures africaines apparaissaient comme des serviteurs-esclaves de la bourgeoisie naissante et de l'aristocratie déclinante, les deux propriétaires d'esclaves.

Par citation et transformation de l'histoire de l'art au présent, Lubaina Himid confrontait le monde artistique londonien des années quatre-vingt à une représentation de ses relations complexes avec un racisme contemporain dénié. Une peinture du XVIIIe siècle, réinterprétée dans une mise en scène théâtrale, engageait ainsi l'artiste à soulever la question historique qui n'avait été abordée qu'indirectement par Lorna Simpson dans sa prudente exposition du corps de la femme noire.

Ce n'était pas le choix du moyen d'expression qui était en jeu, mais le pouvoir symbolique. Comment exprimer symboliquement, à travers la figure de l'artiste noire, la présence historique de la subjectivité et de l'action noires ? Cela conduisit Lubaina Himid à peindre une série de tableaux dont l'objet stratégique n'était rien de moins que de confronter les conditions historiques du modernisme à l'appropriation de l'Afrique par ce dernier pour réaliser sa propre rénovation esthétique, ainsi qu'à l'effacement du sujet africain de la scène de la subjectivité et de la reconnaissance historique[5].

Comme la femme occidentale dans sa lutte pour la représentation — non seulement par le vote mais aussi par la reconnaissance en tant que sujet de l'histoire —, les peuples colonisés de l'Afrique ont mené un combat contre leur « disparition » en un abus allégorique. Dans une exposition importante intitulée « Revenge » (Rochdale Art Gallery, South Bank Center, Londres, 1991-1992), Lubaina Himid réalisa une

série de peintures figurant deux femmes d'origine africaine qui traversent les histoires du modernisme et du colonialisme. Chaque installation est une métaphore de l'histoire politique et culturelle : au gouvernail du navire de Colomb traversant l'Atlantique, pour reconstituer les épisodes de la colonisation et l'horreur du « passage du milieu », dans *Between the Two My Heart is Broken* (« Entre les deux mon cœur est brisé »); ou assistant à une représentation théâtrale dans les espaces de la modernité caractéristiques du modernisme métropolitain[6].
Occuper des champs de la représentation occidentale en réalisant dans les années quatre-vingt-dix des toiles qui évoquent consciemment, mais sans aucune déférence, les maîtres, n'est pas un « retour à la peinture ». Précisément, il s'agit d'une dissonance stratégique créée dans le champ que la peinture occupait sans soulever de questions : l'image que la culture occidentale entretenait d'elle-même et pour elle-même. Dans la peinture *Five* (Leeds City Art Gallery, collection de l'auteur), Lubaina Himid emprunte à Gauguin et à Matisse ce qui était pour eux l'expression de l'autorité occidentale — le corps de la femme de couleur — et re-figure ce corps, en tant que signifiant d'une activité subjective, dans le propre champ du modernisme : couleur. La figure peinte devient l'expression nécessaire et le lieu d'identification de l'artiste noire dans l'histoire passée et contemporaine. Cette dissonance stratégique vis-à-vis de l'histoire du primitivisme moderne restitue à la peinture son rôle de critique plutôt que celui de vecteur idéologique du désaveu face à la responsabilité historique.
Je mets ici en évidence une généalogie dissonante, radicalement différente d'une histoire de l'art créée par le marché occidental de l'art. La mise au jour des corrélats entre les générations et les géographies, la conscience historique et le trauma de l'histoire moderne, la situation culturelle et la responsabilité expliquent comment certaines artistes ont tissé une toile de dissonance stratégique à travers le paysage culturel des années quatre-vingt. Ce mouvement a nécessairement pris racine dans des moments de rupture qui rendirent possible l'émergence d'une conscience d'identité exprimée par des femmes s'identifiant comme « autres » et comme détentrices des contradictions exemplaires de la modernité. Cependant, comme j'ai tenté de l'expliquer, une telle conscience ne se rapporte jamais seulement au sexe. En tant qu'individus sociaux, en tant que détenteurs et acteurs de la transformation des mythes de la société, les artistes sont habités par un kaléidoscope de représentations imposées et d'autoreprésentations reconstituées sur le théâtre de considérations mêlées de classe, de race, de sexualité et de sexe. Je pourrais appeler cela la danse de l'altérité. Le plus clair de ce dont j'ai parlé jusqu'ici pour présenter cette thèse de dissonance stratégique, dans les formes à la fois peintes et non peintes, implique une espèce d'examen rétrospectif : un nécessaire coup d'œil en arrière, vers les mouvements d'émancipation, vers la formation du modernisme dans sa rencontre avec l'Afrique, et jusqu'à la grande époque colonialiste et son héritage fasciste en Afrique du Sud. Y a-t-il un avenir pour nous tous dans la dissonance stratégique du féminin ? La peinture au « futur féminin » — un temps psycho-symbolique nouvellement créé — pourra-t-elle devenir effective dans l'histoire ?
After the Reapers (« Après les moissonneurs ») est le titre choisi par Bracha Lichtenberg-Ettinger pour une série de peintures datant de 1985[7]. Avec ce travail commençait une longue méditation sur la possibilité de récolter quelque chose des atrocités de l'histoire entre 1933 et 1945. Bien que ses silhouettes soient difficiles à discerner, quelques-unes sont identifiables. Mais elles se présentent de dos, ainsi le spectateur est-il placé « derrière/après » les moissonneurs. La dislocation de l'imagerie liée au choix anodin du thème de la moisson imprègne la pensée de l'horreur subie par ceux qui ne moissonnèrent pas l'été du XXe siècle, qui furent brutalement et impitoyablement fauchés. Nous qui vivons après l'Holocauste arrivons « après les moissonneurs » et devons vivre avec la conscience de ce qui s'est passé.
Cela fait de nous des *glaneurs*, et l'artiste elle-même s'est vue contempler les figures bibliques de Ruth et de Noémi comme des images capables de modifier cette histoire à travers le prisme d'un covenant féminin : Noémi est la figure du survivant, revenant les mains vides et l'âme aigrie, mais accompagnée d'une étrangère qui s'identifie à son trauma et à sa perte. Ruth représente un avenir « au féminin », en supplantant le rédempteur masculin, Booz. Comme le glaneur, Ruth est l'autre, l'avenir, imposant sa singularité en s'affiliant volontairement à la généalogie qui devait engendrer le roi David et le rêve messianique.
La remarque glaçante de Theodor Adorno, selon laquelle il ne peut plus y avoir de poésie lyrique après Auschwitz, peut être étendue précisément à cette

Lubaina Himid, *Five* [Cinq], de la série *Revenge : A Masque in Five Tableaux*, 1991. Collection particulière. City Art Gallery, Leeds.

combinaison du corps — souvent le nu — et du narratif qui constituait la peinture d'histoire et qui nourrissait l'imaginaire occidental à travers une représentation idéale et un effet de miroir implacable. Que pouvait encore signifier le corps après Auschwitz ? Il ne pouvait être désormais que trop douloureusement nu — et le problème est bien le renversement de l'incarnation expressive et de la narration par la pose et par l'attitude. Le travail de Bracha Lichtenberg-Ettinger après 1985, renonçant à la peinture figurative comme à une chose impossible, conservait néanmoins une référence au corps tout en reconnaissant la fin de sa fonction d'image idéalisée et spéculaire offerte à l'ego.

La morphologie du corps est présente, sous une forme résiduelle, dans le travail de Lichtenberg-Ettinger entre 1989 et 1993. Les éléments en Perspex, encadrés et accrochés au mur par groupes de trois ou plus, ne peuvent qu'évoquer un corps et font écho au propre corps du spectateur lorsqu'il se tient devant ces surfaces réflexives quoique transparentes, silhouettes fantomatiques, témoignages, indécidables, de l'absence et de la survivance, délimitant l'espace de l'autre qui doit avoir une dimension corporelle, mais ne peut jamais entrer encore une fois dans la représentation actuelle. Ce sont là des corps qui reposent sur les limites que la modernité européenne a brûlées dans nos consciences.

Le terme « perlaboration », au sens psychanalytique et thérapeutique, redéfinit notre approche des possibilités d'une pratique artistique qui serait « peinture d'histoire » *après l'histoire* et *après la peinture,* et se donnerait pour fin d'explorer les limites, les frontières et les seuils d'une subjectivité qui, d'après Lichtenberg-Ettinger, est toujours « étendue, partagée, plurielle — le(s) Je et le(s) Non-je devancent l'Un » — et symbolisée par le phallus ; il s'agit d'une strate de subjectivation parallèle, « à côté[8] ». Le dilemme unique des enfants des rescapés de l'Holocauste réside dans la sensation d'être constamment avec des inconnus, d'en être constitué et de les représenter, inconnus dont ils peuvent porter le nom et jusqu'à l'apparence, qui leur sont étrangers et qu'ils ne peuvent cependant ni assimiler ni abandonner.

C'est ici pourtant que l'art peut être, ainsi que l'artiste le décrit, « symbologénique », ou capable de générer non une image du trauma, mais un symbole qui autorise une trace forclose du sens, une voie à l'intérieur du langage. La peinture *après la peinture* de Bracha Lichtenberg-Ettinger déploie une série de caractéristiques formelles. Des morceaux de papiers découpés comportent des photocopies tronquées d'images découvertes ici et là — des stades photographiés d'en haut, des relevés aériens de la Palestine effectués par les Allemands pendant la Première Guerre mondiale, une gravure représentant une femme, tirée d'un traité sur la folie datant de 1874, des diagrammes de fesses qui servaient à différencier les races supérieures des races inférieures, des dessins provenant de cas étudiés par Freud, des diagrammes et des notes issus des séminaires de Lacan,

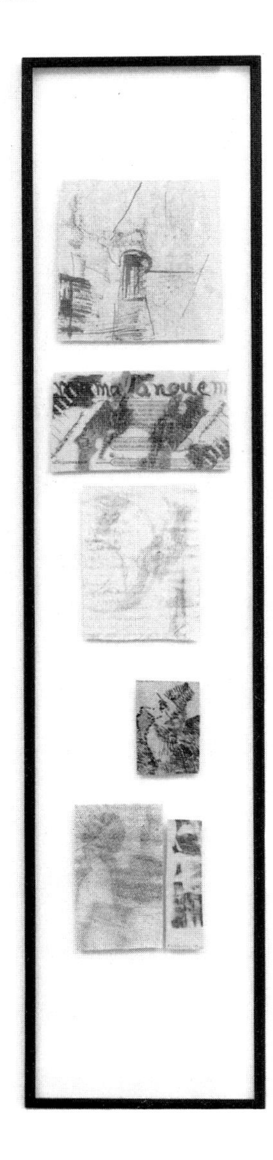

Bracha Lichtenberg-Ettinger, *Matrixial Borderline*, 1990-1991. Collection particulière.

des chaussures de marche, l'image d'une poupée cassée, la photographie des parents de l'artiste marchant dans une rue de Lódź en 1938, un fragment de la photographie anonyme de femmes nues avec leurs enfants dans un camp de concentration. Interrompant le processus de reproduction mécanique avant que l'image soit fixée, l'artiste repasse à la peinture et à l'encre les dépôts de poussière de la photocopieuse qui couvrent le papier, parfois douloureusement violet, d'un voile opaque. Elle touche l'endroit où l'image était ou est sur le point d'apparaître, marquant la limite de la représentation visuelle qui reste piégée dans la matière comme une tache, une trace qui annonce, sans pouvoir l'accomplir, l'assouvissement du sens, en franchissant le seuil qui mène à l'incarnation imaginaire. Travaillés d'une manière embrouillée, ces objets *ready-made-remade-unmade* (« tout faits-refaits-non faits ») créent et dès lors nient la promesse d'une présence pour mieux souligner l'implication du fantasme et la projection du spectateur à l'intérieur d'une image qui, au mieux, fonctionne momentanément comme une évocation, et non une objectivation, d'un autre être inconnu, dont la persistance est marquée sans être capturée pour autant. La relation entre une image trouvée et un processus de création élaboré d'après elle révèle ce que j'appelle l'« après-peinture » dans l'« après-histoire ».
L'utilisation d'une photographie relie ce projet à la tradition du ready-made de Duchamp qui reprit place dans la pratique de l'art postmoderne au cours des années quatre-vingt, par des concepts d'appropriation et de désappropriation[9].
Le recours au ready-made par Bracha Lichtenberg-Ettinger — l'image, de par sa charge culturelle, ou, dans ce cas précis, historique, est aussi le seuil de la subjectivité de l'artiste, mais interpénétrée, partagée avec d'autres subjectivités — nous projette dans une sphère radicalement différente, en assimilant les travaux d'un courant conceptuel de l'art féministe des années soixante-dix et quatre-vingt, représenté par Mary Kelly, et qui traverse la psychanalyse jusqu'à l'inconscient et le fantasme *via* la touche picturale, ce qui n'avait jusque-là pas fait l'objet d'une intervention féministe comme cela avait été le cas pour les autres moyens d'expression mécaniques utilisés dans l'art conceptuel[10].

Les *Autist Works 1993-1996* (« Œuvres autistes 1993-1996 ») de Bracha Lichtenberg-Ettinger consistent en une série de petites toiles où l'histoire rencontre l'autobiographie comme l'écran dévolu à ces « inscriptions au féminin[11] » qui peuvent « métramorphiquement[12] » s'infiltrer dans la vue et dans l'affect. Le ready-made utilisé dans ces toiles est un petit document de la Shoah. L'image nous met en présence d'une femme qui ne regarde pas en arrière, qui ne répond pas à notre regard, alors que nous le désirerions pour pouvoir nous affirmer dans ce qui est toujours une imaginaire méconnaissance de notre identité, fondée sur les rapports entre voir et être vu en train de voir. Elle ne nous regarde pas. Elle regarde ailleurs. L'artiste — et, après elle, le spectateur — la regarde et éprouve un désir intense d'entrer en relation avec elle, un sentiment débordant de sa fragilité, de sa vulnérabilité, de sa disgrâce, qui rend équivoque notre inquiétude et notre constante culpabilité à ne pouvoir et n'avoir pu la sauver.
Désavouer le regard (identifié ici au photographe nazi et à la tendance bureaucratique du fascisme à enregistrer sa propre perversité comme une simple méthode) afin de voir mises en scène les multiples épreuves de cette image réalisées par l'artiste fait prendre conscience de son terrible poids. En perturbant le procédé de la reprographie et en travaillant sur le dépôt d'encre en poudre avec un pinceau de couleur ou avec une plume, elle fait surgir l'image, à jamais, du « là-bas », c'est-à-dire l'époque et le lieu de la mémoire juive et de l'oubli douloureux. En peignant patiemment l'endroit où les grains d'encre se sont déposés le long de leur parcours vers l'image et vers les traces du peuple photographié et mémorisé par inadvertance, l'artiste touche cet espace et ce temps qu'elle doit, comme Ruth, toujours suivre, en glanant ses javelles obsédantes.
Le peintre touche à une époque et à un lieu dont la terrible signification réside dans la distance entre les marques, dans les grains eux-mêmes. Car ici, la peinture résiste et refuse net la dimension phallique du regard, le caractère spéculaire et l'utilisation du visuel dans les rapports de pouvoir. Cette œuvre est précisément la peinture « matrixielle[13] » *après-peinture* — c'est-à-dire au-delà de la dimension phallique, du fait de la relation à une non-image, et de l'utilisation d'une touche picturale pour évoquer une limite « extime[14] ».
Le passé se rapproche de nous mais l'abîme qui nous sépare de lui tient dans cet espace de douleur que l'artiste décrit autour du regard manqué et qu'une peinture autiste, avec une étrangeté inquiétante, introduit dans le visuel.

---

1. Hal Foster, Norman Bryson, Griselda Pollock, *Mary Kelly, Interim*, cat. de l'exposition « Interim », New York, New Museum of Contemporary Art, 1990.
2. Sur la question, voir Griselda Pollock, « Feminism, Painting and History », dans Michelle Barrett et Anne Phillips, *Destabilising Theory*, Cambridge, Polity Press, 1992, pp. 183-176.
3. Clement Greenberg, « Towards a Newer Laocöon », *Partisan Review*, vol. 7, n° 4, juillet-août 1940, p. 303. Voir aussi Georges Bataille, *Manet*, Paris, Skira, 1994, p. 28.
4. S. Mallarmé, « The Impressionists and Edouard Manet », *Art Monthly Review*, 1876.
5. Gilane Tawadros, « Beyond the Boundary : The Work of Three Black Women Artists in Britain », *Third Text*, 8/9, 1989, pp. 121-150.
6. Voir G. Pollock, « Modernity and the Spaces of the Femininity », *Vision and Diference*, Londres, Routledge, 1988.
7. Pour une élaboration plus complète de la thèse suivante, voir Griselda Pollock, *Generations and Geographies in the Visual Arts : Feminist Readings*, Londres, Routledge, 1996.
8. Le principal exposé théorique du défi lancé par l'artiste à la psychanalyse contemporaine peut se trouver dans Bracha Lichtenberg-Ettinger, « Matrix and Metramorphosis », *Differences*, vol. 4, n° 3, États-Unis, 1992, pp. 176-208, et dans Bracha Lichtenberg-Ettinger, *The Matrixial Gaze*, Université de Leeds, FAHN Press, 1995.
9. Cf. Griselda Pollock, « Screening the Seventies : Sexuality and Representation », dans *Vision and Difference*, Londres, Routledge, 1988.
10. Interrogée par Anne Dagbert sur la question de l'appropriation (à propos du livre *Borderline Conditions and Pathological Narcissism*) et de l'utilisation du ready-made, l'artiste répondait : « Je pervertis peut-être l'idée du ready-made parce que je ne me sers pas d'objets mais de documents et de photographies. J'ai gardé le titre anglais car *borderline* signifie à la fois frontière géographique et, en psychanalyse, cas limite. Je voulais signaler un croisement entre les recherches analytiques et plastiques, des zones frontières où s'incrit ma peinture », *Art Press*, n° 176, janv. 1993, p. 84.
11. Cette expression est expliquée dans l'étude éponyme publiée dans Catherine de Zegher (éd.), *Inside the Visible*, Boston, MIT Press, 1996.
12. Bracha Lichtenberg-Ettinger définit le concept de « métramorphose » comme un « processus de transformation qui concerne les éléments esthétiques ou psychiques en coexistence et une subjectivité multiple et divisée », *Art press*, *ibid.* (N.d.T.).
13. « Matrix : assemblage dynamique et provisoire créé par le non-rejet, sans absorption, ni abrogation, ni fusion. Mémoire vivante d'une subjectivité virtuelle », dans l'article de Bracha Lichtenberg-Ettinger, « Matrix, carnets 1985-1989, fragments », *Chimères*, n° 16, été 1992 (N.d.T.).
14. Le terme « extime » est utilisé par Lacan pour définir ces phénomènes qui traversent le couple interne/externe comme un cri venant de l'intérieur mais qui n'est entendu que de l'extérieur. Bracha Lichtenberg-Ettinger élargit l'usage de ce mot pour évoquer cette *borderline* qui est la limite interne de l'un et le bord externe de l'autre au même moment – l'utérus en fin de grossesse, par exemple.

Autres histoires, Elso et le nouvel art cubain

Gerardo Mosquera

On appelle nouvel art cubain le mouvement qui, à partir des arts plastiques, et pendant les années quatre-vingt, a renouvelé la culture de l'île, libérant un discours critique encore en vigueur aujourd'hui. Curieusement, les arts plastiques ont fait office de lieu de discussion sociale dans un pays dépourvu de tels lieux. Aujourd'hui, selon George Yudice, les combats de la société civile ne se mènent pas dans le domaine des arts, autrefois pourtant un des terrains principaux de ces combats. Mais Cuba fait figure d'exception : l'art y a concentré les fonctions d'une société civile quasiment inexistante, créant un espace critique absent des moyens de diffusion et non reconnu dans les assemblées et les amphithéâtres. C'est peut-être le seul cas où les arts plastiques, sans se dénaturer, se sont substitués aux médias, opposant une résistance à l'autoritarisme et imposant un discours civil.

Par une critique de la représentation politique du régime, les artistes déconstruisent ironiquement la rhétorique officielle. Certains recourent à l'appropriation des images pour attaquer très subtilement les mécanismes du pouvoir. Beaucoup critiquent directement la situation et ses graves problèmes économiques, politiques, sociaux et éthiques. D'autres, en réfléchissant sur l'utopie sociale, posent la problématique de l'histoire et du mythe de la révolution. Le groupe Arte Calle a réalisé des performances qui ont presque été des manifestations de rues. Cet art critique n'a pas été totalement linéaire ou manichéen, tel un pamphlet contestataire. Il a approfondi sérieusement et douloureusement les complexités historiques d'un projet de libération qui a viré en son contraire. Ses auteurs sont les fils de la révolution.

Il existe d'autres secteurs procédant de cette culture critique qui ne se consacrent pas à débattre des problèmes antérieurs. Le propos est plus général, peut-être plus transcendantal, dans la mesure où il introduit des perspectives secondaires, antihégémoniques et antieurocentriques. Ce sont des artistes de religions afro-cubaines, ou formés dans des milieux aux traditions très proches de ces religions, qui se révèlent être les plus radicaux. Ils abordent les problèmes contemporains en donnant priorité à leurs propres approches philosophiques, « cosmovisionnaires », en substance à la pensée afro-cubaine, dans des œuvres conceptuelles qui tentent d'interpréter le monde et d'élaborer une éthique et une histoire à partir de ce qui n'est pas occidental.

Dans certains cas, ils modifient le caractère même de l'art en le rattachant, à travers des processus liturgiques personnels, à une pratique mystico-existentielle. Ils imprègnent d'une spiritualité nouvelle l'art de l'avant-garde en s'éloignant de ce qui est descriptif, formel et mythologique, pour travailler, à partir de ces visions cosmiques, sur les contenus mêmes.

La connexion singulière entre le « savant » et le vernaculaire que génère le nouvel art cubain est précisément l'un de ses axes essentiels. C'est le résultat du nivellement social établi par le processus révolutionnaire à Cuba, et particulièrement du système généralisé et gratuit de l'enseignement. Ces facteurs ont permis que des jeunes issus de couches sociales populaires soient entièrement formés comme de « grands » artistes. Les caractéristiques de la vie à Cuba — manque de logements, pauvreté généralisée, égalitarisme, densité, fluidité sociale, etc. — font que les artistes ne s'éloignent pas beaucoup de leurs milieux. Ce sont à la fois des intellectuels et des « gens de la rue ».

On peut dire que l'une des caractéristiques du postmodernisme a été de s'ouvrir vers le vernaculaire et l'altérité, et que, dans une certaine mesure, le nouvel art cubain rejoint cette tendance postmoderne « internationale ». Mais cet art se distingue fondamentalement en ce qu'il comporte une véritable interconnexion de sens, alors que le postmodernisme, lui, échange plutôt signifiants et techniques parmi le « savant », le populaire, le médiatique, etc., qui conservent chacun leur propre discours et leur propre circuit. Les champs des différents systèmes esthético-symboliques restent très parcellisés. Mais les artistes cubains, en introduisant une part de vernaculaire dans le « savant » — comme si l'art « noble » s'élaborait à partir des visions, des sensibilités et des valeurs des classes populaires — procèdent de l'une ou de l'autre perspective. Le vernaculaire ne s'adapte pas à l'art « noble », mais produit plutôt l'art « noble ».

Tout ceci se vérifie de façon évidente chez des artistes tels José Bedia (né en 1959), Ricardo Brey (né en 1955),

Juan Francisco Elso (1956-1988) et Marta María Pérez (née en 1959). Au début, ces artistes étaient surtout fascinés par les anciennes cultures américaines — dont l'histoire, à peine déchiffrée par l'archéologie, attirait d'autant plus qu'elle demeurait une énigme — et par les peuples amérindiens. Cette inclination est à rapprocher du latino-américanisme (résultant de l'idéologie de la révolution cubaine) qui prédominait alors. Si ce latino-américanisme était surtout politique, il a énormément contribué à la divulgation et au prestige de l'histoire et de la culture du continent. Elso et d'autres jeunes artistes se sont intéressés à la sphère amérindienne face à l'Occident, et à la différence qui en est résultée. Cette différence, paradoxalement, portait sur des perceptions du monde en opposition avec celles du totalitarisme marxiste imposé à Cuba comme idéologie officielle.

Par rapport au marxisme dogmatique obligatoire, les visions cosmiques indo et afro-américaines ont offert aux jeunes des possibilités plus esthétiques pour comprendre le monde et agir sur lui.

Un des changements notables lié à cette rénovation culturelle a été la rupture, dans les années soixante-dix, avec les schémas officiels en vigueur après l'entrée de Cuba dans le bloc soviétique. La liberté artistique qui s'en est ensuivie a entraîné, chez ces artistes, une liberté des contenus qui passait par la métaphore pour se différencier de l'histoire et de la philosophie officielles.

Elso a peut-être été la figure paradigmatique qui s'est trouvée au croisement de toutes ces histoires, de ces contre-propositions et de ces processus. Sa première exposition personnelle, « Tierra, maíz, vida » (« Terre, maïs, vie », 1982), a été entièrement inspirée de la Mésoamérique et du monde indigène. Un des aspects intéressants de cette exposition a résidé dans le fait qu'y convergeaient, spontanément et sans la moindre préméditation, les expressions de ces sociétés et du marxisme. Cette interpénétration se manifeste dans la pyramide édifiée avec des plaques en terre cuite moulées sur de vrais épis de maïs : l'économie du maïs est ici comprise comme le fondement d'une superstructure religieuse sophistiquée. Le véritable maïs, comme technique et comme symbole, donne une forme à ce qui est représenté, et coexiste avec l'idée de l'aliment mésoaméricain de base considéré en tant que matière constitutive de l'humanité. Dans ce travail, l'émotivité liée au rituel est transmise par l'histoire, l'archéologie, l'anthropologie et autres savoirs livresques et muséographiques.

L'installation *La Fuerza del guerrero* (« La Force du guerrier », 1986) annonçait déjà l'œuvre *Por América* (« Pour l'Amérique ») réalisée la même année et présentée dans l'exposition « Face à l'histoire ». Dans *La Fuerza del guerrero,* Elso magnifie la vision amérindienne du guerrier en tant que héros mystique, afin de donner une vision métaphorique de l'Amérique dans laquelle s'interpénètrent le mythe, l'histoire, l'identité, le rite, l'affirmation culturelle et politique... Il s'agit là d'une des plus belles utopies esthético-historiques qui aient été créées sur le continent. Le guerrier agit à la manière d'un condensateur qui, d'en haut, capte l'énergie des héros culturels américains — aussi bien historiques que mythiques : Simón Bolívar, José Martí, Mackandal, la Pachan Mama (« la Mère nourricière »), Che Guevara, Quetzalcoatl (« Oiseau-serpent »)... — pour la transférer à une image, à l'échelle du continent, dans laquelle se rejoignent des éléments indo et afro-américains du catholicisme populaire, des éléments historiques et politiques, des croyances vernaculaires, etc. Les éléments qui parcourent le travail d'Elso se retrouvent, dans cette œuvre, de manière presque littérale. Elso met en évidence une mystique latino-américaine qui est aussi le résultat de sa formation et de sa vie à l'intérieur de la révolution cubaine. Il considère l'art comme une voie vers une connaissance et une affirmation transcendantales, fondée sur des patrimoines latino-américains, à partir desquels il élabore une éthique. C'est aussi une espèce de mystique de l'Amérique où se conjuguent le magique et le politique, le personnel et le sacré, l'actuel et l'ancestral, le mythique et l'historique. L'épitomé en est *Por América,* avec l'impact de l'image de José Martí (1853-1895), héros national de Cuba. Nous, les Cubains, avons la chance d'avoir pour héros, non pas un général ou un gros propriétaire terrien, mais un poète romantique ayant vécu une vie de héros romantique. Après avoir organisé la guerre d'indépendance contre l'Espagne (et contre l'éventuelle expansion nord-américaine), ce héros a succombé lors de son premier combat. Martí, l'un des grands écrivains de langue castillane, a été une figure intellectuelle de premier ordre qui a défendu le concept de *nuestra América* (« notre Amérique ») en opposition aux États-Unis. L'aspect politique, chez lui, a coexisté avec une sensibilité personnelle très délicate. Dans l'œuvre d'Elso, Martí est le guerrier qui refait le geste du don à la terre, laquelle est aussi son propre corps. Les deux sont parés de verdure et de sang. L'image constitue le condensateur historico-mythique de l'Amérique latine, un mélange de visions et de discours : à la fois représentation historique, icône de la mystique révolutionnaire, assise du pouvoir à la mode africaine, imagerie baroque du catholicisme populaire latino-américain, Odin se sacrifiant à lui-même... Chez Elso, à l'art conçu comme un processus mystique d'identification du monde au moyen de visions cosmiques latino-américaines, se mêle un processus éthico-existentiel lié à sa vie intime, qui a directement influé sur sa propre formation. Ainsi, il y a des ingrédients importants

Juan Francisco Elso, *Por América,* 1986. Collection Magali Lara.

non explicites dans les œuvres, celles-ci étant, en réalité, le terme de certains moments du processus — codes permettant à Elso de partager ses illuminations. L'image de Martí, par exemple, est « chargée », à la manière d'un *nkisi* du Congo, avec le sang même de l'artiste, associé à d'autres éléments occultes à l'intérieur d'une cavité dans le corps du personnage. Les sculptures en bois qui font partie des œuvres *La Fuerza del guerrero* et *El Viajero* (« Le Voyageur », 1986) sont également « chargées » à l'intérieur, à la manière africaine ou afro-américaine, avec des éléments qui leur donnent leur pouvoir : telle pierre des Andes, tel escargot africain, terres de différents endroits, eaux, graines... Le visiteur ne peut ni voir cela ni être instruit à ce sujet. Ce sont des composants qui possèdent à la fois un caractère rituel et symbolique à l'échelle de la réalité (ils forment une cérémonie personnelle) et d'autres significations artistiques. Mais ce sont des significations occultes, en contradiction avec la condition sémiotique de l'art occidental, dont la fonction est de délivrer des messages esthético-symboliques. C'est comme si la force symbolique de ces éléments s'employait seulement de façon cryptique, à la manière de la religion, comme pouvoir ésotérique de l'image.

Rappelons que, pour les cultures africaines et afro-américaines, l'essentiel ne se situe pas dans l'image, mais dans le pouvoir que la cérémonie a attribué à cette image. Elso, en faisant de l'art avec des procédés destinés à créer des objets religieux, est devenu, en quelque sorte, une figure tropologique dont la création artistique, d'un côté, s'est réalisée en fonction de critères occidentaux, et d'un autre, a dépassé ces mêmes critères dans des œuvres issues d'une mystique personnelle et culturelle.

Le caractère inclusif des religions afro-cubaines permet de toutes les pratiquer en même temps — ce qui, en Afrique, est impossible pour des raisons claniques, géographiques, linguistiques et culturelles —, tout en étant, en plus, catholique, franc-maçon, voire même militant du parti communiste. Cet œcuménisme, au-delà du religieux, se retrouve dans les œuvres d'Elso et de Bedia jusqu'à cohabiter avec des éléments, des histoires et des significations variées en provenance de divers horizons.

Tous ces phénomènes caractérisent les multiples directions possibles des processus culturels d'aujourd'hui, et amènent des transformations dans tous les sens. Le nouvel art cubain les a profondément propagés, introduisant des changements méthodologiques, culturels, cosmovisionnaires et conceptuels dans l'art occidental, sans rien céder sur le fond, pas même sur celui de l'art conçu pour les galeries ou les musées. La métaculture occidentale comme culture « internationale » dans la sphère de l'art contemporain est assumée ; s'y ajoute cependant une contribution active au processus de « déseurocentralisation » qui s'expérimente par le syncrétisme, et surtout, par la récréation et l'usage qu'en font les autres cultures.

Le changement de perspectives dont je viens de parler se manifeste sur le terrain de l'art « noble » et de ses circuits élitistes, et non sur celui de la culture populaire. Ce changement a entraîné l'intervention du populaire-non occidental-subalterne-périphérique dans le « noble »-occidental-hégémonique-central, tirant les deux côtés vers le « haut » et non vers le « bas », ce qui bouclerait la boucle et révolutionnerait, de fait, la pratique artistique dans son *status* actuel.

Traduit de l'espagnol par
Marie-Thérèse Mazel-Roca

Des souvenirs inopportuns*

> « Le don d'attiser pour le passé la flamme de l'espérance n'échoit qu'à l'historiographe parfaitement convaincu que devant l'ennemi, s'il vainc, même les morts ne seront point en sécurité. Et cet ennemi n'a pas cessé de vaincre[1]. »
>
> Walter Benjamin

Stefan Germer

1

Avec son cycle de peintures représentant les événements du 18 octobre 1977, Gerhard Richter rappelle une expérience qui avait donné lieu plus encore à un refoulement psychologique qu'à une répression d'ordre politique : les cadavres de Stammheim et la fin de la Fraction Armée rouge. À partir de ce moment, toute tentative de débat sur la question se traduisit par la nécessité d'affirmer ses distances par rapport aux objectifs politiques de la RAF. Cette pression visant à imposer une distanciation s'exerça à l'origine de manière autoritaire, mais pour ceux qui étaient stigmatisés en tant que « sympathisants » par une génération plus ancienne de *Mitläufer*, instaurer une distance par rapport aux objectifs politiques de la Fraction Armée rouge devint bientôt la forme subjective de la prise de conscience du projet politique de la Fraction Armée rouge, de son histoire comme de son échec final.

2

L'histoire de la Fraction Armée rouge fut elle-même caractérisée à la fois par la volonté de s'identifier avec elle et par la pression extérieure qui imposait la distanciation. Dans l'œuvre de Richter, celle-ci constitua, selon les propres déclarations de l'artiste, le point de départ de sa recherche sur ce thème. Il m'écrivit en novembre 1988 :

> « Arrivant de RDA à la fin des années soixante, je refusai évidemment de m'identifier aux objectifs et aux méthodes de la Fraction Armée rouge. [...] Certes, j'étais impressionné par l'énergie, le refus total de compromis, l'immense courage des terroristes, mais il m'était impossible de reprocher à l'État son intransigeance. Les États agissent ainsi, et j'avais connu un autre État plus impitoyable. »

Mais à cette distance de sa part se mêlait une autre considération, qui rapprochait Richter de la Fraction Armée rouge :

> « La mort des terroristes et tous les événements qui se déroulèrent avant et après évoquent une réalité monstrueuse qui m'a affecté — même si je refoulais ces sentiments — et qui n'a cessé de me hanter depuis, comme un problème laissé en suspens. »

En ces termes, Richter précise les origines mais aussi la difficulté de son projet artistique. Ce qui importe, c'est de se reconnaître en partie dans les autres, mais sans s'arrêter ni à des interprétations préexistantes ni à un désir naïf d'identification tendant à répondre à cette reconnaissance. C'est la raison pour laquelle Richter définit son processus artistique comme une articulation dialectique entre la proximité et la distance, qui suit la logique du souvenir, de la répétition et de la catharsis. À travers une analyse personnelle, son projet vise le réexamen collectif d'une expérience historique devenue taboue.

3

La technique de Richter entretient consciemment une distance entre ses peintures et le sujet qu'elles représentent. L'utilisation de photographies comme matériau de base détruit l'illusion d'un passé directement accessible. Cette technique nous rappelle en effet que tout processus de convergence comporte un moment de distance, parce que Richter est obligé d'utiliser des images produites par d'autres, qui, déjà, doivent leur existence à une construction du passé investie de fonctions antérieures spécifiques. Ce matériau photographique est loin d'être neutre, dans la mesure où il constitue en soi une interprétation des événements.

Dans la série *Gegenüberstellung* (« Confrontation »), qui semble avoir pour origine certains procédés policiers, mais également dans les autres œuvres du cycle, l'artiste nous confronte au regard de l'enquêteur qui examine avec attention une cellule, un rayonnage de livres ou un tourne-disque pour chercher des indices, et qui découvre les preuves définitives dans la présence de certains autres individus à l'enterrement. Toutes les photographies de *Post festum* sont des documents qui démontrent la victoire de l'État : là réside l'essence de leur cruauté. La déformation d'ordre pictural utilisée par l'artiste à cette occasion recommande aux spectateurs d'être prudents : car il s'agit ici d'un effacement des traces nécessaires pour permettre que les photographies des autres puissent devenir l'objet de l'expérience du peintre.

Le point de départ de la plupart de ces œuvres est la transcription exacte de la source photographique sur la toile, mais la forme des peintures de Richter émerge exclusivement de la destruction de ce matériau de base par un procédé systématique consistant à recouvrir l'image photographique par la peinture. Cette méthode résulte du sentiment de distance que la peinture donne *vis-à-vis* de la tangibilité des images capturées par la photographie, et met celui-ci en évidence. Le message implicite qui en découle est que la peinture doit s'affirmer face à la réalité historique. Et c'est seulement lorsqu'elle atteint une certaine distance par rapport à l'interprétation photographique qu'elle réussit à se réapproprier le sens des images photographiées.

Cette approche distanciée du sujet-matière efface toute certitude ; si nous nous approchons des œuvres afin d'en saisir le sujet, elles nous échapperont à cause de leur nature visuelle déconcertante. En ce sens, un tel art pictural correspond à la fois à notre contexte historique et à notre état d'esprit face au sujet de ces peintures. De près, il devient évident que la réalité à laquelle les peintures font référence est une fiction, un simple effet du processus pictural qui les a produites. Si, cependant, on se place à une distance focale, c'est le sujet-matière qui *refuse* de permettre une distance psychologique, alors que le mode de présentation, de type photographique, l'encourage.

Ainsi, ces peintures reformulent constamment la question de l'attitude qui doit être adoptée face à elles. D'une part, elles se dérobent à l'idée consensuelle selon laquelle l'art n'aurait rien à voir avec la « réalité » ; d'autre part, elles insistent sur le fait que — en tant que peintures — elles devraient être considérées comme distinctes aussi bien de la réalité que des photographies sur lesquelles elles s'appuient. Ceci oblige le spectateur à faire cet impossible choix entre distance et proximité, à travers lequel il prend conscience de son attitude envers le sujet représenté et la nature de la représentation elle-même sous ses différentes formes. Dans ce processus de choix, toute décision allant dans un sens — qu'il s'agisse d'une étude esthétique détaillée ou d'une interprétation politique distanciée — est aussitôt contrebalancée par son opposé.

4

La nature ambivalente des œuvres de Richter vient de ce qu'elles sont des peintures d'histoire qui soulèvent la question de la possibilité d'une représentation de l'histoire. Ce dilemme a pour origine une conception de la photographie selon laquelle cette dernière est le médium qui a transformé de manière décisive la représentation de l'histoire et a ainsi redéfini le statut, la pratique et les possibilités de la peinture. Si l'on adopte ce point de vue, la peinture a perdu avec l'invention de la photographie sa fonction de principal moyen de production d'images dans le cadre de la société — évolution qui a signifié pour ce médium traditionnel une plus grande autonomie en même temps que la perte de sa pertinence socioculturelle.

Gerhard Richter, Série *Atlas-Group B. M. Fotos,* 1989. Städtische Galerie im Lenbachhaus, Munich.

Le choix par Richter de la photographie comme base de ses travaux exprime ce point de vue dans la mesure où il ignore la liberté accordée socialement à la peinture, détruisant ainsi l'illusion de l'autonomie de l'art et de l'indépendance de l'acte créateur. C'est-à-dire qu'il abandonne le mythe du « créateur » pour concentrer son travail artistique sur la sélection des sources, sur la définition de leur format, sur le choix des fragments et des agrandissements, sur la question de leur transfert sur la toile et, enfin, sur l'utilisation systématique du procédé consistant à recouvrir l'image photographique par la peinture. En réduisant de cette façon sa propre contribution à la création de ses œuvres, Richter reconnaît progressivement la réalité du statut actuel de la peinture.

Dans le même temps, cette démarche l'oblige à redéfinir la fonction socioculturelle de l'art pictural. Celui-ci ayant cessé d'être le médium principal de la production d'images dans la société et se trouvant non seulement en concurrence avec la reproduction photomécanique mais, surtout, démodé par rapport à elle, Richter utilise son art moins pour fabriquer des œuvres qui s'affirmeraient en tant que « nouvelles » peintures que pour reconsidérer les images préexistantes. La distinction entre les « signifiants » picturaux et les « signifiés » photographiques ainsi produits a une valeur subversive. Elle souligne la nature fictionnelle de la réalité indirectement évoquée, et rend alors à la peinture — censée être devenue obsolète depuis l'apparition du nouveau médium — sa fonction critique, dans les deux sens du terme.

Il en est ainsi parce que ces peintures, qui échappent au regard proche à cause, précisément, de leur traitement pictural, ruinent toute certitude par rapport aux événements et érodent notre confiance dans la capacité explicative des mots. Dans un tel contexte, la peinture s'affirme face à la photographie par le moyen du doute : elle présente le témoignage apparemment irréfutable des faits sur lequel se fonde l'autorité du nouveau médium comme étant peut-être une pure construction. Mais l'élan que l'on trouve dans ce doute, l'espoir d'une autre solution — ou même, simplement, d'une autre interprétation des événements —, est en définitive trop faible pour résister au pouvoir d'une définition photographique de la réalité.

En effet, avec l'invention de la photographie, une nouvelle manière d'imaginer et de construire la réalité historique a vu le jour. Contrairement au référent de la peinture d'histoire traditionnelle, celui de la photographie n'est pas seulement une fiction, il est une *réalité absente, passée*. Autrement dit, le témoignage photographique se définit par le fait qu'il ne nous donne pas l'illusion d'une présence, mais qu'il nous offre un événement « réel » dont l'état est d'*être passé*. Comme Roland Barthes le remarquait dans *La Chambre claire*, la photographie ne peut jamais nous donner l'illusion réconfortante de la présence de ce qui est représenté, mais seulement et toujours la réalité brutale de l'absence et de la mort de ce que l'on voit dans l'image.

En prolongeant ce raisonnement, on peut suggérer que l'autorité spécifique de la photographie réside dans ce lien avec la mort; elle peut nous montrer la personne *revenant*, mais jamais l'être vivant. Ainsi les « rites funéraires » auxquels ont eu recours les photographes s'efforçant de capturer l'apparence vivante de ceux que, néanmoins, ils finissent par présenter comme des corps embaumés, ne peuvent dissimuler le fait que leur médium prive l'image de cette dimension magique qui lui avait assuré son statut dans l'histoire — sous forme de respect ou de peur face à la nature quasi-vivante des images. Cette perte n'affecte pas seulement le nouveau médium, elle a aussi des conséquences sur son prédécesseur historique : la peinture. Une telle suppression de la transcendance conduit à une définition de la réalité qui la situe uniquement dans le domaine du mortel.

Gerhard Richter, Série *Atlas-Group B. M. Fotos*, 1989. Städtische Galerie im Lenbachhaus, Munich.

Dans l'histoire de l'art, cette perte par l'image du pouvoir de vaincre la mort, et par conséquent, la transposition de ses préoccupations dans le domaine du fait historique, se retrouve par exemple dans l'œuvre d'Édouard Manet. Son œuvre *Le Torero mort* (1864-1865 ?) incarne cette évolution de la peinture devenant objet et, en un sens, définit la tâche du peintre comme étant en partie un travail de deuil, à cause du sujet irrémédiablement perdu de la peinture, mais aussi du fait que désormais les possibilités du peintre se limitent précisément à cette production d'objets dominée par la mort. Ceci implique que la peinture d'histoire doit, à partir de ce moment, construire l'essence de son sujet comme une chose « passée », et donc abdiquer son pouvoir devant l'histoire, au lieu de triompher d'elle.

Le lien entre l'image et la mort est donc plus étroit dans les photos-peintures de Richter qu'une recherche iconographique des représentations de la mort dans son œuvre ne le laisserait penser, car la mort n'est pas seulement le thème de ses travaux, mais la relation elle-même de la peinture à son sujet. Cela implique que ce ne sont pas seulement des cadavres que nous, en tant que spectateurs, voyons comme des cadavres, mais aussi des êtres vivants; même *Jugendbildnis* (« Portrait d'une jeune femme ») contient l'idée implicite qu'elle est morte, ou qu'elle va mourir.

Dans ce contexte, la peinture de l'histoire moderne entraîne ce médium, sous la forme qu'il revêt aujourd'hui, aux limites de ses possibilités. Ces œuvres révèlent, de façon provocante, que la peinture est morte, incapable de transfigurer les événements, de leur donner un sens : en bref, elle n'est plus capable de ce qui avait été auparavant la tâche de la peinture d'histoire. La peinture du présent devient la victime de la réalité historique qu'elle avait cherché à étudier. Ces œuvres affirment de façon picturale que toute tentative pour créer du sens via des moyens esthétiques ne serait pas seulement anachronique, mais cynique.

Néanmoins, nous sommes sans aucun doute contraints de poser la question de la validité d'une telle forme d'expression picturale : si rien ne peut être modifié, parce que toute représentation doit nécessairement finir par affirmer l'inadéquation du médium, à quoi bon ces peintures ? De même que chez Manet, dans le travail de Richter les peintures d'histoire doivent être comprises comme l'élaboration du deuil : comme une lamentation sur une perte, que la peinture ne peut apaiser ni même adoucir, mais qu'elle doit au contraire manifester dans toute sa brutalité. Ou alors, ces peintures sont-elles complètement indifférentes — c'est-à-dire indifférentes à leur sujet-matière —, ce qui révèlerait dans cette série le pur exercice formel que les critiques ont souvent constaté dans les réalisations de Richter ?

5

Richter affirme qu'aucune des photographies n'a été choisie sans faire référence à son expérience personnelle, que presque aucune peinture n'a été réalisée sans douleur. Mais peut-être est-il bon que la sélection des images donne l'apparence du hasard. En réalité, la première étape consiste ici à établir une distinction entre les émotions personnelles investies dans la conception et la production des œuvres, et la forme que chaque peinture prend pour objet ; les premières sont inaccessibles, et nous ne pouvons pas les reconstruire, alors que la seconde ne trahit rien, au moment de sa perception, des circonstances de sa genèse. Seule la réalité des peintures elles-mêmes peut être sujette à discussion. Tout ce qui les entoure peut donner lieu à des spéculations biographiques et psychologiques dont l'objet ne serait pas les peintures elles-mêmes mais, surtout, la personnalité du peintre.
Cette approche n'aurait pas seulement le désavantage d'être réactionnaire, au sens théorique du terme, et anachronique — si l'on en croit la définition que Richter donne de sa méthode artistique, à savoir un travail fondé sur la remise en question du contexte historique de son médium —, mais, dans sa fixation sadique sur l'idée préconçue de la souffrance de l'artiste, elle rendrait aussi superflu pour le spectateur tout jugement sérieux sur les peintures, ce qui entraînerait la perte de leur portée politique.

En réalité, l'art de Richter est politique de deux façons : par le choix de son sujet et par sa méthode. Lorsqu'il décide de dépeindre l'histoire de la Fraction Armée rouge, il oblige la peinture à se mesurer à un sujet inopportun à la fois comme *thème* pour la peinture et comme thème de *peinture*. Même si le cycle a été peint pour des raisons privées et s'il s'enracine dans un profond pessimisme de l'artiste, qui trouve une forme de confirmation dans le destin de la Fraction Armée rouge, il va cependant au-delà de cette motivation personnelle et vise à définir la fonction de la peinture dans un sens plus général.

Ce groupe de peintures revendique l'actualité d'un sujet considéré comme « inopportun », aussi bien dans son contenu que dans la manière dont il se définit lui-même *en tant que* peinture. La série de Richter souligne la nécessité morale de la peinture au moment précis où celle-ci prend conscience de ses propres limites ; ceci est la conséquence de la position socialement marginale de ce médium, et implique simultanément la perte de sa fonction transformative ou consolatrice.

En confrontant explicitement la peinture à une histoire qu'elle ne peut ni transformer esthétiquement ni vaincre, en construisant de ce fait un substitut pour le débat social qui n'a jamais eu lieu, Richter attaque l'idée selon laquelle l'autonomie artistique n'émergerait que dans un contexte où « tout est permis ». Via la distance psychologique qu'il introduit dans sa confrontation avec ce sujet-matière, il reconnaît l'obligation qui est faite à la peinture de prendre en compte d'une manière ou d'une autre la réalité sociale, mais sans fixer à son médium l'impossible tâche de créer esthétiquement une interprétation cohérente.

Le fait que ces peintures échappent à notre connaissance, fuient les catégorisations hâtives et ne parviennent pas à vaincre le sujet-matière, confère à leur contenu une dimension troublante qui résulte de ce que celui-ci n'a pas subi de transformation, puisque le processus social de deuil reste bloqué par un refoulement psychologique. Le mode de représentation équivoque utilisé par Richter suspend le jugement et refuse de donner à ces cadavres la possibilité d'être des objets, devenant ainsi une provocation pour la mémoire, une nouvelle opportunité d'affronter la matière. Un tel refus d'affirmer quoi que ce soit, de fournir toute idée préconçue qui priverait les peintures de leur nature dérangeante, et donc de leur nécessité, oblige le spectateur à réagir en prenant position.

Via ce processus, le spectateur prend conscience qu'il n'existe pas de réalité esthétique qui ne soit sociale, que ces sphères, bien que loin d'être identiques, se font mutuellement référence.
L'alternance entre distance et identification prend pour modèle l'attitude de la société envers cette question politique et, dans le même temps, la remet en question. C'est en ce sens que la douleur subjective de Richter, précisément parce qu'elle s'incarne dans un objet esthétique, se transforme en un appel pour la compréhension collective d'une réalité sociale oubliée.

---

* Ce texte, écrit à Paris en janvier 1989, est extrait du catalogue *Gerhard Richter — 18. Oktober 1977*, Londres, Institute of Contemporary Art, 1989.

1. Walter Benjamin, « Thèses sur la philosophie de l'Histoire », *L'Homme, le Langage et la Culture*, Paris, Éditions Denoël, Bibliothèque Médiations, 1971, paragraphe VI, p. 186.

De « décrire la réalité » au « théâtre du monde »

L'art chinois depuis 1979

Hou Hanru

La réalité et l'homme

La Révolution culturelle s'achève officiellement en 1976 à la mort de Mao Zedong, lorsque « la bande des quatre » est évincée du pouvoir. Cependant, vers la fin des années soixante-dix, l'idéologie officielle, dont l'emprise avait atteint son apogée pendant la Révolution, continue à dominer la politique et à régenter la culture. Son incarnation dans la théorie et la pratique artistiques découle du célèbre *Discours au symposium de Yan'an sur la culture et les arts* de Mao (1942). Profondément influencé par la théorie orthodoxe stalinienne sur l'art et conçu pour soutenir la guerre contre le Japon et la révolution communiste en Chine, ce discours souligne la nécessité de subordonner l'art au politique, et lui assigne une fonction d'instrument de propagande dévolu au Parti et à la lutte des classes. Défini plus tard comme « au service du peuple », l'art ne constitue plus une recherche esthétique, mais doit être assujetti à la loi en vertu de laquelle « la forme est soumise au contenu ». La « représentation des images typiques de la réalité » devient la seule forme légitime. Officiellement, dans la nouvelle vie socialiste, les « images typiques de la réalité » se limitent de manière quasi exclusive à la célébration des glorieux accomplissements de la reconstruction socialiste et des héros prolétariens — ouvriers, paysans et soldats.

Tandis que le réalisme socialiste, essentiellement influencé par l'art officiel soviétique, devient le seul style autorisé, des normes de représentation sont également mises en place pour garantir la conformité du langage artistique. Sous le slogan « Combiner le réalisme révolutionnaire et le romantisme », ce style s'enrichit de la peinture chinoise traditionnelle « révolutionnée », des artisanats, ainsi que de l'ancien réalisme académique, développé par des artistes comme Xu Beihong en vue de « servir » le peuple (le prolétariat) plus efficacement. Bien entendu, tous les autres styles, notamment le jeune art moderniste chinois qui avait connu une brève prospérité pendant les années vingt et trente, sont totalement bannis de la scène artistique. Un système intégral d'administration des arts, constitué, entre autres, des ministères de la Propagande et de la Culture et des associations nationales et régionales d'artistes, est en outre créé afin de contrôler la pratique artistique, tandis que les portes des musées et des écoles d'art ne s'ouvrent plus, désormais, qu'aux œuvres réalistes-socialistes. Et c'est seulement vers la fin des années soixante-dix, lorsque la « modernisation » deviendra une tâche officielle pour la Chine, que cette situation commencera à évoluer.
Avec l'instauration d'un discours artistique et de normes de représentation officiels se manifeste, dans le cadre d'un système politiquement et socialement totalitaire, une logique d'oppression de l'art visant à faire d'un modèle populiste de représentation le seul canon légitime, puis l'incarnation de l'historicité ou du sublime idéologique. Ce, afin de prouver que le système social actuel est parfait et idéal non seulement en termes d'égalité politique et économique, mais aussi de culture et de création artistique. Autrement dit, le réalisme socialiste et ses variantes esthétiques sont le seul langage artistique digne de représenter le Nouvel Homme socialiste, incarné, d'une part, dans les images prolétariennes et, de l'autre, dans le culte des leaders révolutionnaires — à commencer par Mao Zedong.

Le Nouvel Homme socialiste, incarnation parfaite et stéréotypée des valeurs communistes et de l'historicité elle-même, est l'image centrale du réalisme socialiste. C'est aussi sur la question de l'Homme que s'orientent les débats et les résistances concernant l'hégémonie du réalisme socialiste et même de l'idéologie officielle dans son ensemble, dont la légitimité est remise en question au tournant des années soixante-dix et quatre-vingt. Le peuple chinois — et particulièrement les intellectuels — accomplit alors une autre révolution : un mouvement de libération de la pensée encouragé par l'officialisation, dans la vie philosophique, idéologique et politique, du nouveau slogan selon lequel « la pratique est le seul critère de la vérité ».
Le débat sur la question de l'Homme, où s'affrontent les défenseurs de l'idéologie officielle et leurs opposants, comporte des discussions et des critiques mutuelles sur les problèmes de l'humanité, de l'humanisme et de la réappréciation de la Révolution culturelle. Au lieu du Nouvel Homme sublimé, le nouveau principe en matière de création devient « Décrire la réalité et les gens normaux dans la vie réelle », ce qui mène à des ruptures fondamentales dans la théorie et la pratique artistiques et encourage les innovations. Il est intéressant de constater que ces changements radicaux dans la manière d'appréhender l'Homme ont été en

réalité inaugurées et légitimés par une « révision » de l'idéologie orthodoxe à travers une « redécouverte » de la lecture par l'École de Francfort des *Manuscrits économiques et philosophiques de 1844* de Marx, interprétation axée sur les problèmes de l'aliénation de l'Homme et de la perte des valeurs humanistes dans la société capitaliste. Réintroduites dans le contexte socialiste de la Chine contemporaine, ces questions de l'aliénation et de l'humanisme seront désormais un thème de référence pour la réflexion et la critique portant sur l'idéologie. En tant qu'éléments structurels d'une société moderne, la modernisation de l'économie, la démocratie et le droit prennent alors la place de la « lutte des classes permanente » et deviennent les préoccupations essentielles de la vie politique. Artistes, critiques et historiens sont naturellement parmi les plus réceptifs et les plus actifs dans les débats. Les magazines d'art contribuent à la discussion en publiant un grand nombre d'essais. Des artistes comme Chen Danqing, Cheng Congling, Luo Zhongli, parmi beaucoup d'autres, expriment leur intention de rétablir les valeurs humanistes par des peintures visant à « représenter objectivement les gens normaux dans la vie réelle ». Ces œuvres apparaissent comme les images emblématiques de cette « seconde révolution ».

Dans le même temps, et pour la première fois dans la République populaire, des revendications pour une véritable indépendance et pour la liberté de la création artistique — effet immédiat des débats — se font entendre, et de plus en plus fort. Inspirés par l'art moderne occidental, récemment introduit dans le pays, des artistes comme Yuan Yunsheng, Li Shaowen, Ji Cheng ou Xiao Huixiang, commencent à expérimenter des styles « formalistes ». Le plus impressionnant est Wu Guanzhong, un admirateur du fauvisme, qui va même jusqu'à avancer en 1979 la proposition : « La forme, c'est le contenu », ce qui mènera par la suite à des justifications théoriques de l'art abstrait par d'autres critiques ou historiens. Il s'agit, bien évidemment, d'une contre-proposition contestant le principe officiel selon lequel « la forme est soumise au contenu ». Une telle proposition constitue une remise en cause de la théorie en vigueur sur l'art. Non sans ironie, l'inspiration initiale d'une telle contestation provient en partie de la publication en 1978 de la lettre de Mao sur la poésie, dans laquelle il admet le rôle positif de la « pensée imagée » *(xingxiang siwei)* dans la création artistique.
On peut constater une remise en cause de l'art et de l'idéologie officiels non seulement dans les œuvres d'art et les recherches théoriques, mais aussi — phénomène plus important encore — dans les transformations des institutions. Vers 1979, quelques groupes d'artistes organisent des associations et des expositions indépendantes. Le plus radical est sans aucun doute le groupe Xing Xing (« Les Étoiles »), constitué notamment par Ma Desheng, Huang Rui, Li Shuang, Wang Keping, Yan Li, Ai Weiwei, Yang Yiping et Mao Lizi. N'ayant ni étudié dans les écoles d'art ni travaillé dans les institutions artistiques, aucun d'eux n'a jamais été reconnu officiellement en tant qu'artiste. En septembre 1979, ils présentent à Pékin une exposition de leurs œuvres, pour la plupart d'inspiration expressionniste, dans le parc du Musée national d'art de Chine. C'est la première fois que le public chinois se trouve confronté à une forme d'art moderniste et à une exposition alternative de ce genre. Au bout de deux jours, l'exposition est fermée par les autorités. Le 1er octobre, jour de la fête nationale, le groupe défile dans le centre-ville au nom de la défense de la Constitution afin de protester contre la censure.
C'est la première protestation ouverte contre la censure officielle en Chine. Elle est aussitôt transformée en un événement exceptionnel par les médias internationaux et nationaux. Fait plus remarquable encore, les artistes revendiquent leur art en tant qu'expression de leurs propres observations et pensées : « Nous voulons observer le monde avec nos propres pinceaux et burins de sculpteurs. Les expressions dans notre peinture sont riches et vivantes. Nos expressions disent leurs idéaux. »
« L'expression du moi » *(ziwo biaoxian)* est alors la revendication la plus radicale pour la liberté de la création. Initiée par une génération d'artistes plus jeune et théorisée par des critiques influents, elle est actuellement devenue la plus puissante formule qui pousse l'art « non officiel » en Chine à ne plus s'appuyer timidement sur les critères officiels de l'art.

La nouvelle vague

L'humanisme et « l'expression du moi » en tant qu'alternatives politico-culturelles à l'idéologie officielle sont plus profondément explorés par le Mouvement artistique de la nouvelle vague *(Xinchao Meishu Yundong)*, qui génère un authentique art d'avant-garde.
Des centaines d'artistes de diverses villes et régions se groupent dans le but d'expérimenter des styles modernistes et postmodernes et de monter des expositions. Encourageant ces expériences, des critiques et des rédacteurs en chef de magazines d'art publient des études et organisent des symposiums. Pour la première fois, un réseau avant-gardiste, c'est-à-dire une alternative systématique aux institutions officielles, apparaît dans tout le pays.

De façon plus significative encore, les avant-gardistes ne se contentent pas seulement de mettre en œuvre dans leur travail des innovations linguistiques qui, souvent, renvoient à l'art occidental moderne et contemporain. Se donnant pour vocation commune la reconstruction d'une nouvelle culture, fondée sur la liberté d'expression, ils orientent également leurs recherches en direction de véritables critiques de la culture, afin d'analyser et de déconstruire structurellement l'idéologie établie. Stimulés par Nietzsche, Freud, Kafka, Sartre et Camus, notamment, les débats sur les valeurs humanistes et sur « l'expression du moi » s'approfondissent, aboutissant à des offensives contre des contraintes politiques et sociales qu'il était autrefois impossible de contester, et contre « l'insoutenable légèreté » du kitsch politique qui dominait la vie privée comme la vie sociale — le but étant d'émanciper l'homme et d'en faire un sujet libre. Gu Wenda, Wu Shanzhuan, Zhang Peili, Geng Jianyi, Wang Guangyi, Mao Xuhui sont parmi les plus radicaux de ce mouvement.

Une critique générale de l'idéologie officielle exige une prise en considération et une réappréciation plus globales de son contexte historique. En fait, la critique de l'histoire — notamment de la culture traditionnelle chinoise en tant que condition historique essentielle des contraintes politiques et culturelles du présent —, s'était développée depuis le début du XXe siècle, lorsque la modernisation était devenue une mission commune reconnue par l'intelligentsia chinoise, et plus précisément depuis 1919, avec le Mouvement de la nouvelle culture du 4 Mai *(Wusi Xin Wenhua Yundong)*. Au cours des années quatre-vingt, cette conscience de la critique historique renaît pour devenir un « état d'esprit » collectif chez les intellectuels et les artistes qui aspirent à une émancipation totale par rapport à l'idéologie dominante. L'avant-garde artistique se livre alors à de violentes attaques contre la peinture traditionnelle chinoise *(zhongguo hua)*, qui symbolise l'oppression et est perçue comme un obstacle sur la voie de la modernisation. La critique la plus sévère émane peut-être de Li Xiaoshan : dans des essais controversés, il prêche ouvertement pour la mort de la peinture traditionnelle chinoise. De leur côté, des artistes comme Gu Wenda, Yang Jiechang, Xu Bing ou Yan Binghui pratiquent des stratégies déconstructives dans leurs réappropriations critiques des moyens d'expression et des signes traditionnels.

Le camp de l'art et de l'idéologie officiels est parfaitement conscient de ces remises en question. Celui-ci contre-attaque, non seulement en recourant aux moyens administratifs et politiques, tels que la classification des expériences d'avant-garde en « libéralisation bourgeoise » et « pollution spirituelle », mais aussi en organisant des expositions et des promotions médiatiques de l'art traditionnel et officiel. Face aux influences de la culture et de l'art occidentaux, les valeurs nationalistes sont également mises en avant et utilisées comme arme idéologique. Le débat sur la peinture traditionnelle est délibérément politisé.

On peut néanmoins constater — ce qui ne va pas sans ironie — que l'idéologie officielle, largement dominée par les doctrines stalino-maoïstes, a ses racines dans un mode de pensée occidental, qui a dominé l'histoire de l'Occident moderne mais aussi celle du monde en quête de modernité. Ce mode de pensée se fonde sur la philosophie hégélienne en général, et plus particulièrement sur sa philosophie de l'histoire, centrée sur l'idée de l'historicité comme but de l'histoire en tant que processus rationnel de progrès en marche vers la réalisation finale de l'Esprit absolu. Dans le cas de l'idéologie stalino-maoïste, l'idéal utopique du communisme remplace l'Esprit absolu hégélien. En même temps, le culte du progrès et la croyance en une évolution rationnelle et linéaire (ou en « spirale ascensionnelle », selon les termes officiels du matérialisme historique et dialectique) de l'histoire sont interprétés comme la *raison d'être* de la révolution prolétarienne. Ceci implique logiquement l'élimination finale des cultures traditionnelles ainsi que des modes de pensée « non rationnels ». Paradoxalement, cette idéologie partage une base commune avec l'avant-garde moderniste. En d'autres termes, les conflits réels entre l'idéologie officielle et l'avant-garde tiennent bien plus aux différences concernant leurs fins politiques qu'aux choix entre l'Occident et la Chine traditionnelle ou aux idées historiques et philosophiques. L'idéologie officielle vise à créer et à maintenir un nouvel ordre de dictature du prolétariat, alors que l'avant-garde lutte pour la liberté des idées et pour les innovations culturelles. En conséquence, les débats sur les valeurs culturelles historiques et les modèles d'expression devaient inévitablement déboucher sur des confrontations politiques.

Dans une telle situation, la déconstruction d'un rationalisme « hégélien » fortement politisé et stalinisé et de son emprise sur la théorie et la pratique artistiques deviennent une stratégie nécessaire de la lutte pour la liberté de pensée et de création. Par ailleurs, l'*autocritique* de l'avant-garde moderniste classique fait aussi partie du processus de déconstruction. De toute évidence, Huang Yong Ping et son groupe Xiamen Dada sont, à ce moment, les plus conscients d'une telle nécessité. En déclarant : « Xiamen Dada est une forme du postmoderne », Huang Yong Ping développe une stratégie visant à déconstruire les idées et les pratiques artistiques rationalistes dominantes aussi bien dans les milieux officiels que dans l'avant-garde, en faisant de l'art quelque chose de non différencié du non-art, quelque chose de toujours mouvant, paradoxal, ambigu, temporel, risqué, trouble, élusif, afin d'exprimer sa défiance envers la culture. Se référant au zen, à Dada, au néo-Dada, à Fluxus, à Wittgenstein, Foucault et Barthes, Huang Yong Ping et son groupe exposent dans leurs « œuvres » — qui vont des « peintures » aux « installations » et des « objets » aux « événements » — la nature et les limites du pouvoir des discours rationalistes institutionnalisés. À ce titre, l'œuvre la plus emblématique est, peut-être, « *Histoire de la peinture chinoise* » et « *Histoire concise de la peinture moderne* » *lavées pendant deux minutes dans un lave-linge*, qui a déraciné symboliquement et physiquement la logique rationaliste de la culture et des discours historiques, et, par là, son pouvoir politique au plan à la fois idéologique et institutionnel.

Le nouvel horizon

En février 1989 se tient, au Musée national d'art de Chine, à Pékin, la première exposition d'avant-garde d'envergure nationale, « Chine / Avant-garde », organisée par un groupe de critiques. Il s'agit de la première rétrospective de la décennie passée du mouvement. Plus de trois cents œuvres de quelque deux cents artistes y sont présentées, et de nombreux happenings ont lieu à l'occasion du vernissage. Cette première exposition du genre devient immédiatement un événement international explosif, en particulier à cause de certains happenings, présentés comme des scandales éhontés : certains artistes répandent des préservatifs dans le musée, d'autres vendent des fruits de mer frais, lavent des pieds, etc. Les plus agressifs sont Xiao Lu et Tang Song, qui tirent au pistolet sur leur installation et sont aussitôt arrêtés. Certains critiques rendent compte de l'événement

Huang Yong Ping,
Histoire de la peinture chinoise
et Histoire concise de la peinture moderne
lavées pendant deux minutes dans un lave-linge, 1987.
Collection Cyrille Putman.

Exposition du groupe
Xing Xing [Les Étoiles] devant
le Musée national des beaux-arts,
Pékin, 1979.

— manifestation la plus importante du mouvement avant-gardiste — comme d'« une mise à l'épreuve de la tolérance et des limites du système légal chinois », d'autres vont même jusqu'à la considérer comme un « signe précurseur du mouvement démocratique du printemps prochain ».
1989 est une année particulièrement significative pour l'histoire chinoise et internationale, en raison des événements sociaux et politiques, qui, bien entendu, ne laissent pas les artistes chinois indifférents. Certains changements extrêmement intéressants et quelque peu pervers, mais logiques, apparaissent dans la société chinoise à partir de 1990. La formation d'une « économie de marché socialiste » s'accélérant, la culture de divertissement de type capitaliste est mieux tolérée, voire encouragée, tandis que l'espace dévolu à l'art sérieux et aux recherches culturelles se réduit graduellement sous la pression économique et commerciale. Un marché de l'art prend forme prématurément, et apparaît une tendance « cynique » — la « pop politique » et le « réalisme cynique » — qui usurpe le nom d'« avant-garde chinoise ». Ceci est, en fait, dû à la fois au conservatisme du marché de l'art asiatique et au goût pour l'exotisme idéologique des institutions et des médias occidentaux, qui font de multiples présentations de cette tendance, provoquant de graves malentendus sur l'art contemporain chinois.

Face à un tel glissement, certains artistes et critiques se mettent à reconsidérer les rapports entre leur travail et le pouvoir et à resituer leur travail dans un contexte international, en particulier par rapport aux mutations géopolitiques et géoculturelles. Pour eux, même si la lutte pour la liberté d'expression dans le pays reste une tâche quotidienne, la question et le nouveau challenge politique deviennent : Comment résister à l'eurocentrisme dominant dans l'art contemporain et la culture? Comment le déconstruire? Dans cet engagement nouveau, les plus actifs sont le groupe de La Nouvelle Mesure *(Xinkedu Xiaozu)* (Chen Shao Ping, Gu Dexin et Wang Lu Yan), Wang Jianwei, le groupe de L'Éléphant à grande queue *(Daweixiang Gongzuozu)* (Lin Yi Lin, Chen Shao Xiong, Liang Ju Hui et Xu Tan), Shi Yong, Qian Weikang et Liu Xiangdong.

Si on veut se faire une idée d'ensemble de l'art contemporain chinois, on ne peut ignorer un autre groupe d'artistes et de critiques qui ont joué un rôle décisif en Chine dans le mouvement avant-gardiste de la dernière décennie, et qui maintenant vivent et travaillent à l'étranger, pour la plupart en Occident. Ceux-ci sont, en effet, confrontés de manière inévitable et en permanence au problème du pouvoir international de l'art et de la culture, notamment de l'hégémonie eurocentrique, en termes à la fois idéologiques et institutionnels.
Comme nous venons de le montrer, l'avant-garde chinoise a été étroitement liée aux courants de l'art moderne et occidental contemporain. Il n'est donc guère étonnant que la plupart des artistes vivant à l'étranger aujourd'hui aient adopté une attitude particulièrement ouverte par rapport au problème de l'identité, qui est la question la plus urgente pour une personne « émigrée ». Tous tendent à considérer l'identité comme un processus constant de désidentification et de réidentification dans un contexte multinational, plutôt que de se fixer sur une identité nationale unique, qui encourt toujours le risque de rencontrer l'attente d'exotisme de l'Autre du pouvoir dominant. Des artistes comme Chen Zhen, Huang Yong Ping, Wu Shanzhuan, Gu Wenda ou Yang Jiechang mettent consciemment en avant l'hybridité culturelle comme étant la réalité de leur existence et de leur création. Cette position révèle une aspiration optimiste, et même idéaliste, à la restructuration de notre culture dans son entier.

Si l'on considère les évolutions actuelles du monde, la mise en avant de l'« hybridité » n'est certes pas moins réaliste que les revendications de renouveau nationaliste qui semblent à nouveau menacer notre vie internationale et notre culture. On peut de fait considérer cette tendance comme un rejet du néo-nationalisme, qui est à l'origine de tragédies non seulement dans les pays du « tiers-monde », mais aussi en Occident. Afin de transmettre ce message, les artistes chinois « expatriés » pratiquent des stratégies spécifiques, visant à proposer des solutions ou projets nouveaux fondés sur des propositions de coexistence culturelle et d'hybridation, dans le but de résoudre les problèmes essentiels de l'Occident et de l'Orient, tels que les conflits entre le centre et la périphérie, le nationalisme, les crises écologiques, les migrations, l'hégémonie occidentale en matière de médias et d'information, l'expansion internationale du marché capitaliste, etc. Dans le même temps, les artistes n'ont jamais ignoré que, dans le domaine de l'art, le pouvoir culturel, financier et politique des institutions occidentales exerce des contrôles monopolistiques sur les échanges internationaux. Ils reconnaissent pleinement que la remise en question et la déconstruction de ce pouvoir sont une étape incontournable sur la voie d'une réelle égalité de coexistence, d'échange et d'hybridation culturels.
Les installations *Indigestible object, Yellow Peril, Out of the Centre ?* et *Tombe renversée,* de Huang Yong Ping, *Brutstätte,* de Yang Jiechang, le projet *International Red Humour,* de Wu Shanzhuan, *Lumière de confession,* de Chen Zhen, la performance *Cultural Animals,* de Xu Bing, et nombre d'œuvres d'autres artistes constituent des protestations directes et des critiques dirigées contre ce pouvoir institutionnel.
En conclusion, nous relèverons comme particulièrement significatif le fait que l'œuvre de Huang Yong Ping *Théâtre du monde* ait été bannie d'une exposition du Centre Pompidou, en 1994, parce que jugée trop offensante pour les organisations dites « écologistes », les autorités judiciaires, et certaines personnes travaillant dans l'institution !

Traduit de l'anglais par
Joris Lacoste

Cinéma, vidéo et histoire

Hartmund Bitomsky

1

Naguère, un élève vint me voir après un séminaire sur les films documentaires. Nous avions visionné un film de Joris Ivens datant des années trente et il se plaignit que l'on montre toujours ces vieux films et rien de neuf. Je lui demandai s'il avait déjà vu le film, ce qui n'était pas le cas. « Alors, c'est donc un nouveau film », lui dis-je. En peinture, il est évident qu'un tableau de Titien peut toujours être vu, bien que la république des Doges n'existe plus.

2

En 1992, j'ai assisté à un congrès sur le film documentaire qui était organisé par l'académie de Motion Pictures Arts and Sciences. Il apparut rapidement que le documentaire n'était qu'un véhicule pour propager la mise en œuvre et l'utilisation de nouveaux médias et technologies dans ce domaine. Un cinéaste plaça la pellicule d'un film de 35 mm dans la lumière des projecteurs et dit qu'elle conservait la lumière d'un autre temps et d'un autre lieu. Il pensait avec mépris que la vidéo n'était que de la limaille de fer rouillé collée sur un morceau de plastique. Je partage complètement cette conception, bien que j'utilise aussi la vidéo. Souvent je n'ai pas le choix. On est obligé de travailler avec la vidéo pour baisser les coûts de production. Mais on ne peut pas comparer le film et la vidéo car la vidéo n'est pas seulement un médium de remplacement. Elle a des propriétés que le film n'a pas. Le film est un médium restreint et restrictif. On doit se concentrer sur l'image invisible tant qu'elle n'est pas développée. Alors que la vidéo ne connaît pas d'image latente. L'image est immédiatement là, interrogeable, à corriger ou à laisser. Ce qui signifie, entre autre, que l'on peut accorder une place au hasard, à l'imprécision, qui sont interdits dans le film. La vidéo est une forme transitoire. Elle se réclame de l'époque des instants morts, des moments non vécus. Le cinéma direct/cinéma vérité cherche en vain à y parvenir (comme le disait Christian Metz).

Un autre cinéaste du congrès évoquait le futur avec l'image du caméraman doté d'une caméra numérique devant les yeux et d'un ordinateur sur le dos, relié avec le studio de télévision, le journaliste, la centrale, et pouvant assurer une diffusion dans le monde entier. Cette perspective est en fait très vieille, elle date des débuts du cinéma. Le cinématographe Lumière était à la fois caméra, copieur et projecteur en une seule vraie machine universelle. Les Lumière envoyaient leurs caméramans dans le monde. Durant leurs voyages, ceux-ci agissaient comme des caméramans, copistes, projectionnistes et monteurs, caissiers, agents, concessionnaires, transporteurs, responsables des brevets, bailleurs de fonds et propagandistes. Ils incorporaient et anticipaient tout ce que l'économie cinématographique future devait laborieusement développer à un échelon plus élevé. Cinéastes complets, ils concentraient en eux la production et la distribution. Les Lumière décrivaient le but de toutes leurs entreprises comme le devoir de restituer intégralement la vie. La recréation du monde à son image.

3

Les Lumière étaient des fabricants. Ils ont vite abandonné et délégué à d'autres le travail qu'ils savaient très bien diriger, embellir, voire piller. Le pauvre Méliès, en revanche, devait autant que possible tout faire lui-même. Il avait l'idée de ses films, esquissait et peignait les décors, mettait en scène et incarnait même le personnage principal. Il était un auteur et un homme d'affaires instable — un spéculateur qui voulait rapidement faire fortune car il perdait l'argent aussi vite qu'il le gagnait. Il était astucieux, intelligent, plein d'imagination. Il produisait et voulait vendre, et pour vendre beaucoup il devait énormément produire, beaucoup trop. De cette entreprise, il ne reste plus rien si ce n'est quelques-uns de ses films, dix, vingt trucs et leur utilisation dans des centaines de films — sorte de cosmos avec le diable au centre, qu'il jouait de préférence lui-même, en gros plan. Le diable comme auteur, ou le contraire : c'est une antinomie désespérée.

4

Flaherty, quand un réglage semblait inapproprié ou ne voulait pas réussir, parlait de la caméra à la troisième personne : « Elle ne veut pas photographier ceci ou cela. » Il ressentait la caméra comme un être humain pourvu de qualités particulières, presque magiques, qui peut voir ce qui reste caché à l'œil désarmé. Pour décrire sa méthode de travail, il citait Platon : « Aucun feu ne peut être allumé, aucune lumière ne peut brûler, tant qu'il n'y a pas eu un long dialogue avec la matière. » Flaherty compte parmi les cinéastes complets. Lorsqu'il tournait *Nanook of the North*, la caméra lui servait non seulement d'enregistreur mais aussi de copieur et de projecteur. Flaherty développait son matériel lui-même. Sur le lieu de tournage, il projetait aux Esquimaux les extraits tournés avec eux. Les images ne devaient pas s'éloigner de ce qu'elles reproduisaient. De là provient peut-être la lenteur de ses films, qu'il nommait *slight narrative* et décrivait comme faisant partie de son matériel documentaire : une action juste esquissée, qui se déplace à peine. Flaherty exposait un jour les différents angles

décrits par la lance que Nanook dirige vers ses proies. Grierson objecta qu'avec une telle lance on ne pouvait rien faire contre un agent de change. Il insinuait ainsi que Nanook n'était pas un sujet correct pour un film documentaire car il n'avait que peu de rapport avec la réalité du XXe siècle.
Selon le premier théorème de Grierson, un film documentaire est un traitement créatif de la réalité ; *A creative treatment of actuality,* en anglais, laisse paraître quelques nuances. « Actualité » est à traduire par « réalité », mais au sens de faits impliquant un peu d'actualité et de présent et un peu d'action, réalité par ailleurs évoquée dans le mot « *treatment* ». Chez Grierson, la caméra est ou n'est pas efficace. Pour lui, un bon film n'est « pas beau, mais correct ». Dans un certain sens, Grierson appartient déjà à l'avant-garde du mouvement antiesthétique du film documentaire, qui devait voir le jour après la Deuxième Guerre mondiale.
Je ne veux pas utiliser Flaherty pour attaquer Grierson, et en cela oublier que Grierson était aussi un grand cinéaste. Mais la réalité est affaire personnelle. Elle n'est pas partout la même et ne dure pas. La pêche, telle que nous la montre Grierson dans *Drifters*, n'existe plus aujourd'hui. Le film s'est-il pour autant épuisé ? Heureusement non, il persiste et continuera à persister, et certainement plus longtemps que la réalité à laquelle Grierson fait référence. Nous pouvons apprécier le film aujourd'hui et il peut encore nous faire réfléchir, même si son monde d'origine a disparu.
Selon l'autre théorème de Grierson, le film documentaire doit enseigner comment les autres vivent. « *Teaching how the other half lives* », dit-on plus précisément en anglais. Un livre de photos de Jacob Riis, paru en 1890, porte justement ce titre : *How the Other Half Lives*. Il montre la misère, l'oppression et la pauvreté du prolétariat américain à la fin du XIXe siècle. « *The other half* », expression consacrée, désigne la bipartition de la société, sans euphémisme et très objectivement. Grierson considère le film documentaire comme la composante, l'instrument et l'élément fonctionnel de la communication de masse. Il veut éduquer par le film, enseigner, donner mauvaise conscience.
Avant d'être cinéaste, il est sociologue. Les rapports de la distribution lui importent plus que ceux de la production. L'hypothèse d'une nouvelle répartition des richesses n'est pas vérifiable. Une moitié de la société regarde l'autre dans la pauvreté.

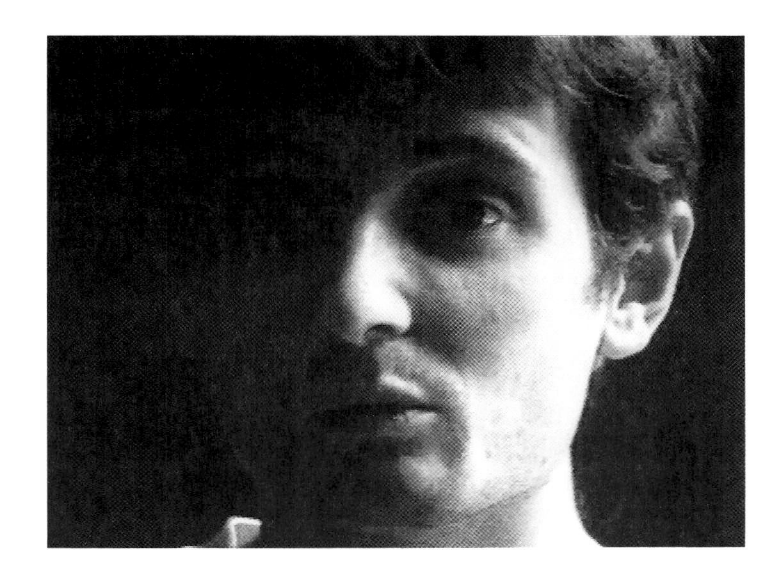

Chris Marker, *Casque Bleu,* 1995. (Témoignage de François Crémieux, recueilli par Chris Marker). Installation vidéo. Distribution Les Films de l'Astrophore.

5

Nous contemplons la misère. Nous regardons le malheur. Nous le voyons avec des sentiments ambigus — avec indignation mais aussi avec satisfaction. Le spectacle de la pauvreté, du besoin, de l'oppression, de la spoliation, des êtres méprisés et avilis, attire volontiers notre regard et exerce un magnétisme esthétique. Nous voulons le voir.
Lorsque Agee[1] examina, durant leur absence, les biens des gens qui l'hébergeaient, il constata presque étonné que tout ce qu'ils possédaient était parvenu à la fin d'une utilisation possible. Les objets ne servaient plus à rien, ils étaient obsolètes. On doit quand même considérer que tous ces objets, dans le texte de James Agee et dans les photos de Walker Evans, reviennent, et certes de leur propre gré, pour leur beauté et non pour leur instrumentalité perdue.
Le concept du *bricolage* s'impose. Des choses qui ont servi dans un but précis, qui furent utilisées et laissées de côté, peuvent revivre dans un autre rapport. En effet les chaussures éculées d'Evans sont vouées à une deuxième existence.

On ne peut plus les porter ni les utiliser, juste les voir, les contempler. Elles reçoivent une deuxième vie. Elles sont devenues sujet d'observation.
Quiconque aura regardé ces photos ne pourra dire que leur vue ne provoque pas un plaisir esthétique. Plaisir est un terme trop faible. Pourquoi en est-il ainsi ?
Cette deuxième vie, au-delà de l'utilisation, l'instrumentalité, correspond à l'idée qu'à la fin des possibilités d'utilisation on arrive à un point zéro de la propriété, et que les choses sont assignées dans un lieu qui les consacre. Dans une certaine mesure, les gens sont purifiés de tout ce qui est relatif à la propriété et à la possession. Ceci évoque la vieille idée du non-attachement, de la dépossession, qui nous fait mieux comprendre la pure matérialité du monde. Hegel disait que « La servitude devient seulement dans son plein aboutissement le contraire de ce qu'elle est vraiment. »

6

Marker a dit un jour que deux types de comportements se trouvaient synthétisés dans le film documentaire : l'un détermine ce que doit être la réalité (et si elle n'est pas ainsi, elle a tort) ; l'autre se comporte humblement vis-à-vis de la réalité et l'accepte telle qu'elle est.
Le *San Pietro* de Huston décrit en détail comment les militaires prévoient étape par étape la conquête d'un massif montagneux. C'est comme un scénario pour un long métrage. Huston tire de sa simulation ses directives de régie. Il poste ses caméramans d'après les indications de ses prévisions stratégiques. Ils suivent la progression des soldats. Le scénario est une chose, et sa réalisation une autre. Ainsi on voit l'envers du décor, la faillite constante des plans dans les faits, qui s'écartent de ce que les stratèges avaient déterminé. Comme dans une pièce de théâtre qui, répétée d'après un texte, irait tout de travers une fois sur la scène. Tout se passe différemment que prévu. Les opérations militaires sont abstraites, leurs résultats concrets.
Le film a encore un deuxième objet : le rapport que la caméra entretient avec la guerre. La guerre est, dans une certaine mesure, le sujet privilégié du film. C'est une intervention dramatique dans le monde. Elle bouleverse la réalité, la transforme considérablement : elle est mise en scène de la réalité, d'une réalité forte. La guerre est réalité *in statu nascendi*, et la caméra vit le moment de sa naissance sur le même plan que n'importe quel événement ou n'importe quelle action. La caméra est immédiatement impliquée. Elle est absorbée par la guerre comme les soldats ; en d'autres termes, le fait de filmer ne change pas la situation qui est filmée.
Après la guerre l'objet fort a été retiré au film. Il devait être reconstitué. Franju a avoué franchement que beaucoup de séquences dans *Le Sang des bêtes* ont été, et devaient être, mises en scène. Beaucoup pensent qu'il s'agit là d'un péché mortel pour le film documentaire, que l'authenticité du matériau est trahie. La réalité se déforme elle-même, commente Franju, elle disparaît devant nos yeux avant de pouvoir être filmée et ne peut être rendue à l'image qu'avec une certaine mise en scène.
L'abattoir du *Sang des bêtes* n'existe plus. Il reste bien quelques bâtiments, mais ils sont utilisés comme pièces d'exposition devant lesquelles on doit faire la queue pour entrer. La plus grande partie est démolie. Presque rien ne subsiste du monde représenté dans le film. Là où se trouvait le marché aux puces, le long du canal de l'Ourcq, se dressent maintenant des immeubles d'appartements, et ces barques qui paraissaient avancer sur la terre ne circulent plus. Selon Franju, la réalité renie la réalité : on doit recréer le monde avec un film car la réalité s'éloigne de nous.

7

Les théories du cinéma direct (et dans une certaine mesure aussi sa pratique) me paraissent dériver directement de la logistique du film de guerre documentaire.

a. Réduction du poids technique dans le travail du film. Appareils légers, portables. Caméra manuelle, Nagra-Synchron-Pilotton. Format 16 mm. Matériel de film extrêmement sensible qui doit rendre le réglage de la lumière superflu. L'équipe n'est plus composée que d'un caméraman et d'un ingénieur du son. Réduction de la division du travail différenciée et coopération. Coût réduit de la production. Utilisation maximum du matériel et du temps de tournage.
b. Caméra mobile dans la logique de l'intervention militaire. La caméra doit accompagner, disparaître, voire plonger pendant le tournage. Le cinéaste est dans la même situation que les combattants. Les questions ne sont pas posées, on attend les événements.

Harun Farocki, *Schnittstelle* [Section], 1995. Installation vidéo. Collection Mnam-Cci, Centre Georges Pompidou, Paris.

c. Réduction de la résistance esthétique. Tout comme la fabrication du film ne contrôle pas la situation, la fabrication elle-même est incontrôlable. Des formes de travail artistique doivent être abandonnées. Plus de cadrage, pas de planification préliminaire de séquences. Roland Barthes a nommé « adamisme iconique » ces formes de dissolution de l'image. L'image redevient innocente. Le cinéaste intervient moins dans le travail du film.
d. Le film n'est plus structuré par les cinéastes, mais par les événements auxquels ils prennent part. Le tournage se fait selon le principe du « *trial and error* » (« par tâtonnements ») dans la croyance que la vie, la réalité fonctionnent ainsi. On repère l'instant vrai, celui où la caméra doit tourner.
e. Le film doit être l'expérience directe des événements. Quand quelqu'un est filmé, ce n'est pas pour parler mais pour faire quelque chose : il doit accorder plus d'importance à cette occupation qu'au fait d'être filmé. Pas de commentaire, pas de médiatisation. Ce renoncement met en évidence l'événement nu dans la simplicité de son déroulement, comme dans un long métrage. Tout doit être comme dans un long métrage : un spectacle, seulement un spectacle vrai et authentique.

Il n'est que trop évident que les films du cinéma direct ont une préférence pour des sujets théâtraux. Ils ont besoin d'une réalité qui se pose en spectacle, avec une mise en scène préalable et « pathologique » qui, engendrée par la caméra, devient représentation. C'est toujours un théâtre impliqué dans la vie, peuplé de plus ou moins bons interprètes. Rien d'étonnant à ce qu'aucun film de cinéma direct ne soit muet. Ils dépendent directement de la langue parlée.
En « temps de paix » la parole remplace l'action militaire : le lieu du combat est la lutte pour l'expression. Les films sont organisés autour du langage : tout comme les films documentaires des années trente sont organisés autour de la musique et du commentaire.

8

Rouch est très volontiers un protagoniste de ses propres films, qu'il y apparaisse ou non. Il est ethnographe, et le problème de l'ethnographie est qu'elle intervient en permanence quand elle essaie de décrire et comprendre une autre culture. Dans ses films, il inverse si souvent le rapport qu'il associe les figurants du film en tant que coauteurs et intègre leurs réactions au film en mots et images. La réception réagit sur le message, dirait le spécialiste en sciences de la communication. En cela je soupçonne la tentative, peut-être un peu compliquée, conceptuellement irritante, d'une ingérence de la distribution dans le film lui-même. Le film voudrait revenir vers ceux qui en sont les protagonistes, comme pour corriger une faute de la réalisation.
Par exemple, *Chronique d'un été* est un film sur des questions. Les interprètes sont questionnés, ils interrogent à leur tour d'autres personnes, à la fin ils se questionnent et questionnent le film et, durant l'épilogue, Rouch et Morin interrogent leur œuvre. C'est la préoccupation du bonheur, mais on ne voit en fait que le malheur. Rouch est parfois visible, à l'écoute quand d'autres parlent, amusé, tendu, dans l'expectative, presque amoureux. Son visage est un livre ouvert. Edgar Morin a dit des interprètes du film qu'ils se glissent dans leur propre identité (comme si l'identité était un rôle). Ils portent des masques qui ressemblent beaucoup à leur propre physionomie. Richard Leacock reproche à *Chronique d'un été* que les gens, dans le film, agissent exclusivement pour le film. C'est un peu vrai. Rouch a associé cette critique à la théorie du cinéma vérité : au moment de filmer, quelque chose se produit qui n'aurait jamais lieu sans l'acte de filmer. Il l'explique dans la scène où Marceline Loridan, un Nagra avec micro à l'épaule, est envoyée dans un marché couvert. Elle commence à se souvenir, du père, du frère, du camp de concentration. La caméra passe devant sa silhouette. Sans caméra et magnétophone, a dit Rouch plus tard, cette scène n'aurait jamais eu lieu. Le travailleur qui a une conscience de classe s'entraîne dans l'arrière-cour étroite de l'art de l'autodéfense inoffensive.

9

L'objet du film documentaire a longtemps été plus ou moins métallique et enduit de suie, maculé d'huile, taché de goudron, couvert de poussière et de tuiles cassées. Mais les sujets changent. L'ère du métal touche à sa fin ; à la place nous voyons des substitutions, succédanés et matières synthétiques. Parallèlement, les gens se transforment, et le fonctionnement humain se modifie ; dans un certain sens, les réalisateurs de films documentaires ne l'ont pas encore du tout compris — avec un moral inébranlable, ils vont au travail et oublient que leur travail doit changer avec leur sujet. Quelque chose de terriblement démodé entoure aujourd'hui le film documentaire. Les gens sont influencés par l'extérieur, se conforment aux médias : ils sont interviewés et n'ont presque plus de paroles et de pensées qui leur soient propres. Mais le film documentaire les cautionne infatigablement en les prenant à témoin. Schwarzenegger se décrit dans *Terminator 2* comme du métal liquide. Mon film sur Volkswagen, *VW,* a été critiqué, entre autres, à cause des gens qui s'y produisaient. Il y manquait les travailleurs dont il était question, une image humaine avec ses contradictions, ou tout du moins des plaintes et de l'indignation. En fait les êtres dans cette usine étaient éduqués. Les managers étaient formés par le travail, et les travailleurs par le syndicat. En congé de formation, on leur serinait des formules, des slogans et

des gestes conventionnels. Parfois le vieux Michel émergeait, intimidé, embarrassé et troublé, et anéantissait tout le truc appris. Cet étiolement de la personnalité était intéressant à observer.
Le livre d'Agee s'appelle *Let Us Praise Now Famous Men*. On ne pourrait utiliser un tel titre aujourd'hui. Les écrivains et réalisateurs actuels ne sont ni Agee ni Evans, ça c'est certain. Mais les prolétaires ne sont pas non plus les mêmes. Ils vivent certes presque sans exception dans la pauvreté et la misère, mais la pauvreté a changé. Il leur manque, dans leur rapport avec la caméra, toute trace de dignité et de grâce qui caractérisaient, avant Evans, leurs parents et ancêtres. Leurs appartements croulent sous le mobilier, deux frigidaires défectueux attendent sur la véranda, leur vie est pleine comme une poubelle. Là où autrefois la faim, l'injustice, l'appauvrissement étaient directement visibles, corporellement et physiquement, aujourd'hui on s'en est confortablement accommodé, avec la merde dans le salon. De ce point de vue, les films documentaires ne sont pas différents. La pauvreté et la misère ne sont qu'une citation honteuse, qu'on trouve sans peine.
Depardon a séjourné quelques semaines dans les années quatre-vingt à New York, pour faire un film sur cette ville. Chaque jour il partait en tournage, sans savoir ce qu'il devait tourner. Une fois il installa la caméra à la fenêtre d'un café, à un croisement, et filma les gens qui passaient au crépuscule. Il quitta la ville de New York, incapable de faire un film sur elle ou parlant d'elle. Plus tard il découvrit qu'il avait son film depuis longtemps dans le matériel accumulé. Il devait seulement en développer trois moments : une longue traversée en gondole sur l'East River vers Manhattan (le fleuve, le pont, la circulation et, à la fin, les hauts immeubles, la ville). Le même trajet de retour, la nuit. Et entre les deux, la séquence du café. Plus tard il enregistra des sons pour les pas des passants, qui s'entendent comme si les gens portaient des chaussons avec, en juxtaposition acoustique, les sons du film. Les trois séquences sont des citations d'un texte inconnu. C'est un texte sans message, un film sans objet. Les gens y évoluent comme des apparitions archaïques devenues histoire, une histoire qui aurait enterré la lumière blafarde sous une pluie de cendres invisible.

10

Naturellement le propagandiste du film documentaire (que j'ai cité au début) avec son ordinateur sur le dos devrait apparaître à nouveau pour que l'idée de la réalisation informatisée, interactive et livrée à la distribution soit enterrée.
Le comportement de quelques artistes et professeurs informaticiens est certes étrange, comme s'ils étaient engagés en tant que propagandistes par l'industrie concernée. Mais je sais qu'ils le font volontairement. Comme des toxicomanes qui, ne pouvant garder pour eux leur obsession, font du prosélytisme et doivent entraîner les autres à la consommation de leurs drogues favorites.

11

Je continuerai à parler de la réduction continue de la résistance technique et esthétique, de la pénétration en profondeur du système de distribution dans la production. Je dois donc évoquer l'*electronic imaging,* la révolution numérique. Avec elle, il ne doit plus y avoir de film, de négatif, d'évolution. La fin de la photographie approche. La capacité de contradiction et l'acceptation du hasard objectif, qui à mon avis jouent un rôle considérable dans l'art, sont réfractaires à l'informatique. Picasso fabriqua la tête d'un taureau avec une selle et un guidon de bicyclette. C'est impossible sur le plan de la technique de l'information. Avec l'informatisation, il s'agit de la médiatisation de l'art. Mais sur la route étroite de la communication, les arts se trouvent à l'extrémité opposée des médias. Les médias sont là pour faciliter la compréhension, alors que les arts rendent la compréhension plus difficile.
Sklovskij dit : « La danse n'est qu'une marche, mais dans une forme compliquée. » En effet, aucun ordinateur ne peut réaliser quelque chose d'aussi complexe que la vague d'Hokusaï. On voit comment la vague va ensevelir le petit bateau, et comment les gens luttent pour leur vie en ramant, déjà profondément enfoncés dans l'eau. D'un coup on voit la violente force de la nature à l'œuvre, à laquelle s'opposent les moindres forces des humains. Le spectacteur imaginera parfaitement que les rameurs peuvent réussir à se dégager de cette épouvantable contradiction.
L'ordinateur ne peut accomplir l'image. Il va décomposer l'objet selon le principe cartésien dans ses plus petits morceaux — en cent heures de patient travail de bureau — alors que l'artiste à un moment décisif peut faire un bond. Ce bond ne peut être numérisé. En fait la médiatisation de la communication équivaut à une diminution de l'information. On peut dire ce que l'on veut sur les autoroutes de l'information. Sur une seule pellicule d'un film de 35 mm, en une fraction de seconde, sont fixées tant de molécules qu'on ne saurait les enregistrer économiquement dans aucune mémoire. Tout scanner est réducteur, il diminue la masse des informations provenant du domaine sensible au profit d'une intelligibilité plus simple.
Il faudrait encore dire un mot sur le modèle de l'interactivité tel qu'il est offert aujourd'hui par l'industrie informatique. Il est évident que la manipulation d'un CD-ROM avec la souris n'est qu'une image plate et éphémère, et même une image déformée de l'interaction. Peut-être que le fondement de tout le modèle interactif est le simple manque de respect du travail artistique. Il m'est insupportable de penser que l'observateur continue à peindre le petit tableau bleu avec la liseuse. Je crois que la notion critique de la communication unilatérale a favorisé ce type de confusions. Comme si lire, regarder ou voir étaient des activités inconvenantes ou serviles. Je suis sûr que le *Voyage italien* n'a pas besoin que quiconque y insère ses propres aventures de voyage. Je suis tout aussi sûr que l'industrie informatique ne veut pas nous impliquer dans les œuvres mais dans la distribution.

Traduit de l'allemand par
Isabelle Bellet

---

1. James Agee et Walker Evans sont les auteurs de *Let Us Praise Now Famous Men*, un livre qui décrit la Grande Dépression aux États-Unis [N.d.É.].

Yougoslavie, post-Yougoslavie
Le début de la fin, la fin du début

Dunja Blažević

Durant la décennie qui a suivi la mort de Tito (1980), ses successeurs ont voulu le maintien d'un *statu quo*. Pourtant, au cours de la seconde moitié de cette période, les crises économiques et politiques ont imposé la nécessité de procéder d'urgence à certains changements. Au sein de la Ligue des communistes, au sommet du pouvoir, deux lignes sont en confrontation : conservatrice (ne rien changer), réformatrice (démocratiser et moderniser le système économique et social). Elles n'ont pas débloqué la crise, mais l'ont aggravée. La troisième ligne, fusion du nationalisme et du pseudo-communisme, menée par Slobodan Milošević, qui arrive au pouvoir en Serbie après le coup d'État de 1987, bouleverse entièrement les rapports politiques en Yougoslavie, entraînant des réactions nationalistes radicales dans les autres régions du pays. Dans la plupart des républiques, ce sont les partis nationalistes qui l'emportent aux élections libres organisées par les communistes, en 1990. Les élections fédérales, elles, n'auront jamais lieu. La méthode utilisée par Milošević pour résoudre définitivement la crise yougoslave par la force — politique (création d'un mouvement national-populiste ou « révolution antibureaucratique », blocage des institutions fédérales et du gouvernement réformiste) ou militaire (menace de la guerre) — satisfait en fin de compte les équipes nationalistes au pouvoir en Slovénie et en Croatie, leur servant d'argument définitif pour créer des États indépendants. La Bosnie-Herzégovine et la Macédoine se retrouvent dans une situation impossible. Défavorisées du point de vue stratégique et géopolitique, elles sont contraintes de suivre la voie de l'émancipation, n'étant pas en mesure d'affronter seules la Serbie.

Critique du socialisme en tant que stade final du modernisme et vice-versa

Au début des années quatre-vingt, apparaît en Yougoslavie un courant que Peter Weibel appellera plus tard « rétro-avant-garde ». Sa stratégie consiste à démasquer les systèmes artistiques et idéologiques dominants et leurs représentations[1], en recyclant les images du passé. La nouvelle image ainsi créée représente la fin de l'époque du modernisme, la fin des utopies artistiques et politiques : elle laisse prévoir la désagrégation de la pratique idéologique, du système et de la société en place, mais aussi l'amorce de nouveaux processus sociaux, de l'ère du postsocialisme. Il s'agit des projets de « Malevitch », de Belgrade ; de Mladen Stilinović, de Zagreb ; du groupe Irwin (du NSK, Neue Slowenische Kunst, « Le Nouvel Art slovène »), de Ljubljana.

Demeuré anonyme, le premier est la « raison sociale » d'un cercle d'artistes conceptuels belgradois des années soixante-dix. Il fait revivre certains événements et personnalités tirés du répertoire artistique du XXe siècle. C'est ainsi qu'au milieu des années quatre-vingt, « Malevitch » ressuscite à travers une lettre publiée dans *Art in America* (septembre 1986) et signée « Belgrade, Yougoslavie ». Le contenu de cette lettre porte sur la reconstitution dans un appartement privé, à Novi Beograd, de la « Dernière Exposition Futuriste 0.10 » (Saint-Pétersbourg, décembre 1915 - janvier 1916).
L'exposition était divisée en deux parties : la première était constituée par des photos d'archives ; la seconde présentait des peintures/objets et des statuettes classiques en plâtre sur lesquelles étaient appliqués certains éléments suprématistes. Nous sommes confrontés, simultanément, à l'affirmation (« iconodulity ») et à la négation (par le kitsch) de ce phénomène historique.
Le deuxième projet est la reconstruction de l'« Armory Show », première exposition d'avant-garde tenue à New York, en 1913. Plus de cinquante œuvres reconstituées sont exposées tour à tour dans les galeries de Belgrade et de Ljubljana. Ces œuvres sont antidatées, indiquant clairement au spectateur qu'il ne s'agit ni d'originaux, ni de copies, mais de répliques.
Le troisième projet pose directement le problème du rapport entre l'original et la copie, sur l'exemple des tableaux de Mondrian provenant de la collection du Musée national de Belgrade. Il s'agit cette fois d'une série de conférences sur le thème « Mondrian - 83-96 », tenues par Walter Benjamin à Belgrade et à Ljubljana, ainsi qu'à l'étranger. Aucune confusion : nous savons que ces deux auteurs sont morts depuis plus d'un demi-siècle.
Selon Marina Gržinić, « ces projets ne dissimulent pas la différence entre l'original et la copie, mais mettent l'accent sur un aspect encore plus tragique : l'absence

d'authenticité, en tant que concept le plus authentique de l'art dans les années quatre-vingt. Ce qui a pu être conceptualisé à travers ces projets du post-socialisme, c'est l'attaque directe de l'Art, considéré en premier lieu comme une Institution, ne pouvant traiter que de la seule Histoire, celle de l'Autorité. Présentant diverses formes de l'histoire, ces œuvres confirment de manière permanente le fait que tout ce qui dans l'Art et la Société est réprimé n'est pas alors l'expression de quelque obscure origine de l'Art, ou de la Loi, mais du fait même que l'autorité légale et artistique est une autorité qui ignore la vérité[2]. »

Mladen Stilinović utilise aussi la méthode de la copie au plan idéologique. « Le sujet de mon œuvre est le langage de la politique, c'est-à-dire sa transposition dans le langage de tous les jours[3]. »

Découvrant les codes secrets du pouvoir et de la manipulation à travers les clichés, visuels et verbaux, que les politiques utilisent quotidiennement, Stilinović procédera, à l'intérieur de l'art, à la critique la plus radicale de la sphère idéologique du socialisme tardif.

Le contenu et la méthode sont surtout élaborés de manière évidente dans le cycle *Exploitation des morts* (1984-1988). Il résume, dans cette œuvre, son rapport au passé et au présent, à l'idéologie, à la religion et à l'art. Ce cycle est composé de signes (étoile et croix, photographies des parades du 1er Mai, brigades de travail, célébration des fêtes nationales) qui, vidés de leur signification initiale, font l'objet d'une manipulation, à travers l'idéologie et la religion. Ramenant les symboles artistiques et sociaux au même niveau, annulant l'artistique par l'idéologique sur un même tableau, il crée, à partir de postulats déjà énoncés et en reproduisant les tableaux des autres, un « nouveau conglomérat, une somme de nouveaux faits » et dévoile dans ses montages les structures d'un pouvoir concentré dans ces langages, manipulant ce à travers quoi celui-ci nous manipule. « Je ne suis pas innocent, il n'y a pas d'art sans conséquence[4]. »

Faire l'art est donc pour lui un acte moral par excellence, une activité sociale responsable, engagée. Ses œuvres « se présentent comme une attaque, elles blessent. Elles touchent à des tabous : la mort, l'unité collective, les signes socialistes et religieux, l'original dans l'art... Et, pour finir, elles touchent aux émotions[5] ».

Le retour en arrière prend ici un autre sens que dans l'art occidental, qui fait revivre le passé de manière apologétique, sans distance critique. Stilinović conçoit l'usage du passé comme une forme de mort. « J'ai perdu, il est vrai, l'idéologie socialiste en tant que sujet, mais l'idéologie demeure mon champ de travail. Tout ce que j'ai évoqué dans *Exploitation des morts* était déjà terminé avant la chute même du communisme. Je travaille maintenant à un projet que l'on pourrait appeler "Niveau Zéro", surdité, aveuglement, silence, mort, douleur. L'influence de l'idéologie est inévitable... Mais cela, c'est une autre histoire[6]. »

Mladen Stilinović, *Exploitation des morts*, installation (détail), 1984-1988.

Le NSK, mouvement apparu au cours de la première moitié des années quatre-vingt, est composé d'un groupe de musiciens nommé Leibach, du groupe Irwin (arts plastiques), du Théâtre Sestre Scipion Nasice (devenu plus tard Crveni Pilot...) et du Nouveau Collectivisme (design). Le NSK faisait partie de ces mouvements sociaux et culturels alternatifs dans la Slovénie d'alors, qui, en lançant un *network* (réseau) indépendant (publications, presse, institutions parallèles, lieux de rencontre), ont préparé la société à des changements politiques démocratiques fondamentaux et à l'émancipation de la Slovénie en tant qu'État. Il s'agit du premier exemple, en Yougoslavie, d'un phénomène à la fois artistique et social, ou d'un art activiste, comme le nomme Lucy Lippard[7].

Les prémices théoriques et stylistiques du NSK découlent des propositions suivantes : la situation où se retrouve l'art à la fin du siècle est en contradiction directe avec l'optimisme et la foi dans le progrès qui animaient la science, la politique et l'art, à ses débuts. « Nous devons, pour faire progresser l'art, rechercher de nouveau les concepts qui avaient créé les idées originales. » C'est sur cette base que se constitue le groupe du « rétro-gardisme ». Le NSK démontre que, dans la pratique, l'avant-garde n'a jamais réussi à résoudre le problème du rapport individu-collectivité. Il estime qu'au milieu des années quatre-vingt, la culture yougoslave s'est trouvée au carrefour de deux langages politico-culturels : le langage idéologique, qui perdait du terrain, le langage des médias, qui en gagnait. C'est dans cet espace qu'il trouve une nouvelle identité artistique, culturelle, nationale et sociale, fondée sur des « images » soigneusement sélectionnées dans le passé national. Ces images recyclées, récupérées par le NSK comme ses propres traditions, son propre héritage, acquièrent une nouvelle signification, émettent une nouvelle énergie, qui ressort tout particulièrement du procédé utilisé par le groupe Irwin. La structure

Irwin, *Zeichen in Frus*, 1990. Museum des 20. Jahrhunderts, Vienne.

image-collage, avec ses cadres riches, est traditionnelle. Elle se compose de citations plus ou moins connues. Le choix de la forme et de la méthode découle de la constatation « que l'histoire de l'art slovène est éclectique » et que l'éclectisme du groupe ne fait que suivre cette tradition, que c'est par cette démarche uniquement qu'il pourra retrouver sa propre identité culturelle. C'est là, par ailleurs, « une forme de lutte contre la soumission des systèmes modernistes occidentaux à l'impérialisme[8] ». Chacune des images est l'œuvre collective des cinq membres de ce groupe, conformément à la structure organisationnelle et au mode d'action des corps collectifs du NSK.
Au cours des années quatre-vingt, la stratégie de représentation et de présentation du NSK et son collectivisme ont souvent été identifiés au totalitarisme, et son art considéré comme une menace pour l'ordre social et artistique. Nous sommes confrontés à une démystification des tabous, à un renoncement conscient à l'originalité et à la paternité. L'ensemble du système référentiel et du système de l'art du xxe siècle est posé à contre-sens : avant-garde historique et réalisme socialiste, art nazi et kitsch local sont placés sur le même plan. Au début des années quatre-vingt-dix, les changements politiques et la formation d'États nationaux (ce qui, dans le cas de la Slovénie, s'est passé de la manière la moins douloureuse et la moins traumatique), imposent une nouvelle analyse et un changement de stratégie. Le dualisme du totalitaire et du national est résolu en faveur de ce dernier. Les États nationalistes se manifestent comme un nouveau mécanisme potentiellement répressif, et le groupe s'en rend compte immédiatement. Dès 1992, Irwin apparaît avec un nouveau projet : « Le NSK - un État dans le temps », un « État »-Spectre[9], un État sans frontière, avec ses propres institutions — ambassade, passeports et citoyens qui y adhèrent volontairement.

Nous avons un État, nous avons la guerre : participants et témoins

L'arrivée au pouvoir des partis ou mouvements nationalistes dans les deux plus importantes républiques — Serbie et Croatie —, après les élections de 1990, consacre la victoire du concept : un peuple, un État, un chef. En 1991-1992, les anciennes républiques yougoslaves se transforment en États nationaux créés sur le principe de l'ethnie. Puis viennent les revendications territoriales découlant du même principe, et la guerre. Les nationalistes serbes (dirigés à partir de Belgrade) « libèrent » les parties de la Croatie et de la Bosnie-Herzégovine sur lesquelles ils prétendent avoir des droits « naturels » et « historiques ». Les nationalistes croates (dirigés à partir de Zagreb) font de même dans « leur » partie de la Bosnie-Herzégovine. Vu le brassage ethnique en Bosnie-Herzégovine, le règne des nationalistes entraînera inévitablement sa partition par la force, et la destruction du pays. Conscients des conséquences, les dirigeants de Bosnie-Herzégovine défendent l'idée d'un État commun et multiethnique, mais ne jouissent pas d'une crédibilité suffisante dans l'ensemble des régions du pays pour pouvoir organiser une défense commune. On recherche de l'aide à l'extérieur. Celle-ci arrive sous forme d'observateurs et d'aide humanitaire, ce qui ne peut ni empêcher cette guerre meurtrière ni y mettre fin. Des millions de musulmans, des centaines de milliers de Croates sont chassés ; plusieurs centaines de milliers sauvagement massacrés. En 1995, la Croatie, au cours d'un *blitzkrieg* victorieux, récupère ses territoires où vivent les Serbes. La population serbe, 150 000 personnes environ, abandonne ses foyers et se réfugie dans la partie serbe de la Bosnie, ou en Serbie même. Ainsi s'achève le rêve fasciste d'une grande Serbie, ainsi se réalise le rêve fasciste d'une Croatie « purifiée ».
Fin 1995, la communauté internationale décide de mettre fin à la guerre et, après les accords de Dayton, impose la paix en Bosnie-Herzégovine en y envoyant les troupes de l'OTAN. Ce qui revient, pratiquement, à accepter le fait accompli, c'est-à-dire le partage de la Bosnie-Herzégovine.
La désintégration de la Yougoslavie et la guerre ont profondément modifié la carte géopolitique, ethnique et culturelle de l'espace balkanique. Les fils invisibles qui relient la population, faits d'échanges, de coopération, de rassemblements autour d'idées communes se rapportant à l'art et la culture, tout ce tissu tramé au cours de plusieurs générations est entièrement défait. Les liens professionnels, personnels et familiaux sont eux aussi dénoués.
Toutes les voies de communication entre Zagreb et Belgrade, et entre Belgrade et Sarajevo, sont coupées.
Les nouveaux pouvoirs exhibent très vite de nouveaux symboles déterminants, au

centre desquels se trouvent les images mythologisées de la nation *(ethnos)*, du peuple-victime. Une attention particulière est accordée à la création d'une nouvelle identité collective, basée sur une représentation imaginaire de l'être national. L'image positive que l'on a de soi-même s'édifie sur l'image négative de l'autre[10]. Une opération de « nettoyage », dans tous les domaines — de l'histoire à la mémoire —, est menée par la partie de l'intelligentsia nationaliste qui, s'étant mise au service du pouvoir, y participe aussi directement. Cette transposition xénophobe de la réalité est l'œuvre avant tout des régimes autoritaires de Serbie et de Croatie, dirigés par les « pères de la nation ». L'ensemble du pouvoir est concentré entre leurs mains. Ces régimes perpétuent la guerre, vivent et se maintiennent au pouvoir en brandissant constamment la menace d'un ennemi intérieur, et extérieur. L'existence, formelle, d'un système multipartite, la « non-immixtion dans le domaine de l'art » ou l'absence de tout diktat dans ce secteur[11], mais également l'existence de centres isolés et peu influents où s'expriment une autre opinion, une presse indépendante, des institutions culturelles alternatives spontanées, tout ceci donne à ces régimes un air de démocratie.

Les conséquences désastreuses de l'existence de ces régimes sont particulièrement visibles, sur le plan culturel, au cœur même de la crise yougoslave, à Belgrade, ville autrefois la plus ouverte et la plus libérale. L'état d'esprit y est caractérisé par le rejet de tout « lien » avec la guerre avoisinante. L'art ne présente pratiquement aucun signe de traumatisme, moral ou autre, associé à la guerre.

« Il est difficile d'expliquer aux autres pourquoi tout cela est arrivé. L'une des interprétations possibles est que la pression intérieure était si forte qu'une guerre encore plus importante (occulte) était déjà menée au sein de notre société, ou de la culture, et qu'il aurait fallu beaucoup plus d'énergie pour "nettoyer notre propre maison" que pour faire la démonstration, à l'échelle internationale, de notre pacifisme [...]. Il n'y avait personne pour financer une "autre" forme de culture, il n'y avait pas de lieu où auraient pu se réunir ceux qui partageaient les mêmes opinions. Cet état d'impuissance a amené les artistes à renoncer à faire quoi que ce soit...
Il n'y avait rien, et surtout pas de forme organisée de résistance face à la situation. Seules quelques réactions ont pu être notées à travers des interventions individuelles, ou travaux de certains artistes[12]. »

Les premiers signes d'activisme artistique organisé se manifestent en 1993, avec l'opération « Led Art » (« L'art gelé ») lancée par Nikola Dzafo et Dragoslav Krnajski, à laquelle participent vingt-sept artistes belgradois renommés. Ils exposent leurs œuvres, congelées, à l'intérieur d'installations frigorifiques. Ces artistes participeront de manière active au lancement d'un « centre de décontamination culturelle », dont la mise en service fut annoncée par le hurlement des sirènes le 1er janvier 1995, à midi juste. « L'éthique dans le cadre de la poétique », telle est la principale devise, la base du programme de ce centre. Les artistes qui y sont regroupés ont lancé jusqu'à présent une série d'actions dénonçant symboliquement ou directement les maladies graves de la société, telles que les origines et le règne de l'immoralité, jusqu'à diverses formes de solidarité avec Sarajevo. Sur le plan individuel, on perçoit, chez certains artistes, un changement du contenu. De nouveaux éléments apparaissent dans leurs œuvres : variations sur le thème de l'armement, cartes, drapeaux. Cela n'entraîne pas de changement sérieux ni dans leur création individuelle, ni au niveau de l'art. Exception faite de ceux des artistes qui ont visualisé, avec des moyens minimum, deux importants syndromes de la destruction — intérieure et extérieure —, l'abolition de l'identité et le nationalisme agressif. Vladimir Radojičić (installé depuis 1991 à New York) exprime la perte de son identité et son expérience d'exilé à travers son œuvre *The Aliens,* composée d'une série de Polaroïd de soixante-douze réfugiés. Sur les photographies de ces jeunes, pris de face, nus jusqu'à la

◁ Vladimir Radojičić, *The Aliens* [Étrangers], 1993.

Trio, ▷ affiche pour le festival « Sarajevo Hiver 1992 ». Collection Ibrahim Spahić, Sarajevo.

ceinture, viennent s'ajouter leur numéro d'immatriculation, nom et prénom, profession et date de leur départ de Yougoslavie. Par l'atmosphère qu'elles créent, leur style documentaire, elles rappellent les images des camps de concentration de la Seconde Guerre mondiale.
Depuis 1989, Raša Todosijević, dont l'attitude a toujours été subversive, a pris exclusivement pour cible de son ironie et de ses sarcasmes le mythe nationaliste serbe, à travers une série de dessins et d'installations intitulée *Gott liebt die Serben* (« Dieu aime les Serbes »). Les éléments de base sont l'ancien drapeau yougoslave et une croix gammée de plusieurs mètres de haut, tordue vers la gauche, qui souligne le caractère fasciste de l'État national-communiste.
De 1992 à 1996, la situation en Bosnie-Herzégovine (dans la partie qui n'est pas sous le contrôle des nationalistes serbes ou croates) est différente de ce qui se passe en Croatie ou en Serbie. Les Bosniaques (les musulmans, une partie des Serbes et des Croates, la population mixte) luttent, par tous les moyens, pour un modèle de civilisation représenté par la vie en commun. C'est ainsi qu'ils ont toujours vécu et c'est là la seule vie qu'ils connaissent. Les villes sont le symbole de la possibilité de la cohabitation des communautés. Elles sont devenues la cible privilégiée des agresseurs. L'exemple de Sarajevo, assiégée et dévastée au cours de plusieurs années, est paradigmatique. Dans cette ville — ce camp de concentration — privée des moyens d'existence les plus élémentaires, la culture et la vie artistiques, pendant toutes ces années, n'ont jamais disparu, symbole d'une résistance civile et civilisée à la destruction. Cela paraît paradoxal, mais comparé à Zagreb et Belgrade, c'est à Sarajevo que le climat intellectuel et spirituel est le plus tolérant et le plus libre. L'art de la résistance, ou l'art en tant que résistance, s'y exprime sous deux formes fondamentales. Tout d'abord par une prise de position : à tout prix, continuer à travailler. Non sous forme de faux-fuyant, non pour créer un semblant de normalité, mais pour opposer construction et destruction[13]. L'exemple le plus explicite est la série d'expositions-installations, toutes intitulées « Témoins d'une existence » (décembre 1992-mars 1993), présentées dans la galerie Obala détruite par les bombardements. Nusret Pašić, Zoran Bogdanović, Ante Jurić, Petar Waldegg, Mustafa Skopljak, Edo Numankadić, Sanjin Jukić et Radoslav Tadic utilisent surtout pour leurs installations les matériaux trouvés sur place, vestiges des ruines. Restructurant ces débris, leur imprimant une nouvelle forme, constructive, ils transforment ainsi la déraison en raison.
La seconde forme de résistance artistique est la production d'affiches de guerre. À Sarajevo, le message, dans la plupart des cas, est un appel à l'aide contre la guerre, mais aussi un avertissement. Et s'adresse, dans l'ensemble, au monde extérieur. Nous trouvons dans les travaux du groupe Trio (Dada et Bojan Hadžihalilović, Lejla Mulabegović) une approche originale, comparée aux clichés habituels.

Trio, *Enjoy* ...*evo*, 1996. Collection Trio, Sarajevo.

Trio, affiche électorale, Bosnie-Herzégovine, septembre 1996. Collection Ibrahim Spahić, Sarajevo.

Utilisant la méthode du *redesign* — « keep the image, change the message » (« garder l'image, changer le message ») —, ils intercalent, à l'intérieur d'« icones » connues (Coca-Cola, Vodka ou Monna Lisa), le message de Sarajevo. Message qui, sous sa forme reconnaissable et proche, est un avertissement à l'opinion publique internationale : Sarajevo, cela peut aussi arriver ailleurs.

Traduit du serbo-croate par
Nicole Dizdarevic

1. « [...] Il existe, naturellement, de nombreuses formes de représentation : les formes artistiques en sont un exemple particulièrement explicite. Dans leur sens le plus large, les représentations sont des constructions artificielles à travers lesquelles nous comprenons le monde... » Brian Wallis, « What's wrong with this picture ? An Introduction », dans *Art After Modernism : Rethinking Representation,* The New Museum of Contemporary Art, New York, 1984, p. XV.
2. Marina Gržinić, *Mapping post-socialism*, Ljubljana, 1996 (non publié au moment de la rédaction de ce texte).
3. Mladen Stilinović, *Off the Top of my Head*, 1984.
4. *Ibid.*
5. Branka Stipancic, tiré du catalogue *Bol, Mladen Stilinović, Radovi 1974-1992* (« La Douleur, Mladen Stilinović, Les travaux 1974-1992 »), Zagreb, 1992.
6. Tiré d'une interview de Mladen Stilinović par Krešimir Purgar, *ibid.*
7. Lucy R. Lippard, « Trojan Horses : Activist Art and Power », dans *Art After Modernism : Rethinking Representation*, *op.cit.*, pp. 341-350.
8. *I R W I N, La Geografia del Tempo*, cat. d'exposition, galerie Carini, Florence, 1992.
9. Dans le sens de la définition de Derrida de la notion de spectre. Jacques Derrida, *Spectres de Marx*, Paris, Galilée, 1993.
10. Slobodan Snajder, auteur dramatique croate réputé, qui s'est élevé contre la mascarade nationaliste, ce qui lui a valu de perdre son travail, ses œuvres n'étant plus présentées en Croatie est l'un des « exilés de l'intérieur ». Prié de présenter ses coordonnées pour le lexique *Who is Who en Croatie*, il donne une réponse caractéristique de tous ceux qui traversent une crise d'identité et rejettent le national en tant que catégorie politique : « Je ne suis personne et je ne suis rien. »
11. Ayant accepté de participer à la vie publique entièrement contrôlée par l'État et de représenter cet État en diverses occasions, l'art « vrai » ne peut échapper au problème de la responsabilité morale après avoir collaboré avec de tels régimes. Aussi autonome soit-il, ou s'imagine-t-il être, aussi totalement puisse-t-il ignorer cette réalité, il en fait partie. Cet art pour tous les temps, cette production « artistically correct », nous avons pu la voir dans le pavillon croate de la dernière biennale de Venise, en 1995. Caractéristique à cet égard est la récente déclaration de Jovan Cirilov, intellectuel libéral de Belgrade de grande renommée et directeur du Festival international du théâtre d'avant-garde : « Nous reconnaissons faire partie de la politique, dans la mesure où la politique, inévitablement, s'approprie l'art ! »
12. Lettre de Darka Radosavljević, critique d'art de Belgrade, publiée dans l'article de Sombathy Balint « Aujourd'hui c'est la guerre », *Projekart* n° 5, août 1995, Novi Sad.
13. « Nous travaillons sans répit, Sarajevo n'a pas besoin de se transformer en mythe. Nous vivons dans le monde de l'état spirituel, de l'énergie spirituelle. Notre résistance spirituelle a une extrême importance. Non pas pour moi, mais pour la défense urbaine, pour la défense de la ville, pour la vie des gens, pour un niveau de civilisation normal. » Tiré d'une interview de l'artiste sarajévien Edin Numankadić, publiée dans la revue *Mars,* n° 3-4, 1995, Ljubljana.

Parcours

L A P O S T E

DOS PAGINAS DE EUGENIO DITTBORN PARA *ANTE LA HISTORIA*

Dans les Aéropostales, transmuer le corps de la peinture. Garder ses os et les faire bouillir, onze heures et plus.
Insipide bouillon incandescent d'os sacrés.
Les Peintures Aéropostales seraient-elles des lettres adressées par l'envoyeur au destinataire pour qu'un venin le paralyse dans un présent toujours à venir ?
ir se estremeció al ver a la niña que yacía inerte

C'est par accident que Dittborn inventa les Peintures Aéropostales.
Il fut un jour amené à plier 4 fois un papier d'emballage de grande dimension et, en le dépliant, une évidence s'imposa à lui: les plis du papier kraft formait un quadrillage. Cette découverte, qui ne découvrait rien qui ne fût déjà découvert, apportait cependant une réponse à ce qui avait été une longue quête dans le travail de Dittborn : une marque physique qui traverserait les oeuvres mais qui leur fût hétérogène.
Le papier d'emballage plié fut mis sous enveloppe. Le pli partit par le réseau international des Postes vers sa destination, vers

MODERNE

SANTIAGO DE CHILE, JUNIO DE 1996

Les Peintures Aéropostales changent d'aéroport, d'hémisphère, de public, de continent, d'enveloppe, de méridien, de parallèle, d'escale, de corps, de ciel, de destinataire, de destination, d'itinéraire, de trajectoire, de domicile, d'origine, de route, de carte, de mains, d'heure, d'avion, de nuit.

A 10.000 mètres d'altitude, la Croix du Sud vue d'un Jumbo 747-400.

Entre 1983 et 1996 Dittborn produisit 119 Peintures Aéropostales et les fit circuler entre les points du globe eloignés les uns des autres: Glasgow, Wellington, Caracas, Melbourne, Cologne, Séville, Cali, Montréal, Lima, Londres, Buenos Aires, Adelaide, Rotterdam, Manchester, Cuenca, Kassel, Sydney, Southampton, Brisbane, Chicago, Anvers, Miami, Canberra, Amsterdam, Birmingham, New York, La Havanne, Berlin, Banff, Rome, Madrid, Boston, Edmonton, Vancouver et Santiago du Chili.

Leur périple forme sur la carte de la Terre une écriture a grànd echelle : ces tracés multikilométriques sont de la peinture suspendue au ciel, dans un avion qui ne finit jamais d'arriver.

Une peinture légère et mobile, comme les ombres que tente d'illuminer le Peintre du Dimanche. Comme l'Espion Mort, dont le cadavre, en uniforme et bien rasé, porteur de faux renseignements, confond l'ennemi et l'entraîne vertigineusement à sa fin.

Les plis: ils sont la marque déposée des Aéropostales. Ils font que les peintures changent de dimension et entrent dans les enveloppes comme les trésors dans les coffres, comme les enfants dans les sacs de couchage, comme les cendres dans l'urne.

L'aérospostalité des peintures de Dittborn est toute dans ses plis.

la arena.

un destinataire. On ouvrit l'enveloppe, on déplia le papier d'emballage, on le mit au mur, l'enveloppe à coté.
Ceux qui entrèrent dans la pièce purent voir une évidence: le papier d'emballage déplié et exposé était quadrillé par ses plis.
Grâce à eux, la peinture avait voyagé pliée en quatre, dans une enveloppe entre Santiago du Chili et ce lieu.

Fin 1982, la première Peinture Aéropostale ralliait le monde.

24 DER STANDARD SERIE MITTWOCH, 8. FEBRUAR 1995

Behindertenintegration stoppt Ausgrenzung und fördert soziale Kompetenz

Schulmodell, bei dem alle gewinnen

Egon Preiml, Direktor des Schulzentrums in der Ungargasse. Foto: Newald

Schulsprecher Markus Fabian. Foto: Newald

Ob im Turnunterricht oder im „Computergestützten Rechnungswesen" – Im „1. Integrationsmodell Österreichs" gibt es im Schulbetrieb keinerlei Sonderbehandlung. Foto: Robert Newald

Mit der 15. Schulorganisationsgesetz-Novelle wurde die Behindertenintegration in den Pflichtschulen gesetzlich verankert. In der AHS-Oberstufe ist sie bloß Schulversuch. Im Wiener „Schulzentrum Ungargasse" geht man seit 1945 den umgekehrten Weg: Nichtbehinderte werden in den Klassenverband eingegliedert.

Der 17jährige Bernhard wird von einem Klassenkameraden aus dem Rollstuhl gehoben, um an einem Trainingsgerät seine Armmuskeln zu kräftigen. Einen Stock tiefer macht der körperbehinderte Peter mit Hilfe einer Therapeutin Bewegungsübungen. Beide sind Schüler der Handelsakademie in der Ungargasse im 3. Bezirk, dem „ersten Integrationsmodell Österreichs".

Denn 246 der insgesamt 761 Schüler des Schulzentrums (Handelsakademie, Handelsschule und Höhere Technische Lehranstalt) sind körper- oder sinnesbehindert. Von „umgekehrter Integration" spricht Direktor Egon Preiml. Im Unterschied zu anderen Modellen wurden an seiner Schule nämlich die Nichtbehinderten integriert.

oder Erfahrungsaustausch mit Ärzten und Therapeuten.

Die „gute Atmosphäre" schätzt der Schulsprecher Markus Fabian: „Behinderten und Nichtbehinderten sollen die gleichen Chancen offenstehen." Auch Elternvertreter und Pädagogen sind zufrieden. „Wenngleich es manchmal belastend ist, fühle ich mich an dieser Schule wohler", erzählt die ehemalige AHS-Lehrerin Silvia Heumayer. Der Pilotversuch habe sich herumgesprochen, freut sich Direktor Preiml: „Wir haben viele Besucher aus dem Ausland, die unser Modell studieren." *Karin Leitner*

Behinderte auch in AHS-Klassen eingliedern

Rund ein Drittel der Schulen verfügt über entsprechende Einrichtungen – Skepsis wächst

Im STANDARD-Schultest gaben auf die Frage nach Einrichtungen für Behinderte 39 von 217 Allgemeinbildenden Höheren Schulen (AHS) an, über solche zu verfügen. In Wien waren es sogar 20 von 60 AHS.

...

Novelle das Recht der freien Schulwahl erhalten haben, in weiterführende Schulen übertreten.

Nikolaus Severinski
Dozent für Schulpädagogik und Unterrichtsforschung

Morgen in der Schulserie: Essen in der Schule; Hochschulabsolventen – Wer hat die meisten?; Schlüsselqualifikationen.

Freie Plätze an Nichtbehinderte

Begonnen hatte alles 1945: Unter der Ägide des Sozialministeriums wurden Kriegsversehrte und Zivilinvalide zu technischen Zeichnern ausgebildet. Die freien Plätze wurden aus Rentabilitätsgründen mit nichtbehinderten Schülern besetzt.

...

AHS – Förderunterricht und Einrichtung für Behinderte

BMHS – Förderunterricht und Einrichtung für Behinderte

Foto: Urban

„Ich hatte keine Probleme mit Lehrern, sie aber mit mir. Denn ich war immer redefreudig und lehnte mich gegen Ungerechtigkeiten auf, vor allem wenn sie Schwächere trafen."
Notenbank-Präsidentin Maria Schaumayer

Foto: Hendrich

„Hochgeschlossene Kleidung war bei uns Vorschrift. Als wir rückenfreie T-Shirts trugen, liefen uns die Nonnen mit Jacken nach."
Grün-Abgeordnete Monika Langthaler

Redaktion: Christa Kurt

NANCY SPERO woman/war/victimage/resistance Oktober 1994 bis März 1995.
Eine Ausstellung im Rahmen des Kuratorenprogramms von Stella Rollig, beauftragt vom Bundesminister für Wissenschaft, Forschung und Kunst.
Ein Projekt des **museum in progress** in Kooperation mit der Tageszeitung DER STANDARD.

Nancy Spero,
Woman/War/Victimage/Resistance, octobre 1994-mars 1995. Reproduction sur page du journal *Der Standard*, Vienne.

◁ Page précédente :
Eugenio Dittborn,
La Poste Moderne, 1996. Double page réalisée pour le catalogue de l'exposition « Face à l'Histoire ».

ghiero Boetti,

Bugs Bunny,
1991. Collection
Alessandro Seno,
Milan.

Alighiero Boetti,

Bugs Bunny
(Né testa né croce)
[Ni tête ni croix], 1991.
Collection
particulière.

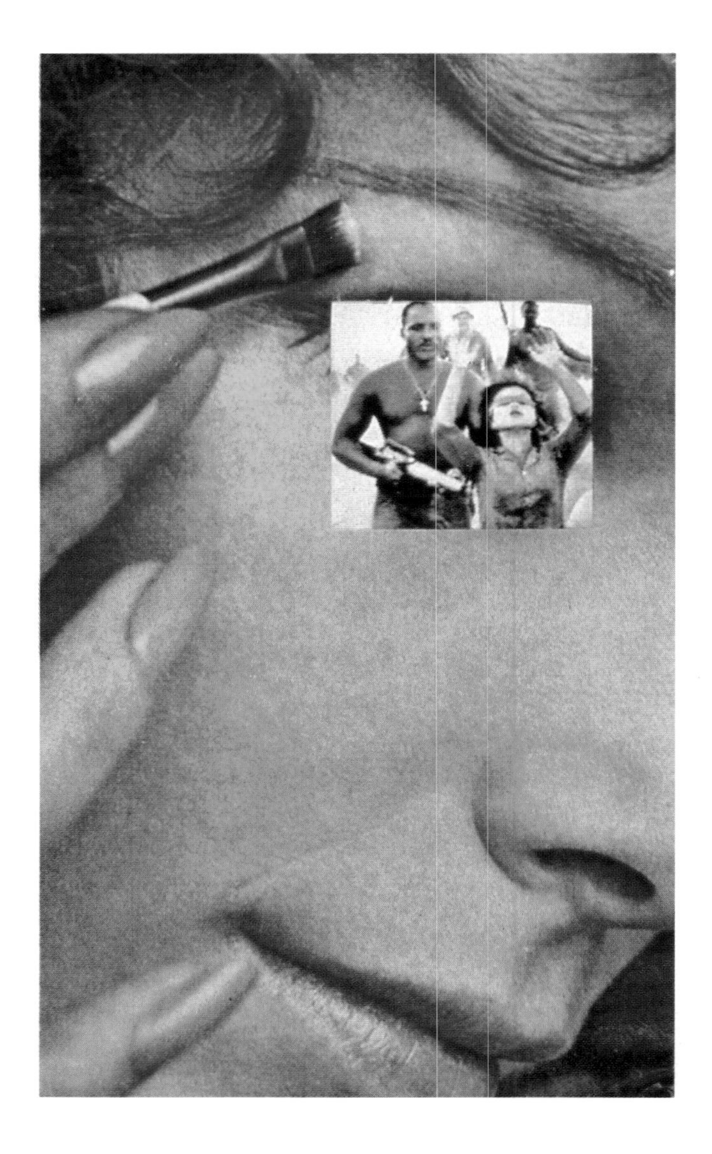

Martha Rosler,

Bringing the War Home : In Vietnam (Booby Trap), 1969-1972.
Courtesy Jay Gorney Modern Art, New York.

Martha Rosler,

Bringing the War Home : House Beautiful (Makeup/Hands Up [Maquillage/Mains en l'air]),
1969-1972.
Courtesy Jay Gorney Modern Art, New York.

Luis Camnitzer,

He feared thirst
[Il craignait la soif],
Série *Uruguayan Torture*, 18, 1983.
Archer M. Huntington Art Gallery, The University of Texas, Austin.
Archer M. Huntington Museum Fund,
1992.

Luis Camnitzer,

He practiced every day
[Il pratiquait chaque jour],
Série *Uruguayan Torture*, 2, 1983.
Archer M. Huntington Art Gallery, The University of Texas, Austin.
Archer M. Huntington Museum Fund,
1992.

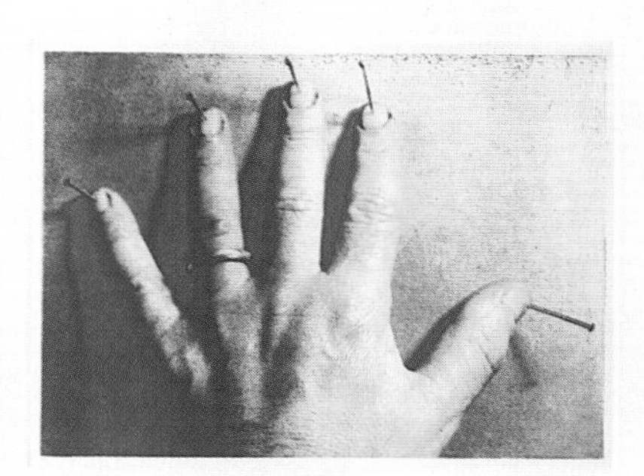

Georg Herold,

Legasthenie (A.P.),
1985.
Collection
particulière.

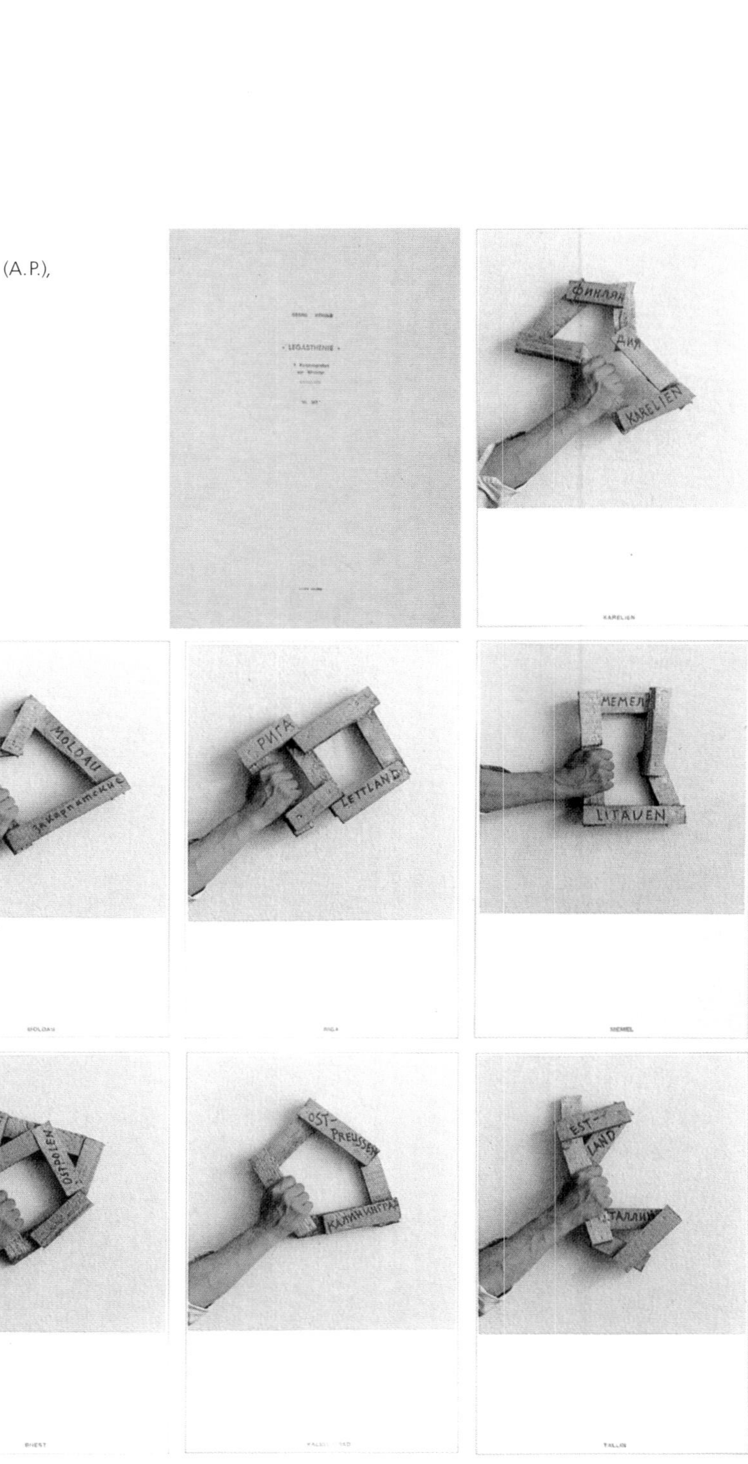

Bruce Nauman,

South America Triangle
[Triangle sud-américain], 1981.
Hirshhorn Museum & Sculpture
Garden, Smithsonian Institution
Holenia Purchase Fund, in memory
of Joseph H. Hirshhorn, 1991.

Craigie Horsfield,

Rynek Glowny, Krakow, March, 1977
[Place du Marché, Cracovie, mars 1977], 1991. Collection particulière. Courtesy Frith Street Gallery.

Michelangelo Pistoletto,

Immagine — Anno bianco (Anno Uno, 1981)
[Image — Année blanche (Année une, 1981)], 1989.
Collection de l'artiste.

Michelangelo Pistoletto,

Immagine — Anno bianco
(La Caduta del Muro di Berlino, 1989)
[Image — Année blanche
(La Chute du Mur de Berlin, 1989)], 1989.
Collection de l'artiste.

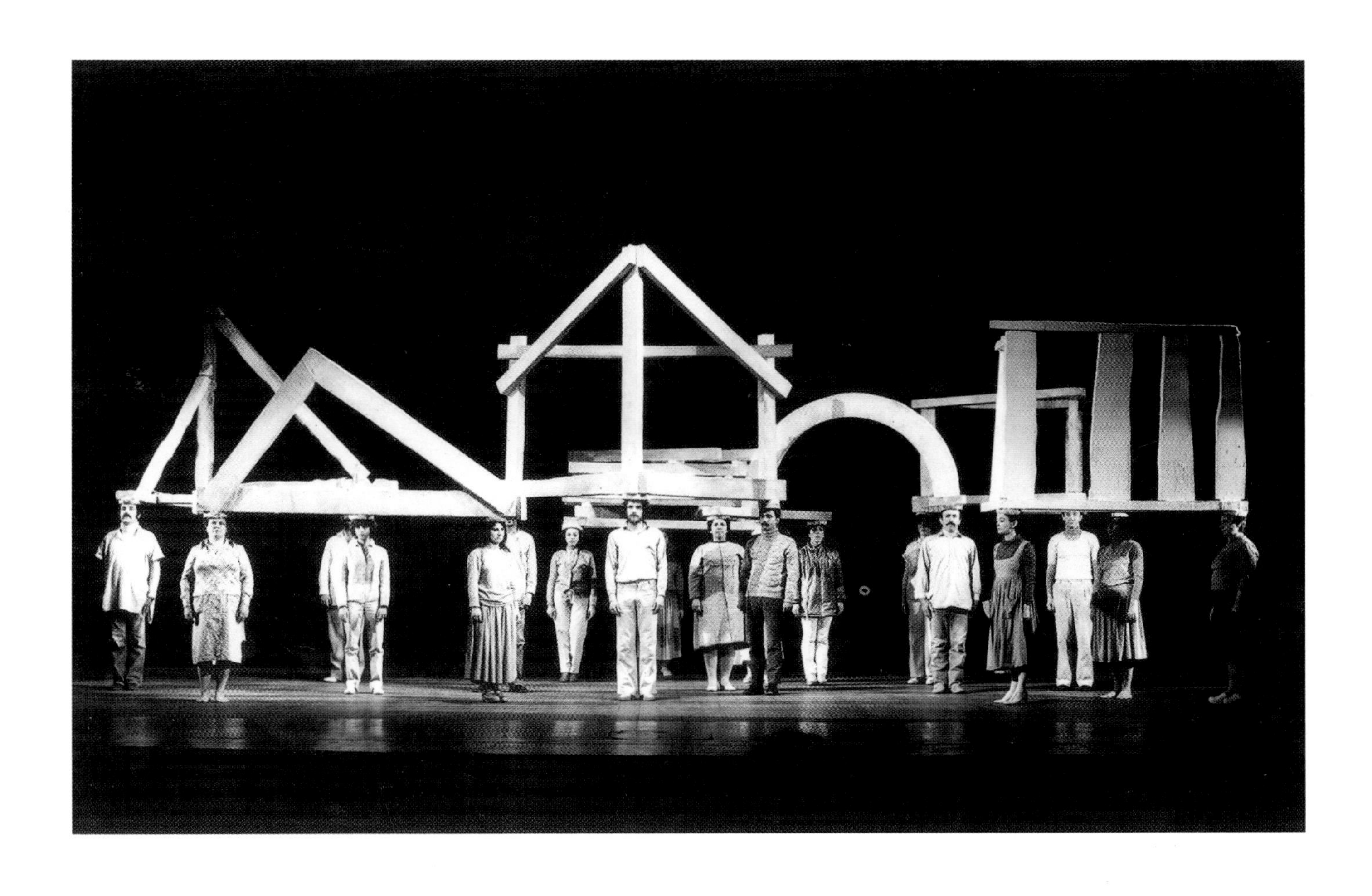

Bracha Lichtenberg-Ettinger,
Eurydice n° 13, 1994-1996.
Collection particulière.

Luc Tuymans,

Fingers [Doigts], 1995.
Société des Amis du Musée
des Beaux-Arts de Nantes.

Luc Tuymans,

A Flemish Intellectual
[Un intellectuel flamand], 1995.
Musée des Beaux-Arts,
Nantes.

Hans Haacke

Calligraphie/(Architectural Model)
[Calligraphie (Maquette)], 1989.
Collection de l'artiste.

Proposition pour la cour d'honneur du palais Bourbon à Paris. Maquette architecturale pour le concours lancé par le président de l'Assemblée nationale pour la réalisation d'une sculpture permanente célébrant le bicentenaire de la fondation de l'Assemblée nationale en 1789.

Le projet se déploie sur la surface entière de la cour d'honneur du palais Bourbon.
Un cône de 4,30 m de haut et de 12 m de diamètre occupe la zone circulaire dans la partie haute de la cour, ce qu'on appelle le « fer à cheval », qui traditionnellement est plantée de fleurs. Bien que donnant l'impression d'une « montagne » dominant l'extrémité de la cour, la hauteur du cône a été limitée de telle sorte qu'il n'empêche ni la vue du péristyle ni celle du point de vue depuis la porte de bronze vers l'entrée de la cour d'honneur.
La surface du cône est faite de morceaux de rochers de formes irrégulières, assemblés ensemble ; le côté visible régulier est poli, de telle façon qu'ils forment une surface lisse parfaitement conique s'appuyant sur un cône creux de béton, une forme qui rappelle l'architecture révolutionnaire de Boullée et l'esprit des Lumières qui a inspiré la Déclaration des droits de l'homme.
Le nombre de pierres est égal au nombre de circonscriptions électorales, qui élisent les membres de l'Assemblée nationale. Les parlementaires doivent être invités à fournir des rochers des régions qu'ils représentent, de telle façon que le cône soit le symbole des responsabilités et du pouvoir collectif des membres du parlement.
Des signes calligraphiques en relief dorés sont installés sur la surface lisse du cône. Ils énoncent en arabe les mots : liberté, égalité, fraternité.
La traduction de ces mots en arabe suggère que, à la différence de la relative homogénéité de la population française de 1789, la France d'aujourd'hui est une société multiraciale et multiculturelle. La promesse de liberté, égalité, fraternité n'est pas encore entièrement accomplie, spécialement pour le tiers-état contemporain qui compte notamment dans ses rangs la population musulmane de la France actuelle, même si on trouve ces mots sur les façades de nombreux établissements publics. Les trois principes républicains, calligraphiés en arabe, fonctionnent comme une mise en garde à l'adresse des parlementaires, pour guider l'action de l'Assemblée nationale.
Jaillissant du sommet du cône, un jet d'eau monte tout droit jusqu'à une hauteur de 15 m, et l'eau ensuite retombe sur le cône. De l'eau sourd aussi de l'intérieur du cône, débordant du sommet et coule sur sa surface comme le flot de lave d'un volcan. Le flot est brisé par les lettres arabes en relief, entraînant un écoulement complexe sur lequel joue la lumière.
L'eau se rassemble dans un collecteur étroit sur le périmètre du cône qui s'incline vers le centre de la balustrade autour du fer à cheval. L'eau s'écoule ensuite suivant la pente naturelle du sol et s'engouffre à travers une large brèche dans la balustrade, que sa force semble avoir brisée pour tomber sur le pavé de la cour située en-dessous. En raison d'une canalisation peu profonde et d'une pente dans le pavé, elle continue tout droit vers le centre de la cour. Des morceaux de la balustrade brisée, éléments de l'architecture classique associée à l'Ancien Régime, jonchent le sol à ses pieds. Le centre de la cour principale est occupé par un grand espace de forme irrégulière. Vue de la partie haute du fer à cheval, on reconnaît une carte de France, avec la Corse dans un coin de la cour principale (les départements d'Outre-mer pourraient être représentés comme de petites « îles » dans la cour de l'hôtel de Lassay, à côté).
Dans la surface délimitée par cette carte, des cultures agricoles ordinaires françaises sont entretenues sur la base d'un cycle de 4 ans : une année du blé, du maïs ou du colza, une seconde année des choux ou des tournesols, la troisième des haricots, des pois ou des pommes de terre. Pendant la quatrième année, le sol est laissé en jachère avec les plantes sauvages qui poussent de façon à laisser le sol se renouveler pour un nouveau cycle. Dans le cas des cultures qui se font en rangs, la configuration des rangs suit fidèlement, comme une réplique, la silhouette de la carte de France jusqu'au centre.
Les cultures sont conduites selon les procédures ordinaires des fermes françaises et non selon celles des jardiniers. Les cultures successives ne doivent pas être confondues avec le style soigné des jardins de Versailles, qui, symboliquement, impose la volonté royale même sur la nature. Elles font référence à la base agricole de la France. Les bouches d'aération du parking sous la cour, cachées à présent, sont mises en valeur pour symboliser la contribution moins « romantique » et plus contemporaine des technologies.
Les « eaux législatives », qui descendent du cône à travers la balustrade brisée, encadrent la France et coulent dans un canal peu profond vers l'entrée de la cour où elles disparaissent à travers un trou dans le sol. Comme la configuration des rangs de plantes en culture, le pavage de la cour reproduit la forme de la carte de France vers le trottoir en bordure de la cour, alors que le pavage autour du cône forme des cercles concentriques.
Le mécanisme de pompage et d'adduction pour le jet d'eau et pour l'écoulement de la « lave » est installé à l'intérieur du cône, ou à l'abri du regard dans une zone voisine. Une pompe supplémentaire fournit l'eau en sous-sol pour le flot autour de la Corse.
L'eau utilisée est entièrement recyclée. (H. H.)

Publié dans *Libre-échange*, de Pierre Bourdieu et Hans Haacke, Le Seuil/Les Presses du réel, 1994.

Olaf Metzel,

Idealmodell PK/90, 1987.
Collection particulière, Berlin.

Huang **Yong Ping,**

La Grande Roulette, 1987.
Collection de l'artiste.

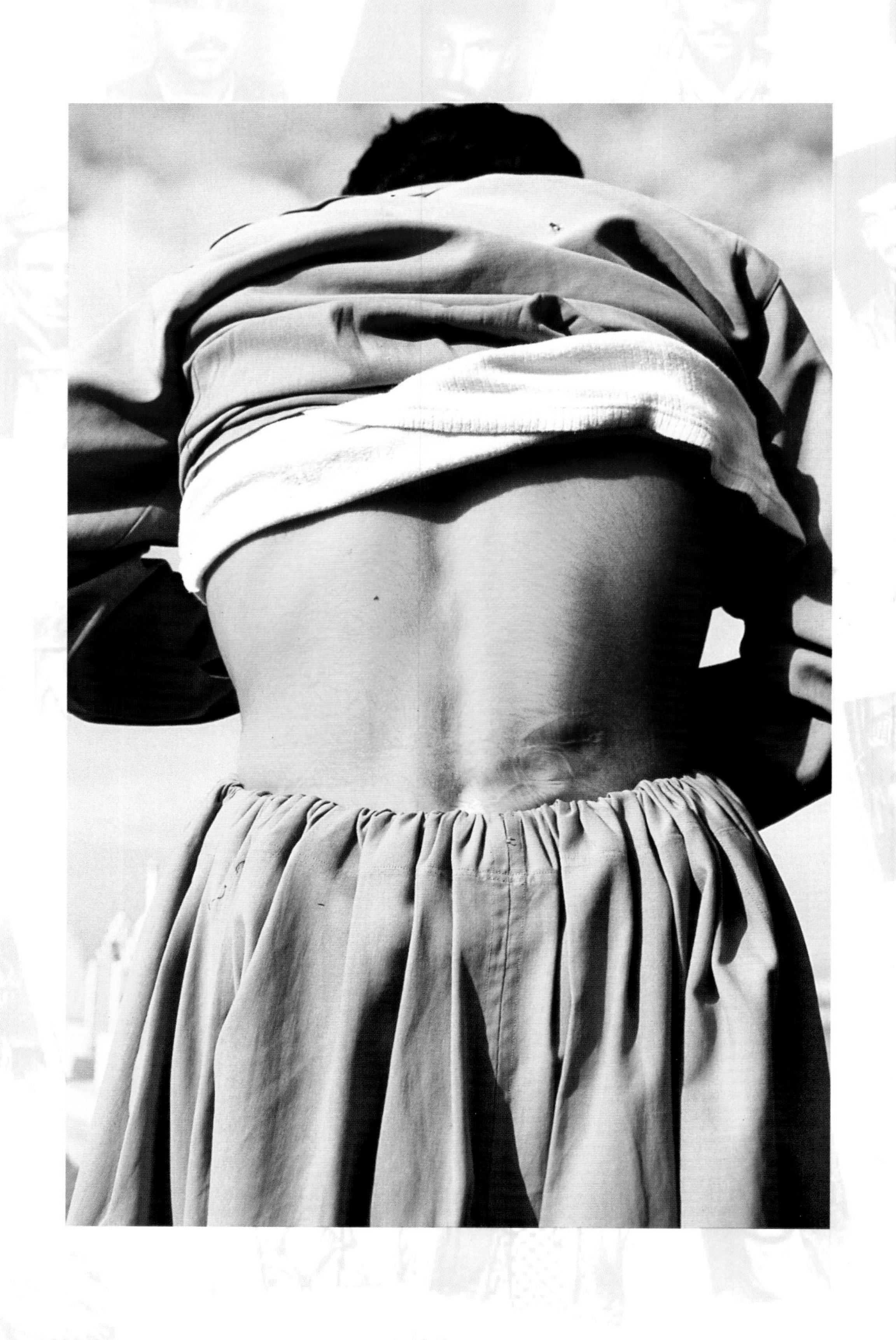

phie **Ristelhueber,**

Fait, 1992.
Collection de l'artiste.
Courtesy galerie Arlogos,
Nantes.

usan **Meiselas,**

Digging/Evidence/Identity,
Octobre 1996.
Collection
Susan Meiselas/
Magnum.

... On one side, there are *those bodies,* many of them, too many of them, too many to look at, too many to count, as if the refusal to count was the crowning virtue of a higher morality, of a humanist revulsion against the quantification of death.

On the other side, "our side", there are *these bodies,* subject to an almost microscopic attention, deployed and armored and monitored, expendable but relatively expensive. Innumerable third world bodies, precisely enumerated first world bodies...

... D'un côté, il y a *ces corps-là,* beaucoup de corps, beaucoup trop de corps, beaucoup trop pour les regarder, beaucoup trop pour les compter, comme si le refus de compter était la vertu suprême d'une moralité supérieure, d'une révulsion humaniste contre la quantification de la mort.

De l'autre côté, «notre côté», il y a *ces corps-ci,* sujets d'une attention presque microscopique, déployés et armés et téléguidés, sacrifiables mais relativement onéreux. Innombrables corps du tiers-monde, corps du monde occidental précisément dénombrés...

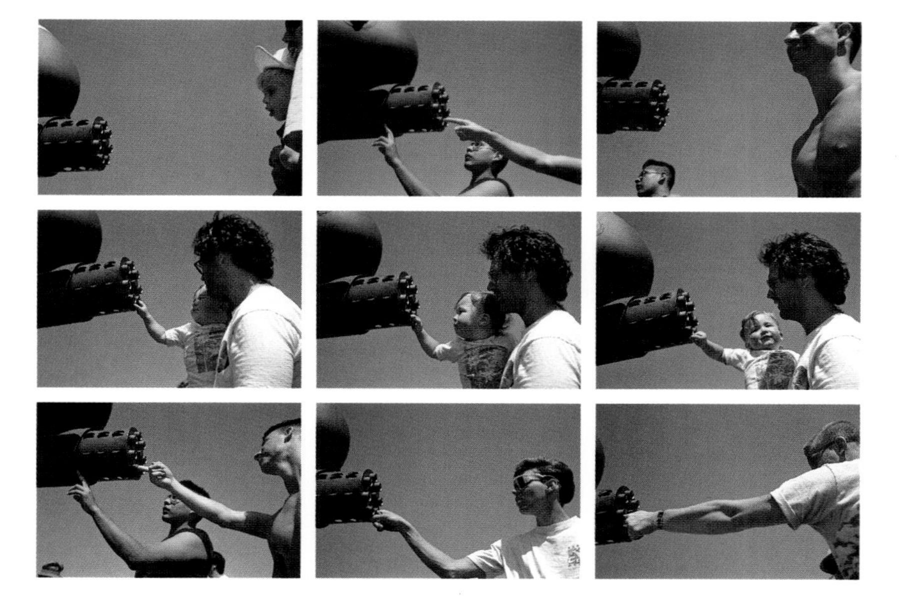

Military air show and Gulf War victory celebration.
El Toro Marine Corps Air Station.
Santa Ana, California. April 28, 1991.

Meeting aérien militaire et célébration
de la victoire de la guerre du Golfe.
Base aérienne du Corps des Marines d'El Toro.
Santa Ana, Californie. 28 avril 1991.

Vladimir Kuprianov,
Cast me not away from Thy Presence
[Ne me rejette pas de Ta Face], 1989.
Collection de l'artiste.

◁ Double page précédente :
Allan Sekula,
War without Bodies
[Guerre sans corps], 1991-1996.
Collection de l'artiste.
Double page composée par Allan Sekula pour le catalogue de l'exposition « Face à l'Histoire ».

80 91

Chronologie

Afghanistan

En février, les premières émeutes contre la présence soviétique éclatent à Kaboul. La résistance afghane s'intensifie en mars, tandis que la population émigre massivement au Pakistan.

Allemagne

RDA

A. R. Penck quitte la RDA. Il s'installe à Cologne.

RFA

Du 19 janvier au 21 mars se tient, à la Neue Galerie d'Aix-la-Chapelle, sous la direction de Wolfgang Becker, l'exposition « Die Neuen Wilden » [Les Nouveaux Fauves]. L'exposition réunit notamment Baselitz, Kozloff, Lüpertz, Penck. Le titre de l'exposition sera retenu comme étiquette pour la nouvelle génération de peintres figuratifs.
À Düsseldorf, exposition dans l'atelier de Jörg Immendorff (qui poursuit la série des allégories politiques *Café Deutschland,* commencée en 1976) de Büttner, Dahn, Dokoupil et Kippenberger.
Lors des élections fédérales (22 sept.-5 oct.), Joseph Beuys se présente comme candidat du parti écologiste Die Grünen.
La coalition sortante SPD-FDP conduite par le chancelier Helmut Schmidt remporte les élections.
Anselm Kiefer commence une série de peintures sur l'architecture fasciste, comme *Dem unbekannten Maler* [Au peintre inconnu].

Belgique

Du 21 juin au 31 août se tient, à Gand (Museum van Hedendaagse kunst), l'exposition « Kunst in Europa na '68... » avec Art and Language, Beuys, Boltanski, Broodthaers, Burgin, Darboven, Fabro, Haacke, Merz...

Canada

Krzysztof Wodiczko effectue, pour la première fois, une projection d'images sur un monument public, à l'université de Toronto. Démesurément agrandies sur des constructions officielles, elles en modifient le sens. Ces projections auront lieu au cours des années 80 aux États-Unis, au Canada, en Australie, en RFA, en Grande-Bretagne...

Chine

En février, une exposition nationale, au palais des Beaux-Arts de Pékin, célèbre le 30e anniversaire de la fondation de la Chine populaire. C'est la première exposition nationale depuis la Révolution culturelle.
Le 7 septembre, Zhao Ziyang succède à Hua Guofeng au poste de Premier ministre.
Le 20 novembre, ouverture, à Pékin, du procès de la « Bande des Quatre » autour de Jiang Qing, la veuve de Mao, et des généraux complices du maréchal Lin Biao, mort en 1971. Considérés comme responsables des crimes de la Révolution culturelle, ils seront condamnés en janvier 1991.
La deuxième exposition des Étoiles [voir 1979] (24 août-7 sept.) a lieu au palais des Beaux-Arts de Pékin. Wang Keping expose *L'Idole,* une sculpture qui métamorphose Mao en Bouddha et critique ainsi sa déification par ses successeurs, ce qui provoque un scandale. C'est la dernière exposition des Étoiles en Chine. Les membres du groupe quittent le pays pour s'installer en Europe et aux États-Unis entre 1981 et 1987.

États-Unis

Organisée par le Colab (collectif né en 1978 et associant des artistes s'opposant à l'art élitiste des musées et galeries) dans un bâtiment abandonné appartenant à la ville de New York, dans le Lower East Side, l'exposition « The Real Estate Show » ouvre le 1er janvier. Elle traite des problèmes de l'inégalité et de la crise du logement à New York.
Le 1er juin, l'ouverture du « Times Square Show » par le Colab dans un ancien salon de massage abandonné déclenche des polémiques sur les « détournements » de fonds publiés par les membres contestataires.
Dans le même esprit, ABC No Rio, une galerie gérée par des artistes, s'ouvre à New York dans un magasin abandonné du Lower East Side. La galerie organise des expositions sur des thèmes sociaux. ABC No Rio, Colab, Group Material et Fashion Moda (fondés en 1978 ou 1979) sont les principaux collectifs actifs dans les années 80 qui rejettent un art formaliste pour s'orienter vers un art engagé.
Création du Political Art Documentation/Distribution (PAD/D) à New York : ce centre de documentation et réseau pour les artistes organise des groupes d'études, des performances, constitue des archives sur l'art politique et social, et publie la revue *Upfront.*
Durant l'automne, Hans Haacke, Leon Golub, Nancy Spero, Adrian Piper et Martha Rosler participent à l'exposition « Art of Conscience, the Last Decade » à la Wright State University de Dayton (Ohio).
Les expositions sur les minorités se multiplient. L'Institute for Art & Urban Resources de New York présente « Documents on Minorities ».
Organisée du 13 décembre 1980 au 5 mars 1981 au New Museum de New York, l'exposition « Events : Fashion Moda – Taller Boruica – Artists invite Artists » est réservée aux artistes appartenant à des minorités ethniques ou travaillant dans des quartiers défavorisés de la ville. Parmi les exposants : des Portoricains, des graffitistes (Haring, Futura 2000) et des artistes engagés dans des mouvements politiques ou sociaux.
Le 4 novembre, Ronald Reagan, candidat du parti républicain, est élu président des États-Unis face à son adversaire du parti démocrate Jimmy Carter, président sortant.

Anonyme, *Afghanistan*, 1980. Affiche réalisée d'après le reportage filmé de Jérôme Bony et Didier Reigner. Musée d'Histoire contemporaine-BDIC, Paris. Photo © Musée d'Histoire contemporaine-BDIC, Paris.

France

Du 12 janvier au 16 mars, à l'ELAC de Lyon, l'exposition « Figures de l'enfermement » réunit Adami, Aillaud, Camacho, Cremonini, Cueco, Ipoustéguy, Klasen, Monory, Music, Rebeyrolle, Segui, Velickovic...
Mort de Jean-Paul Sartre le 15 avril : 200 000 personnes assistent à ses obsèques.
Organisée par Jean Clair au Centre Georges Pompidou, l'exposition « Les réalismes entre révolution et réaction 1919-1939 » (17 déc. 1980-20 avr. 1981) suscite de nombreux débats autour de la question du « retour à l'ordre ».

Grande-Bretagne

Le groupe Art and Language réalise *Portrait of V. I. Lenin in the style of Jackson Pollock II.* Ce panneau mélange des poncifs iconographiques de l'art américain et de l'art russe en application du principe marxiste selon lequel « l'expressionnisme abstrait n'avait triomphé que grâce au soutien du gouvernement américain, qui y voyait une arme pour la guerre froide ». L'œuvre fait partie d'une série de portraits de Lénine réalisés entre 1979 et 1980, où le modernisme est confronté au réalisme socialiste soviétique.
À la galerie Antony d'Offay de Londres, Gilbert and George présentent « Modern Fears », montages photographiques faisant allusion à la violence urbaine, au nationalisme, au militantisme et aux conflits interraciaux en Angleterre.

Iran

Le 23 septembre, les forces irakiennes envahissent le territoire iranien. Ne parvenant pas à emporter de batailles décisives, les belligérants entament une guerre des villes basée sur l'emploi de missiles à longue portée. Un cessez-le-feu intervient en août 1988.

Irlande du Nord

Première exposition des photographies de l'artiste irlandais Willie Doherty à l'Orchard Gallery de Derry. Elles présentent de façon délibérément banale des paysages urbains ou ruraux de l'Irlande du Nord vidés de toute présence humaine; seul un mot ou une phrase vient évoquer la signification sociale ou politique qui pèse sur ces paysages.

Italie

Le 23 novembre, un violent séisme au sud-est de Naples fait près de 300 morts.
Kiefer représente, avec Georg Baselitz, l'Allemagne à la Biennale de Venise (1er juin-28 sept.). L'exposition d'un personnage sculpté de Baselitz

dont le bras levé est interprété comme un salut nazi fait scandale. Beuys montre son installation *Kapital Raum 1970-1977,* lors d'une exposition parallèle « L'Arte degli anni settanta » (Venise, Giardini di Castello). Katharina Sieverding y présente *XVI/1979,* une photographie d'un personnage anonyme pris dans une situation que le spectateur ressent comme catastrophique, sous-titrée « Unwiderstehliche historische Strömung » [Irrésistible courant historique].

Pologne

L'été est marqué par une vague de grèves dans les chantiers navals de Gdansk. Lech Walesa conduit le mouvement de grève. Le 31 août, un accord est signé entre les grévistes et le gouvernement. En septembre, le syndicat indépendant de Gdansk prend le nom de Solidarnosc [Solidarité].

Tchécoslovaquie

Jiri Kolar s'installe à Paris. En 1982, les autorités tchécoslovaques refusent la prolongation de son séjour en France et le condamnent par contumace à un an de prison et à la confiscation de ses biens.

URSS

Le 9 janvier, le dissident Andreï Sakharov est assigné à résidence à Gorki.
Le 19 juillet, ouverture des Jeux olympiques de Moscou, boycottés par 56 pays (dont la RFA, le Japon, le Canada et les États-Unis) qui protestent contre l'invasion de l'Afghanistan.
Alexandre Glezer fonde à Jersey City, près de New York, son deuxième musée russe d'art non officiel.

Yougoslavie

Le 4 mai, décès du maréchal Tito, chef de l'État. Ses obsèques, le 8 mai, sont l'occasion de célébrer l'unité de la Yougoslavie.

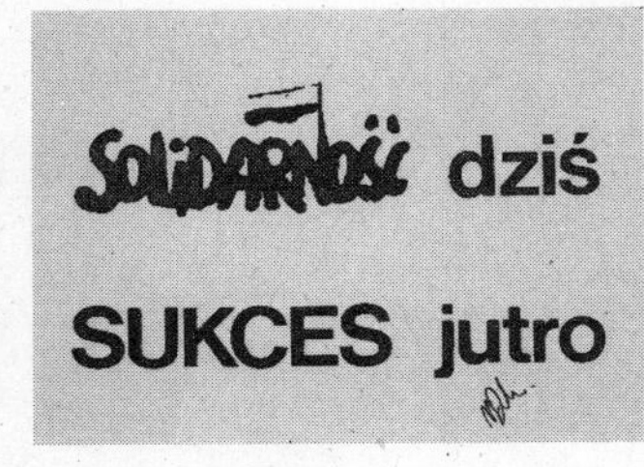

Solidarnosc..., [Solidarité aujourd'hui, succès demain], 1980. Affiche éditée par le syndicat Solidarnosc. Musée d'Histoire contemporaine-BDIC, Paris. Photo © Jean-Hugues Berrou/ Musée d'Histoire contemporaine-BDIC, Paris.

1981

Allemagne

RFA

Fondation à Cologne du groupe Mülheimer Freiheit (nom de la rue où se trouvait leur atelier collectif) autour de Walter Dahn et Georg Jiri Dokoupil, qui peignent en collaboration *Deutscher Wald* [Forêt allemande], peuplée de croix gammées. Leur peinture expressionniste est caractérisée par sa violence, et par une attaque virulente des limites établies par la société.
Du 17 octobre au 17 novembre, la Neue Galerie-Sammlung Ludwig d'Aix-la-Chapelle organise l'exposition « Normal ». Fondé en 1979 autour de Peter Angermann, Milan Kunc et Jan Knap, le groupe Normal tente de « sortir l'art de son impasse » en choisissant des motifs simples et directs issus de la vie quotidienne. Parmi les œuvres, certaines font référence à la situation politique comme *Saaletal III,* tableau d'Angermann sur la frontière entre la RDA et la RFA. Felix Droese, membre de la FIU (Université internationale libre), réalise *Ich habe Anne Frank getötet* [J'ai tué Anne Frank] et *Fünf stumme Zeugen* [Cinq Témoins muets]. Theo Lambertin peint *Deutsche kauft türkisch – Deutsche jagt Deutsche...* [Allemands, achetez des produits turcs – Allemands, pourchassez des Allemands...].

Chine

En septembre, des œuvres américaines du musée de Boston sont exposées au palais des Beaux-Arts de Pékin puis à Shanghai en novembre. Après avoir refusé de montrer des œuvres abstraites, les autorités chinoises acceptent finalement l'intégralité de l'exposition.

Égypte

Le 6 octobre, le président Anouar al-Sadate est assassiné au cours d'un défilé militaire.

Espagne

Dans la nuit du 23 au 24 février, le lieutenant-colonel Tejero tente un coup d'État en prenant en otages des ministres et des parlementaires. C'est la « Nuit des Cortes ». Le roi fait échouer le coup d'État. Le 27, plusieurs millions de personnes manifestent dans tout le pays à l'appel des partis pour défendre « la liberté, la démocratie et la Constitution ».
Le 10 septembre, *Guernica* de Picasso rentre triomphalement à Madrid, et est exposé au Casón del Buen Retiro, une annexe du Prado. Le tableau déménagera en 1992 au Centre d'art Reina Sofia.

États-Unis

Au cours de l'année, la politique de bourses octroyées aux critiques d'art par l'organisme fédéral de subventions artistiques, le National Endowment for the Arts (NEA), est remise en question par le gouvernement à cause de leurs tendances supposées « gauchistes ».
Un grand nombre d'imprimeurs commence à refuser d'imprimer certains numéros de revues d'art déclarées obscènes ou choquantes. *Artforum*, *New Art Examiner*, *Artpaper* et *Art Journal* feront les frais de ces refus.
Les programmes publics d'aide à l'emploi sont supprimés, et plus de dix mille artistes travaillant sur des projets artistiques communautaires dans les quartiers perdent leur emploi.
En juin, Group Material organise l'exposition « Atlanta : an Emergency Exhibition », qui traite du problème du racisme aux États-Unis à partir du meurtre de 28 enfants noirs à Atlanta.
Création de Carnival Knowledge, un collectif d'artistes qui lutte contre la campagne anti-avortement du Moral Majority à New York.
Un groupe d'artistes (Jerri Allyn, Nancy Angelo, Anne Gauldin, Cheri Gaulke, et Sue Maberry) organisateurs de performances antinucléaires fondent Sisters of Survival à Los Angeles et réalisent des spectacles, des performances et des actions pour soutenir la paix.
Le 3 juillet, le *New York Times* publie un article sous le titre « Cancer rare vu chez 41 homosexuels ». La mystérieuse maladie n'avait pas encore de nom. Le sida fait ses premiers ravages.
Bruce Nauman réalise *South America Triangle,* œuvre symbolisant l'oppression en Amérique du Sud. À partir des années 80, il attache de plus en plus d'importance aux connotations politiques qui s'associent à la notion d'angoisse physique déjà existante dans ses œuvres précédentes.

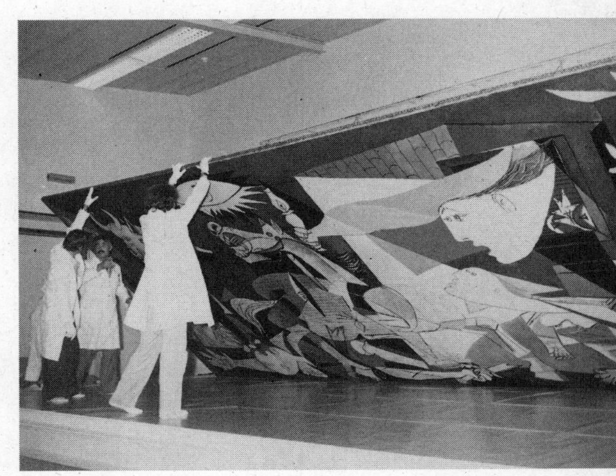

Installation de *Guernica* au musée du Prado, Madrid, 1981. Photo © Ph. Lafaille, SIPA Press.

France

Du 17 janvier au 8 mars, l'exposition « Art Allemagne Aujourd'hui » se tient au musée d'Art moderne de la ville de Paris, avec Baselitz, Baumgarten, Beuys, Brehmer, Darboven, Droese, Haacke, Immendorff, Kiefer, Lüpertz, Gerhard Merz, Penck, Polke, Richter, Vostell...
Le 10 mai, François Mitterrand, candidat du parti socialiste, est élu président de la République. Jack Lang, ancien directeur du festival de théâtre de Nancy, devient ministre de la Culture.
Le 21 novembre, à la Maison des arts de Créteil, se tiennent, en présence de Jack Lang, les états généraux des arts plastiques destinés à informer le nouveau gouvernement des *desiderata* des artistes. Trois problèmes sont abordés : formation dans les écoles, information des artistes et décentralisation des organes décisionnels.

Grande-Bretagne

La Whitechapel Art Gallery consacre, de février à mars, une exposition à Tony Cragg, comprenant essentiellement des œuvres murales, dont *Britain Seen from the North, Postcard Union Jack* et une pièce de bois complexe appelée *Everybody's Friday Night*. Certains voient dans cette exposition un commentaire sur l'état de la nation.
Susan Meiselas publie à Londres son album de photographies sur la guerre civile au Nicaragua, *Nicaragua June 1978-July 1979*.

Obsèques de Bobby Sands, Irlande, mai 1981. Photo © Morvan, SIPA Press.

Irlande

Le 1er mars, Bobby Sands, membre de l'IRA, emprisonné, commence une grève de la faim pour réclamer le statut de prisonnier politique. Élu député au Parlement de Londres le 9 avril, il reste cependant détenu. Sa mort, le 5 mai, provoque des manifestations dans le pays et à l'étranger. Dix de ses codétenus l'ayant suivi dans sa grève de la faim décèdent à leur tour au mois d'août. Richard Hamilton traite de la situation irlandaise et des détenus de l'IRA dans *The Citizen*, première partie d'un triptyque qui comprendra ensuite *The Subject* (1988-1990) et *The State* (1993).

Pologne

Le 11 décembre, l'agence Tass accuse Solidarnosc de préparer le renversement du pouvoir. Le 13, l'« état de guerre » est proclamé et un Conseil militaire de salut national est constitué sous la présidence de Wojciech Jaruzelski. Des arrestations massives de cadres syndicaux et d'intellectuels sont entreprises alors que Lech Walesa est placé en résidence surveillée.
Au cours de l'année, l'action de Beuys, *Polentransport 1981* [Transport en Pologne 1981], geste symbolique de protestation contre la division de l'Europe, est offerte au musée de Lodz.

URSS

De juin à octobre se tient, au musée Pouchkine de Moscou, l'exposition « Moscou-Paris 1900-1930 », version soviétique de l'exposition « Paris-Moscou » qui a eu lieu au Centre Georges Pompidou en 1979. C'est l'occasion pour les Soviétiques de redécouvrir les chefs-d'œuvre de l'avant-garde russe restés en réserve pendant cinquante ans.

Allemagne

RFA

Au printemps, Olaf Metzel réalise *Türkenwohnung Abstand 12 000 DM VB* [Appartement turc, indemnité 12 000 DM à négocier]. Installé dans un appartement ayant été habité par une famille turque, l'artiste enregistre sur vidéo la démolition intérieure de l'appartement et le processus de sculpture d'une croix gammée sur le mur.
L'exposition « noi altri – wir anderen. Künstlerische Aktivität und Selbsterfahrung im sozialen Raum » [Nous autres – Activité artistique et expérience de soi dans l'espace social], organisée du 2 mai au 27 juin à la Städtische Galerie de Ratisbonne, avec, entre autres, Wolfgang Flatz, Jochen Gerz, Ulricke Rosenbach, Klaus Staeck, Tim Ulrichs, provoque un scandale à cause de l'inscription « Bouffer, baiser, télévision » en lettres noires, rouges et or, portée sur le mur extérieur de la galerie municipale.
Du 19 juin au 28 septembre se tient, à Cassel, la Documenta VII, avec, entre autres, Basquiat, Darboven, Haacke, Haring, Holzer, Immendorff, Kiefer, Kruger, Merz, Rosler, Sieverding. À cette occasion, Beuys entreprend la réalisation de son projet de plantation d'arbres, *Aktion 7000 Eichen* [Action 7 000 chênes], qui sera poursuivie cinq ans plus tard à la Documenta VIII. Lothar Baumgarten présente son installation *Monument pour les nations indiennes d'Amérique du Sud*.
Dans *Schreibzeit*, commencée en janvier 1975 et achevée en octobre 1982, Hanne Darboven, à travers 3 361 pages de textes recopiés de nombreuses publications allemandes, montre les liens qui unissent politique et culture en Allemagne.
En octobre, Helmut Kohl (CDU) devient chancelier après l'échec du gouvernement de coalition SPD-FDP.

Argentine

Du 2 avril au 14 juin, la guerre des Malouines opposant l'armée argentine et la Grande-Bretagne se solde par la reprise de l'archipel par l'armée britannique. Les manifestations consécutives à la défaite amènent la démission du général Galtieri. Le nouveau gouvernement militaire promet de céder le pouvoir à un gouvernement constitutionnel en 1984.

Autriche

Arnulf Rainer crée son cycle *Hiroshima* à partir de 57 photographies prises après l'explosion de la bombe.
Il recouvre ces photographies de dessins expressionnistes pour faire d'Hiroshima un phénomène à portée universelle recouvrant les drames individuels.

Chine

Lancement du mouvement « antipollution spirituelle » qui vise à supprimer « les contaminations de la culture occidentale qui polluent l'esprit du peuple ». Dans le monde artistique, les autorités condamnent les trois erreurs qui se sont développées depuis la fin de la Révolution culturelle : les valeurs individualistes, « l'art pour l'art » et l'art abstrait.

Espagne

Le 28 octobre, le PSOE (parti socialiste) de Felipe González remporte les élections législatives. Le 2 décembre, il forme le premier gouvernement socialiste en Espagne depuis la guerre civile.
À Vitoria (Álava), Edouardo Chillida réalise, en hommage aux libertés basques, *Monumentos de los Fueros*.

États-Unis

En mars, le Congrès américain approuve la restitution de l'« art de guerre nazi », séquestré à la fin de la Seconde Guerre mondiale. La collection réalisée entre 1941 et 1944 par 80 artistes allemands faisant partie de la division de propagande nazie compte 6 255 œuvres. Avant d'entreprendre leur transfert, une commission représentant le Département d'État et l'Holocaust Commission est chargée d'examiner chaque œuvre, autorisant uniquement le départ de celles qui ne présentent pas d'« images pouvant revitaliser l'idéologie nazie ».
Le même mois, Group Material organise *DA ZI BAO*, ou *Mur de la démocratie*. Afin de rendre sa dimension publique à l'Union Square, une place de New York menacée par l'urbanisme, il placarde douze affiches portant des déclarations des habitants du quartier opposés à l'urbanisation privée. Dans le cadre de la campagne *DA ZI BAO*, les artistes affiliés au Committee in Solidarity with the People of El Salvador organisent un affichage sauvage pour protester contre la politique de Reagan en Amérique latine. La même année, Les Levine présente dans le métro new-yorkais sa campagne d'affichage « We are not afraid », incitant à combattre

Jenny Holzer, *Truisms*, Times Square Spectator Board, 1982. Sponsorisé par The Public Art Fund Inc. Photo © Barbara Gladstone Gallery.

Sophie Ristelhueber, *Bèyrouth/ Photographies*, 1984. Photo © Sophie Ristelhueber.

la peur de la violence urbaine. Cette intervention dans l'espace public caractérise aussi le travail de Jenny Holzer qui présente, du 15 au 30 mars, à Times Square (New York) ses *Truisms* (« Torture is barbaric », « Money creates taste », « Fathers often use too much force »...) sur panneau électronique géant, mis à la disposition des artistes par le Public Art Fund de New York.
En juin, la conférence de l'OTAN sur le désarmement nucléaire provoque la mobilisation des antinucléaires. Le 12, 750 000 personnes défilent à New York. Le même mois, Artists for Nuclear Disarmament, un groupe de 300 peintres, architectes, graphistes, sculpteurs, conservateurs et enseignants, organise une marche de l'ONU à Central Park où ils assistent à des discours, concerts, événements et actions artistiques. À cette occasion, Keith Haring imprime et distribue 20 000 affiches de soutien. Une publicité est financée par les artistes dans le *New York Times* pour l'arrêt de la course aux armes nucléaires et pour l'élimination de ces armes. Une exposition « The Atomic Salon : Art against Nuclear War » est organisée à la galerie Ronald Feldman à New York. Le groupe L. A. Artists for Survival organise, sous le titre « Target L. A. : The Art of Survival », une série d'événements et d'expositions. Le journal *The Village Voice* consacre un numéro spécial au désarmement nucléaire.
Le 13 novembre, inauguration, à Washington, du *Vietnam Veterans' Memorial*. Dessiné par Maya Lin, élève à Yale University, le monument – une immense stèle noire qui porte les noms de tous les soldats américains tombés durant la guerre du Viêtnam – suscite une controverse due à son aspect minimaliste.
L'éditeur et critique de musique Samuel Lipman fonde la revue *New Criterion*, financée par l'argent des fondations de droite Scaife, Olin et Heritage. Le but des rédacteurs est d'identifier et de critiquer les influences culturelles gauchistes aux États-Unis et de soutenir un retour aux formes artistiques traditionnelles.
Alexandre Kosolapov, Victor Tupitsyne et Vladimir Urban fondent à New York le groupe Kasimir Passion. Leurs actions combinent, de manière parodique, des événements politiques et culturels soviétiques (enterrement de Malevitch, réunions du Politburo...).
Leur première action, *Congrès communiste*, célèbre la journée internationale de solidarité des travailleurs.

France

Le 20 juin, à Lille, Jack Lang annonce 72 mesures en faveur des arts plastiques, dont la création, en octobre-novembre, de la Délégation aux arts plastiques (DAP) pour qui les mots d'ordre sont création, diffusion et décentralisation. Dans le cadre de la politique de décentralisation, 22 Fonds régionaux d'art contemporain (FRAC) sont créés. Leur but est de diffuser l'art contemporain en province et d'enrichir le patrimoine national par une politique d'acquisitions.

Italie

En décembre, début de la série d'expositions consacrées au projet « Terrae Motus », organisé par la Fondation Lucio Amelio – Institut pour l'art contemporain de Naples : après le tremblement de terre de novembre 1980 à Naples et dans le sud de l'Italie, la galerie Lucio Amelio de Naples commence à exposer en alternance les œuvres consacrées à la catastrophe, conçues par une cinquantaine d'artistes de renommée internationale (parmi lesquels, Beuys, Brown, Cragg, Longobardi, Mapplethorpe, Paladino, Penck, Tatafiore, Twombly, Warhol...).
La Fondation recueille l'ensemble de ces œuvres qui seront présentées dans l'exposition itinérante « Terrae Motus ».

Japon

Le 26 novembre, Yasuhiro Nakasone devient Premier ministre. Avec lui, le Japon recommence à jouer un rôle très actif dans les relations internationales.

Liban

En juin, invasion israélienne au Liban dirigée contre les forces palestiniennes qui occupent le sud du pays. En août, l'armée israélienne entre à Beyrouth. Les soldats palestiniens qui défendaient la ville sont évacués.
Les 16 et 17 septembre, les camps palestiniens de Sabra et Chatila sont l'objet de massacres organisés par les phalangistes chrétiens autorisés à pénétrer dans les camps par l'armée israélienne. Sophie Ristelhueber se rend au cours de l'automne à Beyrouth où elle entreprend un travail photographique sur les ruines de la ville moderne, *Beyrouth/Photographies* (1984).
Le conflit libanais est évoqué par Mona Hatoum dans sa performance *Under Siege*, à Londres, en mai 1982. Pendant sept heures, l'artiste s'exténue à escalader une paroi lisse pour retomber dans la boue. Trois bandes sonores diffusent des chants révolutionnaires, des flashs d'actualité et des conversations. Elle rend compte ainsi de l'état de survie en temps de guerre. L'année suivante, elle présentera, à Ottawa, *The Negotiating Table*, autre performance au cours de laquelle elle reste enveloppée pendant trois heures dans un sac taché de sang sur une table, tandis qu'une bande sonore diffuse des informations et des discours de chefs d'État sur la guerre libanaise.

Nicaragua

Trois ans après la prise de pouvoir du Front sandiniste de libération nationale (juil. 1979), le régime se heurte à une contre-guérilla active soutenue par les États-Unis, la « Contra ». Le 15 mars, l'état d'urgence est proclamé dans tout le pays.

URSS

Leonid Brejnev décède le 10 novembre. Le 12, Iouri Andropov lui succède au poste de secrétaire général du Parti communiste de l'Union soviétique.
Le Sots'Art, parodie du réalisme socialiste par les artistes russes émigrés, connaît un grand essor à New York [voir États-Unis, 1982].

Manifestation en Allemagne fédérale contre le déploiement des fusées Pershing en Europe, 22 octobre 1983. Photo © Bossu, SYGMA.

Allemagne

RFA
Du 20 février au 27 mars, l'exposition « Grauzonen – Farbwelten, Kunst und Zeitbilder 1945-1955 » [Zones grises – Univers colorés, art et images du temps 1945-1955], à l'Akademie der Künste de Berlin, propose un regard sur l'époque d'après-guerre se focalisant en particulier sur l'Allemagne en ruines.
Le 6 mars, les élections législatives

marquent la consolidation de la CDU au pouvoir. Helmut Kohl reste chancelier. Les écologistes du mouvement Die Grünen [Les Verts] envoient 27 députés au Parlement.
Les 22 et 23 octobre, les manifestants pacifistes allemands organisent une chaîne humaine de 106 kilomètres pour le désarmement en Europe et la suppression sur le sol allemand des missiles américains.
Dans l'ensemble de l'Europe, les manifestations pacifistes rassemblent deux millions de personnes. Le 25 juin, à Krefeld, Beuys participe à la manifestation pour la paix et contre le stationnement des missiles en Europe, organisée par le groupe Krefelder Appell à l'occasion de la visite de George Bush, alors vice-président des États-Unis.
Du 10 décembre 1983 au 29 janvier 1984 se tient, à Bonn (Kunstverein) puis à Berlin (Neue Gesellschaft für bildende Kunst, 7 févr.-11 mars 1984), l'exposition « Ansatzpunkte kritischer Kunst heute » [Point de départ de l'art critique aujourd'hui], avec Barfuss, Bruch, Büttner, Droese, Holzer, Huber, Kruger, Odenbach, Tatafiore...
Albert Oehlen réalise son tableau *Autoportrait en Hitler*. Cette œuvre s'inscrit dans une série commencée au début des années 80 utilisant des insignes du national-socialisme, comme dans *Führerhauptquartier* [Quartier général du Führer] de 1982.
Ulrich Rückriem réalise, en accord avec la communauté juive de Hambourg, un monument commémoratif des Juifs déportés lors du national-socialisme. L'emplacement marque l'endroit de rassemblement avant la déportation.
Katharina Sieverding commence un cycle de travaux qui se réfèrent à l'exploitation des ressources naturelles et humaines.

Image de synthèse en trois dimensions du virus LAV du sida, 1983. Photo © SYGMA/A.L.S.

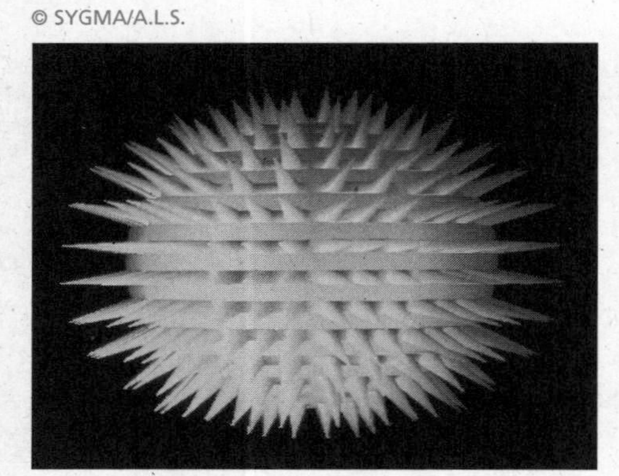

Ainsi, *Kontinentalkern* [Noyau continental] fait référence au danger nucléaire qui plane sur le monde depuis Hiroshima.

Argentine

Le 30 octobre, Raúl Alfonsín, candidat radical, est élu président de la République. Il annonce l'ouverture de poursuites contre les membres de la junte militaire au pouvoir de 1976 à 1982.

Brésil

Premières élections des gouverneurs d'État au suffrage universel direct depuis 1966. L'agitation sociale gagne tout le pays.

Chili

Le 11 mai, première journée nationale de protestation depuis le coup d'État militaire de septembre 1973. Les manifestations se poursuivent de façon croissante tout au long de l'année. Le général Pinochet réplique qu'il conservera le pouvoir jusqu'en 1989.

Chine

En janvier, la revue *Meishu* consacre un numéro à l'art abstrait et publie un article de Li Xianting (critique de la revue) intitulé « Sur l'esthétique de l'abstraction dans la peinture classique chinoise – Discussions sur l'histoire de la peinture de la Chine ancienne ». Fortement désapprouvé, il est licencié quelque temps plus tard, accusé de sympathies envers les Étoiles et pour avoir soutenu l'art d'avant-garde.
En mai, 28 œuvres de Picasso sont exposées au palais des Beaux-Arts de Pékin. Le même mois à Xiamen, Huang Yong Ping, Yu Xiaogang, Jiao Yaoming, Xu Zhangdo et Lin Jiayei exposent des œuvres d'art abstrait et des ready-made.
En septembre, à Shanghai, une exposition consacrée à l'art expérimental est interdite quelques jours après son ouverture.

Corée-du-Sud

Le 31 août, un Boeing des lignes aériennes sud-coréennes est abattu près des îles Sakhaline par des avions de chasse soviétiques, entraînant la mort de 269 personnes. L'événement inspire à Georges Mathieu *Le Massacre des 269*.

États-Unis

Le 23 mars, Ronald Reagan annonce la mise en chantier du projet IDS [Initiative de défense stratégique] baptisé par la presse « Guerre des étoiles ».
Au printemps, une coalition d'artistes crée Artists Call Against US Intervention in Central America et organise des expositions et diverses actions afin de protester contre la politique reaganienne d'aide au « Contra » au Salvador et au Nicaragua. Plus de vingt villes des États-Unis et du Canada y participent.
Luis Camnitzer, d'origine uruguayenne, exécute *Uruguayan Torture,* une série de 35 photogravures dans laquelle l'artiste représente l'horreur de la torture au quotidien d'après les témoignages des victimes.
Dennis Adams installe son premier *Bus Shelter* [Abribus] à New York, au coin de Broadway et de la 6e Rue.
À cette construction est accolée une photographie de grande taille représentant le sénateur McCarthy, personnage emblématique de la chasse aux communistes durant les années 50, transformant ainsi l'Abribus en mémorial. Au cours des années 80, Dennis Adams adaptera ses photographies installées dans l'espace public aux différentes situations des villes où il interviendra (Bruxelles, Esslingen, Genève, Hambourg, Munster, Toronto...). En 1983, succédant à Jenny Holzer [voir 1982], Barbara Kruger utilise le panneau électronique géant de Times Square pour diffuser ses contre-slogans (« I'm not trying to sell you anything », « The size of their weapons : worried about their manhood »...).

France

Le 5 février, Klaus Barbie expulsé de Bolivie est écroué à Lyon. L'ancien chef de la Gestapo de Lyon sera jugé pour crimes contre l'humanité et sera condamné en juillet 1987 à la détention à perpétuité.
Le 5 mai, *Le Monde* fait état de la publication dans la revue américaine *Science* d'importants articles sur le sida. Le professeur Montagnier annonce l'identification d'un nouveau rétrovirus, le LAV, probablement cause du sida.
Du 23 juin au 26 septembre, le Centre Georges Pompidou présente l'exposition « Présences polonaises. L'art vivant autour du musée de Lodz », avec des œuvres de Witkiewicz, Beres, Hasior, Kantor, Opalka, Szaponikow, Stazewski, Wodiczko.

Grande-Bretagne

Le 9 juin, le parti conservateur obtient une très large majorité au Parlement grâce à Margaret Thatcher, Premier ministre depuis 1979.

Grenade

En octobre, Maurice Bishop, Premier ministre proche de Cuba, est destitué puis assassiné. Le 25 octobre, les troupes américaines débarquent sur l'île afin de combattre la « subversion soviéto-cubaine ». L'intervention suscite la réprobation internationale. Elle inspirera à Hans Haacke l'œuvre *US Isolation Box, Grenada,* reproduction grandeur nature des prisons-caissons en bois utilisés par les troupes américaines.

Nicaragua

Du 12 au 20 juillet se tient, à Managua, la conférence sur l'Amérique centrale organisée par l'Association sandiniste des travailleurs culturels. De nombreux artistes, critiques, écrivains et universitaires y participent, tels Julio Cortázar, Adrienne Rich, Lucy Lippard...

Pologne

Le 5 octobre, Lech Walesa reçoit le prix Nobel de la paix.

URSS

Boulatov termine une série de portraits de Leonid Brejnev commencée en 1977.
En mai, une exposition, rue Malaïa Grouzinskaïa à Moscou, présente, entre autres, des œuvres de Boulatov, Kabakov, Kranopevtsev, Plavinsky, Steinberg, Vassiliev, Yakovlev, Yankilevsky... Développement des performances du groupe Moukhomory.

Yougoslavie

Fondation du groupe Irwin à Ljubljana dans le cadre du mouvement artistique Neue Slovenische Kunst (NSK).
Pour démasquer les systèmes artistiques et idéologiques dominants, les artistes recyclent les images du passé national (symboles communistes, nazis, art kitsch ou folklorique).

1984

Afrique du Sud

En septembre, alors que de violentes émeutes font 31 morts dans les cités noires au sud de Johannesburg, Pieter Botha prête serment le 14 et devient président de la République sud-africaine.
Desmond Tutu, évêque anglican, président du Conseil des Églises sud-africaines et militant contre l'apartheid, reçoit le prix Nobel de la paix.

Allemagne

RFA

Le 1er janvier, Nam June Paik réalise *Bonjour, Monsieur Orwell,* une action télévisée multimédia se déroulant simultanément à Cologne, à Paris (Centre Georges Pompidou) et à New York, et retransmise dans le monde entier. Parmi les participants, Merce Cunningham, John Cage et Joseph Beuys qui met en scène l'action *La Jambe d'Orwell.* Cette manifestation marque le début de débats artistiques sur les conséquences culturelles des nouveaux moyens de communication.
En mars, lors d'un concours sur « L'art dans l'espace public » organisé par le ministère de la Culture de la ville de Hambourg, Beuys propose le projet *Spülfed Altenwerder* : une plantation d'arbres sur le lieu d'une décharge publique où sont stockées des boues toxiques provenant de l'Elbe et de la mer du Nord. Le projet qui comprenait également le marquage du site par des pierres appartenant à son œuvre *La Fin du xxe siècle* est refusé par le maire de la ville, qui considère qu'il ne s'agit pas là d'une action artistique. En signe de protestation, Felix Droese, participant au concours, place le bateau de sauvetage *Viola* dans le cimetière de Kinkenwerder.
Une grande rétrospective d'Anselm Kiefer a lieu à Düsseldorf du 24 mars au 5 mai. Elle est ensuite montrée à Paris (ARC/musée d'Art moderne de la ville de Paris, 11 mai-21 juin), puis à Jérusalem (The Israel Museum, 31 juil.-30 sept.).
Après son voyage en Israël, Kiefer commence un cycle de peintures autour du thème de l'Exode et des motifs de l'Ancien Testament.
Du 13 octobre au 15 novembre, l'exposition « Aufbrüche-Manifeste, Manifestationen : Positionen in der bildenden Kunst zu Beginn der sechziger Jahre in Berlin, Düsseldorf und München », à la Städtische Kunsthalle de Düsseldorf, se propose de présenter les différentes positions artistiques des années soixante avec, entre autres, Baselitz, Beuys, Lueg, Lüpertz, Penck, Polke, Richter, Schönebeck et le groupe SPUR.
Martin Kippenberger peint le tableau *Ich kann beim besten Willen kein Hackenkreuz entdecken* [Avec la meilleure volonté, je ne peux pas découvrir de croix gammée], qui s'inscrit dans une série de tableaux se moquant de l'attitude contemporaine allemande envers le national-socialisme.

Chili

Eugenio Dittborn commence ses premières *Airmail Paintings* au sujet de personnes disparues ou recherchées, dont il évoque l'histoire à l'aide de photographies de presse, de portraits-robots, de dessins...
Ce travail renvoie souvent aux circonstances politiques ou sociales dans lesquelles les disparitions ont eu lieu. Il présente pour la première fois ces œuvres à Cali (Colombie) et à Sydney (Australie). Depuis, il envoie ses *Airmail Paintings* par la poste dans toutes les villes du monde où il expose.

Cuba

En mai se tient, au centre Wifredo Lam, la Biennale de La Havane, qui réunit des artistes des pays « non-alignés ».

États-Unis

En janvier, poursuite des actions organisées par Artists Call Against US Intervention in Central America : un appel des artistes américains est lancé dans *Arts Magazine* contre l'intervention américaine au Nicaragua et au Salvador. À New York, une trentaine de galeries exposent plus de 1100 artistes, les bénéfices des ventes étant reversés à l'Université nationale du Salvador, à l'Association sandiniste des travailleurs culturels et au comité de Unidad Sindical. Group Material contribue aux manifestations artistiques en organisant l'exposition « Timeline : A Cronicle of US Intervention in Central America » à l'espace alternatif P.S.1, dans le quartier du Queens à New York.
Du 4 février au 18 mars se tient, au New Museum of Contemporary Art de New York, l'exposition « Art and Ideology » avec des textes de Lucy Lippard, de Donald Kuspit, et la présence d'artistes comme Jaar, Kearns, Sekula, Spero, Torres...
Allan Sekula y présente *Sketch for a Geography Lesson,* une installation de photographies et de documents prenant pour sujet les paysages des zones frontalières des deux Allemagnes.
Du 22 septembre au 25 novembre, le New Museum of Contemporary Art de New York présente une rétrospective Leon Golub, dont les œuvres récentes utilisent les poncifs du réalisme pour représenter des scènes de violence policière en Amérique centrale.
Création à San Diego du Border Art Workshop/Taller de Arte Fronterizo [Atelier de l'art de la frontière]. Les membres sont mexicains et américains : Guillermo Gomez-Pena, Emily Hicks, Bertha Jottar, Richard Lou, Victor Ochoa, Robert Sanchez, Michael Schnorr, Rocio Weiss...
À travers des expositions, des performances et des actions, ces artistes explorent les problèmes politiques et économiques autour de la frontière mexicano-américaine.
Artists Against Apartheid, une coalition nationale d'artistes et d'organisations artistiques, organise une première série d'expositions et d'événements culturels ; plus de 400 artistes y participent à New York.
Le 6 novembre, Ronald Reagan est réélu président des États-Unis. Durant la campagne présidentielle, Jenny Holzer et Keith Haring réalisent une intervention de rue, *Sign on a Truck* : affichage de messages lumineux sur un camion, projections de vidéos de 21 artistes et interpellation des passants pour débattre des thèmes de la campagne. Au même moment, l'artiste catalan Antoni Muntadas installé à New York réalise, avec Marshall Reese, *Political Advertisements,* vidéo récapitulant trente ans de propagande politique télévisée aux États-Unis et proposée en location au public.
Installation d'*Holocauste* de George Segal (réalisée en 1982) dans le Lincoln Park de San Francisco.

France

En juin, les élections européennes marquent une forte poussée de l'extrême droite. La liste du Front national obtient plus de 10 % des voix.
Une série de commandes du ministère de la Culture est passée auprès de différents sculpteurs pour l'édification de statues représentant des figures marquantes de l'histoire de

David Reynolds, *Down the Drain,* New York, 1983
Installation anti-Reagan dans un atelier d'artiste, Pier 34, New York.
Photo © David Reynolds.

France récente, comme G. Pompidou, J. Moulin, P. Mendès France, J.-P. Sartre, L. Blum, R. Schuman... Ces œuvres sont destinées à l'espace public.

Grande-Bretagne

En décembre, l'exposition « The Forgotten Fifties » est inaugurée à la Graves Art Gallery à Sheffield, lieu de prédilection des peintres réalistes et notamment de ceux de la Kitchen Sink School.

Hongrie

György Galantai (qui dirige un centre d'archives de mail-art) réalise *Hongrie – j'aime tes travaux,* qui invite tous les artistes du monde entier à donner leurs visions de la Hongrie. À la dernière minute, le directeur de la galerie de Budapest décide d'interdire l'exposition qui devait présenter les réponses des artistes.

Inde

Le 31 octobre, Indira Gandhi est assassinée à New Delhi par deux sikhs membres de son service de sécurité. Son fils, Rajiv Gandhi, est nommé Premier ministre.

Tchécoslovaquie

L'*Hebdomadaire 1968,* de Jiri Kolar, composé de 52 planches de collages consacrées à chacune des 52 semaines de l'année 1968, est exposé pour la première fois à la Kunsthalle de Nuremberg.

URSS

Le 9 février, Iouri Andropov décède. Il est remplacé par Konstantin Tchernenko.
Afin de neutraliser les activités du groupe Moukhomory, le gouvernement impose à ses membres d'effectuer leur service militaire.
En automne, Oscar Rabine séjourne à New York à l'occasion de la rétrospective qui lui est consacrée au musée d'Art russe en exil de Jersey City [voir 1980].

Yougoslavie

À Zagreb, Mladen Stilinovic commence le cycle *Exploitation des morts*. Considérant l'art comme une activité sociale responsable et comme un acte moral, il ramène les symboles artistiques et sociaux au même niveau, annulant l'artistique par l'idéologique.

Allemagne

RFA
Le Parlement allemand refuse le projet de Christo pour l'empaquetage du Reichstag et lui propose comme alternative le mur de Berlin. En 1986, l'association Berlin pour le Reichstag lancera une pétition pour soutenir le projet de Christo. L'empaquetage sera finalement réalisé en 1995.
La tragédie de l'Holocauste est le thème d'un nombre croissant de travaux d'artistes. Ainsi, à Hambourg, Lili Fischer réalise *Jardin de roses pour les enfants assassinés sur le Bullenhuser Damm,* commémoration de l'assassinat de vingt enfants juifs, deux aides-soignants, deux médecins et vingt-quatre prisonniers russes, en collaboration avec des représentants des pays originaires des victimes.
Hanne Darboven réalise *Requiem* à partir de la pensée d'Adorno : « Après Auschwitz on ne peut plus écrire de poèmes. »
Elle note dans *Kosmos '85* : « L'histoire a lieu toute seule; la tâche de nos contemporains serait de conserver et de rendre utile l'histoire pour le présent. »
Enfin, lors de l'exposition « Dove sta la memoria » à Munich (Kunstverein), Gerhard Merz utilise l'image de la couverture du catalogue de l'exposition « Entartete Kunst » de 1937.
Georg Herold, d'origine est-allemande, réalise *Legasthenie,* une œuvre composée de sept assemblages évoquant les modifications des frontières au cours de l'après-guerre dans les pays baltes.

Argentine

Le 9 décembre, les neuf chefs militaires, qui avaient dirigé l'Argentine de mars 1976 à juin 1982, sont jugés pour violation des droits de l'homme.
Cinq sont condamnés à la prison, dont deux à perpétuité pour tortures, séquestrations, exécutions sommaires, toutes réalisées dans la clandestinité.

Chine

En avril, le forum de Huang-Shan, conférence officielle des artistes et critiques d'art, rejette les critères conservateurs et politisés qui ont dominé dans les sélections pour l'Exposition nationale de 1984, et affirme qu'en accord avec la modernisation de la société chinoise la peinture à l'huile devrait se développer dans une direction moderniste et que l'art devrait être cosmopolite plutôt que national.
En mai, en réaction aux restrictions imposées par le mouvement « antipollution spirituelle », des artistes de tendances diverses rejetant ouvertement l'art traditionnel, le réalisme académique et socialiste, lancent le mouvement 85. Dans tout le pays, entre 1985 et 1987, on compte plus de 80 groupes artistiques non officiels. De 1985 à 1986, 149 expositions et conférences d'avant-garde sont organisées et soutenues par les revues d'art récemment créées.
Le *Zhongguo Meishubao* [Journal artistique de la Chine] fondé en juin, dont l'objectif principal est de présenter les nouveaux courants, devient, en peu de temps, une des revues d'avant-garde les plus influentes dans le monde artistique chinois.
En novembre, une exposition sur Robert Rauschenberg a lieu au palais des Beaux-Arts de Pékin. Le *Zhongguo Meishubao* lui consacre son édition de décembre. Le Pop'Art surgit dans le monde artistique chinois.

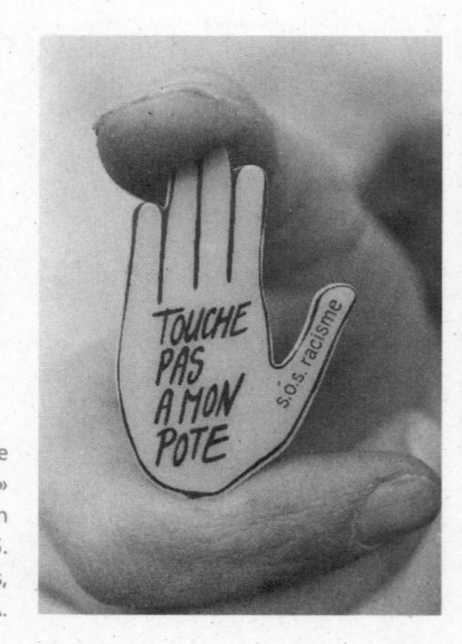

Badge « Touche pas à mon pote » de l'association SOS Racisme, Paris, 1985. Photo © Alain Nogues, SYGMA.

États-Unis

En octobre, à l'initiative du Storefront for Art and Architecture (créé en 1982 par Kyong Park), 200 artistes organisent à New York une action en faveur des sans-abri. Éparpillés dans la ville, à minuit, ils couvrent les rues et les trottoirs d'images et de slogans comme « Home for everyone ».
Guerrilla Girls, un groupe anonyme de femmes travaillant dans les professions artistiques, commence à afficher dans les rues de New York des statistiques sur le sexisme dans le monde de l'art.
La même année, Antoni Muntadas succède à Jenny Holzer (1982) et à Barbara Kruger (1983) dans l'utilisation du panneau électronique de Times Square, à New York.
Keith Haring réalise la campagne « Free South Africa » contre l'apartheid.
L'œuvre de George Segal, *Gay Liberation,* monument dédié à la lutte des homosexuels pour la reconnaissance de leurs droits, ne peut être installée au Greenwich Village de New York (lieu historique de leur affrontement avec la police en juin 1969) du fait de l'hostilité de la population. Elle trouve refuge à l'intérieur de l'université de Stanford.

France

Première projection du film *Shoah* de Jacques Lanzmann.
Le film est un recueil de témoignages des survivants et des témoins de l'Holocauste durant la Seconde Guerre mondiale.
Le 15 juin, 300 000 personnes participent au concert gratuit organisé place de la Concorde à Paris par l'association SOS Racisme sous le slogan « Touche pas à mon pote ».

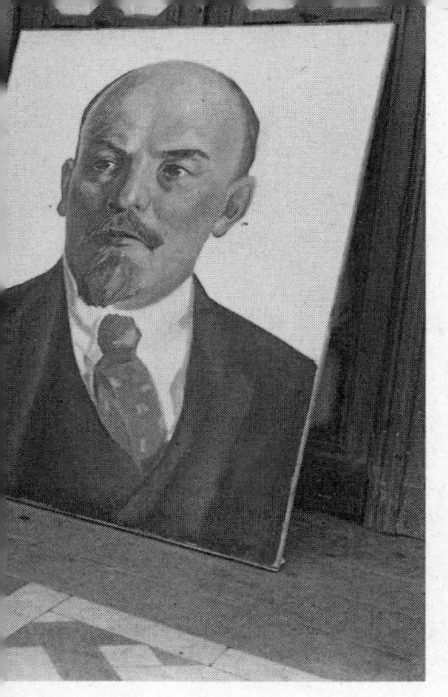

Réinstallation des portraits officiels de Lénine et de Gorbatchev, Kirghizie. Photo © Abbas, Magnum Photos.

1986

Du 21 mars au 21 mai se tient, à la Grande Halle de la Villette, la Nouvelle Biennale de Paris. Erro y expose des œuvres réalisées autour d'événements politiques internationaux : *Le Pétrole* (1980), *Brejnev en Russie* (1980), *Beyrouth* (1983-1984), *Les Malouines* (1983-1984), *La Pologne* (1983-1984). L'ambassade d'Israël obtient le retrait de l'œuvre intitulée *Beyrouth*.

Italie

Du 14 décembre 1985 au 30 avril 1986 se tient, à Brescia (Salone della Cavallerizza), l'exposition « Monumenti alla Resistenza in Europa ». Organisée par Mario De Micheli, elle propose le premier recueil d'images des grands monuments érigés en Europe après 1945 sur les lieux des grandes batailles, des camps d'extermination, des massacres. Des photographies géantes montrent les œuvres de Cremer, Epstein, Gilioli, Marini, Moore, Picasso, Zadkine...
À Gibellina (Sicile) commence la construction du grand *Cretto* d'Alberto Burri, qui sera terminé en 1994. L'œuvre réalisée à partir de blocs de ciment armé s'étend sur une surface de 85 250 m² et englobe les décombres de Gibellina, un des villages de la vallée du Belice détruit par le violent tremblement de terre du 15 janvier 1968. Le tracé de ses fentes, qu'on peut parcourir, reproduit presque entièrement l'articulation des rues du village.

URSS

Le 11 mars, après le décès de Konstantin Tchernenko (10 mars), Mikhaïl Gorbatchev est élu secrétaire général du parti communiste.

Allemagne

RFA

Au cours de l'année, plusieurs monuments commémoratifs importants concernant la période nazie sont en construction. En octobre, inauguration, près de Hambourg, du *Mahnmal gegen Faschismus* [Monument contre le fascisme] de Jochen Gerz et Esther Shalev-Gerz. Il s'agit d'une colonne de plomb de 12 mètres de haut conçue pour recevoir des graffitis et qui s'enfonce chaque année dans le sol (jusqu'à complète disparition).
Pour commémorer la Résistance, la ville de Hambourg décide également de créer une place dans un quartier en reconstruction dont les rues portent les noms de onze résistants. Thomas Schütte y réalise *Table avec douze chaises* : toutes les chaises, sauf une, portent le nom d'un résistant.
Werner Büttner réalise la série *Wie aber enden solche Geschichten ?* [Mais comment se terminent de telles histoires ?], des tableaux et sculptures concernant la fin du Troisième Reich en Allemagne.
À Bonn, après la diffusion de l'information selon laquelle le collectionneur Peter Ludwig avait fait réaliser son portrait et celui de sa femme par Arno Breker, une polémique commence quant à la possibilité d'exposer l'art nazi dans les musées. Dans une interview au *Spiegel,* Ludwig déclare qu'on ne peut pas effacer « douze ans d'histoire allemande » et que les musées refusant d'exposer les œuvres de Breker considèrent le public comme « incapable d'entendre et de voir ».

Autriche

Des journaux américains révèlent le passé nazi de Kurt Waldheim, ancien secrétaire général de l'ONU et candidat à la présidence de la République d'Autriche. Il sera cependant élu le 8 juin.

Cuba

Juan Francisco Elso réalise, pour la Biennale de La Havane, *Por America,* une statue de grandes dimensions en hommage à José Marti, héros national cubain. L'œuvre est réalisée à la manière des sculptures afro-cubaines en bois, recouverte de terre et du sang de l'artiste.

États-Unis

Le 28 janvier, la navette *Challenger* explose après son décollage, provoquant la mort de l'équipage.
Du 17 janvier au 17 mars se tient, à New York (The Queens Museum), l'exposition « The Real Big Picture » avec, entre autres, Lothar Baumgarten, Bernd et Hilla Becher, Hans Haacke, Anselm Kiefer et Gerhard Merz.
Keith Haring commence sa campagne « Crack is Wack » dans les rues et le métro.
Adrian Piper entreprend sa série de dessins *Vanilla Nightmares* sur des pages du quotidien *The New York Times* afin de dénoncer la violence raciale comme une dimension psychologique sous-jacente à la vie américaine. L'œuvre sera montrée l'année suivante dans la rétrospective « Reflections », que lui consacre l'Alternative Museum de New York.
Alfredo Jaar, d'origine chilienne, intervient à son tour dans les lieux publics en présentant, à la station de métro Spring Street de New York, la série *Rushes,* ensemble de photographies grand format sur la vie des mineurs d'Amazonie. Ces photographies avaient été présentées au cours de l'été en caissons lumineux à la Biennale de Venise, sous le titre *Gold in the Morning*.

France

Le 16 mars, la gauche perd les élections législatives tandis que la droite (RPR-UDF) obtient la majorité et que le Front national (à la faveur du scrutin proportionnel) forme un groupe de 35 députés. Jacques Chirac, maire de Paris, est nommé Premier ministre. François Léotard succède à Jack Lang au ministère de la Culture et de la Communication. C'est la « cohabitation » gouvernementale avec le président F. Mitterrand.
Le 5 mai, François Léotard autorise la reprise des travaux (interrompus pour raisons techniques et administratives en janvier) pour l'installation de l'œuvre de Daniel Buren, *Les Deux Plateaux,* dans la cour d'honneur du Palais-Royal, à Paris. Les polémiques sensibilisent l'opinion autour des commandes publiques adressées à des artistes contemporains. Ainsi le projet de Jean-Pierre Raynaud de murer avec de la céramique blanche une des tours du quartier des Minguettes vouées à la destruction, dans la banlieue de Lyon, ne sera jamais réalisé.

Hongrie

Le groupe Inconnu, engagé dans la production et l'organisation d'expositions, annonce l'exposition « The Fighting City », commémoration de la révolution d'Octobre 1956. Des artistes hongrois et étrangers sont invités à envoyer des travaux qui reflètent des souvenirs de 1956. Le sujet étant encore un tabou politique, aucune galerie ne veut participer à cette manifestation. L'exposition aura cependant lieu dans l'appartement de Tibor Philipp, un membre du groupe. Sur les murs, sont accrochées les copies de notification de confiscation des œuvres qui devaient figurer à l'exposition.

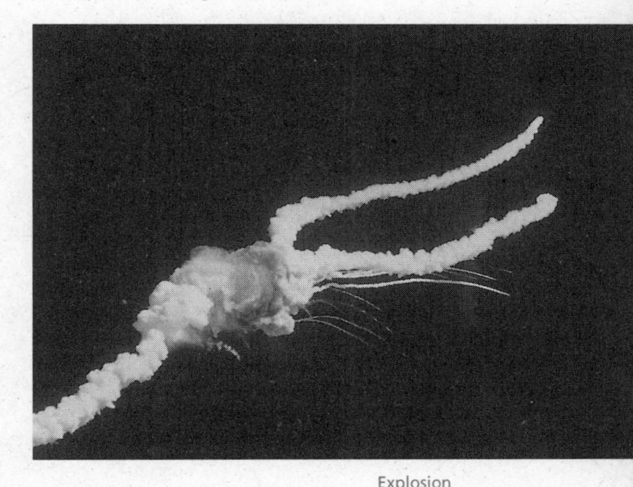

Explosion de la navette spatiale *Challenger*, Cap Canaveral, États-Unis, 28 janvier 1986. Photo © David Welcher, SYGMA.

Pologne

En septembre, le général Jaruzelski annonce la libération des 13 000 détenus politiques polonais. Lech Walesa demande la légalisation de Solidarnosc. Celle-ci est refusée.

Tchécoslovaquie

Dissolution de la « Section Jazz », organisme culturel indépendant et pluridisciplinaire (éditions, expositions, conférences, concerts), actif de 1971 à 1986. Les responsables de la direction sont emprisonnés, les biens confisqués, et les éditions mises au pilon.

URSS

En février, au congrès du parti communiste, Mikhaïl Gorbatchev annonce la refonte économique et la démocratisation du pays. Les termes de « perestroïka » [reconstruction] et de « glasnost » [transparence] popularisent les projets de réforme de Gorbatchev.
Le 11 février, libération à Berlin du dissident Chtcharanski, emprisonné depuis 1977. Il choisit d'émigrer en Israël.
Le 26 avril, deux explosions se produisent dans le réacteur numéro 4 de la centrale nucléaire de Tchernobyl (nord de l'Ukraine). Le bilan officiel, tardivement communiqué par Moscou, est de 32 morts et 500 blessés. On apprendra plus tard qu'un million cinq cent mille personnes ont été irradiées lors de cette catastrophe et que quatre autres millions ont été victimes des retombées radioactives. L'artiste français Louis Jammes réutilisera l'image du réacteur détruit dans plusieurs de ses œuvres.
En mai, grâce à une modification de la législation sociale, de nombreuses associations de créateurs se font enregistrer, ce qui leur permet d'obtenir des salles d'exposition dans les quartiers. Moscou connaît ainsi une effervescence d'expositions d'art contemporain.
En août, Igor Chelkovski, directeur de la revue *A-Ya* [voir 1979], est déchu de sa nationalité et de sa citoyenneté soviétique.
Le 19 décembre, Andreï Sakharov, libéré de son exil à Gorki, rentre à Moscou avec Elena Bonner. Deux cents autres dissidents seront libérés au cours du trimestre suivant. Au cours de l'année, la galerie Tretiakov présente des œuvres de Lioubov Popova, de Kandinsky et de Chagall ; elle réhabilite ainsi ces artistes, désormais considérés comme les héritiers culturels de l'histoire de l'art russe.

Vérification du niveau de radioactivité dans la ville de Pripyat, totalement évacuée lors de la catastrophe nucléaire de Tchernobyl, avril 1986. Photo © Igor Kostin/IMAGO/SYGMA.

Allemagne

RDA

Le 8 juin, à Berlin-Est, à l'occasion d'un concert de rock a lieu une manifestation spontanée de 3 000 jeunes Allemands contre le maintien du mur de Berlin entre les deux Allemagnes. Quatre jours plus tard, Ronald Reagan en visite à Berlin-Ouest met au défi Gorbatchev d'« abattre le mur ».

RFA

La huitième édition de la Documenta de Cassel (12 juin-20 sept.) est consacrée à la dimension historique et sociale de l'art avec Golub, Haacke, Holzer, Jaar, Komar et Melamid, Kruger, Levine, Metzel, Wall, et Wodiczko... Christian Boltanski y présente *Archives,* une installation comportant 350 photographies de portraits d'enfants anonymes. Le dispositif d'accrochage sur des grillages métalliques suggère l'idée de leur disparition dans des circonstances tragiques. Robert Morris, pour sa part, y présente une série de hauts-reliefs expressionnistes consacrés au thème de l'Holocauste.
D'octobre à juin, la Kunsthalle de Hambourg présente l'exposition « Paix et guerre dans l'art russe et allemand des XIXe et XXe siècles », organisée par Werner Hofmann, directeur de la Kunsthalle, et par Youri Koroliov, directeur de la galerie Tretiakov. Y sont exposées 300 œuvres (peintures, sculptures, dessins, gravures) d'artistes allemands et russes selon un parcours chronologique marqué par les grands événements militaires des deux derniers siècles. L'exposition sera présentée à Munich, à Moscou et à Leningrad.
Pour la commémoration du cinquantenaire de l'exposition « Entartete Kunst » de 1937, la Staatsgalerie moderner Kunst de Munich (l'ancien Haus der Deutschen Kunst) organise, du 27 novembre 1987 au 21 janvier 1988, l'exposition « Entartete Kunst : Dokumentation zum nationalsozialistischen Bildersturm am Bestand der Staatsgalerie moderner Kunst » [Art dégénéré : documents sur l'iconoclasme national-socialiste à l'exemple de la collection de la Staatsgalerie moderner Kunst]. Parmi les œuvres exposées, *Entartete Kunst* (1983) de Sigmar Polke, qui reprend la photographie officielle de la queue devant l'entrée de l'exposition de 1937 à Hambourg. Olaf Metzel réalise *Idealmodel PK 90,* maquette géante du pistolet utilisé par la police allemande, et présente *13.4.81* pour l'exposition « Skulpturenboulevard » à Berlin. Cette œuvre réalisée avec des barrières métalliques et des caddies de supermarché rappelle le souvenir de la manifestation du 13 avril 1981, à Berlin, où les partisans de la Fraction armée rouge s'étaient violemment heurtés avec la police.

Chine

Huang Yong Ping réalise *La Grande Roulette* et *« Histoire de la peinture chinoise » et « Histoire concise de la peinture moderne » lavées pendant deux minutes dans un lave-linge,* œuvres dans lesquelles, en se référant au zen, à Dada, à Fluxus, à Wittgenstein ou à Foucault, il dénonce la logique rationaliste de la culture et des discours historiques.

Espagne

Pour célébrer le 50e anniversaire de l'Exposition universelle de Paris en 1937, le Centro Reina Sofia organise, du 25 juin au 15 septembre, l'exposition « Il Pabelon Español Exposicion Internacional de Paris 1937 ». À cette occasion, le pavillon espagnol de 1937 a été reconstruit. Des œuvres montrées en 1937 y sont présentées avec d'autres reflétant l'époque de la guerre civile espagnole.

États-Unis

Le 19 octobre, krach boursier à Wall Street : c'est le « Lundi noir ». Durant la même période, les ventes d'art moderne et contemporain enregistrent des

records : le 11 novembre, *Les Iris* de Van Gogh atteignent chez Sotheby's, à New York, le prix de 54 millions de dollars.
Création d'ACT UP (Aids Coalition to Unleash Power), qui sera à l'origine de nombreuses manifestations contre le sida.
Afin de recueillir des fonds pour l'American Foundation for AIDS Research, une exposition-vente « Art Against AIDS », organisée par L. Reichard, est inaugurée le 6 juin. 72 galeries participent à l'opération. Les ventes se poursuivent jusqu'en décembre et concernent des œuvres d'artistes majeurs du panorama international tels que Beuys, Chia, Clemente, Cucchi, De Kooning, Hockney, LeWitt, Motherwell, Oldenburg, Paladino, Picasso, Rauschenberg, Twombly, Warhol…
Antoni Muntadas présente au Massachussets College of Art *The Board Room,* reconstitution d'une salle de conseil d'administration ornée des portraits des télé-évangélistes américains célèbres, ainsi que de ceux de Khomeiny et de Jean-Paul II.

France

Au cours de l'été, pour son exposition monographique au musée de Céret, Ben aborde le thème de la défense des minorités régionales, auquel il consacrera ensuite plusieurs œuvres et publications.
En novembre, l'Institut du monde arabe, centre culturel consacré aux différentes formes de la culture arabe et construit par Jean Nouvel, est inauguré à Paris.

Japon

En mars, la compagnie d'assurances Yasuda achète *Les Tournesols* de Van Gogh pour 5,3 milliards de yens à une vente aux enchères chez Christie's. Cette opération marque le début d'une vague d'investissements spéculatifs japonais sur les œuvres d'art.

Palestine

En décembre, début de l'insurrection des Palestiniens contre l'occupation israélienne en Cisjordanie et à Gaza. C'est l'« Intifada ».

URSS

En avril, le Club des avant-gardistes, regroupant les personnalités les plus radicales des milieux artistiques moscovites, organise une exposition dans les faubourgs de Moscou, rue Vostotchnaïa. Les organisateurs, dont Vladimir Prigov, s'interrogent sur la contrainte d'exposer en appartement. Le terme Expo-Art est substitué au terme Apt-Art.
En juin est annoncée la réhabilitation du prix Nobel de littérature Boris Pasternak, exclu en 1958 de l'Union des écrivains et décédé en 1960.
En juillet, lors d'une exposition collective à la Maison des Artistes, Vladimir Mironenko fait scandale en représentant, sur six grands panneaux, la publicité « du premier candidat libre de l'Union soviétique ». Son slogan est : « Bâtards, qu'avez-vous fait de notre pays ? » L'œuvre disparaît soudainement des cimaises juste avant l'inauguration.
En septembre-octobre, l'Ermitage (association rassemblant une grande partie de l'intelligentsia d'avant-garde) organise, dans la galerie de la rue Profsoyouznaïa, une rétrospective de l'art non officiel moscovite depuis 1950. Y sont exposés des peintres vivant en Union soviétique et d'autres ayant émigré.
L'écrivain dissident Joseph Brodsky (naturalisé américain) reçoit le prix Nobel de littérature.

Komsomol za Perestroïkou !
[La Jeunesse communiste pour la perestroïka !], 1987.
Affiche. Musée d'Histoire contemporaine-BDIC, Paris.
Photo © Jean-Hugues Berrou/ musée d'Histoire contemporaine-BDIC, Paris.

Afghanistan

Le 15 mai, l'accord sur le retrait des troupes soviétiques est signé entre l'URSS, le Pakistan et les États-Unis. La résistance afghane annonce la poursuite de la lutte jusqu'au renversement du régime de Kaboul.

Allemagne

RFA

Du 23 septembre au 13 novembre, au Kunsthaus et au Kunstverein de Hambourg, l'exposition « Arbeit in Geschichte – Geschichte in Arbeit » [Histoire en travail – travail en histoire] réunit les diverses tendances artistiques des années 80 à travers des sujets politiques et historiques, avec, entre autres, Angermann (groupe Normal), Barfuss, Baselitz, Beuys, Brehmer, Büttner, Dahn, Darboven, Droese, Federle, Flatz, Gerz, Immendorff, Kiefer, Kippenberger, Klein, Lüpertz, Merz, Metzel, Oehlen, Penck, Polke, Staeck, Trockel et Wachweger.

Autriche

Le 50e anniversaire de l'annexion de l'Autriche par Hitler en 1938 sert de thème à plusieurs manifestations culturelles et publiques au cours de l'année.
Du 15 octobre au 8 novembre, dans le cadre du festival culturel de Graz, Hans Haacke crée une installation provisoire, *Und Ihr habt doch gesiegt* [Et pourtant vous étiez les vainqueurs], sur le modèle de l'obélisque commémoratif de 1938 portant les insignes nazis et l'inscription « Und Ihr habt doch gesiegt », proclamation qui faisait référence à l'échec du putsch de Vienne quatre ans auparavant. Cet ensemble se différencie de l'original par une inscription donnant la liste des « vaincus de Styrie » (Tziganes, Juifs, prisonniers politiques, disparus, soldats tués). Une semaine avant la fin de l'exposition, le monument reconstitué est l'objet d'un attentat à la bombe.
Le 24 novembre, l'installation, à l'Albertinaplatz de Vienne, du monument d'Alfred Hrdlicka commémorant la persécution des Juifs par les nazis est suivie d'un débat politique.

Canada

Boltanski présente, à la Ydessa Hendeles Art Foundation de Toronto, l'installation *Canada,* faite de 6 000 vêtements d'enfants accrochés à des clous, rappelant les dépôts de vêtements organisés par les nazis dans les camps (dépôts surnommés alors « Canada »). Une installation du même genre sera réalisée la même année au Museum für Gegewartskunst de Bâle sous le titre *Réserves : la fête du Pourim*.

Chili

Le 5 octobre, le général Pinochet soumet au référendum la prolongation de son mandat de chef d'État jusqu'en 1997. Battu par 54 % des voix, il annonce qu'il quittera le pouvoir en 1990.

Espagne

En avril, à Guernica, inauguration de l'œuvre de Chillida *Gure aitaren etxea* [La Maison de notre père] commémorant le cinquantenaire de la destruction de la ville.

États-Unis

En janvier, Krzysztof Wodiczko présente, à l'Institute of Contemporary Art de New York, le *Homeless Vehicle,* refuge mobile individuel pour sans-abri, permettant de les aider dans leur vie quotidienne.
Du 31 janvier au 19 avril, au Museum of Modern Art de New York, se tient l'exposition « Committed to Print ». Un grand nombre d'affiches politiques y sont présentées. Certains critiques déplorent l'absence d'œuvres liées au thème du sida.
Durant l'été, création de Visual AIDS, collectif d'artistes, de critiques et de conservateurs,

qui souhaite contribuer à la lutte contre le sida.
En septembre, à la DIA Art Foundation de New York, Group Material entame une série d'expositions sous le titre générique « Democracy ». Comprenant quatre volets (« Education and Democracy », « Politics and Election », « Cultural Participation » et « AIDS and Democracy : A Case Study »), elles se succèderont jusqu'en juin 1989.
Au Center for Contemporary Art de Cleveland (9 sept.-26 oct.), l'exposition « The Turning Point :

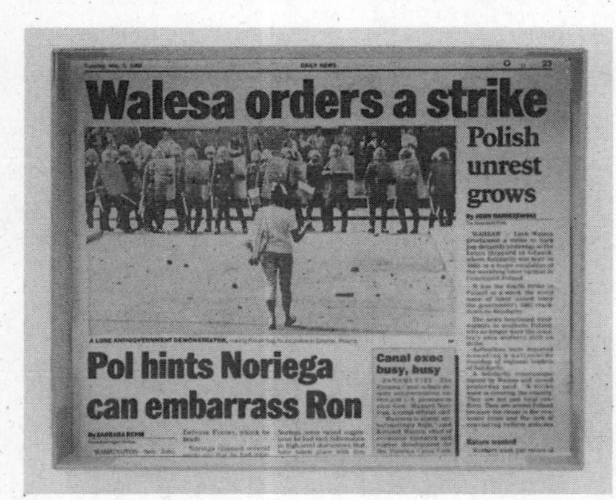

On Kawara, *May 3, 1988* (de la série *Today* commencée en 1966). Collection particulière.

Art and Politics in 68 » montre le point de vue des artistes américains sur la crise politique et sociale des années 60.
Au cours de la campagne des présidentielles, l'artiste noir David Hammons présente *How Ya Like Me Now ?*, un portrait du candidat noir Jesse Jackson maquillé en candidat blanc. L'année suivante, le panneau électoral sera saccagé dans les quartiers noirs de Washington.
Le 8 novembre, George Bush est élu à la présidence des États-Unis. Il succède à Ronald Reagan.

France

Le 9 mai, François Mitterrand est réélu à la présidence de la République.
En mars, le ministère de la Culture, dirigé par Jack Lang, annule une commande passée à l'artiste britannique Ian Hamilton Finlay pour l'hôtel des Menus Plaisirs, situé dans le parc de Versailles, après une polémique lancée par la revue *Art Press* (numéros de juin 1987 et d'avril 1988) sur l'utilisation ambiguë de symboles nazis par l'artiste.

Grande-Bretagne

Salman Rushdie est accusé de blasphème par l'imam Khomeiny après la publication de ses *Versets sataniques*. Une fatwa [condamnation à mort] sera lancée contre l'écrivain par le régime iranien en 1989.
Dans le cadre de l'exposition « Another Objectivity », qui se tient à Londres (Institute of Contemporary Art, 10 juin-17 juil.), Craigie Horsfield montre un ensemble de photographies réalisées durant son séjour en Pologne, de 1972 à 1979, représentant des portraits de la vie quotidienne polonaise et traitant d'une histoire lente, infra-événementielle.

Hongrie

Le 23 octobre, majorité communiste et opposition démocratique commémorent ensemble l'insurrection de 1956 contre l'armée soviétique.

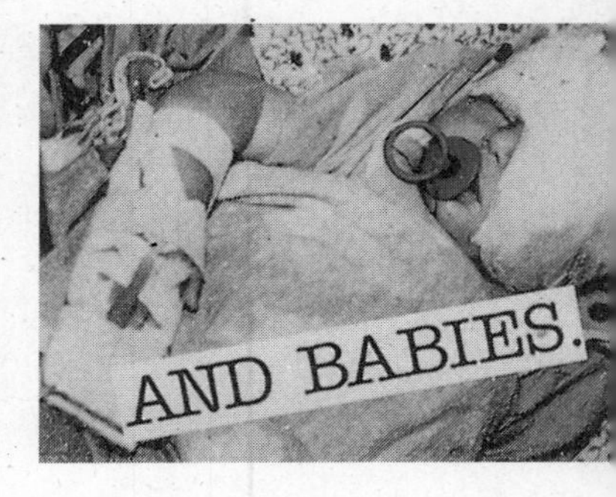

David Tartakover, *And babies*, 1988. Affiche israélienne dénonçant la situation dans les territoires occupés. Musée d'Histoire contemporaine-BDIC, Paris. Photo © musée d'Histoire contemporaine-BDIC, Paris.

Italie

Après un accord avec l'Union des artistes de Moscou, le Studio Marconi (Milan, 26 avr.-15 juin) et le Musei Civici de Varèse (mai-26 juin) présentent des artistes soviétiques contemporains, dont de nombreux représentants du Sots'Art.
À la Biennale de Venise (juin-sept.), présentation de l'art non conformiste soviétique (Boulatov, Kabakov, Kopystianski) dans la section Aperto 88.

Japon

L'artiste Kosho Ito installe, au musée d'Art moderne d'Hiroshima, *Œuvre rouge et marron à l'ocre pour Hiroshima*, mélange carbonisé d'argile et de coquillages locaux en souvenir de la destruction de la ville en 1945.

Palestine

Le 15 novembre, à Alger, l'Organisation de libération de la Palestine (OLP), sous l'autorité de Yasser Arafat, accepte de reconnaître le droit à l'existence d'Israël et proclame la création d'un État indépendant palestinien.

Autodafé du livre de Salman Rushdie *Les Versets sataniques*, Bradford, Angleterre, 1989. Photo © SYGMA et Sophie Bassouls/ Derek Hudson, SYGMA.

Pologne

Un mouvement de grève entamé le 26 avril à Nowa-Huta s'étend aux chantiers navals de Gdansk le 2 mai.

Suisse

Au Kunstmuseum de Berne (11 juin-14 août) a lieu « Ich liebe, ich sehe », importante présentation de l'avant-garde russe des années 80, avec 23 artistes non conformistes (dont Boulatov, Kabakov, Orlov, Yankilevsky, Zakharov...).

Tchécoslovaquie

En août, plusieurs milliers de manifestants commémorent l'anniversaire de l'entrée des troupes soviétiques à Prague en 1968.

URSS

Le 4 février, réhabilitation des condamnés du procès de Moscou de mars 1938 (Nikolaï Boukharine et Alexeï Rykov).
Au cours du même mois, multiplication de mouvements d'agitation nationaliste dans les républiques de l'URSS (Arménie, Azerbaïdjan, Estonie).
En juillet, adoption par le parti communiste d'un projet de mémorial aux victimes du stalinisme.
Le 7 juillet, à Moscou, Sotheby's organise une importante vente aux enchères d'œuvres d'art contemporain.
Publication à Moscou de la revue *Iskousstvo*, consacrée à la création de l'avant-garde.

Yougoslavie

Le 18 novembre, un million de Serbes manifestent à Belgrade contre l'indépendance du Kosovo, où s'opposent nationalistes serbes et albanais.

1989

Afrique du Sud

Frederik de Klerk, élu président de la République le 14 septembre, se propose de modifier le système politique sud-africain en abolissant l'apartheid.

Allemagne

RDA

À partir d'août, des milliers de citoyens d'Allemagne de l'Est franchissent la frontière avec la Hongrie pour se réfugier en RFA *via* l'Autriche. Le mouvement s'accélère en automne.
Le 25 septembre, à Leipzig, plusieurs milliers de manifestants réclament des réformes politiques. Le 30 octobre, dans toute l'Allemagne de l'Est, 500 000 manifestants réclament des élections libres. Le 9 novembre, à Berlin-Est, les autorités décident l'ouverture du « mur ». Des milliers de Berlinois en liesse le franchissent pour une nuit d'allégresse. C'est la chute du mur de Berlin. Le nouveau gouvernement est-allemand annonce des élections libres pour mai 1990.

RFA

Du 12 février au 9 mars se tient, au Museum Haus Esters de Krefled, l'exposition « Gerhard Richter : 18 Oktober 1977 », consacrée à un cycle d'œuvres sur la mort des terroristes de la Fraction armée rouge (groupe Baader-Meinhof).
En octobre, sur commande du musée de Checkpoint Charlie, Keith Haring peint sur le mur de Berlin une « chaîne humaine » de plus de 10 mètres de long aux couleurs du drapeau allemand.
Le 28 novembre, le chancelier Kohl présente au Bundestag un plan de réunification. Le 8 décembre, le projet est accepté par la Communauté européenne.

Brésil

Le 15 décembre ont lieu les premières élections présidentielles au suffrage universel direct depuis 1964 : le nouveau président est Fernando Collor de Mello.

Chili

Le 14 décembre, le candidat unique de l'opposition, Patricio Aylwin, est élu président du Chili, mettant fin à seize ans de régime Pinochet.

Chine

Le 4 mai, une manifestation en faveur de la démocratie rassemble 300 000 étudiants à Pékin. Elle est tolérée par Zhao Ziyang, chef du parti communiste, qui se dit prêt à dialoguer. À partir du 13 mai, 3 000 étudiants commencent une grève de la faim place Tianan men. Ils sont soutenus massivement par la population de Pékin. Dans la nuit du 3 au 4 juin, à l'instigation de Deng Xiaoping, l'armée réprime les étudiants et la foule réunis place Tianan men. Les événements sont retransmis par les télévisions occidentales. C'est la fin du Printemps de Pékin. Les leaders du mouvement sont arrêtés et certains sont condamnés à la peine de mort. Zhao Ziyang est destitué.

États-Unis

Le 18 mai, les sénateurs Alphonse D'Amato et Jesse Helms dénoncent l'exposition d'Andreas Serrano au Centre d'art contemporain de Winston-Salem (Caroline-du-Nord). Une œuvre de Serrano, *Piss Christ,* montre un crucifix plongé dans de l'urine.
L'exposition de Robert Mapplethorpe « The Perfect Moment », à thématique sadomasochiste, est annulée le 12 juin par la Corcoron Gallery of Art de Washington. Elle avait été présentée auparavant à l'ICA de Philadelphie et au MoCA de Chicago.
Ces deux expositions avaient bénéficié des subventions du NEA (National Endowment for the Arts). Le 26 juillet, le sénateur Jesse Helms propose un amendement au projet de loi budgétaire qui interdirait au NEA des « œuvres obscènes ou indécentes », ou qui heurteraient les sentiments religieux.
Le 7 octobre, le Congrès vote la réduction du budget du NEA, pour le montant exact des deux expositions incriminées.
À New York, *Tilted Arc* de Richard Serra, installé sur Federal Plaza depuis 1981, est démantelé pour gêne à la circulation. Le démontage de cette sculpture suscite la protestation des milieux artistiques.
Du 8 novembre 1989 au 18 février 1990, « Image World. Art and Media Culture », au Whitney Museum, présente les œuvres des artistes américains dont le travail prend en compte le poids esthétique et social des médias dans la culture contemporaine. Parmi les artistes présentés : Adams, Baldessari, Birnbaum, Burden, Holzer, Gran Fury, Kienholz, Kruger, Levine, Rauschenberg, Warhol, Wodiczko...
Du 16 novembre 1989 au 6 janvier 1990, l'artiste Nan Goldin organise, à l'Artists Space de New York, une exposition sur le sida intitulée « Witnesses : Against Our Vanishing ».
Le 1er décembre, Visual AIDS organise « A Day Without Art ». Plus de 400 musées et galeries américaines y participent en fermant leurs portes.

Destruction du mur de Berlin, 10 novembre 1989. Photo © Stéphane Duroy, VU.

École des Beaux-Arts, Pékin, 29 mai 1989 : les étudiants dressent une « statue de la Liberté » dans la cour de l'école avant de la transporter place Tianan men. Photo © Patrick Zachmann, Magnum Photos.

France

Du 14 janvier au 12 mars, le musée d'Art moderne de la ville de Paris présente « Images critiques », ensemble d'œuvres à connotations politiques ou sociales d'Adams, Jaar, Jammes, Wall.
Du 22 février au 9 avril, le Centre Georges Pompidou présente l'exposition « Sur le passage de quelques personnes à travers une assez courte unité de temps », consacrée à l'Internationale situationniste.
Du 3 mai au 18 juin se tient, au Centre Georges Pompidou, l'exposition de Hans Haacke « Artfairismes », au cours de laquelle il présente un grand nombre d'œuvres réalisées entre 1980 et 1989, dont *Les Must de Rembrandt,* de 1986, relatifs aux liens du bijoutier Cartier avec les milieux d'affaires sud-africains.
Du 18 mai au 14 août se tient, au Centre Georges Pompidou et à

la Grande Halle de la Villette, l'exposition « Magiciens de la Terre ». Organisée par Jean-Hubert Martin, la manifestation confronte deux formes de production artistique : l'art contemporain occidental et les œuvres d'artistes vivants des différents continents (Afrique, Asie, Amérique, Australie).
Le thème du colonialisme y est abordé par plusieurs artistes : D. Adams, H. Haacke, A. Jaar, C. Meirelès, Miralda, C. Samba...
À l'occasion des cérémonies du bicentenaire de la Révolution française, un grand nombre de manifestations artistiques sont organisées, qui culmineront avec le défilé du 14 Juillet organisé par le publicitaire Jean-Paul Goude. De nombreuses commandes sont passées aux artistes contemporains par le ministère de la Culture, soit dans le cadre

Chute du régime Ceausescu, Roumanie, décembre 1989. Photo © Léonard Freed, Magnum.

des cérémonies commémoratives, soit pour des installations définitives. À cette occasion, Nam June Paik réalise une série de grandes figures du siècle des Lumières et de la Révolution française avec des postes de télévision; Bernard Pagès, une colonne tricolore pour la cour de l'hôtel d'Albret; et Ivan Theimer, un monument aux Droits de l'homme au Champ-de-Mars.
Pour commémorer la fondation de l'Assemblée nationale en 1789, celle-ci invite six artistes (Fabro, Haacke, De Maria, Oldenburg, Raysse, Sarkis) à concourir pour la réalisation d'un monument destiné à la Cour d'honneur. Lauréat du concours, Walter De Maria réalise un ensemble composé d'une sphère de granit posée sur un piédestal contenant un cœur doré, et d'une table de lecture où reposent onze plaques de bronze portant le texte de la *Déclaration universelle des droits de l'homme.* Pour le concours, Haacke présente *Calligraphie.* En septembre, le ministère de la Défense invite Buren, Sarkis, Vilmouth... à commémorer la victoire de Valmy par un ensemble d'installations provisoires sur le champ de bataille.
En juillet, inauguration de l'Opéra Bastille et de la Grande Arche sur le parvis de la Défense. Au dernier niveau du bâtiment, la Fondation de l'Arche de la fraternité abrite une œuvre de Dennis Adams, *Procession (Soweto-Afrique du Sud).*

Grande-Bretagne

Le 6 avril, à Londres, une vente aux enchères d'œuvres d'art de l'avant-garde russe a lieu chez Sotheby's. 200 lots comprenant peintures, dessins, aquarelles, livres, affiches, photographies et céramiques sont vendus et montrent l'intérêt croissant pour la culture soviétique du XXe siècle.
Du 27 avril au 9 juillet se tient, à la Barbican Art Gallery de Londres, l'exposition « 100 years of Russian Art, 1889-1989, from private collections in the USSR ». 250 œuvres sélectionnées par David Elliott et Valery Dudakov, provenant de 38 collections privées russes, sont présentées pour la première fois aux Occidentaux.

Hongrie

Le 3 mai, le gouvernement commence le démantèlement du « rideau de fer » établi le long de sa frontière avec l'Autriche.
Le 16 juin, de nouvelles obsèques solennelles sont organisées pour Imre Nagy, ancien dirigeant de la révolution hongroise de 1956. L'événement est suivi par une foule considérable.
En octobre, le Parlement hongrois adopte le pluralisme politique.
Le collectionneur d'art ouest-allemand Peter Ludwig signe à Budapest un contrat pour l'installation d'un musée Ludwig d'art moderne international à Budapest. C'est la première fondation privée dans un pays de l'Est.

Italie

Pistoletto déclare 1989 « Anno bianco », son travail reflétant les événements de l'année. Il propose une série d'expositions de ses œuvres au cours des douze mois. « Anno Bianco » comprend aussi le rapprochement de deux de ses œuvres antérieures avec deux événements qui ont eu lieu en 1989 : l'une, la scénographie de son spectacle théâtral de 1981, *Anno Uno,* enregistrée par une photographie, est mise en parallèle avec une photographie de la chute du mur de Berlin diffusée dans les journaux.
L'autre, sa sculpture *Dietro-front* (1981), est comparée à la statue réalisée par les étudiants de la place Tianan men en faveur de la démocratie.
Au cours de l'année, le photographe Oliviero Toscani commence sa collaboration avec l'industriel de l'habillement Luciano Benetton, pour lequel il lance des campagnes publicitaires concernant les problèmes de la société contemporaine.
Les affiches sont distribuées dans plus de cent vingt pays.

Liban

Le 22 octobre, les accords de Taef mettent fin à quatorze ans de guerre fratricide au Liban entre chrétiens et musulmans tandis que l'armée syrienne reste au Liban.

Pologne

À l'issue de plusieurs mois de négociations (janv.-avr.), le syndicat Solidarnosc est légalisé le 18 avril. En juin, les premières élections législatives marquent la défaite du Parti communiste polonais. Le 18 août, Tadeusz Mazowiecki, qui appartient à Solidarnosc, devient le nouveau Premier ministre. Toutefois le général Jaruzelski reste président de la République.

Roumanie

Le 22 décembre, après les manifestations hostiles au Conducator et l'intervention de l'armée contre la foule, Radio-Bucarest annonce que Nicolae Ceausescu a abandonné le pouvoir et qu'il a été arrêté ainsi que son épouse. Le 25, les époux Ceausescu sont exécutés après un procès expéditif.

Suisse

Sous le titre « De la Révolution à la Perestroïka », le Kunstmuseum de Lucerne présente, du 25 juin au 10 septembre, un ensemble important d'œuvres russes et soviétiques (Boulatov, Kabakov, Kopystiansky...) appartenant au collectionneur allemand Peter Ludwig. L'exposition sera ensuite montrée à Saint-Étienne et à Barcelone.

Tchécoslovaquie

Au cours de l'année, les manifestations en faveur de la démocratie se multiplient.
Le 17 novembre, une manifestation réunissant 30 000 à 50 000 personnes sur la place Wenceslas, à Prague, est violemment réprimée par la police. La « Révolution de velours » commence. Le 19 novembre, l'écrivain dissident Vaclav Havel, emprisonné au début de l'année, annonce la fusion de diverses organisations d'opposition en un « Forum civique ». Le 25, plusieurs centaines de milliers de personnes écoutent à Prague le discours conjoint de Havel et de Dubcek, le leader de 1968.
Le 10 décembre, le gouvernement promet des élections libres pour 1990. Le 29 décembre, Vaclav Havel est élu à la présidence de la nouvelle République. Dubcek est placé à la tête de l'Assemblée fédérale.

URSS

En mai, à l'occasion du Congrès des députés, Mikhaïl Gorbatchev est élu chef de l'État. Il annonce un approfondissement des réformes.
Le 14 décembre, des milliers de Moscovites suivent les obsèques de Sakharov.
Vladimir Kuprianov réalise *Cast me not away from Thy Presence. Hide Thy Face from my sins,* portrait photographique d'ouvriers soviétiques accompagné d'un extrait d'un psaume de David, « Hide Thy Face from my sins ».

Yougoslavie

Des émeutes éclatent entre le 26 et le 30 mars au Kosovo entre la population d'origine albanaise et la minorité serbe soutenue par Belgrade.
En Croatie, création du HDZ (Hrvatska demokratska zajednica) [Communauté démocratique croate], parti anticommuniste et nationaliste fondé par Franjo Tudjman. À Belgrade, Rasa Todosijevic exécute une série de dessins et d'installations intitulée *Gott liebt die Serben* [Dieu aime les Serbes]. Les éléments en sont l'ancien drapeau yougoslave et une croix gammée.

1990

Afrique du Sud

Le 11 février, à la suite de la légalisation de l'ANC (African National Congress), interdit depuis 1960, Nelson Mandela, après 27 ans de captivité, est libéré et suspend en août la lutte armée.

Allemagne

Le 21 juin, les Parlements de Bonn et de Berlin-Est ratifient le traité d'État instituant, le 1er juillet, l'Union économique monétaire et sociale de l'Allemagne ; ils approuvent aussi une déclaration sur l'intangibilité de la ligne Oder-Neisse comme frontière occidentale de la Pologne. Le 12 septembre, le traité rétablissant l'Allemagne unifiée dans sa pleine souveraineté est signé à Moscou. Le 3 octobre, les deux Allemagnes sont officiellement réunifiées. Avec la chute du mur de Berlin, une politique culturelle de collaboration entre l'ex-RDA et la RFA commence. Sur Lenin Platz à Berlin-Est, Krzysztof Wodiczko projette sur le monument à Lénine une image transformant le chef politique en bagnard, avec, à ses côtés, un caddie de supermarché.
L'artiste Georg Baselitz, né en RDA mais exilé à l'Ouest à l'âge de 19 ans, déclare dans la revue *Art* qu'il n'exposera pas à côté d'artistes de l'ex-RDA car ceux-ci « se sont vendus à la propagande ». Il affirme aussi : « L'art vrai a eu sa vie à l'Ouest, de l'autre côté du mur. »
Du 27 mai au 6 juillet a lieu, à la Stadtische Kunsthalle de Düsseldorf, l'exposition « Um 1968, Konkrete Utopien in Kunst and Gesellschaft » avec Andre, Arroyo, Beuys, Brecht, Broodthaers, Buren, Cage, César, Duchamp, Gerz, Grand, Jorn, Kosuth, Manzoni, Morris, Newman, Paik, Rainer, Stella, Toroni, Viallat, Villeglé...
En septembre a lieu, à Berlin, l'exposition « Die Endlichkeit der Freiheit », avec la participation de onze artistes (Anselmo, Bloom, Boltanski, Haacke, Horn, Kabakov, Kounellis, Lewandowski, Merz, Rheinsberg et Wodiczko). Hans Haacke réalise une installation temporaire sur une tour de garde dans l'ancien « bandeau de la mort », zone minée, derrière le mur, où 175 personnes trouvèrent la mort en essayant de fuir la RDA. Christian Boltanski conçoit *La Maison manquante* dans les ruines d'une maison située à la frontière des deux Berlin, dont il entreprend de reconstituer le passé à partir des archives des habitants disparus.

France

Après la profanation du cimetière juif de Carpentras le 10 mai, une manifestation nationale contre l'antisémitisme réunit, le 14 mai, 200 000 manifestants. François Mitterrand y participe.
Du 19 au 21 novembre, réunion à Paris du 2e sommet de la Conférence sur la sécurité et la coopération en Europe (CSCE) entre les États de l'OTAN et du pacte de Varsovie. Quinze ans après la conférence d'Helsinki, qui avait institué la CSCE et reconnu le statu quo en Europe, la réunion de Paris consacre la fin de la « guerre froide ».
Le 21 juin, l'ouverture du nouveau musée d'Art moderne de la ville de Nice déclenche une polémique à cause des propos considérés comme « racistes » de Jacques Médecin, maire de la ville. En signe de protestation, Arman annule la rétrospective qui devait lui être consacrée pour l'inauguration du musée.

États-Unis

Le directeur du Cincinnati Contemporary Art Center, Dennis Barrie, est poursuivi en justice pour avoir violé les lois contre l'obscénité en présentant l'exposition « Robert Mapplethorpe : The Perfect Moment ». La police ferme l'exposition.
Le National Council on the Art demande au président du NEA, John Frohnmayer, de reconsidérer les lois sur l'obscénité. Celui-ci refuse. Ces lois seront finalement jugées anticonstitutionnelles par la Cour suprême.
Hans Haacke réalise *Helmsboro Country*. L'œuvre est un gigantesque paquet de Malboro opportunément camouflé pour dénoncer les connexions entre la Philip Morris Company et le sénateur Helms, responsable des mesures contre l'« art immoral ».
L'exposition « Rhetorical Image » qui se tient au New Museum of Contemporary Art de New York, du 9 décembre 1990 au 3 février 1991, présente le travail de 20 artistes de différents pays (Adams, Dimitrijevic, Gonzalez-Torres, Kabakov, Kolar, Meireles, Muntadas, Wodiczko...) et analyse les rapports entre politique et société.

Grande-Bretagne

Démission de Margaret Thatcher le 22 novembre. Elle est remplacée à son poste par John Major.

Irak

Le 2 août, 100 000 soldats irakiens envahissent le Koweït. Les États-Unis décident d'intervenir. C'est l'opération « Bouclier du désert ». En six mois, 350 000 soldats américains sont envoyés en Arabie Saoudite, auxquels s'ajoutent 100 000 soldats de la coalition réunissant 28 pays, dont la France, la Grande-Bretagne, l'Égypte, la Syrie, sous l'aval de l'ONU.

Italie

À Prato, du 10 février au 14 mai, l'exposition « Contemporary Russian Artists » présente Boulatov, Kabakov, Kopystiansky, Volkov, Zakharov.
Du 27 mai au 30 septembre a lieu la 44e Biennale de Venise. Dans le pavillon central est présentée l'exposition « Ambiente Berlino ». Bien que programmée avant la chute du mur, l'exposition tire parti des récents événements et présente, côte à côte, des artistes de RDA (Killisch, Liebmann, Libuda, Seidel, Ticha...) et de RFA (Beuys, Calzolari, Forster, Hödicke, Lüperz, Spagnulo, Vostell...). J. Kolar et M. Pasteka représentent la Tchécoslovaquie.

Nicaragua

Le 25 février, Violeta Chamorro, candidate de l'opposition, l'emporte sur le sandiniste Daniel Ortega aux élections présidentielles. Sa victoire consacre l'échec économique et politique de la révolution sandiniste au Nicaragua.

Pologne

Le 9 décembre, Lech Walesa, président de Solidarnosc, est élu président de la République.

URSS

Le 15 octobre, Mikhaïl Gorbatchev reçoit le prix Nobel de la paix. Mais l'échec des réformes partielles décrétées par lui apparaît dans tous les secteurs. La population lui attribue notamment l'effondrement économique du pays.
Le 21 novembre, Nikolaï Goubenko est nommé ministre de la Culture. Pour la première fois depuis les années vingt, le ministère est confié à un spécialiste de l'art plutôt qu'à un fonctionnaire de l'appareil politique.
Du 18 au 20 octobre, à Moscou, a lieu la première Foire d'art soviétique contemporain « Art-Mif » (Art-Moscow International Fair). Le thème choisi pour cette première édition s'intitule : « Un projet idéal à propos du marché de l'art soviétique ».
La manifestation se renouvellera chaque année.

Yougoslavie

Plusieurs élections libres sont organisées en Slovénie, en Croatie, en Macédoine, en Bosnie-Herzégovine, en Serbie et au Monténégro. Les nationalistes deviennent majoritaires dans la plupart des républiques. La Serbie et le Monténégro gardent un gouvernement communiste.
Le 23 décembre, la Slovénie proclame son indépendance. C'est le début de l'éclatement de la Fédération yougoslave.

Istran Orosz, Tovarichtchi, konets ! [Camarades c'est fini !], 1989-1990. Affiche éditée par le Forum démocratique hongrois. Musée d'Histoire contemporaine-BDIC, Paris. Photo © musée d'Histoire contemporaine-BDIC, Paris.

1991

Hongrie, 1990. Photo © Ferdinando Scianna, Magnum Photos.

Algérie

Le 26 décembre, le FIS [Front islamique du Salut] remporte le premier tour des élections législatives. Après la prise de pouvoir par l'armée le 11 janvier 1992, le deuxième tour prévu pour le 16 janvier 1992 est reporté. C'est le début de la guerre civile algérienne.

Allemagne

Avec l'aide des élèves de l'École des beaux-arts de Sarrebruck, Jochen Gerz entreprend, de 1991 à 1993, de graver sur l'envers des pavés de la place du château de Sarrebruck les noms des 2 146 cimetières juifs détruits en Allemagne sous le nazisme. Réalisé sans annonce préalable, le projet, intitulé *2 146 Steine. Mahnmal gegen Rassismus,* sera finalement approuvé par le Parlement à une faible majorité.

Cuba

En réaction aux futures cérémonies du 500e anniversaire de la découverte de l'Amérique, la IVe Biennale de La Havane prend le titre évocateur de « La défiance de la colonisation ». Eugenio Dittborn et Luis Camnitzer font partie des artistes invités.

États-Unis

La manifestation « Democracy » a lieu à la DIA Art Foundation à New York. Organisée par Group Material, elle comprend des expositions, des conférences et des débats sur le thème de la démocratie.

Du 20 octobre 1991 au 7 janvier 1992, l'exposition « Dislocations » au Museum of Modern Art de New York rassemble, sous la responsabilité de Robert Storr, des œuvres à connotations sociales ou politiques. Parmi les artistes présentés, Chris Burden expose *The Other Vietnam Memorial* (constitué de panneaux où figurent les noms de trois millions de Vietnamiens tués pendant la guerre), en réponse au *Vietnam Veterans' Memorial* de Washington [voir 1982]; David Hammons montre *Public Enemy,* une installation réutilisant une photographie du président Theodore Roosevelt présentée dans une reconstitution d'émeute de rue.
Au même moment, à l'Alternative Museum de New York, l'exposition « Artists of conscience : 16 years of political and social commentary » (6 nov. 1991-25 janv. 1992) réunit des œuvres d'Adams, Camnitzer, Kruger, Peress, Piper, Serrano, Spero...

France

La revue *Esprit* (juillet-août) lance une polémique contre « l'art contemporain » relayée par différents organes de presse.
Du 18 octobre au 18 décembre, le groupe Normandie Architecture et Création organise, à l'Usine Fromage (École d'architecture de Normandie, à Darnétal), l'exposition « Dénonciation » à laquelle participent dix artistes : Camnitzer, Doherty, Metzel, Gerz, Kerbrat, Kliaving, Meireles, Samba, Toress, Whiten.

Espagne

Pour l'inauguration du nouveau musée national d'Art catalan, Antoni Tàpies propose d'ériger, dans le hall remis en état par Gae Aulenti, une sculpture monumentale : une chaussette trouée haute de 19 mètres. À l'heure où Barcelone s'apprête à accueillir les Jeux olympiques d'été, la nouvelle suscite une vive polémique. Le projet, dont il ne reste qu'une maquette, ne verra pas le jour.

Irak

Le 17 janvier, après avoir déployé leurs troupes sur le sol irakien [voir 1990], les États-Unis et leurs alliés lancent l'opération « Tempête du désert ». Les soldats de la coalition libèrent le Koweït et provoquent la débâcle de l'armée irakienne. Cette guerre, qui prend fin le 28 février, met en évidence l'importance des nouvelles technologies militaires. Elle révèle aussi le nouveau rôle des États-Unis comme « gendarme planétaire ». Des œuvres comme la série *Bugs Bunny* (1991) d'Alighiero Boetti, *War without Bodies* (1991) d'Allan Sekula, ou encore la série photographique *Fait* (1992) de Sophie Ristelhueber, font référence à cette guerre technologique et médiatisée.

Sophie Ristelhueber, *Fait*, 1992. Photographie prise au Koweït en 1991 après la guerre du Golfe. Courtesy galerie Arlogos, Nantes. Photo © Sophie Ristelhueber.

Tchécoslovaquie

Le 1er juillet, à Prague, le pacte de Varsovie est dissous trente-six ans après sa création (en 1955) à la demande des anciens partenaires de l'URSS.
A. Mlynarcik réalise *Les hommes naissent et demeurent égaux en droits*, une installation qui rend hommage à l'action de V. Havel.

URSS

Le 12 juin, Boris Eltsine est élu président de la République de Russie au suffrage universel, dès le premier tour.
Le 31 juillet, Gorbatchev et Bush, réunis à Moscou pour le premier sommet de l'« après-guerre froide », signent les accords START de réduction de 30 % de leurs arsenaux nucléaires.
Entre le 19 et le 21 août, une tentative de putsch des communistes conservateurs contre Mikhaïl Gorbatchev échoue. Boris Eltsine obtient le soutien de l'armée contre les putschistes et demande la réforme de l'URSS. Il annonce la suspension des activités du Parti communiste de Russie. En août, les républiques d'URSS annoncent unilatéralement leur indépendance : l'Estonie et la Lettonie, le 21 août; l'Ukraine, le 24 août; la Biélorussie, le 25 août; et la Moldavie, le 27 août.
Le 8 décembre, réunis à Minsk, les présidents de Biélorussie, de Russie et d'Ukraine constatent que l'Union soviétique, « en tant que sujet de droit international et géopolitique, n'existe plus »; ils signent un accord créant la « Communauté des États souverains ouverte à tous les États de l'ancienne URSS ».
Le 25 décembre, Gorbatchev démissionne de ses responsabilités de chef d'État de l'URSS.

Yougoslavie

Le 25 juin, la Croatie et la Slovénie proclament leur indépendance, refusée par le gouvernement fédéral.
Les affrontements entre les Serbes et les autres minorités se multiplient.
En octobre, le gouvernement fédéral yougoslave écarte toute négociation avec les républiques qui ont proclamé leur souveraineté. Vukovar, symbole de la résistance croate à la frontière de la Serbie, est pris le 19 novembre par l'armée yougoslave.
Le 23 décembre, l'Allemagne reconnaît officiellement l'indépendance de la Slovénie et de la Croatie.

Bibliographie

Partielle sur un tel sujet, cette bibliographie regroupe uniquement des ouvrages généraux, et n'inclut ni monographies d'artistes ni articles de revues.

Généralités

Almeida, Fabrice d', *Images et propagande,* Florence, Castermann/Giunti Gruppo Editoriale, 1995.

Amaral, Aracy, *Arte para quê ? A preocupaçao social na arte brasileira 1930-1970,* Sao Paulo, Nobel, 1984.

Amishai-Maisels, Ziva, *Depiction and Interpretation. The Influence of the Holocaust on the Visual Arts,* New York, Pergamon Press, 1993.

Andrews, Julia F., *Painters and Politics in the People's Republic of China, 1949-1979,* Berkeley, Los Angeles, Londres, University of California Press, 1994.

Bonner, Frances, Goodman, Lizbeth, Allen, Richard, Janes, Linda, et King, Catherine (éd.), *Imagining Women. Cultural Representations and Gender,* Cambridge, Polity Press, The Open University, 1992.

Buchloh, Benjamin H. D., Guilbaut, Serge, et Solkin, David (éd.), *Modernism and Modernity,* Halifax, Nova Scotia, the Press of Nova Scotia College of Art and Design, « The Nova Scotia Series », n° 14, 1983.

Buchloh, Benjamin H. D., *Essais historiques I. Art moderne,* Villeurbanne, Art édition, 1992.

Essais historiques II. Art contemporain, Villeurbanne, Art édition, 1992.

Canclini, Nestor Garia, *Hybrid Cultures. Strategies for Entering and Leaving Modernity,* Minneapolis, Londres, University of Minnesota Press, 1995.

Chang, Arnold, *Painting in the People's Republic of China. The Politics of Style,* Boulder, Westview Press, 1980.

Cullerne Bown, Matthew, *Art under Stalin,* Oxford, Phaidon-Oxford, 1991.

Damus, Martin, *Malerei der DDR. Funktionen der bildenden Kunst im Realen Sozialismus,* Reinbek bei Hambourg, Rowohlt Taschenbuch Verlag, 1991.

Dawtrey, Liz, Jackson, Toby, Masterton, Mary, Meecham, Pam et Wood, Paul (éd.), *Investigating Modernism,* New Haven, Londres, Yale University Press, 1996.

De Micheli, Mario, *Arte contro, 1945-1970. Dal realismo alla contestazione,* Milan, Vangelista Editore, 1970.

Egbert, Donald D., *Social Radicalism and the Arts. Western Europe. A Cultural History from the French Revolution to 1968,* New York, Alfred H. Knopf, 1970.

España. Vanguardia artística y realidad social. 1936-1976, Barcelone, Editorial Gustavo Gili, 1976.

Gillen, Eckhart et Haarmann, Rainer (éd.), *Kunst in der DDR (Künstler, Galerien, Museen, Kulturpolitik),* Cologne, Kiepenheuer & Witsch, 1990.

Grasskamp, Walter (dir.), *Unerwünschte Monumente. Moderne Kunst im Stadtraum,* Munich, Silke Schreiber, 1989.

Groys, Boris, *Staline œuvre d'art totale,* Nîmes, Éd. Jacqueline Chambon, 1990.

Guasch, Ana María, *Arte e ideologia en el País Vasco 1940-1980. Un modelo de análisis sociológico de la práctica contemporánea,* Madrid, Akal, 1985.

Haskell, Francis, *History and its Images. Art and the Interpretation of the Past,* New Haven, Londres, Yale University Press, 1993.

Hewison, Robert, *Culture and Consensus. England Art and Politics since 1940,* Londres, Methuen, 1995.

L'Histoire au jour le jour (1944-1991), Paris, Le Monde Éditions, 1993.

Mai, Ekkehard (éd.), *Historienmalerei in Europa. Paradigmen in Form, Funktion und Ideologie,* Mayence, Verlag Philipp von Zabern, 1990.

Millon Henry A. et Nochlin, Linda (éd.), *Art and Architecture in the Service of Politics,* Cambridge, Mass., Londres, The MIT Press, 1978.

Mitchell, W. J. T. (éd.), *Art and the Public Sphere,* Chicago, Londres, The University of Chicago Press, 1992.

Parent, Francis, Perrot, Raymond, et Benedito, Concha, *Le Salon de la Jeune Peinture. Une histoire 1950-1983,* Montreuil, Jeune Peinture, 1983.

Parker, Rozsika et Pollock, Griselda (éd.), *Framing Feminism. Art and the Women's Movement 1970-1985,* Londres, Pandora, 1987.

Peschler, Eric A. (éd.), *Künstler in Moskau. Die neue Avantgarde,* Schaffhausen, Zürich, Francfort/Main, Düsseldorf, Edition Stemmle, 1988.

Plaetsen, Agnès van der, *La Politique culturelle et esthétique du PCI. Les Arts plastiques 1956-1973,* Florence, Doctorat de l'Institut universitaire européen, 1992.

Pollock, Griselda, *Vision and Difference. Feminity, Feminism and Histories of Art,* Londres, New York, Routledge, 1988.

Richard, Nelly, *Margins and Institutions. Art in Chile since 1973,* Melbourne, *Art & Text,* numéro spécial hors série 21, 1986.

Rolston, Bill, *Politics and Painting. Murals and Conflict in Northern Ireland,* Rutherford, N. C., Londres, Toronto, Fairleigh Dickinson University Press, 1991.

Ross, David (éd.), *Between Spring and Summer. Soviet Conceptual Art in the Era of Late Communism,* Cambridge, Mass., Londres, The MIT Press, 1990.

Rozwadowska-Janowska, Nina, et Nowicki, Piotr (éd.), *No ! - and the Conformists. Faces of Soviet Art of the 50s to 80s,* Varsovie, Fundacja Polskiej Sztuki Nowoczesnej, 1994.

Schmidt-Brümmer, Horst, *Wandmalerei zwischen Reklamekunst, Phantasie und Protest,* Cologne, Du Mont Buchverlag, 1982.

Shapiro, David (éd.), *Social Realism. Art as a Weapon,* New York, Frederick Ungar Publishing Co, 1973.

Suarez Suarez, Orlando, *La jaula invisible. Neocolonialismo y plástica latinoamericana,* La Havane, Ed. de Ciencias sociales, 1986.

Tagg, John, *Grounds on Dispute. Art History, Cultural Politics and the Discursive Field,* Minneapolis, University of Minnesota Press, 1992.

Thomas, Karin, *Die Malerei in der DDR, 1949-1979,* Cologne, Du Mont Buchverlag, 1980.

Turine, Roger-Pierre, *L'Art soviétique de Lénine à Gorbatchev. Catalogue et réalités,* Bruxelles, Vie ouvrière, 1988.

Unverwünschte Monumente. Moderne Kunst in Stadtraum, Munich, Silke Schreiber, 1989.

Wind, Edgar, *Art et Anarchie,* [1963], Paris, Gallimard, 1988.

After Auschwitz. Response to the Holocaust in Contemporary Art, Monica Bohm-Duchen (éd.), Sunderland, Londres, Northern Centre for Contemporary Art/Lund Humphries, 1995.

Alltag und Epoche. Werke bildender Kunst der DDR aus 35 Jahren, Roland Marz et Fritz Jacobi (dir.), Berlin, Altes Museum, 1984, Berlin, Henschelverlage Kunst und Gesellschaft, 1984.

Art & Ideology, Benjamin H. D. Buchloh, Donald B. Kuspit, Lucy R. Lippard, Nilda Peraza et Lowery Sims (dir.), New York, The New Museum of Contemporary Art, 1984.

The Art of Memory. Holocaust Memorials in History, James E. Young (dir.), New York, Jewish Museum, Munich, New York, Prestel Verlag, 1994.

L'Arte come autocoscienza contro il fascismo di ieri e di oggi, Brescia, Palazzo della Loggia, 1975, Bologne, Galleria d'arte moderna, 1975.

The Artist as Adversary. Works from the Museum Collections (Including Promised Gifts and Extended Loans), New York, The Museum of Modern Art, 1971.

Bilder sind nicht verboten. Kunstwerke seit der Mitte des 19. Jahrhunderts mit ausgewählten Kulgeraten aus dem Zeitalter der Aufklärung, Jürgen Harten (dir.), Städtische Kunsthalle und Kunstverein für die Rheinlande und Westfalen, Düsseldorf, 1982.

Compassion and Protest. Recent Social and Political Art from the Eli Broad Family Foundation Collection, Michael Danoff, John Hutton, Rebecca Solnit et Carol Squiers (dir.), San Jose, San Jose Museum of Art, 1991, New York, Cross River Press, 1991.

De la révolution à la perestroïka. Art soviétique de la collection Ludwig, Wolfgang Becker, Martin Kunz et Evelyn Weiss (dir.), Saint-Étienne, Musée d'Art moderne, 1989, Lucerne, Kunstmuseum, 1989, Stuttgart, Verlag Gerd Hatje, 1989.

Image World. Art and Media Culture, Marvin Heiferman et Lisa Phillips (dir.), New York, Whitney Museum of American Art, 1989.

Japon des avant-gardes, 1910-1970, Germain Viatte et Shûji Takashina (dir.), Paris, Centre Georges Pompidou, 1986.

Kunst in Verborgenen. Nonkonformisten Russland 1953-1995, Sammlung des Zarizino-Museums, Moskau, Andreï Erofeev et Jean-Hubert Martin (dir.), Ludwigshafen am Rhein, Wilhelm-Hack Museum, 1995, Kassel, Dokumenta-Halle, 1995, Altenburg, Staatlichen Lindenau-Museum, 1995, Moscou, Manež-galerie, 1995-1996.

Latin American Artists of the Twentieth Century, Waldo Rasmussen, Fatima Bercht et Elisabeth Ferrer (dir.), New York, The Museum of Modern Art, 1993.

Modern Dreams. The Rise and Fall and Rise of Pop, New York, The Institute for Contemporary Art, P. S. 1 Museum and the Clocktower Gallery, 1987-1988, New York, The Institute for Contemporary Art and the Clocktower Gallery, 1988, Cambridge, Mass., Londres, The MIT Press, 1988.

Modernidad y modernización en el arte mexicano, 1920-1960, Olivier Debroise, Graciela de Reyes Retama (dir.), Mexico, Museo Nacional de arte, 1991.

Monuments et Modernité à Paris. Art, espace public et enjeux de mémoire, 1891-1996, Noëlle Chabert et Stéphane Carrayrou (dir.), Paris, Espace Électra, 1996, Paris, Fondation Électricité de France-Espace Électra/Paris-Musées, 1996.

Nonconformist Art. The Soviet Experience 1956-1986, The Norton and Nancy Dodge Collection, The Jane Voorhees Zimmerli Art Museum. Rutgers, The State University of New Jersey, Alla Rosenfeld et Norton T. Dodge (éd.), Rutgers, 1995.

Paris-Paris, 1937-1957. Créations en France, Germain Viatte (dir.), Paris, Centre Georges Pompidou, 1981.

Partei ergreifen. Gemälde, Graphik, Plastik, Objekte von Goya bis Kienholz, Thomas Grochowiak, (dir.), Recklinghausen, Kunsthalle, 1978.

Power, its Myths and More in American Art 1961-1991, Indianapolis Museum of Art, 1991, Akron, Art Museum, 1992, Richmond, Virginia Museum of Fine Art, 1992, Indianapolis, Museum of Art University Press, 1991.

Reconstructions. Avant-Garde Art in Japan 1945-1965, Kazu Kaido (dir.), Oxford, Museum of Modern Art, 1985, Édimbourg, Fruitmarket Gallery, 1986.

Der Riss im Raum. Positionen der Kunst seit 1945 in Deutschland, Polen, der Slowakei und Tschechien, Matthias Flügge (dir.), Berlin, Martin-Gropius-Bau, Varsovie, Galeria Zacheta, Prague, Galerie der Hauptstadt, 1995, Berlin, Guardini Stiftung, Verlag der Kunst, 1995.

Russie-URSS 1914-1991. Changements de regards, Wladimir Berelowitch et Laurent Gervereau (dir.), Paris, Hôtel des Invalides, Musée d'Histoire contemporaine-BDIC, 1991, Nanterre, BDIC, 1991.

Schrecken und Hoffnung. Künstler sehen Frieden und Krieg, Werner Hofmann (dir.), Hambourg, Hamburger Kunsthalle, 1987, Munich, Münchner Stadtmuseum, 1987-1988, Moscou, Galerie de peinture de l'État, 1988, Leningrad, Musée de l'Ermitage, 1988.

Soviet Socialist Realist Painting, 1930s-1960s, Matthew Cullerne Bown et David Elliott (dir.), Oxford, The Museum of Modern Art, 1992, Bruxelles, Palais des Beaux-Arts, 1993.

Spagna. Avanguardia Artistica e realtá sociale (1936-1976), Biennale di Venezia, Venise, été 1976, Fundació Joan Miró, Barcelone, 18 déc.-13 févr. 1977.

Stationen eines Weges. Daten und Zitaten zur Kunst und Kunstpolitik der DDR 1945-1988, Gunter Feist et Eckhart Gillen (dir.), Berlin, Museumspäda-gogischen Dienst Berlin, 1988, Berlin, Dirk Nishen, 1988.

The War Artists. British Official War Art of the Twentieth Century, Merion et Susie Harries, Londres, Michael Joseph/The Imperial War Museum/The Tate Gallery, 1983.

1933-1945

Adam, Peter,
Art of Third Reich, New York, Harry N. Abrams, 1992.

Ades, Dawn,
Photomontage, Paris, Éd. du Chêne, 1976 (éd. anglaise Londres, Thames and Hudson, 1976).

Armellini, Guido,
Le immagini del fascismo nelle arti figurative, Milan, Gruppo editoriale Fabbri, 1980.

L'Art face à la crise. L'art en Occident, 1929-1939, Saint-Étienne, CIEREC, Université de Saint-Étienne, 1980.

Backes, Klaus,
Hitler und die bildenden Künste, Cologne, Du Mont Verlag, 1988.

Bertrand-Dorléac, Laurence,
L'Art de la défaite. 1940-1944, Paris, Le Seuil, 1993.

Histoire de l'art. Paris 1940-1944. Ordre national, traditions et modernités, Paris, Publications de la Sorbonne, Université de Paris I, « Histoire de l'art », vol. 1, 1986.

Birolli, Zeno, Crispolti, Enrico, et Hinz, Berthold,
Arte e fascismo in Italia e in Germania, Milan, Feltrinelli, 1974.

Böhme, Edith, et Motzkau-Valeton, Wolfgang (éd.),
Die Künste une die Wissenschaften im Exil, 1933-1945, Gerlingen, Lambert Schneider Verlag, 1992.

Bonet Correa, Antonio (dir.),
Arte del franquismo, Madrid, Ediciones Cátedra, 1981.

Bordoni, Carlo,
Cultura e propaganda nell'Italia fascista, Messine, Florence, Casa editrice G. D'Anna, 1974.

Brenner, Hildegard,
La Politique artistique du national socialisme, Paris, Maspero, 1980 (1re éd. Hambourg, 1963).

Bossaglia Rossana,
Il « Novecento italiano », Storia, documenti, iconografia, Milan, Feltrinelli Editore, 1979.

Brock, Bazon, et Preiss, Achim (éd.),
Kunst auf Befehl ?, Munich, Klinkhardt & Biermann, 1990.

Combes, André, Vanoosthuyse, Michel, et Vodoz, Isabelle,
Nazisme et anti-nazisme dans la littérature et l'art allemands, 1920-1945, Lille, Presses universitaires de Lille, 1986.

Cone, Michèle C.,
Artists under Vichy. A Case of Prejudice and Persecution, Princeton, Princeton University Press, 1992.

Costanza, Mary S.,
The Living Witness. Art in the Concentration Camps and Ghettos, New York, The Free Press, Macmillan Publishing Co inc. 1982.

Crispolti, Enrico,
Il mito della machina e altri temi del futurismo, Trapani, Celebes, 1969.

Delporte, Christian,
Les Crayons de la propagande. Dessinateurs et dessins politiques sous l'Occupation, Paris, CNRS-Éditions, 1993.

Elliott, David,
New Worlds. Russian Art and Society 1900-1937, New York, Rizzoli, 1986.

Fauchereau, Serge,
La Querelle du réalisme, Paris, Éd. du Cercle d'art, 1987 (1re éd. Paris, ESI, 1936).

Frommhold, Ehrard,
Kunst im Widerstand. Malerei, Graphik, Plastik 1922 bis 1945, Dresde, Verlag der Kunst, 1968.

Golomstock, Igor,
L'Art totalitaire. Union soviétique, IIIe Reich, Italie fasciste, Chine, Paris, Éd. Carré, 1991 (1re éd. Harper Collins Publishers Ltd, 1990).

Haftmann, Werner,
Verfemte Kunst. Bildende Künstler der inneren und äusseren Emigration in der Zeit des Nationalsozialismus, Cologne, Du Mont Buchverlag, 1986.

Hinz, Berthold,
Art in the Third Reich, New York, Pantheon Books, 1979.

Hinz, Berthold, Mittig, Hans-Ernest, Schäche Wolfgang et Schönberger Angela (éd.),
Die Dekoration der Gewalt. Kunst und Medien im Faschismus, Giessen, Anabas-Verlag Gunter Kampf, 1979.

James, C. V.,
Soviet Socialist Realism. Origins and Theory, Londres, Macmillan Publishers, 1973.

Lista, Giovanni,
Arte e politica (Il Futurismo di sinistra in Italia), Milan, Multhipla Edizioni, 1980.

Malvano, Laura,
Fascismo e politica dell'immagine, Turin, Bollati Boringhieri, 1988.

Marling, Karal Ann,
Wall-to-Wall America. A Cultural History of Post Office Murals in the Great Depression, Minneapolis, University of Minnesota Press, 1982.

Mckinzie, Richard D.,
The New Deal for Artists, Princeton, N. J., Princeton University Press, 1973.

Merker, Reinhard,
Die bildenden Künste im Nationalsozialismus. Kulturideologie, Kulturpolitik, Kulturproduktion, Cologne, Du Mont Buchverlag, 1983.

Milza, Pierre, et Roche-Pézard, Fanette (dir.),
Art et fascisme. Totalitarisme et résistance au totalitarisme dans les arts en Italie, Allemagne et France des années 30 à la défaite de l'Axe, Actes du colloque organisé les 6 et 7 mai 1988 par le Centre d'histoire de l'Europe du xxe siècle, la Fondation nationale des Sciences politiques et le Centre de recherche sur l'histoire de l'art contemporain de l'Université Paris I, Bruxelles, Éditions Complexe, 1989.

Müller-Mehlis, Reinhard,
Die Kunst im Dritten Reich, Munich, Wilhelm Heyne Verlag, 1977.

O'Connor, Francis V.,
Federal Support for the Visual Arts. The New Deal and Now, Greenwich, Conn., New York Graphic Society, 1971.
Art for the Millions. Essays from the 1930's by Artists and Administrations of the WPA Federal Art Project, Boston, New York Graphic Society, 1973.

Ory, Pascal,
La Belle Illusion. Culture et politique sous le signe du Front populaire, 1935-1938, Paris, Librairie Plon, 1994.

Richard, Lionel,
L'Art et la Guerre. Les artistes confrontés à la Seconde Guerre mondiale, Paris, Flammarion, 1995.

Le Nazisme et la Culture, Bruxelles, Paris, Éditions Complexe, 1988 (1re éd. Paris, Maspero, 1978).

Robin, Régine (dir.),
Masses et culture de masse dans les années 30, Paris, Les Éditions ouvrières, 1991.

Schiavo, Alberto (éd.), *Futurismo e fascismo,* Rome, G. Volpe, 1981.

Silva, Umberto,
Ideologia e arte del fascismo, Milan, Ed. Gabriele Mazzotta, 1973.

Tempesti, Fernando,
Arte dell'Italia fascista, Milan, Feltrinelli Editore, 1976.

Thomae, Otto,
Die Propaganda-Maschinerie. Bildende Kunst und Öffentlichkeit im Dritten Reich, Berlin, Gebr. Mann Verlag, 1978.

Whiting, Cecil,
Antifascism in American Art, New Haven, Londres, Yale University Press, 1989.

Wilson, Sarah,
Art and the Politics of the Left in France 1935-1955, Unpublished Phd Thesis, Londres, Courtauld Institute of Art, 1992.

Wirth, Günther,
Verbotene Kunst, Verfolgte Künstler im deutschen Südwesten, 1933-1945, Stuttgart, Verlag Gerd Hatje, 1987.

Gli Anni trenta. Arte e cultura in Italia, Renato Barilli, Flavio Caroli, Vittorio Fagone, Mercedes Garberi et Augusto Morello (dir.), Milan, Galleria del Sagrato, Palazzo Reale, 1982, Milan, Mazzotta, 1982.

Art and Power. Europe under the Dictators 1930-45, compiled and selected by Dawn Ades, Tim Benton, David Elliott et Iain Boyd Whyte, Londres, Hayward Gallery, 1996.

Art contra la guerra. Entorn del pavelló espanyol a l'exposició internacional de Paris de 1937, Manuel Arenas et Pedro Azara (dir.), Barcelone, Palau de la Virreina, 1986.

L'Art dans les années 30 en France, Jacques Beauffet et Bernard Ceysson (dir.), Saint-Étienne, Musée d'Art et d'Industrie, 1979.

El Arte de la Vanguardia en Checoslovaquia 1918-1938/The Art of the Avant-Garde in Czechoslovakia 1918-1938, Jaroslav Anděl (dir.), Valencia, Ivam, Centro Julio Gonzalez, 1993.

Arte della libertà. Antifascismo, guerra e liberazione in Europa 1925-1945, Gênes, Palazzo ducale, 1995-1996.

Arte e resistenza in Europa, Gian Carlo Cavalli (dir.), Bologne, Museo civico, 1965, Turin, Galleria d'arte moderna, 1965, Bologne, Arti grafiche Tamari, 1965.

Les Artistes réfugiés à Dieulefit pendant la Deuxième Guerre mondiale, Hélène Moulin et Chrystèle Burgard (dir.), Valence, Musée de Valence, 1991.

« Die Axt hat geblüht... ». Europäische Konflikte der 30er Jahre in Erinnerung an die frühe Avantgarde, Jürgen Harten, Hans-Werner Schmidt et Marie-Luise Syring (dir.), Düsseldorf, Städtische Kunsthalle, 1987.

Berlin-Moscou 1900-1950, Irina Antonowa et Jörn Merkert (dir.), Berlin, Berlinische Galerie, Landesmuseum für moderne Kunst, Martin-Gropius-Bau, 1995-1996, Moscou, Staatliches Puschkin Museum für bildende Künste, 1996, Munich, Prestel, 1995.

Bildzyklen. Zeugnisse verfemter Kunst in Deutschland 1933-1945, Heinrich Geissler et Michael Semff (dir.), Stuttgart, Staatsgalerie, Graphische Sammlung, 1987.

« Degenerate Art ». The Fate of the Avant-Garde in Nazi Germany, Los Angeles, Los Angeles County Museum of Art, 1991, Berlin, Altes Museum, 1992.

La Déportation. Le système concentrationnaire nazi, François Bedarida et Laurent Gervereau (dir.), Paris, Hôtel national des Invalides, Musée d'Histoire contemporaine-BDIC, 1995.

Exposition Résistance - Déportation. Création dans le bruit des armes, Michelle Michel (dir.), Paris, Chancellerie de l'Ordre de la Libération, 1980.

Le Front populaire et l'art moderne. Hommage à Jean Zay, Éric Moinet (dir.), Orléans, Musée des Beaux-Arts, 1995.

Für Spanien. Internationale Kunst und Kultur zum spanischen Bürgerkrieg, Peter Spielmann (dir.), Bochum, Bochum Museum, 1986.

Kunst und Diktatur. Architektur, Bildhauerei und Malerei in Österreich, Deutschland und der Sowjetunion, 1922-1956, Jan Tabor (dir.), Vienne, Künstlerhaus, 1994, Baden, Grasl, 1994.

Kunst under Krigen, Eva Friis (dir.), Copenhague, Statens Museum for Kunst, 1995.

Montage and Modern Life 1919-1942, Matthew Teitelbaum (dir.), Boston, The Institute of Contemporary Art, 1992, Vancouver, The Vancouver Art Gallery, 1992, Bruxelles, palais des Beaux-Arts, 1993, Cambridge, Mass., Londres, The MIT Press, 1992.

New Deal Art. California, Lydia Modi Vitale (dir.), Santa Clara, de Saisset Art Gallery and Museum, University of Santa Clara, 1976.

No Pasaran ! Photographs and Posters of the Spanish Civil War, Rupert Martin et Frances Morris (dir.), Bristol, Arnolfini Gallery, 1986.

Pabellón Español. Exposición internacional de Paris 1937, Josefina Alix Trueba (dir.), Madrid, Centro de arte Reina Sofia, 1987.

La Propagande sous Vichy. 1940-1944, Laurent Gervereau et Denis Peschanski (dir.), Paris, Hôtel national des Invalides, Musée d'Histoire contemporaine-BDIC, 1990.

Les Réalismes 1919-1939, Gérard Regnier (dir.), Paris, Centre Georges Pompidou, 1980-1981.

Verfolgt und Verführt. Kunst unterm Hakenkreuz in Hamburg 1933-1945, Sigrun Paas et Hans Schmidt (dir.), Hambourg, Hamburger Kunsthalle, 1983.

Widerstand statt Anpassung. Deutsche Kunst im Widerstand gegen den Faschismus 1933-1945, Richard Hiepe, Werner Hofmann, Schroder-Keller et Michael Schwarz (dir.), Karlsruhe, Badischer Kunstverein, 1980, Francfort, Frankfurter Kunstverein, 1980, Munich, Münchner Kunstverein, 1980, Berlin, Elefanten Press, 1980.

1945-1959

Art et Idéologie. L'art en Occident, 1945-49, Saint-Étienne, CIEREC, Université de Saint-Étienne, 1978.

Bandini, Mirella,
L'estetico, il politico da Cobra all'Internazionale situazionista 1948-1957, Rome, Officina Edizioni, 1977.

Berger, Maurice,
How Art becomes History. Essays on Art, Society and Culture in Post-New Deal America, New York, Icon Editions, 1992.

Berreby, Gérard (éd.),
Documents relatifs à la fondation de l'Internationale situationniste, Paris, Éditions Allia, 1985.

Cox, Annette,
Art-as-Politics, the Abstract Expressionist Avant-Garde and Society, Ann Harbor, Michigan, UMI Research Press, « Studies in the Fine Arts, The Avant-Garde », n° 26, 1982.

Guilbaut, Serge,
Comment New York vola l'idée d'art moderne. Expressionnisme abstrait, liberté et guerre froide, Nîmes, Éditions Jacqueline Chambon, 1988.

Held, Jutta,
Kunst und Kulturpolitik in Deutschland, 1945-1949, Kulturbau in Deutschland nach dem zweiten Weltkrieg, Berlin, Elefanten Press, 1981.

Lambert, Jean-Clarence,
Cobra, un art libre, Paris, Éd. du Chêne/Hachette, 1983.

Lindey, Christine,
Art in the Cold War, from Vladivostock to Kalamazoo, 1945-1962, Londres, The Herbert Press, 1990.

Littleton, Taylor D., et Sykes, Maltby,
Advancing American Art. Paintings, Politics and Cultural Confrontation at Mid-Century, Tuscaloosa, University of Alabama Press, 1989.

Misler, Nicoletta,
La via italiana al realismo. La politica artistica del PCI dal 1944 al 1956, Milan, Ed. Gabriele Mazzotta, 1973.

Ohrt, Roberto,
Phantom Avantgarde. Eine Geschichte der Situationistischen Internationale und der modernen Kunst, Hambourg, Nautilus, 1990.

Okun, Robert A. (éd.),
The Rosenbergs. Collected Visions of Artists and Writers, New York, Universe Books, 1988.

Raspaud, Jean-Jacques et Voyer, Jean-Pierre,
L'Internationale situationniste. Protagonistes/Chronologie/Bibliographie, Paris, Champ libre, 1972.

Sauvage, Tristan,
Art nucléaire, Paris, Éd. Vilo, 1962.

Verdès-Leroux, Jeannine,
Au service du Parti. Le parti communiste, les intellectuels et la culture (1944-1956), Paris, Fayard/Les Éditions de Minuit, 1983.

1946. L'art de la Reconstruction, Maurice Fréchuret (dir.), Antibes, Musée Picasso, 1996, Genève, Paris, Skira/Réunion des Musées nationaux, 1996.

Arte nucleare 1951-1957, Elio Santarella (dir.), Milan, Galleria San Fedele, 1980.

Cobra 1948-1951, Paris, Musée d'Art moderne de la Ville de Paris, Chalon-sur-Saône, Maison de la Culture, Rennes, Musée des Beaux-Arts, 1983.

The Forgotten Fifties, Julian Sparding (dir.), Sheffield, Graves Art Gallery, 1984, Sheffield City Council Printing Services Department, 1984.

Grauzonen. Farbwelten Kunst und Zeitbilder 1945-1955, Bernhard Schulz (dir.), Berlin, Neue Gesellschaft für bildende Kunst in den Raümen der Akademie der Künste, 1983, Berlin, NGBK/Medusa, 1983.

Paris Post War. Art and Existentialism 1945-1959, Frances Morris (dir.), Londres, The Tate Gallery, 1993.

Realism and Realities. The Other Side of American Painting 1940-1960, Greta Berman et Jeffrey Wechsler (dir.), Rutgers, The Rutgers University Art Gallery, New Brunswick, N. J., 1982, Rutgers, The Rutgers University Art Gallery, The State University of New Jersey, 1982.

1960-1979

Art et contestation, Bruxelles, La Connaissance S. A., « Témoins et témoignages/Actualité », 1968.

Berger, John, *Art and Revolution. Ernst Neizvestny and the Role of the Artist in the USSR,* Harmondsworth, Penguin Books, 1969.

Block, René, *Grafik des Kapitalistischen Realismus. KP Brehmer, Hödicke, Lueg, Polke, Richter, Vostell. Werkverzeichnisse bis 1971,* Berlin, Edition René Block, 1971.

Carpitella, Diego et De Micheli, Mario (éd.), *I Murali del centro di arte pubblica populare,* Cosenza, Edistampa-Edizioni Lerici, 1976.

Cockcroft, Eva, Weber, John et Cockcroft, James, *Toward a People's Art. The Contemporary Mural Movement,* New York, E. P. Dutton & Co, Inc., 1977.

Crow, Thomas, *The Rise of the Sixties. American and European Art in the Era of Dissent,* New York, Harry N. Abrams Inc. Publishers, « Perspectives », 1996.

Diederich, Reiner, et Grübling, Richard, *« Unter die Schere mit den Geiern ! » Politische Fotomontage in der Bundes-republik und WestBerlin. Dokumente und Materialen,* Berlin-Ouest, Hambourg, Elefanten Press, 1977, 2e éd.

Dodge, Norton et Hilton, Alison, *New Art from the Soviet Union. The Known and the Unknown,* Washington, D. C., Acropolis Book Ltd, 1977.

Elme, Patrick d', *Peinture et Politique,* s. l., Maison Mame, 1974.

Gassner, Hubertus et Gillen, Eckhart, *Kultur und Kunst in der DDR seit 1970,* Lahn-Giessen, Anabas Verlag, 1977.

Golomstok, Igor, et Glezer, Alexander, *Soviet Art in Exile,* New York, Random House, 1977.

Hoffmann, Justin, *Destruktionskunst. Der Mythos der Zerstörung in der Kunst der frühen sechziger Jahre,* Munich, Silke Schreiber, 1995.

Jouffroy, Alain, et Bordes, Philippe, *Guillotine et Peinture. Topino Lebrun et ses amis,* Paris, Éd. du Chêne, 1977.

Jouffroy, Alain, *Les Pré-voyants,* Bruxelles, La Connaissance S. A., « Témoins et Témoignages/Actualité », 1974.

Lippard, Lucy R., *A Different War. Vietnam in Art,* Seattle, Real Comet Press/Whatcom Museum of History and Art, 1990.

From the Center. Feminist Essays on Woman's Art, New York, E. P. Dutton & Co inc, 1976.

Get the Message ? A Decade of Art for Social Change, New York, E. P. Dutton inc, 1984.

Roussel, Danièle, *Der Wiener Aktionismus und die Österreicher,* Klagenfurt, Ritter Verlag, 1995.

Schwartz, Barry, *The New Humanism. Art in a Time of Change,* New York, Washington, Praeger Publishers, 1974.

Smith, Richard Candida, *Utopia and Dissent. Art, Poetry and Politics in California,* Berkeley, Los Angeles, Londres, University of California Press, 1995.

Stich, Sidra, *Made in U.S.A. An Americanization in Modern Art. The '50s & '60s,* Berkeley, University Art Museum, University of California, Berkeley, Los Angeles, Londres, University of California Press, 1987.

Verdès-Leroux, Jeannine, *Le Réveil des somnambules. Le parti communiste, les intellectuels et la culture (1956-1985),* Paris, Fayard/Les Éditions de Minuit.

Walker, John A., *Art in the Age of Mass Media,* Londres, Pluto Press, 1983.

1968, Michael Desmond et Christine Dixon (dir.), Canberra, National Gallery of Australia, 1995.

Arbeit in Geschichte. Geschichte in Arbeit, Georg Bussmann (dir.), Hambourg, Kunsthaus et Kunstverein, 1988, Berlin, Verlag Dirk Nishen, 1988.

Art for whom ?, Richard Cork (dir.), Londres, Serpentine Gallery, 1978.

Art into Society. Society into Art. Seven German Artists. Albrecht D., Joseph Beuys, K. P. Brehmer, Hans Haacke, Dieter Haacker, Gustav Metzger, Klaus Staeck, Christos M. Joachimides et Norman Rosenthal (dir.), Londres, Institute of Contemporary Arts, 1974.

Aspekte der engagierten Kunst, Uwe M. Scheede (dir.), Hambourg, Kunstverein, 1974.

Commited to Print. Social and Political Themes in Recent American Printed Art, Deborah Wye (dir.), New York, Museum of Modern Art, 1988.

Eremit ? Forscher ? Socialarbeiter ? Der veränderte Selbstverständnis von Künstlern, Uwe M. Schneede (dir.), Hambourg, Kunstverein und Kunsthaus, 1979.

La Figuration narrative dans l'art contemporain, Gérald Gassiot-Talabot (dir.), Paris, Galerie Creuze, 1965.

Figurations critiques. 11 artistes des figurations critiques, 1965-1975, Pierre Gaudibert (dir.), Lyon, Espace lyonnais d'Art contemporain, 1992.

Funktionen bildender Kunst in unserer Gesellschaft, Berlin, Neue Gesellchaft für Bildende Kunst, 1971.

Idees i actituds. Entorn de l'art conceptual a Catalunya, 1964-1980, Pilar Parcesiras (dir.), Barcelone, Centre d'art Santa Monica, 1992, Barcelone, Generalitat de Catalunya, 1992.

Kunst und Politik, Georg Bussmann (dir.), Karlsruhe, Badischer Kunstverein, 1970, Bâle, Kunsthalle, 1971.

Kunst im politischen Kampf. Aufforderung-Anspruch-Wirklichkeit, Helmut R. Leppien et Christos M. Joachimides (dir.), Hanovre, Kunstverein, 1973.

Mai 1968. Les mouvements étudiants en France et dans le monde, Geneviève Dreyfus-Armand et Laurent Gervereau, Paris, Hôtel national des Invalides, Musée d'Histoire contemporaine-BDIC, 1988, Nanterre, BDIC, 1988.

La nuova arte sovietica. Una prospettiva non ufficiale, Enrico Crispolti et Gabriella Moncada (dir.), Venise, Biennale de Venise, 1977, Venise, La Biennale di Venezia/ Marsilio editore, 1977.

No ! Art, Berlin, Neue Gesellschaft für Bildende Kunst, 1995.

On the Passage of a Few People through a rather Brief Moment in Time. The Situationist International 1957-1972, Elisabeth Sussman (dir.), Paris, Musée national d'Art moderne, Centre Georges Pompidou, Londres, The Institute of Contemporary Art, Boston, The Institute of Contemporary Art, 1989, Cambridge, Mass., Londres, Boston, The MIT Press/The Institute of Contemporary Art, 1989.

Progressive Stromungen in Moskau, 1957-1970, Arsen Pohribny, Peter Spielman et Helmut Lumbro (dir.), Bochum, Museum Bochum, 1974.

Representing Vietnam 1965-1973. The Anti-War Movement in America, Maurice Berger (dir.), New York, Bertha and Karl Leubsdorf Art Gallery, 1988, New York, Hunter College, 1988.

Die Schönheit muss auch manchmal wahr sein. Beiträge zu Kunst und Politik, Dieter Hacker et Bernhard Sandfort (dir.), Berlin, 7. Produzentengalerie, 1982.

Les Sixties, années utopies, Laurent Gervereau et David Mellor (dir.), Paris, Musée d'Histoire contemporaine, Hôtel des Invalides, Paris, Somogy éditions d'art, 1996.

The Sixties Art Scene in London, David Mellor (dir.), Londres, The Barbican Art Gallery, 1993, Londres, Phaidon, 1993.

Sots Art. Eric Boulatov, Vitaly Komar and Alexander Melamid, Margarita Tupitsyn (dir.), New York, The New Museum of Contemporary Art, 1986.

Sur le passage de quelques personnes à travers une assez courte unité de temps. À propos de l'Internationale situationniste 1957-1972, Mark Francis, Peter Wollen et Paul-Hervé Parsy (dir.), Paris, Musée national d'Art moderne, 1989, Paris, Centre Georges Pompidou, 1989.

Tra rivolta e rivoluzione. Immagine e progetto, Concetto Pozzati et Franco Solmi (dir.), Bologne, Museo civico, Palazzo d'Accusio, Palazzo dei Notai, Galleria Galvani, Quartieri del Comune, 1972-1973, Bologne, Grafis, Edizioni d'arte, 1972.

The Turning Point. Art and Politics in 1968, Nina Castelli Sundell (dir.), Cleveland, Cleveland Center for Contemporary Art, 1988, New York, Bronx, Lehman College Art Gallery, 1988-1989.

Um 1968. Konkrete Utopien in Kunst und Gesellschaft, Marie Luise Syring (dir.), Düsseldorf, Städtische Kunsthalle, 1990, Cologne, Du Mont Buchverlag, 1990.

Von der Aktionsmalerei zum Aktionismus. Wien 1960-1965/ From Action Painting to Actionism. Vienna 1960-1965, Veit Loers et Dieter Schwarz (dir.), Kassel, Museum Fridericianum, 1988, Édimbourg, Scottish National Gallery of Modern Art, 1988-1989, Autriche, Klagenfurt, Ritter Verlag, 1988.

Wiener Aktionismus/Viennese Aktionism. Wien/Vienna 1960-1971. Der zertrümmerte Spiegel/The Shattered Mirror. Günter Brus, Otto Mühl, Hermann Nitsch, Rudolf Schwarzkogler, Hubert Klocker (dir.), Vienne, Graphische Sammlung Albertina, Cologne, Museum Ludwig, 1989, Klagenfurt, Ritter Verlag, 1989.

Zwanzig Jahre unabhangige Kunst aus der Sowjetunion, Bochum, Bochum Museum, 1979.

1980-1996

Artaud, Évelyne, et Chassat, Michel, *Perestroïkart. Les couleurs de la transparence,* Paris, Éd. du Cercle d'art, 1990.

Barrett, Michèle, et Phillips, Anne (éd.), *Destabilizing Theory. Contemporary Feminist Debates,* Cambridge, Polity Press, 1992.

Becker, Carol (éd.), *The Subversive Imagination. Artists, Society and Social Responsability,* New York, Londres, Routledge, 1994.

Berger, Maurice (éd.), *Modern Art and Society. An Anthology of Social and Multicultural Readings,* New York, Icon Ed., 1994.

Brett, Guy, *Through our own Eyes. Popular Art and Modern History,* Londres, Heretic Book, GMP Publishers, 1986, Philadelphie, New Society Publishers, 1987.

Bright, Brenda J. et Bakewell, Liza (éd.), *Looking High and Low. Art and Cultural Identity,* Tucson, University of Arizona Press, 1995.

Chambert, Christian (éd.), *Strategies for Survival. Now. A Global Perspective on Ethnicity, Body and Breakdown of Artistic Systems,* Lund, the Swedish Art Critics Association Press, 1995.

Crow, Thomas, *Modern Art in the Common Culture,* New Haven, Londres, Yale University Press, 1996.

Dellamora, Richard (éd.), *Postmodern Apocalypse. Theory and Cultural Practice at the End,* Philadelphie, University of Pennsylvania Press, 1995.

Doss, Erika, *Spirit Poles and Flying Pigs. Public Art and Cultural Democracy in American Communities,* Washington, Londres, Smithsonian Institute Press, 1995.

Dubin, Steven C., *Arresting Images. Impolitic Art and Uncivil Actions,* New York, Londres, Routledge, 1992.

Foster, Hal (éd.), *The Anti-aesthetic. Essays on Post Modern Culture,* Seattle, Bay Press, 1983.

Foster, Hal, *Recordings. Art, Spectacle, Cultural Politics,* Washington, Port Townsend, Bay Press, 1985.

Kruger, Barbara, et Mariani, Phil (éd.), *Remaking History,* « Dia Art Foundation. Discussions in Contemporary Culture », n° 4, Seattle, Bay Press, 1989.

Lippard, Lucy R., *Mixed Blessings. New Art in a Multicultural America,* New York, Pantheon Books, 1990.

O'brien, Mark, et Little, Craig (éd.), *Reimaging America. The Arts of Social Change,* Philadelphie, New Society Publishers, 1990.

Owens, Craig, *Beyond Recognition. Representation, Power and Culture,* Scott Bryson, Barbara Kruger, Lynne Tillman et Jane Weinstock (éd.), Berkeley, Los Angeles, Oxford, University of California Press, 1992.

Peter, Jennifer A. (éd.), *The Cultural Battlefield. Art Censorship and Public Funding,* Gilsum, New Hampshire, Avours, 1995.

Pollock, Griselda (éd.), *Generations and Geographies in the Visual Arts. Feminist Readings,* Londres, Routledge, 1996.

Roberts, John, *Postmodernism, Politics and Art,* Manchester, Manchester University Press, 1990.

Senie, Harriet F., *Contemporary Public Sculpture. Tradition, Transformation and Controversy,* New York, Oxford, Oxford University Press, 1992.

Wallis, Brian (éd.), *If you lived here. The City in Art, Theory and Social Activism. A Project by Martha Rosler,* « Dia Art Foundation. Discussions in Contemporary Culture », n° 6, Seattle, Bay Press, 1991.

Ansatzpunkte kritischer Kunst heute, Margarethe Joachimsen (éd.), Bonn, Bonner Kunstverein, 1983-1984.

Art after Modernism. Rethinking Representation, Brian Wallis (dir.), New York, New Museum of Contemporary Art, 1992, Boston, David R. Godine Publisher, 1992.

The Art of Memory, the Loss of History, William Olander (dir.), New York, The New Museum of Contemporary Art, 1985.

Arte Sociedad Reflexión, La Havane, Quinta Bienal de La Habana, 1994.

Artists of Conscience. 16 Years of Political and Social Commentary, Gino Rodriguez, Sims Lowery Stokes et Lucy R. Lippard (dir.), New York, Alternative Museum, 1992.

Cuarta Bienal de la Habana, La Havane, Centro Wifredo Lam, La Havane, Editorial Letras Cubanas, 1991.

The Decade Show. Frameworks of Identity in the 1980s, New York, Museum of Contemporary Hispanic Art, The New Museum of Contemporary Art and the Studio Museum in Harlem, 1990.

Dénonciation, Liliana Albertazzi et Béatrice Simonot (dir.), Darnétal, École d'Architecture de Normandie, 1991, Paris, Darnétal, La Différence/GNAC, 1991.

« Ich lebe, ich sehe ». Künstler der achtzigen Jahre in Moskau, Hans-Christoph Von Tavel et Markus Landert (dir.), Berne, Kunstmuseum, 1988.

Krieg. Österreischiche Triennale zur Fotografie, Werner Fenz et Christine Frisinghelli (dir.), Graz, Neue Galerie am Landesmuseum Joanneum Stadtpark, 1993, Graz, Camera Austriaca, 1993.

Magiciens de la terre, Jean-Hubert Martin (dir.), Paris, Musée national d'Art moderne et Grande Halle de La Villette, 1989, Paris, Centre Georges Pompidou, 1989.

Mistaken Identities, Abigail Solomon-Godeau et Constance Lewallen (dir.), Santa Barbara, University Art Museum, 1993.

« Noi altri - wir anderen » Künstlerische Aktivität und Selbsterfahrung im sozialen Raum, Veit Loers (dir.), Regensburg, Städtische Galerie, 1982.

Out there. Marginalization and Contemporary Cultures, Russell Ferguson, Martha Gever, Trinh T. Minh-Ha et Cornel West (éd.), New York, The New Museum of Contemporary Art, Cambridge, Mass., Londres, The MIT Press, 1990.

Public Information. Desire, Disaster, Document, Gary Garrels (dir.), San Francisco, The San Francisco Museum of Modern Art, 1995.

Rhetorical Image, Milena Kalinovska et Deirde Summerbell (dir.), New York, The New Museum of Contemporary Art, 1991.

Silent Energy. New Art from China, David Elliott, et Lydie Mepham (dir.), Oxford, Museum of Modern Art, 1993.

The Theater of Refusal. Black Art and Mainstream Criticism, Irvine, Fine Arts Gallery, 1993, Davis, Richard L. Nelson Gallery, 1993, Riverside, University Art Gallery, 1994.

Transcontinental. Nine Latin American Artists, Guy Brett (dir.), Birmingham, Ikon Gallery et Manchester, Cornerhouse, 1990, Londres, New York, Verso, 1990.

Will/Power. New Works by Papo Colo, Jimmie Durham, David Hammons, Hachivi Edgar Heap of Birds, Adrian Piper, Aminah Brenda Lynn Robinson, Sarah J. Rogers (dir.), Columbus, Wexner Center for the Arts, The Ohio State University, 1992.

The Work of Art in the Age of Perestroika, Phillis Kind et Margarita Tupitsyn (dir.), New York, Phyllis Kind Gallery, 1990.

Photographie

À l'est de Magnum. 1945-1990. Quarante-cinq ans de reportage derrière le rideau de fer, Paris, Arthaud, 1991.

Bolton, Richard (éd.), *The Contest of Meaning. Critical Histories of Photography,* Cambridge, Mass., Londres, The MIT Press, 1989.

Borgé, Jacques, et Viasnoff, Nicolas, *L'Aristocratie du reportage photographique,* Paris, Balland, 1974.

Histoire de la photographie de reportage, Paris, Fernand Nathan, 1982.

Burda, Franz (éd.), *Der zweite Weltkrieg im Bild,* Offenburg, 1952.

Caiger-Smith, Martin (éd.), *The Face of the Enemy. British Photographers in Germany, 1944-1952,* Londres, Dirk Nishen, 1988.

Daniel, Pete, Foresta, Merry A., Stange, Maren, et Stein, Sally, *Official Images. New Deal Photography,* Washington, Londres, Smithsonian Institute Press, 1987.

Evans, Harold, *Pictures on a Page. Photojournalism, Graphics and Picture,* Londres, Heinemann, 1982.

Eye Witness 2. Three Decades through World Press Photos, Londres, Guiller Press, 1985.

Freund, Gisèle, *Photographie et société,* Paris, Le Seuil, 1974.

Fulton, Marianne, *Eyes of Time. Photojournalism in America,* Boston, Toronto, Londres, New Graphic Society, 1988.

Gidal, Tim N., *Origin and Evolution of Modern Photojournalism,* Londres, MacMillan-Colliers, 1973.

Goglia, Luigi et De Felice, Renzo, *Storia fotografica del fascismo,* Rome-Bari, Laterza, 1981.

« La Guerre », *La Recherche photographique,* n° 6, juin 1989.

Guerrin, Michel, *Profession photoreporter. Vingt ans d'images d'actualité,* Paris, Centre Georges Pompidou/Gallimard, 1988.

Hicks, Wilson, *Words and Pictures. An Introduction to Photojournalism,* New York, Harper and Brothers Publishers, 1952.

Hiroshima-Nagasaki. A Pictorial Record of the Atomic Destruction, Tokyo, Hiroshima-Nagasaki Publishing Comittee, 1978.

Keller, Ulrich (éd.), *Fotografien aus dem Warschauer Getto,* Berlin, Nishen, 1987.

Knightley, Phillip, *The First Casualty. The War Correspondant as Hero and Myth Maker. From Crimea to Vietnam,* Londres, A. Deutsch, 1975.

Kunhardt, Philip B. (éd.), *Life. The First Fifty Years 1936-1986,* Boston, Little, Brown and Co, 1986.

Lacouture, Jean, Manchester, William, et Ritchin, Fred, *Magnum. 50 ans de photographies,* Paris, Nathan Images, 1989.

Larayo, Richard, et Russel, George, *Eyewitness. 150 Years of Photojournalism,* New York, Oxmoor House, 1990.

Lewinski, Jorge, *The Camera at War,* New York, Simon and Schuster, 1978.

Morosow, S. (éd.), *Sowjetische Fotografen 1941-1945,* Leipzig, VEB Fotokinoverlag, 1985.

Morozow, S., et Lloyd, Valerie (éd.), *Soviet Photography 1917-1940,* Londres, Orbis, 1984.

Mrazkova, Daniela, et Remes, Vladimir (éd.), *Die Sowjetunion zwischen den Kriegen 1917-1941,* Oldenburg, Stalling, 1981.

O'Neil, Doric C., Graves, Ralph, et Capa, Cornell, *Life. The Second Decade 1946-1955,* New York, A New York Graphic Society Book, Boston, Little, Brown and Company, 1984.

Pimlott, John, *World War II in Photographs,* New York, Military Press, 1984.

Rainer, Fabian et Adam, Hans Christian, *Images of War. 130 Years of War Photography,* Londres, New English Library, 1985.

Soria, Georges, *Robert Capa. David Seymour-Chim. Les grandes photos de la guerre d'Espagne,* Paris, Éditions Jannink, 1980.

Squiers, Carol (éd.), *The Critical Image. Essays on Contemporary Photography,* Seattle, Bay Press, 1990.

Tagg, John, *The Burden of Representation. Essays on Photographies and Histories,* Londres, Macmillan Education, 1988.

Tausk, Petr, *A Short History of Press Photography,* Prague, The International Organization of Journalists, 1988.

Taylor, John, *War Photography. Realism in the British Press,* Londres, Routledge, 1991.

Black Sun. The Eyes of Four. Roots and Innovation in Japanese Photography, Mark Holborn (dir.), Oxford, Museum of Modern Art, 1985-1986, Londres, Serpentine Gallery, 1986, Philadelphie, Philadelphia Museum of Art, 1986, New York, Aperture Book, 1986.

Le Commissariat aux archives. Les photos qui falsifient l'Histoire, Alain Jaubert (dir.), Paris, Musée d'Art moderne de la Ville de Paris, 1986-1987, Paris, Bernard Barrault, 1986.

Fotografia della libertà e delle dittature da Sander a Cartier-Bresson, 1922-1946, Milan, Fondazione Antonio Mazzotta, 1995.

Idas y caos. Aspectos de las vanguardias fotográficas en España, Joan Fontcuberta (dir.), Madrid, Salas Pablo Ruiz Picasso, 1984, Madrid, Ministerio de Cultura, 1984.

On the Line. The New Color Photojournalism, Adam D. Weinberg (dir.), Minneapolis, Walker Art Center, 1986.

Photo-journalisme, Paris, Musée Galliera, 1977, Paris, Festival d'Automne, Fondation nationale de la Photographie, 1977.

Spagna 1936-1939, fotografia e informazione di guerra, Venezia, 1976.

Affiches

L'Affiche palestinienne. Collection d'Ezzeddine Kalak, Paris, Le Sycomore, 1979.

A Magyar Tanácsköztársaság Plakatjai, Budapest, Kossuth Könyvkiado, 1969.

Art as Activist. Revolutionnary posters from Central and Eastern Europe, Londres, Thames and Hudson, Simthsonian Institution, 1992.

Baburina, Nina, *The Soviet Political Posters 1917-1980, from the USSR Lenin Library Collection,* Londres, Pinguin Books Ltd, 1985 (1re ed. Moscou, Sovietsky Khudozhnik, 1984).

Benoit, Jean-Marc, Benoit, Philippe et Lech, Jean-Marc, *La Politique à l'affiche,* Paris, Du May, 1986.

Buton, Philippe, et Gervereau, Laurent, *Le Couteau entre les dents. Communisme et anti-communisme dans l'affiche en France,* Paris, Éd. du Chêne, 1989.

Gasquet, Vasco, *Les 500 affiches de Mai 68,* Paris, Balland, 1978.

Gervereau, Laurent, *La Propagande par l'affiche. Histoire de l'affiche politique en France 1950-1990,* Paris, Syros Alternatives, 1991.

« Terroriser, manipuler, convaincre ! » Histoire mondiale de l'affiche politique, Paris, Somogy éditions d'art, 1996.

Gesgon, Alain, *Sur les murs de France. Deux siècles d'affiches politiques,* Paris, Éditions du Sorbier, 1979.

Gourevitch, Jean-Paul, *L'Imagerie politique,* Paris, C.C.I., Centre Georges Pompidou, 1977.

Grimau, Carmen, *El cartel republicano en la Guerra Civil,* Madrid, ediciones Cátedra, 1979.

Hampel, Johannes et Grulich, Walter, *Politische Plakate der Welt,* Munich, Bruckmann, 1971.

Marchetti, Stéphane, *Images d'une certaine France. Affiches 1939-1945,* Lausanne, Edita, 1982.

McQuiston, Liz, *Graphic Agitation. Social and political graphics since the sixties,* Londres, Phaidon, 1993.

Meylan, Jean, Maillard, Philippe, et Schenk, Michèle, *« Aux urnes, Citoyens ! » 75 ans de votations fédérales en Suisse par l'affiche,* Lausanne, André Eiselé, 1977.

Nizza, Enzo (éd.), *Il popolo cinese. 103 manifesti dalla rivoluzione culturale a oggi,* Milan, La Pietra, 1973.

Peters, Louis F., *Kunst und Revolte, das politische Plakat und der Aufstand der französischen Studenten,* Cologne, Verlag Du Mont Schauberg, 1968.

Poitou, Jean-Paul, *Affiches et luttes syndicales de la CGT,* Paris, Éd. du Chêne, 1978.

Rhodes, Antony, *Propaganda, the Art of Persuasion. World War. An Allied and Axis Visual Record 1933-1945,* Londres, Angus and Robertson Ltd, 1976.

Rickards, Maurice, *Posters of Protest and Revolution,* New York, Walker, 1970.

Smelianski, Alexandre, Litvinov, Victor, et Yegorov, Alexandre, *Les Affiches de la glasnost et de la perestroïka,* Paris, Flammarion, 1989.

Tisa, John (éd.), *The Palette and the Flame. Posters of the Spanish Civil War,* Londres, Wellingborough, Collet's Publishers Ltd, 1980.

Végvari, Lajos, *Politikai Plakátov 1945-1948,* Budapest, Kossuth Könyvkiadó, 1970.

Weill, Alain, *L'Affiche dans le monde,* Paris, Somogy, 1991, nouv. éd. rev. et augm.

Yanker, Gary, *Prop Art. Plus de 1 000 posters d'actualité politique,* Paris, Éditions Planète, 1972.

Zeman, Zbynek, *Vendre la guerre. Art et propagande durant la Seconde Guerre mondiale,* Paris, Albin Michel, 1980 (1re éd. Londres, Orbis Pub. Lim., 1978).

Affiches politiques et sociales, Alain Weill (dir.), Chaumont, Maison du Livre et de l'Affiche, Sixièmes rencontres internationales des Arts graphiques, 1995, Paris, Somogy éditions d'Art, 1995.

L'apartheid le dos au mur, Jean-Louis Sagot-Duvouroux (dir.), Paris, UCAD, Musée de l'Affiche et de la Publicité, Droit et liberté Éditions, l'Harmattan, 1982.

Cubannse affiches, Ad Petersen (dir.), Amsterdam, Stedelijk Museum, 1971.

Images de la révolte 1965-1975, Alain Weill (dir.), Paris, UCAD, Musée de l'Affiche et de la Publicité, 1982, Paris, Éditions Henri Veyrier, 1982.

Images of an Era. The American Posters 1945-75, National Collection of Fine Arts, Smithsonian Institution, Washington DC, 1975.

Miedzynarodowy plakat rewolucyjnu, 1917-1967, Centralne Biuro Wystaw Artystycznych, Varsovie, Muzeum Lenina, 1967.

Nemzetközi Antifasiszta Plakátkiállitas (« Expositions internationales d'affiches antifascistes »), Eva Bajkay (dir.), Budapest, Magyar Nemzeti Galéria, 1975.

Posters of protest. The posters of political satire in the US 1966-1970, David Kunzle (dir.), Santa Barbara, The Art Gallery, University of California, 1971.

1. Arts plastiques

Marina Abramović
Rythme 5, 1974
Huit photographies
de la performance
120 x 100 (deux) ; 30 x 40 (six)
Foundation Marina Abramović,
Amsterdam

Gilles Aillaud
Vietnam – La Bataille du riz, 1968
Huile sur toile. 200 x 200
Collection particulière
Courtesy Galerie de France, Paris

Hans Peter Alvermann
Sauber – Illustration zu einem Song von Wolf Biermann, der von einem netten, fetten Vater handelt [Propre – Illustration d'une chanson de Wolf Biermann, qui raconte l'histoire d'un père joufflu et gentil], 1966
Bois, plâtre, métal, miroir
et objets divers. 210 x 159 x 64
Ludwig Forum für Internationale Kunst, Aix-la-Chapelle

Franco Angeli
Napoleone [Napoléon], 1963
Tryptique. Voile et peinture
émail sur toile. 138 x 375
Collection particulière

Karel Appel
Les Condamnés. Hommage aux Rosenberg, 1953
Huile sur toile. 142,5 x 110
Stedelijk Van Abbemuseum
Eindhoven, Pays-Bas

Jeune Fille en pleurs, 1953
Huile sur toile. 116 x 89
Collection Mrs Ethel Portnoy,
en dépôt au Stedelijk Museum
Schiedam, Pays-Bas

Personnage en flammes, 1954
Huile sur toile. 146 x 114
Collection de l'artiste

Gerd Arntz
Das Dritte Reich [Le IIIe Reich], 1935
(retirage, 1978)
Gravure sur bois. 64 x 48
Städtische Galerie Remscheid,
Allemagne

Krieg [La Guerre], 1935
Gravure sur bois. 28,5 x 38,5
Städtische Galerie Remscheid,
Allemagne

Eduardo Arroyo
(Eduardo Juan González Rodríguez)

Francisco Franco : Centinela de Occidente [Francisco Franco, sentinelle de l'Occident], 1970
Huile sur toile. 162,5 x 130,4
IVAM (Instituto Valenciano
de Arte Moderno), Generalitat
Valenciana, Espagne

Sama de langreo (Asturies) septiembre 1963
La femme du mineur Perez Martinez, Constantina, dite Tina, est rasée par la police, 1970
Huile sur toile. 163 x 130
Collection Eduardo Arroyo

À Moscou, Dolores Ibarurri, la Pasionaria, demande instamment mais sans succès aux Républiques populaires de ne pas établir de relations diplomatiques avec l'Espagne, 1970
Huile sur toile. 162 x 130
Collection particulière

Art & Language
Portrait of V. I. Lenin in July 1917 disguised by wig and working man's clothes in the style of Jackson Pollock (2) [Portrait de V. I. Lénine en juillet 1917 déguisé avec une perruque et des vêtements d'ouvrier dans le style de Jackson Pollock (2)], 1980
Peinture émail sur papier
marouflé sur toile. 240 x 220
Collection Éric Decelle, Bruxelles
Courtesy Mamco, Genève

V. I. Lenin by V. Charangovitch (1970) in the Style of Jackson Pollock [V. I. Lénine par V. Charangovitch (1970) dans le style de Jackson Pollock], 1980
Peinture émail sur papier
marouflé sur toile. 239 x 210
Collection particulière

Conrad Atkinson
Northern Ireland 1968 – May Day, 1975 [Irlande du Nord 1968 – 1er Mai, 1975], 1975
Soixante-quinze photographies
couleurs et soixante-quatre feuillets
manuscrits montés sur panneau.
12,7 x 17,8 (75) ; 21 x 14,6 (64)
Ronald Feldman Fine Arts, New York

Enrico Baj
Figura Atomica
[Figure atomique], 1951
Huile et ripolin sur toile.100 x 70
Collection particulière

Spiralen (Nucleare)
[Spirales (Nucléaire)], 1951
Ripolin sur toile. 100 x 200
Collection Amelia Bolis, Milan

Lo scoppio viene da destra
[L'explosion vient de la droite], 1952
Huile sur toile. 120 x 200
Collection Consuelo Accetti, Milan

Enrico Baj,
Roberto Crippa,
Gianni Dova,
Erró,
Jean-Jacques Lebel,
Antonio Recalcati
Le Grand Tableau antifasciste collectif, 1961
Technique mixte sur toile. 400 x 500
Musée Cantini, Marseille
Don des artistes

Jean Bazaine
La Messe de l'homme armé, 1944
Huile sur toile. 116 x 72,5
Collection M. et Mme Maeght

Max Beckmann
Departure [Le Départ], 1932-1933
Huile sur toile (triptyque)
215,3 x 115,2 (panneau central) ;
215,3 x 99,7 (panneaux latéraux)
The Museum of Modern Art,
New York
Don anonyme (par échange), 1942

Prometheus – Der Hängengebliebene, [Prométhée – Celui qui est resté pendu], 1942
Huile sur toile. 95 x 55,5
Collection particulière, Allemagne

Apokalypse [Apocalypse], 1943
Livre avec dix lithographies
originales. 34 x 27
Collection particulière,
Museum Villa Stuck, Munich

Hans Bellmer
Autoportrait au camp des Mille, 1940
Crayon sur papier. 29 x 22
Collection particulière

Max Ernst en briques, 1941
Gouache et lavis d'encre de Chine
sur carton. 50 x 50
Collection Landeau

Mieczyslaw Berman
Tchang Kaï-chek, 1935
Photomontage. 40 x 30
Collection particulière

Géopolitique, 1941
Photomontage. 30 x 24
Collection particulière

Le Duce (Mussolini), 1943
Photomontage. 40,5 x 50
Collection particulière

Barbarie motorisée, 1944
Photomontage. 39 x 28
Collection particulière

Pendant la paix (Hitler), 1944
Photomontage. 40 x 20
Collection particulière

Joseph Beuys
Ausfegen, 1 Mai 1972, Berlin (West), Karl-Marx-Platz [Balayer,
1er Mai 1972, Berlin (Ouest), place Karl-Marx], 1972
Vitrine : sable, pierres, papier,
ordures, balai-brosse rouge et sacs
plastique avec un appel imprimé par
Beuys. 200 x 200 x 65
Collection Block, Berlin

Dürer, ich führe persönlich Baader + Meinhof durch die Dokumenta V [Dürer, je fais visiter personnellement la Documenta V à Baader + Meinhof], 1972
Bois, feutre, couleur, graisse,
tiges de roses. 200 x 200 x 40
Collection Speck, Cologne

Erwin Blumenfeld
Autoportrait à tête de veau, 1937
Photomontage. 30,7 x 26,7
Mnam-Cci, Centre Georges
Pompidou, Paris

Alighiero Boetti
12 forme dal giugno '67 [12 Formes à partir de juin 67], 1967-1971
Douze feuilles de cuivre
59 x 43 x 0,3 (chaque)
Collection Paolo et Alida Giuli

One Hotel Kabul Afghanistan, 1972
Broderie. 152 x 220
Fonds national d'art contemporain,
ministère de la Culture, Paris

Bugs Bunny, 1991
Technique mixte sur papier marouflé
sur toile. 102 x 74
Collection Alessandro Seno, Milan

Bugs Bunny, 1991
Technique mixte sur papier marouflé
sur toile. 102 x 74
Collection Alessandro Seno, Milan

Bugs Bunny (Né Testa Né Croce)
[Bugs Bunny (Ni tête ni croix)], 1991
Technique mixte sur papier marouflé
sur toile. 102 x 74
Collection particulière, Milan

Bugs Bunny (Kuwait Times), 1991
Technique mixte sur papier marouflé
sur toile
Collection Mrs Carlotta Moratti

Erik Boulatov
Le Cosmos soviétique, 1977
Huile sur toile. 270 x 200
The John L. Stewart Collection,
New York

Rue Krassikov, 1977
Huile sur toile. 150 x 198,5
Jane Voorhees Zimmerli Art
Museum, Rutgers, The State
University of New Jersey, The Norton
and Nancy Dodge Collection of
Nonconformist Art from the Soviet
Union

Brauner
[Voir Victor Brauner]

Jacques Brunius
Ad Nauseam, 1944
Photomontage. 56 x 43
Collection particulière

Victor Burgin
UK 76, 1976
Dix panneaux (d'une série de onze)
Photographies NB. 100 x 150 (chaque)
Courtesy Galerie Liliane et Michel
Durand-Dessert

Reg Butler
Working Model for « The Unknown Political Prisoner » [Maquette pour « Le Monument au prisonnier politique inconnu »], 1955-1956
Bronze, plâtre et acier peint et forgé
223,8 x 87,9 x 85,4 avec socle
Tate Gallery, Londres
Offert par Cortina et Creon Butler,
1979

Luis Camnitzer
Leftovers [Les Restes], 1970
Quatre-vingt boîtes en carton
recouvertes de gaze, peinture et
plastique. 203,2 x 322,6 x 20
Yeshiva University Museum, New York

Série *Uruguayan Torture,* 1983
Trente-cinq photogravures
imprimées en quatre couleurs
71,1 x 91,4 (chaque)
Collection Archer M. Huntington
Art Gallery, The University of Texas
at Austin, États-Unis
Fonds Archer M. Huntington
Museum, 1992

Vlassis Caniaris
Hommage aux murs d'Athènes 1941-19..., 1959
Acrylique sur toile. 110 x 130
Collection Vlassis Caniaris

Image, 1971
Installation : valises, caisses en
bois et papier journal sur feuille de
Novopan. 50 x 220 x 130
Collection Vlassis Caniaris

Marc Chagall
La Crucifixion blanche, 1938
Huile sur toile. 155 x 140
The Art Institute of Chicago
Don d'Alfred S. Alschuler, 1946

Pietro Consagra
Prigioniero politico ignoto
[Le Prisonnier politique inconnu], 1952
Bronze. 50,2 x 26,7 x 28,6
Tate Gallery, Londres
Acquisition, 1953

Constant
(Constant Nieuwenhuys)

L'Attaque aérienne, 1951
Huile sur toile. 125 x 117
Stedelijk Van Abbemuseum
Eindhoven, Pays-Bas

Gewonde duif
[Colombe blessée], 1951
Huile sur toile. 141 x 133
Museum Boijmans-Van Beuningen,
Rotterdam

Verschroeide aarde
[Terre brûlée], 1951
Huile sur toile. 120 x 74
Stedelijk Museum Schiedam,
Pays-Bas

Henri Cueco
Vietnam, 1968
Huile sur toile. 200 x 200
Collection de l'artiste

Salvador Dalí
L'Énigme de Hitler, 1938
Huile sur toile. 95 x 141
Museo Nacional Centro de Arte
Reina Sofía, Madrid

Le Visage de la guerre, 1940
Huile sur toile. 64 x 79
Museum Boijmans-Van Beuningen,
Rotterdam

Olivier Debré
Le Mort de Dachau, 1945
Mine de plomb et gouache
sur papier. 30,5 x 45,2
Mnam-Cci, Centre Georges
Pompidou, Paris
Don de l'artiste, 1976

Alexandre Deïneka
Kto kogo ? [Qui l'emportera ?], 1932
Huile sur toile. 195 x 200
Galerie Tretiakov, Moscou

Léon Delarbre
Après une séance de désinfection, 1945
Crayon sur papier. 10,5 x 24
Mnam-Cci, Centre Georges
Pompidou, Paris

Voyage de Dora à Bergen, 1945
Crayon sur papier. 15 x 21
Mnam-Cci, Centre Georges
Pompidou, Paris

Les Pendus – à gauche : le schreiber (secrétaire) du bloc 132 accusé de complot politique et de sabotage, Dora, 21 mars 1945
Crayon sur papier. 13 x 19
Mnam-Cci, Centre Georges
Pompidou, Paris

Fortunato Depero
Ala fascista [Aile fasciste], 1937
Panneau de laine sur canevas
de coton. 209 x 94
Museo di Arte Moderna e
Contemporanea di Trento e Rovereto

Ala fascista [Aile fasciste], 1937
Panneau de laine sur canevas
de coton. 204 x 94
Collection particulière

Ala fascista (Caprone alato, Due aerei in volo, Tre marinai)
[Aile fasciste (Bouc ailé, Deux avions en vol, Trois marins)], 1937
Trois panneaux de laine sur canevas
de coton. 66,5 x 93,5 (chaque)
Collection particulière

Eugenio Dittborn
The Corpse, The Treasure
[Le Cadavre, Le Trésor], 1991,
Airmail Painting Number 90
[Peinture aéropostale n° 90].
Itinéraire : New York, 1991 ; Séville,
1992 ; Paris, 1992-1993 ; Londres,
1993 ; Southampton, 1993 ;
Rotterdam, 1993-1994 ; Wellington,
1994 ; Santiago, Chili, 1996 ; Paris,
1996-1997
Peinture, plumes, bâti et
photosérigraphie sur trois fragments
de triplure. 350 x 280

Otto Dix
Die sieben Todsünden
[Les Sept Péchés capitaux], 1933
Technique mixte sur bois. 179 x 120,5
Staatliche Kunsthalle, Karlsruhe

Juden friedhof im Randegg im Winter mit Hohenstoffeln [Cimetière juif à Randegg en hiver avec chaumes] ou *Friedhof im Winterliechen Vorgebirge,* [Cimetière en hiver dans les collines], 1935
Technique mixte sur panneau. 60 x 80
Saarland Museum Saarbrücken,
Stiftung Saarländischer Kulturbesitz

Masken in Trümmern
[Masques dans les ruines], 1946
Huile sur toile. 120 x 81
Kunstsammlung Gera, Allemagne

Willie Doherty
The Only Good One is a Dead One
[Le seul bon est celui qui est mort],
1993
Installation vidéo Weltkunst
Foundation Collection
En prêt à l'Irish Museum of Modern
Art, Dublin
Initialement commandé et
montré du 10 novembre 1993 au
30 janvier 1994 par Matt's Gallery

Rita Donagh
Car Bomb [Voiture piégée], 1973
Crayon et collage sur papier
68,5 x 101
Collection de l'artiste

Newspaper Vendor
[Vendeur de journaux], 1975
Crayon, pastel, peinture et
collage sur papier. 101 x 116
The Whitworth Art Gallery, University
of Manchester

Six Counties [Six Comtés], 1983
Peinture sur photographie. 54,5 x 75
Collection de l'artiste

Single Cell Block
[Cellule individuelle], 1984
Huile sur photographie
sur carton. 53,6 x 73
Collection de l'artiste

HMSO M200 12/93 29254, 1995
Crayon, acrylique et document sur
papier. 70 x 104
Collection de l'artiste

Piero Dorazio
Petit poème socialiste, 1948
Huile sur toile. 46 x 61
Collection de l'artiste

Qualités jaunes, 1960
Huile sur toile. 195 x 113,5
Collection de l'artiste

François Dufrêne
Hôtel Drouot, toujours plus ou *La Rose au poing*, 1977
Dessous d'affiche marouflé sur toile. 89 x 116
Collection particulière

Juan-Francisco Elso
Por América, 1986
Bois, terre, plâtre, technique mixte. 250 x 120
Collection Magali Lara. Courtesy George Adams Gallery

Equipo Crónica
La Visita [La Visite], 1969
Acrylique sur toile. 120 x 120
Collection Lucio Muñoz

Equipo Realidad
Erase una vez [Il était une fois], 1965-1966
Acrylique sur toile. 112,5 x 220
Galeria Punto, Valence, Espagne

Max Ernst
Tête de L'Ange du foyer, ca 1937
Huile sur toile. 65,5 x 78
Galeria Rojo y Negro, Madrid

Apatrides, 1939
Frottage, crayon et gouache blanche sur papier. 46,7 x 36,6
Staatsgalerie, Stuttgart, Graphische Sammlung

La Planète affolée, 1942
Huile sur toile. 110 x 140
The Tel Aviv Museum of Art
Don de l'artiste, 1955

Erró
(Gudmundur Gudmundsson)

American Intérieur n° 3, 1967
Huile sur toile. 81 x 100
Collection particulière

American Intérieur n° 7, 1968
Huile sur toile. 97 x 115
Ludwig Forum für Internationale Kunst, Aix-la-Chapelle

Luciano Fabro
Italia fascista [Italie fasciste], 1969
Fer et papier. 145 x 70
Collection Pistoletto, Turin

Cosa Nostra, 1971
Verre et grillage en métal
107 x 231 x 1
Collection M. J. S.

Italia da guerra [Italie de guerre], 1981
Mailles d'acier. 150 x 90
Collection de l'artiste

Öyvind Fahlström
U.S. Monopoly (large) [Grand Monopoly des États-Unis], 1971
Peinture variable, éléments magnétiques. Acrylique sur aimant, vinyle et carton. 92,5 x 128,5
Mnam-Cci, Centre Georges Pompidou, Paris
Donation Daniel Cordier, 1989

Harun Farocki
Schnittstelle [Section], 1995
Installation vidéo.
Durée 25 mn environ
Béta SP Pal, son, couleur (version c)
Mnam-Cci, Centre Georges Pompidou, Paris

Jean Fautrier
Grande tête tragique, 1942
Bronze. 34,80 x 17,20 x 21,10
Mnam-Cci, Centre Georges Pompidou, Paris

Le Fusillé, 1943
Huile sur papier marouflé sur toile. 38 x 46
Collection particulière

Nu, 1943
Huile sur papier marouflé sur toile. 55 x 38
The Museum of Contemporary Art, Los Angeles : The Panza Collection

Otage, 1943
Huile sur papier marouflé sur toile. 38 x 46
Collection particulière

Otage, 1943
Bronze. 48 cm (hauteur)
Galerie Limmer, Fribourg-en-Brisgau

Otage n° 3, 1943
Huile sur papier marouflé sur toile. 33,5 x 27
Musée de l'Île-de-France, Sceaux
Donation Fautrier, 1964

Tête d'otage n° 1, 1943
Huile sur papier marouflé sur toile. 24 x 22
The Museum of Contemporary Art, Los Angeles : The Panza Collection

Tête d'otage n° 8, 1943
Huile sur papier marouflé sur toile. 36 x 28
Collection particulière

Tête d'otage n° 11, 1943
Huile sur papier marouflé sur toile. 35,5 x 26,5
Galerie Di Meo, Paris

L'Écorché, 1942
Huile sur papier marouflé sur toile. 80 x 115
Mnam-Cci, Centre Georges Pompidou, Paris

Otage, 1944
Huile sur papier marouflé sur toile. 35 x 27
Collection particulière, Paris

Tête d'otage n° 7, 1944
Huile sur papier marouflé sur toile. 36 x 28
Collection particulière

Tête d'otage n° 14, 1944
Huile sur papier marouflé sur toile. 35 x 27
The Museum of Contemporary Art Los Angeles, The Panza Collection

Tête d'otage n° 16, 1944
Huile sur papier marouflé sur toile. 27 x 22
Collection M. et Mme Lombrail

Tête d'otage n° 19, 1944
Huile sur papier marouflé sur toile. 31,5 x 23
Collection J.-M. Rossi

Tête d'otage n° 20, 1944
Huile sur papier marouflé sur toile. 33 x 24
Galerie Limmer, Fribourg-en-Brisgau

Tête d'otage n° 22, 1944
Huile sur papier marouflé sur toile. 27 x 22
Galerie Limmer, Fribourg-en-Brisgau

Otage, 1945
Huile sur papier marouflé sur toile. 27 x 23
Collection particulière, Paris

Tête d'otage, 1945
Huile sur papier marouflé sur toile. 35 x 27
Collection particulière

Tête d'otage n° 21, 1945
Huile sur papier marouflé sur toile. 35,3 x 27,3
Collection particulière

La Grande Place, Budapest, 1957
Huile sur papier marouflé sur toile. 81 x 60
Collection particulière

Apel'les Fenosa
Oradour, 1944
Maquette du monument, bronze. 118 x 35 x 30
Collection particulière

Karel Fleischmann
Le Dépôt de prothèses, 1943
Lavis d'encre de Chine sur papier
64,5 x 70
Musée d'Art juif, Prague

Le Petit Enregistrement, 1943
Encre de Chine sur papier
31,6 x 33,1
Musée d'Art juif, Prague

Vue de la longue rue, rue principale de Terezín, 1943
Plume et lavis d'encre de Chine sur papier. 50 x 99,8
Musée d'Art juif, Prague

André Fougeron
Nord-Africains aux portes de la ville (1re partie de la série Triptyque de la honte), 1954
Huile sur toile. 130 x 195
Collection André Fougeron

Massacre de Sakiet Sidi Youssef (3e partie de la série Triptyque de la honte), 1958
Huile sur toile. 97 x 195
Collection André Fougeron

Wilhelm Freddie
Monument, 1941
Huile sur toile. 37 x 45
Statens Museum for Kunst, Copenhague

Otto Freundlich
Mon ciel est rouge, 1933
Huile sur toile. 162 x 130,50
Mnam-Cci, Centre Georges Pompidou, Paris
Attribution (don à l'État, 1953)

Bedrich Fritta
(Fritz Taussig)
Transport quittant le ghetto, 1943
Lavis d'encre de Chine sur papier. 48,5 x 71,5
Musée d'Art juif, Prague

L'Unique Moyen de transport (Vieux déportés attendant sur la voiture funéraire), 1943
Lavis d'encre de Chine sur papier. 41,7 x 59,6
Musée d'Art juif, Prague

La Vie d'un homme important, le Dr Herbert Panger, 1943
Encre de Chine sur papier
57,2 x 85,1
Musée d'Art juif, Prague

Naum Gabo
Model for a Monument to the Unknown Political Prisoner [Maquette pour un Monument au prisonnier politique inconnu], 1952
Plastique et fil de fer. 38,1 x 8,9 x 9,5
Tate Gallery, Londres
Offert par l'artiste en 1977

Jochen Gerz
Exit/Le Projet de Dachau, 1972-1974
Installation : tables et chaises en bois, livres et ampoules, enregistrement sonore
Courtesy Museum Bochum

Emile Gilioli
Prière et Force, 1952
Marbre. 48,6 x 46 x 28,6
Tate Gallery, Londres
Acquisition, 1953

Julio González
La Grande Faucille, 1937
Bronze forgé. 45,5 x 12 x 4
Musée de Grenoble

Masque de la Montserrat criant, 1941-1942
Fer forgé et soudé. 22 x 15,5 x 12
Mnam-Cci, Centre Georges Pompidou, Paris
Don de Mme Roberta González, 1964

George Grosz
Interregnum, 1936
Lithographies. 40,5 x 29 (chaque)
Stiftung Archiv der Akademie der Künste, Berlin, Kunstsammlung

1. *Apokalyptische Reiter* [Le Cavalier de l'Apocalypse], 1936

2. *Die Stimme der Vernunft* [La Voix de la raison], 1935

3. *Eine Lektion für Kommende Generationen* [Une leçon pour les générations à venir], 1935

4. *Vergesst es nicht !* [Ne l'oubliez pas], 1931

5. *Ewig währet die Kunst* [L'art est éternel], 1935

6. *Puzzle* [Puzzle], 1935

7. *Das wird ihm auf die Sprünge helfen* [Cela lui serait secourable], 1935

8. *Schriftsteller, was ?* [Écrivain, n'est-ce pas ?], 1934-1935

9. *Sie brachten nichts aus ihm heraus* [Ils ne pouvaient rien tirer de lui], 1935

10. *Christus mit der Gasmaske* [Christ avec masque à gaz], 1935-1936

Polarity-Apocalyptic Landscape [Polarité-Paysage apocalyptique], 1936
Huile sur masonite. 50,5 x 61
George Grosz Estate

The Grey Man Dances [La Danse de l'homme gris], 1949
Huile sur masonite. 76 x 55,6
Collection Ralph Jentsch, Florence

Francis Gruber
Hommage à Jacques Callot, 1942
Huile sur toile. 89 x 116
Collection particulière

Hans Grundig
Raüber ! [Voleur !], 1936
Gravure sur papier. 24,9 x 33,1
Ladengalerie, Berlin

Sterben-Zeit des Faschismus [Fascisme égale Mort], 1937
Gravure sur papier. 24,8 x 33,3
Ladengalerie, Berlin

Léa Grundig
Hitler bedeutet Krieg ! [Hitler signifie guerre !], 1935
Gravure sur papier. 24,7 x 32,6
Ladengalerie, Berlin

Deutschland 1936 (Unterm Hakenkreuz) [Allemagne 1936 (Sous la croix gammée)], 1936
Gravure sur papier. 24,8 x 32,7
Ladengalerie, Berlin

Philip Guston
Bombardment [Bombardement], 1937-1938
Huile sur bois. 117 cm (diamètre)
The Estate of Philip Guston
Courtesy Mc Kee Gallery, New York

Renato Guttuso
Occupazione delle terre incolte in Sicilia [Occupation des terres incultes en Sicile], 1949-1950
Huile sur toile. 265 x 344
Stiftung Archiv der Akademie der Künste, Berlin, Kunstsammlung

Hans Haacke
A Breed Apart [Une race à part], 1978
Sept panneaux encadrés sous plexiglas
Photographies sur masonite
91 x 91 (chaque)
Tate Gallery, Londres
Offert par The Patrons of New Art through the Friends of the Tate Gallery, 1988

Calligraphie (Architectural Model) [Calligraphie (Maquette)], 1989
Technique mixte (bois, photo, etc.).
42 x 98 x 149
Collection Hans Haacke

Raymond Hains
Avec le grand concours de L'Humanité et de la Nation française, novembre 1956
Affiche lacérée. 100 x 216
Collection particulière

Appel (époque Delage), s.d.
Affiche lacérée. 60 x 50
Collection de l'artiste

Cet homme est dangereux, 1957
Affiche lacérée. 94 x 61
Collection particulière

De Gaulle compte sur vous, aidez-le, 1961
Affiche lacérée marouflée sur toile. 80 x 60
Collection particulière

Richard Hamilton
The Citizen [Le Citoyen], 1981-1983
Huile sur toile-diptyque
200 x 100 et 200 x 100,9
Tate Gallery, Londres
Acquisition, 1985

The Subject [Le Sujet], 1988-1990
Huile sur toile-diptyque. 238 x 235
Tate Gallery, Londres
Acquisition, 1993

The State [L'État], 1993
Huile, peinture émaillée, technique mixte sur cibachrome sur toile. Diptyque. 242 x 235
Tate Gallery, Londres
Acquisition, 1993

Wladyslaw Hasior
Sztandar pracy [Bannière du Travail], 1975
Technique mixte. 210 x 107 x 28
Muzeum Sztuki, Lódź
Achat à l'artiste, 1979

John Heartfield
Durch Licht zur Nacht [De la lumière à la nuit]
Projet pour *AIZ*, Berlin, n° 18, 1933
Photomontage (retouché)
42,2 x 28,5
Stiftung Archiv der Akademie der Künste, Berlin, Kunstsammlung (Heartfield-Archiv)

Goering der Henker des Dritten Reichs [Goering le bourreau du IIIe Reich]
Projet pour *AIZ*, Prague, n° 36, 1933
Photomontage (retouché). 43,5 x 30,8
Stiftung Archiv der Akademie der Künste, Berlin, Kunstsammlung (Heartfield-Archiv)

Der alte Wahlspruch im « neuen » Reich : Blut und Eisen [La Vieille Devise dans le « nouveau » Reich : le sang et le fer]
Projet pour *AIZ*, Prague, n° 10, 1934
Photomontage (retouché)
37,2 x 32,5
Stiftung Archiv der Akademie der Künste, Berlin, Kunstsammlung (Heartfield-Archiv)

Der Pakt von Venedig [Le Pacte de Venise]
Projet pour *AIZ*, Prague, n° 26, 1934
Photomontage (retouché)
44,3 x 43,2
Stiftung Archiv der Akademie der Künste, Berlin, Kunstsammlung (Heartfield-Archiv)

Ein beuer Mensch – Herr einer neuen Welt [Un homme nouveau – Maître d'un nouveau monde]
Projet pour *AIZ*, Prague, n° 44, 1934
Photomontage (retouché). 45,5 x 34,8
Stiftung Archiv der Akademie der Künste, Berlin, Kunstsammlung (Heartfield-Archiv)

Das Braune Netz. Wie Hitlers Agenten im Ausland arbeiten und den Krieg vorbereiten [Le Réseau brun. Le travail de la Gestapo à l'étranger]
Projet pour les éditions du Carrefour, Paris, 1935
Photomontage (retouché). 30,4 x 19
Stiftung Archiv der Akademie der Künste, Berlin, Kunstsammlung (Heartfield-Archiv)

Henry Heerup
Døden Høster [La mort moissonne], 1943
Bois et métal. 86 x 70 x 53 avec socle
Louisiana Museum of Modern Art, Humlebæk, Danemark

Auguste Herbin
Lénine-Staline, 1948
Huile sur toile. 192 x 130
Musée Matisse, Le Cateau-Cambrésis

Georg Herold
Legasthenie (AP), 1985
Installation de sept photos et de sept assemblages en briques, lattes et laque. 50 x 35 (photos) ; 50 x 30 x 10 (assemblages)
Collection particulière

Karl Hofer
Mit Gasmaske [Avec masque à gaz], 1944
Huile sur toile. 76 x 58
Haus der Geschichte Baden-Württemberg, Stuttgart

Ruinennacht [Nuit de ruines], 1947
Huile sur toile. 68 x 84 cm
Stadtmuseum, Berlin

Craigie Horsfield

Magda Mierwa & Leszek Mierwa – ul. Nawojki, Krakow – July 1984 [Magda Mierwa et Leszek Mierwa – rue Nawojki, Cracovie, juillet 1984], 1990
Photographie. 145 x 138
Collection particulière. Courtesy Frith Street Gallery, Londres

Rynek Glowny, Krakow, March 1977 [Place du Marché, Cracovie, mars 1977], 1991
Photographie unique. 270 x 270
Collection particulière.
Courtesy Frith Street Gallery, Londres

František Hudecèk

Fantôme de la guerre civile, 1937
Huile sur carton. 25 x 25
Národní galerie, Sbírka Moderního Umění, Veletrzní Palác, Prague

15 Brezen 1939 [15 mars 1939], 1939
Huile sur toile et sololite. 29,5 x 24,5
České Muzeum Výtvarnych Umění, Prague

Jörg Immendorff

Café-Deutschland III, 1978
Acrylique sur toile. 282 x 273
Collection particulière

Robert Indiana

French Atomic Bomb [La Bombe atomique française], 1959-1960
Poutre en bois polychrome et métal. 98 x 29,5 x 12,3
The Museum of Modern Art, New York
Don d'Arne Ekstrom, 1964

Egill Jacobsen

Obhöbning [Accumulation], 1938
Huile sur toile. 80 x 65,5
Statens Museum for Kunst, Copenhague

Kim Jones

War Drawing [Dessin de guerre], 1991-1995
Dessin au crayon et gomme sur papier. 64 x 484
Collection Kim Jones

War Drawing [Dessin de guerre], 1993-1995
Dessin au crayon et gomme sur papier. 97 x 182
Collection Kim Jones

Asger Jorn

Ørnens Ret I [Le Droit de l'aigle I], 1950
Huile sur masonite. 122,5 x 124
Nordjyllands Kunstmuseum Ålborg, Danemark

Rovdyrpagten II [Le Pacte des prédateurs II], 1950
Huile sur masonite. 119 x 122,5
Esbjerg Kunstmuseum, Esbjerg, Danemark

Ilya Kabakov

La Chambre de luxe, 1981
Peinture émail sur contreplaqué
210 x 300
Collection particulière, Paris

Allan Kaprow

Sweet Wall [Doux Mur], 1970
Neuf pièces : huit cadres et un index de la performance
Phototype, photographies montées sur papier. 28 x 42 (chaque)
Collection Block

On Kawara

TODAY, série (commencée en 1966) : *AUG. 6, 1980,* Acrylique sur toile, 25,5 x 33, collection particulière ; *JUNE 22, 1981,* Acrylique sur toile, 25,5 x 33, collection particulière ; *NOV. 16, 1982,* Acrylique sur toile, 25,5 x 33, collection particulière ; *DEC. 5, 1983,* Acrylique sur toile, 20,5 x 25,5, collection particulière ; *4 AUG. 1984,* Acrylique sur toile, 25,5 x 33, collection particulière ; *NOV. 26, 1985,* Acrylique sur toile, 25,5 x 33, collection particulière ; *5. DEZ. 1986,* Acrylique sur toile, 25,5 x 33, collection particulière ; *20 JUN. 1987,* Acrylique sur toile, 25,5 x 33, collection particulière ; *MAY 3, 1988,* Acrylique sur toile, 20,5 x 25,5, collection particulière ; *MAY 18, 1989,* Acrylique sur toile, 25,5 x 33, collection particulière ; *13 GEN. 1990,* Acrylique sur toile, 25,5 x 33, collection particulière ; *30. DEZ. 1991,* Acrylique sur toile, 25,5 x 33, collection particulière ; *NOV. 14, 1992,* Acrylique sur toile, 25,5 x 33, collection particulière ; *5 OCT. 1993,* Acrylique sur toile, 20,5 x 25,5, collection particulière ; *FEB. 27, 1994,* Acrylique sur toile, 25,5 x 33, collection particulière ; *27 MARS 1995,* Acrylique sur toile, 25,5 x 33, collection particulière.

Anselm Kiefer

Varus, 1976
Huile sur toile. 200 x 270
Stedelijk Van Abbemuseum, Eindhoven, Pays-Bas

Paul Klee

Auch ER Dictator ! [Lui aussi Dictateur !], 1933
Crayon sur papier. 29,5 x 21,8
Collection particulière, Suisse

Auswandern [Émigrés], 1933
Crayon sur papier. 32,9 x 21
Paul Klee Stiftung, Kunstmuseum, Berne

Barbaren Junge [Jeune Barbare], 1933
Crayon sur papier. 32,9 x 20,9
Paul Klee Stiftung, Kunstmuseum, Berne

Barbaren Söldner [Mercenaire barbare], 1933
Crayon sur papier. 20,8 x 32,8
Paul Klee Stiftung, Kunstmuseum, Berne

Doppelmord [Double Meurtre], 1933
Crayon sur papier. 32,9 x 20,9
Paul Klee Stiftung, Kunstmuseum, Berne

Fluch ihnen [Malédiction sur vous !], 1933
Crayon sur papier. 27 x 20,7
Paul Klee Stiftung, Kunstmuseum, Berne

Militarismus der Hexen [Militarisme des sorcières], 1933
Crayon sur papier. 23,2 x 27,3
Paul Klee Stiftung, Kunstmuseum, Berne

Der Boulevard der Abnormen [Le Boulevard des anormaux], 1938
Pâte de couleur sur papier contrecollé sur carton. 32,5 x 48,5
Kunstsammlung Nordrhein-Westfalen, Düsseldorf

Execution, 1939
Crayon sur papier. 20,8 x 14,8
Paul Klee Stiftung, Kunstmuseum, Berne

Heil !, 1939
Crayon sur papier. 29,6 x 20,9
Collection particulière, Suisse

Kinder spielen Tragödie [Enfants jouant la tragédie], 1939
Crayon sur papier. 20,9 x 29,6
Paul Klee Stiftung, Kunstmuseum, Berne

Närrische Jugend : Krieg [Jeunesse folle : guerre], 1940
Plume sur papier. 14,9 x 21
Paul Klee Stiftung, Kunstmuseum, Berne

Tragischer Schritt [Marche tragique], 1939
Crayon sur papier. 29,7 x 20,8
Paul Klee Stiftung, Kunstmuseum, Berne

Treu dem Führer [Fidélité au Führer], 1939
Crayon sur papier. 29,7 x 21
Collection particulière, Suisse

Gustav Klucis

Marx ist der Gründer der Theorie des revolutionären Kommunismus [Marx est le fondateur du communisme révolutionnaire], 1933
Aquarelle, crayon et collage. 25,6 x 16,6
Galerie Gmurzynska, Cologne

Oskar Kokoschka

The Crab [Le Crabe], 1939-1940
Huile sur toile. 63,4 x 76,2
Tate Gallery, Londres
Acquisition, 1984

Das rote Ei [L'Œuf rouge], 1940-1941
Huile sur toile. 63 x 76
Národní galerie, Sbírka Moderního Umění, Veletrzní Palác, Prague

Anschluss– Alice im Wunderland [Anschluss– Alice au pays des merveilles], 1942
Huile sur toile. 63,5 x 76,6
Prêt du Wiener Städtischen Allgemeinen Versicherung Aktiengesellschaft, Autriche

Marianne-Maquis, 1942
Huile sur toile. 63,5 x 76,2
Tate Gallery, Londres
Offert par Mme Olda Kokoschka, la veuve de l'artiste, en l'honneur du directeur sir Alan Bowness, 1988

Jiří Kolář

Týdeník 68 [Hebdomadaire 68], 1968
Vingt et un collages
44,5 x 32,5 (chaque)
Kunsthalle Nürnberg, Allemagne

Julius Koller

Ceskoslovensko [Tchécoslovaquie], 1968
Latex, textile, bois. 81 x 135
Collection Julius Koller

Otazniky [Les Points d'interrogation], 1969
Latex, bois, métal. 61 x 54 x 6
Collection Julius Koller

Käthe Kollwitz

La Pietà, 1937-1938
Bronze. 38 x 28,5 x 39
Kunstmuseum Düsseldorf im Ehrenhof, Allemagne

Der Turm der Mütter [La Tour des mères], 1937-1938
Bronze,. 27 x 27,5 x 28
Käthe-Kollwitz-Museum, Berlin

Vitali Komar, Alexandre Melamid

Biography of our Contemporary [Biographie de notre contemporain], 1972-1973
Huile sur bois. Cent quatre-vingt dix-sept panneaux. 4,5 x 4,5 (chaque)
Collection Robert & Maryse Boxer, Londres

Nous sommes nés pour faire du conte une réalité, 1972
Tempera sur toile. 37,8 x 195
Jane Voorhees Zimmerli Art Museum, Rutgers, The State University of New Jersey, The Norton and Nancy Dodge Collection of Nonconformist Art from the Soviet Union

Vladimir Kuprianov

Cast me not away from Thy Presence [Ne me renvoie pas loin de Ta Présence], 1989
Quatorze photographies.
Technique mixte. 187 x 430 x 3
Collection de l'artiste

Henri Laurens

Le Matin, 1942
Bronze. 23 x 14
Mnam-Cci, Centre Georges Pompidou, Paris
Donation de M. Claude Laurens, 1967

Marcel G. Lefrancq

Dialectique, 1945
Photomontage. 29,5 x 39,5
Collection particulière

Fernand Léger

Étude pour Les Constructeurs (l'équipe au repos), 1950
Huile sur toile. 162 x 129,5
Scottish National Gallery of Modern Art, Édimbourg

Liberté, 1953
Quatre gouaches sur papier
33 x 16,5 (chaque)
Mnam-Cci, Centre Georges Pompidou, Paris

Nicolás Lekuona

Sans titre, 1935
Photomontage. 23,5 x 32
Museo Nacional, Centro de Arte Reina Sofía, Madrid

Sans titre, 1936
Photomontage. 8 x 5,5
Collection Hermanos Lecuona Nazabal

Sans titre, 1937
Photomontage. 13 x 8
Collection Hermanos Lecuona Nazabal

Jack Levine

Election Night [Nuit d'élections], 1954
Huile sur toile. 160,3 x 184,1
The Museum of Modern Art, New York
Don de Joseph H. Hirshhorn, 1955

Bracha Lichtenberg-Ettinger

Matrixial Borderline, 1990-1991
Polyptyque, ensemble de vingt-cinq éléments sur quatre panneaux
Encre de Chine, crayon, pastel et photocopie sur papier, plexiglas. 160 x 35 (quatre)
Collection de l'artiste

Eurydice, 1992-1996
Huile et photocopie sur papier marouflé sur toile
Collections particulières et collection de l'artiste
Seize œuvres de la série : *Eurydice n° 2,* 1992-1994, 38,3 x 23,1 ; *Eurydice n° 3,* 1992-1994, 38,7 x 23,4, Pori Art Museum, Finlande ; *Eurydice n° 4,* 1992-1994, 36,8 x 27 ; *Eurydice n° 5,* 1992-1994, 47 x 27 ; *Eurydice n° 6,* 1992-1995, 39, 3 x 26,8 ; *Eurydice n° 8,* 1994-1996, 37 x 26 ; *Eurydice n° 9,* 1994-1996, 32 x 26 ; *Eurydice n° 10,* 1994-1996, 27,8 x 28,1 ; *Eurydice n° 11,* 1994-1996, 35 x 24,6 ; *Eurydice n° 12,* 1994-1996, 38,5 x 24,5, Pori Art Museum, Finlande ; *Eurydice n° 13,* 1994-1996, 34 x 27, 3 ; *Eurydice n° 15,* 1994-1996, 25,2 x 52 ; *Eurydice n° 16,* 1994-1996, 51,7 x 22 ; *Eurydice n° 17,* 1994-1996, 26 x 52 ; *Eurydice n° 19,* 1992-1996, 37 x 25,5 ; *Eurydice n° 20,* 1994-1996, 38, 5 x 27

Autistwork n° 1, 1993
Huile et photocopie sur papier marouflé sur toile. 32,5 x 28
Collection particulière

Jacques Lipchitz

Prométhée étranglant le vautour, 1937
Plâtre patiné. 44 x 31 x 25,5
Mnam-Cci, Centre Georges Pompidou, Paris
Donation de la Fondation J. et Y. Lipchitz, 1976

La Fuite, 1940
Plâtre patiné. 44 x 31 x 25,5
Mnam-Cci, Centre Georges Pompidou, Paris
Donation de la Fondation J. et Y. Lipchitz, 1976

La Victoire de Prométhée (Prométhée et le vautour), 1943
Bronze. 46 x 38 x 20
Stedelijk Museum, Amsterdam

Jean Lurçat

Apocalypse des mal assis, 1945
Série de cinq gouaches sur papier.
38 x 57 (chaque)
Collection Ritter-Vernet

Mario Mafai

Fantasia n° 3 : I conquistatori [Fantaisie n° 3 : Les Conquérants], 1940-1943
Huile sur toile. 35,5 x 61
Collection particulière

Fantasia n° 6 : Orgia [Fantaisie n° 6 : Orgie], 1941
Huile sur toile. 40,3 x 50,5
Collection particulière

Fantasia n° 7 : Interrogatorio [Fantaisie n° 7 : Interrogatoire], 1940-1943
Huile sur toile. 49 x 38
Collection particulière

Fantasia n° 10 : Le truppe si divertono [Fantaisie n° 10 : Les troupes se divertissent], 1940-1943
Huile sur toile. 40 x 49
Collection particulière

Fantasia n° 13 : I dirigenti [Fantaisie n° 13 : Les Dirigeants], 1940-1943
Huile sur toile. 36 x 51
Collection particulière

Fantasia n° 16 [Fantaisie n° 16], 1940-1943
Huile sur toile. 55 x 75
Collection particulière

René Magritte

Le Drapeau noir, 1937
Huile sur toile. 51,4 x 71,8
Scottish National Gallery of Modern Art, Édimbourg

La Dialectique appliquée, 1945
Huile sur toile. 60 x 80
Chalk & Vermilion Fine Arts, Greenwich, États-Unis

La Liberté de l'esprit, 1948
Huile sur toile. 100 x 80
Musée des Beaux-Arts, Charleroi, Belgique

Kazimir Malevitch

Cinq Personnages à la faucille et au marteau, 1930
Encre brune sur papier beige. 7,5 x 12
Mnam-Cci, Centre Georges Pompidou, Paris

Ils vont à l'église, 1930
Mine de plomb sur papier beige. 14 x 9,9
Mnam-Cci, Centre Georges Pompidou, Paris

Trois Croix, 1930
Mine de plomb sur papier beige. 9 x 13
Mnam-Cci, Centre Georges Pompidou, Paris

L'Homme qui court, 1933-1934
Huile sur toile. 79 x 65
Mnam-Cci, Centre Georges Pompidou, Paris
Don anonyme, 1978

Alfred Manessier

Requiem pour novembre 1956, 1956-1957
Huile sur toile. 200 x 300
Staatsgalerie, Stuttgart

Giacomo Manzù

Crocifissione [Crucifixion], 1939
Bas-relief en bronze. 48 x 37 x 0,7
Galleria nazionale d'arte moderna, Rome

Crocifissione [Crucifixion], 1942
Bas-relief en bronze. 56 x 42
Galleria nazionale d'arte moderna, Rome

Crocifissione con soldato [Crucifixion avec soldat], 1942
Bas-relief en bronze. 41 x 29
Galleria nazionale d'arte moderna, Rome

Deposizione con prelato [Déposition avec prélat], 1942
Bas-relief en bronze. 41 x 29
Galleria nazionale d'arte moderna, Rome

Marisol
(Marisol Escobar)
LBJ, 1967
Peinture synthétique et crayon sur construction en bois
203,1 x 70,9 x 62,4
The Museum of Modern Art, New York
Don de Mr. and Mrs. Lester Avnet, 1968

Chris Marker
Casque bleu, 1995
Témoignage de François Crémieux, recueilli par Chris Marker
Installation vidéo. Durée 27 mn
Distribution Les Films de l'Astrophore

André Masson
Les Moissonneurs andalous, 1935
Huile sur toile. 89 x 116
Galerie Louise Leiris, Paris

Paysage franquiste, 1937
Encre de Chine sur papier. 38,7 x 63,1
Mnam-Cci, Centre Georges Pompidou, Paris

La Gloire du général Franco, 1938
Plume et encre de Chine sur papier. 48 x 63,5
Ancienne collection André Breton, collection particulière

Portrait-charge de Franco, 1938
Plume et encre de Chine sur papier d'écolier. 48 x 37
Ancienne collection André Breton, collection particulière

Georges Mathieu
L'Excommunication du roi Pierre d'Aragon par le pape Martin IV, 1952
Huile sur toile. 195 x 130
Collection de l'artiste

Roberto Matta
La Question, 1957
Huile sur toile. 200 x 295
Collection particulière

Susan Meiselas
Digging/Evidence/Identity,
Octobre 1996
Collage (photographies et textes). 182,88 x 243,84
Collection Susan Meiselas/Magnum

Fausto Melotti
Dopoguerra [Après-guerre], 1946
Bas-relief en argile peint. 44 x 93 x 6
Collection Marta Melotti, Milan

Mario Merz
Che fare ? [Que faire ?], 1968
Récipient métallique étamé, cire, néon, transformateur, électricité
15 x 50 x 20
Musée départemental d'art ancien et contemporain, Épinal

Igloo di Giap («Se il nemico si concentra perde terreno, se si disperde perde forza») [L'Igloo de Giap (Si l'ennemi se concentre, il perd du terrain, s'il se disperse, il perd de la force], 1968
Installation : cage de fer, sacs de terre, néon, transformateur, électricité. 120 x 200 (diamètre)
Mnam-Cci, Centre Georges Pompidou, Paris

Solitario, Solidale
[Solitaire, Solidaire], 1968
Récipient métallique, cire, néon, transformateur, électricité
18 x 60 x 18
Collection M. J. S.

Olaf Metzel
Idealmodell PK/90, 1987
Fonte. 160 x 110 x 30
Collection particulière, Berlin

Manolo Millares
El Muro [Le Mur], 1969
Technique mixte sur toile. 160 x 160
Galería Vegueta, Santa Brigida, Gran Canaria

Joan Miró
L'Époque des monstres, 1935
Huile et détrempe sur masonite
76 x 65
Collection particulière

Personnages en présence d'une métamorphose, 1936
Peinture à l'œuf sur masonite
50,2 x 57,5
New Orleans Museum of Art
Legs Victor K. Kiam

Aidez l'Espagne, 1937
Pochoir. 25 x 32
Archives *Cahiers d'Art*

Nature morte au vieux soulier, 24 janvier-29 mai 1937
Huile sur toile. 81 x 116
The Museum of Modern Art, New York
Don de James Thrall Soby

L'Espoir du condamné à mort I, 1974
Acrylique sur toile. 265,5 x 351,5
Fundació Joan Miró, Barcelone

L'Espoir du condamné à mort II, 1974
Acrylique sur toile. 267,5 x 351
Fundació Joan Miró, Barcelone

L'Espoir du condamné à mort III, 1974
Acrylique sur toile. 267 x 350,5
Fundació Joan Miró, Barcelone

Jacques Monory
Situation n° 971879054..., 1971
Huile sur toile. 195 x 195
Collection particulière

Henry Moore
Brown Tube Shelter
[Abri de métro en brun], 1940
Dessin à la craie, encre, cire et aquarelle sur papier. 37,5 x 54,5
Collection The British Council

Group of Draped Figures in a Shelter [Groupe de figures drapées dans un abri], 1941
Plume et encre noire, gouache
48,5 x 43,9
The Henry Moore Foundation

Mother and Child amoung Underground Sleepers [Mère et enfant parmi les réfugiés des abris du métro], 1941
Mine de plomb, crayon, lavis et aquarelle. 48,5 x 43,5
The Henry Moore Foundation

Shelter Drawing : Sleeping Figures
[Dessin des abris antiaériens : figures endormies], 1941
Crayon, aquarelle, crayon noir, plume et encre. 30,3 x 30,8
The Henry Moore Foundation

Malcolm Morley
At a first Aid Center in Vietnam
[Au poste de premier secours au Viêtnam], 1971
Huile sur toile. 160 x 241
The Eli and Edythe L. Broad Collection, Los Angeles

Robert Morris
Crisis (New York Post, *Monday, October 22, 1962)* [Crise (*New York Post*, lundi 22 octobre 1962)], 1962
Quatre panneaux. Acrylique sur papier journal. 38,1 x 54,6 (chaque)
Collection R. Morris

Robert Motherwell
Elegy to the Spanish Republic # 34,
[Élégie à la République espagnole n° 34], 1953-1954
Huile sur toile. 203 x 254
Albright-Knox Art Gallery, Buffalo
Don de S. Seymour H. Knox, 1957

Otto Muehl
Dajan 3.6.67 in Tel Aviv, 1967
Estampe sur papier. 60 x 44
Sammlung Friedrichshof

Ho Tschi Minh, 1967
Émulsion aqueuse sur contreplaqué. 73 x 47,5
Sammlung Friedrichshof

Konrad Adenauer, 1967
Émulsion aqueuse sur toile. 97,5 x 68
Sammlung Friedrichshof

Lyndon B. Johnson, 1967
Émulsion aqueuse sur contreplaqué. 90 x 58
Sammlung Friedrichshof

Ulbricht, 1967
Émulsion aqueuse sur contreplaqué. 41 x 32
Sammlung Friedrichshof

Zoran Music
Dachau, 1945
Crayon de couleur sur papier. 21 x 29,7
Mnam-Cci, Centre Georges Pompidou, Paris
Don de l'artiste, 1995

Dachau, 1945
Crayon de couleur sur papier. 21 x 29,7
Mnam-Cci, Centre Georges Pompidou, Paris
Don de l'artiste, 1995

Dachau, 1945
Crayon gras sur papier. 21,15 x 29,9
Mnam-Cci, Centre Georges Pompidou, Paris
Don de l'artiste, 1995

Dachau, 1945
Crayon sur papier. 20,8 x 29,5
Mnam-Cci, Centre Georges Pompidou, Paris
Don de l'artiste, 1995

Dachau, 1945
Encre sur papier. 21,1 x 27,8
Mnam-Cci, Centre Georges Pompidou, Paris
Don de l'artiste, 1995

Dachau, 1945
Encre sur papier. 20,8 x 31,4
Mnam-Cci, Centre Georges Pompidou, Paris
Don de l'artiste, 1995

Dachau, 1945
Encre sur papier. 21,7 x 32
Mnam-Cci, Centre Georges Pompidou, Paris
Don de l'artiste, 1995

Der V. Krematorium
[Le Crématoire V.], 1945
Crayon de couleur sur papier. 21,3 x 29,7
Mnam-Cci, Centre Georges Pompidou, Paris
Don de l'artiste, 1995

Bruce Nauman
South America Triangle
[Triangle sud-américain], 1981
Poutres en acier, cables en acier, chaise en fonte. 99,1 x 429,3 x 429, 3.
Suspendu à 152,4 cm du sol
Collection Hirshhorn Museum & Sculpture Garden, Smithsonian Institution, Holenia Purchase Fund, in Memory of Joseph H. Hirshhorn, 1991

Barnett Newman
Pagan Void [Vide païen], 1946
Huile sur toile. 83,8 x 96,5
National Gallery of Art, Washington
Don d'Annalee Newman en l'honneur du 50e anniversaire de la National Gallery of Art, 1988

Isamu Noguchi
Monument to Heroes
[Monument aux héros], 1943
Assemblage : os, bois, corde, papier.
96,9 x 52,1 x 47
The Estate of Isamu Noguchi

Felix Nussbaum
Lagersynagoge
[La Synagogue du camp], 1941
Huile sur bois. 50 x 64,2
Yad Vashem Art Museum, Jérusalem

Selbstbildnis mit Schlüssel im Lager Saint Cyprien [Autoportrait à la clef au camp de Saint-Cyprien], 1941
Huile sur toile. 48 x 37,5
The Tel Aviv Museum of Art
Don de Maurice Tzwern and Philippe Aisinber, Bruxelles, en mémoire des victimes du fascisme

Gefangener in Saint-Cyprien
[Prisonniers à Saint-Cyprien], 1942
Huile sur toile. 68 x 138
Sammlung Felix Nussbaum der Niedersächsischen Sparkassenstiftung im Kulturgeschichtlichen Museum Osnabrück, Allemagne

José Clemente Orozco
Los Muertos [Les Morts], 1931
Huile sur toile. 111 x 92
INBA Museo de Arte Alvar y Carmen T. de Carrillo Gil, Mexico

Prometeo [Prométhée], 1944
Huile sur toile. 73 x 92
INBA Museo de Arte Alvar y Carmen T. de Carrillo Gil, Mexico

Otto Pankok
Mein Gott, Mein Gott warum hast Du mich verlassen
[Mon Dieu, mon Dieu, pourquoi m'as-tu abandonné], 1933
Fusain. 148 x 99
Kunstmuseum Düsseldorf im Ehrenhof, Graphische Sammlung, Allemagne

Die Synagoge [La Synagogue], 1940
Fusain sur bois. 97 x 128
Otto Pankok Museum Haus Esselt, Hünxe-Drevenack, Allemagne

Pino Pascali
Grande missile « Colomba della pace » [Grand Missile « Colombe de la paix »], 1965
Bois et déchets mécaniques
500 x 100 x 100 ; 120 x 80 x 80 (socle)
Toyota Municipal Museum of Art, Japon

A. R. Penck
Der Übergang
[Le Passage], 1963
Huile sur toile. 94 x 120
Ludwig Forum für Internationale Kunst, Aix-la-Chapelle

Gilles Peress
Le Silence, Rwanda, 1994
Installation à partir de cent quatre exemplaires du livre *Le Silence*, Zurich, Éditions Scalo Verlag, 1995

Antoine Pevsner
Maquette d'un monument symbolisant la libération de l'Esprit, 1952
Bronze. 45,7 x 45,7 x 29,2
Tate Gallery, Londres
Acquisition, 1953

Pablo Picasso
Étude n° 5 pour Guernica, 2 mai 1937
Crayon et huile sur contreplaqué. 60 x 73
Museo Nacional, Centro de Arte Reina Sofía, Madrid

La Femme qui pleure au mouchoir (étude pour Guernica), 26 juin1937
Huile sur toile. 53,3 x 44,5
Los Angeles County Museum of Art
Don de Mr. and Mrs. Thomas Mitchell

La Femme qui pleure, 1937
Huile sur toile. 55,3 x 46,3
Musée Picasso, Paris

Songe et mensonge de Franco (Planche I, 2e état), 1937
Aquatinte, épreuve sur Vergé de Montval. 31 x 42
Musée Picasso, Paris

Songe et mensonge de Franco (Planche II, 3e état), 1937
Aquatinte et eau forte, épreuve sur Vergé de Montval. 31 x 42
Musée Picasso, Paris

La Suppliante, 1937
Gouache sur bois. 24 x 18,5
Musée Picasso, Paris

Tête de mort, 1943
Bronze et cuivre. 25 x 21 x 31
Musée Picasso, Paris

Le Charnier, 1945
Huile et fusain sur toile. 199,8 x 250,1
The Museum of Modern Art, New York
Legs (par échange) de Mrs. Sam A. Lewisohn, fonds Mrs. Marya Bernard en mémoire de son époux, le Dr Bernard Bernard, et fonds anonymes, 1971

Monument aux Espagnols morts pour la France, 1947
Huile sur toile. 195 x 130
Museo Nacional, Centro de Arte Reina Sofía, Madrid

Staline à ta santé, 1949
Plume et encre de Chine sur papier.
21 x 15
Musée Picasso, Paris

Massacre en Corée, 1951
Huile sur contreplaqué. 110 x 210
Musée Picasso, Paris

Edouard Pignon
Les Deux Mineurs, 1948
Huile sur toile. 195,50 x 130,50
Mnam-Cci, Centre Georges Pompidou, Paris
Don de Madame Jeannette Thorez-Vermeersch, 1992

Ernest Pignon-Ernest
Les Gisants – La Commune, 1971
Sérigraphies collées sur les marches du Sacré-Cœur
Photographie NB. 50 x 75
Collection Ernest Pignon-Ernest

Les Gisants – La Commune, 1971
Sérigraphies collées au métro Charonne
Photographie NB. 50 x 75
Collection Ernest Pignon-Ernest

Avortement, 1975
Dénonciation de la campagne « L'avortement tue »
Sérigraphies collées dans Paris
Photographie NB. 50 x 75
Collection Ernest Pignon-Ernest

Avortement, 1975
Dénonciation de la campagne « L'avortement tue »
Sérigraphies collées à Nice
Photographie NB. 50 x 75
Collection Ernest Pignon-Ernest

Expulsions, 1977
Sérigraphies collées dans Paris
Photographie NB. 50 x 75
Collection Ernest Pignon-Ernest

Expulsions, 1977
Sérigraphies collées dans Paris
Photographie NB. 50 x 75
Collection Ernest Pignon-Ernest

Huang Yong Ping
La Grande Roulette, 1987
Bois et métal. 120 x 120 x 90
Collection de l'artiste

Histoire de la peinture chinoise et histoire concise de la peinture moderne lavées pendant deux minutes dans un lave-linge, 1987
Technique mixte. 80 x 50 x 50
Collection Cyrille Putman

Adrian Piper
Vanilla Nightmares # 1,
1986 / # 13593

Vanilla Nightmares # 7,
1986 / # 13870

Vanilla Nightmares # 10,
1987 / # 13926

Vanilla Nightmares # 13,
1986 / # 13596

Vanilla Nightmares # 14,
1986 / # 13594

Dessins au fusain sur page du *New York Times*. 55 x 34
Courtesy John Weber Gallery, New York

Vanilla Nightmares # 5, 1986
55 x 70
Courtesy John Weber Gallery, New York

Vanilla Nightmares # 9,
1986 / # 13871
Fusain, huile, crayon dessiné sur page du *New York Times*. 55 x 34
Courtesy John Weber Gallery, New York

Vanilla Nightmares # 15, 1987
Dessin au fusain sur page du *New York Times*. 55 x 70
Collection particulière

Michelangelo Pistoletto
Mappamondo
[Mappemonde], 1966-1968
Journaux amalgamés, fer
180 (diamètre)
Collection Lia Rumma, Naples

Bandiera rossa (Comizio I) [Drapeau rouge (Manifestation I)], 1966
Papier soie peint sur acier
inox poli. 120 x 100
Collection particulière
Courtesy Claudius Ochsner-Fine Arts, Zurich

Comizio II [Manifestation II], 1968
Papier soie peint sur acier
inox poli. 215 x 120
Museum Ludwig, Cologne

La Caduta [La Chute] 1983
Résine polyester, bois
195 x 205 x 100
Collection de l'artiste

Immagine – Anno bianco (*Anno Uno*, 1981)
[Image – Année blanche
(Année Une, 1981)], 1989
Photographie sur papier et bois
Trois panneaux de 370 x 180
Collection de l'artiste

Immagine – Anno bianco (*La Caduta del Muro di Berlino, 1989)*
[Image – Année blanche
(La Chute du mur de Berlin, 1989)], 1989
Photographie sur papier et bois
Trois panneaux de 370 x 180
Collection de l'artiste

Sigmar Polke
Das grosse Schimpftuch
[Le Gros Torchon d'injures], 1968
Goudron sur tissu. 400 x 470
Courtesy of Thomas Ammann
Fine Art, Zürich

Joan Rabascall
Souvenir de Bergen-Belsen, 1975
Toile photographique. 120 x 85
Collection de l'artiste

Souvenir de Fallingbostel, 1975
Toile photographique. 120 x 85
Collection de l'artiste

Souvenir d'Unterluss, 1975
Toile photographique. 120 x 85
Collection de l'artiste

Oscar Rabine
Passeport, 1972
Huile sur toile. 89,5 x 70,5
Fondation Dina Vierny, Paris

Franz Radziwill
Dämonen [Les Démons], 1933-1934
Huile sur toile. 99 x 125,5
Collection particulière

Die Klage Bremens
[La Plainte de Brême], 1946
Huile sur toile. 118 x 169
Freie Hansestadt Bremen, Allemagne

Bernard Rancillac
Enfin silhouette affinée jusqu'à la taille, 1966
Peinture vinylique sur toile. 195 x 130
Musée de Grenoble

Robert Rauschenberg
Kite [Cerf-Volant], 1963
Huile et émulsion sur toile. 213 x 153
The Sonnabend Collection,
New York

Sans titre, 1964
Huile et émulsion sur toile. 147,3 x 127
Collection de la famille Kardon

Paul Rebeyrolle
Homme tirant sur ses liens,
Série *Les Évasions manquées*, 1979
Peinture sur toile. 228 x 195
Collection Sylvie Baltazart-Eon
Prêt de l'Espace Paul Rebeyrolle,
Eymoutiers, France

Gerhard Richter
Série *Atlas – Group B. M. Fotos*, 1989.
Photographies montées dans
dix cadres. 60 x 80 (chaque)
Städtische Galerie im Lenbachhaus,
Munich

Faith Ringgold
Flag for the Moon : Die Nigger
[Drapeau pour la lune : à mort le Nègre], 1967-1969
Huile sur toile. 91,50 x 127
Courtesy of ACA Galleries,
New York and Munich

Sophie Ristelhueber
Fait, 1992
Six photographies
100 x 130
Collection de l'artiste
Courtesy Galerie Arlogos,
Nantes (cinq)
Collection FRAC
Basse-Normandie (une)

Every One, 1994
Deux photographies
180 x 270
Collection de l'artiste
Courtesy Galerie Arlogos, Nantes

Larry Rivers
The Last Civil War Veteran
[Le Dernier Vétéran de la guerre de Sécession], 1959
Huile et fusain sur toile. 209,6 x 162,9
The Museum of Modern Art,
New York
Fonds Blanchette Rockefeller, 1962

James Rosenquist
President Election [Élection présidentielle], 1960-1961
Huile sur isorel-Triptyque
228 x 366
Mnam-Cci, Centre Georges
Pompidou, Paris

Martha Rosler
Bringing the War Home : House Beautiful (1969-1972)
Série de quinze chromophotographies
(Beauty Rest; Tract House Soldier; House Beautiful (Giacometti); Patio View; Tron; Red-Stripe Kitchen; First Lady (Pat Nixon); Vacation Getaway; Boys' Room; Balloons; Makeup/ Hands Up; Honors (Strip Burial); Cleaning the Drapes; Woman with Cannon (Dots); Roadside Ambush).
50,8 x 61 (chaque)
Courtesy Jay Gorney Modern Art,
New York

Bringing The War Home : In Vietnam, 1969-1972
Série de cinq chromophotographies
(Run-way; Playboy (On View); Empty Boys; Booby Trap; Scatter)
50,8 x 61 (chaque)
Courtesy Jay Gorney Modern Art,
New York

Mino Rosso
Architettura di una testa
[Architecture d'une tête], 1934
Bronze et aluminium
49,5 x 40,5 x 6,5
Courtesy Galleria Narciso, Turin

Theodore Roszak
The Unknown Political Prisoner : Defiant and Triumphant
[Le Prisonnier politique inconnu : défiant et triomphant], 1952
Acier. 37,1 x 47,6 x 22,9
Tate Gallery, Londres
Acquisition, 1953

Mimmo Rotella
L'Assassinio di Kennedy
[L'Assassinat de Kennedy], 1963
Émulsion sur toile. 88 x 109
Collection particulière

Funérailles de Jean XXIII, 1963
Émulsion sur toile. 66 x 93
Collection particulière, Paris

Omaggio al Presidente
[Hommage au Président], 1963
Affiche décollée sur toile. 82 x 173
Collection particulière, Turin

Vietnam, 1964
Émulsion sur toile. 74 x 90
Collection particulière, Paris

Peter Saul
Saïgon, 1967
Huile sur toile. 235,6 x 360,7
Whitney Museum of American Art,
New York
Acquisition grâce aux fonds
des Amis du Whitney Museum
of American Art

Eugen Schönebeck
Bildnis [Portrait], 1964
Huile sur toile. 111 x 91
Galerie Michael Werner, Cologne
et New York

Majakowski [Maiakowski], 1965
Huile sur toile. 220 x 180
Courtesy Silvia Menzel Art
Consulting, Berlin

Mao Tse-Tung, 1965
Huile sur toile. 220 x 180
Courtesy Silvia Menzel Art
Consulting, Berlin

Allan Sekula
War without Bodies
[Guerre sans corps], 1991-1996
Installation : neuf photographies cibachromes, extraits de textes au mur, pamphlets en anglais et français avec deux reproductions NB et sièges militaires pliants
50,8 x 76,2 (chaque photographie)
Collection de l'artiste

Katharina Sieverding
X/1977, 1977
Photographie en couleurs,
plexiglas, acier. 300 x 500
Courtesy Katharina Sieverding

Josef Šíma
Le Désespoir d'Orphée, 1942
Huile sur toile. 82,5 x 65
Národní galerie, Sbírka Moderního
Umení, Veletrzní Palác, Prague

Les Hommes de Deucalion, 1943
Huile sur toile. 60,5 x 81
Národní galerie, Sbírka Moderního
Umení, Veletrzní Palác, Prague

David Alfaro Siqueiros
Nacimiento del fascismo
[Naissance du fascisme], 1934
Piroxiline sur masonite. 61 x 76
INBA, Sala de Arte Publico David
Alfaro Siqueiros, Polanco, Mexique

Caín en los Estados Unidos
[Caïn aux États-Unis], 1947
Piroxiline sur masonite. 77 x 93
INBA Museo de Arte Alvar y Carmen
T. de Carrillo Gil, Mexico

Mario Sironi
Composizione monumentale con statua equestre [Composition monumentale avec statue équestre], *ca* 1937
Huile sur toile. 182 x 197
Collection particulière

David Smith
Medal for Dishonor, Death by Gas
[Médaille du déshonneur, mort gazé], 1939-1940
Médaille en bronze. 28,9 (diamètre)
The Museum of Modern Art,
New York
Don anonyme, 1957

Alexander Sokurov
Spiritual Voices, 1995
Film vidéo. Durée 5 h 30 mn
Courtesy Zero Film, Berlin

Nancy Spero
Woman/War /Victimage/Resistance,
octobre 1994-mars 1995
Six reproductions sur pages
du journal *Der Standard*, Vienne
31,5 x 46, 6
Production : Museum in progress, avec la collaboration de Stella Rollig, conservateur du ministère fédéral de la Recherche scientifique et de l'Art, et du journal *Der Standard*

Ferdinand Springer
Portrait de Hans Bellmer au camp des Mille, 1940-1941
Crayon (sépia) sur papier. 21 x 23
Galerie Ludwig Lange, Berlin

Wladyslaw Strzeminski
Chassés, cycle *Déportations*, 1940
Crayon sur papier. 30 x 38
Muzeum Sztuki, Lódź
Don de l'artiste, 1945

Pavés, cycle *Déportations*, 1940
Crayon sur papier. 30 x 37,6
Muzeum Sztuki, Lódź
Don de l'artiste, 1945

Sur le pavé, cycle *Déportations*, 1940
Crayon sur papier. 29,8 x 38,1
Muzeum Sztuki, Lódź
Don de l'artiste, 1945

Sur le pavé, cycle *Déportations*, 1940
Crayon sur papier. 30 x 37,8
Muzeum Sztuki, Lódź
Don de l'artiste, 1945

Une femme regardant fixement, cycle *Déportations*, 1940
Crayon sur papier. 30 x 38,3
Muzeum Sztuki, Lódź
Don de l'artiste, 1945

L'Unique Trace, cycle *Déportations*, 1940
Crayon sur papier. 30 x 38
Muzeum Sztuki, Lódź
Don de l'artiste, 1945

Avec les ruines d'orbites détruites, cycle *À mes amis juifs*, 1945
Crayon sur papier. 30 x 21
Yad Vashem Art Museum, Jérusalem

Le Crâne du père, cycle *À mes amis juifs*, 1945
Crayon sur papier. 33 x 23
Yad Vashem Art Museum, Jérusalem

En suivant l'existence de pieds qui marchent sur un chemin, cycle *À mes amis juifs*, 1945
Crayon sur papier. 33 x 23
Yad Vashem Art Museum, Jérusalem

J'accuse le crime de Caïn et le péché de Cham, cycle *À mes amis juifs*, 1945
Crayon sur papier. 30 x 21
Yad Vashem Art Museum, Jérusalem

Tendu avec des cordes de jambes, cycle *À mes amis juifs*, 1945
Crayon sur papier. 30 x 21
Yad Vashem Art Museum, Jérusalem

Les Tibias vides des crématoires, cycle *À mes amis juifs*, 1945
Crayon sur papier. 33 x 23
Yad Vashem Art Museum, Jérusalem

Une tache gluante de crime, cycle *À mes amis juifs*, 1945
Crayon sur papier. 33 x 23
Yad Vashem Art Museum, Jérusalem

Veines tendues par des tibias, cycle *À mes amis juifs, 1945*
Crayon sur papier. 30 x 21
Yad Vashem Art Museum, Jérusalem

Vœu et serment à la mémoire des mains (l'existence que nous ne connaissons pas), cycle *À mes amis juifs*, 1945
Crayon sur papier. 50 x 64
Yad Vashem Art Museum, Jérusalem

Graham Sutherland
Devastation : «An East End Street» [Dévastation : « Une rue de l'East End »], 1941
Crayon, encre et gouache
64,8 x 113,7
Tate Gallery, Londres
Offert par The War Artists Advisory
Committee, 1946

Devastation in the City : Twisted Girders against a Background of Fire
[Dévastation dans la ville : Poutres tordues sur fond d'incendie], 1941
Encre et crayon sur papier
65,5 x 112,5
Ferens Art Gallery, Kingston-Upon-Hull City Museums & Galleries

Pierre Tal-Coat
Massacres, 1937
Huile sur toile. 24 x 33
Collection M. et Mme Bénézit, Paris

Massacre, 1937
Huile sur toile. 24 x 33
Collection J. Bénador, Genève

Massacre, 1937
Huile sur toile. 28 x 21,5
Collection particulière

Massacre « Totem », 1937
Huile sur toile. 55,5 x 38
Collection M. et Mme Bénézit, Paris

Antoni Tàpies
Relief gris perforé au signe noir n° X, 1955
Technique mixte sur toile. 146 x 97
The Museum of Contemporary Art
Los Angeles : The Panza Collection

Peinture aux menottes, 1970
Menottes de métal et huile
sur toile. 130 x 162
Galeria Joan Prats, Barcelone

Assassins : Monotip I
[Assassins : Monotype I], 1974
Monotype et crayon sur
papier. 35,5 x 50
Collection particulière, Barcelone

Assassins : Monotip II
[Assassins : Monotype II], 1974
Monotype sur papier. 35,5 x 50
Collection particulière, Barcelone

Assassins : Monotip III
[Assassins : Monotype III], 1974
Monotype sur papier journal
39,5 x 49
Fundació Antoni Tàpies, Barcelone

Assassins : Monotip IV
[Assassins : Monotype IV], 1974
Monotype sur papier. 35,5 x 50
Collection particulière, Barcelone

Assassins : Monotip V
[Assassins : Monotype V], 1974
Monotype sur papier. 55 x 43
Fundació Antoni Tàpies, Barcelone

Companys, 1974
Peinture et assemblage
sur bois. 32 x 43
Collection particulière, Barcelone

Boris Taslitzky
Conférence de la paix, préparation à la conférence du Caire, série *Reportage en Algérie*, 1952
Encre de Chine sur feuille
de bloc. 43,2 x 54,7
Mnam-Cci, Centre Georges
Pompidou, Paris

Conférence de région du parti communiste, série *Reportage en Algérie*, 1952
Crayon sur feuille de bloc. 43,2 x 54,7
Mnam-Cci, Centre Georges
Pompidou, Paris

Conférence de section, série *Reportage en Algérie*, 1952
Encre de Chine sur feuille
de bloc. 43,2 x 54,7
Mnam-Cci, Centre Georges
Pompidou, Paris
Don de l'artiste, 1988

Femmes algériennes assises sur des chaises pliantes, série *Reportage en Algérie*, 1952
Crayon sur feuille de bloc
20,7 x 27,1
Mnam-Cci, Centre Georges
Pompidou, Paris
Don de l'artiste, 1988

Réunion de femmes pour la paix, série *Reportage en Algérie*, 1952
Encre de Chine sur feuille
de bloc. 43,2 x 54,7
Mnam-Cci, Centre Georges
Pompidou, Paris
Don de l'artiste, 1988

Réunion d'un syndicat, série *Reportage en Algérie*, 1952
Crayon sur feuille de bloc
28,4 x 38,7
Mnam-Cci, Centre Georges
Pompidou, Paris
Don de l'artiste, 1988

Hervé Télémaque
One of the 36 000 marines..., 1965
Huile sur toile. 160 x 357
Kunstverein, Braunschweig,
Allemagne

Joe Tilson
Page 10, Martin Luther King, 1969
Sérigraphie et huile sur toile, cadre en bois. 186 x 125
Collection de l'artiste

Page 18, Muhammad Speaks, 1969-1970
Sérigraphie sur toile, cadre en bois. 186 x 125
Collection de l'artiste

Charley Toorop
Arbeidersvrouw in ruinen
[Femme de travailleur dans les ruines], 1942-1943
Huile sur toile. 150 x 119
Stedelijk Museum, Amsterdam

Clown voor ruinen van Rotterdam
[Clown dans les ruines de Rotterdam], 1940-1941
Huile sur toile. 150 x 110
Kröller-Müller Museum, Otterlo, Pays-Bas

Toyen
(Marie Cerminová)
Tir-IX, 1940
Encre de Chine sur papier. 33 x 49,5
Collection Annie Le Brun et Radovań Ivsic

Cache-toi guerre n° 1, 1944
Encre de Chine sur papier
57 x 40,5
Collection Annie Le Brun et Radovan Ivsic

Cache-toi guerre, 1944
Livre avec neuf planches aquarellées. 43 x 32,3
Collection particulière

Heinz Trökes
Die Mondkanone
[Le Canon lunaire], 1946
Huile sur toile. 40 x 48
Berlinische Galerie, Landesmuseum für moderne Kunst, Photographie und Architektur, Berlin

Werner Tübke
Zur Geschichte der deutschen Arbeiterbewegung IV
[Sur l'histoire du mouvement ouvrier allemand IV], 1961
Huile sur aggloméré. Triptyque
60 x 80,5
Museum der Bildenden Künste, Leipzig

Luc Tuymans
A Flemish Intellectual,
[Intellectuel flamand], 1995
Huile sur toile. 89,5 x 65,5
Musée des Beaux-Arts de Nantes

Fingers [Doigts], 1995
Huile sur toile. 37,5 x 32,5
Collection Société des Amis du musée des Beaux-Arts de Nantes

The Flag [Le Drapeau], 1995
Huile sur toile. 138 x 78
Collection particulière, Bruxelles

Resentment [Ressentiment], 1995
Huile sur toile. 94,5 x 63,5
Stadsgalerij, Heerlen, Pays-Bas

Emilio Vedova
La Lotta [La Lutte], 1949-1950
Huile sur toile. 126 x 131
Collection de l'artiste

Per la Spagna
[Pour l'Espagne], 1961-1962
Peinture sur toile en quatre panneaux. 210 x 137 (deux) ;
212 x 139 (deux)
Collection de l'artiste

Victor Brauner
L'Étrange Cas de Monsieur K, 1934
Huile sur toile. 81 x 100
Ancienne collection André Breton, collection particulière

Sans titre (Hitler), 1934
Huile sur carton. 22 x 16
Ancienne collection André Breton, collection particulière

Loup-Table, 1939-1947
Bois et fragments de renard naturalisé. 54 x 57 x 28,5
Mnam-Cci, Centre Georges Pompidou, Paris
Don de Jacqueline Victor Brauner, 1974

Jacques Villeglé
6 boulevard Poissonnière – Marcel Cachin, mai 1957
Affiche lacérée. 88 x 59
Collection Patrice Trigano

Hommage à la Marseillaise de Rude, décembre 1957
Affiche lacérée. 67,5 x 43,5
Collection Dr Zenz
Courtesy Galerie Reckermann, Cologne

« Oui », rue Notre-Dame des Champs, 22 octobre 1958
Affiche lacérée marouflée sur toile. 68 x 100
Collection de l'artiste

Rue Taylor « 33 ans-3 enfants », septembre 1960
Affiche lacérée. 73 x 92
Collection Patrice Trigano

Wolf Vostell
Betonplatte [Dalle de béton], 1961
Effaçage sur journal. 50 x 70
Collection Merkert, Berlin

Constantine, 1961
Collage et gouache. 35 x 53
Museum Bochum

Ihr Kandidat [Votre candidat], 1961
Affiche décollée. 220 x 160
Prêt de la République fédérale d'Allemagne, exposé à la Haus der Geschichte, Bonn

Enfin, 1962
Effaçage sur journal. 43 x 58 x 8
Collection particulière, Berlin

Match III, 1962
Effaçage sur journal. 43 x 58
Collection David Vostell

Miss America, 1968
Sérigraphie et peinture transparente, effaçage et toile émulsionnée. 200 x 120
Museum Ludwig, Cologne

Heuschrecken
[Sauterelles], 1969-1970
Effaçage, peinture acrylique et peinture sur toile, vingt postes de télévision, une caméra vidéo, objets divers dans l'asphalte (chaussures, os, etc.) avec la participation du public. 280 x 800 x 200
Museum Moderner Kunst Sitftung Ludwig, Vienne

Jeff Wall
Dead Troops Talk : A vision after an ambush of Red Army Patrol near Moqor, Afghanistan, Winter 1986 [Conversation des troupes mortes : Vue après une embuscade d'une patrouille de l'Armée rouge près de Moqor, Afghanistan, hiver 1986], 1992
Photographie dans un caisson lumineux
Copie d'exposition 1996. 229 x 417
Original : collection Mr. and Mrs. David N. Pincus, Wynewood, Pennsylvania, États-Unis

Andy Warhol
Orange Disaster
[Catastrophe orange], 1963
Acrylique et sérigraphie sur toile
269,2 x 207
Solomon R. Guggenheim Museum, New York
Don de la collection de famille Harry N. Abrams, 1974

Nine Jackies [Neuf Jackie], 1964
Acrylique et sérigraphie sur toile
154,5 x 122,5
The Sonnabend Collection, New York

Atomic Bomb
[Bombe atomique], 1965
Acrylique et sérigraphie sur toile
264 x 204
Collection particulière

Krzysztof Wodiczko
Vehicle Podium, 1977
(reconstruction, 1992)
Technique mixte. 200 x 80 x 85
Collection Fondation Antoni Tàpies, Barcelone

Wols
(Wolfgang Schulze)
Tous prisonniers, 1939-1940
Encre de Chine et aquarelle sur papier. 23,5 x 26
Collection particulière, Paris

Les Pendus, 1940
Crayon et aquarelle sur papier. 23,5 x 29,3
Collection particulière, Museum Villa Stuck, Munich

Le camp s'enfuit, 1941-1942
Crayon et aquarelle sur papier
27 x 36,2
Collection particulière

Les Visages du camp, 1941-1942
Crayon et aquarelle sur papier
23 x 18,5
Suermondt-Ludwig-Museum, Aachen-Sammlung Ludwig, Aix-la-Chapelle

Désirs de liberté, 1942
Crayon, encre et aquarelle sur papier. 30,5 x 23
Wilhelm-Hack-Museum, Ludwigshafen, Allemagne

Kikuji Yamashita
The Tale of Akebono Village [Le Conte du village d'Akebono], 1953
Huile sur toile. 137 x 214
Gallery Nippon, Tokyo

Hisahito Yonekura
La Crise en Europe (Prémonition de la Seconde Guerre mondiale), 1936
Huile sur toile. 80,3 x 100
Yamanashi Prefectural Museum of Art, Japon

Ossip Zadkine
La Ville détruite, 1947
Bronze (ex. 5/6). 128 x 56 x 58
Musée Zadkine, Paris

2. Multiples et affiches

Multiples

Pierre Alechinsky
Il est pour l'étudiant celui qui s'étudie, 1968
Lithographie originale. 58 x 40
Musée d'Histoire contemporaine-BDIC, Paris

Hans Peter Alvermann
Brot für den Hunger in der Welt !
[Du pain pour la faim dans le monde !], 1966
Lithographie couleur éditée à 36 ex. par VICE-Versand, Remscheid. 50 x 70
Collection Feelisch, Remscheid, Allemagne

Bundesdeutsches Notstandschwein,
[Cochon de l'état d'urgence allemand], 1966
Cochon en plastique peint, édité par VICE-Versand, Remscheid, Allemagne. 10,5 x 15 x 10
Collection Feelisch, Remscheid, Allemagne

Joseph Beuys
Intuition [Intuition], 1968
Boîte en bois et dessin crayon
Tirage illimité, édité par VICE-Versand, Remscheid. 30 x 21 x 6
Collection Feelisch, Remscheid, Allemagne

La rivoluzione siamo Noi
[La révolution c'est Nous], 1971
Tirage héliogravure sur feuille polyester, texte manuscrit et tampon, édité en 180 ex. par Modern Art Agency, Naples. 191 x 102
Collection Johannes Stüttgen

So kann die Parteiendiktatur überwunden werden, [Ainsi la dictature des partis peut-elle être dépassée], action réalisée à Cologne le 18 juin 1971
Sacs en polyéthylène et feuilles imprimées du manifeste en feutre, édités en 10 000 ex. par Art Intermedia, Cologne, à l'occasion de l'action. 71 x 51
Collection Block, Berlin

Joseph Beuys, Jonas Hafner, Johannes Stüttgen
Direkte Demokratie
[Démocratie directe], 1970
Impression offset. 61 x 43
Collection Johannes Stüttgen

Marcel Broodthaers
Le Drapeau noir. Tirage illimité, 1968
Plaque en plastique embouti peint
85 x 120
Collection particulière, Bruxelles

William N. Copley
Sans titre, 1967
Lithographie tirée de l'album du groupe Black Emergency Cultural Coalition *Artists and Writers Protest Against the War in Vietnam*, édité par Benny Andrews et Rodolf Baranik, New York. 27,8 x 35,5
Collection Irving Petlin, Artists Poster Committee, New York

Leonardo Cremonini
Mille et une nuits pour le pavé, 1968
Lithographie originale. 47 x 64
Musée d'Histoire contemporaine-BDIC, Paris

Erik Dietman
La terre qui est restée, 1968
Sac en plastique, terre. 17 x 17
Collection particulière

Equipo Crónica
América !, América !, 1965
Linoleum. 100 x 70,4
IVAM (Instituto Valenciana de Arte Moderno) Generalitat Valenciana, Espagne

Gérard Fromanger
Le Rouge, 1969
Fragment d'un ensemble de 21 sérigraphies originales
300 x 90
Collection particulière, Paris

David Hammons
Pray for America
[Priez pour l'Amérique], 1974
Sérigraphie. 154 x 93
Hudgins Family, New York

Asger Jorn
Vive la Révolution Pasioné de l'inteligence créative, 1968
Lithographie originale. 51,5 x 32
Musée d'Histoire contemporaine-BDIC, Paris

Milan Knížák
Fliegendes Buch [Livre volant]
Papierschwalben als Flugblätter
[Hirondelles de papier comme tracts], 1965-1970
Boîte, pages de journaux et papier machine peints. 16 X 30 x 10
Collection Feelisch, Remscheid, Allemagne

George Maciunas et Henry Flynt
Communists Must Give Revolutionnary Leadership in Culture
[Les communistes doivent donner leur leadership révolutionnaire dans la culture], 1965
Manifeste, techniques mixtes, gomme, feuille plastique, offset sur papier, mousse synthétique. Édité par World View Publishers, New York. 15 x 22,3 x 2,8
Collection Jon et Joanne Hendricks

Robert Morris
Crater with smoke
[Cratère avec fumée], 1970
Lithographie éditée par Castelli Graphics and Hollanders Workshop, New York. 61,1 x 108
Fonds national d'art contemporain, Paris

Claes Oldenburg
Chicago Fireplug [Bouche d'incendie de Chicago], 1968
Plâtre peint et vernis, édité en 100 ex.. 20,5 x 17,6 x 15,3
Collection Richard L. Feigen et Co., New York

Eduardo Paolozzi
War Games revised
[Jeux de guerre révisés], 1967
Sérigraphie couleur éditée en 75 ex. par Chris Prater et Kaepra, Londres
101,6 x 68,6
The British Council, Londres

Klaus Staeck
Kinderspielzeug
[Jouet d'enfant], 1969
Objet, bois et photo, édité par VICE-Versand, Remscheid
60 x 60 x 20
Collection Klaus Staeck

Sieg Heil – Wir setzen uns durch
[Salut à la victoire – Nous serons vainqueurs], 1968
Bois et métal, édité en 500 ex. environ avec slogan électoral du NPD, par VICE-Versand, Remscheid, Allemagne. 21 x 11 x 6
Collection Klaus Staeck

Vladimir Velićković
Ceci n'est pas une vache, 1968
Lithographie originale. 67 x 50
Musée d'Histoire contemporaine-BDIC, Paris

Wolf Vostell
Deutsche Studententapete [Papier peint des étudiants allemands], 1967
Papier peint, édité à 200 ex. par Edition Block. 1 000 x 53
Edition Block, Berlin

Prager Brot [Le Pain de Prague], 1968
Assemblage bronze doré, pain et thermomètre. 25 x 11 x 6
Collection Feelisch, Remscheid, Allemagne

Affiches

Anonyme
Ja ! Führer Wir folgen Dir !
[Oui ! Führer nous te suivons !], 1933
84 x 59
Kunstbibliothek, Staatliche Museen zu Berlin, Berlin

Anonyme
Les avions fascistes bombardent les écoles en Espagne, 1937
Éditée par le Comité pour l'Espagne libre
121 x 80.
Musée d'Histoire contemporaine-BDIC, Paris

Anonyme
¿ Qué haces tu para evitar estó ? [Que fais-tu pour empêcher cela ?], 1937
80 x 56
Musée d'Histoire contemporaine-BDIC, Paris

Anonyme
Opfere im Dankopfer der Nation
[Sacrifiez-vous en offrande à la Nation], 1938
84,5 x 59,5.
Musée d'Histoire contemporaine-BDIC, Paris

Anonyme
Give it your best [Donnez le meilleur de vous-même], 1942
50,5 x 72.
Musée d'Histoire contemporaine-BDIC, Paris

Anonyme
Ils donnent leur sang – Donnez votre travail pour sauver l'Europe du bolchévisme, 1943
112 x 82
Musée d'Histoire contemporaine-BDIC, Paris

Anonyme
Des libérateurs ? La Libération ! par l'armée du crime, 1944
Dite « L'affiche rouge »
119 x 79,2
Musée d'Histoire contemporaine-BDIC, Paris

Anonyme (signée C.)
La colombe qui fait boum, 1950
Éditée par le mouvement Paix et Liberté
67 x 84
Musée d'Histoire contemporaine-BDIC, Paris

Anonyme
Jo-Jo-La Colombe, 1951
Éditée par le mouvement Paix et Liberté
84 x 59,5
Musée d'Histoire contemporaine-BDIC, Paris

Anonyme
Répondez à l'appel de la fondation Maréchal de Lattre – Les soldats d'Algérie artisans de la fraternité franco-musulmane, 1955
125 x 82
Musée d'Histoire contemporaine-BDIC, Paris

Anonyme
Oui pour l'Algérie nouvelle, Oui pour l'amitié, Oui pour de Gaulle, 1961,
Éditée à l'occasion du référendum sur l'autodétermination de l'Algérie
81,2 x 61
Musée d'Histoire contemporaine-BDIC, Paris

Anonyme
Les jeunes en ont assez, avec eux : Non à la guerre d'Algérie, s. d.
Éditée par le Parti socialiste unifié
44 x 65
Musée d'Histoire contemporain-BDIC, Paris

Anonyme
La Révolution algérienne. Un peuple au combat contre la barbarie colonialiste, s. d.
Éditée par le Front de libération nationale
56 x 77
Collection Steven Davidson, Amsterdam

Anonyme
Nous poursuivons leur combat, 1962
Éditée par le Parti communiste français
77,5 x 58,5
Musée d'Histoire contemporaine-BDIC, Paris

Anonyme
1945-1968,
Prague, août 1968
44,5 x 79
Musée d'Histoire contemporaine-BDIC, Paris

Anonyme
Budme Pevni ! [Soyons fermes !],
Prague, août 1968
82 x 58
Musée d'Histoire contemporaine-BDIC, Paris

Anonyme
DDR-CCCP... [RDA-URSS – Où est-elle cette contre-révolution ?],
Prague, août 1968
59 x 80,5
Musée d'Histoire contemporaine-BDIC, Paris

Anonyme
Año de la lucha democrática [Année de la lutte démocratique], 1968
6 x 6
Collection Arnulfo Aquino Casas, Mexico

Anonyme
Mexico 68 olímpico, 1968
52 x 13
Affichettes éditées à l'occasion des Jeux olympiques de Mexico
Collection Arnulfo Aquino Casas, Mexico

Anonyme
Good bye Batman, 1969
Réalisée dans l'atelier de l'École nationale des beaux-arts de Mexico
48 x 32
Collection Arnulfo Aquino Casas, Mexico

Anonyme
Che Guevara, 1972
Réalisée d'après la photographie d'Alberto Corda
53 x 39,5
Musée d'Histoire contemporaine-BDIC, Paris

Anonyme
Éditée pour une campagne d'alphabétisation en Chine, 1972-1976
53 x 77,5
Musée d'Histoire contemporaine-BDIC, Paris

Anonyme
Venceremos [Nous vaincrons], 1974
55 x 65
Musée d'Histoire contemporaine-BDIC, Paris

Anonyme
(Collectif illégal d'artistes grecs)
Kanenas i oli, ola i tipota...
[Personne ou tous, tout ou rien...],
Grèce, 1975
86 x 58
Collection Steven Davidson, Amsterdam

Anonyme
Victory to the IRA
[Victoire à l'IRA], 1975
55 x 74
Musée d'Histoire contemporaine-BDIC, Paris

Anonyme
Bild-Terroristen ?, 1976
65,2 x 49,8
Musée d'Histoire contemportaine-BDIC, Paris

Anonyme
Victory to people's war [Victoire à la guerre du peuple], 1977
60 x 40
Musée d'Histoire contemporaine-BDIC, Paris

Anonyme
Afghanistan, 1980
Réalisée d'après le reportage filmé de Jérôme Bony et Didier Reigner
60 x 80
Musée d'Histoire contemporaine-BDIC, Paris

Anonyme
Solidarnosc dzis Sukses jutro
[Solidarité aujourd'hui Succès demain], 1980
Éditée par le syndicat Solidarnosc
30 x 42
Musée d'Histoire contemporaine-BDIC, Paris

Anonyme
Gazeta Pomorska : Solidarnosc jeszcze czeka na ukaranie winnych zajscz 19 marca w WRN w Bydgoszczy
[La Gazette de Poméranie : Solidarnosc attend toujours que soient punis les coupables des émeutes du 19 mars à la mairie de Bygdorszcz]
Éditée par le syndicat Solidarnosc, 1981
42 x 30
Musée d'Histoire contemporaine-BDIC, Paris

Anonyme
Zadaja we wsystkich kinasch filmu Robotnicy 80
[Les travailleurs exigent dans tous les cinémas le film *Travailleurs 80*], 1981
Éditée par le syndicat Solidarnosc
42 x 29,8
Musée d'Histoire contemporaine-BDIC, Paris

Gusta Aberg
Hjälpen Marshall
[Aidez Marshall], 1950
75 x 54
Musée d'Histoire contemporaine-BDIC, Paris

Art Worker's Coalition
Q. And Babies ? A. And Babies.
[Question : Les bébés aussi ? Réponse : Les bébés aussi], 1970
Réalisée d'après la photographie de R. H. Haeberle
63,8 x 96,5
Collection Irving Petlin, New York

Atelier populaire de l'ex-École des beaux-arts
Nous sommes tous des Juifs et des Allemands, juin 1968
74,5 x 55
Musée d'Histoire contemporaine-BDIC, Paris
La lutte continue, 1968
65 x 51
Bibliothèque nationale de France, département des estampes et de la photographie, Paris
La chienlit, c'est lui, 19 mai 1968
90 x 61
Bibliothèque nationale de France, département des estampes et de la photographie, Paris
La Police vous parle tous les jours à 20 h, mai 1968
90 x 56
Bibliothèque nationale de France, département des estampes et de la photographie, Paris

Boccasile
Londra, 1940
100 x 70
Museo civico di Treviso
Collection Salce, Trevise

Jean Carlu
Pour le désarmement des nations, 1932/33
180 x 120
Musée de la Publicité, UCAD, Paris

Bombes sur Madrid... Civilisation, 1937
80 x 57
Musée d'Histoire contemporaine-BDIC, Paris

Peré Catala Pic
Aixafem el Feixisme
[Écrasons le fascisme], *ca* 1939
95 x 61
Bibliothèque nationale de France, département des estampes et de la photographie, Paris

José Chavez-Morado
El Fascismo en Latino-America
[Le Fascisme en Amérique Latine], *Mexico*, 1938
Éditée par le Taller de la Gráfica Popular, Mexico
46,5 x 67
Collection Leopold Vitorge, Paris

Chaguine et Droujkov
« La réalité de notre programme, ce sont les gens vivants. C'est nous tous, notre volonté de travailler d'une manière nouvelle. Notre décision de remplir le plan. » J. Staline, 1947
Éditée à l'occasion du 4e plan quinquennal 1946-1950
118,5 x 83,5
Musée d'Histoire contemporaine-BDIC, Paris

Roman Cieslewicz
1944 22/VII 1959. Czesc ludziom pracy – Budujacym polske ludowa [Honneur aux travailleurs bâtisseurs de la Pologne populaire], 1959
98 x 65
Musée d'Histoire contemporaine-BDIC, Paris

Affiche et couverture du magazine *Opus International* n° 4 « Art soviétique/Art USA », 1968
81,5 x 54,55
Fonds national d'art contemporain (en dépôt au Mnam-Cci), Paris

Paul Colin
Silence ! L'ennemi guette vos confidences, 1941
132,5 x 84c
Musée d'Histoire contemporaine-BDIC, Paris

Alexandre Deïneka
Donnons aux cadres prolétaires, à la région de l'Oural-Kouzbass, 1931
70 x 103
Bibliothèque d'État de Russie, Moscou

Travailler, construire et ne pas geindre !..., 1933
101,5 x 72,5
Bibliothèque d'État de Russie, Moscou

Hans Erni
Atomkrieg Nein [Non à la guerre nucléaire], 1954
Éditée par le Mouvement suisse pour la paix
100 x 80
Museum für Gestaltung, Plakatsammlung, Zurich

Eveleigh
Nations Unies, 1947
Éditée à l'occasion de la création de l'ONU
61 x 45,5
Musée d'Histoire contemporaine-BDIC, Paris

Carlos Fontseré
Libertat [Liberté], 1936
Éditée par la Federación Anarquista Ibérica
120 x 100.
Collection Steven Davidson, Amsterdam

André Fougeron
Défendez la paix, 1950
Éditée par le Parti communiste français
85 x 60
Musée d'Histoire contemporaine-BDIC, Paris

Abraham Games
Your talk may kill your comrades
[Vos conversations peuvent tuer vos camarades], 1942
80 x 60
Musée d'Histoire contemporaine-BDIC, Paris

Raymond Gid
Retour à la France, retour à la vie, 1945
119 x 76,5
Musée d'Histoire contemporaine-BDIC, Paris

Grühl
Affiche de sport nazie, 1938
93 x 67
Musée d'Histoire contemporaine-BDIC, Paris

Ludwig Hohlwein
Reichssporttag [Journée d'athlétisme du Reich], 1934
120 x 84
Staatsgalerie, Stuttgart

Honegger-Lavater
La coopération inter-européenne pour un niveau de vie plus élevé, 1950
75 x 54,3
Musée d'Histoire contemporaine-BDIC, Paris

Gérard Joannès
Internationale situationniste, 1968
(Texte de Raoul Vaneigem)
56 x 37
Collection Steven Davidson, Amsterdam

Jasper Johns
Moratorium, 1969
57 x 71
Stedelijk Museum, Amsterdam

Gustav Klucis
Sous la bannière de Lénine pour la construction du socialisme, 1930
103 x 68
Galerie Gmurzynska, Cologne

Au combat pour le combustible, le métal. Donnons en 1933 84 millions de tonnes de charbon..., 1933
130 x 90
Collection Steven Davidson, Amsterdam

Oskar Kokoschka
Pomožte baskickým dětem
[Aidez les enfants basques], 1937
118 x 84
Fondation Oskar Kokoschka, musée Jenisch, Vevey

V. Koretski
La défense de la patrie est un devoir sacré pour tout citoyen de l'URSS, 1939
75 x 110
Collection Steven Davidson, Amsterdam

Koukrynitsky (Kouprianov, Krilov, Sokolov)
La Métamorphose des Fritz, 1941
200 x 110
Musée d'Histoire contemporaine-BDIC, Paris

John Lennon et Yoko Ono
War is over ! if you want it
[La guerre est finie ! si vous le voulez], 1969
115 x 82
Collection Steven Davidson, Amsterdam

Les Levine
We are not afraid
[Nous n'avons pas peur], 1981
Lithographie offset sur carte index
50 x 50
Collection Les Levine, New York

Raul Martinez
Cuba, 1969
149,5 x 92,5
Stedelijk Museum, Amsterdam

E. McKnight Kauffer
Yugoslav people led by Tito 1941-1944 : Fighting vanguard of democratic Europe [Le peuple yougoslave conduit par Tito : les combattants d'avant-garde de l'Europe démocratique].
Éditée par le Comité des yougoslaves américains
63 x 48
Musée d'Histoire contemporaine-BDIC, Paris

Cildo Meireles (Multiples)
Projeto Cédula (Inserções em circuitos ideológicos) [Projet billets de banque (Insertions dans les circuits idéologiques)], avril-mai 1970
Impression sur billets de banque « Graver sur des billets de banque des informations et/ou des opinions et les remettre en circulation »
Collection de l'artiste

Projeto Coca-Cola (Inserções em circuitos ideológicos) [Projet Coca-Cola (Insertions dans les circuits idéologiques)], avril-mai 1970
Étiquettes imprimées sur des bouteilles de Coca-Cola « Graver sur des bouteilles consignées de Coca-Cola des informations et/ou des opinions et les remettre en circulation »
Collection de l'artiste

Niko
Hasta la victoria siempre
[Toujours jusqu'à la victoire], 1968
Éditée par le COR
97,5 x 54,5
Stedelijk Museum, Amsterdam

Isodoro Ocampo
El antisemitismo como arma del fascismo [L'Antisémitisme comme arme du fascisme], 1938
Éditée par le Taller de la Gráfica Popular, Mexico
47 x 67,5
Collection Leopold Vitorge, Paris

Asela Perez
Jornada Internacional de solidaridad con America Latina [Journée internationale de solidarité avec l'Amérique Latine], 1970
Éditée par l'OSPAAAL
54,5 x 33
Stedelijk Museum, Amsterdam

Pablo Picasso
Congrès Mondial des Partisans de la Paix, 1949
127 x 85
Musée d'Histoire contemporaine-BDIC, Paris

Alfredo Rostgaard
Santo Domingo : 1965
[Saint Domingue : 1965], 1965
Éditée par l'OSPAAAL
52 x 31,5
Stedelijk Museum, Amsterdam

Scarabeo
Gli artisti contro la strage di stato
[Les Artistes contre les massacres d'État], Italie, 1972
101 x 70
Musée d'Histoire contemporaine-BDIC, Paris

Xanti Schawinsky
1934-XII SI
[Décembre 1934. Oui]
97 x 65
Museum für Gestaltung, Plakatsammlung, Zurich

Ben Shahn
We French workers warn you... defeat means slavery, starvation, death [Nous, ouvriers français, nous vous prévenons... la défaite signifie esclavage, famine et mort] 1942
78,5 x 106
Musée d'Histoire contemportaine-BDIC, Paris

Klaus Staeck
Zur Konfirmation
[Pour confirmation], 1970
84 x 59
Collection Klaus Staeck, Heidelberg,

Die Demokratie muss gelegentlich in Blut gebadet werden
[La démocratie doit parfois baigner dans le sang], 1973
84 x 59
Collection Klaus Staeck, Heidelberg

Bis der Erstickungstod uns scheidet [Que seule la mort par asphyxie nous sépare], 1974
84 x 59
Collection Klaus Staeck, Heidelberg

Die Kunst der 70er Jahre findet nicht im Saale statt [L'art des années 70 ne se trouve pas dans une galerie], 1975
84 x 59
Collection Klaus Staeck, Heidelberg, Allemagne

Ladislav Sutnar et August Tschinkel
III. Dělnická Olympiada Československá [3e Olympiade ouvrière de Tchécoslovaquie], 1934
94 x 63
Umeleckoprumyslové Muzeum, Prague

Iraklii Toidze
La Mère Patrie appelle, 1943
102 x 69
Bibliothèque d'État de Russie, Moscou

Paez Torres
Pax – United Nations, 1948
Premier prix du concours international pour l'affiche de l'ONU
61 x 45,5
Musée d'Histoire contemporaine-BDIC, Paris

Tadeusz Trepkowski
Nie [Jamais], 1952
99 x 67
Musée d'Histoire contemporaine-BDIC, Paris

1917 : Wrogow Ludu zwyciezymy rekmi swymi ludiz [1917 : Nous vaincrons les ennemis du peuple de nos propres mains], 1953
86,5 x 60
Musée d'Histoire contemporaine-BDIC, Paris

Tomi Ungerer
Black Power – White Power
[Pouvoir noir – Pouvoir blanc], 1968
71,5 x 56
Musée d'Histoire contemporaine-BDIC, Paris

Jo Voskuil et Cas Oorthuys
D.O.O.D. de olympiade onder dictatuur [Les Olympiades sous la dictature], 1936
84,5 x 61
Institut international d'Histoire sociale, Amsterdam

Andy Warhol
Vote Mc. Govern
[Votez Mc. Govern], 1972
106,7 x 106,7
The Museum of Modern Art, New York
Don de Philip Johnson

Hendrik Werkman
Paasgroet (Alleluia Oud Nederlands Paaslied), 1941
19 x 25
Stedelijk Museum, Amsterdam

Willem
(Bernard Holtrop)
Stemt Provo lijst 12
[Votez Provo Liste 12], 1966
50 x 25
Collection Steven Davidson, Amsterdam

Provo 1965-1967, 1967
61 x 43
Collection Steven Davidson, Amsterdam

Affiches de Sarajevo

Produites pendant le siège de la ville (1992-1994),

par les peintres :
Mehmed Zaimović
Projet original de l'affiche
Aux acheteurs de pain.

Ibrahim Ljubović

les graphistes :
Bojan Bakić
Durica Barbarić
Alija et Vanja Hafizović
Mladen Kolobarić
Edin Malović
Tino Nuhaljević
Ozren Pavlović
Enis Selimović
le groupe Trio (Bojan et Dada Hadžihalivović, Lejla Mulabegović)
et d'autres restés anonymes,

les photographes :
Milomir Kovačević
Kemal Hadzić

Imprimées sur papier recyclé (cartes géographiques, papier peint, etc.) par le Centre d'imprimerie de l'armée de la république bosniaque (Press Centar Armije Rep. BiH), la 5e brigade motorisée du quartier de Dobrinja, l'Institut d'art de Sarajevo et de la Bosnie-Herzégovine, le Centre international pour la paix de la ville
Collection Piero Del Guidice, Edizioni e, Trieste.

3. Photographie

Épreuves photographiques
[Ordre alphabétique d'auteurs]

Anonyme,
Le Ghetto de Varsovie, 1943
Keystone, Paris

Anonyme, *Charnier, camp de Bergen-Belsen*, avril 1945
Agence LAPI, Paris
Collection particulière, Paris

Anonyme, *Allende, Chili,* septembre 1973
Keystone, Paris

Anonyme, *Juif dans une rue de Paris, portant l'étoile jaune*, juin 1942
Tirage original
Bibliothèque historique de la Ville de Paris

Ian Berry, *Prague*, 1968
Magnum Photos, Paris

Werner Bischof, *Corée*, 1952
Magnum Photos, Paris

Robert Capa,
Front populaire, 14 juillet 1936
Magnum Photos, Paris

Henri Cartier-Bresson,
Le Mur de Berlin, 1962
Magnum Photos, Paris

Agustí Centelles,
Brigadiste internacional [Soldat des Brigades internationales], 1936
Fundació Caixa de Catalunya, Barcelone

Agustí Centelles,
Guàrdies d'assalt al carrer Diputació [Gardes d'assaut dans la rue Diputaci], 19 juillet 1936
Fundació Caixa de Catalunya, Barcelone

Philip Jones Griffiths,
Soldat à Armagh, Ulster, 1973
Magnum Photos, Paris

Josef Koudelka, *Prague*, 1968
Magnum Photos, Paris

Josef Koudelka, *Prague*, 1968
Magnum Photos, Paris

Josef Koudelka, *Prague*, 1968
Magnum Photos, Paris

Dora Maar,
Guernica, État I a, 1937
Tirage original
Archives du musée Picasso, Paris

Dora Maar,
Guernica, État VIII, 1937
Archives du musée Picasso, Paris

Lee Miller, *Train at Dachau : Prisoners have died on the short march to the camp* [Train à Dachau : prisonniers morts pendant le trajet jusqu'au camp], Dachau, 1945
Lee Miller Archives, Grande Bretagne

Lee Miller, *Dead Prisoners* [Prisonniers morts], Buchenwald, 1945
Lee Miller Archives, Grande Bretagne

Lee Miller, *Released Prisoners stand near a pile of human remains* [Prisonniers relâchés assis devant une pile de cadavres], Buchenwald, 1945
Lee Miller Archives, Grande Bretagne

Alexandre Rodchenko,
L'Armée rouge, 1935
Rayogramme
Mnam-Cci, Centre Georges Pompidou, Paris

David Seymour,
Groupe « Mars », 24 mai 1936
Magnum Photos, Paris

Gilles Peress, *Enterrement d'un manifestant pour les droits civiques, tué lors du dimanche sanglant*, Derry, Irlande du Nord, 1971
Magnum Photos, Paris

Christine Spengler, *Départ des Américains,* Saïgon, 1973
Sygma, Paris

Christine Spengler,
Falls Road, Belfast, 1977
Sygma, Paris

Livres illustrés de photographies
[Ordre chronologique de parution]

L'Italia fascista in cammino, Rome, Edizioni LUCE, *ca* 1932
Biblioteca del Risorgimento, Milan

L'Italia fascista in cammino, Rome, Edizioni LUCE, *ca* 1932
Biblioteca Nazionale Centrale Vittorio Emanuele II, Rome

Mostra della Rivoluzione fascista, Bergame, PNF, 1933
Biblioteca del Risorgimento, Milan

Braunbuch über Reichstagsbrand und Hitlerterror [Livre noir sur l'incendie du Reichstag et la terreur hitlérienne], Paris, Éditions du Carrefour, 1933
Stiftung Archiv der Akademie der Künste, Kunstsammlung, Berlin

Das Braune Netz [Le Réseau brun], Paris, Éditions du Carrefour, 1935 (photomontage de couverture par Heartfield)
Stiftung Archiv der Akademie der Künste, Kunstsammlung, Berlin

Das Wunder des Lebens [Le Miracle de la vie], « 6,2 mill. Arbeitelose, Deutsche Arbeiter fangt an ! », [6,2 millions de chômeurs, Ouvriers allemands commencez !], 1935 (photomontage d'Herbert Bayer)
Catalogue d'exposition
Bauhaus Archiv-Berlin

Ilya Ehrenburg, *No Pasaran*, Leningrad, Oguiz Izoguiz, 1937
Musée d'Histoire contemporaine-BDIC, Paris

No Pasaran ! Espagne 1936-37, Barcelone, 1937
Musée d'Histoire contemporaine-BDIC, Paris

L'Espagne sanglante, Paris, UNC, 1937
Musée d'Histoire contemporaine-BDIC, Paris

Moskau der Henker Spaniens [Moscou, le bourreau de l'Espagne], München-Berlin, Verlag Frz. Eher Nachf, 1937
Musée d'Histoire contemporaine-BDIC, Paris

Annuario dell'Opera Nazionale Dopolavoro, XV, Novara, 1937
Musée d'Histoire contemporaine-BDIC, Paris

Annuario dell'Opera Nazionale Dopolavoro, XVI, Rome, 1938
Musée d'Histoire contemporaine-BDIC, Paris

Robert Capa et Gerda Taro, *Death in the making*, New-York, Covici-Friede, 1938
Musée d'Histoire contemporaine-BDIC, Paris

Lee Miller, *Grim Glory, Pictures of Britain under fire*, London, Percy Lund, Humphrey & co Ltd, 1941
Lee Miller Archives, Grande Bretagne

La Semaine héroïque, Préface de Georges Duhamel, Paris, SEPE, 1944
Collection particulière, Paris

À Paris sous la botte des nazis, Paris, Frères Schall, 1944
Collection particulière, Paris

Crimes ennemis en France, Oradour sur Glane, Paris, Office français d'édition, 1945
Collection particulière, Paris

Exposition « Crimes hitlériens », Grand Palais, Paris, 1945
Catalogue de l'exposition (10 juin-31 juillet 1945)
Collection particulière, Paris

Bernard Aury,
La Délivrance de Paris, Paris-Grenoble, Arthaud, 1945
Collection particulière, Paris

Paris délivré par son peuple, Paris, Braun & Cie, 1945
Collection particulière, Paris

Libération de Paris, Paris, Raymond Schall Éditeur, 1945
Collection particulière, Paris

US Camera, 1945, The USA at War. Photographs judged by Com. Edward Steichen (Tom Maloney, ed.), Duelle, Sloan and Pearce, 1945
Collection particulière, Paris

US Camera, 1946, Victory Volume. Photographs selected by Capt. Edward Steichen (Tom Maloney, ed.), US Camera Publishers, 1946
Collection particulière, Paris

Richard Peter, *Dresden, Eine Kamera klagten*, Dresde, Dresdener Verlag Gesellschaft kg., 1949,
Collection particulière, Paris

David Douglas Duncan, *This is War. A photo-narrative in three parts by David Douglas Duncan,* New York, Harper, 1951
Collection particulière, Paris

Werner Bischof, *Japon*, Paris, Delpire, 1954
Collection particulière, Paris

Mitten in Deutschland-Mitten im 20 Jahrhundert, Die Zonen Grenze, Bonn-Berlin, Bundesministerium für gesamtdeutsche Fragen, 1966
Collection particulière, Paris

David Douglas Duncan,
I Protest, New York, New American Library, 1968
Maison européenne de la photographie, Paris

David Douglas Duncan,
War without Heroes, New York, 1971
Maison européenne de la photographie, Paris

Philip J. Griffiths, *Vietnam Inc.*, New York, Collier, Londres, McMillan Ltd, 1971
Maison européenne de la photographie

Magazines
[Ordre alphabétique]

Arbeiter Illustrierte Zeitung, Berlin, n° 4, 11 janvier 1933, « Mortelle conjoncture » (photomontage de Heartfield, p. 75)
Stiftung Archiv der Akademie der Künste, Kunstsammlung, Berlin

Arbeiter Illustrierte Zeitung, Prague, n° 24, 22 juin 1933, « Tous membres du Parti national-socialiste » (photomontage de Heartfield, pp. 420-421)
Stiftung Archiv der Akademie der Künste, Kunstsammlung, Berlin

Arbeiter Illustrierte Zeitung, Prague, n° 27, 13 juillet 1933, « La nation est debout en rangs serrés derrière moi » (photomontage de Heartfield, p. 467)
Stiftung Archiv der Akademie der Künste, Kunstsammlung, Berlin

Arbeiter Illustrierte Zeitung, Prague, n° 31, 10 août 1933, « Instrument dans la main de Dieu ? Jouet dans la main de Thyssen ! » (photomontage de couverture par Heartfield)
Stiftung Archiv der Akademie der Künste, Kunstsammlung, Berlin

Arbeiter Illustrierte Zeitung, Prague, n° 40, 12 octobre 1933, « Le camp de Missler, près de Brême » (couverture)
Musée d'Histoire contemporaine-BDIC, Paris

Arbeiter Illustrierte Zeitung, Prague, n° 26, octobre 1933, « Hitler raconte des contes de fées. Le Troisième Reich est un Reich pacifiste » (photomontage de couverture par Heartfield)
Stiftung Archiv der Akademie der Künste, Kunstsammlung, Berlin

Arbeiter illustrierte Zeitung, Prague, n° 42, 18 octobre 1934, « L'ordre règne à Barcelone » (photomontage de 4ᵉ de couverture par Heartfield)
Musée d'Histoire contemporaine-BDIC, Paris

Arbeiter Illustrierte Zeitung, Prague, n° 26, 1ᵉʳ juillet 1936, « Venez visiter l'Allemagne ! Le but de Janze : Les invités des Olympiades au même pas : Marche ! » (photomontage de Heartfield, p. 432)
Stiftung der Akademie der Künste, Kunstsammlung, Berlin

Berliner Illustrierte Zeitung, 7 octobre 1937, Hitler et Mussolini à Berlin (p. 1456)
Musée d'Histoire contemporaine-BDIC, Paris

Deutsche Illustrierte Zeitung, 21 septembre 1937, Portrait de Mussolini (couverture)
Musée d'Histoire contemporaine-BDIC, Paris

Deutsche Illustrierte Zeitung, 1ᵉʳ août 1939, Exposition d'art allemand, Munich (p. 13)
Musée d'Histoire contemporaine-BDIC, Paris

Ebony, novembre 1963, « La plus grande manifestation de tous les temps », (couverture)
American Library, Paris

Ebony, avril 1965, « Violence contre non-violence » (p. 169)
American Library, Paris

Ebony, mai 1968, Martin Luther King en prison (p. 129)
American Library, Paris

Ebony, décembre 1968, Jeux olympiques à Mexico (p. 161)

L'Espagne nouvelle, 10 décembre 1937, « À la mémoire de la colonne Durruti » (tiré à part)
Musée d'Histoire contemporaine-BDIC, Paris

L'Europeo, 3 mars 1978, « La terreur vient de la prison » (couverture)
Institut culturel italien, Paris

L'Europeo, 31 mars 1978, « Le séquestre de Moro. Ultimatum de l'État » (couverture)
Institut culturel italien, Paris

L'Europeo, 26 mai 1978, « Complot international » (couverture)
Institut culturel italien, Paris

L'Europeo, 20 octobre 1978, « Des archives des Brigades rouges » (couverture)
Institut culturel italien, Paris

L'Express, n° 869, 12 février 1968, « Vietnam, guerre totale » (couverture)
Musée d'Histoire contemporaine-BDIC, Paris

L'Express, n° 877, 8 avril 1968, « Vietnam : la fin » (couverture)
Musée d'Histoire contemporaine-BDIC, Paris

L'Express, n° 1174, 7 janvier 1974, « Le défi de Soljenitsyne » (couverture)
Musée d'Histoire contemporaine-BDIC, Paris

L'Express, n° 1243, 11 mai 1975, « La chute de Saigon » (couverture)
Musée d'Histoire contemporaine-BDIC, Paris

Freie Deutsche Kultur, n° 3, mars 1942, sans titre [Main clouée à la croix] (photomontage de Heartfield) (couverture)
Stiftung Archiv der Akademie der Künste, Kunstsammlung, Berlin

Hamburger Illustrierte Zeitung, n° 40, 4 octobre 1937, Hitler et Mussolini (p. 2)
Musée d'Histoire contemporaine-BDIC, Paris

L'Humanité, 6 mars 1953, « Staline est mort »

Illustrated London News, n° 5161, 19 mars 1938, « La fin de l'indépendance autrichienne » (pp. 492-493)
Musée d'Histoire contemporaine-BDIC, Paris

Illustrated London News, n° 5531, 21 avril 1945, Prisonniers allemands (pp. 430-431)
Musée d'Histoire contemporaine-BDIC, Paris

Illustrated London News, n° 5703, 7 août 1948, La ville-squelette de Berlin (pp. 154-155)
Musée d'Histoire contemporaine-BDIC, Paris

Illustrated London News, n° 6370, 2 septembre 1961, La ligne de division (couverture)
Musée d'Histoire contemporaine-BDIC, Paris

Le Magazine de France, n° spécial 1945, « Crimes nazis »
Collection particulière, Paris

Life, 27 septembre 1937, Meeting annuel à Nuremberg (p. 98)

Life, 13 juin 1938, « Obus Skoda, Tchécoslovaquie » (p. 35)

Life, 24 octobre 1938, « Salut nazi en Tchécoslovaquie » (p. 22)

Life, 20 mars 1939, « Herr Doktor Goebbels » (p. 60)
Musée d'Histoire contemporaine-BDIC, Paris

Life, 10 juillet 1939, « Gardes nationaux japonais » (couverture)
Musée d'Histoire contemporaine-BDIC, Paris

Life, 27 mai 1940, « L'envahisseur » (couverture)
Life Syndication, New York

Life, 14 octobre 1940, « La nuit, dans le métro de Londres » (p. 32)
Musée d'Histoire contemporaine-BDIC, Paris

Life, 23 décembre 1940, « Bombardement, cathédrale de Coventry » (p. 13)

Life, 17 novembre 1941, « La bataille de Yelnya » (p. 34)

Life, 2 novembre 1942, Stalingrad bombardée (p. 33)
Mnam-Cci, Centre Georges Pompidou, Paris

Life, 23 novembre 1942, Bombardement du port de Lorient (p. 45)
Mnam-Cci, Centre Georges Pompidou, Paris

Life, 30 novembre 1942, Ruines de Stalingrad (p. 39)

Life, 1ᵉʳ février 1943, Squelette d'un soldat japonais (p. 27)
Mnam-Cci, Centre Georges Pompidou, Paris

Life, 29 mars 1943, Staline [portrait] (couverture)
Mnam-Cci, Centre Georges Pompidou, Paris

Life, 24 juillet 1944, Londres sous le Blitz (p. 9)
Musée d'Histoire contemporaine-BDIC, Paris

Life, 21 août 1944, Les ruines de Saint-Lô (p. 16)
Musée d'Histoire contemporaine-BDIC, Paris

Life, 4 septembre 1944, La libération de Chartres (p. 20)
Mnam-Cci, Centre Georges Pompidou, Paris

Life, 11 septembre 1944, Paris libéré (p. 32)
Mnam-Cci, Centre Georges Pompidou, Paris

Life, 18 septembre 1944, Les GI's descendent les Champs-Élysées (p. 9)
Mnam-Cci, Centre Georges Pompidou, Paris

Life, 12 février 1945, Soldat soviétique (couverture)
Life Syndication, New York

Life, 5 mars 1945, « Iwo Jima » (pp. 36-37)
Musée d'Histoire contemporaine-BDIC, Paris

Life, 19 mars 1945, « Drapeau sur Iwo Jima » (p. 52)
Musée d'Histoire contemporaine-BDIC, Paris

Life, 26 mars 1945, Dans Cologne bombardée (p. 36)
Mnam-Cci, Centre Georges Pompidou, Paris

Life, 7 mai 1945, « Camps de Nordhausen et de Belsen » (pp. 32-33), « Camp de Buchenwald » (pp. 36-37)
Life Syndication, New York

Life, 14 mai 1945, Yankee victorieux (couverture), Suicides nazis (pp. 32-33)
Cadavre de Mussolini (p. 40)
Musée d'Histoire contemporaine-BDIC, Paris

Life, 4 juin 1945, Destruction de Nuremberg et Mayence (p. 22)
Mnam-Cci, Centre Georges Pompidou, Paris

Life, 20 août 1945, Hiroshima et Nagasaki (pp. 26-27), « Hiroshima avant, Hiroshima après » (pp. 30-31)
Musée d'Histoire contemporaine-BDIC, Paris

Life, 10 décembre 1945, Procès de Nuremberg (pp. 30-31)
Life Syndication, New York

Life, 12 août 1946, Essais de Bikini (pp. 30-31)
Musée d'Histoire contemporaine-BDIC, Paris

Life, 4 novembre 1946, Exécution de chefs nazis (pp. 38-39)

Life, 12 mai 1947, « Le chef communiste de la Bulgarie » (couverture)

Life, 12 juillet 1948, Défilé à Belgrade (p. 24)
Musée d'Histoire contemporaine-BDIC, Paris

Life, 13 septembre 1948, Maréchal Tito (couverture)

Life, 27 décembre 1948, Les enfants dans l'Europe d'après-guerre (p. 15)

Life, 30 mai 1949, La reconstruction de Varsovie (p. 17)
Mnam-Cci, Centre Georges Pompidou, Paris

Life, 10 octobre 1949, « Oppenheimer, le penseur de l'énergie atomique » (couverture)
Mnam-Cci, Centre Georges Pompidou, Paris

Life, 27 février 1950, « Explosion atomique » (couverture)
Mnam-Cci, Centre Georges Pompidou, Paris

Life, 18 septembre 1950, « This is War » [Corée, D. D. Duncan] (pp. 44-45)
Life Syndication, New York

Life, 3 décembre 1951, « Nouvelle arme pour les GI's » (pp. 16-17)
Mnam-Cci, Centre Georges Pompidou, Paris

Life, 31 mars 1952, Prisonniers coréens (pp. 92-93), Ku-Klux-Klan (p. 98)
Mnam-Cci, Centre Georges Pompidou, Paris

Life, 5 mai 1952, Essais atomiques (pp. 36-37)
Life Syndication, New York

Life, 29 septembre 1952, Victimes d'Hiroshima (pp. 20-21)
Mnam-Cci, Centre Georges Pompidou, Paris

Life, 1ᵉʳ décembre 1952, « Guerre secrète et sauvage en Corée » (pp. 26-27)

Life, 8 juin 1953, « L'explosion d'un mythe » (pp. 32-33)
Mnam-Cci, Centre Georges Pompidou, Paris

Life, 3 août 1953, Guerre de Corée (pp. 18-19)
Life Syndication, New York

Life, 15 novembre 1954, Occupation d'Hanoï (pp. 22-23)
Mnam-Cci, Centre Georges Pompidou, Paris

Life, 28 mars 1960, J. F. Kennedy (p. 26)

Life, 30 mai 1960, Khrouchtchev (pp. 18-19)

Life, 2 novembre 1962, « The Evidence » [Cuba] (pp. 40-41)
Life Syndication, New York

Life, 25 juillet 1960, Campagne électorale de Kennedy (pp. 18-19)

Life, 25 janvier 1963, Opérations américaines au Vietnam (couverture double, pp. 24-29)
Life Syndication, New York

Life, 17 mai 1963, Manifestations des Noirs à Birmingham (pp. 30-31, 54-55)
Mnam-Cci, Centre Georges Pompidou, Paris

Life, 6 septembre 1963, Un bonze s'immole par le feu (pp. 29-30)

Life, 6 décembre 1963, Funérailles de Kennedy (p. 39)

Life, 12 juin 1964, Assaut par hélicoptère, Vietnam (pp. 44B-44C)

Life, 2 octobre 1964, Le rapport Warren (couverture)

Life, 27 novembre 1964, « Alerte au Vietnam » (pp. 30-31)
Mnam-Cci, Centre Georges Pompidou, Paris

Life, 19 février 1965, « Nouvel engagement au Vietnam » (pp. 30-31)

Life, 26 novembre 1965, « La réalité de la guerre au Vietnam » (couverture)

Life, 11 février 1966, « La guerre continue » (couverture)

Life, 10 juin 1966, « Complot contre les blancs » (pp. 100-100A)

Life, 28 octobre 1966, Vietnam (pp. 38-39)
Mnam-Cci, Centre Georges Pompidou, Paris

Life, 4 août 1967, « Familles noires en état d'arrestation » (pp. 22-23)
Mnam-Cci, Centre Georges Pompidou, Paris

Life, 27 octobre 1967, « Dans le cône de feu de Con Thien » (couverture, pp. 28-29, 40-41)
Mnam-Cci, Centre Georges Pompidou, Paris

Life, 8 décembre 1967, McNamara et le Président Johnson (pp. 40-41)

Life, 8 mars 1968, Les Noirs dans les Villes (couverture), Évacuation d'un blessé (pp. 28-29)
Mnam-Cci, Centre Georges Pompidou, Paris

Life, 30 août 1968, Tanks soviétiques à Prague (couverture, pp. 16-17)
Mnam-Cci, Centre Georges Pompidou, Paris

Life, 4 septembre 1970, « Scène classique de la violence en Irlande » (pp. 48-48A)

Life, 31 décembre 1971, Irlande du Nord (pp. 52-53)

Life, 14 janvier 1972, Carnaval à Belfast (pp. 2-3)

Life, 12 mai 1972, Anloc détruite (pp. 38-40)
Life Syndication, New York

Life, 23 juin 1972, Enfants victimes de bombardements (pp. 4-5)
Life Syndication, New York

Life, 25 août 1972, Scènes à Londonderry (pp. 4-5)

Match, 13 octobre 1938, « Les Juifs ne sont pas admis ici » (pp. 12)
Collection particulière, Paris

Match, 2 février 1939, Réfugiés espagnols en France (p. 16)
Collection particulière, Paris

Match, 11 janvier 1940, « Le règlement secret des camps de concentration allemands » (pp. 20-21)
Collection particulière, Paris

Match, 21 mars 1940, « Scène d'exécutions à Varsovie » (pp. 18-19)
Collection particulière, Paris

Match, 30 mai 1940, Le maréchal Pétain (couverture)
Collection particulière, Paris

Newsweek, 6 novembre 1972, « Goodbye, Vietnam » (couverture)
Musée d'Histoire contemporaine-BDIC, Paris

Newsweek, 14 avril 1975, « Le chagrin et la pitié » (couverture)
Musée d'Histoire contemporaine-BDIC, Paris

Le Nouvel Observateur, n° 169, 7 février 1968, Le défi vietnamien (couverture)
Musée d'Histoire contemporaine-BDIC, Paris

Le Nouvel Observateur, n° 183, 15 mai 1968, « La France face aux jeunes » (couverture)

Le Nouvel Observateur, n° 188, 19 juin 1968, Mendès-France, Sartre, Kastler (couverture)
Musée d'Histoire contemporaine-BDIC, Paris

Le Nouvel Observateur, n° 199, 2 septembre 1968, Un dirigeant tchécoslovaque (couverture)

Ogoniok, n° 5, 15 février 1935, Défilé militaire (photomontage de couverture)
Musée d'Histoire contemporaine-BDIC, Paris

Ogoniok, n° 47, 22 octobre 1953, Moscou, tombeau de Lénine (pp. 2-3)
Musée d'Histoire contemporaine-BDIC, Paris

Ogoniok, n° 44, 29 octobre 1961, Défilé sur la place Rouge (couverture)
Musée d'Histoire contemporaine-BDIC, Paris

Ogoniok, n° 46, 12 novembre 1961, Défilé de chars
Musée d'Histoire contemporaine-BDIC, Paris

Paris-Match, n° 111, 5 mai 1951, Manifestation à New York (pp. 12-13)
Mnam-Cci, Centre Georges Pompidou, Paris

Paris-Match, n° 124, 4 août 1951, « Les couleurs de la bombe » (pp. 22-23)
Mnam-Cci, Centre Georges Pompidou, Paris

Paris-Match, n° 208, 7 mars 1953, « La fin de Staline » (pp. 34-35)
Mnam-Cci, Centre Georges Pompidou, Paris

Paris-Match, n° 217, 16 mai 1953, « Contre le Laos, une armée d'ombres » (pp. 26-27)
Mnam-Cci, Centre Georges Pompidou, Paris

Paris-Match, n° 260, 20 mars 1954, « Dien-Bien-Phu à l'heure H » (p. 49)
Mnam-Cci, Centre Georges Pompidou, Paris

Paris-Match, n° 261, 27 mars 1954, Rideau de feu sur la jungle, Vietnam (p. 27)
Mnam-Cci, Centre Georges Pompidou, Paris

Paris-Match, n° 305, 29 janvier 1955, « Les maîtres veillent sur les vacances des pionniers » [URSS] (pp. 66-67)
Collection particulière, Paris

Paris-Match, n° 312, 19 au 19 mars 1955, « L'Amérique à l'heure U » (pp. 64-65)

Paris-Match, n° 374, 9 juin 1956, « Opération Casbah » (pp. 36-37, 42-43, 48-49)
Mnam-Cci, Centre Georges Pompidou, Paris

Paris-Match, n° 396, 10 novembre 1956, « Les héros de Budapest » (pp. 34-39)
Mnam-Cci, Centre Georges Pompidou, Paris

Paris-Match, n° 397, 17 novembre 1956, Le comité central du PCF assiégé (pp. 30-31)
Mnam-Cci, Centre Georges Pompidou, Paris

Paris-Match, n° 399, 1er décembre 1956, Tanks soviétiques à Budapest (pp. 38-39)
Mnam-Cci, Centre Georges Pompidou, Paris

Paris-Match, n° 422, 11 mai 1957, Premier Mai à Moscou, (pp. 44-45)
Mnam-Cci, Centre Georges Pompidou, Paris

Paris-Match, n° 488, 16 août 1958, Rencontre Mao-Khrouchtchev (pp. 58-59)
Mnam-Cci, Centre Georges Pompidou, Paris

Paris-Match, n° 493, 20 septembre 1958, « Oui-Non : le paysage vote déjà » (pp. 38-39)
Mnam-Cci, Centre Georges Pompidou, Paris

Paris-Match, n° 507, 27 décembre 1958, Le défi des deux Berlin (pp. 38-39)
Mnam-Cci, Centre Georges Pompidou, Paris

Paris-Match, n° 508, 3 janvier 1959, Manifestation à Pékin (pp. 38-39)
Mnam-Cci, Centre Georges Pompidou, Paris

Paris-Match, n° 539, 8 août 1959, Insurrection à Cuba (pp. 48-49)

Paris-Match, n° 567, 20 février 1960, « Hourra ! Pour la France » [la bombe atomique française] (pp. 43-44)
Mnam-Cci, Centre Georges Pompidou, Paris

Paris-Match, n° 600, 8 octobre 1960, « Castro, prophète d'une nouvelle Mecque : Cuba » (p. 33)
Mnam-Cci, Centre Georges Pompidou, Paris

Paris-Match, n° 631, 13 mai 1961, « Dans le dédale de la Casbah » (pp. 72-73)
Mnam-Cci, Centre Georges Pompidou, Paris

Paris-Match, n° 643, 5 août 1961, Alger (pp. 46-47)
Mnam-Cci, Centre Georges Pompidou, Paris

Paris-Match, n° 644, 12 août 1961, Militaires en Algérie (p. 26)
Mnam-Cci, Centre Georges Pompidou, Paris

Paris-Match, n° 646, 26 août 1961, « Ce matin-là, le rideau tombe sur Berlin » (pp. 18-19, 22-23)
Mnam-Cci, Centre Georges Pompidou, Paris

Paris-Match, n° 647, 2 septembre 1961, « Berlin, le mur de la honte » (pp. 28-29)
Mnam-Cci, Centre Georges Pompidou, Paris

Paris-Match, n° 655, 28 octobre 1961, « Le drame arrive en métro » (pp. 40-41, 46-47)
Mnam-Cci, Centre Georges Pompidou, Paris

Paris-Match, n° 659, 25 novembre 1961, « Que se passe-t-il dans la nuit d'Alger ? » (pp. 78-79)
Mnam-Cci, Centre Georges Pompidou, Paris

Paris-Match, n° 665, 6 janvier 1962, « Devant le mur de la honte » (pp. 18-19)
Mnam-Cci, Centre Georges Pompidou, Paris

Paris-Match, n° 669, 3 février 1962, « Dans Oran avec une caméra cachée » (pp. 16-17), « Paris plastiqué » (pp. 24-25)
Mnam-Cci, Centre Georges Pompidou, Paris

Paris-Match, n° 672, 24 février 1962, « Dans Alger avec l'armée qui veille » (pp. 26-27)
Mnam-Cci, Centre Georges Pompidou, Paris

Paris-Match, n° 674, 10 mars 1962, « Ordre à l'armée : arrêtez les massacres » (pp. 44-45)
Mnam-Cci, Centre Georges Pompidou, Paris

Paris-Match, n° 675, 17 mars 1962, « No man's land d'Oran » (pp. 54-55)
Mnam-Cci, Centre Georges Pompidou, Paris

Paris-Match, n° 678, 7 avril 1962, « Rue d'Isly : 10 minutes sanglantes » (pp. 54-55)
Mnam-Cci, Centre Georges Pompidou, Paris

Paris-Match, n° 681, 28 avril 1962, « Ben Bella : je suis là » (pp. 62-63)
Mnam-Cci, Centre Georges Pompidou, Paris

Paris-Match, n° 692, 14 juillet 1962, « Qui va gagner en Algérie ? » (pp. 30-31)
Mnam-Cci, Centre Georges Pompidou, Paris

Paris-Match, n° 698, 25 août 1962, « Cet homme a agonisé une heure » [mur de Berlin] (pp. 24-27)
Mnam-Cci, Centre Georges Pompidou, Paris

Paris-Match, n° 969, 4 novembre 1967, Au Pentagone, une fleur inattendue (pp. 90-91)

Paris-Match, n° 977, 30 décembre 1967, « Comment on a tué le Che » (pp. 16-17)
Mnam-Cci, Centre Georges Pompidou, Paris

Paris-Match, n° 983, 10 février 1968, Les maquisards de Saigon (pp. 32-33)
Mnam-Cci, Centre Georges Pompidou, Paris

Paris-Match, n° 984, 17 février 1968, Hué (pp. 28-29, 36-37)
Mnam-Cci, Centre Georges Pompidou, Paris

Paris-Match, n° 987, 9 mars 1968, Marines dans une maison de Hué (p. 54)
Mnam-Cci, Centre Georges Pompidou, Paris

Paris-Match, n° 991, 6 avril 1968, « Je Proteste » [D. D. Duncan] (pp. 62-63)
Mnam-Cci, Centre Georges Pompidou, Paris

Paris-Match, n° 993, 20 avril 1968, Assassinat de Martin Luther King (pp. 54-55)
Mnam-Cci, Centre Georges Pompidou, Paris

Paris-Match, n° 996, 11 mai 1968, « La rage gagne la Sorbonne » (pp. 112-113)

Paris-Match, n° 997, 18 mai 1968, « L'insurrection du Quartier latin » (pp. 54-55, 70-71, 76-77)
Mnam-Cci, Centre Georges Pompidou, Paris

Paris-Match, n° 998, 15 juin 1968, « Le général a parlé » (pp. 94-95)
Mnam-Cci, Centre Georges Pompidou, Paris

Paris-Match, n° 1008, 31 août 1968, « Agression russe » (couverture), « Prague, l'invasion » (pp. 18-19, 24-25)
Mnam-Cci, Centre Georges Pompidou, Paris

Paris-Match, n° 1036, 15 mars 1969, « Rockets sur la conférence de la paix, Saigon » (pp. 108-109)
Mnam-Cci, Centre Georges Pompidou, Paris

Paris-Match, n° 1053, 12 juillet 1969, « L'enfer de Ben Het » (pp. 28-29)
Mnam-Cci, Centre Georges Pompidou, Paris

Paris-Match, n° 1059, 23 août 1969, « L'Irlande au bord de la guerre civile » (pp. 52-53)
Mnam-Cci, Centre Georges Pompidou, Paris

Paris-Match, n° 1060, 30 août 1969, Enterrement en Irlande (pp. 20-21)
Mnam-Cci, Centre Georges Pompidou, Paris

Paris-Match, n° 1105, 11 juillet 1970, Irlande du Nord (pp. 18-19)
Mnam-Cci, Centre Georges Pompidou, Paris

Paris-Match, n° 1163, 21 août 1971, « Ce champ de bataille, c'est Belfast » (pp. 11-12)
Mnam-Cci, Centre Georges Pompidou, Paris

Paris-Match, n° 1274, 6 septembre 1973, « Chili : les généraux tuent-ils ? » (pp. 50-51, 86-87)
Mnam-Cci, Centre Georges Pompidou, Paris

Paris-Match, n° 1295, 2 mars 1974, « 28 années de la vie de Soljenitsyne » (pp. 50-51)
Mnam-Cci, Centre Georges Pompidou, Paris

Paris-Match, n° 1349, 5 avril 1975, « Le récit d'Alexandre Soljenitsyne » (couverture)
Mnam-Cci, Centre Georges Pompidou, Paris

Paris-Match, n° 1474, 26 août 1977, « Violence au Royaume-Uni » (pp.28-29)
Mnam-Cci, Centre Georges Pompidou, Paris

Paris-Match, n° 1484, 4 novembre 1977, « L'Allemagne sous les armes » (pp. 70-71), Baader dans sa prison (pp. 78-79)
Mnam-Cci, Centre Georges Pompidou, Paris

Picture Post, Londres, 23 septembre 1939, « Entre la paix et la guerre, Kaiser Adolf : l'homme contre l'Europe » (photomontage de couverture par Heartfield)
Stiftung Archiv der Akademie der Künste, Kunstsammlung, Berlin

Regards, numéro spécial, mai 1933, « A bas le fascisme » (photomontage de couverture)
Bibliothèque marxiste, Paris

Regards, n° 29, novembre 1933, « 16 années de victoire en URSS » (photomontage de 4e de couverture)
Bibliothèque marxiste, Paris

Regards, n° 32, 24 août 1934, « 5 millions de Non ! » (photomontage de couverture)
Bibliothèque marxiste, Paris

Regards, n° 67, 25 avril 1935, « Les nazis jouent avec le feu » (photomontage de couverture)
Bibliothèque marxiste, Paris

Regards, n° 120, 30 avril 1936, « Victoire du Front populaire » (photomontage de couverture)
Bibliothèque marxiste, Paris

Regards, n° 121, 7 mai 1936, « N'ayez pas peur, il est végétarien » (photomontage de couverture par Heartfield)
Bibliothèque marxiste, Paris

Regards, n° 124, 28 mai 1936, « L'inoubliable manifestation du 24 mai 1936 » (photomontage de couverture)
Bibliothèque marxiste, Paris

Regards, n° 134, 6 août 1936, « La passionaria » (4e de couverture)
Bibliothèque marxiste, Paris

Regards, n° 141, 24 septembre 1936, « La Liberté conduit le peuple d'Espagne » (photomontage par Heartfield, p. 11)
Bibliothèque marxiste, Paris

Regards, n° 148, 11 novembre 1936, « Nous accusons » (pp. 12-13)
Bibliothèque marxiste, Paris

Regards, n° 152, 10 décembre 1936, « La capitale crucifiée » (couverture)
Bibliothèque marxiste, Paris

Regards, n° 156, 7 janvier 1937, « Le camp de concentration de Dachau » (pp. 4-5)
Bibliothèque marxiste, Paris

Regards, n° 200, 11 novembre 1937, « No Pasaran ! » (p. 24)
Bibliothèque marxiste, Paris

Regards, n° 263, 26 janvier 1939, « Pour ceux qui nous défendent, des canons ! des avions ! » (couverture)
Bibliothèque marxiste, Paris

Regards, n° 290, 3 août 1939, Réfugiés espagnols, Camp de Gurs (p. 10)
Bibliothèque marxiste, Paris

Regards, n° 12, 1er juillet 1945, « Mauthausen » (couverture)
Collection particulière, Paris

Regards, n° 257, 21 juillet 1950, « Cet homme appelle au crime atomique » (couverture)
Bibliothèque marxiste, Paris

Regards, n° 361, 1953, Staline (4e de couverture)
Bibliothèque marxiste, Paris

Regards, n° 431, juin 1958, « Le complot contre la République » [De Gaulle] (couverture)
Bibliothèque marxiste, Paris

Regards, n° 440, mars 1959, « Amérique latine. Pourquoi tombent les dictatures ? » (couverture)
Bibliothèque marxiste, Paris

Regards, n° 449, décembre 1958, « La Chine en marche derrière Mao Tse Tung » (couverture)
Bibliothèque marxiste, Paris

Reynolds News, Londres, 10 décembre 1939, « Reservations. Jews driven like cattle » [Réserves. Les Juifs conduits comme du bétail] (photomontage de Heartfield, p. 12)
Stiftung Archiv der Akademie der Künste, Kunstsammlung, Berlin

Signal, n° 1, février 1941 (couverture)
Collection particulière, Paris

Signal, n° 1, janvier 1943, « Classe 1943 » [armement allemand] (couverture)
Collection particulière, Paris

Signal, n° 2, juin 1943, « Un document officiel sur Katyn » (p. 15)
Collection particulière, Paris

Signal, n° 7, 1944, Bombardement de Montmartre (tiré à part)
Collection particulière, Paris

Der Spiegel, n° 29, 12 juillet 1976, Femmes terroristes (couverture)
Musée d'Histoire contemporaine-BDIC, Paris

Der Spiegel, n° 33, 8 août 1977, Femmes terroristes (couverture)
Musée d'Histoire contemporaine-BDIC, Paris

Der Spiegel, n° 38, 12 septembre 1977, Guerre contre l'Etat (couverture)
Musée d'Histoire contemporaine-BDIC, Paris

Der Spiegel, n° 41, 3 octobre 1977, Les sympathisants du terrorisme (couverture)
Musée d'Histoire contemporaine-BDIC, Paris

L'URSS en construction, n° 2, 1933, « L'Armée Rouge » (photomontage de couverture)
Musée d'Histoire contemporaine-BDIC, Paris

L'URSS en construction, n° 12, 1933, « Chantier de construction, canal de la Mer Blanche »
Galerie Alex Lachmann, Cologne

L'URSS en construction, n° 3, 1934, La centrale électrique du Dniepr photomontage
Musée d'Histoire contemporaine-BDIC, Paris

L'URSS en construction, n° 9-12, 1937, (photomontages de El Lissitzky)
Musée d'Histoire contemporaine-BDIC, Paris

L'URSS en construction, n° 11, 1949, Carcasse métallique d'un édifice à Moscou (couverture)
Musée d'Histoire contemporaine-BDIC, Paris

Voilà, n° 280, 1er août 1936, « Feu et sang sur Barcelone » (couverture)
Collection particulière, Paris

Volks Illustrierte, Prague, n° 15, 1936, « Madrid 1936, Ils ne passeront pas, nous passerons ! » (photomontage de Heartfield, p. 240)
Stiftung Archiv der Akademie der Künste, Kunstsammlung, Berlin

Volks Illustrierte, Prague, n° 17, 1936, « Monuments de gloire fasciste » (photomontage de Heartfield, p. 272)
Stiftung Archiv der Akademie der Künste, Kunstsammlung, Berlin

Volks Illustrierte, Prague, n° 16, 21 avril 1937, « La voix de la liberté dans la nuit allemande sur les ondes 29.8 » (photomontage de Heartfield, p. 245)
Stiftung Archiv der Akademie der Künste, Kunstsammlung, Berlin

Volks Illustrierte, Prague, n° 18, 1937, « Liberté, liberté chérie, combat avec tes défenseurs » (photomontage de Heartfield, p. 279)
Stiftung Archiv der Akademie der Künste, Kunstsammlung, Berlin

Volks Illustrierte, Prague, n° 26, 29 juin 1937, « Le voilà le salut qu'ils apportent » (photomontage de Heartfield)
Stiftung der Akademie der Künste, Kunstsammlung, Berlin

Volks Illustrierte, Prague, n° 41, 13 octobre 1937, « Avertissement : aujourd'hui vous voyez la guerre au cinéma dans d'autres pays, sachez bien : si vous ne faites pas un front uni, c'est vous aussi qui mourrez ! » (photomontage de Heartfield)
Stiftung Archiv der Akademie der Künste, Kunstsammlung, Berlin

VU, n° 259, 1er mars 1933, « Fin d'une civilisation » (photomontage de couverture par M. Ichac) Collection particulière, Paris

VU, n° 259, 1er mars 1933, « Pour se libérer de la crise... » (photomontage de couverture par Alexandre) Collection particulière, Paris

VU, n° 263, 29 mars 1933, « L'Allemagne en armes » (photomontage de couverture) Collection particulière, Paris

VU, n° 282, 9 août 1933, « Mussolini » (photomontage de couverture) Collection particulière, Paris

VU, numéro spécial, « Vu en Espagne », 29 août 1936 (photomontage de couverture) Collection particulière, Paris

VU, n° 445, 23 septembre 1936, « Comment ils sont tombés » [Le républicain espagnol, par Robert Capa] (pp. 1106-1107) Musée d'Histoire contemporaine-BDIC, Paris

Die Zeit, n° 21, 20 mai 1960, Le mur de Berlin (p. 1) Musée d'Histoire contemporaine-BDIC, Paris

4. Écrivains face à l'histoire

Cette liste suit l'ordre des vitrines dans l'exposition

Présentation Yves Bergeret et Blandine Benoît, conservateurs de la BPI

Écrivains autrichiens et allemands devant la montée du nazisme

Hermann Broch,
Der Tod des Vergil [La Mort de Virgile], New York, Pantheon Books, 1945. Collection particulière, Paris.

Thomas Mann,
Der Zauberberg [La Montagne magique], Berlin, Fisher, 1924. Bibliothèque de l'Alliance israélite universelle, Paris.

Appels aux Allemands, 1940 à 1945, Flinker, 1948. Institut Mémoires de l'édition contemporaine, Paris.

Hommage de la France à Thomas Mann. Institut Mémoires de l'édition contemporaine, Paris.

Klaus Mann,
Der Vulkan [Le Volcan], Amsterdam, Querido Verlag, 1939. Collection particulière, Paris.

Anna Seghers,
Das siebte Kreuz [La Septième Croix] (1938), Berlin, Aufbau, 1947. Collection particulière, Paris.

Stefan Zweig,
Castellio gegen Calvin oder Ein Gewissen gegen die Gewalt [Castellion contre Calvin ou Une conscience contre la violence], 1936. Collection particulière, Paris.

Robert Musil,
Der Mann ohne Eigenschaften [L'Homme sans qualités] (1930-1933), Berlin, Rowohlt, 1943. Literatur Archiv, Marbach.

Josef Roth,
Hiob, der Roman eines einfaches Mannes [Le Poids de la Grâce], Amsterdam, Bermann-Fischer, 1948. Collection particulière.

Revues antinazies des intellectuels allemands

Freie Kunst Literatur, n° 1, 1938. Documentation Mnam-Cci, Paris.

Die Sammlung : Literarische Monatschrift unter dem Patronat von André Gide, Aldous Huxley, Heinrich Mann, dirigé par Klaus Mann, Amsterdam, Querido Verlag, juin 1935. Bibliothèque de Documentation internationale contemporaine (BDIC), Nanterre.

En contrepoint :

André Malraux,
« Sur l'héritage culturel », discours prononcé à Londres au Secrétariat général de l'Association internationale des écrivains pour la défense de la culture, *Commune*, n° 37, septembre 1936, Paris. Documentation Mnam-Cci, Paris.

Le Temps du mépris, Paris, Gallimard, 1935. Bibliothèque de l'Arsenal, Paris.

Emmanuel Mounier,
« Les lendemains d'une trahison », *Esprit*, n° 73, 1er octobre 1938. Documentation Mnam-Cci, Paris.

Bertolt Brecht,
Der Aufhaltsame Aufstieg des Arturo Ui [La Résistible Ascension d'Arturo Ui] (1941), Berlin, Aufbau. Collection particulière, Paris.

Photographie de la création par le Berliner Ensemble au théâtre des Nations, 1960. Collection R. Pic, département des Arts du Spectacle, Bibliothèque de l'Arsenal, Paris.

Leben des Galilei [La Vie de Galilée] (1933), Berlin, Aufbau. Collection particulière, Paris.

Photographie de la création par le Berliner Ensemble au théâtre des Nations, 1960. Collection R. Pic, département des Arts du Spectacle, Bibliothèque de l'Arsenal, Paris.

Fucht und Elend des 3. Reichs [Grand'Peur et Misères du troisième Reich] (1935-1938), création à Paris en 1938 sous le titre *99 %*, Berlin, Aufbau. Collection particulière, Paris.

Le surréalisme devant la crise européenne, de 1933 à 1945

André Breton,
Misère de la Poésie, Paris, Éditions Surréalistes, 1932. Documentation Mnam-Cci, Paris.

Paillasse, manifeste, Paris, Éditions Surréalistes, mars 1932. Documentation Mnam-Cci, Paris.

Du Temps que les surréalistes avaient raison, Paris, Éditions Surréalistes, août 1935. Documentation Mnam-Cci, Paris.

André Gide,
Le Retour de l'U.R.S.S., Paris, Gallimard, 1936 (contrepoint de la crise surréaliste). Collection Claude Couffon, Paris.

Retouches au Retour d'U.R.S.S., Paris, Gallimard, 1937. Collection Claude Couffon, Paris.

André Breton,
Appel aux hommes, tract, 1936. Documentation Mnam-Cci, Paris.

La Vérité sur le procès de Moscou, tract, 3 septembre 1936. Documentation Mnam-Cci, Paris.

André Breton, Léon Trotski,
Pour un art révolutionnaire indépendant, tract, Mexico, 25 juillet 1938. Documentation Mnam-Cci, Paris.

Clé, bulletin mensuel de la Fédération internationale de l'art révolutionnaire indépendant, n° 2, février 1939. Documentation Mnam-Cci, Paris.

Les Réverbères, n° 4. Documentation Mnam-Cci, Paris.

L'Avenir du surréalisme, Paris, Éditions Quatre Vingt et Un, 1944. Documentation Mnam-Cci, Paris.

VVV, n° 4, New York, février 1944. Documentation Mnam-Cci, Paris.

« Le Surréalisme encore et toujours », *La Main à plume*, n° spécial des *Cahiers de la Poésie*, août 1943. Documentation Mnam-Cci, Paris.

André Breton,
Ode à Charles Fourier, Paris, Fontaine, 1947. Documentation Mnam-Cci, Paris.

Louis Aragon,
Front Rouge

manuscrit. Bibliothèque littéraire J. Doucet, Paris.

1re publication, *Littérature de la Révolution mondiale*, n° 2, Moscou, juillet 1931. Bibliothèque littéraire J. Doucet, Paris.

L'Affaire Aragon, s. d. (1931 ?). Musée d'Art et d'Histoire de Saint-Denis.

Les écrivains dans la guerre d'Espagne

Ernest Hemingway,
For Whom the Bell Tolls [Pour qui sonne le glas], New York, Overseas Edition, 1940. Bibliothèque de Documentation internationale contemporaine (BDIC), Nanterre.

André Malraux,
L'Espoir, Paris, Gallimard, 1937. Bibliothèque de l'Arsenal, Paris.

Hora de España, Revista mensual, ensayos, poesia, critica al servicio de la causa popular, Valence, n° XXI, septembre 1938. Bibliothèque de Documentation internationale contemporaine (BDIC), Nanterre.

Treinta Caricaturas de la guerra, Ministerio de Propaganda, 1937. Bibliothèque de documentation internationale contemporaine (BDIC), Nanterre.

L'Esquella de la Torratxa, Madrid, n° 3053, 25 février 1938. Bibliothèque de Documentation internationale contemporaine (BDIC), Nanterre.

Paul Eluard,
« La Victoire de Guernica », 1938, poème manuscrit. Bibliothèque littéraire J. Doucet, Paris.

Solidarité, avril 1938, édition et gravures originales (gravures de Picasso, Masson, Tanguy et Miró, poème d'Eluard « Novembre 1936 »), vendu au profit des Républicains espagnols. Musée d'Art et d'Histoire de Saint-Denis.

Nicolas Guillen,
España, Mexico, Mexico Nuevo, 1937. Collection Claude Couffon, Paris.

Georges Pillement,
Romancero de la guerre civile, 1937, Paris, Éditions Sociales internationales. Collection Claude Couffon, Paris.

Federico García Lorca,
Romancero gitan, Toulouse, La Novela espagnola, 1938 (avec le poème de Machado « Le crime eut lieu à Grenade » sur l'assassinat de Lorca). Collection Claude Couffon, Paris.

Alfons Maseras,
A Europa, Barcelona, Foya, 1938. Bibliothèque de Documentation internationale contemporaine (BDIC), Nanterre.

Écrivains italiens dans la Seconde Guerre mondiale

Cesare Pavese,
Il Carcere [La Prison] (1938-1939), Turin, Einaudi, 1957, inédit jusqu'en 1949, date à laquelle il est publié dans le volume *Prima che il gallo canti* [Avant que le coq chante]. Bibliothèque d'italien de l'Université Paris III.

Il Compagno [Le Camarade] (1946), Turin, Einaudi, 1947. Bibliothèque d'italien de l'Université Paris III.

Il Mestiere di vivere [Le Métier de vivre], journal 1935-1950, Turin, Einaudi, 1952. Bibliothèque d'italien de l'Université Paris III.

Elio Vittorini,
Conversazione in Sicilia [Conversation en Sicile], *Letteratura*, n° 2, avril 1938 et n° 3, juillet 1938, Florence. Bibliothèque d'italien de l'Université Paris III.

Uomine e no [Les Hommes et les autres] (1944-1945), Milan, Bompiani, 1945. Bibliothèque d'italien de l'Université Paris III.

Alberto Moravia,
La Mascheratta, Milan, Bompiani, 1941. Bibliothèque d'italien de l'Université Paris III.

Carlo Levi,
Christo se a fermato ad Eboli [Le Christ s'est arrêté à Eboli], Turin, Einaudi, 1945. Bibliothèque d'italien de l'Université Paris III.

La Paura della libertà [La Peur de la liberté], Turin, Einaudi, 1946. Bibliothèque d'italien de l'Université Paris III.

Curzio Malaparte,
Kaputt, Naples, Casella, 1944. Bibliothèque d'italien de l'Université Paris III.

La Pelle, 1949. Bibliothèque d'italien de l'Université Paris III.

Périodiques antifascistes

La Critica, n° du 20 janvier 1939, dirigée par Benedetto Croce, Naples, 1903 à 1944. Bibliothèque d'italien de l'Université Paris III.

Tribuna d'Italia, n° du 27 mars 1938, édité à Paris. Bibliothèque d'italien de l'Université Paris III.

La Voce degli Italiani, n° du 12 février 1939, édité à Paris. Bibliothèque d'italien de l'Université Paris III.

Italie libre, n° du 9 décembre 1944, édité à Paris. Bibliothèque d'italien de l'Université Paris III.

L'écriture française dans la Seconde Guerre mondiale

Louis-Ferdinand Céline,
D'un château l'autre, Paris, Gallimard, 1957. Institut Mémoires de l'édition contemporaine, Paris.

Robert Brasillach,
Les Sept Couleurs, Paris, Plon, 1939. Bibliothèque de l'Arsenal, Paris.

Pierre Drieu la Rochelle,
L'Homme à cheval, Paris, Gallimard, 1943. Bibliothèque de l'Arsenal, Paris.

Louis Aragon,
« Les Nuits de Mai », dans *Les Yeux d'Elsa*, Paris, Seghers, 1945. Collection Claude Couffon, Paris.

Poésie 41. Documentation Mnam-Cci, Paris.

André Frénaud,
« Noël 39 », *Poésie 43*, Documentation Mnam-Cci, Paris.

Paul Eluard,
Au rendez-vous allemand, Paris, Les Éditions de Minuit, 15 décembre 1944. Documentation Mnam-Cci, Paris.

« Liberté », revue *Fontaine*, Alger, 1942, sous le titre « Une seule pensée » (le titre est visible sous les ratures de la censure). Musée d'Art et d'Histoire de Saint-Denis.

Liberté 1944, tract lancé par la RAF, feuillet plié en quatre, Éditions des Francs-Tireurs et Partisans. Musée d'Art et d'Histoire de Saint-Denis.

« L'Honneur des poètes », sous des pseudonymes : Eluard, Aragon, Desnos, Emmanuel, Frénaud, Guillevic, Loys Masson, Ponge, Tardieu, Tavernier, Vercors, Lucien Schéler, Vildrac, Édith Thomas et René Blech, *Europe*, 1er mai 1944. Musée d'Art et d'Histoire de Saint-Denis.

Paul Eluard,
« La Dernière Nuit », *Cahiers d'Art*, 1942, frontispice d'Henri Laurens. Musée d'Art et d'Histoire de Saint-Denis.

René Char,
Feuillets d'Hypnos (1943-1944)

un feuillet manuscrit. Bibliothèque littéraire J. Doucet, Paris.

un feuillet dactylographié, avec des corrections. Bibliothèque littéraire J. Doucet. — l'édition originale, Gallimard, 1946, coll. « Espoir », dirigée par Camus. Collection Claude Couffon, Paris.

Pierre Emmanuel,
Jour de colère, Alger, Charlot, coll. « Fontaine », 1942. Collection Claude Couffon, Paris.

Michel Leiris,
« Arithmétique du Maréchal » (1943), poème, sous le pseudonyme d'Hugo Vic, *L'Éternelle Revue*, n° 2 juillet 1944. Documentation Mnam-Cci, Paris.

François Mauriac,
Le Cahier Noir, manuscrit. Bibliothèque littéraire J. Doucet, Paris.

Vercors,
Le Silence de la mer, Alger, Charlot, 1943. Bibliothèque de Documentation internationale contemporaine (BDIC), Nanterre.

Bertrand d'Astorg,
« La Morale de notre honneur », *Cahiers d'Uriage*, n° 32, juin 1942. Bibliothèque de Documentation internationale contemporaine (BDIC), Nanterre.

Lettres françaises, n° 15, avril 1944. Bibliothèque de l'Arsenal, Paris.

Vercors,
« Oradour », *Éternelle Revue*, n° 2, février 1945. Documentation Mnam-Cci, Paris.

Surréalisme, négritude, guerre d'Algérie

André Breton, André Masson,
Martinique charmeuse de serpents, Paris, Sagittaire, 1948. Documentation Mnam-Cci, Paris.

Négritude

Léon-Gontrand Damas,
Pigments (édition originale Paris, GLM, 1937, saisie et détruite), Paris, Présence Africaine, 1962. Collection Présence Africaine, Paris.

Tropiques, revue créée à Fort-de-France par Aimé et Suzanne Césaire et René Ménil, 1941-1945. Collection René Ménil, Fort-de-France.

Présence Africaine, n° 3, 1947, année de la création de la revue et des éditions à Paris et à Dakar par Alioune Diop. Collection Présence Africaine, Paris.

Aimé Césaire,
Soleil cou coupé, Paris, éd. K, 1948. Collection Claude Couffon, Paris.

Cahier d'un retour au pays natal (1939), Paris, Présence Africaine, 1956. Collection Présence Africaine, Paris.

Léopold Sédar Senghor,
Anthologie de la poésie nègre et malgache, Paris, PUF, 1948, préface de Jean-Paul Sartre : « Orphée noir ». Collection particulière, Paris.

Hosties Noires, Paris, Le Seuil, 1948. Collection Claude Couffon, Paris.

Aimé Césaire,
Discours sur le colonialisme, Paris, Présence Africaine, 1955, 2ᵉ édition, revue et augmentée. Collection Claude Couffon, Paris/Présence Africaine, Paris.

Écrivains dans la Guerre d'Algérie

Frantz Fanon,
Peau noire, masques blancs, Paris, Le Seuil, 1952. Institut Mémoires de l'édition contemporaine, Paris.

Les Damnés de la terre (1961), Paris, Maspero, 1968, préface de Jean-Paul Sartre. Bibliothèque de l'Arsenal, Paris.

Kateb Yacine,
Nedjma, Paris, Le Seuil, 1956. Collection Institut Mémoires de l'édition contemporaine, Paris.

Simone de Beauvoir,
manuscrit de la préface pour le livre de Gisèle Halimi *Djamila Boupacha,* Paris, Gallimard, 1962 (sur une jeune militante du FLN torturée). Collection Claude Couffon, Paris.

Henri Alleg,
La Question, Paris, Les Éditions de Minuit, 1961. Collection Bernard Magnier, Paris.

Déclaration sur le droit à l'insoumission dans la guerre d'Algérie, dit *Appel des 121.* Collection Jean-Jacques Lebel, Paris.

Les Temps Modernes, n° 173-174, août-septembre 1960, n° spécial après saisie, avec deux pages blanches pour l'*Appel des 121,* censuré. Collection particulière, Paris.

Jean Genet,
Les Paravents (création juin 1958), Lyon, L'Arbalète, 1961. Institut Mémoires de l'édition contemporaine, Paris.

Un feuillet manuscrit : note à Roger Blin pour la mise en scène au théâtre de l'Odéon, 1961. Collection Institut Mémoires de l'édition contemporaine, Paris.

Dissidences en URSS

Boris Pasternak,
Docteur Jivago, tapuscrit original du 1ᵉʳ tome, 1956. Collection Jacqueline de Proyart, Paris.

Ilya Ehrenbourg,
Ottepel' [Le Dégel], Moscou, Sovetskij Pisatel', 1956. Collection particulière, Paris.

Den' Poezii [Journée de la poésie], almanach, Moscou, Moskovskij Rabocij, 1956. Collection particulière, Paris.

Tarousski Stranitsi [Pages de Taroussa], recueil littéraire, Kalouga, éd. de Kalouga, 1961. Collection particulière, Paris.

Alexandre Soljenitsyne,
Une Journée d'Ivan Denissovitch, Novyj Mir, n° 11, Moscou, 1962. Collection particulière, Paris.

Pis'mo [Lettre ouverte] au 4ᵉ Congrès des écrivains soviétiques. Collection particulière, Paris.

Le Premier Cercle (commencé en 1955, 1ʳᵉ version en 96 chapitres, puis version abrégée, puis 7ᵉ version — définitive — en 96 chapitres l'été 1968). Collection Jacqueline de Proyart, Paris.

L'Archipel du Goulag, Francfort, Possev, début des années 1970, tome I. Collection Jacqueline de Proyart, Paris.

Josef Brodsky,
« Narod » [Le Peuple], poème, tapuscrit dédié à El Etr, deux feuillets, début des années 1960. Collection Fouad El Etr, Paris.

Élégies romaines, années 1970 (exil), deux feuillets. Collection Véronique Schiltz, Paris.

Stihotvorenija i Poemy [Vers et Poèmes], New York, Inter-Language Literary Associates, 1965. Collection Véronique Schiltz, Paris.

Ostonovka v Pustyne [L'Arrêt dans le désert], New York, Tchekhov, 1970. Collection Véronique Schiltz, Paris.

Andreï Siniavski,
Mysli vrasploh [Pensées impromptues], New York, Rausen, 1966. Collection Jacqueline de Proyart, Paris.

Siniavski et Daniel,
Na skam'e podsudimyh [Sur le banc des accusés], New York, Rausen, Inter-Language Literary Associates, 1966 (transcription du procès). Collection Jacqueline de Proyart, Paris.

Métropole, almanach littéraire, 1979 aux États-Unis, trait d'union entre samizdat et tamizdat ; auteurs : Akhmadoulina, Alechkovski, Axionov, Batkine, Bitov, Erofeiev, Gorenstein, Iskander, Karabtchievski, Kojevnikov, Karblanovski, Lipkine, Lisnianskaïa, Popov, Rakitine, Rein, Rojovski, Sapgir, Trostnikov, Vakhtine, Voznessenski, Vyssotski et John Updike, invité d'honneur. (Initié par Bitov, avec Erofeiev, Iskander et Popov). Collection Jacqueline de Proyart, Paris.

Iz-pod glyb [Sous les décombres], 1974, recueil d'articles d'Agourskij, Barabanov, Borissov, Korsakov, Soljenitsyne, Chafarevitch, Paris, YMCA-Press. Collection Jacqueline de Proyart, Paris.

Muza Diaspory [La Muse de la Diaspora], Francfort, Possev, 1960. Collection Jacqueline de Proyart, Paris.

Kontinent, n° 1, 1974, dirigée en Allemagne par Vladimir Maximov. Collection Jacqueline de Proyart, Paris.

Dissidences en Tchécoslovaquie

Jiří Kolář,
Mor v Athénách [La Peste d'Athènes] (1961), Alfortville, éd. K, début des années 1980. Collection particulière, Paris.

Prométheova Játra [Le Foie de Prométhée], Toronto, Sixty-Eight publishers, 1985, couverture de J. Kolář. Collection particulière, Paris.

Vršovický Ezop, journal des années 1963-1965, Munich, PmD, 1986, illustrations de J. Kolář. Collection particulière, Paris.

Mode d'emploi, Alfortville, éd. K, 1988, « coll. Défectueuse ». Collection particulière, Paris.

Jan Štolba,
Čistá Vrána [Corbeau pur], Alfortville, éd. K, 1987. Collection particulière, Paris.

Charte 77, porte-parole : Jan Patočka, Vaclav Havel, Jiri Hajek, 257 signataires tchécoslovaques. Collection Jan Vladislav, Paris.

Václav Havel,
Pokoušení [Tentatives], pièce de théâtre, Prague, samizdat, fin des années 1970. Collection Vladimír Karfík, Prague.

Vážený pane doktore [Lettre ouverte à M. le Dr Husak, président de la République], Prague, samizdat. Collection Vladimír Karfík, Prague.

Ludvík Vaculík,
Český Snář [La Clef des Songes], Toronto, Sixty-Eight publishers, 1978. Collection Vladimír Karfík, Prague.

Eva Kmentová,
Kresby plastiky [Travaux sur papier], Prague, samizdat de la Section de Jazz, 1980. Collection particulière, Paris.

Fragment K, n° 4, 1988, collectif d'auteurs, Brno, samizdat, 1988. Collection Association Jan Hus, Paris.

Raymond Aron,
Esej o svobodách [Essai sur les libertés], traduction clandestine, Prague, samizdat, 1988. Collection Association Jan Hus, Paris.

Svazky pro Dialog, n° 3, *Filosofie a Krize* [Dialogue relié, n° 3, Philosophie et Crise], Ladislav Hejdánek, Prague, samizdat, 1980. Collection Association Jan Hus, Brno.

Svazky pro Dialog, n° 16, *Vztah mezi Filosofií a Theologií jako Filosofický Problém* [Dialogue relié, n° 16, Rapports entre philosophie et théologie en tant que problèmes philosophiques], Ladislav Hejdánek, Prague, samizdat, 1983. Collection Association Jan Hus, Brno.

Střední Evropa I [Europe centrale I], collectif d'auteurs, Prague, samizdat, 1984. Collection Association Jan Hus, Brno.

Jan Vladislav,
Somomluvy [Soliloques], Prague, samizdat, 1980. Collection Jan Vladislav, Paris.

Lachès, almanach, ouvrage collectif (poèmes, prose et photographies) accompagnant une exposition dissidente à Louny, en Bohême, Prague, samizdat, 1980. Collection Jan Vladislav, Paris.

Dominik Tatarka,
Písačky, Bratislava, samizdat, 1978. Collection Jan Vladislav, Paris.

Jakub Deml,
Tepna [L'Artère] (un tome de la 1ʳᵉ édition complète de ses œuvres), Prague, samizdat, 1978. Collection Jan Vladislav, Paris.

Jan Patocka,
Platon a Evropa [Platon et l'Europe], transcription autorisée d'une bande magnétique, Prague, samizdat, 1979. Collection Jan Vladislav, Paris.

Bohumil Hrabal,
Proluky [Terrains vagues], Prague, samizdat. Collection Vladimír Karfík, Prague.

Pavel Kohout,
Katyně [La Femme bourreau], Prague, samizdat. Collection Vladimír Karfík, Prague.

Literarní listy, n° du 1ᵉʳ août 1968, avec un éditorial de Milan Kundera. Collection Vladimír Karfík, Prague.

Literarní listy, n° spécial du 22 août 1968. Collection Vladimír Karfík, Prague.

L'Europe en miroir critique

Potlach, bulletin lettriste, n° 1, Paris, 1954. Documentation Mnam-Cci, Paris.

Asger Jorn,
« Discours aux pingouins », Bruxelles, *Cobra,* n° 1, 1949. Documentation Mnam-Cci, Paris.

Revue de l'Internationale Situationniste, dirigée par Guy Debord (1957-1969), nᵒˢ 1, 2, 7, 12. Documentation Mnam-Cci, Paris.

Mustafa Kayati,
De la misère en milieu étudiant, 1966, document original. Bibliothèque de Documentation internationale contemporaine (BDIC), Nanterre.

Guy Debord,
La Société du spectacle (1967), Paris, Buchet-Chastel, 1969. Collection particulière, Paris.

Raoul Vaneigem,
Traité du savoir-vivre à l'usage des jeunes générations (1967), Paris, Gallimard, 1969. Collection particulière, Paris.

Le Retour de la Colonne Durruti, comics, 1966. Bibliothèque de Documentation internationale contemporaine (BDIC), Nanterre.

Malaise et lucidité de l'écriture allemande après la guerre

Ernst Jünger,
Auf den Marmor-Klippen [Sur les falaises de marbre], Tubingen, Otto Reichl, 1949. Collection Georges Schlocker, Paris.

Eumeswill, Stuttgart, Klett-Cotta, 1977. Collection Georges Schlocker, Paris.

Uwe Johnson,
Jahrestage. Aus dem leben von Gesine Cresspahl [Une année dans la vie de Gesine Cresspahl], Francfort, Suhrkamp, 4 volumes : 1970, 1971, 1973, 1983. Collection particulière, Paris.

Anna Seghers,
Die Entscheidung [La Décision], Berlin, Aufbau, 1959. Literatur Archiv, Marbach.

Henrich Böll,
Wo warst du Adam ? [Où étais-tu Adam ?], Opladen, Verlag Friedrich Middelhauve, 1951. Collection particulière, Paris.

Haus ohne Hüter [Les Enfants des morts], Cologne, Berlin, Kiepenheuer und Witsch, 1954. Collection particulière, Paris.

Die verlorene Ehre der Katharina Blum [L'Honneur perdu de Katharina Blum], Cologne, Berlin, Kiepenheuer und Witsch, 1974. Collection particulière, Paris.

Paul Celan,
Mohn und Gedächtnis [Pavot et mémoire], Stuttgart, Deutsche, 1952. Collection particulière, Paris.

Die Niemandsrose [La Rose de personne], Francfort, Fischer, 1963. Literatur Archiv, Marbach.

Günter Grass,
Die Blechtrommel [Le Tambour], 1959. Collection particulière, Paris.

Hundejahre [Les Années de chien], 1963. Collection Georges Schlocker, Paris.

Aus dem Tagebuch einer Schnecke [Journal d'un escargot], Neuwied, Darmstadt, couverture : dessin de Grass. Literatur Archiv, Marbach.

Stefan Heym,
Fünf Tage im Juni [Une semaine en juin], München, Bertelsmann, 1974. Collection particulière, Paris.

Hans Magnus Enzensberger,
Verteidigung der Wölfe [Défense des loups], Francfort, Suhrkamp, 1957. Collection particulière, Paris.

Der Untergang der Titanic. Eine Komödie [Le Naufrage du Titanic. Une comédie], 1978. Collection particulière, Paris.

Ruptures aux États-Unis

Jack Kerouac,
On The Road [Sur la route], New York, Viking Press, 1957. Collection particulière, Paris.

Vanity of Duluoz (1968), Londres, Quartet, 1973. Collection Jean-Jacques Lebel, Paris.

William Burroughs, Brion Gysin, Sinclair Beiles, Gregory Corso,
Minutes to go, Paris, Revue Two Cities, 1960. Collection Jean-Jacques Lebel, Paris.

Allen Ginsberg,
Howl & other poems, San Francisco, City Lights Books, « The Pocket Poets Series », n° 4, octobre 1956. Introduction de William Carlos Williams, livre saisi puis remis en vente. Collection Jean-Jacques Lebel, Paris.

Allen Ginsberg, William Burroughs,
The Yage Letters, San Francisco, City Light Books, 1969. Collection Jean-Jacques Lebel, Paris.

William Burroughs,
Naked Lunch [Le Festin nu], Paris, Olympia Press, 1959. Collection Jean-Jacques Lebel, Paris.

Soft Machine [La Machine douce], Paris, Olympia Press, 1961, couverture : Bryon Gysin. Collection Jean-Jacques Lebel, Paris.

Junkie, New York, Ace Books, 1953. Collection Jean-Jacques Lebel, Paris.

Gregory Corso,
Gasoline, San Francisco, City Lights Books, 1958. Collection Jean-Jacques Lebel, Paris.

Carl Solomon,
More Mishaps, San Francisco, City Light Books, 1968. Collection Jean-Jacques Lebel, Paris.

The Beat Scene, dirigé par Elias Wilentz, New York, Corinth Books, 1960. Collection Jean-Clarence Lambert, Bougival.

Ted Joans,
Proposition pour un manifeste Black Power, Paris, Éric Losfeld, 1969. Collection Jean-Clarence Lambert.

Everett Leroi Jones,
Dutchman [Le Métro-fantôme], 1964. Collection particulière, Paris.

Slaveship, 1967. Collection particulière, Paris.

Dutchman and The Slave, édition originale, New York, William Morrow and Company, 1964. Collection particulière, Paris.

Living Theater,
Julian Beck et Judith Malina

The Connection, 1959. Collection particulière, Paris.

Paradise now, 1968 (Cefalu, janvier 1968, puis Avignon, juillet 1968, mais expulsé du Festival). Collection particulière, Paris.

Julian Beck,
Chants de la Révolution, nᵒˢ 1 à 35, New York, Interim Books, 1963. Collection particulière, Paris.

Poèmes dans *Fuck you, Living Theatre Poems,* 1965. Collection particulière, Paris.

« Révolution et contre-révolution », première fois édité dans *International Times.* Collection particulière, Paris.

Émergence littéraire de l'identité latino-américaine

Miguel Angel Asturias,
El problema social del Indio [Le Problème social de l'Indien], thèse de sociologie, Guatemala, 1923. Collection Claude Couffon, Paris.

Rayito de Estrella [Rayon d'étoile], Paris, Imprimerie française de l'édition, 1929. Collection Claude Couffon, Paris.

El Señor Presidente [Monsieur le Président] (1932), Buenos Aires, Losada, 1952. Collection Claude Couffon, Paris.

Emulo Lipolidar, s. l., America, 1935. Collection Claude Couffon, Paris.

Week-end en Guatemala [Week-end au Guatemala], Buenos Aires, Goyanarte, 1956. Collection Claude Couffon, Paris.

Avec le mors dans les dents, poème-dépliant en faveur de la France libre, 1942. Collection Claude Couffon, Paris.

Maladron [Le larron qui ne croyait pas au ciel], manuscrit rehaussé de la première page du roman. Collection Claude Couffon, Paris.

Pablo Neruda,

Canto General [Chant général] (1950), Buenos Aires, Losada, 1968. Collection Claude Couffon, Paris.

Influence de la France et de l'Espagne sur la littérature hispano-américaine, Paris, Institut des études latino-américaines, 1938. Collection Claude Couffon, Paris.

Homenaje a Pablo Neruda [Hommage à Pablo Neruda], Madrid, Plutarco, 1935. Collection Claude Couffon, Paris.

Pablo Neruda,

Residencia en la Terra [Résidence sur terre] (1944), Buenos Aires, Losada, 1951. Collection Claude Couffon, Paris.

Tercera Residencia [Troisième résidence] (1947), Buenos Aires, Losada, 1951. Collection Claude Couffon, Paris.

Pedro Mir,

Poemas de buon amor [Poèmes du bon amour], Saint-Domingue, Nuevo Mundo, 1969. Collection Claude Couffon, Paris.

Amen de mariposas [Amen des papillons], Saint-Domingue, Nuevo Mundo, 1969. Collection Claude Couffon, Paris.

Ernesto Cardenal,

Cántico cósmico [Cantique cosmique], Managua, Nueva Nicaragua, 1989. Collection Claude Couffon, Paris.

Gabriel Garcia Marquez,

Cien años de soledad [Cent Ans de solitude], Buenos Aires, Sudamericana, 1967. Collection Claude Couffon, Paris.

Mario Vargas Llosa,

La ciudad y los perros [La Ville et les chiens], Barcelone, Seix Barral, 1962. Collection Claude Couffon, Paris.

Afrique du Sud en lutte

A. C. Jordan,

Ingqumbo Yeminyanya, Le Cap, Lovedale Press, 1940. Collection particulière, Paris.

Peter Abrahams,

Tell Freedom, New York, Alfred Knop, 1956. Collection particulière, Paris.

Ezekiel Mphahlele,

Down Second Avenue, Londres, Faber and Faber, 1959. Collection particulière, Paris.

Can Themba,

The Will to Die, Le Cap, David Philip. Collection particulière, Paris.

Alex La Guma,

A Walk in the Night, Londres, Heinemann, 1962. Collection particulière, Paris.

The Classic, volume II, n° 1, 1966, avec 4 pages censurées, s. l. n. d. Collection particulière, Paris.

Staffrider, volume V, n° 1, 1982. Collection particulière, Paris.

Oswald Joseph Mtshali,

Sounds of a cowhide Drum, Renoster Books, Johannesburg, 1971, couverture en bois gravé de Wopko Jensma. Collection particulière, Paris.

Mongane Wally Serote,

Yakhal'Inkomo, Johannesburg, Ad Donker, 1972. Couverture illustrée par Thamsanqa Mnyele. Collection particulière, Paris.

Athol Fugard,

Master Harold...and the boys, Oxford University Press. Collection particulière, Paris.

Mazisi Kunene,

Emperor Shaka the great, Londres, Heinemann, 1979. Collection particulière, Paris.

André Brink,

An Instant in the Wind, Londres, Allen, 1976. Collection particulière, Paris.

Breyton Breytenbach,

The True Confessions of an Albino Terrorist [Confessions véridiques d'un terroriste albinos], Emmarentia, Taurus, 1983, couverture : Breytenbach. Collection particulière, Paris.

Nadine Gordimer,

Burger's Daughter [Fille de Burger], Jonathan Cape, 1979, Penguin, 1980. Collection particulière, Paris.

Hugh Lewin,

Bandiet, Seven years in a South African Prison, Londres, Barrie & Jenkins, 1974. Collection particulière, Paris.

Jeremy Cronin,

Inside, Johannesburg, Ravan Press, 1983. Collection particulière, Paris.

J. M. Coetzee,

Waiting for the Barbarians [En attendant les barbares], Johannesburg, Ravan Press, 1981. Collection particulière, Paris.

Njabulo S. Ndebele,

Fools and other stories, Londres, Longman, 1985. Collection particulière, Paris.

Antjie Krog,

Jerusalem-Gangers, Johannesburg, Human & Rousseau, 1985. Collection particulière, Paris.

Collectif, *Pour Nelson Mandela*, Paris, Gallimard, 1986. Collection particulière, Paris.

Des mondes en dialogue

Alfonso Reyes,

Vision de l'Anahuac, Paris, NRF, 1927. Collection Claude Couffon, Paris.

Alejo Carpentier,

La Consagracion de la primavera [La Danse sacrale], 1979. Collection Claude Couffon, Paris.

Octavio Paz,

El Laberinto de la soledad [Labyrinthe de la solitude], Mexico, Cuadernos Americanos, 1950. Collection Jean-Clarence Lambert, Bougival.

El Arco y la lira [L'Arc et la Lyre], Mexico, Buenos Aires, Fondo de Cultura Economica, 1956. Collection Jean-Clarence Lambert, Bougival.

Viento entero [Plain Vent], Delhi, The Caxton Press, 1965. Collection Jean-Clarence Lambert, Bougival.

Blanco [Blanc], Mexico, Joaquín Mortiz, 1967. Collection Jean-Clarence Lambert, Bougival.

Le Singe-grammairien, Paris, Skira, 1974. Collection Serge Saunière, Paris.

Amos Tutuola,

The Palm-Wine Drinkard, Londres, Faber and Faber, 1952. Collection Abdourahman Waberi, Caen.

Ahmadou Kourouma,

Les Soleils des indépendances, Paris, Le Seuil, 1970. Collection particulière, Paris.

Monnè, outrages et défis, Paris, Le Seuil, 1990. Collection particulière, Paris.

Nurrudin Farah,

Sweet and sour Milk [Du lait aigre-doux] (1979), Saint-Paul, Minnesota, Graywolf Press, 1992, édition complétée. Collection Abdourahman Waberi, Caen.

Close Sesame (1983), Saint-Paul, Minnesota, Graywolf Press, édition complétée, 1992. Collection Astier, Paris.

Sardines (1981), Saint-Paul, Minnesota, Graywolf Press, 1992, édition complétée. Collection Astier, Paris.

Tierno Monénombo,

Les Crapauds-brousse, Paris, Le Seuil, 1979. Collection particulière, Paris.

Les Écailles du ciel, Paris, Le Seuil, 1986. Collection particulière, Paris.

Pelourinho, Paris, Le Seuil, 1995. Collection Abdourhaman Waberi, Caen.

Édouard Glissant,

Les Indes, Paris, Falaize, 1956. Collection Jean-Clarence Lambert, Bougival.

Poétique de la relation, 1990. Collection particulière, Paris.

Tout-Monde, 1995. Collection particulière, Paris.

Le Serpent à plumes, n° 21, automne 1993, Paris, n° spécial écrivains contemporains de l'Océan Indien, de l'Indonésie à l'Afrique du Sud. Collection particulière, Paris.

José Lezama Lima,

Enemigo Rumor, La Havane, Espuela de Plata, 1941. Collection Claude Couffon, Paris.

Paradiso [Paradis], La Havane, Union, 1966. Collection Claude Couffon, Paris.

Han Shaogong,

Maqiao cidian [Dictionnaire de Ma Qiao], *Xiaoshuo jie* [Monde romanesque], n° 2, 1996, Shangaï. Collection Annie Curien, Paris.

Abdourahman Waberi,

Le Pays sans ombre, nouvelles, Paris, Serpent à plumes, 1994. Collection particulière, Paris.

Quatre feuillets manuscrits de *Le Pays sans ombre*. Collection Abdourahman Waberi, Caen.

Index

Crédits photographiques

Jacques Faujour, Béatrice Hatala, Konstantin Ignatiadis, Philippe Migeat, Jean-Claude Planchet, Adam Rzepka, Musée national d'art moderne-Centre de création industrielle, Centre Georges Pompidou, Paris : 50, 67, 68 g., 69, 70, 71 g., 90 h., 106, 130, 132, 134 g., dr., 135 g., 140, 157 h., b., 172, 173, 176, 233, 248, 249 c., b., 313, 323 h., 359, 367, 375, 393, 403, 412, 417, 431, 451, 526, 537, 560 dr., 561, 566, 574

Jack Abraham, 462
Accent studios, 178
A. G. Ville de Nantes, musée des Beaux-Arts, 402
Albright-Knox Art Gallery, Buffalo, 315
Courtesy Alesco A. G. , 445
Aurelio Amendola, Pistoia, 573 h.
Archives Denyse Durand-Ruel, Rueil-Malmaison, 90, 241 c. b., 292 d., 408
Archives Guttuso, Rome, 108
Archivo fotografico Museo Nacional Centro de Arte Reina Sofía, 183 b., 197 g.
Associated Press, 55
Lutz Beltram, Kunstverein Braunschweig, 436
Courtesy J. Bénador, Genève, 186 b.
Jean-Pierre Bénézit, 186 h.
Berlinische Galerie Landesmuseum für Moderne Kunst Photographie und Architektur, 193 dr.
Will Brown, 426
Ery Camara, 507 h., b., 508
Catala-Roca, Barcelone, 273
City Art Gallery, Leeds, 538
Collection Costakis, 113
Collection of the Tel Aviv Museum of Art, 178 b., 184
Christian Crampont, Paris, 360
Didier Imbert Fine Art, 181 h.
Douglas M. Parker Studio, 442
Eeva-Inkeri/Courtesy Ronald Feldman fine Arts, New York, 455 h., b.
Esbjaerg Kunstmuseum, Esbjaerg, 304
Estate Marcel Broodhaers, 421
Courtesy Fabre, 419
Lucien Fleury, 366 g., dr.
Fotostudio Bartsch, Berlin, 92
Courtesy Frith Street Gallery, Londres, 571
Michel Frizot, 53 g., 56, 57
Fundació Antoni Tàpies, Barcelone, 376 dr. h., b.
Fundació Joan Miró, Barcelone, 318, 319
Courtesy Galerie Arlogos, Nantes, 581
Galerie Maeght, Paris, 196, 376 g.
Courtesy Galerie Michael Werner, 460
Galerie Pels-Leusden, 173 dr.
Galleria Nazionale d'Arte Moderna, Rome, 108
Claude Gaspari, 310
M. Goelen, 239
Ulrich Görlich, 578
Graphische Sammlung, Staatsgalerie, Stuttgart, 91 b.,
G.R.U.P.P.E.N. Color, 253, 255
Javier Hinojosa, 188
Georges Holmes, Archer M. Huntington Art Gallery, The University of Texas at Huang Yong Ping, 550, 579
Jacqueline Hyde, 97, 291, 439
INBA Museo de Arte Alvar y Carmen T. de Darrillo Gil, 188 b., 129 h., b., 301
Irwin, 559
Jane Voorhees Zimmerli Art Museum, Rutgers, The State University of New Jersey, Austin, Archer M. Huntington Museum Fund, 1992, 569 g., dr.
Jay Gorney Modern Art, New York, 516, 525 b., 569 g.
Courtesy John Weber Gallery, New York, 518 g., 536 c., dr.
Kim Jones, 519
Thomas Kaarsten, courtesy Museum Villa Stuck, Munich, 177 h.
Mauricio Kaplan, 521 c. dr.
Käthe-Köllwitz-Museum, Berlin, 161
Courtesy Sean Kelly, New York, 397 g. h., b.
Keystone, 52
Kröller-Müller Museum, Otterlo, 191
Kunsthalle Nürnberg, 397 dr.
Kunstsammlung Nordrhein-Westfalen, Düsseldorf, 177 b.
Peter Lauri, Berne, 101, 102 g., dr., c., 103 h.
Y. Lehmann, 539
J. Le Madec, 290
J. Littkemann, Courtesy Galerie Neuendorf, 316 et 317
Ludwig Forum für internationale Kunst, Aix-la-Chapelle, 389, 434
Courtesy Mamco, Genève, 463
Martin Marencin, 404 g.
Marlborough Fine Art (London) Ltd, 427
Courtesy Mary-Anne Martin Fine Art, New York, 129 b. dr.
Roberto Marossi, Milan, 567 g.
Roman März, 95 dr., 96 dr.
Susan Meiselas/Magnum, 580
Meurisse, 51, 53 dr.
André Morain, 363, 383 b.
Musée de l'Armée, Paris, 71 dr.
Musée d'Art contemporain, Tokyo, 282, 283
Musée des Beaux-Arts, Charleroi, 300
Musée Cantini, Marseille, 308
Musée départemental d'Art ancien et contemporain, Épinal, 383 h.
Musée d'Histoire contemporaine-BDIC, Paris, 366 b.
Musée de Grenoble, 438
Musée Picasso, Paris, 144 h.
Museo di Arte Moderna e Contemporanea di Trento e Rovereto, 167 c.
Museum des bildenden Künste Leipzig, Gerstenberger 1966, 250
Museum Boijmans-Van Beuningen, Rotterdam, 183 h., 303
Museum Sztuki, Lodz, 155 h.,
P. Mussat, 573 b.
National Galleries of Scotland, Édimbourg, 185
National Gallery of Art, Washington, 314
New Orleans Museum of Art, 181 b.
Michel Nguyen, 362 dr.
Kevin Noble/Courtesy The Isamu Noguchi Foundation, Inc, 200
Bernhard Ortner, Cologne, 193 g.
Edward Owen, 124
Ottica Padovan, 107 dr.
Oto Palar/Galerie Nationale, Prague, 171 c.
Dr Parisini, 448
Thomas Pedersen og Poul Pedersen, 305
P. Pellion, 405
Gilles Peress/Magnum, 526
Hans Petersen, Statens Museum for Kunst, Copenhague, 190
Philadelphia Museum of Art, photo Graydon Wood, 139 g.
Ernest Pignon-Ernest, 362 g.
Huang Yong Ping, 550
Presso Archivio Mart, Trento, 167 g., 167 d.,
Vlamidir Radojicic, 560 g.
Raimon Ramis, Courtesy Fundació Antoni Tàpies, 517
Réunion des Musées Nationaux, Paris, 68 b.,73, 145 c. dr., 145 b., 197 dr., 245 b.; Gérard Blot, 299
Rheinisches Bildarchiv, Cologne, 382, 409
Sophie Ristelhueber, 524, 525 h.
Alexandre Rodchanko, 95 g.
Francisco Rojas, 320 b.
Courtesy Ronald Feldman Fine Arts, New York, 458, 459
Sammlung Friedrichshof, 428 b. g., d.
Paolo Mussat Sartor, Turin, 384, 404 dr.
Scottish National Gallery of Modern Art, Édimbourg, 298
Courtesy Katarina Sieverding, 464
Staatgalerie Stuttgart, 312
Staatliche Kunsthalle, Karlsruhe, 170
Städtische Galerie im Lenbachhaus, Munich, 545, 546
Lee Stalsworth/Hirshhorn Museum & Sculpture Garden, Smithsonian Institution Holenia Purchase fund, 571
Stedelijk Museum, Schiedam, 254 dr.
Stedelijk Van Abbe Museum, Eindhoven, 252, 302, 461
Stiftung Haus der Geschichte der Bundesrepublik Deutschland, 287
Mladen Stilinovic, 558
Strenger, Osnabrück/Christian Grovumann, 92 b.
Tate Gallery, Londres, 171 h., b.
Tate Gallery Publications, 265, 266 dr., g. c., 267 dr., 446, 447 h., b.
The Art Institute of Chicago 1966, 179
Courtesy The British Council, Londres, 162 g., 195 g.
The Israel Museum/David Harris, Jérusalem, 103 b.
The Mackenzie Art Gallery, Regina, Sasskatchewan, 535
The Metropolitan Museum of Art, New York, 126
The Museum of Contemporary Art, Los Angeles, The Panza Collection, 241 h. dr., 295 h., 321
The Museum of Modern Art, New York, 159 b., 174, 180, 198, 245 h., 361, 368, 430, 450 h.
The Norton and Nancy Dodge Collection of Nonconformist Art from the Soviet Union, 392
Courtesy The Sonnabend Collection, New York, 444
Thomas Ammann Fine Art, Zürich, 357
Toyota Municipal Museum of Art, 381
Trio, Sarajevo, 561 g.
VAGA, New York, 272
Vancouver Art Gallery, 353
Dina Vierny, Musée Maillol, 391
Rafael Vostell Fine Art, 428 h.
Valerie Walker, 240 c.
Bruce M. White, New York, 453
Whitney Museum of American Art, New York, 441
Yad-Vashem, Art Museum, Jeruzalem, 122, 155 h., c.
Werner Zellien, Berlin, 413 g.
Courtesy Zeno X Gallery, photo Felix Tirry, 575 h., b.
Zidovske Muzeum Praha, Prague, 156 h., 156 b.
Jens Ziehe, Berlin, 388, 429 (courtesy Silvia Menzel)
Fabio Zonta, 168

Achevé d'imprimer
sur les presses
de l'imprimerie Mame à Tours
le 12 décembre 1996

Photogravure couleur :
ARTO, Gennevilliers